AF496736

LE OPERE DI GIORGIO VASARI

LE VITE

Tip. e Lit. Carnesecchi — Firenze, Piazza d'Arno

LE VITE

DE' PIÙ ECCELLENTI

PITTORI SCULTORI ED ARCHITETTORI

SCRITTE

DA

GIORGIO VASARI

PITTORE ARETINO

CON NUOVE ANNOTAZIONI E COMMENTI

DI

GAETANO MILANESI

TOMO I

IN FIRENZE

G. C. SANSONI, EDITORE

MDCCCLXXVIII

PREFAZIONE

La Storia di quel che furono le Belle Arti in Italia pel corso di tre secoli, dopochè, dalla grande e diuturna abiezione, in cui erano cadute, risorsero a vita novella, massimamente per virtù de' toscani ingegni, e continuando nel loro cammino pervennero al più alto grado di perfezione; si può dire che sia quasi tutta raccolta nel bellissimo libro delle Vite de' più eccellenti artefici di Giorgio Vasari, nel quale essa ha il miglior fondamento, ed in gran parte il più credibile suo testimonio. Onde la Toscana, alla gloria che il tempo non potrà giammai cancellare, nè la invidia toglierle o menomare, di essere stata cagione e strumento principalissimo di quel felice risorgere; può ancora aggiungere l'altra di aver avuto nel Vasari « il primo pittore delle memorie antiche » delle nostre arti: imperciocchè nessuno innanzi di lui aveva pigliato a trattare con l'apparato, l'ordine, l'ampiezza e le forme della storia, questo nobilissimo argomento. E sebbene, posto ch'egli ebbe mano all' opera, gli mancassero gli ajuti promessi da que' letterati che primi lo avevano confortato a somigliante impresa; la quale a lui uomo di poche lettere, ed uso a maneggiare i pennelli e il compasso, più che la penna, era cosa nuova e per molti rispetti assai malagevole; nondimeno dopo pochi anni la condusse al desiderato fine, con immortale sua lode e con grande utilità di questi studj.

Ma il Vasari, scrittore bellissimo, raccontatore piacevole, mirabile nelle descrizioni, e solenne maestro di tutto ciò che appartiene alla pratica ed al linguaggio delle arti, non va esente da molti e notabili difetti, i quali in parte derivarono in lui dall'essere sfornito delle principali qualità che a ben trattare cosiffatta materia si richiedevano, ed in parte dalla scarsità degli scrittori e delle memorie che aveva alla mano onde non e maraviglia, se egli, trattando de' primi tempi delle arti risorte, riesce magro, disordinato ed incerto, così nel racconto de' fatti, come nell' ordine loro.

Nondimeno noi non dobbiamo essergli così severi giudici di questi difetti, come saremmo di altri scrittori che avessero avuto più ajuti di lui Solo a' nostri giorni, essendosi cominciato ad applicare alla storia dell'arte i buoni canoni della critica, si è potuto colla scorta delle antiche scritture e con lo studio più accurato de' monumenti correggere molti suoi errori e togliere via tanti dubbj ed inesattezze E vuole giustizia che noi riconosciamo aver egli usato ogni maggiore industria nel raccogliere quanto la tradizione aveva conservato intorno alla storia de' primi secoli dell'arte, e nel riferire molti aneddoti e particolari, che se non era egli, non sarebbero fino a noi pervenuti Oltracciò egli procurò, visitando per due volte le principali città d'Italia, di avere dagli uomini eruditi di ciascun paese notizie ed informazioni che accrescessero e migliorassero quello che nella prima edizione delle Vite, fatta in Firenze nel 1550, aveva detto Onde non ostante i suoi difetti, rimediati in gran parte dalle erudite ed amorose fatiche di coloro che presero ad illustrarla, l'opera del Vasari sarà sempre tenuta in grandissimo pregio non tanto per il molto buono che ha in sè, quanto per la elegante ed appropriata forma, di che seppela rivestire.

Le Vite, dopo la seconda edizione più corretta ed ampliata fatta dal Vasari nel 1568, non ebbero nel seguente secolo che una sola e materiale ristampa di Bologna nel 1648. Il primo che si mettesse alla gran fatica di correggerle fu monsignor Giovanni Bottari. il quale nel 1759 ne diede in Roma una splendida edizione di tre volumi in-4, corredata di erudite ed utili annotazioni, di cui si sono giovati poi tutti gli altri editori di quell' opera

Nel 1845 ne fu incominciata una nuova in Firenze pei torchi di Felice Le Monnier e dopo undici anni condotta a fine da una Società di Amatori delle Belle Arti, formata dell'illustre Padre Vincenzo Marchese de' Predicatori, di Carlo mio fratello, di Carlo Pini e di me. Ma dopochè fu pubblicato il quinto volume, essa si ridusse a tre; essendole venuta a mancare l'utile e pregiata cooperazione del detto Padre Marchese, primo e solertissimo promotore della nostra impresa.

E mi sia permesso con questa occasione di ricordare ancora che la nostra Società dovette patire, or sono dieci anni, una perdita dolorosa ed irrimediabile. Carlo Milanesi, che era stato uno de' nostri più utili ed operosi compagni, fino dal 10 d'agosto 1867 non è più. Una crudele malattia d'intestini, dopo averlo travagliato per tre anni, fattasi ribelle ad ogni cura, lo rapiva in Siena sua patria, quand'era ancora nel vigore degli anni e in tutta la forza dell'ingegno; togliendoci così, e per sempre, il conforto e l'ajuto d'un fratello e di un amico carissimo.

Nella quale impresa noi procedemmo con modi ed intendimenti forse allora nuovi in Italia; i quali erano di accettare qualunque discussione sopra i punti tuttavia oscuri e controversi della storia dell'arte, e di risolverli con piena libertà di giudizio, senza curarsi dell'altrui autorità, se alle testimonianze storiche od alle ragioni critiche contradicesse. Perciò la Società mossa dal solo amore del vero, e non passando giammai i termini della moderazione e della buona creanza, combattè le vecchie e le nuove opinioni, le false congetture, le incerte o corrotte tradizioni, colla guida della cronologia, coll'esame diligente dell'opere e delle maniere, e colla giusta interpetrazione de' documenti e delle testimonianze antiche: parendo ben tempo, che la storia e l'erudizione artistica dovesse usare di que' medesimi strumenti che pel passato erano stati di così grande ajuto ed utilità alle altre discipline.

Vero è che coll'accrescersi delle cognizioni fatte più certe e più sicure, perchè cavate dai documenti ricercati con assiduo studio e diligenza, la fede che un tempo era riposta nel Vasari è andata ogni giorno più scemandosi; ed oggi siamo giunti a tale, che il seguitare la sua sola autorità, massime dove discorre de' primi due secoli dell'arte risorta, sarebbe cagione d'infiniti errori.

Nello spazio di ventidue anni, che tanti ne son corsi dal 1856, in cui fu compiuta l'edizione Vasariana del Le Monnier, fino ad oggi, le numerose scritture, le più molto importanti, pubblicate tra noi e fuori hanno accresciuto di tanto il patrimonio e le cognizioni intorno alla storia generale e particolare dell'Arte in Italia, che ormai da molti è stato conosciuto, la detta edizione, per non rispondere più in tutto allo stato presente di quelle cognizioni, aver bisogno grande d'esser rifatta.

Coll'intendimento adunque di soddisfare al desiderio più volte espresso da molti ed ancora di giovare agli studiosi della storia, si è accinto l'editore alla presente nuova edizione delle Vite, la quale sarà fatta nei tipi e nella forma in modo degno e più corrispondente alla importanza dell'Opera, ed insieme arricchita di molte nuove illustrazioni, di alcuni Commentarj e d'altro, dandone principalmente la cura a me, che avevo in pronto una abbondante mèsse di notizie raccolte nelle mie ricerche da molti anni non mai intermesse negli Archivj e nelle Biblioteche fiorentine, con animo di servirmene in una sperata ristampa delle Vite. Alle quali nella presente edizione seguiranno gli altri scritti del Vasari, cioè i *Ragionamenti* e l'*Epistolario*, accresciuto di parecchie lettere inedite; tanto che si avranno riunite in un sol corpo tutte le opere del Biografo aretino il che non era stato fatto fino ad ora se non imperfettamente. La nuova edizione sarà condotta colle medesime norme che governarono l'ultima fiorentina, conservando gran parte delle illustrazioni, commentarj ecc. che in quella si trovano. E qui mi pare di dover dichiarare che sebbene il mio amico cav. Carlo Pini, impedito dalle molte e varie occupazioni, non abbia potuto prestare tutta l'opera sua in questa nuova edizione, come aveva fatto nella precedente, mi ha nondimeno grandemente giovato ogni qual volta ho dovuto ricorrere alla molta sua intelligenza artistica e alla singolare perizia nel conoscere le maniere degli antichi maestri.

Nel Febbrajo del 1878.

G. MILANESI.

ALL'ILL.^MO ED ECC.^MO SIGNORE

IL SIGNOR COSIMO DE' MEDICI

DUCA DI FIORENZA

SIGNOR MIO OSSERVANDISSIMO

Poichè la Eccellenza Vostra, seguendo in ciò l'orme degli illustrissimi suoi progenitori, e dalla naturale magnanimità sua incitata e spinta, non cessa di favorire e d'esaltare ogni sorte di virtù, dovunque ella si trovi, ed ha specialmente protezion dell'arti del disegno, inclinazione agli artefici d'esse, cognizione e diletto delle belle e rare opere loro; penso, che non le sarà se non grata questa fatica presa da me di scrivere le vite, i lavori, le maniere e le condizioni di tutti quelli, che essendo già spente, l'hanno primieramente risuscitate, di poi di tempo in tempo accresciute, ornate e condotte finalmente a quel grado di bellezza e di maestà, dove elle si trovano ai giorni d'oggi. E perciocchè questi tali sono stati quasi tutti Toscani, e la più parte suoi Fiorentini, e molti d'essi degli

[1] Questa lettera in forma di dedicatoria precede alla prima edizione delle *Vite*, fatta nel 1550 e intitolata

AL SANTISSIMO E BEATISSIMO
GIULIO III PONTEFICE MASSIMO
PROTETTORE E RIMUNERATORE
DI QUESTE ECCELLENTISSIME ARTI
LE QUALI UMILISSIMAMENTE
A SUA BEATITUDINE
DEDICA E RACCOMANDA
GIORGIO VASARI PITTORE ARETINO *illustrissimi antichi suoi con ogni sorte di premj e di onori incitati ed aiutati a mettere in opera; si può dire che nel suo stato, anzi nella sua felicissima casa siano rinate, e per benefizio de' suoi medesimi abbia il mondo queste bellissime arti ricuperate, e che per esse nobilitato e rimbellito si sia. Onde, per l'obbligo che questo secolo, queste arti e questa sorta d'artefici, debbono communemente agli suoi ed a Lei, come erede della virtù loro e del loro patrocinio verso queste professioni; e per quello che le debbo io particolarmente per aver imparato da loro, per esserle suddito, per esserle devoto, perchè mi sono allevato sotto Ippolito cardinale de' Medici e sotto Alessandro suo antecessore, e perchè sono infinitamente tenuto alle felici ossa del Magnifico Ottaviano de' Medici, dal quale io fui sostentato, amato e difeso mentre ch' e' visse; per tutte queste cose, dico, perchè dalla grandezza del valore della fortuna sua verrà molto di favore a quest'opera, e dall'intelligenza ch'ella tiene del suo soggetto, meglio che da nessuno altro sarà considerata l'utilità di essa, e la fatica e la diligenza fatta da me per condurla, mi è parso che all'Eccellenza Vostra solamente si convenga di dedicarla, e sotto l'onoratissimo nome suo ho voluto che ella pervenga alle mani degli uomini. Degnisi adunque l'Eccellenza Vostra d'accettarla, di favorirla, e (se dall'altezza dei suoi pensieri le sarà concesso) talvolta di leggerla, riguardando alla qualità delle cose che vi si trattano, ed alla pura mia intenzione; la quale è stata di non procacciarmi lode come scrittore, ma, come artefice, di lodar l'industria e avvivar la memoria di quegli, che, avendo dato vita ed ornamento a queste professioni, non meritano che i nomi e l'opere loro siano in tutto, così come erano, in preda della morte o della oblivione. Oltra che, in un tempo medesimo, con l'esempio di tanti valenti uomini, e con tante notizie di tante cose che da me sono state raccolte in questo libro, ho pensato di giovar non poco a' professori di questi esercizj, e dilettare tutti gli altri che ne hanno gusto e vaghezza. Il che mi sono ingegnato di fare con quella accuratezza e con quella fede che si ricerca alla verità della storia e delle cose che si scrivono. Ma se la scrittura, per essere incolta e così naturale come io favello, non è degna dello orecchio di Vostra Eccellenza nè de' meriti di tanti chiarissimi ingegni, scusimi, quanto a loro, che la penna d'un disegnatore, come furono essi ancora, non ha più forza di linearli e d'ombreggiarli. E quanto a Lei, mi basti che Ella si degni di gradire la mia semplice fatica, considerando che la necessità di procacciarmi i bisogni della vita non mi ha concesso che io mi eserciti con altro mai che col pennello. Nè anche con questo son giunto a quel termine, al quale io m'imagino di potere aggiugnere ora, che la fortuna mi promette pur tanto di favore, che, con più comodità e con più lode mia e più satisfazione altrui, potrò forse, così col pennello come anco con la penna, spiegare al mondo i concetti miei, qualunque si siano. Perciocchè oltra lo aiuto e la protezione che io debbo sperar dalla Eccellenza Vostra, come da mio signore e come fautore de' poveri virtuosi, è piaciuto alla divina bontà d'eleggere per suo vicario in terra il santissimo e beatissimo Giulio III, pontefice massimo, amatore e riconoscitore d'ogni sorte virtù, e di queste eccellentissime e difficilissime arti specialmente; dalla cui somma liberalità attendo ristoro di molti anni consumati e di molte fatiche sparte fino a ora senza alcun frutto. E non pur io, che mi son dedicato per servo perpetuo alla Santità Sua, ma tutti gl'ingegnosi artefici di questa età, non debbono aspettare onore e premio tale, ed occasione d'esercitarsi: talmente che io già mi rallegro di vedere queste arti arrivate nel suo tempo al supremo grado della lor perfezione, e Roma ornata di tanti e sì nobili artefici, che annoverandoli con quelli di Fiorenza, che tutto giorno fa mettere in opera l'Eccellenza Vostra, spero che chi verrà dopo noi avrà da scrivere la quarta età del mio volume, dotato d'altri maestri e d'altri magisteri, che non sono descritti da me, nella compagnia de' quali io mi vo preparando con ogni studio di non esser degli ultimi.*

Intanto mi contento che ella abbia buona speranza di me, e migliore opinione di quella che senza alcuna mia colpa n'ha forse conceputa; desiderando che Ella mi lasci opprimere nel suo concetto dall'altrui maligne relazioni, sino a tanto che la vita e le opere mie mostreranno il contrario di quello che e' dicono. Ora, con quello animo che io tengo d'onorarla e di servirla sempre, dedicandole questa mia rozza fatica, come ogni altra mia cosa e me medesimo l'ho dedicato, la supplico che non si sdegni di averne la protezione, o di mirar almeno alla devozione di chi gliela porge; e alla sua buona grazia raccomandandomi, umilissimamente le bacio le mani.

Di Vostra Eccellenza

Umilissimo Servitore
GIORGIO VASARI, *pittore aretino.*

ALLO ILL.^{MO} ED ECC.^{MO}

SIGNOR COSIMO DE' MEDICI

DUCA DI FIORENZA E SIENA

SIGNOR SUO OSSERVANDISSIMO[1]

Ecco, dopo diciassette anni ch'io presentai quasi abbozzate a Vostra Eccellenza illustrissima le Vite de' più celebri pittori, scultori ed architetti, che elle vi tornano innanzi, non pure del tutto finite, ma tanto da quello che ell'erano immutate, ed in guisa più adorne e ricche d'infinite opere, delle quali insino allora io non aveva potuto avere altra cognizione, che per mio aiuto non si può in loro, quanto a me, alcuna cosa desiderare. Ecco, dico, che di nuovo si presentano, illustrissimo e veramente eccellentissimo sig. Duca, con l'aggiunta d'altri nobili e molti famosi artefici, che da quel tempo insino a oggi sono dalle miserie di questa passati a miglior vita; e d'altri che, ancorchè fra noi vivano, hanno in queste professioni sì fattamente operato, che degnissimi sono d'eterna memoria. E di vero, è a molti stato di non piccola ventura, che io sia, per la benignità di Colui, a cui vivono tutte le cose, tanto vivuto, che io abbia questo libro quasi tutto fatto di nuovo: perciocchè, come ne ho molte cose levate, che senza saputa ed in-

[1] Quest'altra dedicatoria è posta innanzi alla seconda impressione delle *Vite*, fatta nel 1568, con molte correzioni ed aggiunte

mia assenza vi erano, non so come, state poste, ed altre rimutate; così ve ne ho molte utili e necessarie, che mancavano, aggiunte. E se le effigie e ritratti che ho posti di tanti valenti uomini in questa opera (dei quali una gran parte si sono avuti con l'aiuto e per mezzo di Vostra Eccellenza), non sono alcuna volta ben simili al vero, e non tutti hanno quella proprietà e simiglianza che suol dare la vivezza de' colori; non è però che il disegno ed i lineamenti non sieno stati tolti dal vero, e non siano e proprj e naturali: senza che, essendomene una gran parte stati mandati dagli amici che ho in diversi luoghi, non sono tutti stati disegnati da buona mano. Non mi è anco stato in ciò di piccolo incomodo la lontananza di chi ha queste teste intagliate; però che, se fussino stati gli intagliatori appresso di me, si sarebbe per avventura intorno a ciò potuto molto più diligenza, che non si è fatto, usare. Ma comunque sia, abbiano i virtuosi e gli artefici nostri, a comodo e benefizio de' quali mi sono messo a tanta fatica, di quanto ci averanno di buono e d'utile e di giovevole, obbligo in tutto a Vostra Eccellenza illustrissima; poichè in stando io al servigio di Lei ho avuto, con l'ozio che le è piaciuto di darmi, e col maneggio di molte, anzi infinite sue cose, comodità di mettere insieme e dare al mondo tutto quello che al perfetto compimento di questa opera parea si richiedesse. E non sarebbe quasi impietà, non che ingratitudine, che io ad altri dedicassi queste Vite, o che gli artefici da altri che da voi riconoscessino qualunque cosa in esse avranno di giovamento o piacere; quando, non pure col vostro aiuto e favore uscirono da prima ed ora di nuovo in luce, ma siete voi, ad imitazione degli avoli vostri, solo padre, signore ed unico protettore di esse nostre arti? Onde è bene degna e ragionevole cosa, che da quelle sieno fatte in vostro servigio, ed a vostra eterna e perpetua memoria, tante pitture e statue nobilissime, e tanti maravigliosi edifizj di tutte le maniere. Ma se tutti vi siamo (chè siamo infinitamente) per queste e altre cagioni obbligatissimi; quanto più vi debbo io, che ho da voi sempre avuto (così al desio e buon volere avesse risposto l'ingegno e la mano!) tante onorate occasioni di mostrare il mio poco sapere, che, qualunque egli sia, a grandissimo pezzo non agguaglia nel suo grado la grandezza dell'animo vostro, e la veramente reale magnificenza? Ma che fo io? è pur meglio che così me ne stia, che io mi metta a tentare quello che a qualunque e più alto e nobile ingegno, non che al mio piccolissimo, sarebbe del tutto impossibile. Accetti dunque Vostra Eccellenza illustrissima questo mio, anzi pur suo, libro delle Vite degli artefici del disegno; ed, a somiglianza del grande Iddio, più all'animo mio ed alle buone intenzioni che all'opera riguardando, da me prenda ben volentieri, non quello che io vorrei e doverrei, ma quello ch'io posso.

Di Fiorenza, alli 9 di gennaio 1568

Di Vostra Eccellenza Illustrissima

Obbligatissimo Servitore
GIORGIO VASARI.

AGLI ARTEFICI DEL DISEGNO

GIORGIO VASARI[1]

Eccellenti e carissimi artefici miei. Egli è stata sempre tanta la delettazione, con l'utile e con l'onore insieme, che io ho cavato nell'esercitarmi così come ho saputo in questa nobilissima arte, che non solamente ho avuto un desiderio ardente d'esaltarla e celebrarla, e in tutti i modi a me possibili onorarla; ma ancora sono stato affezionatissimo a tutti quelli che di lei hanno preso il medesimo piacere, e l'han saputa, con maggior felicità che forse non ho potuto io, esercitare. E di questo mio buono animo, e pieno di sincerissima affezione, mi pare anche fino a qui averne colto frutti corrispondenti, essendo stato da tutti voi amato e onorato sempre, ed essendosi con incredibile non so s'io dico domestichezza o fratellanza conversato fra noi; avendo scambievolmente io a voi le cose mie, e voi a me mostrate le vostre, giovando l'uno all'altro, ove l'occasioni si sono porte, e di consiglio e d'aiuto. Onde, e per questa amorevolezza, e molto più per la eccellente virtù vostra, e non meno ancora per questa mia inclinazione, per natura e per elezione po-

[1] Proemio che nella edizione del 1568 è posto a riscontro della dedicatoria qui avanti riferita.

tentissima, m'è parso sempre essere obbligatissimo a giovarvi e servirvi in tutti quei modi ed in tutte quelle cose che io ho giudicato potervi arrecare o diletto o comodo. A questo fine mandai fuora, l'anno 1550, le Vite de' nostri migliori e più famosi, mossò da una occasione in altro luogo accennata; ed ancora (per dire il vero) da un generoso sdegno, che tanta virtù fusse stata per tanto tempo ed ancora restasse sepolta. Questa mia fatica non pare che sia stata punto ingrata; anzi in tanto accetta, che, oltre a quello che da molte parti me n'è venuto detto e scritto, di un grandissimo numero che allora se ne stampò, non se ne trova ai librai pure un volume. Onde, udendo io ogni giorno le richieste di molti amici, e conoscendo non meno i taciti desiderj di molti altri, mi sono di nuovo (ancor che nel mezzo d'importantissime imprese) rimesso alla medesima fatica, con disegno non solo d'aggiugnere questi che, essendo da quel tempo in qua passati a miglior vita, mi danno occasione di scrivere largamente la vita loro; ma di sopplire ancora quel che in quella prima opera fussi mancato di perfezione; avendo avuto spazio poi d'intendere molte cose meglio, e rivederne molte altre, non solo con il favore di questi illustrissimi miei signori (i quali servo) che sono il vero refugio e protezione di tutte le virtù, ma con la comodità ancora che m'hanno data di ricercar di nuovo tutta l'Italia, e vedere ed intendere molte cose che prima non m'erano venute a notizia. Onde non tanto ho potuto correggere, quanto accrescere ancora tante cose, che molte Vite si possono dire essere quasi rifatte di nuovo: come alcuna veramente delli antichi pure, che non ci era, si è di nuovo aggiunta. Nè m'è parso fatica, con spesa e disagio grande, per maggiormente rinfrescare la memoria di quelli che io tanto onoro, di ritrovare i ritratti, e mettergli innanzi alle Vite loro. E, per più contento di molti amici fuor dell'arte, ma all'arte affezionatissimi, ho ridotto in un compendio la maggior parte dell'opere di quelli che ancor son vivi, e degni d'esser sempre per le loro virtù nominati: perchè quel rispetto che altra volta mi ritenne, a chi ben pensa, non ci ha luogo; non mi si proponendo se non cose eccellenti e degne di lode: e potrà forse essere questo uno sprone, che ciascun seguiti d'operare eccellentemente, e di avanzarsi sempre di bene in meglio: di sorte che, chi scriverà il rimanente di questa istoria, potrà farlo con più grandezza e maestà, avendo occasione di contare quelle più rare e più perfette opere che di mano in mano, dal desiderio di eternità incominciate e dallo studio di sì divini ingegni finite, vedrà per innanzi il mondo uscire delle vostre mani. Ed i giovani che vengono dietro studiando, incitati dalla gloria (quando l'utile non avesse tanta forza), s'accenderanno per avventura dall'esempio a divenire eccellenti. E perchè questa opera venga del tutto perfetta, nè s'abbia a cercare fuora cosa alcuna, ci ho aggiunto gran parte delle opere de' più celebrati artefici antichi, così greci come d'altre nazioni, la memoria de' quali da Plinio e da altri scrittori è stata fino a' tempi nostri conservata; chè senza la penna loro sarebbono, come molte altre, sepolte in sempiterna oblivione. E ci potrà forse anche questa considerazione generalmente accrescer l'animo a virtuosamente operare; e, vedendo la nobiltà e grandezza dell'arte nostra, e quanto sia stata sempre da tutte le nazioni, e particolarmente dai più nobili ingegni e signori più potenti, e pregiata e premiata, spingerci ed infiammarci tutti a lasciare il mondo adorno d'opere, spessissime per numero, e per eccellenzia rarissime; onde, abbellito da noi, ci tenga in quel grado che egli ha tenuto quei sempre maravigliosi e celebratissimi spiriti. Accettate dunque con animo grato queste mie fatiche, qualunque le sieno, da me amorevolmente, per gloria dell'arte ed onor degli artefici, condotte al suo fine, e pigliatele per uno indizio e pegno certo dell'animo mio, di niuna altra cosa più desideroso che della grandezza e della gloria vostra; della quale, essendo ancor io ricevuto da voi nella compagnia vostra (di che e voi ringrazio, e per mio conto me ne compiaccio non poco), mi parrà sempre in un certo modo partecipare.

LETTERA

DI

ADRIANI A GIORGIO VASARI

LETTERA

DI

M. GIOVAMBATISTA DI M. MARCELLO ADRIANI

A M. GIORGIO VASARI

NELLA QUALE BREVEMENTE SI RACCONTA I NOMI E L'OPERE DE' PIÙ ECCELLENTI ARTEFICI ANTICHI IN PITTURA, IN BRONZO ED IN MARMO, QUI AGGIUNTI, ACCIÒ NON CI SI DESIDERI COSA ALCUNA DI QUELLE CHE APPARTENGHINO ALLA INTERA NOTIZIA E GLORIA DI QUESTE NOBILISSIME ARTI.

SOMMARIO: — I. Origine di questa Lettera. - II. Elogio di Giorgio Vasari. - III. Incertezza delle antiche notizie intorno i primi coltivatori delle Arti, e segnatamente intorno gli Egizj. - IV. Dei Greci che primi si addestrarono al dipingere. - V. Cleofanto di Corinto. - VI. Polignoto e Apollodoro. - VII. Zeusi. - VIII e IX. Parrasio. - X. Timante. - XI. Eupompo. - XII e XIII. Apelle. - XIV. Aristide. - XV. Protogene, Nicofane, Nicomaco, ecc. - XVI. Ludio. - XVII. Pausia. - XVIII. Nicia ed altri. - XIX. Metrodoro. - XX. Aristolao, Menocare; non che di alcune pittrici. - XXI. Pittori Romani. - XXII. Del modellare di terra. - XXIII. Di Lisistrato e d'altri che primi operarono di plastica. - XXIV. Del getto in bronzo. Fidia e sue opere. - XXV. Policleto. - XXVI. Mirone ed altri. - XXVII. Lisippo, Euticrate e Tisicrate. - XXVIII. Prassitele. - XXIX. Altri minori artefici. - XXX. Del getto in opere minori. - XXXI. Statue colossali. - XXXII. Dei primi scultori in marmo. - XXXIII. Fidia. - XXXIV. Prassitele. - XXXV. Scopa. - XXXVI. Di alcuni contemporanei di Scopa; di Mirone e di Lisia. - XXXVII. Seguitano altri artefici minori. - XXXVIII. Mirmecide e Callicrate. - XXXIX. Statue erette in onore degli illustri cittadini. - XL. Differenza fra le greche statue e le romane. Della Orificeria. - XLI. Conclusione.

I. Io sono stato in dubbio, messer Giorgio carissimo, se quello, di che voi ed il molto reverendo don Vincenzo Borghini mi avete più volte ricerco, si devea metter in opera, o no: cioè il raccorre e brevemente raccontare coloro, che nella pittura e nella scultura ed in arti simiglianti negli antichi tempi furono celebrati; de'quali il numero è grandissimo; e a che tempo essi fecero fiorire l'arti loro, e delle opere di quelli le più onorate e le più famose; cosa che, s'io non m'inganno, ha in sè del piacevole assai, ma che più si converrebbe a coloro, i quali in cotali arti fussero esercitati, o come pratichi ne potessero più propriamente ragionare. Imperocchè egli è forza, che nel dettare una così fatta cosa, occorra bene spesso parlare di cosa che altri non sa così a pieno; avendo massimamente ciascuna arte cose e vocaboli speziali, i quali non si sanno, e non s'intendono così appunto, se non da coloro, i quali sono in esse ammaestrati. Nè solo questa dubitanza, ma molte delle altre mi si facevano incontro, le quali tutte si sforzavano di levarmi da cotale impresa: alle quali ho messo incontro primieramente l'amore che io meritamente vi porto, il quale mi costringe a far questo ed ogni altra cosa che vi sia in piacere; e di poi quello di voi stesso inverso di me, il quale basterebbe solo a vincere questa ed ogni altra difficultà; avvisando che, amandomi voi come voi fate, non mi areste ricerco di cosa che mi fosse disdicevole: tale, che confidato nella affezione e giudizio vostro, mi sono miso a questa opera, la quale non sarà però nè molto lunga, nè molto faticosa, dovendosi per lo più raccontare, e brevemente, cose dette da altri; che altramente non si poteva fare, trattandosi di quello che in tutto è fuori della memoria de' vivi, e che già, tanti secoli sono, è trapassato. Duolmi bene che, dovendosi ciò, come io mi avviso, aggiugnere al vostro così bello, così vario, così copioso e d'ogni parte compiuto libro, non sia tale che e' gli possa arrecare alcuna orrevolezza. Ma mi gioverà pure, che, postogli a lato, mostrerà meglio la bellezza di lui; perciocchè il vostro è tale, che, e per le cose che entro vi si trattano, e per la leggiadria, con la quale voi l'avete scritto, e per le virtù dell'animo vostro, le quali chiare vi si scorgono, è forza che egli sia sempre pregiato, e vi mostri a tutto il mondo intendente, gentile e cortese: virtù molto rade, e che poche volte in un medesimo animo si accolgono, e massimamente d'artefice, dove l'invidia più che altrove suole mettere a fondo le sue radici; della quale infermità il vostro libro vi mostra interamente sano; nel quale voi, non so se intendentemente più, ovvero più cortesemente, avete onorate queste arti, infra le manuali nobilissime e piacevolissime, ed insieme li maestri di quelle; tornando alla memoria degli uomini con molta fatica e lungo studio e spesa di tempo, da quanto tempo in qua dopo il disfacimento di Europa, e delle nobili arti e scienze, elle cominciassero a rinascere, a fiorire, e finalmente siano venute al colmo della loro perfezione, dove veracemente io credo ch'elle siano arrivate; tale che (come delle altre eccellenze suole avvenire, e come altra fiata di queste medesime avvenne) è più da temerne la scesa, che da sperarne più alta la salita. Nè vi è bastato questa rada cortesia di mantenere in vita coloro, i quali già molti anni erano morti, e di cui l'opere erano già più che smarrite, ed in breve per non si ritrovare nè riconoscersi più li maestri che le avevano fatte, e con quelle cerco di procacciarsi nome; ma con nuova e non usata cortesia diligentemente avete ricerco de' ritratti delle loro imagini, e quelle con la bella arte vostra in fronte alle vite ed alle opere loro avete aggiunte, acciocchè coloro che dopo noi verranno, sappiano non solo i costumi, le patrie, l'opere, le maniere e l'ingegno de' nobili artefici, ma quasi se li veggano innanzi agli occhi;[1] cosa, la quale avanza di gran lunga ogni cortesia, la quale si sia usata inverso dei morti, cioè di coloro, da cui non si può più sperare cosa alcuna. Il che è tanto degno di maggior lode, che non è quella che al presente vi posso dare io, quanto ella è più rada, ed usata solamente (quanto io posso ritrarre dalle antiche

[1] Accenna alla seconda edizione delle *Vite* fatta dal Vasari in Firenze per i Giunti nel 1568, nella quale egli aggiunse i ritratti incisi in legno, e che noi nella presente edizione abbiamo creduto di non dover riprodurre, non avendosi, massimamente degli antichi, prova accertata della loro autenticità, nè potendosi i più moderni, che sono pure i soli autentici, riconoscerli ne' loro originali, da cui furono tratti, tanto essi nell'opera del Vasari appariscono trasfigurati e infedeli.

memorie) da duoi nobilissimi e dottissimi cittadini romani, Marco Varrone e Pomponio Attico; de' quali, Varrone in un libro che egli scrisse degli uomini chiari, oltre ai fatti loro pregiati e costumi laudevoli, aggiunse ancora le imagini di forse settecento di loro: e Pomponio Attico similmente, come si trova scritto, di cotali ritratti di persone onorate ne messe insieme un volume; cotanto quelli animi gentili ebbero in pregio la memoria degli uomini grandi ed illustri, e tanto s'ingegnarono con ogni lor potere e con ogni maniera di onore far pregiati, chiari ed eterni i nomi e le imagini di coloro, i quali per loro virtù avevano meritato di viver sempre.

II. Voi adunque spinto da un generoso e bello animo, oltre al consueto degli artefici, avete fatto il simigliante inverso i vostri chiari artefici, illustri maestri, e nel vostro onorato mestiero pregiati compagni, ponendoci innanzi agli occhi quasi vivi i volti loro nel vostro così piacevole e ben disposto libro, insieme con le virtù e con l'opere più pregiate di quelli; che pure non vi doveva parer poco, se dell'ingegno vostro sì vivo e della mano sì nobile e sì pronta era ripiena della vostra arte onorata in pochi anni una gran parte d'Italia, e la nostra città in più luoghi adorna, ed il palazzo de' nostri illustrissimi principi e signori fattone sì a tutto il mondo ragguardevole, che egli non più della virtù e della gloria e della ricchezza de' suoi signori, che dell'arte vostra medesima ne sarà, sempre che le pitture saranno in pregio, tenuto maraviglioso; mostrando in quelle, oltre a mille altri leggiadri e gravi ornamenti, i quali in quello per tutto si veggono, le giuste imprese, le perigliose guerre, le fiere battaglie, e l'onorate vittorie avute già dal popolo fiorentino, e novellamente dai nostri illustrissimi principi, con le imagini istesse di quelli onorati capitani e franchi guerrieri e prudenti cittadini, i quali in quelle valorosamente e saviamente adoperarono: cosa che, non solo diletta gli occhi de' riguardanti, ma molto più alletta l'animo vago d'onore e di gloria ad opere somiglianti. Ma non è luogo al presente ragionar di voi, il quale da voi stesso con l'opere in vita vi lodate a bastanza, e viepiù nei secoli avvenire ne sarete lodato ed ammirato; i quali senza alcuna animosità, che bene spesso s'oppone al vero, sinceramente ne giudicheranno.

III. Ma per venire a quello che voi mi domandate, dico, che impossibil cosa sarebbe volere veracemente raccontare chi fussero coloro, i quali primieramente dettero principio a queste arti, non essendo la memoria loro per la lunghezza del tempo e per la varietà delle lingue e per molti altri casi, che seco porta il girar del cielo, alla notizia nostra trapassata; e medesimamente quale di loro fusse prima, o più pregiata: pure all'una cosa ed all'altra si può agevolmente sodisfare, parte con la memoria degli antichi scrittori, e parte con le congetture che seco reca la ragione e l'esempio delle cose; perciocchè e' si conosce chiaramente, per quanto ne scrive Erodoto, antichissimo istorico, il quale cercò molto paese e molte cose vide, e molte ne udì, e molte ne lesse; gli Egizj essere stati antichissimi di chi si abbi memoria, e della religione, qualunche fusse la loro, solenni osservatori; i quali li loro Iddii sotto varie figure di nuovi e diversi animali adoravano, e quelli in oro, in argento, ed in altro metallo, ed in pietre preziose, e quasi in ogni materia, che forma ricever potesse, rassembravano; delle quali imagini alcune insino alli nostri giorni si sono conservate, massimamente essendo stati, come ancora se ne vede segnali manifesti, quei popoli potentissimi e copiosi di uomini, ed i loro re ricchissimi ed oltre a modo desiderosi di prolungare la memoria loro per secoli infiniti; ed oltre a questo di maraviglioso ingegno e d'industria singolare e scienza profonda, così nelle divine cose come nelle umane: il che si conosce da questo chiaramente, imperocchè quelli, che fra gli Greci furono dipoi tenuti savi e scienziati oltre agli altri uomini, andarono in Egitto, e da' savi e da' sacerdoti di quella nazione molte cose appararono, e le loro scienze aggrandirono, come si dice aver fatto Pitagora, Democrito, Platone, e molti altri: che non pareva in quel tempo che potesse essere alcuno interamente scienziato, se al sapere di casa non si aggiugneva della scienza forestiera, che allora si teneva che regnasse in Egitto. Appresso costoro mi avviso io che fosse in gran pregio l'arte del ben disegnare e del colorire e dello scolpire e del ritrarre in qualunche maniera, ed ogni maniera di forme;[1] perciocchè dell'architettura non si debbe dubitare che essi non fussero gran maestri, vedendosi di loro arte ancora le piramidi ed altri edificj stupendi, che durano e che dureranno, come io mi penso, secoli infiniti: senza che e' pare che dietro agl' imperj grandi ed alle ricchezze ed alla tranquillità degli stati sempre seguitino le lettere e le scienze ed arti cotali appresso, così nel comune come nel privato: e questo non si debbe stimare che sia senza alcuna ragione; imperocchè, essendo l'animo dell'uomo, per mio avviso, per sua natura desideroso sempre d'alcuna cosa, nè mai sazio, avviene che, conseguito stato, ricchezze, diletto, virtù ed ogni altra cosa, che fra noi molto s'apprezza, viepiù desidera vita, come più di tutte cara, e quanto far più si puote lunghissima, e non solo nel corpo suo proprio, ma molto più nella memoria: il che fanno i fatti eccellenti primieramente, e poi coloro, i quali con la penna li raccontano e li celebrano: di che non piccola parte si debbe attribuire a' pittori, agli scultori, agli ar-

[1] Il Winkelmann è di contrario parere, perciocchè bene egli avverte, come di niuno artefice egiziano è giunta notizia fino a noi, se ne togli il solo Mennone, che egli crede scultore delle tre statue, le quali, siccome scrive Diodoro Siculo, erano nell'ingresso del tempio di Tebe. Ma ciò è negato da molti. (*Storia delle Arti del disegno presso gli Antichi*, vol. I, lib. II, cap. 1). Nella pittura si trova sol ricordato un Filocle di Egitto, ma che visse ed operò in Grecia nei tempi remotissimi.

chitettori, ed altri maestri, i quali hanno virtù, con le arti loro, di prolungare la figura, i fatti ed i nomi degli uomini, ritraendoli e scolpendoli. E perciò si vede chiaramente che quasi tutte quelle nazioni che hanno avuto imperio e sono state mansuete, e per conseguente, facultà di poter ciò fare, si sono ingegnate di fare la memoria delle cose loro con tali argomenti lunga, quanto loro è stato possibile. A questa cagione ancora, e forse la primiera, si vuole aggiugnere la religione ed il culto degli Dei, qualunque esso stato si sia, intorno al quale in buona parte coloro, che di ritrarre in qualunque modo hanno saputo l'arte, si sono esercitati. Questo, come poco innanzi dicemmo, veggiamo noi aver fatto gli Egizj, questo i Greci, questo i Latini, e gli antichi Toscani e gli moderni, e quasi ogni altra nazione, la quale per la religione e per la umanità sia stata celebrata; i quali le imagini di quelli, che essi sotto diversi colori adoravano, hanno prima semplicemente o nel legno intagliato o con rozza pittura adombrato o in qualunche altro modo ritratto; e, come nelle altre cose degli uomini suole avvenire, a poco a poco andandosi innalzando, queste ancora, non solamente a divozione e santità, ma a pompa ed a magnificenza hanno recato; come anco si conosce aver fatto l'architettura, la quale, dalle umili e private case semplicemente e senza arte murate, a far templi e palazzi altissimi e teatri e logge con gran maestria e spesa si diede. Questi adunque pare che fussero i principj di cotali arti, le quali in tanta nobiltà e maraviglia degli uomini per ingegno dei loro maestri egregi salirono, che e' pare, che, non contenti dello imitar la natura, con quella alcuna volta abbiano voluto gareggiare. Ma di tutte queste, che molte sono, e che tutte pare che vengano da un medesimo fonte, quale sia più nobile non è nostro intendimento di voler cercare al presente, ma sì bene quali fussero quelli di chi sia rimasa memoria, e che in esse ebbero alcuno nome, e che primieramente le esercitarono. E però che ci pare che l'origine di tutte cotali arti sia il disegno semplice, il quale è parte di pittura, o che da quella ha principio, facendosi ciò nel piano; parleremo primieramente de' pittori, e poi di coloro che di terra hanno formato, e di quelli che in bronzo o in altra materia nobile, fondendola, hanno ritratto, ed ultimamente di coloro, i quali nel marmo, o in altra sorta di pietra con lo scarpello levandone hanno scolpito: fra i quali verranno ancora coloro, i quali dal rilevo più alto o più basso hanno alcuno nome avuto.

IV. Dicesi adunque, lasciando stare gli Egizj, dei quali non è certezza alcuna, in Grecia la pittura avere avuto suo principio; alcuni dicono in Sicione, ed alcuni in Corinto, ma tutti in questo convengono, ciò essersi fatto prima semplicemente con una sola linea circondando l'ombra d'alcuno, dipoi con alcuno colore con alquanto più di fatica: la quale maniera di dipignere sempre è stata, come semplicissima in uso, ed ancora è: e questa dicono aver insegnato la prima volta, altri Filocle di Egitto ed altri Cleante da Corinto. I primi, che in questa si esercitarono, si trova essere stato Ardice da Corinto e Telefane Sicionio, li quali, non adoperando altro che un color solo, ombravano le lor figure dentro con alcune linee.[1] E perciocchè, essendo l'arte loro ancor rozza, e le figure d'un color solo, non bene si conosceva di cui elle fussero imagini, ebbero per costume di scrivervi a piè chi essi avevano voluto rassembrare.

[1] È mirabile la rispondenza della pittura nella sua prima origine con l'ultimo suo decadimento. Chi ha vedute le miniature di molti codici dei bassi tempi, trova ugualmente le figure tinte a un sol colore, e dintornate con una linea nera. Scrive Plinio che i Greci le dintornassero sovente con una linea rossa, di minio o cinabro, e che Zeusi in quella vece adoperasse una linea bianca. Questo metodo di dipingere, che i Greci appellavano *monocromatico*, era eziandio molto usitato dagli Etruschi. Nei tempi più a noi vicini, rinnovellarono in parte questo antico costume, oltre gli artefici del trecento, anche Paolo Uccello, Masaccio, Filippino Lippi, dipingendo di terretta verde.

V. Il primo che trovasse i colori nel dipignere, come dicono aver fatto fede Arato, fu Cleofanto da Corinto; e questi non si sa così bene se ei fu quello stesso, il quale disse Cornelio Nepote esser venuto con Demarato padre di Tarquinio Prisco, che fu re delli Romani, quando, da Corinto sua patria partendosi, venne in Italia per paura di Cipselo prencipe di quella città, oppure un altro; comecchè a questo tempo in Italia fusse l'arte del dipignere in buona riputazione, come si può congetturare agevolmente; perciocchè in Ardea antichissima città, nè molto lontana da Roma, oltre al tempo di Vespasiano imperadore si vedevano ancora in alcuno tempio nel muro coperto alcune pitture, le quali erano, molto innanzi che Roma fusse, state dipinte, sì bene mantenute, che elle parevano di poco innanzi colorite. In Lanuvio parimente ne' medesimi tempi, cioè innanzi a Roma, e forse del medesimo maestro, una Atalanta ed una Elena ignude di bellissima forma ciascuna, le quali lunghissimo tempo furono conservate intere dalla qualità del muro, dove erano state dipinte, avvegnachè un Ponzio ufficiale di Gaio imperadore, struggendosi di voglia d'averle, si fosse sforzato di torle quindi ed a casa sua portarnele, e lo arebbe fatto se la forma del muro l'avesse sofferto. Donde si può manifestamente conoscere, in quei tempi, e forse molto più che in Grecia e molto prima, la pittura essere stata in pregio in Italia.[1] Ma poichè le cose nostre sono in tutto perdute, e ci bisogna andare mendicando le forestiere; seguiremo la incominciata istoria di raccontare gli altri

[1] Che gli Etruschi fossero versati nelle Arti del disegno innanzi ai Greci o nel tempo medesimo, è questione fra gli eruditi, ma come nell'Egitto così nell'Etruria l'arte fu ieratica e convenzionale. Il primitivo stile etrusco ha tanta somiglianza con l'egiziano, che il ch. Micali non dubita appellarlo *Egizio-Toscanico*. Ben è vero però che altrove lo stesso scrive, che il più antico stile della pittura nei vasi etruschi *derivasse originalmente dalla Grecia Asiatica, la prima florida d'Arti, indi passasse nella scuola di Corinto, e di quivi anche in Etruria* (*Storia degli antichi popoli Italiani*, vol. II, cap. 25).

di cotale arte maestri, quali da prima si dichino essere stati; benchè nè i Greci ancora non hanno così bene distinto i tempi loro in questa parte; perciocchè e' si dice essere stata molto in pregio una tavola, dove era dipinta una battaglia de' Magneti con sì bella arte, che Candaule re di Lidia l'aveva comperata altro e tanto peso d'oro,[1] il che venne a essere intorno alla età di Romolo primo fondatore di Roma e primo re de' Romani, che già era cotale arte in tanta stima; onde siamo forzati confessare l'origine di lei essere molto più antica, e parimente coloro, i quali un solo colore adoperarono, l'età de' quali non così bene si ritrova, e parimente Igione, che per soprannome fu chiamato Monocromada da questo, perciocchè con un solo colore dipinse: il quale affermano essere stato il primo, nelle cui figure si conoscesse il mastio dalla femmina; e similmente Eumaro d'Atene, il quale s'ingegnò di ritrarre ogni figura; e quello, che, dopo lui venendo, le cose da lui trovate molto meglio trattò, Cimone Cleoneo, il quale prima dipinse le figure in iscorcio, ed i volti altri in giù, altri in su, ed altri altrove guardanti, e le membra parimente con i suoi nodi distinse, che primo mostrò le vene ne' corpi, e ne' vestimenti le crespe. Paneo ancora fratello di quel Fidia nobile statuario fece di assai bella arte la battaglia degli Ateniesi con i Persi a Maratona; che già era a tale venuta l'arte, che nell'opera di costui si videro primieramente ritratti i capitani nelle loro figure stesse, Milciade ateniese, Callimaco e Cinegiro; e de' barbari Dario e Tisaferne.

VI. Drieto al quale alquanti vennero, i quali questa arte fecero migliore, de' quali non si ha certa notizia;

[1] È menio dell' autore, a quanto sembra, favellare di un' opera di Bularco ricordata da Plinio. Questi soggiunge, che il prezzo dei dipinti venne a tale, che per un quadro di valente artefice appena bastavano le ricchezze di una intiera città. (*Hist. Natur.*, lib. xxx, cap. 7).

intra i quali fu Polignoto da Taso, il primo che dipinse le donne con vesti lucenti e di belli colori, ed i capi di quelle con ornamenti varj e di nuove maniere adornò: e ciò fu intorno agli anni 330 dopo Roma edificata. Per costui fu la pittura molto inalzata. Egli primo nelle figure umane mostrò aprir la bocca, scoprire i denti, ed i volti da quella antica rozzezza fece parere più arrendevoli e più vivi. Rimase di lui fra le altre una tavola, che si vide in Roma assai tempo nella loggia di Pompeo, nella quale era una bella figura armata con lo scudo, la quale non bene si conosceva se scendeva o saliva. Egli medesimo a Delfo dipinse quel tempio nobilissimo, egli in Atene la loggia che, dalla varietà delle dipinture che drento vi erano, fu chiamata la Varia;[1] e l'uno e l'altro di questi lavori fece in dono; la qual liberalità molto gli accrebbe la riputazione e la grazia appresso a tutti i popoli della Grecia; talmente che gli Anfizioni, che era un consiglio comune di gran parte della Grecia, che a certi tempi per trattare delle bisogne pubbliche a Delfo si ragunava, gli stanziarono che dovunque egli andasse per la Grecia fosse graziosamente ricevuto e fattogli pubblicamente le spese.[2] A questo tempo medesimo furono due altri pittori d'un medesimo nome, de' quali Micone il minore si dice essere stato padre di Timarete, il quale esercitò la medesima

[1] Forse l'Adriani allude alle pitture fatte nel Portico detto anticamente *Plesianatico*, e nei tempi posteriori, *Pecile* Plutarco ci ha conservati alcuni versi del poeta Melanzio, il quale, celebrando questi dipinti di Polignoto, così si esprime·

Ei la piazza Cecropia ornò a sue spese,
E i templi degli Dei con dipinture,
Che rappresentan degli eroi le imprese
(*Vita di Cimone*, paragr IV)

[2] In Atene dipinse nel tempio di Castore e Polluce le loro geste, e i festeggiamenti nuziali delle figlie di Leucippo Nella Rocca di Atene, alcune storie di Achille e di Ulisse Molti altri dipinti di Polignoto erano in Delfo i più celebri dei quali erano, la presa di Troia, e la discesa di Ulisse all'inferno Di questi due quadri può vedersi la descrizione in Pausania, *Descriptio Graeciae*, lib X, cap 25

arte della pittura. A questo tempo stesso, o poco più oltre, furono Aglaofone, Cefisodoro, Frilo ed Evenore padre di Parrasio, di cui si parlerà a suo luogo; e furono costoro assai chiari, ma non tanto però, che essi meritino che per loro virtù o per loro opere si metta molto tempo, studiandoci massimamente d'andare all'eccellenza dell'arte, alla quale arrecò poi gran chiarezza Apollodoro ateniese intorno all'anno 345 da Roma edificata; il quale primo cominciò a dar fuori figure bellissime, ed arrecò a quest'arte gloria grandissima; di cui molti secoli poi si vedeva in Asia a Pergamo una tavola entrovi un sacerdote adorante, ed in un'altra uno Aiace percosso dalla saetta di Giove, di tanto eccessiva bellezza, che si dice innanzi a questa non si esser veduta opera di questa arte, la quale allettasse gli occhi de' riguardanti.

VII. Per la porta da costui primieramente aperta entrò Zeusi di Eraclea dodici o tredici anni poscia, il quale condusse il pennello ad altissima gloria, e di cui Apollodoro, quello stesso poco innanzi da noi raccontato, scrisse in versi, l'arte sua, toltagli, portarne seco Zeusi. Fece costui con questa arte ricchezza infinita, tale che, venendo egli alcuna volta ad Olimpia, là dove ogni cinque anni concorreva quasi tutta la Grecia a vedere i giuochi e gli spettacoli pubblici, per pompa a lettere d'oro nel mantello portava scritto il nome suo, acciò da ciascuno potesse esser conosciuto. Stimò egli cotanto l'opere sue, che, giudicando non si dover trovare pregio pari a quelle, si mise nell'animo non di venderle, ma di donarle; e così donò una Atalanta al comune di Gergento,[1] e Pane dio dei pastori ad Archelao re. Dipinse una Penelope, nella quale, oltre alla forma bellissima, si conoscevano ancora la pudicizia, la pazienza, ed altri bei costumi che in one-

[1] Devesi col Dati correggere questo luogo dell'Adriani, e leggere *Almena* e non *Atalanta*; così trovandosi veramente nel testo di Plinio. (Vedi lib. xxxv, cap. 9).

sta donna si ricercano. Dipinse un campione, di quelli che i Greci chiamano atleti, e di questa sua figura cotanto si satisfece, che egli stesso vi scrisse sotto quel celebrato motto: *Troverassi chi lo invidi, sì, ma chi il rassembri, no.* Videsi di lui un Giove nel suo trono sedente con grandissima maestà con tutti li Dei intorno; uno Ercole nella zana che con ciascuna delle mani strangolava un serpente, presente Anfitrione ed Almena madre, nella quale si scorgeva la paura stessa. Parve nondimeno che questo artefice facesse i capi delle sue figure un poco grandetti. Fu contuttociò accurato molto, tanto che dovendo fare a nome de' Crotoniati una bella figura di femmina, dove pareva che egli molto valesse, la quale si doveva consacrare al tempio di Giunone, che egli aveva adornato di molte altre nobili dipinture, chiese di avere comodità di vedere alcune delle loro più belle e meglio formate donzelle (che in quel tempo si teneva che Crotone, terra di Calavria, avesse la più bella gioventù dell'uno e dell'altro sesso, che al mondo si trovasse); di che egli fu tantosto compiaciuto: delle quali egli elesse cinque le più belle, i nomi delle quali non furono poi taciuti da' poeti; come di tutte le altre bellissime, essendo state giudicate cotali da chi ne poteva e sapeva meglio di tutti gli altri uomini giudicare; e delle più belle membra di ciascuna ne formò una figura bellissima, la quale Elena volle che fosse, togliendo da ciascuna quello che in lei giudicò perfettissimo. Dipinse in oltre di bianco solamente alcune altre figure molto celebrate.

VIII. Alla medesima età ed a lui nell'arte concorrenti furono Timante, Androcide, Eupompo e Parrasio, con cui (Parrasio dico) si dice Zeusi avere combattuto nell'arte in questo modo; che, mettendo Zeusi uve dipinte con sì bell'arte, che gli uccelli a quelle volavano. Parrasio messe innanzi un velo sì sottilmente in una tavola dipinto come se egli ne coprisse una dipintura, che credendolo Zeusi vero, non senza qualche tema d'esser vinto, chiese che, levato quel velo, una volta si scoprisse la figura; ed accorgendosi dello inganno, non senza riso, allo avversario si rese per vinto, confessando di buona coscienza la perdita sua, conciossiachè egli avesse ingannato gli uccelli, e Parrasio sè, così buon maestro. Dicesi il medesimo Zeusi aver dipinto un fanciullo, il quale portava uve, alle quali volando gli augelli, seco stesso s'adirava, parendogli non aver dato a cotale figura intera perfezione, dicendo, se il fanciullo così bene fusse ritratto, come l'uve sono, gli augelli dovrebbono pur temerne. Mantennesi in Roma lungo tempo nella loggia di Filippo una Elena, e nel tempio della Concordia un Marsia legato, di mano del medesimo Zeusi.

IX. Parrasio, come noi abbiamo detto, fiorì in questa medesima età, e fu di Efeso città di Asia, il quale in molte cose accrebbe e nobilitò la pittura. Egli primo diede intera proporzione alle figure, egli primo con nuova sottigliezza e vivacità ritrasse i volti, e dette una certa leggiadria ai capelli, e grazia infinita e mai non più vista alle facce, ed a giudizio d'ogni uomo a lui si concesse la gloria del bene ed interamente finire e negli ultimi termini far perfette le sue figure, perciocchè in cotale arte questo si tiene che sia la eccellenza. Dipignere bene i corpi ed il mezzo delle cose è bene assai, ma dove molti sono stati lodati; terminare e finir bene e con certa maestria rinchiudere dentro a se stessa una figura, questo è rado, e pochi si sono trovati, li quali in ciò sieno stati da commendare; perciocchè l'ultimo d'una figura debbe chiudere se stesso talmente, che ella spicchi dal luogo dove ella è dipinta, e prometta molto più di quello che nel vero ella ha, e che si vede e cotale onore gli diedero Antigono e Senocrate, i quali di cotale arte e delle opere della pittura ampiamente trattarono, non pure lodando ciò in lui e molte altre cose, ma ancora celebrandonelo oltre a modo. Rimasero di lui e di suo stile in carte ed in tavole alcune adombrate figure, con le quali non poco si avanzarono poscia molti di cotale arte. Egli, come poco fa dicemmo, fu tale nel bene ed interamente finire l'opere sue, che, paragonato a se stesso, nel mezzo di loro apparisce molto minore. Dipinse con bellissima invenzione il genio, e come sarebbe a dire sotto una figura stessa la natura del popolo ateniese, quale ella era: dove in un subietto medesimo volle che apparisse il vario, l'iracondo, il clemente, il misericordioso, il superbo, il pomposo, l'umile, il feroce, il timido e 'l fugace, che tale era la condizione e natura di quel popolo. Fu molto lodato di lui un capitano di nave armato di corazza; ed in una tavola, che era a Rodi, Meleagro, Ercole e Perseo, la quale abbronzata tre volte dalla saetta, e non iscolorita, accresceva la maraviglia. Dipinse ancora uno Archigallo;[1] della quale figura fu tanto vago Tiberio imperadore che, per poterla vagheggiare a suo diletto, se la fece appiccare in camera. Videsi di lui ancora una balia di Creti col bambino in braccio, figura molto celebrata, e Filisco e Bacco con la Virtù appresso, e due vezzosissimi fanciullini, ne' quali si scorgeva chiara la semplicità della età, e quella vita senza pensiero alcuno. Dipinse inoltre un sacerdote sacrificante con un fanciullo appresso ministro del sacrificio con la grillanda e con l'incenso. Ebbero gran fama due figure di lui armate, l'una che, in battaglia correndo, pareva che sudasse, e l'altra che, per stanchezza ponendo giù l'arme, pareva che ansasse. Fu lodata anco di questo artefice medesimo una tavola, dove era Enea, Castore e Polluce, e simigliantemente un'altra, dove era Telefo, Achille, Agamennone ed Ulisse. Valse ancora molto nel bel pai-

[1] L'Archigallo era il prefetto degli evirati sacerdoti di Diana Efesina. Tiberio pagò questo dipinto 60000 sesterzi, cioè 1500 scudi (PLINIO, l. cit., lib. XXXV, cap. 10).

lare,[1] ma fu superbo oltre a misura, lodando se stesso arrogantemente e l'arte sua, chiamandosi per soprannome or grazioso, ed ora con cotali altri nomi dichiaranti lui essere il primo, e convenirsegli il pregio di quell'arte e d'averla condotta a somma perfezione, e sopra tutto d'essere disceso da Apollo; e che l'Ercole, il quale egli aveva dipinto a Lindo città di Rodi, era tale quale egli diceva più volte essergli apparito in visione. Fu con tutto ciò vinto a Samo la seconda volta da Timante, il che male agevolmente sopportò. Dipinse ancora per suo diporto in alcune picciole tavolette congiungimenti amorosi molto lascivi.

X. In Timante, il quale fu al medesimo tempo, si conobbe una molto benigna natura: di cui intra le altre ebbe gran nome, e che è posta da quegli che insegnano l'arte del ben dire per esempio di convenevolezza, una tavola dove è dipinto il sacrificio che si fece di Ifigenia figliuola di Agamennone; la quale stava dinanzi allo altare per dover essere uccisa dal sacerdote, d'intorno a cui erano dipinti molti che a tal sacrificio intervenivano, e tutti assai nel sembiante mesti, e tra gli altri Menelao zio della fanciulla alquanto più degli altri; nè trovando nuovo modo di dolore che si convenisse a padre in così fiero spettacolo, avendo negli altri consumata tutta l'arte, con un lembo del mantello gli coperse il viso, quasi che esso non potesse patire di vedere sì orribile crudeltà nella persona della figliuola; che così pareva che a padre si convenisse. Molte altre cose ancora rimasero di sua arte, le quali lungo tempo fecero fede dell'eccellenza dello ingegno e della mano di lui, come fu un Polifemo, in una picciola tavoletta, che dorme; del quale volendo che si

[1] Il testo di Plinio ha *faecundus artifex*, non già *facundus*; e il Dati che consultò moltissimi codici e lezioni di Plinio, sempre rinvenne *faecundus*; il perchè su questa semplice asserzione dell'Adriani non possiamo concedere a Parrasio la lode di bel parlatore.

conoscesse la lunghezza, dipinse appresso alcuni satiri che con la verga loro gli misuravano il dito grosso della mano: ed insomma in tutte l'opere di questo artefice sempre s'intendeva molto più di quello che nella pittura appariva; e, comecchè l'arte vi fusse grande, l'ingegno sempre vi si conosceva maggiore. Bellissima figura fu tenuta di questo medesimo, e nella quale pareva che apparisse tutto quello che può far l'arte, uno di quei Semidei che gli antichi chiamarono Eroi, la quale poi a Roma lungo tempo fu ornamento grande del tempio della Pace.

XI. Questa medesima età produsse Eussenida che fu discepolo d'Aristide, pittore chiaro, ed Eupompo, il quale fu maestro di Panfilo, da cui dipoi imparò Apelle. Durò assai di questo Eupompo una figura di gran nome rassembrante uno di quei campioni vincitori de' giuochi olimpici con la palma in mano. Fu egli di tanta autorità appresso i Greci, che, dividendosi prima la pittura in due maniere, l'una chiamata asiatica, l'altra greca, egli partendo la greca in due, di tutte ne fece tre, asiatica, sicionia ed attica. Da Panfilo fu la battaglia e la vittoria degli Ateniesi a Fliunte dipinta, e dal medesimo, Ulisse come è descritto da Omero, in mare sopra una nave rozza a guisa di fodero.[1] Fu di nazione Macedonico, ed il primo di cotale arte che fosse nelle lettere scienziato, e principalmente nell'aritmetica e nella geometria, senza le quali scienze egli soleva dire non si potere nella pittura fare molto profitto. Insegnò a prezzo, nè volle meno da ciascuno discepolo in dieci anni di uno talento, il qual salario gli pagarono Melanzio ed Apelle; e potè tanto l'esempio di questo artefice, che, prima in Sicione e poi in tutta la Grecia, fu stabilito che fra le prime cose, che s'insegnavano nelle scuole a' fanciulli nobili, fusse il di-

[1] Aristofane nel *Pluto* (atto II, sc. 3), fa menzione d'una storia de' figliuoli d'Ercole imploranti aiuto dagli Ateniesi contro Euristeo, dipinta da Panfilo nel Pecile, cioè nel *Portico Vario*.

segnare, che va innanzi al colorire; e che l'arte della pittura si accettasse nel primo grado delle arti liberali. E nel vero, appresso i Greci sempre fu tenuta questa arte di molto onore, e fu esercitata non solo da'nobili, ma da persone onorate ancora, con espressa proibizione che i servi non si ammettessero per discepoli di cotale arte. Laonde non si trova che, nè in pittura nè in alcuno altro lavoro che da disegno proceda, sia alcuno nominato che fusse stato servo. Ma innanzi a questi ultimi, de'quali noi abbiamo parlato, forse venti anni, si trova essere stati di qualche nome Echione e Terimanto.[1] Di Echione furono in pregio queste figure: Bacco, la Tragedia e la Commedia in forma di donne, Semiramis, la quale di serva diveniva regina di Babilonia, una suocera che portava la facellina innanzi a una nuora che ne andava a marito, nel volto della quale si scorgeva quella vergogna che a pulzella in cotale atto e tempo si richiede.

XII. Ma a tutti i di sopra detti, e coloro che di sotto si diranno, trapassò di gran lunga Apelle, che visse intorno alla duodecima e centesima olimpiade, che dalla fondazione di Roma batte intorno a 421 anno, nè solamente nella perfezione dell'arte, ma ancora nel numero delle figure; perciocchè egli solo molto meglio di ciascuno e molto più ne dipinse, e più arrecò a tale arte d'aiuto, scrivendone ancora volumi, i quali di quella insegnarono la perfezione. Fu costui maraviglioso nel fare le sue opere graziose; ed avvengachè al suo tempo fussero maestri molto eccellenti, l'opere dei quali egli soleva molto commendare ed ammirare, nondimeno a tutti diceva mancare quella leggiadria, la quale da' Greci e da noi è chiamata grazia, nell'altre cose molti essere da quanto lui, ma in questa non aver pari. Di quest'altro si dava egli anche vanto che, riguardando i lavori di Protogene con

[1] Il testo di Plinio (lib. XXXV, cap. 10) ha *Therimacus*.

maraviglia di fatica grande e di pensiero infinito, e commendandogli oltre a modo, in tutti diceva averlo pareggiato, e forse in alcuna parte essere da lui vinto, ma in questo senza dubbio essere da più, perciocchè Protogene non sapeva levar mai la mano d'in sul lavoro. Il che, detto da cotale artefice, si vuole avere per ammaestramento, che spesse fiate nuoce la soverchia diligenza. Fu costui non solamente nell'arte sua eccellentissimo maestro, ma d'animo ancora semplicissimo e molto sincero, come ne fa fede quello che di lui e di Protogene dicono essere avvenuto. Dimorava Protogene nell'isola di Rodi sua patria, dove alcuna volta venendo Apelle con desiderio grande di vedere l'opere di lui, che le udiva molto lodare, ed egli solamente per fama lo conosceva, dirittamente si fece menare alla bottega dove ei lavorava, e giunsevi appunto in tempo che egli era ito altrove: dove, entrando Apelle, vide che egli aveva messo su una gran tavola per dipignerla, ed insieme una vecchia sola a guardia della bottega, la quale, domandandola Apelle del maestro, rispose lui essere ito fuore. Domandò ella lui chi fusse quegli che ne domandava; questi, rispose tostamente Apelle; e, preso un pennello, tirò una linea di colore sopra quella tavola di maravigliosa sottigliezza, ed andò via. Torna Protogene, la vecchia gli conta il fatto, guarda egli, e, considerata la sottigliezza di quella linea, s'avvisò troppo bene ciò non essere opera d'altri che di Apelle, che in altri non caderebbe opera tanto perfetta; e, preso il pennello, sopra quell'istessa d'Apelle, d'altro colore ne tirò un'altra più sottile, e disse alla vecchia: dirai a quel buono uomo, se ci torna, mostrandogli questa, che questi è quegli che ei va cercando: e così, non molto poi, avvenne che tornato Apelle ed udito dalla vecchia il fatto, vergognando d'esser vinto, con un terzo colore partì quelle linee stesse per lungo il mezzo, non lasciando più luogo veruno ad alcuna sottigliezza:

onde tornando Protogene, e considerato la cosa, e confessando d'esser vinto, corse al porto cercando d'Apelle e seco nel menò a casa. Questa tavola, senza altra dipintura vedervisi entro, fu tenuta degna per questo fatto solo d'esser lungo tempo mantenuta viva, e fu poi, come cosa nobile, portata a Roma, e nel palazzo degl'imperadori veduta volentieri da ciascuno e sommamente ammirata, e più da coloro che ne potevano giudicare; tutto che non vi si vedesse altro che queste linee tanto sottili, che poi appena si potevano scorgere; e fra le altre opere nobilissime fu tenuta cara: e per quell'istesso, che entro altro non vi si vedeva, allettava gli occhi de' riguardanti. Ebbe questo artefice in costume di non lasciar mai passare un giorno solo, che almeno non tirasse una linea ed in qualche parte esercitasse l'arte sua; il che poi venne in proverbio.[1] Usava egli similmente mettere l'opere sue finite in pubblico, ed appresso star nascoso ascoltando quello che altri ne dicesse, estimando il vulgo d'alcune cose essere buon conoscitore e poterne ben giudicare. Avvenne (come si dice) che un calzolaio accusò in una pianella d'una figura non so che difetto, e conoscendo il maestro che e' diceva il vero, la racconciò. Tornando poi l'altro giorno il medesimo calzolaio, e vedendo il maestro avergli creduto nella pianella, cominciò a voler dire non so che di una delle gambe; di che sdegnato Apelle, ed uscendo fuori disse, proverbiandolo, che al calzolaio non conveniva giudicar più su che la pianella;[2] il qual detto fu anco accettato per proverbio. Fu inoltre molto piacevole ed alla mano, e per questo oltre a modo caro ad Alessandro Magno, talmente che quel re lo andava spesso a visitare a bottega, prendendo diletto di vederlo lavorare ed insieme d'udirlo ragionare. Ed ebbe

[1] *Nulla dies sine linea* (PLINIO, lib. XXXV, cap. 10).
[2] *Ne supra crepidam sutor* (PLINIO, loc. cit.).

tanto di grazia e di autorità appresso a questo re, benchè stizzoso e bizzarro, che ragionando esso alcune volte dell'arte di lui meno che saviamente, con bel modo gl'imponeva silenzio, mostrandogli i fattorini che macinavano i colori ridersene. Ma quale Alessandro lo stimasse nell'arte si conobbe per questo, ch'egli proibì a ciascuno dipintore il ritrarlo, fuori che ad Apelle. E quanto egli lo amasse ed avesse caro si vide per quest'altro; perciocchè, avendogli imposto Alessandro che gli ritraesse nuda Cansace, una e la più bella delle sue concubine, la quale esso amava molto, ed accorgendosi per segni manifesti che nel mirarla fiso Apelle s'era acceso della bellezza di lei, concedendogli Alessandro tutto il suo affetto, glie ne fece dono, senza aver riguardo anco a lei, che, essendo amica di re e di Alessandro re, le convenne divenire amica d'un pittore. Furono alcuni che stimarono che quella Venere Dionea tanto celebrata fusse il ritratto di questa bella femmina.

XIII. Fu questo Apelle molto umano inverso gli artefici de' suoi tempi, ed il primo che dètte riputazione alle opere di Protogene in Rodi; perciocchè egli, come il più delle volte suole avvenire, tra i suoi cittadini non era stimato molto. E domandandogli Apelle alcuna volta quanto egli stimasse alcune sue figure, rispose non so che piccola cosa; onde egli dette nome di voler per sè comperar quelle che egli avea lavorato e lavorerebbe, per rivenderle per sue a prezzo molto maggiore; il che fece aprire gli occhi a' Rodiani, nè volle cederle loro, se non arrogevano al prezzo con non poco utile di quel pittore. È cosa incredibile quello che è scritto di lui, cioè, che egli ritraeva sì bene e sì appunto le imagini altrui dal naturale, che uno di questi, che nel guardare in viso altrui fiso sogliono indovinare quello che ad alcuno sia avvenuto nel passato tempo, o debba avvenire nel futuro, i quali si chiamano fisionomanti, guardando alcun ritratto fatto da Apelle, conobbe per quello quanto quegli, di cui era il ritratto, dovesse vivere, o fusse vivuto. Dipinse con un nuovo modo Antigono re, che l'uno degli occhi aveva meno, in maniera che il difetto della faccia non apparisse; perciocchè egli lo dipinse col viso tanto volto, quanto bastò a celare in lui quel mancamento, non parendo però difetto alcuno nella figura. Ebbero gran nome alcune imagini da lui fatte di persone che morivano: ma fra le molte sue e molto lodate opere, qual fosse la più perfetta non si sa bene. Augusto Cesare consacrò al tempio di Giulio suo padre quella Venere nobilissima, che per uscir del mare e da quell'atto stesso fu chiamata Anadiomene; la quale dai poeti greci fu mirabilmente celebrata ed illustrata; alla parte di cui che s'era corrotta, non si trovò chi ardisse por mano; il che fu grandissima gloria di cotal artefice. Egli medesimo cominciò a quelli di Coo un'altra Venere, e ne fece il volto e la parte sovrana del petto, e si pensò, da quel che se ne vedeva, che egli arebbe e quella prima Dionea e se stesso in questa avanzato. Morte così bella opera interroppe, nè si trovò poi chi alla parte disegnata presumesse aggiugner colore. Dipinse ancora a quelli di Efeso nel tempio della lor Diana un Alessandro Magno con la saetta di Giove in mano, le dita del quale pareva che fussero di rilievo, e la saetta che uscisse fuor della tavola, e ne fu pagato di moneta d'oro, non a novero, ma a misura. Dipinse molte altre figure di gran nome, e Clito familiar di Alessandro in atto di apprestarsi a battaglia, con il paggio suo che gli porgeva la celata. Non bisogna domandare quante volte nè in quante maniere e' ritraesse Alessandro, o Filippo suo padre, che furono infinite,[1] e quanti altri re e personaggi grandi ei dipignesse. In Roma si vide di lui Castore e Polluce con la Vittoria, ed Alessandro trionfante

[1] È noto come Alessandro non voleva essere ritratto in pittura che dal solo Apelle, in bronzo dal solo Lisippo, e nelle gemme dal solo Pirgotele.

con l'imagine della Guerra con le mani legate dietro al carro; le quali due tavole Augusto consacrò al suo Foro nelle parti più onorate di quello, e Claudio poi, cancellandone il volto di Alessandro, vi fece riporre quello d'Augusto. Dipinse uno Eroe ignudo, quasi in quest'opera volesse gareggiare con la natura. Dipinse ancora a prova con certi altri pittori un cavallo; dove temendo del giudizio degli uomini, ed insospettito del favore de'giudici inverso i suoi avversarj, chiese che se ne stesse al giudizio de'cavalli stessi; ed, essendo menati i cavalli d'attorno a'ritratti di ciascuno, ringhiarono a quel d'Apelle solamente; il qual giudizio fu stimato verissimo. Ritrasse Antigono in corazza con il cavallo dietro, ed in altre maniere molte: e di tutte le sue opere, quelli che di così fatte opere s'intesero, giudicarono l'ottima essere un Antigono a cavallo. Fu bella anco di lui una Diana, secondo che la dipinse in versi Omero; e pare che il dipintore in questo vincesse il poeta. Dipinse inoltre con nuovo modo e bella invenzione la Calunnia, prendendone questa occasione. Era egli in Alessandria in corte di Tolomeo re, e per la virtù sua in molto favore. Ebbevi dell'arte stessa chi l'invidiava; e cercando di farlo mal capitare, l'accusò di congiura contro a Tolomeo, di cosa, nella quale non solo non aveva colpa veruna Apelle, ma nè anco era da credere che un tal pensiero gli fusse mai caduto nell'animo. Fu nondimeno vicino al perderne la persona, credendo ciò il re scioccamente. e perciò, ripensando egli seco stesso al pericolo, il quale aveva corso, volle mostrare con l'arte sua che, e come, pericolosa fosse la Calunnia. E così dipinse un re a sedere, con orecchie lunghissime, e che porgeva innanzi la mano, da ciascuno de'lati del quale era una figura, il Sospetto e l'Ignoranza. Dalla parte dinanzi veniva una femmina molto bella e bene addobbata con sembiante fiero ed adirato; e con essa con la sinistra teneva una facellina accesa e con la destra strascinava per i capelli un doloroso giovane, il quale pareva che con gli occhi e con le mani levate al cielo gridasse misericordia, e chiamasse li Dei per testimonio della vita sua di niuna colpa macchiata. Guidava costei una figura pallida nel volto e molto sozza, la quale pareva che pure allora da lunga infermità si sollevasse; questa si giudicò che fusse l'Invidia. Dietro alla Calunnia, come sue serventi e di sua compagnia, seguivano due altre figure, secondo che si crede, che rassembravano l'Inganno e l'Insidia. Dopo queste era la Penitenza atteggiata di dolore ed involta in panni bruni, la quale si batteva a palme, e pareva che, dietro guardandosi, mostrasse la Verità in forma di donna modestissima e molto contegnosa. Questa tavola fu molto lodata, e per la virtù del maestro, e per la leggiadria dell'arte, e per la invenzione della cosa, la quale può molto giovare a coloro, li quali sono proposti ad udire le accuse degli uomini. Furono del medesimo artefice molte altre opere celebrate dagli scrittori, le quali si lasciano andare per brevità, essendosene raccontate forse più che non bisognava. Trovò nell'arte molte cose e molto utili, le quali giovarono molto a quelli che dipoi le appararono. Questo non si trovò giammai dopo lui chi lo sapesse adoperare; e questo fu un color bruno, o vernice che si debba chiamare, il quale egli sottilmente distendeva sopra l'opre già finite; il quale con la sua riverberazione destava la chiarezza in alcuni dei colori e li difendeva dalla polvere, e non appariva se non da chi ben presso il mirava; e ciò faceva con isquisita ragione, acciocchè la chiarezza d'alcuni accesi colori meno offendesse la vista di chi da lontano, come per vetro, li riguardasse, temperando ciò col più e col meno, secondo giudicava convenirsi.

XIV. Al medesimo tempo fu Aristide tebano, il quale, come si dice, fu il primo che dipignesse l'animo e le passioni di quello. Fu alquanto più rozzo nel colorire. Ebbe gran nome una tavola di costui, dove era ritratto, fra la strage d'una terra presa per forza, una madre, la quale moriva di ferite, ed appresso aveva il figliuolo che carpone si traeva alla poppa, e nella madre pareva temenza che 'l figliuolo non bevesse con il latte il sangue di lei già morta. Questa tavola, estimandola bellissima, fece portare in Macedonia a Pella sua patria Alessandro Magno. Dipinse ancora la battaglia di Alessandro con i Persi, mettendo in una stessa tavola cento figure, avendo prima pattuito con Mnasone principe degli Elatensi cento mine per ciascuna.[1] Di questo medesimo si potrebbono raccontare altre figure molto chiare, le quali ed a Roma ed altrove furono molto in pregio assai tempo, e fra l'altre uno infermo, lodato infinitamente: perciocchè ei valse tanto in questa arte, che si dice il re Attalo aver comperato una delle sue tavole cento talenti.[2]

XV. Visse al medesimo tempo e fiorì Protogene suddito de' Rodiani, di cui alquanto di sopra si disse, povero molto nel principio del suo mestiere, e di cui si dice che egli aveva da prima esercitato la pittura in cose basse, e quasi aveva lavorato a opera, dipignendo le navi; ma fu diligente molto, e nel dipignere tardo e fastidioso, nè così bene in esso si soddisfaceva. Il vanto delle sue opere porta lo Ialiso, il quale insino al tempo di Vespasiano imperadore si guardava ancora a Roma nel tempio della Pace. Dicono che, nel tempo che egli faceva cotale opera, non mangiò altro che lupini dolci, sodisfacendo a un tempo medesimo con essi alla fame ed alla sete per mantenere

[1] Sarebbero diecimila scudi ma il testo di Plinio ha *minas denas*. Questo Mnasone fu eziandio più generoso con Asclepiodoro, a cui diede cento mine per ciascuna figura dei dodici Dei maggiori che gli dipinse lo stesso Aristide (Plinio, lib. xxxv, cap. 10.) Potrebbe non pertanto dubitarsi che non sia occorso qualche errore nel testo per incuria degli amanuensi, sembrandoci veramente enorme questa somma.

[2] Il catalogo dei dipinti di Aristide può leggersi in Plinio, loc. cit.

l'animo ed i sensi più saldi e non vinti d'alcun diletto. Quattro volte mise colore sopra colore a questa opera, riparo contro alla vecchiezza e schermo contro al tempo, acciò consumandosi l'uno succedesse l'altro di mano in mano. Vedevasi in questa tavola stessa un cane di maravigliosa bellezza fatto dall'arte ed insieme dal caso in cotal modo. Voleva egli ritrarre intorno alla bocca del cane quella schiuma, la quale fanno i cani faticati ed ansanti, nè poteva in alcun modo entro sodisfarvisi; ora scambiava pennello, ora con la spugna scancellava i colori, ora insieme gli mescolava, che arebbe pur voluto che ella uscisse della bocca dell'animale, e non che la paresse di fuora appiccata, nè si contentava in modo veruno. Tanto che, avendovi faticato intorno molto, nè riuscendogli meglio l'ultima volta che la prima, con istizza trasse la spugna che egli aveva in mano piena di quei colori nel luogo stesso dove egli dipigneva. Maravigliosa cosa fu a vedere: quello, che non aveva potuto fare con tanto studio e fatica l'arte, lo fece il caso in un tratto solo. Perciocchè quelli colori vennero appiccati intorno alla bocca del cane di maniera, che ella parve proprio schiuma che di bocca gli uscisse. Questo stesso dicono essere avvenuto a Neacle pittore nel fare medesimamente la schiuma alla bocca d'un cavallo ansante, o avendolo apparato da Protogene, o essendogli avvenuto il caso medesimo. Questa figura di Protogene fu quella che difese Rodi da Demetrio re, il quale fieramente con grande esercito la combatteva. Perciocchè, potendo agevolmente prendere la terra dalla parte dove si guardava questa tavola, che era luogo men forte, dubitando il re che la non venisse arsa nella furia de' soldati, volse l'impeto dell'oste altrove, ed intanto gli trapassò l'occasione di vincere la terra. Stavasi in questo tempo Protogene in una sua villetta quasi sotto le mura della città, cioè dentro alle forze di Demetrio e nel suo campo; nè per combattere che si facesse, nè per pericolo che e' portasse, lasciò mai di lavorare. E chiamato una fiata dal re, e domandato in su che egli si fidasse, che così gli pareva star sicuro fuor delle mura, rispose: perciocchè egli sapeva molto bene che Demetrio aveva guerra con i Rodiani, e non con le arti. Fece Demetrio, piacendogli la risposta di questo artefice, guardare ch' e' non fosse da alcuno noiato o offeso. E, perchè egli non si avesse a scioperare, spesso andava a visitarlo; e, tralasciata la cura delle armi e dell'oste, molte volte stava a vederlo dipignere fra i romori del campo ed il percuotere delle mura. E quinci si disse poi che quella dipintura, che egli allora aveva fra mano, fu lavorata sotto il coltello. E questo fu quel Satiro di maravigliosa bellezza, il quale, perciocchè egli appoggiandosi a una colonna si riposava, ebbe nome il Satiro riposantesi; il quale, quasi nullo altro pensiero lo toccasse, mirava fiso una sampogna che egli teneva in mano. Sopra quella colonna aveva anco quel maestro dipinta una quaglia, tanto pronta e tanto bella, che non era alcuno che senza meraviglia la riguardasse: alla quale le dimestiche tutte cantavano, invitandola a combattere. Molte altre opere di questo artefice si lasciano indietro, per andare agli altri che ebbero pregio di cotale arte. Fra i quali fu al medesimo tempo Asclepiodoro, il quale nella proporzione valse un mondo; e però da Apelle era in questo maravigliosamente lodato. Ebbe da Mnasone principe degli Elatensi, per dodici Dei dipintigli, trecento mine per ciascuno. Fra questi merita d'esser raccontato Nicomaco figliuolo e discepolo di Aristodemo, il quale dipinse Proserpina rapita da Plutone; la qual tavola era in Roma nel Campidoglio sopra la cappella della Gioventù. E nel medesimo luogo un'altra pur di sua mano, dove si vedeva una Vittoria, la quale in alto ne portava un carro insieme con i cavalli. Dipinse anco Apollo e Diana e Rea madre degli Dei sedente sopra un leone. Medesimamente alcune giovenche con alquanti satiri appresso in atto di volere involandole trafugar via, ed una Scilla che era a Roma nel tempio della Pace. Niuno di lui in questa arte fu più presto di mano: e si dice che, avendo tolto a dipignere un sepolcro, che faceva fare a Teleste poeta Aristrato prencipe de'Sicionj, in termine di non molto tempo, ed essendo venuto tardi all'opera, e crucciandosene e minacciandolo Aristrato; egli in pochissimi giorni lo dette compito con prestezza e destrezza maravigliosa. Discepoli suoi furono Aristide fratello suo, ed Aristocle figliuolo, e Filosseno d'Eretria; di cui si dice essere stata una tavola fatta per Cassandro re, entrovi ritratta la battaglia d'Alessandro con i Persi; la qual fu tale, che non merita d'essere lasciata indietro per alcun'altra. Fece molte altre cose ancora, imitando la prestezza del maestro, e trovando nuove vie e più brevi di dipignere. A questi si aggiungono Nicofane gentile e pulito artefice, e Perseo discepolo d'Apelle, il quale molto fu da meno del maestro. Furono al medesimo tempo alcuni altri, che, partendosi da quella maniera grande di questi detti di sopra, esercitarono l'ingegno e l'arte in cose molto più basse, ma che furono tenute in pregio assai, nè meno stimate delle altre. Tra i quali fu Pireo, che dipigneva e ritraeva botteghe di barbieri, di calzolai, taverne, asini, lavoratori, e così fatte cose, onde egli trasse anco il soprannome, che si chiamava il dipintore delle cose basse; le quali nondimeno, per essere lavorate con bella arte, non erano stimate meno che le magnifiche e le onorate. Altri fu che dipinse molto bene le scene delle commedie, e da questo ebbe nome; ed altri altre diverse cose, variando assai dalli gravi e celebrati pittori, non senza grande utile loro, e diletto altrui.

XVI. Fu anco poi all'età di Augusto un Ludio, il primo che cominciasse a dipignere per le mura con piacevolissimo aspetto ville, logge, giardini, spalliere fron-

:ute, selve, boschetti, vivai, laghi, riviere, liti e piace-
:oli imagini di viandanti, di naviganti, di vetturali, ed
ltri e simili cose in bella prospettiva,[1] altri che pescavano,
:acciavano, vendemmiavano, femmine che correvano, e,
ra queste molte piacevolezze e cose da ridere mescolate.[2]
Ma e' pare che non sieno stati celebrati di questi cotali
lcuni, tanto quanto quegli antichi, i quali in tavole so-
amente dipinsero, e perciò è in grandissima riverenza
'antichità; perciocchè quei primi artefici non adopera-
vano l'arte loro se non in cose che si potessero tramu-
are, e fuggire le guerre e gli incendj e l'altre rovine;
d agli antichi tempi in Grecia, nè in pubblico nè in
rivato, non si trova mura dipinte da nobili artefici. Pro-
ogene visse in una sua casetta con poco d'orto senza
rnamento alcuno di sua arte. Apelle niuno muro dipinse
giammai. Tutta l'arte di questi solenni maestri si dava
lli comuni, ed il pittor buono era cosa pubblica ripu-
ato. Ebbe alcun nome poco innanzi alla età d'Augusto
in Arellio, il quale fu tanto dissoluto nell'amore delle
emmine, che mai non fu senza; e perciò dipignendo Dee,
empre vi si riconosceva drento alcuna delle da lui amate,
e le meretrici stesse.

XVII. Tra questi detti di sopra non si vuol lasciar indietro Pausia Sicionio, discepolo di quel Panfilo che fu
anco maestro d'Apelle; il quale pare che fosse il primo
che cominciò a dipignere per le case i palchi e le volte:
l che innanti non s'era usato. Dipigneva costui per lo

[1] Sembra che contro di Ludio fossero dirette le lagnanze di Vitruvio e di Luciano, su l'uso invalso presso i Romani in quella età di preferire il paese alla pittura storica; dappoichè egli fu il primo che in Roma coltivasse con buono successo questo genere di pittura

[2] Plinio ci ha conservato una iscrizione apposta ad un dipinto di Ludio nel tempio di Giunone in Ardea, che ne piace riportare

Dignis digna loca picturis condecoravit,
Reginae Junonis supremae conjugis templum,
Marcus Ludius Elotas Ætolia oriundus,
Quem nunc et post semper ob artem hanc Ardea laudat
(Lib xxxv, cap. 10)

più tavolette picciole, e massimamente fanciulli; il che i suoi avversarj dicevano farsi da lui, perciocchè quel modo di lavorare era molto lungo, onde egli, per acquistare nome di sollecito e presto dipintore, quando voglia o bisogno gliene venisse, fece in un giorno solo una tavola, la quale da questo fu chiamata il lavoro d'un solo giorno, entrovi un fanciul dipinto molto bello. Fu innamorato costui in sua giovanezza d'una fanciulletta di sua terra che faceva grillande di fiori, e recò nell'arte una infinità di fiori di mille maniere, quasi facendo con lei, cui egli amava, a gara; ed in ultimo dipinse lei con una grillanda di fiori in mano, la quale ella tesseva: e questa tavola fu stimata di grandissimo prezzo, e da colei, che v'era entro dipinta, ebbe nome la Grillandatessente; il ritratto della quale, di mano d'un altro buon maestro, comperò Lucullo in Atene due talenti. Fece questo artefice medesimo alcune altre opere molto magnifiche, come fu un sacrificio di buoi, del quale se ne adornò in Roma la loggia di Pompeo Magno; all'eccellenza della quale opera ed all'invenzione si sono provati d'arrivare molti, ma niuno vi aggiunse giammai. Egli primieramente, volendo mostrare con bella arte la grandezza d'un bue, lo dipinse non per lo lungo, ma in iscorcio ed in tal maniera, che la lunghezza vi appariva giustissima; e poi, conciossiachè tutti coloro che vogliono far parere in piano alcuna cosa di rilievo, adoperano color chiaro e bruno mescolandoli insieme con certa ragione e proporzione; egli lo dipinse tutto di color bruno, e del medesimo fece apparir l'ombre del corpo: grande arte certamente, nel piano far parere le cose di rilievo, e nel rotto intere. Visse costui in Sicione, che lungo tempo fu questa terra quasi la casa della pittura, ed onde tutte le nobili tavole, che molte ve ne ebbe per debito del comune pegnorate, furono poi portate a Roma da Scauro edile per adornare nella sua magnifica festa il Foro romano. Dopo questo, Pausia Eufranore da Ismo avanzò tutti gli altri di sua età,[1] e visse intorno agli anni della olimpiade 124, che batte intorno all'anno di Roma 430, avvenga che egli lavorasse anco in marmo, in metallo, ed in argento colossi ed altre figure; che fu molto agevole ad imprendere qualunche si fusse di queste arti, ma bene le esercitava con molta fatica: ed in tutte fu ugualmente lodato. Ebbe vanto d'essere il primo che alle imagini degli eroi desse tale maestà, quale a quelli si conviene; e che nelle sue figure usasse ottimamente le proporzioni, comecchè nel fare i corpi alle sue figure paresse un poco sottile, e ne' capi e nelle mani maggior del dovere. L'opere di lui più lodate sono una battaglia di cavalieri, dodici Dei, un Teseo, sopra il quale soleva dire, il suo essere pasciuto di carne, e quel di Parrasio di rose. Vedevasi del medesimo a Efeso una tavola molto nobile dove era Ulisse, il quale, fingendosi stolto, metteva a giogo un bue ed un cavallo, e Palamede che nascondeva la spada in un fascio di legne.

XVIII. Al medesimo tempo fu Ciclia, una tavola di cui contenente gli Argonauti comperò Ortensio oratore, credo, quarantaquattro talenti, ed a questa sola a Tuscolo sua villa fabbricò una cappelletta. Di Eufranore fu discepolo Antidoto, di cui si diceva essere in Atene uno con lo scudo in atto di combattere, uno che giocava alla lotta, uno che suonava il flauto, lodati eccessivamente. Fu costui per sè chiaro assai, ma molto più per essere stato suo discepolo Nicia Ateniese, quegli che così bene dipinse le femmine, ed il chiaro e lo scuro nelle sue opere così bene rassembrò, di maniera che le opere di lui tutte

[1] Ignoriamo se di questo secondo Pausia, ovvero del primo, intenda favellare Pausania ove scrive, che in Epidauro, in un edificio presso il tempio di Esculapio, dipinse un Amore, il quale, gittato l'arco e gli strali, sonava la lira; e vi ritrasse ugualmente una giovane ebra, la quale bevendo ad un vaso di vetro rifletteva in quello il suo volto. (*Descript. Graeciae*, lib. II, cap. 27).

parevano nel piano rilevate, nel che egli si sforzò e valse molto. L'opere di costui molto chiare furono una Nemea, la quale a Roma da Sillano fu portata d'Asia; medesimamente un Bacco, il quale era nel tempio della Concordia, uno Iacinto, il quale Cesare August., piacendogli oltre modo, portò seco a Roma d'Alessandria, poichè esso l'ebbe presa; e perciò Tiberio Cesare nel tempio di lui lo consacrò a Diana. A Efeso dipinse il sepolcro molto celebrato di Megalisia sacerdotessa di Diana; in Atene l'inferno d'Omero,[1] che nella greca lingua si chiama Necia, il quale egli dipinse con tanta attenzione d'animo, e con tanto affetto, che bene spesso domandava i suoi famigliari, se egli quella mattina aveva desinato, o no; la qual pittura, potendola vendere, alcuni dicono a Attalo re, ed altri a Tolomeo, sessanta talenti, volle piuttosto farne dono alla patria sua.[2] Dipinse inoltre figure molto maggiori del naturale, ciò furono Calipso, Io, Andromeda, Alessandro che a Roma si vedeva nella loggia di Pompeo, ed un'altra Calipso a sedere. Fu nel ritrarre le bestie maraviglioso, ed i cani principalmente. Questi è quel Nicia, di cui soleva dire Prassitele, domandato qual delle sue figure di marmo egli avesse per migliore: quelle, a cui Nicia aveva posto l'ultima mano: tanto dava egli a quella ultima politura, con la quale si finiscono le statue. Fu giudicato pari a questo Nicia, e forse maggiore, uno Atenione Maronite, discepolo di Glaucone da Corinto, tutto che nel colorire fusse alquanto più austero, ma tale nondimeno che quella severità dilettava, e che nell'arte di lui si mostrava molto sapere. Dipinse nel tempio di Cerere Eleusina nell'Attica Filarco, ed in Atene quel

[1] Il Winkelmann scrive, la *Necromanzia di Omero*, così detta perchè rappresenta il tratto principale del libro dell' *Odissea* che ha tal titolo; cioè il colloquio di Ulisse col cieco indovino Tiresia nell'inferno. (*Storia dell'Arte*, ecc., vol. II, lib. IX, cap. 3). La stessa storia, per autorità di Pausania, fu ripetutamente dipinta da Polignoto in Delfo. (Loc. cit., lib. X, cap. 28).

[2] Plinio, lib. XXXV, cap. 11.

gran numero di femmine, che in certi sacrifizj andavano a processione con canestri in capo. Diedegli gran nome un cavallo dipinto, con uno che lo menava; e medesimamente Achille, il quale, sotto abito femminile nascoso, era trovato da Ulisse; e, se egli non fusse morto molto giovane, non aveva pari alcuno.

XIX. Fu anco quasi a questa età medesima in Atene Metrodoro filosofo insiememente e pittore, e grande nell'una e nell'altra professione, di maniera che, poichè Paolo Emilio ebbe vinto e preso Perse re di Macedonia, chiedendo agli Ateniesi che gli procacciassero un filosofo che insegnasse a' figliuoli, ed un pittore che gli adornasse il trionfo, gli Ateniesi di comun parere gli mandarono Metrodoro solo, giudicandolo sufficiente all'una cosa ed all'altra: il che approvò Paolo medesimo. Fu anco poi al tempo di Giulio Cesare dittatore uno Timomaco di Bisanzio, il quale dipinse uno Aiace ed una Medea, le quali tavole furono vendute ottanta talenti. Di questo medesimo fu molto lodato uno Oreste ed una Ifigenia, e Lecito, maestro di esercitare i giovani nelle palestre, ed ancora alcuni Ateniesi in mantello, altri in atto di aringare ed altri a sedere: e, comecchè in tutte queste opere sia lodato molto, pare nondimeno che l'arte lo favorisse molto più nel Gorgone.

XX. Di quel Pausia detto di sopra fu figliuolo e discepolo Aristolao pittore molto severo, del quale furono opere Epaminonda, Pericle, Medea, la Virtù, Teseo ed il ritratto della plebe di Atene, ed un sacrificio di buoi. Ebbe ancora a chi piacque Menocare discepolo di quello stesso Pausia, la virtù e diligenza del quale intendevano solamente coloro che erano dell'arte. Fu rozzo nel colorire, ma abbondante molto. Tra le opere di cui sono celebrate queste: Esculapio con le figliuole, Igia, Egle e Pane, e quella figura neghittosa che chiamarono Ocno, che è un povero uomo che tesse una fune di stramba, ed un asino drieto che la si mangia, non accorgendosene egli. E questi, che noi insino a qui abbiamo raccontati, furono di cotale arte tenuti i principali. Aggiugnerannosi alcuni altri che si scordarono, appresso, non già per ordine di tempo, non si potendo rinvenire l'età loro così appunto: come Aristoclide, il quale ornò il tempio del Delfico Apollo, ed Antifilo, di cui è molto lodato un fanciullo che soffia nel fuoco, tale che tutta una stanza se ne alluma: medesimamente una bottega di lana, dove si veggono molte femmine in diverse maniere sollecitar ciascuna il suo lavoro; un Tolomeo in caccia e un Satiro bellissimo con pelle di pantera indosso. Aristofane ancora è in buon nome per un Anceo ferito dal cignale, con Astipale dolente oltra modo, ed inoltre per una tavola entrovi Priamo, la semplice Credenza, l'Inganno, Ulisse e Deifobo. Androbio ancora dipinse una Scilla mostro marino che tagliava l'ancore del navilio de' Persi; Artemone una Danae in mare portata da' venti, ed alcuni corsali, i quali con istupore la rimiravano; la regina Stratonica, un Ercole ed una Deianira. Ma oltre a modo furono di lui chiare quelle che erano in Roma nelle logge di Ottavia; ciò furono un Ercole nel monte Eta, che nella pira ardendo e lasciando in terra l'umano, era ricevuto in cielo nel divino consesso di comun parere degli Dei; e la storia di Nettuno e d'Ercole intorno a Laomedonte. Alcidamo anco dipinse Diosippo che ne' giuochi olimpici alla lotta insieme e alle pugna aveva vinto, come era in proverbio, senza polvere. Uno Cresiloco, il quale fu discepolo d'Apelle, ritrasse Giove; e nel vero con poca riverenza in atto di voler partorire Bacco, lagnantesi a guisa di femmina fra le mani delle levatrici, con molte delle Dee intorno, le quali dolenti e lacrimanti ministravano al parto. Uno Cleside, parendogli aver ricevuto ingiuria da Stratonica regina, non essendo stato da lei accettato come pareva se gli convenisse, dipinse il Diletto in forma di femmina insieme con un pescatore, che si diceva essere amato dalla regina, e lasciò questa tavola in Efeso in pubblico, e, noleggiata una nave, con gran prestezza favorito dai venti fuggì via. La regina non volle che ella fosse quindi levata, comecchè questo artefice l'avesse molto bene rassembrata in quella figura, ed il pescatore altresì ritratto al naturale Nicearco dipinse Venere e Cupido fra le Grazie, ed uno Ercole mesto in atto di pentirsi della pazzia. Nealce dipinse una battaglia navale nel Nilo fra i Persi e gli Egizj, e, perciocchè le acque del Nilo per la grandezza di quel fiume rassembrano il mare, acciocchè la cosa fosse riconosciuta, con bel trovato e grazia meravigliosa, dipinse alla riva uno asinello che beveva e poco più oltre un gran cocodrillo in aguato per prenderlo. Filisco dipinse una bottega d'un dipintore, con tutti i suoi ordigni, ed un fanciullo che soffiava nel fuoco. Teodoro un che si soffiava il naso; il medesimo dipinse Oreste che uccideva la madre ed Egisto adultero, ed in più tavole la guerra Troiana', la quale era in Roma nella loggia di Filippo, ed una Cassandra nel tempio della Concordia. Leonzio dipinse Epicuro filosofo pensoso, e Demetrio re. Taurisco, uno di coloro che scagliavano in aria il disco, una Clitennestra, uno Polinice, il quale si apprestava per tornare nello stato, ed un Capaneo. Non si deve lasciare indietro uno Erigono macinatore di colori nella bottega di Nealce, il quale salse in tanta eccellenza di quest'arte, che non solo egli fu di gran pregio. ma di lui ancora rimase discepolo quel Pausia, di cui di sopra abbiamo detto che fu molto chiaro nel dipingere. Bella cosa è ancora, e degna d'essere raccontata, che molte opere ultime e non finite di cotali maestri furono più stimate e più tenute care e con maggior piacere e meraviglia riguardate, che le perfettissime e l'intere: quale fu l'Iride di Aristide, i Gemelli di Nicomaco, la Medea di Timomaco e la Venere di Apelle, di cui disopra dicemmo. Queste tavole furono in grandissimo pregio e sommamente dilettarono, vedendosi in loro, per i disegni rimasi, i pensieri dell'artefice; e quello che di loro mancava, con un certo piacevol dispiacere, più si aveva caro che il perfetto di molte belle e da buon maestri opere compiutamente fornite. E questi voglio che insino a qui, fra gli altri quasi infiniti che in cotale arte fiorirono, mi basti avere raccontati, li quali per lo più o furono Greci, o delle parti alla Grecia vicine.[1] Ebbero ancora di cotale arte pregio alcune donne, le quali di loro ingegno e maestria abbellirono l'arte del ben dipignere; infra le quali Timarete, figliuola di Micone pittore, dipinse una Diana, la quale in Efeso fu fra le molte e molto nobili ed antiche tavole celebrata; Irena figliuola e discepola di Cratino dipinse una fanciulla nel tempio di Cerere in Attica; Alcistene uno saltatore, Aristarte, figliuola e discepola di Nearco, uno Esculapio. Marzia di Marco Varrone nella sua giovanezza adoperò il pennello e ritrasse figure, massimamente di femmine, e la sua istessa dallo specchio; e, secondo si dice, niuna mano menò mai più veloce pennello, e trapassò di gran lunga Sopilo e Dionisio pittori della sua età, i quali di loro arte molti luoghi empierono ed adornarono. Dipinse anco una Olimpiade, della quale non rimase altra memoria se non ch' ella fu maestra di Antobolo.

XXI. Fu in qualche pregio anco appresso i Romani cotale arte, poscia che i Fabj onorati cittadini non sdegnarono aver soprannome il Dipintore. Tra i quali il primo, che così fu per soprannome chiamato, dipinse il tempio della Salute l'anno 553 dalla fondazione di Roma,[2]

[1] Un lungo catalogo può vedersi in Plinio, al lib. xxxv, cap 16 Ricorderemo solo fra i molti, un Agatarco, il quale dipinse la casa di Alcibiade; un Aristofonte, il quale ritrasse Alcibiade e Nemea, un Androclide Ciziceno, al quale dalla città di Tebe fu ingiunto di ritrarre alcune imprese patrie Di costoro è fatta menzione in Plutarco nella vita di *Alcibiade*, § xiii, e di *Pelopida*, § xix.

[2] Crediamo sia un errore sfuggito all'Adriani. Nell'edizione di Plinio da noi consultata si ha l'anno cccci.

la quale dipintura durò oltre all'età di molti imperadori, ed insino che quel tempio fu abbruciato.[1] Fu ancora in qualche nome Pacuvio poeta, dalla cui mano fu adorno il tempio di Ercole nella piazza del Mercato de' buoi. Costui, come si diceva, fu figliuolo d'una sorella di Ennio poeta, e fu chiara in lui cotale arte molto più per essere stata accompagnata dalla poesia. Dopo costoro non trovo io in Roma da persone nobili cotale arte essere stata esercitata, se già non ci piacesse mettere in questo numero Turpilio cavalier romano, il quale a Verona dipinse molte cose, le quali molto tempo durarono. Lavorava costui con la sinistra mano, il che di niuno altro si sa essere avvenuto; di cui opera furono molto lodate alcune picciole tavolette. Aterio Labeone ancora, il quale era stato pretore ed aveva tenuto il governo della provincia di Narbona, dipinse. Ma questo studio negli ultimi tempi appresso i Romani era venuto in dispregio e reputato vile.[2] Non voglio però lasciar di dire quello che di cotale arte giudicassero i primi maggior cittadini di Roma. Perciocchè a Q. Pedio, nipote di quel Pedio che era stato consolo ed aveva trionfato, e che da Giulio Cesare nel testamento era stato lasciato in parte erede con Augusto, essendo nato mutolo, fu giudicato da Messala, quel grande oratore, della cui famiglia era l'avola di quel fanciullo mutolo, che si dovesse insegnare a dipignere (il che fu confermato da Augusto); il quale saliva di cotale arte in gran nome, se in breve non avesse finito i giorni suoi. Pare che l'opere di pittura cominciassero in Roma

[1] Cioè sotto l'imperio di Claudio Valerio Massimo dipoi C. Fabio, perchè egli uomo consolare, e che più volte avea trionfato, volgesse l'ingegno e la mano alla pittura, che egli per disprezzo appella *sordido studio* (Lib. VIII, cap 14)

[2] Che veramente i Romani tenessero a vile la pittura, come dice l'Adriani, si prova dalla citata autorità di Valerio Massimo, e dal sapersi che i Romani lasciavano quest'arte agli schiavi, onde lagnavasi Plinio a' suoi di che la pittura *non est spectata honestis manibus* (lib XXXV, cap 4), laddove presso i Greci era vietato agli schiavi esercitarla

ad essere in pregio al tempo di Valerio Massimo, quando Messala il primo pose nella curia di Ostilio, dove si strigneva il senato, una battaglia dipinta, nella quale egli aveva in Cilicia vinto i Cartaginesi e Ierone re l'anno dalla fondazione di Roma 490. Fece questo medesimo poi L. Scipione, il quale consacrò nel Campidoglio una tavola, dove era dipinta la vittoria che egli aveva avuto in Asia. E si dice che il fratello Scipione Affricano l'ebbe molto a male, conciofussecosachè in quella battaglia medesima il figliuol di lui fusse rimasto prigione. Giovò molto all'essere fatto consolo a Ostilio Mancino il mettere in pubblico una simil tavola, dove era dipinto il sito e l'assedio di Cartagine; che se lo arrecò a grande ingiuria il secondo Affricano, il quale consolo l'aveva soggiogata; perciocchè Mancino stava presente, mostrando al popolo, che desiderava di intenderle, cosa per cosa, e questa pubblica cortesia, come noi diciamo, ad ottenere il sommo magistrato gli fece gran favore. Fu dipoi molti anni l'ornamento della scena di Appio Pulcro tenuto meraviglioso, il quale si dice che fu di sì bella prospettiva, che le cornacchie, credendolo vero, al tetto dipinto volavano per sopra posarvisi.[1] Ma le dipinture forestiere, per quanto io ritraggo, allora cominciarono ad essere care e tenute maravigliose, quando L. Mummio, il quale per aver vinta l'Acaia, parte della Grecia, ebbe soprannome l'Acaico, consacrò al tempio di Cerere una tavola di Aristide; perciocchè nel vendere la preda, avendo tenuto poco conto di molte cose nobili, ed udendo dire che Attalo re l'aveva incantata un gran numero di denari, maravigliandosi del pregio, ed estimando per cagione d'esso che in quella tavola dovesse essere alcuna virtù, forse a lui nascosa,

[1] Oltre i citati pittori romani, si potrebbero ricordare eziandio un Amulio che dipinse la casa aurea di Nerone; Cornelio Pino ed Accio Prisco, dei quali erano le pitture nel tempio della Virtù e dell'Onore, restaurato da Vespasiano; non che un Arellio, che fiorì alcun tempo prima di Augusto.

volle che la vendita si stornasse, dolendosene e lamentandosene molto quel re. E questa tavola, delle forestiere, si crede che fusse la prima che si recasse in pubblico. Ma Cesare dittatore dipoi diede loro grandissima riputazione, avendo, oltre a molte altre, consacrato nel tempio di Venere, origine di sua famiglia, un Aiace ed una Medea, figure bellissime. Dopo lui, Marco Agrippa, piuttosto rozzo di simili leggiadrie che altrimenti, comperò da quelli di Cizico di Asia due tavole, Aiace e Venere, e le mise in pubblico, ed egli stesso con lungo e bel sermone s'ingegnò di persuadere, acciocchè ciascuno ne potesse prendere diletto, e che più se ne adornasse la città, che tutte cotali opere si dovessero recare a comune; il che era molto meglio che, quasi in perpetuo esilio, per i contadi e nelle ville de' privati lasciarle invecchiare e perdersi. Oltre a queste poi, Cesare Augusto nella più bella ed ornata parte del suo Foro pose due tavole bellissime, l'imagine della Guerra legata al carro del trionfante Alessandro, di mano di Apelle, ed i Gemelli e la Vittoria. Dopo costoro, recandosi la cosa ad onore e magnificenza, furono molti, i quali nei loro magnifici templi ed ampie logge ed altri superbi edificj pubblici infinite ne consacrarono. Ed andò tanto oltre la cosa, ed a tanto onore se la recarono (potendo ciò che volevano i prencipi romani ed i possenti cittadini) che in brieve tutta la Grecia e l'Asia ed altre parti del mondo ne furono spogliate, e Roma non solo in pubblico, ma in privato ancora, se ne rivestì e se ne adornò, durando questa sfrenata voglia molto, e molte etadi, e molti imperadori se ne abbellirono. E come questo avvenne nelle cose dipinte, così, e molto più, nelle statue di bronzo e di marmo, delle quali a Roma ne fu portato d'altronde, e ne fu fatto sì gran numero, che si teneva per certo che vi fusse più statue che uomini; delle arti delle quali e de' maestri più nobili di esse è tempo omai che, come abbiamo fatto de' pittori e delle pitture, così anco alcune cose ne diciamo, quanto però pare che al nostro proponimento si convenga.

XXII. E perocchè egli pare che il ritrarre di terra sia comune a molte arti, non si potendo così bene divisare nella mente dello artefice, nè così ben disegnare le figure, le quali si deono formare; diremo che questa arte sia madre di tutte quelle che in tutto o in parte in qualunche modo rilevano, massimamente che noi troviamo che queste figure di terra in quei primi secoli furono in molto onore, ed a Roma massimamente, quando i cittadini vi erano rozzi ed il comune povero, dove ebbero molte imagini di quelli Dei, che essi adoravano, di terra cotta; e ne' sacrificj appresso di loro furono in uso i vasi di terra. E molto più si crede che piacesse alli Dei la semplicità e povertà di quei secoli, che l'oro e l'argento e la pompa di coloro, li quali poi vennero. Il primo che si dice aver ritratto di terra fu Dibutade Sicionio, che faceva le pentole in Corinto, e ciò per opera d'una sua figliuola, la quale, essendo innamorata d'un giovane che da lei si doveva partire, si dice che a lume di lucerna con alcune linee aveva dipinta l'ombra della faccia di colui, cui ella amava, drento alla quale poi il padre, essendogli piaciuto il fatto ed il disegno della figliuola, di terra ne ritrasse l'imagine, rilevandola alquanto dal muro; e questa figura poi asciutta, con altri suoi lavori, mise nella fornace; e dicono che ella fu consecrata al tempio delle Ninfe, e che ella durò poi insino al tempo che Mummio consolo romano disfece Corinto.[1] Altri dicono che in Samo isola fu primieramente trovata questa arte da

[1] Nel sacco di Corinto dato dai Romani sotto L. Mummio, furono trasportati a Roma i più insigni capolavori dell'arte greca; solo lasciarono nella depredata città le statue più antiche e quelle di legno, fra le quali era un Bacco indorato con il volto colorito di rosso; un Bellerofonte di legno con le estremità di marmo; e un Ercole pur di legno creduto opera di Dedalo. (PAUSANIA, lib. II, cap. 2 e 4).

uno Ideoco Reto ed un Teodoro molto innanzi a questo detto di sopra,[1] ed inoltre, che Demarato padre di Tarquinio Prisco,[2] fuggendosi da Corinto sua patria, aveva portato seco in Italia arte cotale, conducendo in sua compagnia Eucirapo ed Eutigrammo maestri di far terra, e che da costoro cotale arte si sparse poi per l'Italia, ed in Toscana fiorì molto e molto tempo.[3]

XXIII. Il primo poi che ritraesse le imagini degli uomini col gesso stemperato, e dal cavo poi facesse le figure di cera, riformandole meglio, si dice essere stato Lisistrato Sicionio fratello di Lisippo. E questi fu il primo che ritraesse dal vivo, essendosi sforzati innanzi a lui gli altri maestri di far le statue loro più belle che essi potessero. E fu questo modo di formare di terra tanto comune, che niuno, per buon maestro che ei fusse, si mise a fare statue di bronzo, fondendolo, o di marmo o di altra nobile materia, levandone, che prima non ne facesse di terra i modelli. Onde si può credere che questa arte, come più semplice e molto utile, fusse molto prima che quella, la quale cominciò in bronzo a ritrarre. Furono in questa maniera di figure di terra cotta molto lodati Dimofilo e Gorgaso, i quali parimente furono dipintori, ed a Roma dell'una e dell'altra loro arte adornarono il tempio di Cerere, lasciandovi versi scritti, significanti che la destra parte del tempio era opera di Dimofilo, la sinistra di Gorgaso. E Marco Varrone scrive che innanzi a costoro tutte opere cotali, che ne' templi a Roma si vedevano, erano state fatte da' Toscani,[4] e che, quando si

[1] Per l'autorità di Diodoro Siculo e di Diogene Laerzio si tiene che due fossero i Teodori di Samo, uno figlio di Reto, l'altro di Telecle. Quest'ultimo fioriva nelle Olimpiadi LV e LVIII; il primo si crede intorno l'Olimpiade L. Di costoro può vedersi Pausania, al lib. VIII, cap. 14, e Plinio, lib. XXXV, cap. 12.

[2] PLINIO, lib. XXXV, cap. 12; PLUTARCO, *Vita di Publicola*, § X.

[3] Il Niebuhr ed il Micali dubitarono di questo racconto di Plinio, tenendo per più verosimile che la plastica fosse nota agli Etruschi innanzi ai Greci medesimi.

[4] *Ante hanc aedem tuscanica omnia in aedibus fuisse.* (PLINIO, lib. XXXV, cap. 15).

rifece il tempio di Cerere, molte di quelle imagini greche erano state del muro da alcuni levate, i quali, rinchiudendole dentro a tavolette d'asse, le portarono via. Calcostene fece anco in Atene molte imagini di terra; e dalla sua bottega quel luogo, che in Atene fu poi cotanto celebrato, e dove furono poste tante statue, da cotale arte fu chiamato Ceramico. Il medesimo Marco Varrone lasciò scritto che a suo tempo in Roma fu un buon maestro di cotale arte, il quale egli molto bene conosceva, ed era chiamato Possonio; il quale oltre a molte opere egregie ritrasse di terra alcuni pesci, sì belli e sì somiglianti, che non gli areste saputo discernere dai veri e dai vivi. Loda il medesimo Varrone molto un amico di Lucullo, i modelli del quale si solevano vendere più cari che alcun'altra opera di qualunche artefice, e che di mano di costui fu quella bella Venere che si chiamò Genitrice, la quale innanzi che fusse interamente compiuta, avendone fretta Cesare, fu dedicata e consacrata nel Foro. Di mano di questo medesimo un modello di gesso d'un vaso grande da vino, che voleva far lavorare Ottavio, cavalier romano, si vendè un talento. Loda molto Varrone il detto Prassitele, il quale disse che questa arte di far di terra era madre di ogni altra che in marmo o in bronzo faccia figure di rilievo, o in quale altra si voglia materia; e che quel nobile maestro non si mise mai a fare opera alcuna cotale, che prima di terra non ne facesse il modello. Dice il medesimo autore che questa arte fu molto onorata in Italia, e specialmente in Toscana. Onde Tarquinio Prisco re de' Romani chiamò un Turiano maestro molto celebrato, a cui gli dette a far quel Giove di terra cotta che si deveva adorare e consacrare nel Campidoglio, e similmente i quattro cavalli aggiogati, i quali si vedevano sopra il tempio; e si credeva ancora che del medesimo maestro fusse opera quello Ercole che lungo tempo si vide a Roma, e, dalla materia di che egli era, fu chiamato l'Ercole di terra cotta. Ma perciocchè questa arte, comecchè da per sè ella sia molto nobile ed origine delle più onorate, tuttavia, perocchè la materia in che ella lavora è vile, e l'opere di essa possono agevolmente ricever danno e guastarsi, e per lo più a fine si fa di quelle che si fondano di bronzo e si lavorano di marmo, e perocchè coloro che in essa si esercitarono e vi ebber nome sono anco in queste altre chiari, lasceremo di ragionare più di lei, e verremo a dire di coloro che di bronzo ritraendo, furono in maggior pregio; che voler ragionare di tutti sarebbe cosa senza fine.

XXIV. Furono appresso i Greci, i quali queste arti molto più che alcun'altra nazione, e molto più nobilmente l'esercitarono, in pregio alcune maniere di metallo l'una dall'altra differenti, secondo la lega di quello. E quinci avvenne che alcune figure d'esso si chiamarono corintie, altre deliace, ed altre eginetiche:[1] non che il metallo di questa o di quella sorte in questo o in quel luogo per natura si facesse, ma per arte, mescolando il rame chi con oro, chi con argento, e chi con istagno, e chi più e chi meno, le quali misture gli davano poi proprio colore, e più e men pregio, ed inoltre il proprio nome. Ma fu in maggiore stima il metallo di Corinto, o fusse in vasellamento o fusse in figure, le quali furono di tal pregio, e di sì rara ed eccessiva bellezza, che molti grandi uomini, quando andavano attorno, le portavano per tutto seco; e si trova scritto che Alessandro Magno, quando era in campo, reggeva il suo padiglione con istatue di metallo di Corinto, le quali poi furono portate a Roma. Il primo, che fusse chiaro in questa sorte di lavoro, si dice essere stato quel Fidia Ateniese cotanto celebrato, il quale, oltre allo aver fatto nel tempio Olimpico quel Giove dello avorio

[1] Scrive Plinio che più erano stimate le deliace, quindi le eginetiche, e da ultimo le corintie; e soggiunge che le statue di Mirone per consueto sono in metallo eginetico, e quelle di Policleto in metallo deliaco. (Lib. XXXIV, cap. 2).

sì grande e sì venerando,[1] fece anco molte statue di bronzo; ed avvegnachè avanti a lui quest'arte fusse stata molto in pregio ed in Grecia ed in Toscana ed altrove; nondimeno si giudicò che egli di cotanto avanzasse ciascuno che in tale arte avesse lavorato, che tutti gli altri ne divenissero oscuri e ne perdessero il nome. Fiorì questo nobile artefice, secondo il conto de' Greci, nell'olimpiade ottantatreesima, che batte al conto de' Romani intorno all'anno trecentesimo dopo la fondazione di Roma; e durò l'arte in buona riputazione dopo Fidia forse centocinquanta anni, o poco più,[2] seguendo sempre molti discepoli i primi maestri, i quali in questo spazio furono quasi che senza numero; e queste due o tre etadi produssero il fiore di questa arte, benchè alcuna volta poi essendo caduta, risorgesse, ma non mai con tanta nobiltà nè con tanto favore: l'eccellenza della quale mi sforzerò porre in queste carte, secondo che io trovo da altri esserne stato scritto. E prima si dice che furono fatte sette Amazzoni, le quali si consecrarono in quel tanto celebrato tempio di Diana Efesia a concorrenza da nobilissimi artefici, benchè non tutte in un medesimo tempo; la bellezza e la perfezione delle quali non si potendo così bene da ciascuno estimare, essendo ciascuna d'esse degna molto di essere commendata, giudicarono quella dover essere la migliore e la più bella, che i più degli artefici, che alcuna ne avessero fatta, commendassero più dopo la sua pro-

[1] Narra Plutarco, che Paolo Emilio avendo veduto in Olimpia il mirando simulacro di Giove scolpito da Fidia, esclamasse esser quello veramente il Giove descritto da Omero. (*Vita di Paolo Emilio,* § XXI).

[2] L'Olimpiade LXXXIII, nella quale ebbe cominciamento la guerra peloponnesiaca, segna l'epoca più felice della greca scultura. Noveravansi in essa, Fidia, Policleto, Scopa, Pitagora, Mirone, ecc. Lo stesso vuol dirsi delle altre arti, e segnatamente dell'architettura, la quale per il favore di Pericle crebbe mirabilmente e si perfezionò. Direttore di tutte le fabbriche che per sua cura si ergevano, era lo stesso Fidia, come narra Plutarco. Sappiamo per l'autorità di Tucidide, che Pericle, in molti sontuosi edifizj da lui eretti col danaro del pubblico, avea spesi ben undici milioni e centomila lire, onde n'ebbe grave accusa dagli Ateniesi. (PLUTARCO, *Vita di Pericle,* § XIII e XV).

pria. E così toccò il primo vanto a quella di Policleto, il secondo a quella di Fidia, il terzo a quello di Cresilla;[1] e così di mano in mano, secondo questo ordine, l'altre ebbero la propria loda; e questo giudizio fu riputato verissimo, ed a questo poi stette ciascuno, avendole per tali. Fidia oltre a quel Giove d'avorio che noi dicemmo, la quale opera fu di tanto eccessiva bellezza che niuno si trovò che con ella ardisse di gareggiare, ed oltre a una Minerva pur d'avorio che si guardava in Atene nel tempio di quella Dea,[2] ed oltre a quella Amazzone, fece anco di bronzo una Minerva di bellissima forma; la quale dalla bellezza fu la Bella chiamata, ed un'altra ancora, la quale da Paolo Emilio fu al tempio della Fortuna consacrata, e due altre figure greche con il mantello, le quali Quinto Catulo pose nel medesimo tempio. Fece di più una figura di statura di colosso, ed egli medesimo cominciò e mostrò, come si dice, a lavorare con lo scarpello di basso rilevo.

XXV. Venne dopo Fidia Policleto da Sicione, della cui mano fu quel morbido e delicato giovane di bronzo con la benda intorno al capo, e che da quella ha il nome, il quale fu stimato e comperato cento talenti; e del medesimo anco fu quel giovinetto fiero e di corpo robusto, il quale dalla asta che ei teneva in mano, come suona la greca favella, fu Doriforo nominato. Fece ancor egli quella nobil figura, la quale fu chiamata il Regolo della arte, dalla quale gli artefici, come da legge giustissima,

[1] Alcuni scrivono *Ctesilao;* nella nostra edizione di Plinio (Basilea 1530), si ha *Cresila.*

[2] Questa statua, alta 26 cubiti, aveva le parti ignude del corpo in avorio, e il panneggiamento di oro: del qual metallo Fidia vi adoperò ben quaranta talenti. È noto che il talento attico di que' tempi valeva intorno a 600 scudi. Narra Plutarco che Fidia sendo accusato di aver derubato porzione dell'oro che dato gli avevano gli Ateniesi per fonderla, fu condannato alla carcere, nella quale morì di malattia, o come altri scrive, di veleno datogli dagli avversarj per aver campo di calunniar Pericle. Morì nell'Olimpiade LXXXVII. (PLUTARCO, *Vita di Pericle,* § XXV).

solevano prendere le misure delle membra e delle fattezze che essi intendevano di fare, estimando quella in tutte le parti sue perfettissima.[1] Fece ancora uno che si stropicciava, ed uno ignudo che andava sopra un piè solo, e due fanciulletti nudi che giocavano ai dadi, i quali da questo ebbero il nome, i quali poi lungo tempo si videro a Roma nel palazzo di Tito imperadore, della quale opera non si vide mai la più compiuta. Fece medesimamente un Mercurio che si mostrava in Lisimachia, ed uno Ercole che era in Roma con Anteo insieme, il quale egli, in aria sostenendolo e stringendolo, uccideva; ed oltre a queste molte altre, le quali, come opere di ottimo maestro, furono per tutto estimate perfettissime; onde si tiene per fermo che egli desse ultimo compimento a questa arte. Fu proprio di questo nobile artefice temperare e con tale arte sospendere le sue figure, che elle sopra un piè solo tutte si reggessero, o almeno che paresse.[2]

XXVI. Quasi alla medesima età fu anco celebrato infinitamente Mirone per quella bella giovenca che egli formò di bronzo, la quale fu in versi lodati molto commendata.[3] Fece anco un cane di maravigliosa bellezza, ed uno giovane che scagliava in aria il disco, ed un satiro, il quale pareva che stupisse al suono della sampogna, ed una Minerva, ed alcuni vincitori de' giuochi delfici, i

[1] Osservo il Winkelmann che era siffattamente regolare e proporzionata la disposizione delle parti nelle statue dei Greci, che malgrado della differenza osservata già anticamente nelle opere di Mirone, di Policleto e di Lisippo, tutte sembravano uscite dalla stessa scuola (*Storia delle Arti*, ecc, vol I, lib v, cap 5, pag 350).

[2] La più grande e la più famosa opera di Policleto fu la statua colossale di Giunone in Argo, d'avorio e d'oro insieme, della quale ragiona Pausania al lib II, cap 17

[3] Vedi l'*Antologia Greca*, lib IV, cap 7 Dissero di questa giovenca di Mirone, che a lei muggissero i tori, ed accorressero i torelli per poppare Fu poi trasportata in Roma, con quattro buoi, opera similmente di Mirone, e collocata nell' atrio del tempio di Apollo edificato da Augusto Nello scolpire gli animali ebbero eziandio rinomanza presso i Greci, Calamide per i cavalli, Nicia per i cani e Menecmo per i vitelli. (PLINIO, lib. XXXIV, cap 8)

quali per aver vinto a due o a tutti, Pentarli o Pancratisti si solevano chiamare. Fece anco quel bello Ercole che era in Roma dal Circo Massimo in casa Pompeo Magno. Fece i sepolcri della cicala e del grillo, come ne' suoi versi lasciò scritto Erina poetessa. Fece quello Apollo, il quale, avendolo involato Antonio triumviro a quelli di Efeso, fu loro da Augusto renduto, essendogli ciò in sogno ricordato. Fu tenuto che costui per la varietà delle maniere delle figure, o' per il maggior numero che egli ne fece, e per le proporzioni di tutte le sue opere, fusse più diligente e più accorto di quei di prima; ma par bene che nel fare i corpi ponesse maggiore studio, che nel ritrarre l'animo e nel dare spirito alle figure, e che ne' capelli e nelle barbe non fusse più lodato, che si fusse stata l'antica rozzezza degli altri. Fu vinto da Pitagora Italiano da Reggio in una figura fatta da lui e posta nel tempio di Apollo a Delfo, la quale rassembrava uno di quei campioni che alla lotta ed alle pugna insiememente combattevano, e che si chiamavano Pancratisti.[1] Vinselo anche Leonzio, il quale a Delfo a concorrenza pose alcune figure di giocatori olimpici. Iolpo similmente il vinse in una bella figura d'un fanciullo che teneva un libro, e d'un altro che portava frutte: le quali figure ad Olimpia poi si vedevano, dove le più nobili e le più ragguardevoli di tutta la Grecia si consacravano. Di questo medesimo artefice era a Siracusa un zoppo, il quale, dolendosi nello andare, pareva che a chi il mirava parimente porgesse dolore. Fece ancora uno Apollo, il quale con l'arco uccideva il serpente. Questi il primo molto più artificiosamente e con maggior sottigliezza ritrasse ne' corpi le vene ed i nervi ed i capelli, e ne fu molto commendato. Fu un altro Pitagora da Samo, il quale primieramente si esercitò nella

[1] Il medesimo artefice lavorò anche in bronzo, e di questo metallo fece Cratistene cireneo con una Vittoria sur un cocchio, dei quali parla Pausania, nel lib. vi, cap. 18.

pittura, e poi si diede a ritrarre nel bronzo, e di volto e di statura si dice che era molto somigliante a quel detto poco fa che fu da Reggio, e nipote di sorella, e parimente discepolo; di mano di cui a Roma si videro alcune imagini di Fortuna nel tempio della istessa Iddea, molto belle, mezze ignude, e perciò commendate, e molto volentieri vedute.

XXVII. Dopo costoro fiorì Lisippo, il quale lavorò un gran numero di figure, e più molto che alcuno altro; il che si confermò alla morte sua, perciocchè del pregio di ciascuna soleva serbarsi una moneta d'oro, e quella in sicuro luogo tener guardata; e si dice che gli eredi suoi ne trovarono seicento dieci, ed a tal numero si tiene che arrivassero le figure da lui fatte e lavorate; la qual cosa appena par che si possa credere: ma nel vero, che egli in questo ogni altro artefice vincesse non si può dubitare; e fra le opere lodate di lui sommamente piacque quella figura, la quale pose Agrippa allo entrare delle sue stufe, della quale invaghì cotanto Tiberio imperadore, che benchè in molte cose solesse vincere il suo appetito, massimamente nel principio del suo imperio, in questo nondimeno non si potette tenere, che, mettendovene un'altra simile, non facesse quella quindi levare, ed in camera sua portarla: la quale fu con tanta instanza da tutto il popolo romano nel teatro e con tanti gridi richiesta, e che ella quivi si riponesse donde ella era stata levata, che Tiberio, benchè molto l'avesse cara, ne volle fare il popolo romano contento, ritornandola al suo luogo. Era questa imagine d'uno che si stropicciava, figura che troppo bene conveniva al luogo, dove Agrippa l'aveva destinata. Fu molto celebrato questo artefice in una figura d'una femmina cantatrice ebbra, e in alcuni cani e cacciatori maravigliosamente ritratti; ma molto più per un carro del Sole con quattro cavalli, che egli fece a richiesta de'Rodiani. Ritrasse questo nobile artefice Alessandro Magno in molte maniere, cominciandosi da puerizia, e d'età in età seguitando; una delle quali statue piacendo oltre a modo a Nerone, la fece tutta coprire d'oro, la quale poi, essendone stata spogliata, fu tenuta molto più cara vedendovisi entro le ferite e le fessure, dove era stato l'oro commesso. Ritrasse il medesimo anche Efestione, molto intrinseco d'Alessandro, la qual figura alcuni crederono che fusse di mano di Policleto, ma s'ingannarono, percioccbè Policleto fu forse cento anni innanzi ad Alessandro. Il medesimo fece quella caccia di Alessandro, la quale poi fu consacrata a Delfo nel tempio di Apollo.[1] Fece inoltre in Atene una schiera di Satiri. Ritrasse con arte maravigliosa, rassembrandoli vivi, Alessandro Magno e tutti gli amici suoi;[2] le quali figure Metello, poichè ebbe vinta la Macedonia, fece traportare a Roma. Fece ancora carri con quattro cavalli in molte maniere: e si tiene per certo che egli arrecasse a questa arte molta perfezione, e nei capelli, i quali ritrasse molto meglio che non avevano fatto i più antichi, e nelle teste, le quali egli fece molto minori di loro. Fece anco i corpi più assettati e più sottili, di maniera che la grandezza nelle statue n'appariva più lunga: nelle quali egli osservò sempre maravigliosa proporzione, partendosi dalla grossezza degli antichi; e soleva dire che innanzi a lui i maestri di cotale arte ave-

[1] Scrive Plutarco, che non pure Lisippo, ma Leocare ritraesse questa caccia di Alessandro, e che fu per cura di Cratero che venne posta nel tempio di Delfo. Chi amasse di leggerne la descrizione, può vederla nella *Vita di Alessandro*, § XXXVIII in fine.

[2] Allude verosimilmente l'Adriani a ciò che narra Plutarco, cioè, che nella battaglia data da Alessandro contro l'esercito di Dario sulle sponde del Granico, avendo il primo perduti soli 34 uomini, a tutti fece erigere statue di rame per opera di Lisippo. Secondo Quinto Curzio, Alessandro concesse un tale onore a soli 25 cavalieri oppressi dalla moltitudine dei Persiani. Queste statue furono erette in Dia, città della Macedonia, onde più tardi il console Q. Metello le fece trasportare a Roma. Il Dacier si meraviglia che Lisippo in sì breve tempo potesse lavorare tante statue, sapendosi che Alessandro, il quale dopo quel fatto non visse che soli dieci anni, potè vederle ultimate. (PLUTARCO, *Vita di Alessandro*, § XIV).

vano fatto le figure secondo che elle erano, ed egli secondo che elle parevano. Fu proprio di questo artefice in tutte quante le opere sue osservare ogni sottigliezza con grandissima diligenza e grazia.[1] Rimasero di lui alcuni figliuoli, chiari in questa arte medesima, e sopra gli altri Euticrate, al quale più piacque la fermezza del padre che la leggiadria, e s'ingegnò più di piacere nel grave e nel severo, che nel dolce e nel piacevole dilettare, dove il padre massimamente fu celebrato. Di costui fu in gran nome l'Ercole che era a Delfo, ed Alessandro cacciatore, e la battaglia de Tespiensi, ed un ritratto di Trofonio al suo oracolo. Ebbe per discepolo Tisicrate, anch'esso da Sicione, e s'apprese molto alla maniera di Lisippo, talmente che alcune figure appena si riconoscevano se elle erano dell'uno o dell'altro maestro, come fu un vecchio Tebano, Demetrio re, Peuceste, quello che campò in battaglia e difese Alessandro Magno; e furono questi cotali cotanto stimati, ed in tanto pregio tenuti, che chi ha scritto di cotali cose gli loda eccessivamente; come anco un Telefane Focèo, il quale peraltro non fu appena conosciuto, perciocchè in Tessaglia, laddove egli era quasi sempre vivuto, l'opere sue erano state sepolte. Nondimeno, per giudizio di alcuni scrittori, fu posto a paro di Policleto e di Mirone e di Pitagora. È molto lodata di lui una Larissa, uno Apollo, ed un campione vincitore a tutti i cinque giuochi. Alcuni dissero che egli non è stato in bocca de' Greci, perocchè egli si diede a lavorare in tutto per Dario e per Xerse, re barbari, e che nei loro regni finì la vita.

XXVIII. Prassitele ancora, avvegnachè nel lavorare in marmo, come poco poi diremo, fusse tenuto maggior maestro, e perciò vi abbia avuto drento gran nome, nondimeno lavorò anche in bronzo molto eccessivamente,

[1] Pausania ricorda eziandio di Lisippo una statua di bronzo rappresentante Cupido, posseduta già dai Tespiensi. Ma fra le tante sue opere di bronzo la più celebre è il colosso che fece pei Tarentini, alto 40 cubiti.

come ne fece fede la rapina di Proserpina fatta da lui, e l'Ebrietà, ed uno Bacco ed un Satiro insieme, di sì maravigliosa bellezza, che si chiamò il Celebrato,[1] ed alcune altre figure; le quali erano a Roma nel tempio della Felicità, ed una bella Venere, la quale al tempo di Claudio imperadore, ardendo il tempio, si guastò; la quale era a nulla altra seconda. Fece molte altre figure lodate, ed Armodio ed Aristogitone, che in Atene uccisero il tiranno; le quali figure avendosele Xerse di Grecia portate nel regno suo, Alessandro, poichè ebbe vinto la Persia, le rimandò graziosamente agli Ateniesi; ed inoltre uno Apollo giovinetto, che con l'arco teso stava per trarre a una lucertola, la quale gli veniva incontro, e da quello atto ebbe nome la figura, che si chiamò lucertola uccidente. Vidonsi di lui parimente due bellissime figure, l'una rassembrante una onesta mogliera che piangeva, e l'altra una femmina di mondo che rideva, e si crede che questa fusse quella Frine, famosissima meretrice, e nel volto di quella onesta donna pareva l'amore che ella portava al marito, ed in quello della disonesta femmina l'ingordo prezzo che ella chiedeva agli amanti. Pare che anco fusse ritratta la cortesia di questo artefice in quel carro de'quattro cavalli che fece Calamide cotanto celebrato, perciocchè questo artefice in formar cavalli non trovò mai pari, ma nel fare le figure umane non fu tanto felice. Egli adunque all'opera di Calamide, la quale era imperfetta, diede il compimento, aggiungendovi il guidator de'cavalli, di arte maravigliosa. Fu anco molto chiaro in quest'arte un Ificle, il quale, oltre ad altre figure, fece a nome degli Ateniesi una bella liona con questa occasione. Era in Atene una femmina chiamata Liona, molto fami-

[1] Di questo Satiro di Prassitele in Roma se ne noveravano più di trenta copie, stimandosi l'opera più perfetta di questo artefice. Nel ritrarre i satiri ebbero altresì molta rinomanza Pratino, Aristia ed un certo Eschilo. (PAUSANIA, lib. II, cap. 13).

liare di Aristogitone e di Armodio per conto di amore, i quali in Atene, uccidendo il tiranno, vollono tornare il popolo nella sua libertà; costei, essendo consapevole della congiura, fu presa, e con crudelissimi tormenti insino a morte lacerata non confessò mai cosa alcuna di cotal congiura: laonde volendo poi gli Ateniesi pur fare onore a questa femmina, per non far ciò a una meretrice, imposono a questo artefice che ritraesse una liona, ed acciocchè in questa figura si riconoscesse il fatto ed il valor di lei, vollono che esso la facesse senza lingua. Briaxi fece uno Apolline, un Seleuco re, ed un Batto che adorava, ed una Iunone, i quali si videro a Roma nel tempio della Concordia. Clesila ritrasse uno ferito a morte, nella qual figura si conosceva quanto ancora restasse di vita, e quel Pericle ateniese, il quale per soprannome fu chiamato il Celeste. Cefisodoro fece nel porto degli Ateniesi una Minerva maravigliosa, ed uno altare nel tempio di Giove nel medesimo porto. Canaco fece uno Apollo che si chiamò Filesio, ed un cervio con tanta arte sopra i piedi sospeso, che sotto, or da una, or da un'altra parte, si poteva tirare un sottilissimo filo. Fece medesimamente alcuni fanciulli a cavallo, come se al palio a tutta briglia corressero. Uno Cherea ritrasse Alessandro Magno e Filippo suo padre, e Clesila uno armato di asta, ed un'Amazzone ferita. Un Demetrio ritrasse Lisimaca, la quale era stata sacerdotessa di Minerva ben sessantaquattro anni, ed una Minerva che si chiamò Musica, perocchè i draghi, i quali erano ritratti nello scudo di quella Dea, erano talmente fatti, che, quando erano percossi, al suono della cetera rispondeano: il medesimo un Sarmone a cavallo, il quale aveva scritto dell'arte del cavalcare. Un Dedalo fra questi fu molto celebrato, il quale fece duoi fanciulletti, i quali l'un l'altro nel bagno si stropicciavano. Di Eufranore fu un Paride, il quale fu molto lodato, che in un subietto medesimo si riconosceva il giudice delle Dee, l'amante di Elena, e l'ucciditore d'Achille. Del medesimo era a Roma una Minerva di sotto al Campidoglio, che si chiamava Catuleiana, perocchè ve l'aveva consagrata Lutazio Catulo, ed una figura della Buona Ventura, la quale con l'una delle mani teneva una tazza, e con l'altra spighe di grano e di papaveri. Il medesimo fece una Latona, che di poco pareva che fusse uscita di parto, e si vedeva a Roma nel tempio della Concordia, la quale teneva in braccio i suoi figliuolini Apollo e Diana. Fece inoltre due figure in forma di colosso, l'una era la Virtude e l'altra Clito, di maravigliosa bellezza, ed inoltre una donna che adorava, e al sacrificio ministrava, e Filippo ed Alessandro sopra carri di cavalli in guisa di trionfanti. Butieo discepolo di Mirone fece un fanciullo che soffiava nel fuoco, sì bello, che sarebbe stato degno del maestro, e gli Argonauti, ed una aquila, la quale, avendo rapito Ganimede, nel portava in aria sì destramente, che ella con gli artigli non gli noceva in parte alcuna. Ritrasse anco Autolico, quel bel giovane vincitore alla lotta, a nome di cui Zenofonte scrisse il libro del suo Simposio, e quel Giove tonante, che fra le statue di Campidoglio fu tenuto maraviglioso; un Apollo medesimamente con la diadema.

XXIX. I' ho trapassato qui molti, de' quali, essendosi perdute l'opere, i nomi appena si ritrovano; pure ne aggiugneremo alcuni degl' infiniti, fra i quali fu un Nicerato, di cui mano a Roma nel tempio della Concordia si vedeva Esculapio ed Igia sua figliuola; di Firomaco una quadriga, la quale era guidata da Alcibiade ritratto. Policle fece uno Ermafrodito di singolar bellezza e leggiadria. Stipace da Cipri fece un ministro di Pericle, il quale sopra lo altare accendeva il fuoco per arrostirne il sacrificio. Sillanione ritrasse uno Apollodoro anche egli della arte, ma così fastidioso e così appunto, che non si contentando mai di sua arte (e v'era pur dentro eccellente), bene spesso rompeva e guastava le figure sue belle e finite, onde trasse il soprannome, che si chiamò Apollodoro il bizzarro: e lo ritrasse tanto bene, che tu aresti detto che non fusse imagine di uomo, ma la bizzarria ritratta al naturale. Fece anco uno Achille, molto celebrato, ed un maestro di esercitare i giovani alla lotta, ed altri giuochi anticamente cotanto celebrati ed aggraditi. Fece medesimamente una Amazzone, la quale dalla bellezza delle gambe fu detta la Belle gambe; e per questa sua eccellenza Nerone, dovunche egli andava, se la faceva portar dietro. Costui medesimo fece di sottil lavoro un fanciulletto molto poi tenuto caro da quel Bruto, il quale morì nella battaglia di Tessaglia, e ne acquistò nome, che poi sempre si chiamò l'Amore di Bruto. Teodoro, quegli che a Samo fece un laberinto, ritrasse anco se medesimo di bronzo; figura, a cui non mancava altro che il somigliare, nel resto, per ogni tempo celebratissima, di finissimo lavoro, la quale nella man destra teneva una lima, e con tre dita della sinistra reggeva un carro con quattro cavalli, di opera sì minuta, che una mosca sola similmente di bronzo con l'ale sue copriva il carro, la guida ed i cavalli: e questa statua si vide lungo tempo a Preneste. Fu ancora eccellente in questa arte un Xenocrate, discepolo, chi dice di Tisicrate e chi di Euticrate, il quale vinse l'uno di eccellenza di arte e l'altro di numero di figure: e della arte sua scrisse volumi. Molti furono ancora, che in tavole di bronzo di rilievo scolpirono le battaglie di Eumene e di Attalo re di Pergamo contro a' Franciosi, i quali passarono in Asia. Tra costoro furono Firomaco, Stratonico, ed Antigono, il quale scrisse anco della arte sua. Boeto, benchè fusse maggior maestro nel lavoro di scarpello in argento, nondimeno di sua arte si vide di bronzo un fanciullo che strangolava una oca. E la maggiore e la miglior parte di cotali opere furono a Roma da Vespasiano imperadore consacrate al tempio della Pace; e molto maggior numero dalla forza di Nerone tolte di molti luoghi, dove elle erano tenute care, ed in quel suo gran palazzo, che egli si fabbricò in Roma, portate, ed in varj luoghi per ornamento di quello disposte. Furono, oltre ai molti raccontati di sopra, altri infiniti, i quali ebbero qualche nome in questa arte; li quali raccontare al presente credo che sarebbe opera perduta, bastando al nostro proponimento aver fatto memoria di coloro che ebbero nell'arte maggior pregio.[1]

XXX. Furono oltre a questi alcuni altri chiari per ritrarre con iscarpello in rame, argento ed oro calici ed altro vasellamento da sacrificj e da credenze, come un Lesbocle, un Prodoro, un Pitodico e Polignoto, che furono anco pittori molto chiari; e Stratonico Scinno, il quale dissono che fu discepolo di Crizia. Fu questa arte di far di bronzo anticamente molto in uso in Italia, e lo mostrava quello Ercole, il quale dicono essere stato da Evandro consacrato a Roma nella piazza del mercato de' buoi, il quale si chiamava l'Ercole trionfale, perocchè, quando alcuno cittadino romano entrava in Roma trionfando, si adornava anco l'Ercole di abito trionfale.[2] Medesimamente lo dimostrava quel Iano che fu consacrato da Numa Pompilio, il tempio del quale, o aperto o chiuso, dava segno di guerra o di pace; le dita del quale erano talmente figurate, che elle significavano trecento sessantacinque, mostrando che era Dio dello anno e della età. Mostravanlo ancora molte altre statue pur di bronzo di maniera toscana sparse per tutta quanta l'Italia. E pare che sia cosa degna di maraviglia che, essendo questa arte tanto antica in Italia, i Romani di quel tempo amassero più gli Iddei, che essi adoravano, ritratti di terra, o di legno intagliati, che di bronzo, avendone l'arte; percioc-

[1] Può leggersene un lungo catalogo in Plinio, lib, XXXIV, cap. 8.

[2] Non era questa la sola stranezza che costumassero i Romani nelle grandi solennità; ma ci avverte Plinio che nei giorni festivi tingevano alla statua di Giove il volto di rosso col minio o cinabro, sendo questo colore appo loro tenuto in conto di cosa sacra. (Lib. XXXIII, cap. 7).

chè insino al tempo, nel quale fu da' Romani vinta l'Asia, cotali imagini di Dei ancora si adoravano. Ma poi quella semplicità e povertà romana, così nelle pubbliche come nelle private cose, divenne ricca e pomposa, e si mutò in tutto il costume, e fu cosa da non lo creder agevolmente, in quanto poco di tempo ella crebbe, che al tempo che M. Scauro fu edile, che egli fece per le feste pubbliche lo apparato della piazza, che era uffizio di quel magistrato, si videro, in un teatro solo fatto per quella festa, ed in una scena, tremila statue di bronzo provvedutevi ed accattatevi, come allora era usanza di fare, di più luoghi. Mummio, quel che vinse la Grecia, ne empiè Roma: molte ve ne portò Lucullo, ed in poco tempo ne fu spogliata l'Asia e la Grecia in gran parte; e contuttociò fu chi lasciò scritto che a Rodi in questo tempo n'erano ancora tre migliaia, nè minor numero in Atene, nè minore ad Olimpia, e molto maggiore a Delfo; delle quali le più nobili e li maestri d'esse noi di sopra abbiamo in qualche parte raccontato. Nè solo le imagini degli Dei, e le figure degli uomini rassembrarono, ma ancora d'altri animali; infra i quali nel Campidoglio nel tempio più secreto di Giunone si vedeva un cane ferito, che si leccava la piaga, di sì eccessiva simiglianza, che appena pare che si possa credere; la bellezza della qual figura quanto i Romani stimassero, si può giudicare dal luogo dove essi la guardavano, e molto più che coloro, ai quali si aspettava la guardia del tempio con ciò che dentro vi era, non si stimando somma alcuna di denari pari alla perdita di quella figura, se ella fusse stata involata, la dovevano guardare a pena della testa.

XXXI. Nè bastò alli nobili artefici imitare e rassembrare le cose, secondo che elle sono da natura, ma fecero ancora statue altissime e bellissime molto sopra il naturale, come fu l'Apollo in Campidoglio alto trenta braccia; la qual figura Lucullo fece portare a Roma delle terre d'oltre il mar maggiore; e qual fu quella di Giove nel Campo Marzio, la quale Claudio Augusto vi consacrò, che, dalla vicinanza del teatro di Pompeo, fu chiamato il Giove Pompeiano; e quale ne fu anco una in Taranto fattavi da Lisippo alta ben trenta braccia, la quale con la grandezza sua da Fabio Massimo si difese, allora quando la seconda volta prese quella città, non si potendo quindi se non con gran fatica levare; che, come ne portò l'Ercole che era in Campidoglio, così anco ne arebbe seco quella a Roma portata. Ma tutte l'altre maraviglie di così fatte cose avanzò di gran lunga quel colosso che ai Rodiani in onor del Sole, in cui guardia era quell'isola, fece Carete da Lindo, discepolo di Lisippo; il quale dicono che era alto settanta braccia: la qual mole, dopo cinquantasei anni che ella era stata piantata, fu da un grandissimo tremuoto abbattuta, ed in terra distesa, e tutta rotta; la quale si mirava poi con infinito stupore de' riguardanti, chè il dito maggiore del piede appena che un ben giusto uomo avesse potuto abbracciare, e le altre dita a proporzione della figura fatte, erano maggiori che le statue comunali. Vedevansi per le membra vote caverne grandissime, e sassi entrovi di smisurato peso, con li quali quello artefice aveva opera così grande contrappesata e ferma. Dicesi che ben dodici anni faticò intorno a questa opera, e che trecento talenti entro vi si spesero, i quali si trassero dello apparecchio dello oste, che vi aveva lasciato Demetrio re, quando lungo tempo vi tenne l'assedio.[1] Nè solo questa figura sì grande era in Rodi, ma cento ancora maggiori delle comunali di maravigliosa bellezza, di ciascuna delle quali ogni città e luogo si sarebbe potuto onorare ed abbellire.[2] Nè fu

[1] I pezzi di questo colosso vi furono conservati fino all'anno 653 dell'Era Cristiana, in cui da Mauria re dei Saraceni, che si era reso padrone dell'isola, furono venduti ad un Ebreo che ne caricò (dicesi) 900 cammelli.

[2] Oltre queste cento statue semicolossali, scrive Plinio che nei suoi giorni se ne noveravano fino a tremila. (Lib. XXXIV, cap. 7).

solamente proprio dei Greci il far colossi, ma se ne vide alcuno anco in Italia; come fu quello che si vedeva nel monte Palatino alla libreria di Augusto, d'opera e di maniera toscana, dal capo al piè di cinquanta cubiti, maraviglioso, non si sa se più per l'opere, o per la temperatura e lega del metallo, che l'una cosa e l'altra aveva molto rara. Spurio Carvilio fece fare anco anticamente un Giove delle celate e pettorali e stinieri ed altre armadure di rame di Sanniti, quando, combattendo con essi scongiuratisi a morte, li vinse; e lo consacrò al Campidoglio: la qual figura era tanto alta, che di molti luoghi di Roma si poteva vedere; e si dice che della limatura di questa statua fece anco ritrarre l'imagine sua, la quale era posta a piè di quella grande. Davano anco nel medesimo Campidoglio maraviglia due teste grandissime, l'una fatta da quel Carete medesimo, di cui sopra dicemmo, e l'altra da un Decio, a prova, nella quale Decio rimase tanto da meno, che l'opera sua, posta al paragone di quell'altra, pareva opera di artefice meno che ragionevole. Ma di tutte cotali statue fu molto maggiore una che al tempo di Nerone fece in Francia Zenodoro; la quale era alta quattrocento piedi, in forma di Mercurio, intorno alla quale egli aveva faticato dieci anni; ma, perocchè egli era per questo in gran nome, mandò a chiamarlo a Roma Nerone, e per lui si mise a fare una imagine in forma di colosso centoventi piedi alta; la quale, morto Nerone, fu dedicata al Sole, non consentendo i Romani che di lui, per le sue sceHeratezze, rimanesse memoria tanto onorata. nel qual tempo si conobbe che l'arte del ben legare e ben temperare il metallo era perduta, essendo disposto Nerone a non perdonare a somma alcuna di denari, purchè quella statua avesse d'ogni parte la sua perfezione;[1] nella quale quanto fu maggiore il ma-

[1] Plinio muove lamento che l'arte fusoria fosse in quella età in grandissima decadenza a malgrado degli eccessivi prezzi che si chiedevano per ogni lavoro

gistero, tanto più a rispetto degli antichi vi parve il difetto nel metallo.

XXXII. Ora lo avere degl' infiniti, che ritrassero in bronzo, i più nobili insino a qui raccontato, vogliamo che al presente ci basti: passeremo a quelli, i quali in marmo scolpirono, e di questi anche sceglieremo le cime, secondo che noi abbiamo trovato scritto nelle memorie degli antichi, seguendo l'ordine incominciato.[1] Dicesi adunque che i primi maestri di questa arte, di cui ci sia memoria, furono Dipeno e Scilo, i quali nacquero nella isola di Creti al tempo che i Persi regnarono, che, secondo il conto degli anni de' Greci, viene a essere intorno alla olimpiade cinquantesima, cioè dopo alla fondazione di Roma anni cento settanta tre. Costoro se ne andarono in Sicione, la quale fu gran tempo madre e nutrice di tutte quante queste arti nobili, e dove esse più che altrove si esercitarono; e, perciocchè essi erano tenuti buon maestri, fu dato loro dal comune di quella città a fare di marmo alcune figure dei loro Dei: ma innanzi che essi l'avessero compiute, per ingiurie che loro pareva ricevere da quel comune, quindi si partirono; onde a quella città sopravvenne una gran fame ed una gran carestia. Laonde, domandando quel popolo agli Dei misericordia, fu loro dallo oracolo d'Apollo risposto che la troverebbero ogni volta che quegli artefici fussero fatti tornare

siffatto. E soggiunge, che appunto dal cercarsi non la gloria, ma il lucro era quell'arte nobilissima venuta in tanto misera condizione. (Lib. XXXIV, cap. 2).

[1] L'Adriani ha omesso ricordare le sculture in legno di Dedalo, il quale universalmente è riputato il più antico tra i greci scultori. Pausania ricorda come nei suoi giorni esistessero tuttavia le seguenti statue di Dedalo, cioè: una di Ercole a Tebe; una di Trofonio a Lebade; una di Britomarte a Olonte; una di Minerva presso i Gnossi, ecc. (lib. IX, cap. 40). — Di questo celebre scultore fanno onorata menzione Callistrato nelle *Statue*, Platone, Aristotile, Luciano, ecc. E Diodoro Siculo lo ripone eziandio fra i primi architetti, ricordando di lui molte e importanti fabbriche. Intorno questo artefice e gli altri più antichi tra' Greci, può leggersi il Winkelmann, *Storia dell'Arte*, ecc., vol. II, lib. IX, cap. 1, p. 165.

a finire le incominciate figure: la qual cosa i Sicioni con molto spendio e preghiere finalmente ottennero, e furono queste imagini: Apollo, Diana, Ercole, e Minerva. Non molto dopo costoro, in Chio, isola dello Arcipelago, furono medesimamente altri nobili artefici di ritrarre in marmo, uno chiamato Mala, ed un suo figliuolo Micciade, ed un nipote Antermo, i quali fiorirono al tempo d'Ipponatte poeta, che si sa chiaro essere stato nella olimpiade sessantesima. E se si andasse cercando l'avolo e 'l bisavolo di costoro, si troverebbe certo questa arte avere avuto origine con le olimpiadi stesse; e fu quello Ipponatte poeta, molto brutto uomo e molto contraffatto nel viso. Onde questi artefici, per beffarlo con l'arte loro, lo ritrassero, e, per far ridere il popolo, lo misero in pubblico; di che egli sdegnandosi, che stizzosissimo era, con i suoi versi, i quali erano molto velenosi, gli trafisse nel vivo ed in maniera gli abominò, che si disse che alcuni di loro per dolore della ricevuta ingiuria se stessi impiccarono. Il che non fu vero, perciocchè poi per l'isole vicine fecero molte figure, e in Delo massimamente, sotto le quali scolpirono versi, che dicevano che Delo fra l'isole della Grecia era in buon nome, non solo per la eccellenza del vino, ma ancora per le opere dei figliuoli di Antermo scultori. Mostravano i Lasii una Diana fatta di mano di costoro, ed in Chio, isola, si diceva esserne un'altra posta in luogo molto rilevato di un tempio, la faccia della quale, a coloro che entravano nel tempio, pareva severa ed adirata, ed a coloro che ne uscivano, placata e piacevole. A Roma erano di mano di questi artefici nel tempio di Apollo Palatino alcune figure postevi e consagratevi da Augusto in luogo più alto e più ragguardevole. Vedevansene ancora in Delo molte altre, ed in Lebedo, e delle opere del padre loro, Ambracia, Argo e Cleone, città nobili, furono molto adorne. Lavorarono solamente in marmo bianco, che si cavava nell'isola di

Paro,[1] il quale, come anco scrisse Varrone, perocchè delle cave a lume di lucerna si traeva, fu chiamato marmo di lucerna. Ma furono poi trovati altri marmi molto più bianchi, ma forse non così fini, come è anco quello di Carrara. Avvenne in quelle cave, come si dice, cosa che appena par da credere, che fendendosi con i conj un masso di questo marmo, si scoperse nel mezzo una imagine d'una testa di Sileno. Come ella vi fosse entro non si sa così bene, e si crede che ciò a caso avvenisse.

XXXIII. Dicono che quel Fidia, di cui di sopra abbiamo detto che sì bene aveva lavorato in metallo, e fatto d'avorio alcune nobilissime statue, fu anco buon maestro di ritrarre in marmo, e che di sua mano fu quella bella Venere che si vedeva a Roma nella loggia di Ottavia; e che egli fu maestro di Alcmane ateniese, in questa arte molto pregiato, dell'opere di cui molte gli Ateniesi ne' loro tempj consacrarono, e, fra le altre, quella bellissima Venere, la quale per essere stata posta fuor delle mura fu chiamata la Fuor-di-città, alla quale si diceva che Fidia aveva dato la perfezione, e, come è in proverbio, avervi posto l'ultima mano.[2] Fu il discepolo del medesimo Fidia anco Agoraclito da Paro, a lui per il fiore della età molto caro; onde molti credettero che Fidia a questo giovane donasse molte delle sue opere. Lavorarono questi due discepoli di Fidia a prova ciascuno una Venere, e fu giudicato vincitore l'ateniese, non già per la bellezza dell'opera, ma perciocchè i cittadini ateniesi, che ne dovevano esser giudici, più favorarono l'artefice lor cittadino, che il forestiero: di che sdegnato Agoraclito vendè quella sua figura, con

[1] Due qualità di marmo statuario erano preferite in Grecia, cioè il Pario ed il Pentelico. Maggior uso di questo che di quello fecero gli antichi; tal che di dieci statue, nove erano di marmo Pentelico, ed una di Pario. Perciocchè il Pentelico, sebbene men candido, era più dolce e molle a lavorarsi del Pario.

[2] Fidia fu eziandio pittore, come si ha da Plinio: *cum et Phidiam ipsum initio pictorem fuisse tradatur, Olympiumque ab eo pictum*. In alcuni codici in luogo di *Olympiumque* si legge *clypeumque*, cioè lo scudo della Dea Minerva.

patto che mai ella non si dovesse portare in Atene: e la chiamò lo Sdegno; la quale fu poi posta pur nella terra Attica in un borgo che si chiamava Rannunte: la qual figura Marco Varrone usava dire che gli pareva che di bellezza avanzasse ogni altra. Erano ancora di mano di questo medesimo Agoraclito nel tempio della Madre degli Dei, pure in Atene, alcune altre opere molto eccellenti. Ma che quel Fidia, maestro di questi due, fosse di tutti gli artefici cotali eccellentissimo, niuno fu, che io creda, che ne dubitasse giammai; nè solo per quelle nobilissime figure grandi di Giove d'avorio, nè per quella Minerva d'Atene, pur d'avorio e d'oro, di ventisei cubiti d'altezza; ma non meno per le piccole e per le minime, delle quali in quella Minerva n'era un numero infinito, le quali non si debbono lasciare, che le non si contino. Dicono adunque che nello scudo della Dea, e nella parte che rileva, era scolpita la battaglia che già anticamente fecero gli Ateniesi con le Amazzoni, e nel cavo di drento i Giganti che combattevano con gli Dei, e nelle pianelle il conflitto de' Centauri e de' Lapiti, e ciò con tanta maestria e sottigliezza, che non vi rimaneva parte alcuna che non fusse maravigliosamente lavorata. Nella base eran ritratti dodici Dei, che pareva che conoscessero la vittoria, di bellezza eccessiva. Similmente faceva maraviglia il drago ritratto nello scudo, e sotto l'asta una Sfinge di bronzo. Abbiamo voluto aggiungere anco questo di quel nobile artefice, non mai abbastanza lodato, acciò si sappia l'eccellenza di lui non solo nelle grandi opere, ma nelle minori ancora e nelle minime, ed in ogni sorta di rilievo essere stata singolare.

XXXIV. Fu dipoi Prassitele, il quale nelle figure di marmo, comecchè egli fusse anco eccellente nel metallo, fu maggiore di se stesso. Molte delle sue opere in Atene si vedevano nel Ceramico.[1] Ma fra le molte eccel-

[1] Di una statua equestre presso l'ingresso della città di Atene, opera di Prassitele; come pure di una Cerere, della figliuola e di Giacco portante una

lenti, e non solo di Prassitele, ma di qualunche altro maestro singolare in tutto il mondo, è più chiara e più famosa quella Venere, la qual sol per vedere, e non per altra cagione alcuna, molti di lontano paese navigavano a Gnido. Fece questo artefice due figure di Venere, l'una ignuda e l'altra vestita, e le vendè un medesimo pregio: la ignuda comperarono quei di Gnido, la qual fu tenuta di gran lunga migliore, e la quale Nicomede re volle da loro comperare, offerendo di pagare tutto il debito che aveva il lor comune, che era grandissimo; i quali elessero innanzi di privarsi d'ogni altra sostanza e rimaner mendichi, che di spogliarsi di così bello ornamento: e fecero saviamente, perciocchè quanto aveva di buono quel luogo, che per altro non era in pregio, lo aveva da questa bella statua.[1] La cappelletta, dove ella si teneva chiusa, si apriva d'ogni intorno, talmente che la bellezza della Dea, la quale non aveva parte alcuna che non movesse a maraviglia, si poteva per tutto vedere. Dicesi che fu chi, innamorandosene, si nascose nel tempio, e che l'abbracciò, e che del fatto ne rimase la macchia, la quale poi lungo spazio si parve. Erano in Gnido parimente alcune altre imagini pur di marmo d'altri nobili artefici, come un Bacco di Briaxi, ed un altro di Scopa, ed una Minerva, le quali aggiugnevano infinita lode a quella bella Venere; perciò queste altre, avvegnachè di buoni maestri, non erano in quel luogo tenute di pregio alcuno.[2] Fu del medesimo artefice quel bel Cupido, il quale Tullio rimproverò a

face, nel tempio della stessa Dea in Atene, è memoria in Pausania, al lib. I, cap. 11.

[1] Su questa statua di Prassitele si legge nell'*Antologia* il seguente epigramma:

Me Paris, Anchisesque, et nudam vidit Adonis:
Hoc scio tres tantum; Praxiteles sed ubi?

[2] Una Venere scolpì lo stesso per i Tespiensi, non che una statua di Frine, delle quali ragiona Pausania, al lib. IX, cap. 27.

Verre nelle sue accusazioni,[1] e quell'altro, per il quale era solamente tenuta chiara la città di Tespia in Grecia; il quale fu poi a Roma grande ornamento della scuola di Ottavia.[2] Di mano del medesimo si vedeva un altro Cupido in Pario, colonia della Propontide, al quale fu fatta la medesima ingiuria che a quella Venere di Gnido, perciocchè uno Alchida rodiano se ne innamorò, e dell'amore vi lasciò il segnale. A Roma erano molte delle opere di questo Prassitele: una Flora, uno Triptolemo, ed una Cerere nel giardino di Servilio, e nel Campidoglio una figura della Buona Ventura, ed alcune Baccanti, ed al sepolcro di Pollione uno Sileno, uno Apollo e Nettuno. Rimase di lui un figliuolo chiamato Cefisodoro, erede del patrimonio e dell'arte insieme, del quale è lodata a maraviglia a Pergamo di Asia una figura, le dita della quale parevano più veracemente a carne che a marmo impresse. Di costui mano erano anco in Roma una Latona al tempio d'Apollo Palatino, una Venere al sepolcro di Asinio Pollione, e dentro alla loggia di Ottavio al tempio di Giunone uno Esculapio ed una Diana.[3]

XXXV. Scopa ancora al medesimo tempo fu di chiarissimo nome, e con i detti di sopra contese del primo onore. Fece egli una Venere, ed un Cupido, ed un Fetonte, i quali con gran divozione e cerimonie erano a Samotracia adorati, e lo Apollo, detto il Palatino dal

[1] Quante maravigliose opere di arti avesse raccolte Verre nella sua Pinacoteca, frutto di lunghe rapine, deducesi dalle Orazioni di Cicerone, dette perciò *Verrine*, d'onde il sig. ab. Fraguier ha tratto argomento ad una dissertazione intitolata, *La Galleria di Verre*, inserita poi nelle *Memorie dell'Accademia delle Iscrizioni di Parigi*, al vol. VI. L'ab. Fea, nelle note al Winkelmann, dà un lungo catalogo di questa Galleria, vol. II, lib. x, cap. 3, pag. 295.

[2] Intorno a questa statua di Cupido può vedersi un aneddoto in Pausania, lib. I, cap. 20. Sembra sia quello stesso che l'imperatore Caligola fece trasportare a Roma. Dopo la morte di lui Claudio lo rinviò a Tespi; ma Nerone lo fece di bel nuovo recare a Roma, ove rimase distrutto in un incendio. (PAUSANIA, lib. IX, cap. 27).

[3] Aggiungi, in Pergamo trasportativi di Grecia erano di Cefisodoro i due famosi lottatori, dei quali ragiona Plinio, al lib. XXXVI, cap. 5.

luogo, dove egli fu consacrato, ed una Vesta che sedeva nel giardino di Servilio, e due ministre della Dea appressole, alle quali due altre simiglianti pur del medesimo maestro si vedevano fra le cose di Pollione; di cui ancora erano tenute in pregio nel tempio di Gneo Domizio nel circo Flaminio un Nettuno, una Tetide con Achille, e le sue ninfe a sedere sopra i delfini ed altri mostri marini, e tritoni, e Forco, ed un coro d'altre ninfe, tutte opere di sua mano; le quali sole, quando non avesse fatto altro in sua vita, sarieno bastate ad onorarlo. Fuor di queste, molte altre se ne vedevano in Roma, le quali si sapeva certo che erano opere di questo artefice; e ciò era un Marte a sedere, un colosso del medesimo al tempio di Bruto Callaico dal Circo, che si vedeva da chi andava inverso la porta Labicana; e nel medesimo luogo una Venere tutta ignuda, che si tiene che avanzi di bellezza quella famosa da Gnido di Prassitele. Ma Roma, per il numero grande che da ogni parte ve n'era stato portato, appena che elle si riconoscessero, che, oltre alle narrate, vè ne aveva molte altre bellissime. I nomi degli artefici, che le avevano fatte, s'erano in tutto perduti, siccome avvenne di quella Venere, che Vespasiano imperadore consacrò al tempio della Pace; la quale per la sua bellezza era degna d'essere di qualunche de' più nominati artefici opera. Il simigliante avvenne nel tempio di Apollo di una Niobe con figliuoli, la quale dallo arco di Apollo era ferita, e pareva ne morisse; la quale non bene si sapeva se l'era opera di Prassitele, o pure di Scopa. Similmente si dubitava di uno Iano, il quale aveva condotto di Egitto Augusto, e nel suo tempio l'aveva consagrato. La medesima dubitanza rimaneva di quel Cupido che aveva in mano l'arme di Giove, che si vedeva nella curia di Ottavia, il quale si teneva per certo che fusse imagine nella più fiorita età d'Alcibiade ateniese; il quale fu di sì rara bellezza, che tutti gli altri giovani della sua età trapassò. Parimente non si sa di cui fussero mano i quattro Satiri, che erano nella scuola di Ottavia, de' quali uno mostrava a Venere Bacco bambino, ed un altro Libera, pure bambina; il terzo voleva racchetarlo, che piangeva; il quarto con una tazza gli porgeva da bere: le due ninfe, le quali con velo pareva che lo volessero coprire. Nel medesimo dubbio si rimasero Olimpo, Pane, Chirone ed Achille, non se ne sapendo il maestro vero.

XXXVI. Ebbe Scopa al suo tempo molti concorrenti: Briaxi, Timoteo, e Leocare, de' quali insieme ci convien ragionare, perciocchè insieme lavorarono di scarpello a quel famoso sepolcro di Mausolo re di Caria; il quale fu tenuto una delle sette maraviglie del mondo; fattogli dopo la morte d'esso da Artemisia sua moglie; il quale si dice essere morto l'anno secondo della centesima olimpiade, cioè l'anno 329 dalla fondazione di Roma. La forma di questo sepolcro si dice essere stata cotale. Dalla parte di tramontana e di mezzogiorno si allargava per ciascun lato piedi sessantatre; da levante e ponente fu alquanto più stretto. L'altezza sua era venticinque cubiti, ed intorno intorno era retto da sedici colonne. La parte da levante lavorò Scopa, quella da tramontana Briaxi, a mezzodì Timoteo, da occidente Leocare; ed innanzi che l'opera fusse compiuta, morì Artemisia, e nondimeno quei maestri condussero il lavoro a fine, il quale da ogni parte fu bellissimo. Nè si seppe così bene chi di loro fosse più da essere commendato, essendo stata l'opera di ciascuno perfettissima. A questi quattro si aggiunse un quinto maestro, il quale sopra il sepolcro fece una piramide di pari altezza di quello, e sopra vi pose un carro con quattro cavalli d'opera singularissima. Serbavasi in Roma di mano di quel Timoteo una Diana nel tempio di Apollo Palatino, alla qual figura, che venne senza, rifece la testa Evandro Aulanio. Fu ancora di gran maraviglia uno Ercole di Menestrato; ed una Ecate nel tempio di Diana di Efeso, di marmo talmente rilucente, che i sacerdoti del tempio solevano avvertire chi vi entrava, che non mirassero troppo fiso quella imagine, perocchè dal troppo splendore la vista resterebbe abbagliata. Furono anco nello antiporto di Atene poste le tre Grazie, le quali non si devono ad alcuna delle altre figure posporre; le quali si dice che furono opere di un Socrate, non quel pittore, ma un altro, benchè alcuno voglia che sia il medesimo che il dipintore. Di quel Mirone ancora, il quale nel far di metallo fu cotanto celebrato, si vedeva a Smirna una vecchia ebbra, di marmo, fra le altre buone figure molto celebrata.[1] Asinio Pollione, come nelle altre cose fu molto sollecito ed isquisito, così anco s'ingegnò che le cose da lui fatte a lunga memoria fussero singolari e ragguardevoli, e le adornò di molte figure d'ottimi artefici, ragunandole da ciascuna parte; le quali chi volesse ad una ad una raccontare arebbe troppo che scrivere. Ma, infra le molto lodate, vi si vedevano alcuni Centauri, i quali via se ne portavano ninfe, e le Muse, e Bacco, e Giove, e l'Oceano, e Zete, ed Amfione, e molte altre opere di eccellentissimi maestri. Medesimamente nella loggia di Ottavia, sorella di Augusto, era uno Apollo di mano di Filisco rodiano, ed una Latona, ed una Diana, e le nove Muse, ed un altro Apollo ignudo, l'uno dei quali, quello che sonava la lira, si credeva essere opera di Timarchide. Dentro alla loggia di Ottavia nel tempio di Iunone era la Iunone stessa di mano di Dionisio e di Policle; un'altra Venere era nel medesimo luogo, di Filisco; l'altre figure, che vi si vedevano, erano opera di Prassitele, e molte altre nobili statue di ottimi maestri. Fu, per il luogo dove ella era posta, stimata molto bella opera un carro con

[1] Lo stesso Mirone scolpì un Apollo, non so se in bronzo od in marmo, per la città di Girgenti, collocato nel tempio di Esculapio, che Cicerone rimprovera a Verre di aver derubato. (Orat. IV, *in Verrem*).

quattro cavalli, ed Apollo e Diana sopra una pietra sola; i quali Augusto, in onore di Ottavio padre suo, aveva consacrato nel colle Palatino sopra l'arco in un tempio adorno di molte colonne; e questo si diceva essere stato lavoro di Lisia. Nel giardino di Servilio furono molto lodati uno Apollo di quel Calamide, chiaro maestro, ed un Callistene, quel che scrisse la storia di Alessandro Magno, di mano di Amfistrato. Di molti altri, che si conosceva per l'opere che erano stati nobili maestri, è smarrito il nome per il gran numero delle opere e degli artefici, che infinite ed infiniti furono, come anco mancò poco che non si perderono coloro sì buoni maestri, li quali formarono quel Laocoonte di marmo, il quale fu a Roma nel palazzo di Tito imperadore; opera da agguagliarla a qualsivoglia celebrata di pittura, o di scoltura, o d'altro; dove di un medesimo marmo sono ritratti il padre e duoi figliuoli con duoi serpenti, i quali gli legano, ed in molti modi gli striugono, come prima gli aveva dipinti Vergilio poeta; i quali oggi in Roma si veggono anco saldi in Belvedere, ed il ritratto d'essi in Firenze nel cortile della casa de'Medici; il qual lavoro insieme fecero Agesandro, Polidoro ed Atenodoro rodiani; degni per questo lavoro solo d'essere a paro degli altri celebrati, lodati.[1]

XXXVII. Furono i palazzi degl'imperadori romani di figure molto buone adornati di Cratero, Pitodoro, Polidette, Ermolao, e d'un altro Pitodoro, e d'Artemone, molto buoni maestri; ed il Panteo di Agrippa, oggi chiamato la Ritonda, fornirono di molte belle figure Diogene ateniese e Cariatide. Sopra le colonne del qual tempio,

[1] Scrive il dotto annotatore del Winkelmann, di aver rinvenuto in una relazione manoscritta degna di fede che Giulio II diede a Felice de Fredis e a' suoi figliuoli *introitus et portionem gabellae portae S. Ioannis Lateranensis*, in premio di avere scoperto questo gruppo del Laocoonte; e che Leone X, restituendo queste rendite alla chiesa di S. Giovanni in Laterano, assegnò in quella vece al Fredis *Officium Scriptoriae Apostolicae*, con un breve in data dei 9 novembre 1517. (*Storia dell'Arte*, ecc., vol. II, lib. IX, cap 1, pag. 241, nota).

ed in luogo molto alto nel frontespizio, fra le molte, erano celebrate molte opere di costoro; ma per l'altezza dove elle furono poste, la bontà e bellezza d'esse non si poteva così bene discernere. In questo tempio era uno Ercole, al quale i Cartaginesi anticamente sacrificavano umane vittime. Innanzi che si entrasse nel tempio si vedevano da buoni maestri scolpiti tutti quelli che furono della schiatta di Agrippa. Fu grandemente celebrato da Varrone uno Archesilao, del quale lasciò scritto che aveva veduta una liona con alcuni Amori intorno, i quali con essa scherzavano, de' quali alcuni la tenevano legata, altri con un corno le volevano dar bere, ed altri la calzavano; e tutti di un marmo medesimo. Non si vuole lasciare indietro uno Sauro ed uno Batraco, artefici così chiamati, i quali fecero i templi compresi nella loggia di Ottavia, e furono di Grecia e spartani, e, come si diceva, molto ricchi; e vi spesero assai del loro con intenzione di mettervi il loro nome; il quale avviso venendo lor fallito, con nuovo modo lo significarono, scolpendo ne' capitelli delle colonne ranocchi e lucertole, che quello viene a dire Batraco, e questo Sauro.

XXXVIII. Oltre a questi, nominati di sopra, furono alcuni che studiarono in fare nella arte cose piccolissime; infra i quali Mirmecide, uno scultore così chiamato, fece un carro con quattro cavalli e con la guida d'essi sì piccoli, che una mosca con l'ale gli arebbe potuto coprire; e Callicrate, di cui le gambe delle scolpite formiche e l'altre membra che appena si potessero vedere.[1] Potrebbesi, oltre a questi detti, ancora aggiugnere molti altri, i quali ebbero alcuno nome; ma, però che ci pare averne raccolti tanti che bastino, finiremo in questi; massima-

[1] Non isdegnarono gli artefici italiani esercitarsi eziandio in questi piccolissimi lavori; e della celebre Properzia de' Rossi, scultrice bolognese, scrive il Vasari, che sur un nocciolo di pesca intagliò tutta la Passione di G. C., con infinità di figure piccolissime e graziosissime. Lo stesso leggesi facesse Damiano Lercaro, scultore genovese.

mente essendo stato nostro intendimento raccontare i più onorati e famosi, e l'opere di essi più perfette; e questi, come di sopra de' pittori si disse, furono per lo più Greci; che, avvengachè i Toscani a' tempi molto antichi fussero di qualche nome in queste arti, e di loro maestria si vedessero molte statue, nondimeno, a giudizio di ciascuno, i Greci ne ebbero il vanto per la bontà e virtù delle loro figure, e per il numero grande d'esse e degli artefici, i quali studiosamente si sforzarono non solamente per il premio che essi ne traevano, che era grandissimo (contendendo infra di loro i comuni e le città con molta ambizione di avere appresso di loro le più belle e le migliori opere che tali arti potessero fare), ma molto più per gloria di tal nome; per cagione della quale essi talmente faticarono, che, dopo una infinità di secoli, e dopo molte rovine della Grecia, ancora ne dura il nome, avvengachè l'opere d'essi o sieno in tutto perdute, o più non si riconoschino. Perciocchè le pitture, come cosa fatta in materia, la quale agevolmente o da sè si corrompe, o d'altronde riceve ogni ingiuria, sono in tutto disfatte; e le statue di bronzo, o da chi non conosce la bontà d'esse, o da chi non le stima, hanno mutato forma; ed i marmi oltre ad essere, per le rovine che avvengono, mutandosi per il girar del cielo ogni cosa, la maggior parte rotti e sepolti, sono anche, ad arbitrio di chi più può, stati sovente qua e là traportati, ed i nomi degli artefici, che erano in essi, perdutisi e mutatisi, come avvenne ad infiniti, i quali la potenza romana d'altronde in lungo tempo portò a Roma: onde, partendosi poi Costantino imperadore, e traportando l'imperio in Grecia, molte delle più belle statue seguendo l'imperio, e lasciando Italia, in Grecia, là donde elle erano venute, se ne tornarono: e Costantino stesso, e li altri imperadori poscia delle isole e delle cittadi della Grecia scelsero le migliori, e, come si trova scritto, il seggio imperiale ne adornarono; dove poi al tempo di Zenone imperadore, per un grandissimo incendio, il quale disfece la più bella e la miglior parte di Costantinopoli, molte ne furono guaste: infra le quali fu quella bella Venere da Gnido di Prassitele, di cui di sopra facemmo menzione, e quel maraviglioso Giove Olimpico fatto per mano di Fidia, e molte altre nobili di marmo e di bronzo. E, fra li altri danni, ve ne fu uno grandissimo, che vi abbruciò una libreria, nella quale si dice che eran ragunati centoventi migliaia di volumi; e questo fu intorno agli anni della Salute 466; e poi un'altra fiata, forse settanta anni dopo, della medesima città arse un'altra parte più nobile, dove medesimamente s'era ridotto il fiore di così nobili arti: e così a Roma da'barbari, ed in Costantinopoli dal fuoco, fu spento il più bello splendore che avessero cotali arti: laonde in quelle che sono rimase, e che si veggiono in Roma, ed altrove, riconoscervi il maestro credo che sia cosa malagevolissima, essendo stato in arbitrio di ciascuno porvi il nome di questo o di quello; avvengachè per la bellezza d'alcune scampate, e per la virtù loro, si possa estimare che elle sieno state opere d'alcuni de'sopra da noi nominati.

XXXIX. L'origine di far le statue si conosce appresso i Greci primieramente essere nata dalla religione; chè le prime imagini, che di bronzo o di marmo si facessero, furono fatte a simiglianza degli Dei, e quali gli uomini adoravano, e secondo che pensavano che essi fossero. Dagli Dei si scese agli uomini, dalli quali i comuni e le provincie estimavano aver ricevuto alcuno benefizio straordinario; e si dice che in Atene, la quale fu città civilissima ed umanissima, il primo onore di questa sorte fu dato ad Armodio ed Aristogitone, i quali avevano voluto, con l'uccidere il tiranno, liberare la patria dalla servitù; ma ciò potette esser vero in Atene, perciocchè molto prima, a coloro, i quali ne'giuochi sacri di Grecia, e massimamente negli olimpici, erano pubblicamente banditi vincitori, in quel luogo si facevano le statue.[1] Questa sorte di onore, del quale i Greci furono liberalissimi, trapassò a Roma; e forse, come io mi credo, ve la recarono i Toscani lor vicini, e parte di loro accettati nel numero de' cittadini; perciocchè si vedevano a Roma anticamente le statue dei primi re romani nel Campidoglio; ed a quello Azio Navio, il quale per conservazione degli auguri tagliò col rasoio la pietra, vi fu posto anche la statua.[2] Ebbevela anco quell' Ermodoro, savio da Efeso, il quale a quei dieci cittadini romani, che compilavano le leggi, le greche leggi interpretava, e quell' Orazio Coclite, il quale solo sopra il ponte aveva l'impeto de' Toscani sostenuto. Vedevansene in oltre molte altre antiche poste dal popolo, o dal senato, ai lor cittadini, e massimamente a coloro, i quali, essendo imbasciadori del lor comune, erano stati da' nemici uccisi. Era anco molto antica in Roma la statua di Pitagora e d'Alcibiade, l'uno riputato sapientissimo, e l'altro fortissimo. Nè solo fu fatto questo onore di statue agli uomini da i Romani, ma ancora ad alcuna donna, perocchè a Caia Suffecia vergine vestale fu diliberato che si facesse una statua, perciocchè, come in alcuna cronaca de' Romani era scritto, ella al popolo

[1] Avverte Plinio che bisognava aver vinto tre volte ne' giuochi olimpici per ottenere quell'onore. Grandissimo accendimento alla gloria era eziandio per gli artefici la speranza di vedere la propria statua, viventi essi, collocata presso quella dei numi e degli eroi. Così Senofilo e Stratone collocarono le proprie statue sedenti presso quella di Esculapio e di Igea, che scolpite avevano in Argo. Chirosfo stava effigiato in marmo presso la statua di Apollo dal medesimo lavorata in Tegea. Alcamene fu collocato in basso rilievo in cima al tempio di Eleusi, ecc. — È memorabile altresì ciò che si legge in Plinio di Demetrio Falereo, al quale gli Ateniesi in segno di singolare attestazione di stima e di benevolenza eressero trecentosessanta statue di bronzo nella loro città. Varrone e Dione Grisostomo affermano fossero 1500.

[2] Abbiamo da Plinio che i Romani nei primi tempi in luogo di statue innalzavano per consueto in onore dei benemeriti cittadini una colonna o semplice o rostrata, giusta la vittoria che avessero riportata, cioè terrestre o marittima; e fra le altre ricorda quelle erette a C. Mennio, C. Duilio, e P. Minucio. (Lib. XXXIV, cap. 5).

romano aveva fatto dono del campo vicino al fiume. Questo medesimo onore fu fatto a Clelia, e forse maggiore, perciocchè costei fu ritratta a cavallo, che s'era fuggita dal campo del re Porsena, il quale era venuto con l'oste contro a' Romani. Molti, oltre a questi, se ne potrebbero contare, i quali, per alcuno benefizio raro fatto al comune loro, meritarono la statua; e molto prima a Roma fu questo onore di statue di bronzo o di marmo dato agli uomini, che in cotal materia gli Dei si ritraessero, contentandosi quegli antichi di avere le imagini dei loro Dei rozze di legno intagliato e di terra cotta; e la prima imagine di bronzo, che agli Dei in Roma si facesse, si dice essere stata di Cerere, la quale si trasse dello avere di quello Spurio Melio, che nella carestia, col vendere a minor pregio il suo grano, s'ingegnava di allettare il popolo, e di procacciarsi la signoria della patria, e che per questo conto fu ucciso.

XL. Avevano le greche statue e le romane differenza infra di loro assai chiara, che le greche per lo più erano, secondo l'usanza delle palestre, ignude, dove i giovani alla lotta e ad altri giuochi ignudi si esercitavano, che in quelli ponevano il sommo onore: le romane si facevano vestite o d'armadura, o di toga, abito specialmente romano;[1] il quale onore, come noi dicemmo poco fa, dava primieramente il comune; poi, cominciando l'ambizione a crescere, fu dato anche da' privati e da' comuni forestieri a questo ed a quel cittadino, o per benefizio ricevuto, o per averlo amico, e massimamente lo facevano gli umili e bassi amici inverso i più potenti e maggiori; ed andò tanto oltre la cosa, che, in breve spazio, le piazze, i templi e le logge ne furono tutte ripiene.[2] E non solo fio-

[1] PLINIO, lib. XXXIV, cap. 5. *Graeca res est, nihil velare. At contra Romana ac militaris, thoracas addere.*

[2] Nell'anno di Roma 480, avendo M. Flavio Flacco conquistata la città di Volsinia, oggi Bolsena, ne tolse e trasportò a Roma ben due mila statue. E

rirono queste arti nel tempo che i Greci in mare ed in terra molto poterono appresso a quella nazione, ma poi molti secoli dopo che ebbero perduto l'imperio, al tempo degli imperadori romani alcune volte risorsero; che in Roma si vede ancora l'arco di Settimio ornato di molte belle figure, e molte altre opere egregie, delle quali non si sanno i maestri, essendosene perduta la memoria. Ma non estimo già che queste cotali sieno da agguagliare a quelle, che, nei tempi che i Greci cotanto ci studiarono, furono fatte; appresso i quali furono inoltre alcuni, i quali ebbero gran nome nel lavorare in argento di scarpello, l'opere dei quali, per la materia, la quale agevolmente muta forma e che l'uso in poco spazio logora, non si condussero molto oltre; e nondimeno ne son chiari alcuni artefici, de'nomi de'quali brievemente faremo menzione, per finire una volta quello che voi avete voluto che io facci. Nella quale arte fra i primi fu molto celebrato Mentore, il quale lavorava di sottilissimo lavoro vasi d'argento, e tazze da bere, ed ogni altra sorte di vasellamento che si adoperava ne'sacrificj; ed erano tenuti questi lavori, e ne'templi e nelle case de'nobili uomini, molto cari. Dopo costui nella medesima arte ebbero gran nome uno Acragante, uno Boeto, ed un altro chiamato Mys, dei quali nella isola di Rodi si vedevano per i templi in vasi sacri molto belle opere, e di quel Beoto specialmente Centauri e Bacche fatti con lo scarpello in idrie ed in altri vasi molto belli; e di quello ultimo un Cupido ed uno Sileno di maravigliosa bellezza. Dopo costoro fu molto chiaro il nome d'uno Antipatro, il quale sopra una tazza fece un Satiro gravato dal sonno, tanto proprio, che ben si poteva dire che più presto ve lo avesse su posto, che ve lo avesse con lo scarpello scolpito. Furono anco di qualche nome uno Taurisco da Cizico, uno Aristone, uno

quando M. Fulvio ebbe domati gli Etoli, nel suo trionfo portò seco 285 statue di bronzo, e 230 di marmo.

Onico, ed uno Ecateo, ed alcuni altri; e poi, a'tempi più oltre di Pompeo il grande, un Prassitele ed un Ledo da Efeso,[1] il quale ritraeva di minutissimo lavoro uomini armati e battaglie molto bene. Fu anco in gran nome un Zopiro, il quale aveva in due tazze ritratto il giudizio di Oreste nello Areopago. Fu anco chiaro un Pitea, il quale aveva commesso in un vaso due figurette, l'una di Ulisse, e l'altra di Diomede, quando in Troia insieme furarono la statua di Pallade. Ma questi lavori erano di tanta sottigliezza, che in breve il bello d'essi se ne consumava, ed erano poi in pregio più per il nome degli artefici che li avevano fatti, che per virtù o per eccellenza che si scorgesse nelle figure, delle quali poi appena se ne potesse ritrarre l'esemplo.

XLI. Ma questa, e l'altre arti nobili, delle quali noi abbiamo di sopra, più che non pensavano di dover fare, ragionato, l'età presente e due o tre altre di sopra hanno talmente tornato in luce, che io non credo che ci bisogni desiderare l'antiche per prenderne diletto ed ammirarle; perocchè sono stati tali i maestri di queste arti, e per lo più i Toscani, e specialmente i nostri Fiorentini, che hanno mostro l'ingegno e l'industria loro essere di poco vinta da quegli antichi, cotanto celebrati in arti cotali. Li quali da voi, Messer Giorgio, sono nelle lor Vite in modo, e sì sottilmente descritti e lodati, che io non trapasserò più oltre con lo scrivere, godendo infinitamente che, oltre agli altri beni di Toscana, che sono infiniti, li quali la virtù e la buona mente del duca Cosimo de'Medici nostro signore ci fa parer migliori, abbiamo anco l'ornamento di così nobili arti; delle quali non solo la Toscana, ma tutta l'Europa se ne abbellisce, vedendosi quasi in ogni parte l'opere de'toscani artefici e de'loro discepoli risplendere: e ciò dobbiamo sperare

[1] Verosimilmente si deve leggere Pasitele, celebre cesellatore in argento non meno di Zopiro. Di Pasitele ragiona Plinio, al lib. XXXIII, cap. 12.

molto più nel tempo avvenire, poichè non solo i nobili maestri, per l'opere loro pregiate, ma anco per le penne de' nobili scrittori si veggiono commendare, e molto più per il favore ed aiuto che continovamente lor danno i nostri illustrissimi prencipi e signori, valendosi, con grande utile ed onore d'essi artefici, dell'opere loro in adornare ed abbellire la patria, ed in pubblico ancora la loro Accademia favorendo e sollevando, e ciò massimamente per opera vostra; di che tutti, se grati e buoni uomini vogliono essere, ve ne debbono onorare ed infinitamente ringraziare. Che Dio vi guardi.

Di casa, alli VIII di settembre 1567.

Vostro G. B. ADRIANI

PROEMIO DI TUTTA L'OPERA

SOMMARIO: — I. Scopo dell'Autore nello scrivere le Vite dei Pittori, Scultori e Architetti. - II. Di una disputa nata nei suoi giorni intorno la maggior eccellenza della Scultura o della Pittura. E primamente adduce le ragioni in favore della Scultura. - III. Confutate queste, procede a svolgere quelle in favore della Pittura. - IV. Chiude la disputazione mostrando queste due arti sorelle, ed ambedue eccellenti. - V. Propone compendiosamente quanto sarà per trattare nella Introduzione.

I. Soleano gli spiriti egregi in tutte le azioni loro, per un acceso desiderio di gloria, non perdonare ad alcuna fatica, quantunche gravissima, per condurre le opere loro a quella perfezione che le rendesse stupende e maravigliose a tutto il mondo; nè la bassa fortuna di molti poteva ritardare i loro sforzi dal pervenire a sommi gradi, sì per vivere onorati, e sì per lasciare ne' tempi avvenire eterna fama d'ogni rara loro eccellenza. Ed ancora che di così laudabile studio e desiderio fussero in vita altamente premiati dalla liberalità de' principi e dalla virtuosa ambizione delle repubbliche, e dopo morte ancora perpetuati nel cospetto del mondo con le testimonianze delle statue, delle sepolture, delle medaglie ed altre memorie simili; la voracità del tempo nondimeno si vede manifestamente che non solo ha scemate le opere proprie e le altrui onorate testimonianze di una gran parte, ma cancellato e spento i nomi di tutti quelli che ci sono stati serbati da qualunque altra cosa che dalle sole vivacissime e pietosissime penne degli scrittori. La qual cosa più volte meco stesso considerando e conoscendo, non solo con l'esempio degli antichi, ma de' moderni ancora, che i nomi di moltissimi vecchi e moderni architetti, scultori e pittori, insieme con infinite bellissime opere loro in diverse parti d'Italia, si vanno dimenticando e consumando a poco a poco, e di una maniera, per il vero, che ei non se ne può giudicare altro che una certa morte molto vicina; per difenderli il più che io posso da questa seconda morte, e mantenergli più lungamente che sia possibile nelle memorie de' vivi; avendo speso moltissimo tempo in cercar quelle, usato diligenza grandissima in ritrovare la patria, l'origine e le azioni degli artefici, e con fatica grande ritrattole dalle relazioni di molti uomini vecchi, e da diversi ricordi e scritti lasciati dagli eredi di quelli in preda della polvere e cibo de' tarli, e ricevutone finalmente ed utile e piacere; ho giudicato conveniente, anzi debito mio, farne quella memoria che il mio debole ingegno ed il poco giudizio potrà fare. A onore, dunque, di coloro che già sono morti, e benefizio di tutti gli studiosi principalmente di queste tre arti eccellentissime ARCHITETTURA, SCULTURA e PITTURA, scriverrò le Vite degli artefici di ciascuna, secondo i tempi ch'ei sono stati di mano in mano da Cimabue insino a oggi; non toccando altro degli antichi, se non quanto facesse al proposito nostro, per non se ne poter dire più che se ne abbiano detto quei tanti scrittori che sono pervenuti alla nostra età.[1] Tratterò, bene, di molte cose che si appartengono al magistero di qual si è l'una delle arti dette. Ma prima che io venga a' segreti di quelle, o alla istoria degli artefici, mi par giusto toccare in parte una disputa nata e nutrita tra molti senza proposito, del principato

[1] Aggiunse poi, per render più compiuta la sua opera, una lunga lettera di Gio. Bat. Adriani, ove con bella erudizione ed elettissima lingua sono discorse le Vite degli artefici antichi; la quale lettera è da noi stata posta dopo le dedicatorie al duca Cosimo e l'indirizzo agli artefici del disegno.

e nobiltà, non dell'architettura (chè questa hanno lasciata da parte), ma della scultura e della pittura; essendo per l'una e l'altra parte addotte, se non tutte, almeno molte ragioni degne di esser udite, e per gli artefici loro considerate.[1]

II. Dico dunque, che gli scultori come dotati forse dalla natura e dall'esercizio dell'arte di miglior complessione, di più sangue e di più forze, e per questo più arditi e animosi de' pittori, cercando d'attribuir il più onorato grado all'arte loro, arguiscono e provano la nobiltà della scultura primieramente dall'antichità sua, per aver il grande Iddio fatto l'uomo, che fu la prima scultura. Dicono che la scultura abbraccia molte più arti come congeneri, e ne ha molte più sottoposte che la pittura; come il bassorilievo, il far di terra, di cera o di stucco, di legno, d'avorio, il gettare de' metalli, ogni cesellamento, il lavorare d'incavo o di rilievo nelle pietre fini e negli acciai, ed altre molte, le quali e di numero e di maestria avanzano quelle della pittura: ed allegando ancora, che quelle cose che si difendono più e meglio dal tempo, e più si conservano all'uso degli uomini, a benefizio e servizio de' quali elle son fatte, sono senza dubbio più utili e più degne d'esser tenute care ed onorate che non sono l'altre, affermano la scultura esser tanto più nobile della pittura, quanto ella è più atta a conservare e sè ed il nome di chi è celebrato da lei ne' marmi e ne' bronzi, contro a tutte l'ingiurie del tempo e dell'aria, che non è essa pittura; la quale di sua natura pure, non che per gli accidenti di fuora, perisce nelle più riposte e più sicure stanze ch'abbiano saputo dar loro gli architettori.

[1] Intorno a questa disputa più lettere si possono vedere tra le *Pittoriche*, dove n'è una del Vasari medesimo a Benedetto Varchi, la quale fu riprodotta due volte, a pag. 15 e 1449 di tutte le Opere vasariane stampate dal Passigli. Si può vedere eziandio un ragionamento e più sonetti di Benvenuto Cellini, uno dei quali morde il Vasari come sostenitore della pittura. Vedi tutte le Opere del Vasari, pag. 555, nella fiorentina edizione del 1843.

Vogliono eziandio, che il minor numero loro, non solo degli artefici eccellenti, ma degli ordinari, rispetto all'infinito numero de' pittori, arguisca la loro maggior nobiltà; dicendo che la scultura vuole una certa migliore disposizione e d'animo e di corpo, che rado si trova congiunto insieme;[1] dove la pittura si contenta d'ogni debole complessione, pur ch'abbia la man sicura, se non gagliarda. E che questo intendimento loro si prova similmente da' maggior pregi citati particolarmente da Plinio, dagli amori causati dalla maravigliosa bellezza di alcune statue, e dal giudizio di colui che fece la statua della Scultura d'oro e quella della Pittura d'argento, e pose quella alla destra e questa alla sinistra. Nè lasciano ancora d'allegare le difficultà, prima dell'aver la materia subietta, come i marmi e i metalli, e la valuta loro; rispetto alla facilità dell'avere le tavole, le tele ed i colori, a piccolissimi pregi ed in ogni luogo. Di poi, l'estreme e gravi fatiche nel maneggiar i marmi ed i bronzi per la gravezza loro, e del lavorarli per quella degli stromenti; rispetto alla leggerezza de' pennelli, degli stili e delle penne, disegnatoi e carboni: oltra che di loro si affatica l'animo con tutte le parti del corpo; ed è cosa gravissima, rispetto alla quieta e leggiera opera dell'animo e della mano sola del dipintore. Fanno, appresso, grandissimo fondamento sopra l'essere le cose tanto più nobili e più perfette, quanto elle si accostano più al vero: e dicono che la scultura imita la forma vera, e mostra le sue cose, girandole intorno, a tutte le vedute; dove la pittura, per essere spianata con semplicissimi lineamenti di pennello, e non avere che un lume solo, non mostra che una apparenza sola. Nè hanno rispetto a dire molti di loro, che la scultura è tanto superiore alla pittura, quanto il vero

[1] In alcune edizioni antecedenti a quella dell'Audin, per rispetto alla grammatica, non troppo rispettata dal Vasari, fu sostituito: *che di rado si trovano congiunti insieme.*

alla bugia. Ma per l'ultima e più forte ragione adducono, che allo scultore è necessario non solamente la perfezione del giudizio ordinaria come al pittore, ma assoluta e subita; di maniera ch'ella conosca sin dentro a' marmi l'intero appunto di quella figura ch'essi intendono di cavarne, e possa, senza altro modello, prima far molte parti perfette che e' le accompagni ed unisca insieme, come ha fatto divinamente Michelagnolo: avvengachè, mancando di questa felicità di giudizio, fanno agevolmente e spesso di quegli inconvenienti che non hanno rimedio, e che, fatti, son sempre testimoni degli errori dello scarpello, o del poco giudizio dello scultore. La qual cosa non avviene a' pittori; perciocchè, ad ogni errore di pennello o mancamento di giudizio che venisse lor fatto, hanno tempo, conoscendoli da per loro o avvertiti da altri, a ricoprirli e medicarli con il medesimo pennello che l'aveva fatto; il quale, nelle mani loro, ha questo vantaggio dagli scarpelli dello scultore, ch'egli non solo sana, come faceva il ferro della lancia d'Achille, ma lascia senza margine le sue ferite.

III. Alle quali cose rispondendo i pittori non senza sdegno, dicono primieramente: che, volendo gli scultori considerare la cosa in sagrestia, la prima nobiltà è la loro; e che gli scultori s'ingannano di gran lunga a chiamare opera loro la statua del primo padre, essendo stata fatta di terra: l'arte della qual operazione, mediante il suo levare e porre, non è manco de' pittori che d'altri; e fu chiamata *plastice* da' Greci e *fictoria* da' Latini, e da Prassitele fu giudicata madre della scultura, del getto e del cesello; cosa che fa la scultura veramente nipote alla pittura, conciossiachè la plastice e la pittura naschino insieme e subito dal disegno. Ed esaminata fuori di sagrestia, dicono, che tante sono e sì varie le opinioni dei tempi, che male si può credere più all'una che all'altra; e che, considerato finalmente questa nobiltà dove e' vogliono, nell'uno de'luoghi pèrdono e nell'altro non vincono: siccome nel proemio delle Vite più chiaramente potrà vedersi. Appresso, per riscontro dell'arti congeneri e sottoposte alla scultura, dicono averne molte più di loro. Perchè la pittura abbraccia l'invenzione dell'istoria, la difficilissima arte degli scorti, tutti i corpi dell'architettura per poter far i casamenti e la prospettiva, il colorire a tempera, l'arte del lavorare in fresco, differente e vario da tutti gli altri; similmente il lavorar a olio, in legno, in pietra, in tele, ed il miniare, arte differente da tutte; le finestre di vetro, il musaico de'vetri, il commetter le tarsie di colori, facendone istorie con i legni tinti, che è pittura; lo sgraffire le case con il ferro; il niello e le stampe di rame, membri della pittura; gli smalti degli orefici, il commetter l'oro alla damaschina, il dipigner le figure invetriate, e fare ne'vasi di terra istorie ed altre figure che tengono all'acqua, il tessere i broccati con le figure e fiori, e la bellissima invenzione degli arazzi tessuti, che fa comodità e grandezza, potendo portar la pittura in ogni luogo e salvatico e domestico: senza che, in ogni genere che bisogna esercitarsi, il disegno ch'è disegno nostro, l'adopra ognuno. Sicchè molti più membri ha la pittura e più utili, che non ha la scultura. Non niegano l'eternità, poichè così la chiamano, delle sculture; ma dicono questo non esser privilegio che faccia l'arte più nobile ch'ella si sia di sua natura, per esser semplicemente della materia; e che se la lunghezza della vita desse all'anima nobiltà, il pino tra le piante, e il cervio tra gli animali, arebbon l'anima oltramodo più nobile che non ha l'uomo: nonostante che ci potessino addurre una simile eternità e nobiltà di materia ne'musaici loro, per vedersene degli antichissimi quanto le più antiche sculture che siano in Roma, ed essendosi usato di farli di gioie e pietre fini. E quanto al piccolo o minor numero loro, affermano che ciò non è perchè l'arte ricerchi miglior disposizione di corpo ed il giudizio maggiore, ma che ei dipende in tutto dalla povertà delle sustanze loro, e dal poco favore, o avarizia che vogliamo chiamarla, degli uomini ricchi, i quali non fanno loro comodità de'marmi, nè danno occasione di lavorare come si può credere, e vedesi che si fece, ne'tempi antichi, quando la scultura venne al sommo grado. Ed è manifesto, che chi non può consumare o gittar via una piccola quantità di marmi e pietre forti, le quali costano pur assai, non può fare quella pratica, nell'arte che si conviene: chi non vi fa la pratica non l'impara: e chi non l'impara, non può far bene. Per la qual cosa dovrebbono escusare piuttosto con queste cagioni la imperfezione e il poco numero degli eccellenti, che cercare di trarre da esse, sotto un altro colore, la nobiltà. Quanto a'maggiori pregi delle sculture, rispondono che, quando i loro fussino bene minori, non hanno a compartirli, contentandosi di un putto che macini loro i colori e porga i pennelli o le predelle di poca spesa; dove gli scultori, oltre alla valuta grande della materia, vogliono di molti aiuti, e mettono più tempo in una sola figura che non fanno essi in molte e molte; per il che appariscono i pregi loro essere più della qualità e durazione di essa materia, degli aiuti ch'ella vuole a condursi e del tempo che vi si mette a lavorarla, che dell'eccellenza dell'arte stessa: e quando questa non serva nè si trovi prezzo maggiore, come sarebbe facil cosa a chi volesse diligentemente considerarla, trovino un prezzo maggiore del maraviglioso, bello e vivo dono, che alla virtuosissima ed eccellentissima opera d'Apelle fece Alessandro il Magno, donandogli non tesori grandissimi o stato, ma la sua amata e bellissima Campaspe; ed avvertiscano di più, che Alessandro era giovane, innamorato di lei, e naturalmente agli affetti di Venere sottoposto, e re insieme e greco; e poi ne facciano quel giudizio che piace loro. Agli amori di Pigmalione, e di quegli altri scellerati, non degni più d'essere uomini, citati per prova della nobiltà dell'arte, non sanno che si rispondere; se da una grandissima cecità di mente, e da una sopra ogni natural modo sfrenata libidine, si può fare argumento di nobiltà: e di quel non so chi allegato dagli scultori d'aver fatto la scultura d'oro e la pittura d'argento, come di sopra, consentono che se egli avesse dato tanto segno di giudizioso, quanto di ricco, non sarebbe da disputarla: e concludono finalmente, che l'antico vello dell'oro, per celebrato che e'sia, non vestì però altro che un montone senza intelletto; per il che nè il testimonio delle ricchezze, nè quello delle voglie disoneste, ma delle lettere, dell'esercizio, della bontà e del giudizio, son quelli a chi si debbe attendere. Nè rispondono altro alla difficoltà dell'avere i marmi e i metalli, se non che questo nasce dalla povertà propria e dal poco favore de'potenti, come si è detto, e non da grado di maggiore nobiltà. All'estreme fatiche del corpo ed a'pericoli proprj e dell'opere loro, ridendo, e senza alcun disagio, rispondono, che, se le fatiche ed i pericoli maggiori arguiscono maggiore nobiltà, l'arte del cavare i marmi dalle viscere de'monti, per adoperare i conj, i pali e le mazze, sarà più nobile della scultura; quella del fabro avanzerà l'orefice, e quella del murare l'architettura. E dicono appresso, che le vere difficultà stanno più nell'animo che nel corpo; onde quelle cose che di lor natura hanno bisogno di studio e di sapere maggiore, son più nobili ed eccellenti di quelle che più si servono della forza del corpo; e che, valendosi i pittori della virtù dell'animo più di loro, questo primo onore si appartiene alla pittura. Agli scultori bastano le seste o le squadre a ritrovare e riportare tutte le proporzioni e misure che eglino hanno di bisogno: a'pittori è necessario, oltre al sapere ben adoperare i sopraddetti strumenti, una accurata cognizione di prospettiva, per avere a porre mille altre cose che paesi o casamenti; oltra che bisogna aver maggior giudicio per la qualità delle figure in una storia, dove può nascer più errori che in una sola statua. Allo scultore basta aver notizia delle vere forme e fattezze de' corpi solidi e palpabili e sottoposti in tutto al tatto, e di quei soli ancora che hanno chi li regge. Al pittore è necessario non solo conoscere le forme di tutti i corpi retti e non retti, ma di tutti i trasparenti ed impalpabili; ed oltra questo, bisogna che sappino i colori che convengono a' detti corpi: la moltitudine e la varietà de' quali, quanto ella sia universalmente e proceda quasi in infinito, lo dimostrano meglio che altro i fiori ed i frutti, oltre a' minerali; cognizione sommamente difficile ad acquistarsi ed a mantenersi, per la infinita varietà loro. Dicono ancora, che dove la scultura, per l'inobbedienza ed imperfezione della materia, non rappresenta gli affetti dell'animo se non con il moto, il quale non si stende però molto in lei, e con la fazione stessa de' membri, nè anche tutti; i pittori gli dimostrano con tutti i moti, che sono infiniti; con la fazione di tutte le membra, per sottilissime che elle siano; ma, che più? con il fiato stesso e con gli spiriti della vita; e che, a maggior perfezione del dimostrare non solamente le passioni e gli affetti dell'animo, ma ancora gli accidenti avvenire, come fanno i naturali, oltre alla lunga pratica dell'arte, bisogna loro avere una intera cognizione d'essa fisionomia; della quale basta solo allo scultore la parte che considera la quantità e forma dei membri, senza curarsi della qualità de' colori; la cognizione dei quali chi giudica dagli occhi, conosce quanto ella sia utile e necessaria alla vera imitazione della natura, alla quale chi più si accosta è più perfetto. Appresso soggiungono, che dove la scultura, levando a poco a poco, in un medesimo tempo dà fondo ed acquista rilievo a quelle cose che hanno corpo di lor natura, e servesi del tatto e del vedere; i pittori in due tempi danno rilievo e fondo al piano con l'aiuto di un senso solo. la qual cosa, quando ella è stata fatta da persona intelligente dell'arte, con piacevolissimo inganno ha fatto rimanere molti grandi uomini, per non dire degli animali; il che non si è mai veduto della scultura, per non imitare la natura in quella maniera che si possa dire tanto perfetta quanto è la loro. E finalmente, per rispondere a quella intera ed assoluta perfezione di giudizio che si richiede alla scultura, per non aver modo di aggiungere dove ella leva, affermando prima che tali errori sono, come ei dicono, incorreggibili, nè si può rimediare loro senza le toppe, le quali, così come ne' panni sono cose da poveri di roba; nelle sculture e nelle pitture similmente sono cose da poveri d'ingegno e di giudizio: di poi che la pazienza, con un tempo conveniente, mediante i modelli, le centine, le squadre, le seste, ed altri mille ingegni e strumenti da riportare, non solamente gli difendono dagli errori, ma fanno condur loro il tutto alla sua perfezione: concludono che questa difficultà, ch'ei mettono per la maggiore, è nulla o poco, rispetto a quelle che hanno i pittori nel lavorare in fresco; e che la detta perfezione di giudizio non è punto più necessaria agli scultori che a' pittori, bastando a quelli condurre i modelli buoni di cera, di terra o d'altro, come a questi i loro disegni in simil materie pure o ne' cartoni; e che finalmente quella parte che riduce a poco a poco loro i modelli ne' marmi, è piuttosto pazienza che altro. Ma chiamisi giudizio, come vogliono gli scultori, se egli è più necessario a chi lavora in fresco, che a chi scarpella ne' marmi: perciocchè in quello non solamente non ha luogo nè la pazienza nè il tempo, per essere capitalissimi inimici dell'unione della calcina e de' colori, ma perchè l'occhio non vede i colori veri insino a che la calcina non è ben secca, nè la mano vi può aver giudizio d'altro che del molle o secco; di maniera che chi lo dicesse lavorare al buio, o cogli occhiali di colori diversi dal vero, non credo che errasse di molto; anzi non dubito punto che tal nome non se li convenga più che al lavoro d'incavo, al quale per occhiali, ma giusti e buoni, serve la cera: e dicono che a questo lavoro è necessario avere un giudizio risoluto, che antivegga la fine nel molle, e quale egli abbia a tornar poi secco. Oltra che non si può abbandonare il lavoro, mentre che la calcina tiene del fresco, e bisogna risolutamente fare in un giorno quello che fa la scultura in un mese; e chi non ha questo giudizio e questa eccellenza, si vede, nella fine del lavoro suo o col tempo, le toppe, le macchie, i rimessi, ed i colori soprapposti o ritocchi a secco; che è cosa vilissima; perchè vi si scuoprono poi le muffe, e fanno conoscere la insufficienza ed il poco sapere dello artefice suo, siccome fanno bruttezza i pezzi rimessi nella scultura; senza che, quando accade lavare le figure a fresco, come spesso dopo qualche tempo avviene per rinnovarle, quello che è lavorato a fresco rimane, e quello che a secco è stato ritocco, è dalla spugna bagnata portato via. Soggiungono ancora, che dove gli scultori fanno insieme due o tre figure al più d'un marmo solo, essi ne fanno molte in una tavola sola, con quelle tante e sì varie vedute, che coloro dicono che ha una statua sola, ricompensando con la varietà delle positure, scorci ed attitudini loro, il potersi vedere intorno intorno quelle degli scultori: come già fece Giorgione da Castelfranco in una sua pittura, la quale, voltando le spalle ed avendo due specchi, uno da ciascun lato, ed una fonte d'acqua a'piedi, mostra nel dipinto il dietro, nella fonte il dinanzi, e negli specchi i lati; cosa che non ha mai potuto far la scultura. Affermano oltra di ciò, che la pittura non lascia elemento alcuno che non sia ornato e ripieno di tutte le eccellenze che la natura ha dato loro; dando la sua luce o le sue tenebre all'aria con tutte le sue varietà ed impressioni, ed empiendola insieme di tutte le sorti degli uccelli; alle acque, la trasparenza, i pesci, i muschi, le schiume, il variare delle onde, le navi e l'altre sue passioni; alla terra, i monti, i piani, le piante, i frutti, i fiori, gli animali, gli edifizj, con tanta moltitudine di cose e varietà delle forme loro e dei veri colori, che la natura stessa molte volte n'ha maraviglia; e dando finalmente al fuoco tanto di caldo e di luce, che e'si vede manifestamente ardere le cose, e quasi tremolando nelle sue fiamme rendere in parte luminose le più oscure tenebre della notte. Per le quali cose par loro potere giustamente conchiudere, e dire che, contrapposte le difficultà degli scultori alle loro, le fatiche del corpo alle fatiche dell'animo, la imitazione circa la forma sola, alla imitazione dell'apparenza circa la quantità e la qualità che viene all'occhio, il poco numero delle cose, dove la scultura può dimostrare e dimostra la virtù sua, allo infinito di quelle che la pittura ci rappresenta, oltre il conservarle perfettamente allo intelletto, e farne parte in quei luoghi che la natura non ha fatto ella, e contrappesato finalmente le cose dell'una alle cose dell'altra; la nobiltà della scultura, quanto all'ingegno, alla invenzione ed al giudizio degli artefici suoi, non corrisponde a gran pezzo a quella che ha e merita la pittura. E questo è quello che per l'una e per l'altra parte mi è venuto agli orecchi degno di considerazione.

IV. Ma perchè a me pare che gli scultori abbiano parlato con troppo ardire, e i pittori con troppo sdegno; per avere io assai tempo considerato le cose della scultura ed essermi esercitato sempre nella pittura, quantunque piccolo sia forse il frutto che se ne vede; nondimeno, e per quel tanto ch'egli è, e per la impresa di questi scritti, giudicando mio debito dimostrare il giudizio che nell'animo mio ne ho fatto sempre (e vaglia l'autorità mia quanto ella può), dirò sopra tal disputa sicuramente e brevemente il parer mio; persuadendomi di non sottentrare a carico alcuno di prosunzione o d'ignoranza, non trattando io dell'arti altrui come hanno già fatto molti per apparire nel vulgo intelligenti di tutte le cose mediante le lettere; e come, tra gli altri, avvenne a Formione peripatetico in Efeso, che, ad ostentazione della eloquenza sua, predicando e disputando della virtù e parti dello eccellente capitano, non meno della prosunzione che della ignoranza sua fece ridere Annibale. Dico adunque, che la scultura e la pittura per il vero sono sorelle, nate di un padre, che è il disegno, in un sol parto e ad un tempo; e non precedono l'una all'altra, se non quanto la virtù e la forza di coloro che le portano addosso, fa passare l'uno artefice innanzi all'altro, e non per differenze o grado di nobiltà che veramente si trovi infra di loro. E, sebbene per la diversità dell'essenza loro hanno molte agevolezze, non sono elleno però nè tante nè di maniera ch'elle non vengano giustamente contrappesate insieme, e non si conosca la passione o la caparbietà, piuttosto che il giudizio, di chi vuole che l'una avanzi l'altra. Laonde a ragione si può dire che un'anima medesima regga due corpi; ed io per questo conchiudo che mal fanno coloro che s'ingegnano di disunirle e di separarle l'una dall'altra. Della qual cosa volendoci forse sgannare il cielo, e mostrarci la fratellanza e la unione di queste due nobilissime arti, ha in diversi tempi fattoci nascere molti scultori che hanno dipinto, e molti pittori che hanno fatto delle sculture; come si vedrà nella Vita di Antonio del Pollaiolo, di Lionardo da Vinci, e di molti altri di già passati. Ma nella nostra età ci ha prodotto la bontà divina Michelagnolo Buonarroti, nel quale amendue queste arti sì perfette rilucono, e sì simili ed unite insieme appariscono, che i pittori delle sue pitture stupiscono, e gli scultori le sculture fatte da lui ammirano e riveriscono sommamente. A costui, perchè egli non avesse forse a cercare da altro maestro dove agiatamente collocare le figure fatte da lui, ha la natura donato sì fattamente la scienza dell'architettura, che, senza avere bisogno d'altrui, può e vale da sè solo ed a queste ed a quelle immagini da lui formate dare onorato luogo e ad esse conveniente; di maniera che egli meritamente debbe esser detto scultore unico, pittore sommo ed eccellentissimo architettore, anzi dell'architettura vero maestro. E ben possiamo certo affermare, che e' non errano punto coloro che lo chiamano divino; poichè divinamente ha egli in se solo raccolte le tre più lodevoli arti e le più ingegnose che si trovino tra'mortali, e con esse, ad esempio d'uno Iddio, infinitamente ci può giovare. E tanto basti per la disputa fatta dalle parti, e per la nostra opinione. E, tornando oramai al primo proposito, dico che, volendo, per quanto si estendono le forze mie, trarre dalla voracissima bocca del tempo i nomi degli scultori, pittori ed architetti che da Cimabue in qua sono stati in Italia di qualche eccellenza notabile, e desiderando che questa mia fatica sia non meno utile che io me la sia proposta piacevole; mi pare necessario, avanti che e'si venga all'istoria, fare sotto brevità una Introduzione a quelle tre arti nelle quali valsero coloro, di chi io debbo scrivere le Vite; a cagione che ogni gentile spirito intenda primieramente le cose più notabili delle loro professioni; ed appresso, con piacere ed utile maggiore, possa conoscere apertamente in che e' fussero tra sè differenti, e di quanto ornamento e comodità alle patrie loro, e a chiunque volle valersi della industria e sapere di quelli.

V. Comincerommi dunque dall'Architettura, come dalla più universale e più necessaria ed utile agli uomini, ed al servizio e ornamento della quale sono l'altre due; e brevemente dimostrerrò la diversità delle pietre, le maniere o modi dell'edificare, con le loro proporzioni, ed a che si conoscano le buone fabbriche e bene intese. Appresso, ragionando della scultura, dirò come le statue si lavorino, la forma e la proporzione che si aspetta loro, e quali siano le buone sculture, con tutti gli ammaestramenti più segreti e più necessarj. Ultimamente, discorrendo della pittura, dirò del disegno, dei modi del colorire, del perfettamente condurre le cose, della qualità di essa pittura e di qualunche cosa che da questa dependa, de' musaici d'ogni sorte, del niello, degli smalti, de' lavori alla damaschina, e finalmente poi delle stampe delle pitture. E così mi persuado che queste fatiche mie diletteranno coloro che non sono di questi esercizj, e diletteranno e gioveranno a chi ne ha fatto professione Perchè, oltra che nella Introduzione rivedranno i modi dello operare, e nelle Vite di essi artefici impareranno dove siano l'opere loro, e a conoscere agevolmente la perfezione o imperfezione di quelle, e discernere tra maniera e maniera; e' potranno accorgersi ancora, quanto meriti lode ed onore chi con le virtù di sì nobili arti accompagna onesti costumi e bontà di vita; ed accesi di quelle laudi che hanno conseguite i sì fatti, si alzeranno essi ancora alla vera gloria. Nè si caverà poco frutto della storia, vera guida e maestra delle nostre azioni, leggendo la varia diversità di infiniti casi occorsi agli artefici, qualche volta per colpa loro e molte altre della fortuna. Resterebbemi a fare scusa dello avere alle volte usato qualche voce non ben toscana: della qual cosa non vo' parlare, avendo avuto sempre più cura di usare le voci e i vocaboli particolari e proprj delle nostre arti, che i leggiadri o scelti della delicatezza degli scrittori. Siami lecito adunque usare nella propria lingua le proprie voci dei nostri artefici, e contentisi ognuno della buona volontà mia: la quale si è mossa a fare questo effetto, non per insegnare ad altri, che non so per me, ma per desiderio di conservare almanco questa memoria degli artefici più celebrati; poichè in tante decine di anni non ho saputo vedere ancora chi n'abbia fatto molto ricordo. Conciossiachè io ho piuttosto voluto con queste rozze fatiche mie, ombreggiando gli egregj fatti loro, render loro in qualche parte l'obbligo che io tengo alle opere loro, che mi sono state maestre ad imparare quel tanto che io so, che malignamente, vivendo in ozio, esser censore delle opere altrui, accusandole e riprendendole, come alcuni spesso costumano. Ma egli è oggimai tempo di venire allo effetto.

INTRODUZIONE

DI

GIORGIO VASARI PITTORE ARETINO

ALLE TRE ARTI DEL DISEGNO

CIOÈ

ARCHITETTURA, SCULTURA E PITTURA

DELL'ARCHITETTURA

Capitolo I

Delle diverse pietre che servono agli Architetti per gli ornamenti, e per le statue alla Scultura, cioè Del porfido, del serpentino; del cipollaccio, del mischio, del granito, del granito bigio, della pietra del paragone, dei marmi trasparenti, dei marmi bianchi, venati, cipollini, saligni, campanini, del travertino; della lavagna; del peperigno, della pietra d'Ischia, della pietra serena, della pietra forte.

Quanto sia grande l'utile che ne apporta l'architettura, non accade a me raccontarlo, per trovarsi molti scrittori, i quali diligentissimamente ed a lungo n'hanno trattato. E per questo, lasciando da una parte le calcine, le arene, i legnami, i ferramenti, e 'l modo del fondare, e tutto quello che si adopera alla fabbrica, e l'acque, le regioni e i siti, largamente già descritti da Vitruvio[1] e dal nostro Leon Battista Alberti;[2] ragionerò solamente,

[1] De' libri di Vitruvio intorno all'*Architettura* è oggi a vedersi, per la correzione del testo, la copia e la varietà delle illustrazioni ecc., l'edizione del Poleni e dello Stratico, data in Udine con diligenze squisite dai fratelli Mattiuzzi. Ad essa è or fatta succedere una versione novella de' libri medesimi, che per la lingua non sarà forse anteposta in tutto a tutte le antecedenti, ma per le dichiarazioni de' passi difficili, le giunte importanti ecc., di cui dal traduttore (Quirico Viviani) è arricchita, riuscirà sicuramente la più utile.

[2] Il suo latino trattato dell'Architettura fu cogli altri due, pur latini, della Pittura e Scultura, tradotto toscanamente da Cosimo Bartoli. Un trattatello to-

per servizio de'nostri artefici e di qualunque ama di sapere, come debbono essere universalmente le fabbriche, e quanto di proporzione unite e di corpi, per conseguire quella graziata bellezza che si desidera; e brevemente raccorrò insieme tutto quello che mi parrà necessario a questo proposito. Ed acciocchè più manifestamente apparisca la grandissima difficultà del lavorar delle pietre che son durissime e forti, ragioneremo distintamente, ma con brevità, di ciascuna sorte di quelle che maneggiano i nostri artefici, e primieramente del porfido. Questo è una pietra rossa con minutissimi schizzi bianchi, condotta nell'Italia già dall'Egitto, dove comunemente si crede che nel cavarla ella sia più tenera che quando ella è stata, fuori della cava, alla pioggia, al ghiaccio e al sole; perchè tutte queste cose la fanno più dura e più difficile a lavorarla. Di questa se ne veggono infinite opere lavorate, parte con gli scarpelli, parte segate, e parte con ruote e con smerigli consumate a poco a poco; come se ne vede in diversi luoghi diversamente più cose: cioè quadri, tondi ed altri pezzi spianati per far pavimenti, e così statue per gli edificj, ed ancora grandissimo numero di colonne e picciole e grandi, e fontane con teste di varie maschere, intagliate con grandissima diligenza. Veggonsi ancora oggi sepolture con figure di basso e mezzo rilievo, condotte con gran fatica; come al tempio di Bacco fuor di Roma, a Sant'Agnesa la sepoltura che e'dicono di santa Costanza, figliuola di Costantino imperadore;[1] dove son dentro molti fanciulli con pampani ed uve, che fanno fede della difficultà ch'ebbe chi lavorò nella durezza di

scano e veramente aureo intorno alla prima dell'arti or nominate, si troverà nel trattato dell'Agricoltura d'uno de'nostri più leggiadri scrittori, Gian Vittorio Soderini, che il Sarchiani pubblicò non molti anni sono, e ch'è finora pochissimo conosciuto.

[1] Intorno al tempio e alla sepoltura, di cui qui si parla, e all'opinione, secondo la quale santa Costanza è fatta figliuola di Costantino, vedi il tomo III delle *Sculture e Pitture sacre tratte da'cimiteri.*

quella pietra. Il medesimo si vede in un pilo a San Giovanni Laterano vicino alla Porta Santa, che è storiato,[1] ed evvi dentro gran numero di figure. Vedesi ancora sulla piazza della Ritonda una bellissima cassa fatta per sepoltura,[2] la quale è lavorata con grande industria e fatica, ed è per la sua forma di grandissima grazia e di somma bellezza, e molto varia dall'altre; ed in casa di Egizio e di Fabio Sasso ne soleva essere una figura a sedere di braccia tre e mezzo, condotta a' dì nostri, con il resto dell'altre statue, in casa Farnese. Nel cortile ancora di casa La Valle, sopra una finestra, una lupa molto eccellente, e nel lor giardino i due prigioni legati del medesimo porfido, i quali son quattro braccia d'altezza l'uno, lavorati dagli antichi con grandissimo giudicio. i quali sono oggi lodati straordinariamente da tutte le persone eccellenti, conoscendosi la difficoltà che hanno avuto a condurli per la durezza della pietra. A' dì nostri non s'è mai condotto pietre di questa sorte a perfezione alcuna, per avere gli artefici nostri perduto il modo del temperare i ferri, e così gli altri strumenti da condurle.[3] Vero è che se ne va segando con lo smeriglio rocchi di colonne e molti pezzi per accomodarli in ispartimenti per piani, e così in altri varj ornamenti per fabbriche, andandolo consumando a poco a poco con una sega di rame senza denti tirata dalle braccia di due uomini; la quale con lo smeriglio ridotto in polvere e con l'acqua che con-

[1] Questo pilo (o urna) a' giorni del Bottari e del Della Valle, principali annotatori delle *Vite* del Vasari, trovavasi in un claustro, e molto malconcio Indi fu restaurato per adornarne il Museo Clementino

[2] Fu quindi posta sul sepolcro di Clemente XII in San Giovanni Laterano, nella cappella della casa Corsini.

[3] Le arche sepolcrali dei re Normanni che si vedono a Palermo e a Monreale, attestano che anche nel medio-evo l'arte di lavorare il porfido era conosciuta Ne è da credere che queste urne siano reliquie dell'antichità, perchè esse nella metà inferiore hanno la forma di *bagnarola*, il che non fu mai usato dai Greci e dai Romani, i quali dettero ai loro sarcofagi costantemente la figura di un cubo regolare (Così il duca di Serra di Falco nella sua magnifica opera sul *Duomo di Monreale* ecc., Palermo, 1838, in-foglio)

tinuamente la tenga molle, finalmente pur lo riede. E sebbene si sono in diversi tempi provati molti begli ingegni per trovare il modo di lavorarlo che usarono gli antichi, tutto è stato in vano: e Leon Battista Alberti, il quale fu il primo che cominciasse a far prova di lavorarlo, non però in cose di molto momento, non truovò fra molti che ne mise in pruova, alcuna tempera che facesse meglio che il sangue di becco, perchè, sebbene levava poco di quella pietra durissima nel lavorarla e sfavillava sempre fuoco, gli servì nondimeno di maniera, che fece fare nella soglia della porta principale di santa Maria Novella di Fiorenza le diciotto lettere antiche, che assai grandi e ben misurate si veggono dalla parte dinanzi in un pezzo di porfido; le quali lettere dicono BERNARDO ORICELLARIO.[1] E perchè il taglio dello scarpello non gli faceva gli spigoli, nè dava all'opera quel pulimento e quel fine che le era necessario, fece fare un mulinello a braccia con un manico a guisa di stidione, che agevolmente si maneggiava, appuntandosi uno il detto manico al petto, e nella inginocchiatura mettendo le mani per girarlo: e nella punta, dove era o scarpello o trapano, avendo messo alcune rotelline di rame, maggiori e minori secondo il bisogno, quelle imbrattate di smeriglio, con levare a poco a poco e spianare, facevano la pelle e gli spigoli, mentre con la mano si girava destramente il detto mulinello. Ma con tutte queste diligenze, non fece però Leon Battista altri lavori: perch'era tanto il tempo che si perdeva, che mancando loro l'animo, non si mise altramente mano a statue, vasi, o altre cose sottili. Altri poi, che si sono messi a spianare pietre e rappezzar colonne col medesimo segreto,

[1] Bernardo Rucellai, celebre per que' suoi Orti, ov' accoglieva l'ultima Accademia Platonica, e che dal suo cognome (preso dall'oricello) furon detti *oricellarj*, autore di due libri latini, stimati dottissimi, sulla città di Roma e sui Magistrati Romani, e di due commentarj storici, pur latini, sulla discesa di Carlo VIII in Italia e sulla Guerra di Pisa, che Erasmo, il quale li vide manoscritti, chiamo degni di Sallustio, e non ultimo fra i nostri autori di Canti Carnascialeschi.

ıanno fatto in questo modo. Fannosı per questo effetto ·lcune martella gravı e grosse, con le punte d'acciaio, emperate fortissımamente col sangue dı becco, e lavo·ate a guısa dı punte di diamanti; con le quali picchiando ninutamente in sul porfido, e scantonandolo a poco a poco l meglio che sı può, sı rıduce pur finalmente o a tondo o ı piano, come più aggrada all'artefice, con fatıca e tempo ıon pıccıolo; ma non già a forma di statue, chè dı questo ıon abbiamo la maniera; e se gli dà il pulimento con lo meriglio e col cnoıo, strofinandolo, che viene dı lustro nolto pulitamente lavorato e finito. Ed ancorchè ognı ;iorno si vadino più assottigliando gl'ingegni umanı, e ıuove cose investigando, nondimeno anco ı modernı, che n dıversı tempi hanno per intaglıare il porfido provato ıuovi modi, diverse tempre ed acciai molto ben purgatı, ıanno (come si disse di sopra), ınfino a pochi anni sono, faicato ınvano. E pur l'anno 1553, avendo il signor Ascanıo Jolonna donato a papa Giulio III una tazza antıca di porido bellissima, larga sette braccia, il pontefice per ornarne a sua vigna ordinò, mancandole alcuni pezzı, che la fusse estaurata: perchè mettendosı mano all'opera, e pruoandosi molte cose per consıglio di Michelagnolo Buoıarroti e di altri eccellentissımi maestri, dopo molta lun;hezza di tempo fu dısperata l'ımpresa, massimamente ıon sı potendo in modo nessuno salvare alcunı cantı vivı, ·ome ıl bısogno rıchıedeva.[1] E Michelagnolo, pur avvezzo .lla durezza dei sassi, insieme con glı altri se ne tolse ;iù, nè si fece altro. Fınalmente, poichè niuna altra cosa n questi nostri tempi mancava alla perfezione delle notre arti, che ıl modo dı lavorare perfettamente il porfido,

[1] Questa tazza alfine restaurata, dopo essere stata un pezzo sulla pıazza ella Certosa, fu trasferıta nel cortıle delle statue a Belvedere, ındı nel Museo 'io Clementıno o Capıtolıno. Non è a confondersı coll'altra grandıssıma ch' e l Vatıcano, ove pure, fra altre tazze, e la famosa dı gıallo antıco, reduce da 'arıgı.

acciocchè nè anco questo si abbia a disiderare, si è in questo modo ritrovato. Avendo, l'anno 1555, il signor duca Cosimo condotto dal suo palazzo e giardino de' Pitti una bellissima acqua nel cortile del suo principale palazzo di Firenze, per farvi una fonte di straordinaria bellezza, trovati fra i suoi rottami alcuni pezzi di porfido assai grandi, ordinò che di quelli si facesse una tazza col suo piede per la detta fonte; e per agevolar al maestro il modo di lavorar il porfido, fece di non so che erbe stillar un'acqua di tanta virtù, che spegnendovi dentro i ferri bollenti, fa loro una tempera durissima. Con questo segreto, adunque, secondo 'l disegno fatto da me, condusse Francesco del Tadda, intagliator da Fiesole, la tazza della detta fonte, che è larga due braccia e mezzo di diametro, ed insieme il suo piede, in quel modo che oggi ella si vede nel detto palazzo. Il Tadda, parendoli che il segreto datogli dal duca fusse rarissimo, si mise a far prova d'intagliar alcuna cosa; e gli riuscì così bene, che in poco tempo ha fatto in tre ovati di mezzo rilievo, grandi quanto il naturale, il ritratto d'esso signor duca Cosimo, quello della duchessa Leonora, ed una testa di Gesù Cristo, con tanta perfezione, che i capelli e le barbe, che sono difficilissimi nell'intaglio, sono condotti di maniera che gli antichi non stanno punto meglio.[1] Di queste opere ragionando il signor Duca con Michelagnolo, quando Sua Eccellenza fu in Roma, non volea creder il Buonarroti che così fusse; perchè, avendo io, d'ordine del Duca, mandata la testa del Cristo a Roma, fu veduta con molta maraviglia da Michelagnolo, il quale la lodò assai, e si rallegrò molto di veder ne' tempi nostri la scultura arricchita di questo ra-

[1] Francesco Ferrucci, detto il Tadda, fece altri simili lavori che qui non sono ricordati, fra i quali molte teste di G. C. e della Vergine, e due ritratti di fra Girolamo Savonarola. Ne è memoria nella *Storia delle Pietre* scritta dal P. Agostino del Riccio domenicano, che manoscritta possedeva il chiar. prof. Targioni di Firenze ed oggi si conserva tra i codici della Palatina, unita alla Magliabechiana. Vedi cap. 1, fol. 6.

rissimo dono, cotanto invano insino a oggi desiderato. Ha finito ultimamente il Tadda la testa di Cosimo vecchio de' Medici in uno ovato, come i detti di sopra, ed ha fatto e fa continuamente molte altre somiglianti opere. Restami a dire del porfido, che, per essersi oggi smarrite le cave di quello, è perciò necessario servirsi di spoghe di frammenti antichi, e di rocchi di colonne e di altri pezzi, e che però bisogna a chi lo lavora avvertire se ha avuto il fuoco; perciò che, quando l'ha avuto, sebbene non perde in tutto il suo colore nè si disfà, manca nondimeno pure assai di quella vivezza che è sua propria, e non piglia mai così bene il pulimento, come quando non l'ha avuto; e, che è peggio, quello che ha avuto il fuoco si schianta facilmente quando si lavora. È da sapere ancora, quanto alla natura del porfido, che messo nella fornace non si cuoce, e non lascia intieramente cuocer le pietre che gli sono intorno; anzi, quanto a sè, incrudelisce: come ne dimostrano le due colonne che i Pisani, l'anno 1117, donarono a' Fiorentini dopo l'acquisto di Maiorica, le quali sono oggi alla porta principale del tempio di San Giovanni, non molto bene pulite e senza colore per avere avuto il fuoco, come nelle sue storie racconta Giovanni Villani.[1]

Succede al porfido il serpentino, il quale è pietra di color verde, scuretta alquanto, con alcune crocette dentro giallette e lunghe per tutta la pietra, della quale nel medesimo modo si vagliono gli artefici per far colonne e piani per pavimenti per le fabbriche; ma di questa sorte non s'è mai veduto figure lavorate, ma sì bene infinito numero di base per le colonne, e piedi di tavole, ed altri lavori più materiali. Perchè questa sorte di pietra si schianta, ancorchè sia dura più che il porfido, e riesce a lavorarla più dolce e men faticosa che il porfido: e ca-

[1] Vedi le sue *Storie*, lib IV, cap 30

vasi in Egitto e nella Grecia: e la sua saldezza ne' pezzi non è molto grande; conciossiachè di serpentino non si è mai veduto opera alcuna in maggior pezzo di braccia tre per ogni verso, e sono state tavole e pezzi di pavimenti. Si è trovato ancora qualche colonna, ma non molto grossa nè larga; e similmente alcune maschere e mensole lavorate, ma figure non mai. Questa pietra si lavora nel medesimo modo che si lavora il porfido.

Più tenera poi di questa è il cipollaccio, pietra che si cava in diversi luoghi; il quale è di color verde acerbo e gialletto, ed ha dentro alcune macchie nere quadre, picciole e grandi e così bianche, alquanto grossette; e si veggono di questa sorte in più luoghi colonne grosse e sottili, e porte ed altri ornamenti, ma non figure. Di questa pietra è una fonte in Roma in Belvedere, cioè una nicchia in un canto del giardino, dove sono le statue del Nilo e del Tevere: la qual nicchia fece far papa Clemente VII col disegno di Michelagnolo per ornamento d'un fiume antico, acciò in questo campo fatto a guisa di scogli apparisca, come veramente fa, molto bello. Di questa pietra si fanno ancora, segandola, tavole, tondi, ovati, ed altre cose simili, che in pavimenti e in altre forme piane fanno con l'altre pietre bellissima accompagnatura e molto vago componimento. Questa piglia il pulimento come il porfido ed il serpentino, ed ancora si sega come l'altre sorti di pietra dette di sopra; e se ne trovano in Roma infiniti pezzi sotterrati nelle ruine, che giornalmente vengono a luce; e delle cose antiche se ne sono fatte opere moderne, porte ed altre sorte d'ornamenti, che fanno, dove elle si mettono, ornamento e grandissima bellezza.

Ècci un'altra pietra chiamata mischio, dalla mescolanza di diverse pietre congelate insieme e fatto tutt'una dal tempo e dalla crudezza dell'acque. E di questa sorte se ne trova copiosamente in diversi luoghi; come ne' monti di Verona, in quelli di Carrara, ed in quei di Prato in Toscana, e nei monti dell'Impruneta nel contado di Firenze. Ma i più belli ed i migliori si sono trovati, non ha molto, a San Giusto a Monterantoli,[1] lontano da Fiorenza cinque miglia; e di questi me n'ha fatto il signor duca Cosimo ornare tutte le stanze nuove del palazzo in porte e camini, che sono riusciti molto belli; e per lo giardino de'Pitti se ne sono dal medesimo luogo cavate colonne di braccia sette, bellissime. ed io resto maravigliato che in questa pietra si sia trovata tanta saldezza. Questa pietra, perchè tiene. d'alberese, piglia bellissimo pulimento, e trae in colore di paonazzo rossigno, macchiato di vene bianche e giallicce. Ma i più fini sono nella Grecia e nell'Egitto, dove sono molto più duri che i nostri italiani: e di questa ragion di pietra se ne trova di tanti colori, quanto la natura lor madre s'è di continuo dilettata e diletta di condurre a perfezione. Di questi sì fatti mischi se ne veggono in Roma ne'tempi nostri opere antiche e moderne; come colonne, vasi, fontane, ornamenti di porte, e diverse incrostature per gli edificj, e molti pezzi ne'pavimenti. Se ne vede diverse sorti di più colori; chi tira al giallo ed al rosso, alcuni al bianco ed al nero, altri al bigio ed al bianco, pezzato di rosso e venato di più colori; così certi rossi, verdi, neri e bianchi: che sono orientali· e di questa sorte di pietra n'ha un pilo antichissimo, largo braccia quattro e mezzo, il signor Duca al suo giardino de'Pitti; che è cosa rarissima, per esser, come s'è detto, orientale di mischio bellissimo e molto duro a lavorarsi. E cotali pietre sono tutte di specie più dura e più bella di colore e più fine, come ne fanno fede oggi due colonne di braccia dodici di altezza nella entrata di San Pietro in Roma, le quali reggono le prime navate; ed una n'è da una banda, l'altra dal-

[1] Oggi Monte Martiri nella Val d'Ema.

l'altra. Di questa sorte, quella ch'è ne'monti di Verona, è molto più tenera che l'orientale infinitamente, e tira in color ceciato: e queste sorti si lavorano tutte bene a'giorni nostri con le tempere e co'ferri siccome le pietre nostrali, e se ne fa e finestre e colonne, e fontane e pavimenti, e stipiti per le porte e cornici; come ne rende testimonianza la Lombardia, anzi tutta l'Italia.

Trovasi un'altra sorte di pietra durissima, molto più ruvida e picchiata di neri e bianchi, e talvolta di rossi, dal tiglio e dalla grana di quella, comunemente detta granito, della quale si trova nello Egitto saldezze grandissime, e da cavarne altezze incredibili: come oggi si veggono in Roma negli obelischi, aguglie, piramidi, colonne, ed in que'grandissimi vasi de' bagni che abbiamo a S. Pietro in Vincola e a S. Salvadore del Lauro e a S. Marco, ed in colonne quasi infinite, che per la durezza e saldezza loro non hanno temuto fuoco nè ferro; ed il tempo istesso che tutte le cose caccia a terra, non solamente non le ha distrutte, ma neppur cangiato il colore. E per questa cagione gli Egizj se ne servivano per i loro morti, scrivendo in queste aguglie, coi caratteri loro strani, la vita de'grandi, per mantener la memoria della nobiltà e virtù di quelli.

Venivane d'Egitto medesimamente di un'altra ragione bigio, il quale trae più in verdiccio i neri ed i picchiati bianchi; molto duro certamente, ma non sì, che i nostri scarpellini, per la fabbrica di S. Pietro, non abbiano delle spoglie che hanno trovato messe in opera, fatto sì che, con le tempere de' ferri che ci sono al presente, hanno ridotte le colonne e l'altre cose a quella sottigliezza che hanno voluto, e datogli bellissimo pulimento come al porfido. Di questo granito bigio è dotata la Italia in molte parti; ma le maggiori saldezze che si trovino sono nell'isola dell'Elba, dove i Romani tennero di continuo uomini a cavare infinito numero di questa pietra. E di questa sorte ne sono parte le colonne del portico della Ritonda, le quali son molte belle e di grandezza straordinaria; e vedesi che nella cava, quando si taglia, è più tenero assai che quando è stato cavato, e che vi si lavora con più facilità. Vero è, che bisogna per la maggior parte lavorarlo con martelline che abbiano la punta, come quelle del porfido, e nelle gradine una dentatura tagliente dall'altro lato. D'un pezzo della qual sorte pietra, che era staccato dal masso, n'ha cavato il duca Cosimo una tazza tonda di larghezza di braccia dodici per ogni verso, ed una tavola della medesima lunghezza per lo palazzo e giardino de' Pitti.

Cavasi del medesimo Egitto, e di alcuni luoghi di Grecia ancora, certa sorte di pietra nera detta paragone; la quale ha questo nome, perchè volendo saggiar l'oro, s'arruota su quella pietra, e si conosce il colore; e per questo, paragonandovi su, vien detto paragone. Di questa è un'altra specie di grana e di un altro colore, perchè non ha il nero morato affatto, e non è gentile; che ne fecero gli antichi alcuna di quelle sfingi ed altri animali, come in Roma in diversi luoghi si vede, e di maggior saldezza una figura in Parione d'uno ermafrodito, accompagnata da un'altra statua di porfido bellissima. La qual pietra è dura a intagliarsi, ma è bella straordinariamente, e piglia un lustro mirabile. Di questa medesima sorte se ne trova ancora in Toscana ne' monti di Prato, vicino a Fiorenza a dieci miglia, e così ne' monti di Carrara: della quale alle sepolture moderne se ne veggono molte casse e dipositi per i morti; come nel Carmine di Fiorenza alla cappella maggiore, dove è la sepoltura di Piero Soderini (sebbene non vi è dentro) di questa pietra, ed un padiglione similmente di paragone di Prato, tanto ben lavorato e così lustrante, che pare un raso di seta e non un sasso intagliato e lavorato. Così ancora nella incrostatura di fuori del tempio di S. Maria del Fiore di Fiorenza, per tutto lo edificio, è un'altra sorta di marmo nero e marmo rosso, che tutto si lavora in un medesimo modo.

Cavasi alcuna sorte di marmi in Grecia e in tutte le parti d'Oriente che son bianchi e gialleggiano e traspaiono molto, i quali erano adoperati dagli antichi per bagni e per stufe e per tutti que' luoghi, dove il vento potesse offendere gli abitatori; ed oggi se ne veggono ancora alcune finestre nella tribuna di S. Miniato a Monte, luogo de' monaci di Monte Oliveto in su le porte di Firenze, che rendono chiarezza e non vento. E con questa invenzione riparavano al freddo, e facevano lume alle abitazioni loro. In queste cave medesime cavavano altri marmi senza vene, ma del medesimo colore, del quale eglino facevano le più nobili statue. Questi marmi di tiglio e di grana erano finissimi, e se ne servivano ancora tutti quelli che intagliavano capitelli, ornamenti ed altre cose di marmo per l'architettura; e vi eran saldezze grandissime di pezzi, come appare ne' Giganti di Montecavallo di Roma, e nel Nilo di Belvedere, e in tutte le più degne e celebrate statue. E si conoscono esser greche, oltra il marmo, alla maniera delle teste ed alla acconciatura del capo ed ai nasi delle figure, i quali sono dall'appiccatura delle ciglia alquanto quadri fino alle nare del naso. E questo si lavora co' ferri ordinarj e co' trapani, e se gli dà il lustro con la pomice e col gesso di Tripoli, col cuoio e struffoli di paglia.

Sono nelle montagne di Carrara nella Carfagnana, vicino ai monti di Luni, molte sorti di marmi; come marmi neri, ed alcuni che traggono in bigio, ed altri che sono mischiati di rosso, ed alcuni altri che son con vene bigie, che sono crosta sopra marmi bianchi: perchè non son purgati, anzi offesi dal tempo, dall'acqua e dalla terra, pigliano quel colore. Cavansi ancora altre specie di marmi, che son chiamati cipollini e saligni e campanini e mischiati; e per lo più una sorte di marmi bianchissimi e lattati, che sono gentili ed in tutta perfezione per far le figure. E vi s'è trovato da cavare saldezze grandissime, e se n'è cavato ancora a' giorni nostri pezzi di nove braccia per far giganti, e d'un medesimo sasso ancora se ne sono cavati a tempi nostri due; l'uno fu il David che fece Michelagnolo Buonarroti, il quale è alla porta del palazzo del duca di Fiorenza; e l'altro Ercole e Cacco, che di mano del Bandinello sono all'altro lato della medesima porta. Un altro pezzo ne fu cavato pochi anni sono di braccia nove, perchè il detto Baccio Bandinello ne facesse un Nettuno per la fonte che il duca fa fare in piazza. Ma, essendo morto il Bandinello, è stato dato poi all'Ammannato, scultore eccellente, perchè ne faccia similmente un Nettuno.[1] Ma di tutti questi marmi, quelli della cava detta del Polvaccio, che è nel medesimo luogo, sono con manco macchie e smerigli, e senza que'nodi e noccioli che il più delle volte sogliono esser nella grandezza de'marmi, e recar non piccola difficultà a chi gli lavora, e bruttezza nell'opere, finite che sono le statue. Si sono ancora delle cave di Seravezza, in quel di Pietrasanta, avute colonne della medesima altezza; come si può vedere una di molte che avevano a esser nella facciata di S. Lorenzo di Firenze, quale è oggi abbozzata fuor della porta di detta chiesa, dove l'altre sono parte alla cava rimase e parte alla marina.[2] Ma tornando alle cave di Pietrasanta,[3] dico che in quelle s'esercitarono tutti gli antichi; ed altri marmi che questi non adoperarono per fare, que'maestri che furono sì eccellenti, le loro statue; esercitandosi di continuo, mentre si cavano le lor pietre per far le loro statue, in fare, ne'sassi medesimi delle cave, bozze di figure; come ancor oggi se ne veggono le

[1] Questo Nettuno, detto in Firenze volgarmente il Biancone di Piazza, fu posto ed è tuttavia sopra la fonte allato al Palazzo Vecchio.

[2] L'abbozzata, ch'era fuor della chiesa a'giorni del Vasari, fu sotterrata ne'primi anni del 1600, insieme con altri pezzi architettonici, in una fossa fatta sulla piazza lungo il fianco sinistro della detta chiesa.

[3] Parrebbe che invece di Pietrasanta dovesse dire Carrara, dalle cui cave sappiamo che gli antichi trassero i marmi per le loro opere; mentre quelli di Pietrasanta non si cominciarono ad adoperare che intorno al 1518, quando Michelangelo ebbe a fare la facciata di San Lorenzo.

vestigia di molte in quel luogo. Di questa sorte adunque cavano oggi i moderni le loro statue, e non solo per il servizio della Italia, ma se ne manda in Francia, in Inghilterra, in Ispagna ed in Portogallo: come appare oggi per la sepoltura fatta in Napoli da Giovan da Nola, scultore eccellente, a D. Pietro di Toledo vicerè di quel regno; che tutti i marmi gli furono donati e condotti in Napoli dal signor duca Cosimo de' Medici. Questa sorte di marmi ha in sè saldezze maggiori e più pastose e morbide a lavorarla, e se le dà bellissimo pulimento più che ad altra sorte di marmo. Vero è che si viene talvolta a scontrarsi in alcune vene, domandate dagli scultori smerigli, i quali sogliono rompere i ferri. Questi marmi si abbozzano con una sorte di ferri chiamati subbie, che hanno la punta a guisa di pali a faccie, e più grossi e sottili; e di poi seguitano con scarpelli detti carcagnuoli, i quali nel mezzo del taglio hanno una tacca; e così con più sottili di mano in mano, che abbiano più tacche, e gl'intaccano quando sono arruotati con un altro scarpello. E questa sorte di ferri chiamano gradine, perchè con esse vanno gradinando e riducendo a fine le lor figure; dove poi con lime di ferro diritte e torte vanno cavando le gradine che son restate nel marmo; e così poi con la pomice, arrotando a poco a poco, gli fanno la pelle che vogliono; e tutti gli strafori che fanno, per non intronare il marmo, gli fanno con trapano di minore e di maggior grandezza, e di peso di dodici libbre l'uno e qualche volta venti; chè di questi ne hanno di più sorte, e per far maggiori e minori buche, e gli servon questi per finire ogni sorte di lavoro e condurlo a perfezione. De' marmi bianchi venati di bigio gli scultori e gli architetti ne fanno ornamenti per porte e colonne per diverse case; servonsene per pavimenti e per incrostatura nelle lor fabbriche, e gli adoperano a diverse sorti di cose: similmente fanno di tutti i marmi mischiati.

I marmi cipollini sono un'altra specie, di grana e colore differente, e di questa sorte n'è ancora altrove che a Carrara; e questi il più pendono in verdiccio e son pieni di vene, che servono per diverse cose, e non per figure. Quelli che gli scultori chiamano saligni, che tengono di congelazione di pietra, per esservi que' lustri ch'appariscono nel sale e traspaiono alquanto, è fatica assai a farne le figure; perchè hanno la grana della pietra ruvida e grossa, o perchè nei tempi umidi gocciano acqua di continuo, ovvero sudando. Quelli che si dimandano campanini, son quella sorte di marmi che suonano quando si lavorano, ed hanno un certo suono più acuto degli altri: questi son duri, e si schiantano più facilmente che l'altre sorti suddette, e si cavano a Pietrasanta. A Seravezza ancora in più luoghi ed a Campiglia si cavano alcuni marmi che sono, per la maggior parte, buonissimi per lavoro di quadro, e ragionevoli ancora alcuna volta per statue; ed in quel di Pisa, al monte S. Giuliano, si cava similmente una sorte di marmo bianco che tiene d'alberese, e di questi è incrostato di fuori il Duomo ed il Camposanto di Pisa, oltre a molti altri ornamenti che si veggono in quella città fatti del medesimo. E perchè già si conducevano i detti marmi del monte a S. Giuliano in Pisa con qualche incomodo e spesa, oggi, avendo il duca Cosimo, così per sanare il paese come per agevolare il condurre i detti marmi ed altre pietre che si cavano da que' monti, messo in canale diritto il fiume d'Osoli ed altre molte acque che sorgeano in que' piani con danno del paese, si potranno agevolmente per lo detto canale condurre i marmi, o lavorati o in altro modo, con piccolissima spesa, e con grandissimo utile di quella città; che è poco meno che tornata nella pristina grandezza, mercè del detto signor duca Cosimo, che non ha cura che maggiormente lo prema che d'aggrandire e rifar quella città, che era assai mal condotta innanzi che ne fusse Sua Eccellenza signore.

Cavasi un'altra sorte di pietra chiamata trevertino, il quale serve molto per edificare e fare ancora intagli di diverse ragioni; che per Italia in molti luoghi se ne va cavando, come in quel di Lucca ed a Pisa ed in quel di Siena da diverse bande: ma le maggiori saldezze e le migliori pietre, cioè quelle che son più gentili, si cavano in sul fiume del Teverone a Tivoli; che è tutta specie di congelazione d'acque e di terra, che per la crudezza e freddezza sua non solo congela e petrifica la terra, ma i ceppi, i rami e le fronde degli alberi. E, per l'acqua che riman dentro, non si potendo finire di asciugare quando elle son sotto l'acqua, vi rimangono i pori della pietra cavati, che pare spugnosa e bucheraticcia, egualmente di dentro e di fuori. Gli antichi di questa sorte di pietra fecero le più mirabili fabbriche ed edificj che facessero, come sono i Colisei e l'Erario da' Ss. Cosimo e Damiano, e molti altri edificj; e ne mettevano nei fondamenti delle lor fabbriche infinito numero; e lavorandoli, non furon molto curiosi di farli finire, ma se ne servivano rusticamente; e questo forse facevano perchè hanno in sè una certa grandezza e superbia. Ma ne'giorni nostri s'è trovato chi gli ha lavorati sottilissimamente; come si vide già in quel tempio tondo, che cominciarono, e non finirono, salvochè tutto il basamento, in sulla piazza di S. Luigi de'Francesi in Roma. Il quale fu condotto da un francese chiamato maestro Gian, che studiò l'arte dello intaglio in Roma, e divenne tanto raro che fece il principio di questa opera, la quale poteva stare al paragone di quante cose eccellenti antiche e moderne che si sian viste d'intaglio di tal pietra; per avere straforato sfere di astrologi, ed alcune salamandre nel fuoco, imprese reali, ed in altre libri aperti con le carte, lavorati con diligenza trofei e maschere; le quali rendono, dove sono, testimonio della eccellenza e bontà da poter lavorarsi questa pietra simile al marmo, ancorchè sia rustica. E reca in sè una grazia per tutto, vedendo quella spugnosità de' buchi unitamente, che fa bel vedere. Il qual principio di tempio, essendo imperfetto, fu levato dalla nazione francese, e le dette pietre ed altri lavori di quello posti nella facciata della chiesa di S. Luigi, e parte in alcune cappelle, dove stanno molto bene accomodate e riescono bellissime. Questa sorte di pietra è buonissima per le muraglie, avendo sotto squadratola o scorniciata; perchè si può incrostarla di stucco, con coprirla con esso, ed intagliarvi ciò ch' altri vuole: come fecero gli antichi nell' entrate pubbliche del Coliseo, ed in molti altri luoghi; e come ha fatto a' giorni nostri Antonio da San Gallo nella sala del palazzo del papa dinanzi alla cappella, dove ha incrostato di trevertini con stucco e con varj intagli eccellentissimamente. Ma più d' ogni altro maestro ha nobilitata questa pietra Michelagnolo Buonarroti nell' ornamento del cortile di casa Farnese, avendovi, con maraviglioso giudizio, fatto d' essa pietra far finestre, maschere, mensole e tante altre simili bizzarrie, lavorate tutte come si fa il marmo, che non si può veder alcun altro simile ornamento più bello. E se queste cose son rare, è stupendissimo il cornicione maggiore del medesimo palazzo nella facciata dinanzi, non si potendo alcuna cosa nè più bella nè più magnifica desiderare. Della medesima pietra ha fatto similmente Michelagnolo, nel di fuori della fabbrica di San Pietro, certi tabernacoli grandi; e dentro, la cornice che gira intorno alla tribuna, con tanta pulitezza, che non si scorgendo in alcun luogo le commettiture, può conoscer ognuno agevolmente quanto possiamo servirci di questa sorte di pietra. Ma quello che trapassa ogni maraviglia è, che, avendo fatto di questa pietra la volta di una delle tre tribune del medesimo San Pietro, sono commessi i pezzi di maniera, che non solo viene collegata benissimo la fabbrica con varie sorti di commettiture, ma pare a vederla da terra tutta lavorata d'un pezzo. Ècci un'altra sorte di pietre che tendono al nero, e non servono agli architettori se non a lastricare tetti. Queste sono lastre sottili, prodotte a suolo a suolo dal tempo e dalla natura per servizio degli uomini; che ne fanno ancora pile, murandole talmente insieme, che elle commettino l'una nell'altra, e le empiono d'olio secondo la capacità de' corpi di quelle, e sicurissimamente ve lo conservano. Nascono queste nella riviera di Genova, in un luogo detto Lavagna, e se ne cavano pezzi lunghi dieci braccia, e i pittori se ne servono a lavorarvi su le pitture a olio, perchè elle vi si conservano su molto più lungamente che nelle altre cose, come al suo luogo si ragionerà ne' capitoli della pittura. Avviene questo medesimo della pietra detta piperno, da molti detta peperigno: pietra nericcia e spugnosa come il trevertino, la quale si cava per la campagna di Roma, e se ne fanno stipiti di finestre e porte in diversi luoghi, come a Napoli ed in Roma, e serve ella ancora a' pittori a lavorarvi su a olio, come a suo luogo racconteremo. È questa pietra alidissima, ed ha anzi dell'arsiccio che no. Cavasi ancora in Istria una pietra bianca livida, la quale molto agevolmente si schianta; e di questa sopra di ogni altra si serve non solamente la città di Vinegia, ma tutta la Romagna ancora, facendone tutti i loro lavori e di quadro e d'intaglio; e con sorte di stromenti e ferri più lunghi che gli altri la vanno lavorando, massimamente con certe martelline, andando secondo la falda della pietra, per essere ella molto frangibile. E di questa sorte di pietra ne ha messo in opera una gran copia messer Iacopo Sansovino, il quale ha fatto in Vinegia lo edificio dorico della Panatteria, ed il toscano alla Zecca in sulla piazza di San Marco. E così tutti i lor lavori vanno facendo per quella città, e porte, finestre, cappelle ed altri ornamenti che lor vien comodo di fare, non ostante che da Verona per il fiume dello Adige abbiano comodità di condurvi i mischi ed altra sorte di pietre; delle quali poche cose si veggono, per aver più in uso questa: nella quale spesso vi commettono dentro porfidi, serpentini, ed altre sorti di pietre mischie, che fanno accompagnate con essa bellissimo ornamento. Questa pietra tiene d'alberese, come la pietra da calcina de'nostri paesi; e, come si è detto, agevolmente si schianta. Restaci la pietra serena, e la bigia, detta macigno; e la pietra forte, che molto s'usa per Italia, dove son monti, e massimamente in Toscana, per lo più in Fiorenza e nel suo dominio. Quella ch'eglino chiamano pietra serena, è quella sorte che trae in azzurrigno, ovvero tinta di bigio; della quale n'è ad Arezzo cave in più luoghi, a Cortona, a Volterra e per tutti gli Appennini; e nei monti di Fiesole è bellissima, per esservisi cavato saldezze grandissime di pietre, come veggiamo in tutti gli edificj che sono in Firenze fatti da Filippo di ser Brunellesco, il quale fece cavare tutte le pietre di San Lorenzo e di Santo Spirito, ed altre infinite che sono in ogni edificio per quella città. Questa sorta di pietra è bellissima a vedere, ma dove sia umidità e vi piova su, o abbia ghiacciati addosso, si logora e si sfalda; ma al coperto ella dura in infinito. Ma molto più durabile di questa e di più bel colore è una sorte di pietra azzurrigna, che si dimanda oggi la pietra del Fossato; la quale quando si cava, il primo filare è ghiaioso e grosso, il secondo mena nodi e fessure, il terzo è mirabile, perchè è più fine. Della qual pietra Michelagnolo s'è servito nella libreria e sagrestia di San Lorenzo per papa Clemente, per esser gentile di grana; ed ha fatto condurre le cornici, le colonne ed ogni lavoro con tanta diligenza, che d'argento non resterebbe sì bella. E questa piglia un pulimento bellissimo, e non si può desiderare in questo genere cosa migliore. E perciò fu già in Fiorenza ordinato per legge, che di questa pietra non si potesse adoperare se non in fare edifizj pubblici, o con licenza di chi governasse. Della medesima n'ha fatto assai mettere in opera il duca Cosimo, così nelle colonne ed ornamenti della loggia di Mercato Nuovo, come nell'opera dell'udienza cominciata nella sala grande del Palazzo dal Bandinello, e nell'altra che è a quella dirimpetto; ma gran quantità, più che in alcun altro luogo sia stato fatto giammai, n'ha fatto mettere Sua Eccellenza nella stanza de' Magistrati,[1] che fa condurre col disegno ed ordine di Giorgio Vasari Aretino. Vuol questa sorte di pietra il medesimo tempo a esser lavorata che il marmo, ed è tanto dura, che ella regge all'acqua e si difende assai dall'altre ingiurie del tempo. Fuor di questa n'è un'altra specie ch'è detta pietra serena, per tutto il monte, ch'è più ruvida e più dura e non è tanto colorita, che tiene di specie di nodi della pietra; la quale regge all'acqua, al ghiaccio, e se ne fa figure ed altri ornamenti intagliati. E di questa n'è la Dovizia, figura di man di Donatello, in su la colonna di mercato vecchio in Fiorenza: così molte altre statue fatte da persone eccellenti, non solo in quella città, ma per il dominio. Cavasi per diversi luoghi la pietra forte; la qual regge all'acqua, al sole, al ghiaccio ed a ogni tormento, e vuol tempo a lavorarla; ma si conduce molto bene, e non v'è molte gran saldezze. Della qual se n'è fatto, e per i Goti e per i moderni, i più belli edificj che siano per la Toscana; come si può vedere in Fiorenza nel ripieno de' due archi che fanno le porte principali dell'oratorio d'Orsanmichele, i quali sono veramente cose mirabili e con molta diligenza lavorate. Di questa medesima pietra sono similmente per la città, come s'è detto, molte statue ed arme; come intorno alla fortezza ed in altri luoghi si può vedere. Questa ha il colore alquanto gialliccio, con alcune vene di bianco sottilissime che le danno grandissima gra-

[1] Ossia nel grande edifizio, chiamato oggi gli Uffizj.

zia; e così se n'è usato fare qualche statua ancora, dove abbiano a essere fontane, perchè reggono all'acqua. E di questa sorte di pietra è murato il palazzo dei Signori, la Loggia, Orsanmichele, ed il di dentro di tutto il corpo di Santa Maria del Fiore; e così tutti i ponti di quella città, il palazzo de' Pitti e quello degli Strozzi. Questa vuol esser lavorata con le martelline, perchè è più soda; e così l'altre pietre suddette vogliono esser lavorate nel medesimo modo che s'è detto del marmo e dell'altre sorti di pietre.[1] Imperò, non ostante le buone pietre e le tempere de' ferri, è di necessità l'arte, intelligenza e giudicio di coloro che le lavorano; perchè è grandissima differenza negli artefici, tenendo una misura medesima da mano a mano, in dar grazia e bellezza all'opere che si lavorano. E questo fa discernere e conoscere la perfezione del fare da quelli che sanno a quei che manco sanno. Per consistere, adunque, tutto il buono e la bellezza delle cose estremamente lodate, negli estremi della perfezione che si dà alle cose che tali son tenute da coloro che intendono, bisogna con ogni industria ingegnarsi sempre di farle perfette e belle, anzi bellissime e perfettissime.

Capitolo II

Che cosa sia il lavoro di quadro semplice, e il lavoro di quadro intagliato.

Avendo noi ragionato così in genere di tutte le pietre che, o per ornamenti o per isculture, servono agli artefici nostri ne' loro bisogni, diciamo ora che, quando elle si lavorano per la fabbrica, tutto quello dove si adopera

[1] Per la più piena notizia delle pietre e de' marmi della Toscana specialmente, vedi i Viaggi di Gio. Targioni-Tozzetti, ed anche l'Atlante dello Zuccagni-Orlandini; in ispecie la tavola quarta, che s'intitola *dalla Valle del Serchio*, ov'è data notizia di cave già da gran tempo abbandonate, e recentemente riaperte. — Vedi anche il Repetti, *Dizionario ecc. della Toscana*, art. «Cave».

la squadra e le seste e che ha cantoni, si chiama lavoro di quadro. E questo cognome deriva dalle facce e dagli spigoli che son quadri, perchè ogni ordine di cornici, o cosa che sia diritta ovvero risaltata ed abbia cantonate, è opera che ha il nome di quadro; e però volgarmente si dice fra gli artefici lavoro di quadro. Ma se ella non resta così pulita, ma si intagli in tai cornici, fregi, fogliami, uovoli, fusaruoli, dentelli, guscie ed altre sorti d'intagli, in quei membri che sono eletti a intagliarsi, da chi le fa, ella si chiama opera di quadro intagliata, ovvero lavoro d'intaglio. Di questa sorte opra di quadro e d'intaglio si fanno tutte le sorti Ordini: rustico, dorico, ionico, corinto e composto; e così se ne fece al tempo de' Goti il lavoro tedesco: e non si può lavorare nessuna sorte d'ornamenti, che prima non si lavori di quadro e poi d'intaglio, così pietre mischie e marmi e d'ogni sorte pietra; così come ancora di mattoni, per avervi a incrostar su opera di stucco intagliata; similmente di legno di noce e d'albero e d'ogni sorte legno. Ma, perchè molti non sanno conoscere le differenze che sono da Ordine a Ordine, ragioneremo distintamente nel Capitolo che segue di ciascuna maniera o modo più brevemente che noi potremo.

Capitolo III

De' cinque Ordini d'architettura, Rustico, Dorico, Ionico, Corinto, Composto, e del lavoro Tedesco.

Il lavoro chiamato rustico è più nano e di più grossezza che tutti gli altri ordini, per essere il principio e fondamento di tutti; e si fa nelle modanature delle cornici più semplice, e per conseguenza più bello, così ne'capitelli e base, come in ogni suo membro. I suoi zoccoli, o piedistalli che gli vogliam chiamare, dove posano le colonne, sono quadri di proporzione, con l'avere da piè la sua fascia soda, e così un'altra di sopra che lo ricinga in cambio di cornice. L'altezza della sua colonna si fa di sei teste, a imitazione di persone nane ed atte a regger peso: e di questa sorte se ne vede in Toscana molte logge pulite ed alla rustica, con bozze e nicchie fra le colonne e senza; e così molti portici, che gli costumarono gli antichi nelle loro ville; ed in campagna se ne vede ancora molte sepolture, come a Tivoli ed a Pozzuolo. Servironsi di questo Ordine gli antichi per porte, finestre, ponti, acquidotti, erarj, castelli, torri e ròcche da conservar munizione ed artiglieria; e porti di mare, prigioni e fortezze, dove si fa cantonate a punte di diamanti ed a più facce bellissime E queste si fanno spartite in varj modi; cioè, o bozze piane, per non far con esse scala alle muraglie (perchè agevolmente si salirebbe quando le bozze avesseno, come diciamo noi, troppo aggetto), o in altre maniere; come si vede in molti luoghi, e massimamente in Fiorenza, nella facciata dinanzi e principale della cittadella maggiore, che Alessandro primo duca di Fiorenza fece fare; la quale, per rispetto dell'impresa de' Medici, è fatta a punte di diamante e di palle schiacciate, e l'una e l'altra di poco rilievo. Il qual composto tutto di palle e di diamanti, uno allato all'altro, è molto ricco e vario, e fa bellissimo vedere. E di questa opera n'è molto per le ville de' Fiorentini, portoni, entrate, e case e palazzi, dov' e' villeggiano; che non solo recano bellezza ed ornamento infinito a quel contado, ma utilità e comodo grandissimo ai cittadini. Ma molto più è dotata la città di fabbriche stupendissime fatte di bozze; come quella di casa Medici, la facciata del palazzo de' Pitti, quello degli Strozzi, ed altri infiniti. Questa sorte di edificj tanto quanto più sodi e semplici si fanno e con buon disegno, tanto più maestria e bellezza vi si conosce dentro; ed è necessario che questa sorte di fabbrica sia più eterna e durabile di tutte l'altre, avvengachè sono i pezzi delle pietre maggiori, e molto migliori le commettiture, dove si va collegando tutta la fabbrica con una pietra che lega l'altra pietra. E perchè elle son pulite e sode di membri, non hanno possanza i casi di fortuna o del tempo nuocerli tanto rigidamente, quanto fanno alle pietre intagliate e traforate, e, come dicono i nostri, campate in aria dalla diligenza degl'intagliatori.

L'ordine dorico fu il più massiccio ch'avesser i Greci, e più robusto di fortezza e di corpo, e molto più degli altri loro Ordini collegato insieme: e non solo i Greci, ma i Romani ancora dedicarono questa sorte di edificj a quelle persone che erano armigeri, come imperatori di eserciti, consoli e pretori; ma agli Dei loro molto maggiormente, come a Giove, Marte, Ercole ed altri; avendo sempre avvertenza di distinguere, secondo il lor genere, la differenza della fabbrica o pulita o intagliata, o più semplice o più ricca, acciocchè si potesse conoscere dagli altri il grado e la differenza fra gli imperatori, o di chi faceva fabbricare. E perciò si vede, all'opere che feciono gli antichi, essere stata usata molta arte ne'componimenti delle loro fabbriche, e che le modanature delle cornici doriche hanno molta grazia, e ne'membri unione e bellezza grandissima. E vedesi ancora, che la proporzione ne'fusi delle colonne di questa ragione è molto ben intesa; come quelle che non essendo nè grosse grosse nè sottili sottili, hanno forma somigliante, come si dice, alla persona di Ercole, mostrando una certa sodezza molto atta a reggere il peso degli architravi, fregi, cornici, ed il rimanente di tutto l'edificio che va sopra. E perchè questo Ordine, come più sicuro e più fermo degli altri, è sempre piaciuto molto al signor duca Cosimo, egli ha voluto che la fabbrica che mi fa far, con grandissimo ornamento di pietra, per tredici magistrati civili della sua città e dominio, accanto al suo palazzo insino al fiume d'Arno, sia di forma dorica. Onde, per ritornare in uso il vero modo di fabbricare, il quale vuole che gli architravi spianino sopra le colonne, levando via la falsità di girare gli archi delle loggie sopra i capitelli; nella facciata dinanzi ho seguitato il vero modo che usarono gli antichi, come in questa fabbrica si vede. E perchè questo modo di fare è stato dagli architetti passati fuggito, perciocchè gli architravi di pietra che d'ogni sorte si trovano antichi e moderni, si veggono tutti o la maggior parte esser rotti nel mezzo, non ostante che sopra il sodo delle colonne, dell'architrave, fregio e cornice siano archi di mattoni piani che non toccano e non aggravano; io, dopo molto avere considerato il tutto, ho finalmente trovato un modo bonissimo di mettere in uso il vero modo di far con sicurezza degli architravi detti, che non patiscono in alcuna parte, e rimane il tutto saldo e sicuro quanto più non si può desiderare, siccome la sperienza ne dimostra. Il modo dunque è questo che qui di sotto si dirà, a beneficio del mondo e degli artefici. Messe su le colonne e sopra i capitelli gli architravi, che si stringono nel mezzo del diritto della colonna l'un l'altro, si fa un dado quadro. esempligrazia, se la colonna è un braccio grossa e l'architrave similmente largo ed alto, facciasi simile il dado del fregio; ma dinanzi gli resti nella faccia un ottavo per la commettitura del piombo, ed un altro ottavo o più sia intaccato di dentro il dado a quartabuono da ogni banda. Partito poi nell intercolonnio il fregio in tre parti, le due dalle bande si augnino a quartabuono in contrario, che ricresca di dentro, acciò si stringa nel dado e serri a guisa d'arco; e dinanzi la grossezza dell'ottavo vada a piombo, ed il simile faccia l'altra parte di là all'altro dado; e così si faccia sopra la colonna, che il pezzo del mezzo di detto fregio stringa di dentro, e sia intaccato a quartabuono insino a mezzo; l'altra mezza sia squadrata e diritta e messa a cassetta, perchè stringa a uso d'arco, mostrando di fuori essere murata diritta. Facciasi poi, che le pietre di detto fregio non posino sopra l'architrave, e non s'accostino un dito; perciocchè facendo arco, viene a reggersi da sè e non caricar l'architrave. Facciasi poi dalla parte di dentro, per ripieno di detto fregio, un arco piano di matton alto quanto il fregio, che stringa fra dado e dado sopra le colonne. Facciasi di poi un pezzo di cornicione largo quanto il dado sopra le colonne, il quale abbia le commettiture dinanzi come il fregio, e di dentro sia detta cornice come il dado a quartabuono; usando diligenza che si faccia, come il fregio, la cornice di tre pezzi, de' quali due dalle bande stringano di dentro a cassetta il pezzo di mezzo della cornice sopra il dado del fregio. E avvertasi che il pezzo di mezzo della cornice vada per canale a cassetta in modo, che stringa i due pezzi delle bande e serri a guisa d'arco. Ed in questo modo di far può veder ciascuno che il fregio si regge da sè, e così la cornice, la quale posa quasi tutta in sull'arco di mattoni. E così aiutandosi ogni cosa da per sè, non viene a regger l'architrave altro che il peso di se stesso, senza pericolo di rompersi giammai per troppo peso. E perchè la sperienza ne dimostra questo modo esser sicurissimo, ho voluto farne particulare menzione a commodo e beneficio universale; e massimamente conoscendosi che il mettere, come gli antichi fecero, il fregio e la cornice sopra l'architrave, che egli si rompe in spazio di tempo, e forse per accidente di terremoto od altro, non lo difendendo a bastanza l'arco che si fa sopra il detto cornicione. Ma girando archi sopra le cornici fatte in questa forma, incatenandolo al solito di ferri, assicura il tutto da ogni pericolo e fa eternamente durar l'edificio. Diciamo adunque, per tornar a proposito, che questa sorte di lavoro si può usare solo da sè, ed ancora metterlo nel secondo ordine da basso sopra il Rustico; ed alzando, mettervi sopra un altro ordine variato, come Ionico o

Corinto o Composto; nella maniera che mostrarono gli antichi nel Coliseo di Roma, nel quale ordinatamente usarono arte e giudicio. Perchè, avendo i Romani trionfato non solo de' Greci, ma di tutto il mondo, misero l' opera composta in cima, per averla i Toscani composta di più maniere; e la misero sopra tutte, come superiore di forza, grazia e bellezza, e come più apparente dell' altre, avendo a far corona all' edificio; chè, per essere ornata di be' membri, fa nell' opera un finimento onoratissimo e da non desiderarlo altrimenti. E, per tornare al lavoro dorico, dico che la colonna si fa di sette teste d' altezza, ed il suo zoccolo ha da essere poco manco d' un quadro e mezzo di altezza, e larghezza un quadro; facendogli poi sopra le sue cornici e di sotto la sua fascia col bastone e due piani, secondo che tratta Vitruvio; e la sua base e capitello tanto d' altezza una quanto l' altra, computando del capitello dal collarino in su; la cornice sua col fregio ed architrave appiccata, risaltando a ogni dirittura di colonna con que' canali che gli chiamano triglifi ordinariamente, che vengono partiti fra un risalto e l' altro un quadro, dentrovi o teste di buoi secche, o trofei o maschere o targhe o altre fantasie. Serra l' architrave risaltando con una lista i risalti, e da piè fa un pianetto sottile tanto, quanto tiene il risalto; a piè del quale fanno sei campanelle per ciascuno, chiamate goccie dagli antichi. E se si ha da vedere la colonna accanalata nel dorico, vogliono essere venti facce in cambio de' canali, e non rimanere fra canale e canale altro che il canto vivo. Di questa ragione opera n' è in Roma al foro Boario, ch' è ricchissima; e d' un' altra sorte le cornici e gli altri membri al teatro di Marcello, dove oggi è la piazza Montanara; nella quale opera non si vede base, e quelle che si veggono sono corinte. Ed è opinione che gli antichi non le facessero, ed in quello scambio vi mettessero un dado tanto grande quanto teneva la base. E di questo n'è il riscontro a Roma al carcere Tulliano, dove son capitelli ricchi di membri più che gli altri che si sian visti nel dorico. Di questo Ordine medesimo n'ha fatto Antonio da S. Gallo il cortile di casa Farnese in campo di Fiore a Roma, il quale è molto ornato e bello; benchè continuamente si veda di questa maniera tempj antichi e moderni, e così palazzi, i quali per la sodezza e collegazione delle pietre son durati e mantenuti più che non hanno fatto tutti gli altri edificj.

L'Ordine ionico, per esser più svelto del dorico, fu fatto dagli antichi a imitazione delle persone che sono fra il tenero ed il robusto; e di questo rende testimonio l'averlo essi adoperato e messo in opera ad Apolline, a Diana e a Bacco, e qualche volta a Venere. Il zoccolo che regge la sua colonna, lo fanno alto un quadro e mezzo, e largo un quadro; e le cornici sue, di sopra e di sotto, secondo questo Ordine. La sua colonna è alta otto teste: e la sua base è doppia con due bastoni, come la descrive Vitruvio al terzo libro al terzo capo; ed il suo capitello sia ben girato, con le sue volute o cartocci o viticci che ognun se li chiami, come si vede al teatro di Marcello in Roma, sopra l'Ordine dorico; così la sua cornice adorna di mensole e di dentelli, ed il suo fregio con un poco di corpo tondo. E volendo accanalare le colonne, vogliono essere il numero de'canali ventiquattro, ma spartiti talmente, che ci resti fra l'un canale e l'altro la quarta parte del canale che serva per piano. Questo Ordine ha in sè bellissima grazia e leggiadria, e se ne costuma molto fra gli architetti moderni.

Il lavoro corinto piacque universalmente molto a' Romani, e se ne dilettarono tanto, che e' fecero di questo Ordine le più ornate ed onorate fabbriche per lasciar memoria di loro: come appare nel tempio di Tivoli in sul Teverone, e le spoglie del tempio della Pace, e l'arco di Pola e quel del porto d'Ancona; ma molto più è bello

l Panteon, cioè la Ritonda di Roma, il quale è il più ricco
'l più ornato di tutti gli Ordini detti di sopra. Fassi
l zoccolo che regge la colonna, di questa maniera: largo
in quadro e due terzi, e la cornice di sopra e di sotto
proporzione, secondo Vitruvio: fassi l'altezza della co-
onna nove teste con la sua base e capitello, il quale
arà d'altezza tutta la grossezza della colonna da piè, e
a sua base sarà la metà di detta grossezza, la quale usa-
ono gli antichi intagliare in diversi modi. E l'ornamento
lel capitello sia fatto co' suoi vilucchi e le sue foglie, se-
ondo che scrive Vitruvio nel quarto libro, dove egli fa
icordo essere stato tolto questo capitello dalla sepoltura
l'una fanciulla corinta. Seguitisi il suo architrave, fregio e
ornice con le misure descritte da lui, tutte intagliate con
e mensole ed uovoli ed altre sorti d'intagli sotto il goc-
iolatoio. Ed i fregi di quest'opera si possono fare intagliati tutti con fogliami, ed ancora farne dei puliti, ovvero
on lettere dentro, come erano quelle al portico della
Ritonda, di bronzo commesso nel marmo. Sono i canali
nelle colonne di questa sorte a numero ventisei, benchè
n'è di manco ancora; ed è la quarta parte del canale fra
l'uno e l'altro che resta piano, come benissimo appare
in molte opere antiche e moderne, misurate da quelle.

L'Ordine composto, sebben Vitruvio non ne ha fatto menzione (non facendo egli conto d'altro che dell'opera dorica, ionica, corinta e toscana, tenendo troppo licenziosi coloro che, pigliando di tutt'e quattro quegli Ordini, ne facessero corpi che gli rappresentassero piuttosto mostri che uomini), per averlo costumato molto i Romani ed a loro imitazione i moderni, non mancherò di questo ancora acciò se n'abbia notizia, dichiarare e formare il corpo di questa proporzione di fabbrica; credendo questo, che se i Greci ed i Romani formarono que' primi quattro Ordini e gli ridussero a misura e regola generale, che ci possano essere stati di quelli che l'abbiano fin qui fatto nell'Ordine composto, e componendo da sè delle cose che apportino molto più grazia che non fanno le antiche. E che questo sia vero, ne fanno fede l'opere che Michelagnolo Buonarroti ha fatto nella sagrestia e libreria di San Lorenzo di Firenze; dove le porte, i tabernacoli, le base, le colonne, i capitelli, le cornici, le mensole, ed in somma ogni altra cosa, hanno del nuovo e del composto da lui, e nondimeno sono maravigliose, non che belle. Il medesimo, e maggiormente, dimostrò lo stesso Michelagnolo nel secondo ordine del cortile di casa Farnese, e nella cornice ancora che regge di fuori il tetto di quel palazzo. E chi vuol veder quanto in questo modo di fare abbia mostrato la virtù di questo uomo (veramente venuto dal cielo) arte, disegno e varia maniera; consideri quello che ha fatto nella fabbrica di San Pietro, nel riunire insieme il corpo di quella macchina, e nel far tante sorti di varj e stravaganti ornamenti, tante belle modanature di cornici, tanti diversi tabernacoli, ed altre molte cose, tutte trovate da lui e fatte variatamente dall'uso degli antichi. Perchè niuno può negare che questo nuovo Ordine composto, avendo da Michelagnolo tanta perfezione ricevuto, non possa andar al paragone degli altri. E di vero, la bontà e virtù di questo veramente eccellente scultore e pittore e architetto ha fatto miracoli dovunque egli ha posto mano, oltre all'altre cose che sono manifeste e chiare come la luce del sole, avendo siti storti dirizzati facilmente, e ridotti a perfezione molti edificj ed altre cose di cattivissima forma, ricoprendo con vaghi e capricciosi ornamenti i difetti dell'arte e della natura. Le quali cose non considerando con buon giudicio e non le imitando, hanno a' tempi nostri certi architetti plebei, prosontuosi e senza disegno, fatto quasi a caso, senza servar decoro, arte o ordine nessuno, tutte le cose loro mostruose, e peggio che le tedesche. Ma, tornando a proposito di questo modo di lavorare, è scorso l'uso, che già è nominato questo Ordine, da alcuni composto, da altri latino, e per alcuni altri italico. La misura dell'altezza di questa colonna vuole essere dieci teste; la base sia per la metà della grossezza della colonna, e misurata simile alla corinta, come ne appare in Roma all'arco di Tito Vespasiano. E chi vorrà far canali in questa colonna, può fargli simile alla ionica, o come la corinta, o come sarà l'animo di chi farà l'architettura di questo corpo, che è misto con tutti gli Ordini. I capitelli si posson fare simili ai corinti; salvo che vuole essere più la cimasa del capitello, e le volute o viticci alquanto più grandi, come si vede all'arco suddetto. L'architrave sia tre quarti della grossezza della colonna, ed il fregio abbia il resto pien di mensole, e la cornice quanto l'architrave: chè l'aggetto la fa diventar maggiore, come si vede nell'Ordine ultimo del Coliseo di Roma; ed in dette mensole si possono far canali a uso di triglifi, e altri intagli secondo il parere dell'architetto: ed il zoccolo, dove posa su la colonna, ha da essere alto due quadri; e così le sue cornici a sua fantasia o come gli verrà in animo di farle.

Usavano gli antichi, o per porte o sepolture o altre specie d'ornamenti, in cambio di colonne, termini di varie sorti; chi una figura ch'abbia una cesta in capo per capitello; altri una figura fino a mezzo, ed il resto, verso la base, piramide, ovvero tronconi d'alberi: e di questa sorte facevano vergini, satiri, putti, ed altre sorti di mostri o bizzarie che veniva lor comodo; e secondo che nasceva loro nella fantasia le mettevano in opera.

Ècci un'altra specie di lavori che si chiamano tedeschi, i quali sono di ornamenti e di proporzione molto differenti dagli antichi e dai moderni. Nè oggi s'usano per gli eccellenti, ma son fuggiti da loro come mostruosi e barbari, dimenticando ogni lor cosa di ordine; che più tosto confusione o disordine si può chiamare, avendo fatto nelle lor fabbriche, che son tante che hanno ammorbato il mondo, le porte ornate di colonne sottili ed attorte a uso di vite, le quali non possono aver forza a reggere il peso, di che leggerezza si sia. E così, per tutte le facce ed altri loro ornamenti, facevano una maledizione di tabernacolini l'un sopra l'altro, con tante piramidi e punte e foglie, che, non ch'elle possano stare, pare impossibile ch'elle si possano reggere; ed hanno più il modo da parer fatte di carta, che di pietre o di marmi. Ed in queste opere facevano tanti risalti, rotture, mensoline e viticci, che sproporzionavano quelle opere che facevano; e spesso, con mettere cosa sopra cosa, andavano in tanta altezza, che la fine d'una porta toccava loro il tetto. Questa maniera fu trovata dai Goti, che, per aver ruinate le fabbriche antiche e morti gli architetti per le guerre, fecero dopo coloro che rimasero le fabbriche di questa maniera: le quali girarono le volte con quarti acuti, e riempierono tutta Italia di questa maledizione di fabbriche, che per non averne a far più s'è dismesso ogni modo loro.[1] Iddio scampi ogni paese dal venir tal pensiero ed ordine di lavori; che, per essere eglino talmente difformi alla bellezza delle fabbriche nostre, meritano che non se ne favelli più che questo. E però passiamo a dire delle volte.

[1] L'angustia di una nota non ci consente narrare l'origine dell'architettura *archiacuta*, ma che essa non ci venisse dai Goti, è un fatto che più non abbisogna di prove. In Italia ebbe forma e ordine proprio, che la parte dalla tedesca, dalla normanna e dalla moresca, sebbene talvolta mostrasse accostarsi a tutte queste diverse foggie. Che poi non sia una *maledizione*, come scrive il Vasari, mostrò crederlo lo stesso Leon Battista Alberti. Nè è a tacersi che Raffaello, in quella dotta lettera (già attribuita al Castiglione) mandata a Leon X, negava ch'essa fosse un guastamento della greca e della romana, e riguardandola come cosa di genere affatto diverso, dicea che aveva e i suoi particolari pregi e i suoi particolari precetti. Ma di ciò vedi la giunta quinta al libro IV di Vitruvio nella traduzione che fu pubblicata in Udine.

Capitolo IV

Del fare le volte di getto, che vengano intagliate; quando si disarmino; e d'impastar lo stucco.

Quando le mura sono arrivate al termine che le volte s'abbiano a voltare o di mattoni o di tufi o di spugna, bisogna, sopra l'armadura de' correnti o piane, voltare di tavole in cerchio serrato, che commettano secondo la forma della volta, o a schifo; e l'armadura della volta, in quel modo che si vuole, con buonissimi puntelli fermare, che la materia di sopra del peso non la sforzi; e dappoi saldissimamente turare ogni pertugio nel mezzo, ne' cantoni e per tutto, con terra, acciocchè la mistura non coli sotto quando si getta. E così armata, sopra quel piano di tavole si fanno casse di legno che in contrario siano lavorate, dove un cavo, rilievo; e così le cornici ed i membri che far ci vogliamo, siano in contrario; acciò quando la materia si getta, venga, dov'è cavo, di rilievo, e, dove è rilievo, cavo: e così similmente vogliono essere tutti i membri delle cornici al contrario scorniciati. Se si vuol fare pulita o intagliata, medesimamente è necessario aver forme di legno che formino di terra le cose intagliate in cavo, e si faccian d'essa terra le piastre quadre di tali intagli, e quelle si commettano l'una all'altra su' piani o gola o fregi che far si vogliano diritto per quella armadura. E finita di coprir tutta degl'intagli di terra, formati in cavo e commessi, già di sopra detti, si debbe poi pigliare la calce con pozzolana o rena vagliata sottile, stemperata liquida ed alquanto grassa, e di quella fare egualmente una incrostatura per tutte, finchè tutte le forme sian piene. Ed appresso, sopra co' mattoni far la volta, alzando quelli ed abbassando, secondo che la volta gira; e di continuo si conduca con essi crescendo, sino ch'ella sia serrata. E finita tal cosa, si debbe poi lasciare far presa e assodare, finchè tale opra sia ferma e secca. E dappoi, quando i puntelli si levano e la volta si disarma, facilmente la terra si leva, e tutta l'opera resta intagliata e lavorata, come se di stucco fosse condotta; e quelle parti che non son venute, si vanno con lo stucco ristaurando, tanto che si riducano a fine. E così si sono condotte negli edificj antichi tutte l'opere, le quali hanno poi di stucco lavorate sopra quelle. Così hanno ancora oggi fatto i moderni nelle volte di San Pietro, e molti altri maestri per tutta Italia.

Ora, volendo mostrare come lo stucco s'impasti, si fa con un edificio in un mortaio di pietra pestare la scaglia di marmo; nè si toglie per quello altrochè la calce che sia bianca, fatta o di scaglia di marmo o di trevertino; ed in cambio di rena si piglia il marmo pesto, e si staccia sottilmente ed impastasi con la calce, mettendo due terzi calce ed un terzo marmo pesto; e se ne fa del più grosso e sottile, secondo che si vuol lavorare grossamente o sottilmente. E degli stucchi ci basti or questo, perchè il restante si dirà poi, dove si tratterà del mettergli in opra tra le cose della scultura. Alla quale prima che noi passiamo, diremo brevemente delle fontane che si fanno per le mura, e degli ornamenti varj di quelle.

Capitolo V

Come di tartari e di colature d'acque si conducono le fontane rustiche, e come nello stucco si murano le telline e le colature delle pietre cotte.

Sì come le fontane che nei loro palazzi, giardini ed altri luoghi fecero gli antichi, furono di diverse maniere; cioè alcune isolate, con tazze e vasi d'altre sorte; altre allato alle mura, con nicchie, maschere o figure ed ornamenti di cose marittime; altre poi per uso delle stufe più semplici e pulite, ed altre finalmente simili alle salvatiche fonti che naturalmente sorgono nei boschi: così parimente sono di diverse sorti quelle che hanno fatto e fanno tuttavia i moderni; i quali, variandole sempre, hanno alle invenzioni degli antichi aggiunto componimenti di opera toscana, coperti di colature d'acque petrificate, che pendono a guisa di radicioni fatti col tempo d'alcune congelazioni d'esse acque ne' luoghi, dove elle son crude e grosse: come non solo a Tivoli, dove il fiume Teverone petrifica i rami degli alberi ed ogni altra cosa che se gli pone innanzi, facendone di queste gromme e tartari; ma ancora al lago di Piè di Lupo,[1] che le fa grandissime; ed in Toscana al fiume d'Elsa, l'acqua del quale le fa in modo chiare, che paiono di marmi, di vitrioli e d'allumi. Ma bellissime e bizzarre sopra tutte l'altre si sono trovate dietro monte Morello, pure in Toscana, vicino otto miglia a Fiorenza. E di questa sorte ha fatte fare il duca Cosimo nel suo giardino dell'Olmo a Castello gli ornamenti rustici delle fontane, fatte dal Tribolo scultore. Queste, levate donde la natura l'ha prodotte, si vanno accomodando nell'opera che altri vuol fare con spranghe di ferro, con rami impiombati o in altra maniera, e s'innestano nelle pietre in modo che sospese pendano; e, murando quelle addosso all'opera toscana, si fa che essa in qualche parte si veggia. Accomodando poi fra esse canne di piombo ascose, e spartiti per quelle i buchi, versano zampilli d'acqua, quando si volta una chiave ch'è nel principio di detta cannella; e così si fanno condotti d'acqua e diversi zampilli, dove poi l'acqua piove per le colature di questi tartari, e colando fa dolcezza nell'udire e bellezza nel vedere. Se ne fa ancora d'un'altra specie di grotte più rusticamente composte, contraffacendo le fonti alla salvatica in questa maniera.

[1] Altrimenti Pie di Luco

Pigliansi sassi spugnosi, e commessi che sono insieme, si fa nascervi erbe sopra, le quali con ordine che paia disordine e salvatico, si rendon molto naturali e più vere. Altri ne fanno di stucco più pulite e lisce, nelle quali mescolano l'uno e l'altro; e mentre quello è fresco, mettono fra esso, per fregi e spartimenti, gongole, telline, chiocciole marittime, tartarughe, e nicchi grandi e piccoli, chi a ritto e chi a rovescio. E di questi fanno vasi e festoni, in che cotali telline figurano le foglie, ed altre chiocciole ed i nicchi fanno le frutte; e scorze di testuggini d'acqua vi si pone, come si vede alla vigna che fece fare papa Clemente VII, quando era cardinale, a piè di monte Mario, per consiglio di Giovanni da Udine.

Così si fa ancora in diversi colori un musaico rustico e molto bello, pigliando piccoli pezzi di colature di mattoni disfatti e troppo cotti nella fornace, ed altri pezzi di colature di vetro, che vengono fatte quando nel troppo fuoco scoppiano le padelle de' vetri nella fornace: si fa, dico, murando i detti pezzi, fermandogli nello stucco, come s'è detto di sopra; e facendo nascere tra essi, coralli ed altri ceppi marittimi, i quali recano in sè grazia e bellezza grandissima. Così si fanno animali e figure, che si coprono di smalti in varj pezzi posti alla grossa, e con le nicchie suddette; le quali sono bizzarra cosa a vederle. E di questa specie n'è a Roma, fatte moderne, dimolte fontane, le quali hanno desto l'animo d'infiniti a essere per tal diletto vaghi di sì fatto lavoro. È oggi similmente in uso un'altra sorta d'ornamento per le fontane, rustico affatto; il quale si fa in questo modo. Fatta disotto l'ossatura delle figure o d'altro che si voglia fare, e coperta di calcina o di stucco, si ricuopre al di fuori a guisa di musaico di pietre di marmo bianco o d'altro colore, secondo quello che si ha da fare, ovvero di certe piccole pietre di ghiaia di diversi colori; e queste, quando sono con diligenza lavorate, hanno lunga vita; e lo stucco con che si murano e lavorano queste cose, è il medesimo che innanzi abbiamo ragionato; e per la presa fatta, con essa rimangono murate. A queste tali fontane di frombole, cioè sassi di fiumi tondi e stiacciati, si fanno pavimenti, murando quelli per coltello e a onde, a uso d'acque, che fanno benissimo. Altri fanno alle più gentili pavimenti di terra cotta a mattoncini con varj spartimenti ed invetriati a fuoco, come in vasi di terra dipinti di varj colori, e con fregi e fogliami dipinti; ma questa sorte di pavimenti più conviene alle stufe ed a' bagni, che alle fonti.

Capitolo VI

Del modo di fare i pavimenti di commesso.

Tutte le cose che trovar si poterono, gli antichi, ancorchè con difficultà, in ogni genere o le ritrovarono o di ritrovarle cercarono; quelle, dico, che alla vista degli uomini vaghezza e varietà indurre potessero Trovarono dunque, fra l'altre cose belle, i pavimenti di pietre ispartiti con varj misti di porfidi, serpentini e graniti, con tondi e quadri o altri spartimenti, onde s'immaginarono che fare si potessero fregi, fogliami, ed altri andari di disegni e figure. Onde, per poter meglio ricevere l'opera tal lavoro, tritavano i marmi, acciocchè, essendo quelli minori, potessero per lo campo e piano con essi rigirare in tondo e diritto ed a torto, secondo che veniva lor meglio; e, dal commettere insieme questi pezzi, lo dimandarono musaico, e nei pavimenti di molte loro fabbriche se ne servirono: come ancora veggiamo nell'Antoniano di Roma[1] ed in altri luoghi; dove si vede il musaico

[1] Cioè alle terme di Caracalla.

lavorato con quadretti di marmo piccoli, conducendo fogliami, maschere ed altre bizzarrie; e con quadri di marmo bianchi ed altri quadretti di marmo nero fecero il campo di quelli. Questi dunque si lavoravano in tal modo: facevasi sotto un piano di stucco fresco di calce e di marmo, tanto grosso che bastasse per tenere in sè i pezzi commessi fermamente, sinchè fatto presa si potessero spianar di sopra; perchè facevano, nel seccarsi, una presa mirabile ed uno smalto maraviglioso, che nè l'uso del camminare nè l'acqua non gli offendeva. Onde, essendo questa opera in grandissima considerazione venuta, gli ingegni loro si misero a speculare più alto, essendo facile a una invenzione trovata aggiugner sempre qualcosa di bontà. Perchè, fecero poi i musaici di marmi più fini, e per bagni e per stufe i pavimenti di quelli; e con più sottile magistero e diligenza quei lavoravano sottilissimamente, facendovi pesci variati, ed imitando la pittura con varie sorte di colori atti a ciò, con più specie di marmi, mescolando anco fra quelli alcuni pezzi triti di quadretti di musaico di ossa di pesce, ch'hanno la pelle lustra. E così vivamente gli facevano, che l'acqua postavi di sopra velandoli, pur che chiara fosse, gli faceva parere vivissimi nei pavimenti; come se ne vede in Parione in Roma, in casa di messer Egidio e Fabio Sasso. Perchè, parendo loro questa una pittura da poter reggere alle acque ed ai venti e al sole per l'eternità sua; e pensando che tale opra molto meglio di lontano che d'appresso ritornerebbe, perchè così non si scorgerebbono i pezzi che il musaico dappresso fa vedere; gli ordinarono per ornare le volte e le pareti dei muri, dove tai cose si avevano a veder di lontano. E perchè lustrassero, e dagli umidi ed acque si difendessero, pensarono tal cosa doversi fare di vetri, e così gli misero in opra; e, facendo ciò bellissimo vedere, ne ornarono i tempj loro ed altri luoghi, come veggiamo oggi ancora a Roma il tempio di

Bacco, ed altri. Talchè da quelli di marmo derivano questi, che si chiamano oggi musaico di vetri; e da quel di vetri s'è passato al musaico di gusci d'uovo; e da questi al musaico del far le figure e le storie di chiaro scuro, pur di commessi, che paiono dipinte: come tratteremo al suo luogo nella pittura.

Capitolo VII

Come si ha a conoscere uno edificio proporzionato bene, e che parti generalmente se gli convengono.

Ma perchè il ragionare delle cose particolari mi fa deviar troppo dal mio proposito, lasciata questa minuta considerazione agli scrittori dell'architettura, dirò solamente in universale, come si conoscano le buone fabbriche, e quello che convenga alla forma loro per essere insieme ed utili e belle. Quando s'arriva, dunque, a uno edificio, chi volesse vedere s'egli è stato ordinato da uno architettore eccellente, e quanta maestria egli ha avuto, e sapere s'egli ha saputo accomodarsi al sito e alla volontà di chi l'ha fatto fabbricare, egli ha a considerare tutte queste parti. In prima; se chi lo ha levato dal fondamento, ha pensato se quel luogo era disposto e capace a ricevere quella qualità e quantità di ordinazione, così nello spartimento delle stanze come negli ornamenti che per le mura comporta quel sito, o stretto o largo, o alto o basso; e se è stato spartito con grazia e conveniente misura, dispensando e dando la qualità e quantità di colonne, finestre, porte, e riscontri delle facce fuori e dentro nelle altezze o grossezze de'muri, ed in tutto quello che c'intervenga a luogo per luogo. È di necessità che si distribuiscano per lo edificio le stanze, ch'abbiano le lor corrispondenze di porte, finestre, cammini, scale segrete, anticamere, destri, scrittoi, senza che vi si vegga errori; come saria una sala grande, un portico picciolo e le stanze minori; le quali, per esser membra dell'edificio, è di necessità ch'elle siano, come i corpi umani, egualmente ordinate e distribuite secondo le qualità e varietà delle fabbriche: come tempj tondi, in otto facce, in sei facce, in croce e quadri; e gli ordini varj secondo chi, ed i gradi in che si trova chi le fa fabbricare. Perciocchè, quando son disegnati da mano che abbia giudicio, con bella maniera mostrano l'eccellenza dell'artefice e l'animo dell'autor della fabbrica. Perciò figureremo, per meglio essere intesi, un palazzo qui di sotto; e questo ne darà lume agli altri edificj, per modo da poter conoscere, quando si vede, se è ben formato o no. In prima, chi considererà la facciata dinanzi, lo vedrà levato da terra o su un ordine di scalee o di muricciuoli, tanto che questo sfogo lo faccia uscir di terra con grandezza, e serva che le cucine o cantine sotto terra siano più vive di lumi e più alte di sfogo: il che anco molto difende l'edificio da'terremoti ed altri casi di fortuna. Bisogna poi che rappresenti il corpo dell'uomo nel tutto e nelle parti similmente; e che, per avere egli a temere i venti, l'acque e l'altre cose della natura, egli sia fognato con smaltitoi, che tutti rispondino a un centro, che porti via tutte insieme le bruttezze ed i puzzi che gli possano generare infermità. Per l'aspetto suo primo, la facciata vuole avere decoro e maestà, ed essere compartita come la faccia dell'uomo. La porta, da basso ed in mezzo, così come nella testa ha l'uomo la bocca, donde nel corpo passa ogni sorte di alimento; le finestre, per gli occhi, una di qua e l'altra di là, servando sempre parità, che non si faccia se non tanto di qua quanto di là negli ornamenti, o d'archi o colonne o pilastri o nicchie o finestre inginocchiate, ovvero altra sorte d'ornamento, con le misure ed ordini che già s'è ragionato, o dorici o ionici o corinti o toscani. Sia il suo cornicione che regge il tetto, fatto con proporzione della facciata, secondo ch'egli è grande, e che l'acqua non bagni la facciata e chi sta nella strada a sedere. Sia di sporto secondo la proporzione dell'altezza e della larghezza di quella facciata. Entrando dentro, nel primo ricetto sia magnifico, e unitamente corrisponda all'appiccatura della gola ove si passa; e sia svelto e largo, acciocchè le strette o de' cavalli o d'altre calche, che spesso v'intervengono, non facciano danno a loro medesimi nell'entrata o di feste o d'allegrezze. Il cortile, figurato per il corpo, sia quadro ed uguale, ovvero un quadro e mezzo, come tutte le parti del corpo; e sia ordinato di parità di stanze dentro con belli ornamenti. Vogliono le scale pubbliche esser comode e dolci al salire, di larghezza spaziose e d'altezza sfogate, quanto però comporta la proporzione dei luoghi. Vogliono, oltre a ciò, essere ornate o copiose di lumi, ed almeno sopra ogni pianerottolo dove si volta, avere finestre o altri lumi; ed insomma, vogliono le scale in ogni sua parte avere del magnifico, attesochè molti veggiono le scale e non il rimanente della casa. E si può dire che elle sieno le braccia e le gambe di questo corpo; onde, siccome le braccia stanno dagli lati dell'uomo, così devono queste stare dalle bande dell'edificio. Nè lascerò di dire che l'altezza degli scaglioni vuole essere un quinto almeno, e ciascuno scaglione largo due terzi, cioè (come si è detto) nelle scale degli edifizj pubblici, e negli altri a proporzione; perchè, quando sono ripide, non si possono salire nè da' putti nè dai vecchi, e rompono le gambe. E questo membro è più difficile a porsi nelle fabbriche; e per essere il più frequentato che sia e più comune, avviene spesso che, per salvar le stanze, le guastiamo. E bisogna che le sale con le stanze di sotto facciano un appartamento comune per la state, e diversamente le camere per più persone; e sopra siano salotti, sale, e diversi appartamenti di stanze che rispondano sempre nella maggiore; e così facciano le cucine e l'altre stanze: che quando non ci fosse quest'ordine, ed avesse il componimento spezzato, ed una cosa alta e l'altra bassa, e chi grande e chi piccola, rappresenterebbe uomini zoppi, travolti, biechi e storpiati; le quali opere fanno che si riceve biasimo, e non lode alcuna. Debbono i componimenti, dove s'ornano le facce o fuori o dentro, aver corrispondenza nel seguitar gli ordini loro nelle colonne; e che i fusi di quelle non sian lunghi o sottili, o grossi o corti, servando sempre il decoro degli ordini suoi; nè si debba a una colonna sottile metter capitel grosso nè base simili, ma secondo il corpo le membra, le quali abbiano leggiadria e bella maniera e disegno. E queste cose son più conosciute da un occhio buono; il quale, se ha giudicio, si può tenere il vero compasso e l'istessa misura, perchè da quello saranno lodate le cose e biasimate. E tanto basti aver detto generalmente dell'architettura, perchè il parlarne in altra maniera non è cosa da questo luogo.

DELLA SCULTURA

Capitolo I

Che cosa sia la scultura, e come siano fatte le sculture buone, e che parti elle debbono avere per essere tenute perfette.

La scultura è un'arte che, levando il superfluo dalla materia suggetta, la riduce a quella forma di corpo che nella idea dello artefice è disegnata. Ed è da considerare che tutte le figure, di qualunque sorte si siano, o intagliate ne' marmi o gittate di bronzi o fatte di stucco o di legno, avendo ad essere di tondo rilievo, e che girando intorno si abbiano a vedere per ogni verso; è di necessità che, a volerle chiamar perfette, ell'abbiano di molte parti. La prima è, che, quando una simil figura ci si presenta nel primo aspetto alla vista, ella rappresenti e renda somiglianza a quella cosa, per la quale ella è fatta, o fiera o umile o bizzarra o allegra o malenconica, secondo chi si figura; e che ella abbia corrispondenza di parità di membra: cioè non abbia le gambe lunghe, il capo grosso, le braccia corte e disformi; ma sia ben misurata, ed ugualmente a parte a parte concordata dal capo a'piedi. E similmente, se ha la faccia di vecchio, abbia le braccia, il corpo, le gambe, le mani ed i piedi di vecchio; unitamente ossuta per tutto, muscolosa, nervuta, e le vene poste a'luoghi loro. E se arà la faccia di giovane, debbe parimente esser ritonda, morbida e dolce nell'aria, e per tutto unitamente concordata. Se ella non arà ad essere ignuda, facciasi che i panni ch'ella arà ad aver addosso, non siano tanto triti ch'abbino del secco, nè tanto grossi che paino sassi; ma siano, con il loro andar di pieghe, girati talmente, che scuoprino lo ignudo di sotto, e con arte e grazia talora lo mostrino e talora lo ascondino, senza alcuna crudezza che offenda la figura. Siano i suoi capelli e la barba lavorati con una certa morbidezza, svellati e ricciuti, che mostrino di essere sfilati, avendoli data quella maggior piumosità e grazia che può lo scarpello; ancorchè gli scultori in questa parte non possino così bene contraffare la natura, facendo essi le ciocche dei capelli sode e ricciute, più di maniera che di imitazione naturale.

Ed ancora che le figure siano vestite, è necessario di fare i piedi e le mani che siano condotte di bellezza e di bontà come l'altre parti. E per essere tutta la figura tonda, è forza che in faccia, in profilo e di dietro ella sia di proporzione uguale, avendo ella a ogni girata e veduta a rappresentarsi ben disposta per tutto. È necessario adunque che ella abbia corrispondenza, e che ugualmente ci sia per tutto attitudine, disegno, unione, grazia e diligenza; le quali cose tutte insieme dimostrino l'ingegno ed il valore dell'artefice. Debbono le figure, così di rilievo come dipinte, esser condotte più con il giudicio che con la mano, avendo a stare in altezza dove sia una gran distanza; perchè la diligenza dell'ultimo finimento non si vede da lontano, ma si conosce bene la bella forma delle braccia e delle gambe, ed il buon giudicio nelle falde de' panni con poche pieghe; perchè nella semplicità del poco si mostra l'acutezza dell'ingegno. E per questo, le figure di marmo o di bronzo che vanno un poco alte, vogliono essere traforate gagliarde; acciocchè il marmo che è bianco, ed il bronzo che ha del nero, piglino all'aria della oscurità, e per quella apparisca da lontano il lavoro esser finito, e dappresso si vegga lasciato in bozze. La quale avvertenza ebbero grandemente gli antichi, come nelle lor figure tonde e di mezzo rilievo che negli archi e nelle colonne veggiamo di Roma, le quali mostrano ancora quel gran giudicio ch' essi ebbero; ed infra i moderni si vede essere stato osservato il medesimo grandemente, nelle sue opere, da Donatello. Debbesi oltra di questo considerare, che quando le statue vanno in un luogo alto, e che a basso non sia molta distanza da potersi discostare a giudicarle da lontano, ma che s'abbia quasi a star loro sotto; che così fatte figure si debbon fare di una testa o due più d'altezza. E questo si fa, perchè quelle figure che son poste in alto, si perdono nello scorto della veduta, stando di sotto, e guardando allo in su: onde ciò che si dà di accrescimento viene a consumarsi nella grossezza dello scorto; e tornano poi di proporzione, nel guardarle, giuste e non nane, ma con bonissima grazia. E quando non piacesse far questo, si potrà mantenere le membra della figura sottilette e gentili; chè questo ancora torna quasi il medesimo. Costumasi per molti artefici fare la figura di nove teste; la quale vien partita in otto teste tutta, eccetto la gola, il collo e l'altezza del piede, che con queste torna nove: perchè due sono gli stinchi, due dalle ginocchia a' membri genitali, e tre il torso fino alla fontanella della gola, ed un'altra dal mento all'ultimo della fronte, ed una ne fanno la gola e quella parte ch' è dal dosso del piede alla pianta; che sono nove. Le braccia vengono appiccate alle spalle, e dalla fontanella all'appiccatura da ogni banda è una testa; ed esse braccia sino alla appiccatura delle mani, sono tre teste; ed allargandosi l' uomo con le braccia, apre appunto quanto egli è alto. Ma non si debbe usare altra miglior misura che il giudicio dell'occhio; il quale, sebbene una cosa sarà benissimo misurata ed egli ne rimanga offeso, non resterà per questo di biasimarla. Però diciamo, che sebbene la misura è una retta moderazione da ringrandire le figure talmente, che le altezze e le larghezze, servato l'ordine, facciano l'opera proporzionata e graziosa, l'occhio nondimeno ha poi con il giudicio a levare e ad aggiugnere secondo che vedrà la disgrazia dell'opera, talmente, ch' e' le dia giustamente proporzione, grazia, disegno e perfezione, acciocchè ella sia in sè tutta lodata da ogni ottimo giudicio. E quella statua o figura che averà queste parti, sarà perfetta di bontà, di bellezza, di disegno e di grazia. E tali figure chiameremo tonde; purchè si possano vedere tutte le parti finite, come si vede nell'uomo girandolo attorno; e similmente poi l'altre che da queste dipendono. Ma e' mi pare oramai tempo da venire alle cose più particulari.

Capitolo II

Del fare i modelli di cera e di terra, e come si vestino, e come a proporzione si ringrandischino poi nel marmo; come si subbino e si gradinino e puliscano e impomicino e si lustrino e si rendano finiti.

Sogliono gli scultori, quando vogliono lavorare una figura di marmo, fare per quella un modello, che così si chiama; cioè uno esempio, che è una figura di grandezza di mezzo braccio, o meno o più, secondo che gli torna comodo, o di terra o di cera o di stucco, perchè e' possan mostrare in quella l'attitudine e la proporzione che ha da essere nella figura che e' voglion fare, cercando accomodarsi alla larghezza ed all'altezza del sasso che hanno fatto cavare per farvela dentro. Ma, per mostrarvi come la cera si lavora, diremo del lavorare la cera, e non la terra. Questa, per renderla più morbida, vi si mette dentro un poco di sevo e di trementina e di pece nera; delle quali cose il sevo la fa più arrendevole; e la trementina, tegnente in sè, e la pece le dà il colore nero, e le fa una certa sodezza dappoi ch'è lavorata nello stare fatta, che ella diventa dura. E chi volesse anco farla d'altro colore, può agevolmente; perchè, mettendovi dentro terra rossa, ovvero cinabrio o minio, la farà giuggiolina, o di somigliante colore; se verderame, verde; ed il simile si dice degli altri colori. Ma è bene da avvertire che i detti colori vogliono esser fatti in polvere e stacciati, e così fatti, essere poi mescolati con la cera, liquefatta che sia. Fassene ancora, per le cose piccole, e per fare medaglie, ritratti e storiette, ed altre cose di bassorilievo, della bianca. E questa si fa mescolando con la cera bianca biacca in polvere, come si è detto di sopra. Non tacerò ancora, che i moderni artefici hanno trovato il modo di fare nella cera le mestiche di tutte le sorti colori: onde, nel fare ritratti di naturale di mezzo rilievo, fanno le carnagioni, i capelli, i panni e tutte l'altre cose in modo simili al vero, che a cotali figure non manca, in un certo modo, se non lo spirito e le parole. Ma, per tornare al modo di fare in cera; acconcia questa mistura ed insieme fonduta, fredda ch'ella è, se ne fa i pastelli; i quali, nel maneggiarli, dalla caldezza delle mani si fanno come pasta, e con essa si crea una figura a sedere, ritta, o come si vuole, la quale abbia sotto un'armadura, per reggerla in se stessa, o di legni o di fili di ferro, secondo la volontà dell'artefice; ed ancor si può far con essa e senza, come gli torna bene: ed a poco a poco, col giudicio e le mani lavorando, crescendo la materia, con i stecchi d'osso, di ferro o di legno, si spinge in dentro la cera; e con mettere dell'altra sopra, si aggiugne e raffina, finchè con le dita si dà a questo modello l'ultimo pulimento. E finito ciò, volendo fare di quelli che siano di terra, si lavora a similitudine della cera, ma senza armadura di sotto, o di legno o di ferro, perchè li farebbe fendere e crepare; e mentre che quella si lavora, perchè non fenda, con un panno bagnato si tien coperta, fino che resta fatta. Finiti questi piccioli modelli, o figure, di cera o di terra, si ordina di fare un altro modello che abbia ad essere grande quanto quella stessa figura che si cerca di fare di marmo: nel che fare, perchè la terra, che si lavora umida, nel seccarsi rientra, bisogna, mentre che ella si lavora, farne a bell'agio e rimetterne su di mano in mano; e nell'ultima fine, mescolare con la terra farina cotta, che la mantiene morbida e leva quella secchezza: e questa diligenza fa che il modello, non rientrando, rimane giusto e simile alla figura che s'ha da lavorare di marmo. E perchè il modello di terra grande si abbia a reggere in sè, e la terra non abbia a fendersi, bisogna pigliare della cimatura, o borra che si chiami, o pelo; e nella terra mescolare quella, la quale la rende in sè tegnente, e non la lascia fendere. Armasi di legni sotto, e di stoppa stretta, o fieno, con lo spago, e si fa l'ossa della figura, e se le fa fare quell'attitudine che bisogna, secondo il modello picciolo, diritto o a sedere che sia; e, cominciando a coprirla di terra, si conduce ignuda, lavorandola in sino al fine. La qual condotta, se se le vuol poi far panni addosso che siano sottili, si piglia pannolino che sia sottile; e se grosso, grosso; e si bagna, e bagnato, con la terra s'interra, non liquidamente, ma di un loto che sia alquanto sodetto; e attorno alla figura si va acconciandolo, che faccia quelle pieghe e ammaccature che l'animo gli porge; di che, secco, verrà a indurarsi e manterrà di continuo le pieghe. In questo modo si conducono a fine i modelli e di cera e di terra. Volendo ringrandirlo a proporzione nel marmo, bisogna che nella stessa pietra onde s'ha da cavare la figura, sia fatta fare una squadra, che un dritto vada in piano a' piè della figura, e l'altro vada in alto e tenga sempre il fermo del piano, e così il dritto di sopra; e similmente, un'altra squadra o di legno o d'altra cosa sia al modello, per via della quale si piglino le misure da quella del modello, quanto sportano le gambe fuora e così le braccia: e si va spingendo la figura in dentro con queste misure, riportandole sul marmo dal modello; di maniera che misurando il marmo ed il modello a proporzione, viene a levare della pietra con gli scarpelli, e la figura a poco a poco misurata viene a uscire di quel sasso, nella maniera che si caverebbe d'una pila d'acqua, pari e diritta, una figura di cera; che prima verrebbe il corpo e la testa e le ginocchia, ed a poco a poco scoprendosi ed in su tirandola, si vedrebbe poi la ritondità di quella fin passato il mezzo, e in ultimo la ritondità dell'altra parte. Perchè quelli che hanno fretta a lavorare, e bucano il sasso da principio, e levano la pietra dinanzi e di dietro risolutamente, non hanno poi luogo dove ritirarsi, bisognandoli: e di qui nascono molti errori che sono nelle statue; chè, per la voglia c'ha l'artefice del vedere le figure tonde fuor del sasso a un tratto, spesso si gli scuopre un errore che non può rimediarvi se non vi si mettono pezzi commessi, come abbiamo visto costumare a molti artefici moderni. il quale rattoppamento è da ciabattini, e non da uomini eccellenti o maestri rari; ed è cosa vilissima e brutta e di grandissimo biasimo. Sogliono gli scultori, nel fare le statue di marmo, nel principio loro abbozzare le figure con le subbie; che sono una specie di ferri da loro così nominati, i quali sono appuntati e grossi; e andare levando e subbiando grossamente il loro sasso; e poi, con altri ferri detti calcagnuoli, c'hanno una tacca in mezzo e sono corti, andare quella ritondando; per sino che eglino venghino a un ferro piano più sottile del calcagnuolo, che ha due tacche, ed è chiamato gradina, col quale vanno per tutto con gentilezza gradinando la figura, colla proporzione de' muscoli e delle pieghe, e la tratteggiano di maniera, per la virtù delle tacche o denti predetti, che la pietra mostra grazia mirabile. Questo fatto, si va levando le gradinature con un ferro pulito; e per dare perfezione alla figura, volendole aggiugnere dolcezza, morbidezza e fine, si va con lime torte levando le gradine. Il simile si fa con altre lime sottili e scuffine diritte, limando, che resti piano; e dappoi con punte di pomice si va impomiciando tutta la figura, dandole quella carnosità che si vede nelle opere maravigliose della scultura. Adoperasi ancora il gesso di Tripoli, acciocchè l'abbia lustro e pulimento: similmente con paglia di grano, facendo struffoli, si stropiccia: talchè, finite e lustrate, si rendono agli occhi nostri bellissime.

Capitolo III

De' bassi e de' mezzi rilievi; la difficultà del fargli; ed in che consista il condurgli a perfezione.

Quelle figure che gli scultori chiamano mezzi rilievi, furono trovate già dagli antichi per fare istorie da adornare le mura piane, e se ne servirono ne' teatri e negli archi per le vittorie; perchè, volendole fare tutte tonde, non le potevano situare, se non facevano prima una stanza ovvero una piazza che fusse piana. Il che volendo sfuggire, trovarono una specie che mezzo rilievo nominarono, ed è da noi così chiamato ancora: il quale, a similitudine d'una pittura, dimostra prima l'intero delle figure principali, o mezze tonde o più, come sono; e le seconde occupate dalle prime, e le terze dalle seconde; in quella stessa maniera che appariscono le persone vive quando elle sono ragunate e ristrette insieme. In questa specie di mezzo rilievo, per la diminuzione dell'occhio, si fanno l'ultime figure di quello basse; come alcune teste, bassissime; e così i casamenti ed i paesi, che sono l'ultima cosa. Questa specie di mezzi rilievi da nessuno è mai stata meglio nè con più osservanza fatta, nè più proporzionatamente diminuita o allontanata le sue figure l'una dall'altra, che dagli antichi; come quelli che, imitatori del vero e ingegnosi, non hanno mai fatto le figure in tali storie che abbiano piano che scorti o fugga, ma l'hanno fatte coi proprj piedi che posino sulla cornice di sotto: dove alcuno de' nostri moderni, animosi più del dovere, hanno fatto nelle storie loro di mezzo rilievo posare le prime figure nel piano che è di basso rilievo e sfugge, e le figure di mezzo sul medesimo, in modo che stando così, non posano i piedi con quella sodezza che naturalmente dovrebbono; laonde spesse volte si vede le punte de' piè di quelle figure che voltano il di dietro, toccarsi gli stinchi delle gambe per lo scorto che è violento. E di tali cose se ne vede in molte opere moderne, ed ancora nelle porte di San Giovanni, ed in più luoghi di quella età. E per questo, i mezzi rilievi che hanno questa proprietà, sono falsi; perchè, se la metà della figura si cava fuori del sasso, avendone a fare altre dopo quelle prime, vogliono avere regola dello sfuggire e diminuire, e co' piedi in piano, che sia più innanzi il piano che i piedi, come fa l'occhio e la regola nelle cose dipinte; e conviene che elle si abbassino di mano in mano a proporzione, tanto che vengano a rilievo stiacciato e basso; e per questa unione che in ciò bisogna, è difficile dar loro perfezione e condurgli, attesochè nel rilievo ci vanno scorti di piedi e di teste, ch'è necessario avere grandissimo disegno a volere in ciò mostrare il valore dello artefice. E a tanta perfezione si recano in questo grado le cose lavorate di terra e di cera, quanto quelle di bronzo e di marmo. Perchè, in tutte le opere che avranno le parti che io dico, saranno i mezzi rilievi tenuti bellissimi, e dagli artefici intendenti sommamente lodati. La seconda specie, che bassi rilievi si chiamano, sono di manco rilievo assai che il mezzo, e si dimostrano almeno per la metà di quelli che noi chiamiamo mezzo rilievo; e in questi si può con ragione fare il piano, i casamenti, le prospettive, le scale ed i paesi; come veggiamo ne' pergami di bronzo in San Lorenzo di Firenze, ed in tutti i bassi rilievi di Donato, il quale in questa professione lavorò veramente cose divine, con grandissima osservazione. E questi si rendono all'occhio facili e senza errori o barbarismi, perchè non sportano tanto in fuori che possano dare causa di errori o di biasimo. La terza specie si chiamano bassi e stiacciati rilievi, i quali non hanno altro in sè, che 'l disegno della figura con ammaccato e stiacciato rilievo. Sono difficili assai, attesochè e'ci bisogna disegno grande ed invenzione, avvengachè questi sono faticosi a dargli grazia per amor de' contorni; ed in questo genere ancora Donato lavorò meglio d'ogni artefice, con arte, disegno ed invenzione. Di questa sorte se n'è visto ne' vasi antichi aretini assai figure, maschere, ed altre storie antiche; e similmente ne' cammei antichi, e nei conj da stampare le cose di bronzo per le medaglie, e similmente nelle monete.

E questo fecero, perchè se fossero state troppo di rilievo, non avrebbono potuto coniarle; chè al colpo del martello non sarebbono venute l'impronte, dovendosi imprimere i conj nella materia gittata, la quale, quando è bassa, dura poca fatica a riempire i cavi del conio. Di questa arte vediamo oggi molti artefici moderni che l'hanno fatta divinissimamente, e più che essi antichi; come si dirà nelle Vite loro pienamente. Imperò, chi conoscerà ne' mezzi rilievi la perfezione delle figure fatte diminuire con osservazione, e ne' bassi la bontà del disegno per le prospettive ed altre invenzioni, e negli stiacciati la nettezza, la pulitezza e la bella forma delle figure che vi si fanno, gli farà eccellentemente per queste parti tenere o lodevoli o biasimevoli, ed insegnerà conoscerli altrui.

Capitolo IV

Come si fanno i modelli per fare di bronzo le figure grandi e picciole, e come le forme per buttarle; come si armino di ferri, e come si gettino di metallo, e di tre sorti bronzo; e come, gittate, si cesellino e si rinettino; e come, mancando pezzi che non fussero venuti, s'innestino e commettino nel medesimo bronzo.

Usano gli artefici eccellenti, quando vogliono gittare o di metallo o bronzo figure grandi, fare nel principio una statua di terra tanto grande, quanto quella che e' vogliono buttare di metallo, e la conducono di terra a quella perfezione ch'è concessa dall'arte e dallo studio loro. Fatto questo, che si chiama da loro modello, e condotto a tutta la perfezione dell'arte e del saper loro, cominciano poi, con gesso da fare presa, a formare sopra questo modello parte per parte, facendo addosso a quel modello i cavi pezzi; e sopra ogni pezzo si fanno riscontri, che un pezzo con l'altro si commettano, segnandoli o con numeri o con alfabeti o altri contrassegni, e che si possano cavare e reggere insieme. Così a parte per parte lo vanno formando, e ungendo con olio fra gesso e gesso dove le commettiture s'hanno a congiugnere; e così di pezzo in pezzo la figura si forma, e la testa, le braccia, il torso e le gambe, per fin all'ultima cosa: di maniera che il cavo di quella statua, cioè la forma incavata, viene improntata nel cavo con tutte le parti ed ogni minima cosa che è nel modello. Fatto ciò, quelle forme di gesso si lasciano assodare e riposare: poi pigliano un palo di ferro, che sia più lungo di tutta la figura che vogliono fare e che si ha a gettare, e sopra quello fanno un'anima di terra; la quale morbidamente impastando, vi mescolano sterco di cavallo e cimatura; la quale anima ha la medesima forma che la figura del modello, ed a suolo a suolo si cuoce per cavare la umidità della terra, e questa serve poi alla figura; perchè gettando la statua, tutta questa anima, ch'è soda, vien vacua, nè si riempie di bronzo, che non si potrebbe muovere per lo peso: così ingrossano tanto e con pari misure quest'anima, che scaldando e cocendo i suoli, come è detto, quella terra vien cotta bene, e così priva in tutto dell'umido, che, gittandovi poi sopra il bronzo, non può schizzare o fare nocumento, come si è visto già molte volte con la morte de'maestri e con la rovina di tutta l'opera. Così vanno bilicando questa anima, e assettando e contrappesando i pezzi, finchè la riscontrino e riprovino, tanto ch'eglino vengono a fare che si lasci appunto la grossezza del metallo, o la sottilità, di che vuoi che la statua sia.

Armano spesso quest'anima per traverso con perni di rame, e con ferri che si possano cavare e mettere, per tenerla con sicurtà e forza maggiore. Quest'anima, quando è finita, novamente ancora si ricuoce con fuoco dolce; e cavatane interamente l'umidità, se pur ve ne fusse restata punto, si lascia poi riposare; e ritornando a'cavi del gesso, si formano quelli pezzo per pezzo con cera gialla, che sia stata in molle e sia incorporata con un poco di trementina e di sevo. Fondutala dunque al fuoco, la gettano a metà per metà ne'pezzi di cavo; di maniera che l'artefice fa venire la cera sottile secondo la volontà sua per il getto; e tagliati i pezzi secondo che sono i cavi addosso all'anima, che già di terra s'è fatta, gli commettono ed insieme gli riscontrano e innestano, e con alcuni brocchi di rame sottili fermano sopra l'anima cotta i pezzi della cera confitti da detti brocchi; e così a pezzo a pezzo la figura innestano e riscontrano, e la rendono del tutto finita. Fatto ciò, vanno levando tutta la cera dalle bave della superfluità de'cavi, conducendola il più che si può a quella finita bontà e perfezione, che si desidera che abbia il getto. Ed avanti che e'proceda più innanzi, rizza la figura e considera diligentemente se la cera ha mancamento alcuno, e la va racconciando e riempiendo, o rinalzando o abbassando dove mancasse. Appresso, finita la cera e ferma la figura, mette l'artefice su due alari, o di legno o di pietra o di ferro, come un arrosto, al fuoco la sua figura, con comodità che ella si possa alzare e abbassare; e con cenere bagnata, appropriata a quell'uso, con un pennello tutta la figura va ricoprendo che la cera non si vegga, e per ogni cavo e pertugio la veste bene di questa materia. Dato la cenere, rimette i pernj a traverso, che passano la cera e l'anima, secondo che gli ha lasciati nella figura: perciocchè questi hanno a reggere l'anima di dentro, e la cappa di fuori, che è la incrostatura del cavo fra l'anima e la cappa, dove il bronzo si getta. Armato ciò, l'artefice comincia a torre della terra sottile con cimatura e sterco di cavallo, come dissi, battuta insieme; e con diligenza fa una incrostatura per tutto sottilissima, e quella lascia seccare; e così volta per volta si fa l'altra incrostatura con lasciare seccare di continuo, finchè viene interrando ed alzando alla grossezza di mezzo palmo il più. Fatto ciò, que' ferri che tengono l'anima di dentro, si cingono con altri ferri che tengono di fuori la cappa, ed a quelli si fermano, e l'un l'altro incatenati e serrati fanno reggimento l'uno all'altro. L'anima di dentro regge la cappa di fuori, e la cappa di fuori regge l'anima di dentro. Usasi fare certe cannelle tra l'anima e la cappa, le quali si dimandano venti, che sfiatano all'insù, e si mettono, verbigrazia, da un ginocchio a un braccio che alzi; perchè questi danno la via al metallo di soccorrere quello che per qualche impedimento non venisse, e se ne fanno pochi ed assai, secondo che è difficile il getto. Ciò fatto, si va dando il fuoco a tale cappa ugualmente per tutto, tal che ella venga unita ed a poco a poco a riscaldarsi, rinforzando il fuoco sino a tanto che la forma si infuochi tutta; di maniera che la cera che è nel cavo di dentro venga a struggersi, tale che ella esca tutta per quella banda, per la quale si debbe gittare il metallo, senza che ve ne rimanga dentro niente. Ed a conoscere ciò, bisogna quando i pezzi s'innestano su la figura, pesarli pezzo per pezzo: così poi nel cavare la cera, ripesarla; e, facendo il calo di quella, vede l'artefice se n'è rimasta fra l'anima e la cappa, e quanta n'è uscita. E sappi che qui consiste la maestria e la diligenza dell'artefice a cavare tal cera: dove si mostra la difficultà di fare i getti, che venghino belli e netti. Attesochè, rimanendoci punto di cera, ruinerebbe tutto il getto, massimamente in quelle parti dove essa rimane. Finito questo, l'artefice sotterra questa forma vicino alla fucina dove il bronzo si fonde; e puntella sì che il bronzo non la sforzi, e gli fa le vie che possa buttarsi, ed al sommo lascia una quantità di grossezza che si possa poi segare il bronzo che avanza di questa materia; e questo si fa perchè venga più netta. Ordina il metallo che vuole, e per ogni libbra di cera ne mette dieci di metallo. Fassi la lega del metallo statuario di due terzi rame ed un terzo ottone, secondo l'ordine italiano. Gli Egizj, da'quali quest'arte ebbe origine, mettevano nel bronzo i due terzi ottone ed un terzo rame. Del metallo elletro, che è degli altri più fine, si mette due parti rame e la terza argento. Nelle campane, per ogni cento di rame, venti di stagno; acciocchè il suono di quelle sia più squillante ed unito; ed all'artiglierie, per ogni cento di rame, dieci di stagno. Restaci ora ad insegnare, che venendo la figura con mancamento, perchè fosse il bronzo cotto, o sottile, o mancasse in qualche parte, il modo dell'innestarvi un pezzo. Ed in questo caso, levi l'artefice tutto quanto il tristo che è in quel getto, e facciavi una buca quadra, cavandola sotto squadra; dipoi le aggiusti un pezzo di metallo attuato a quel pezzo, che venga in fuora quanto gli piace; e commesso appunto in quella buca quadra, col martello tanto lo percuota che lo saldi, e con lime e ferri faccia sì che lo pareggi e finisca in tutto. Ora, volendo l'artefice gettare di metallo le figure piccole, quelle si fanno di cera, o, avendone di terra o d'altra materia, vi fa sopra il cavo di gesso come alle grandi, e tutto il cavo si empie di cera. Ma bisogna che il cavo sia bagnato, perchè buttandovi detta cera, ella si rappiglia per la freddezza dell'acqua e del cavo. Dipoi, sventolando e diguazzando il cavo, si vuota la cera che è in mezzo del cavo, di maniera che il getto resta vuoto nel mezzo; il qual vuoto o vano riempie poi l'artefice di terra, e vi mette perni di ferro. Questa terra serve poi per l'anima, ma bisogna lasciarla seccar bene. Dappoi fa la cappa, come all'altre figure grandi, armandola e mettendovi le cannelle per i venti. La cuoce di poi, e ne cava la cera; e così il cavo si resta netto, sicchè agevolmente si possono gittare. Il simile si fa de' bassi e dei mezzi rilievi, e d'ogni altra cosa di metallo. Finiti questi getti, l'artefice dipoi, con ferri appropriati, cioè bulini, ciappole, strozzi, ceselli, puntelli, scarpellini e lime, leva dove bisogna, e dove bisogna spinge all'indentro e rinetta le bave; e con altri ferri che radono, raschia e pulisce il tutto con diligenza, ed ultimamente con la pomice gli dà il pulimento. Questo bronzo piglia col tempo per se medesimo un colore che trae in nero, e non in rosso, come quando si lavora. Alcuni con olio lo fanno venir nero, altri con l'aceto lo fanno verde, ed altri con la vernice gli danno il colore di nero; tale che ognuno lo conduce come più gli piace. Ma, quello che veramente è cosa maravigliosa, è venuto a' tempi nostri questo modo di gettare le figure, così grandi come piccole, in tanta eccellenza, che molti maestri le fanno venire nel getto in modo pulite, che non si hanno a rinettare con ferri, e tanto sottili quanto è una costola di coltello. E, quello che è più, alcune terre e ceneri che a ciò s'adoperano, sono venute in tanta finezza, che si gettano d'argento e d'oro le ciocche della ruta, ed ogni altra sottile erba o fiore, agevolmente e tanto bene, che così belli riescono come il naturale. Nel che si vede quest'arte essere in maggior eccellenza che non era al tempo degli antichi.

Capitolo V

De' conj d'acciaio per fare le medaglie di bronzo e d'altri metalli; e come elle si fanno di essi metalli, di pietre orientali e di cammei.

Volendo fare le medaglie di bronzo, d'argento o d'oro, come già le fecero gli antichi, debbe l'artefice primieramente con punzoni di ferro intagliare di rilievo i punzoni nell'acciaio indolcito a fuoco a pezzo per pezzo; come, per esempio, la testa sola di rilievo ammaccato in un punzone solo d'acciaio, e così l'altre parti che si commettono a quella. Fabbricati così d'acciaio tutti i punzoni che bisognano per la medaglia, si temprano col fuoco; e in sul conio dell'acciaio stemperato, che debbe servire per cavo e per madre della medaglia, si va improntando a colpi di martello e la testa e l'altre parti a' luoghi loro. E, dopo l'avere improntato il tutto, si va diligentemente rinettando e ripulendo, e dando fine e perfezione al predetto cavo che ha poi a servire per madre. Hanno tuttavolta usato molti artefici d'incavare con le ruote le dette madri, in quel modo che si lavorano d'incavo i cristalli, i diaspri, i calcidonj, le agate, gli ametisti, i sardonj, i lapislazzuli, i crisoliti, le corniuole, i cammei e l'altre pietre orientali; ed il così fatto lavoro fa le madri più pulite, come ancora le pietre predette. Nel medesimo modo si fa il rovescio della medaglia; e con la madre della testa e con quella del rovescio si stampano medaglie di cera o di piombo, le quali si formano di poi con sottilissima polvere di terra atta a ciò; nelle quali forme, cavatane prima la cera o il piombo predetto, serrate dentro alle staffe, si getta quello stesso metallo che ti aggrada per la medaglia. Questi getti si rimettono nelle loro madri d'acciaio, e per forza di viti o di lieve ed a colpi di martello si stringono talmente, che elle pigliano quella pelle dalla stampa che elle non hanno presa dal getto. Ma le monete e l'altre medaglie più basse s'improntano senza viti a colpi di martello con mano; e quelle pietre orientali che noi dicemmo di sopra, s'intagliano di cavo con le ruote per forza di smeriglio, che con la ruota consuma ogni durezza di qualunque pietra si sia. E l'artefice va sempre improntando con cera quel cavo che e' lavora; ed in questo modo va levando dove più giudica di bisogno, e dando fine all'opera. Ma i cammei si lavorano di rilievo; perchè essendo questa pietra faldata, cioè bianca sopra e sotto nera, si va levando del bianco tanto, che o testa o figura resti di basso rilievo bianca nel campo nero. Ed alcuna volta, per accomodarsi che tutta la testa o figura venga bianca in sul campo nero, si usa di tignere il campo, quando e' non è tanto scuro quanto bisogna. E di questa professione abbiamo viste opere mirabili e divinissime, antiche e moderne.

Capitolo VI

Come di stucco si conducono i lavori bianchi, e del modo del fare la forma di sotto murata, e come si lavorano.

Solevano gli antichi, nel voler far volte o incrostature o porte o finestre o altri ornamenti di stucchi bianchi, fare l'ossa di sotto di muraglia, che sia o di mattoni cotti ovvero di tufi, cioè sassi che siano dolci e si possino tagliare con facilità; e di questi, murando, facevano l'ossa di sotto, dandoli o forma di cornice o di figure o di quello che fare volevano, tagliando de' mattoni o delle pietre, le quali hanno a essere murate con la calce. Poi, con lo stucco, che nel Capitolo quarto dicemmo impastato di marmo pesto e di calce di trevertino, debbono fare sopra l'ossa predette la prima bozza di stucco ruvido, cioè grosso e granelloso, acciò vi si possi mettere sopra il più sottile, quando quel di sotto ha fatto la presa, e che sia fermo, ma non secco affatto. perchè, lavorando la massa della materia in su quel che è umido, fa maggior presa, bagnando di continuo dove lo stucco si mette, acciò si renda più facile a lavorarlo. E volendo fare cornici o fogliami intagliati, bisogna aver forme di legno intagliate nel cavo di quegli stessi intagli che tu vuoi fare. E si piglia lo stucco che non sia sodo sodo, nè tenero tenero, ma di una maniera tegnente; e si mette su l'opra alla quantità della cosa che si vuol formare, e vi si mette sopra la predetta forma intagliata, impolverata di polvere di marmo; e, picchiandovi su con un martello che il colpo sia uguale, resta lo stucco improntato, il quale si va rinettando e pulendo poi, acciò venga il lavoro diritto ed ugnale. Ma volendo che l'opera abbia maggior rilievo allo infuori, si conficcano dove ell'ha da essere, ferramenti o chiodi o altre armadure simili che tengano sospeso in aria lo stucco, che fa con esse presa grandissima; come negli edificj antichi si vede, ne' quali si trovano ancora gli stucchi ed i ferri conservati sino al dì d'oggi. Quando vuole, adunque, l'artefice condurre in muro piano un'istoria di bassorilievo, conficca prima in quel muro i chiodi spessi, dove meno dove più in fuori, secondo che hanno a stare le figure; e tra quegli serra pezzami piccoli di mattoni o di tufi, a cagione che le punte o capi di quegli tengano il primo stucco grosso e bozzato; ed appresso lo va finendo con pulitezza, e con pacienza che e' si rassodi. E mentre che egli indurisce, l'artefice lo va diligentemente lavorando e ripulendolo di continuo co' pennelli bagnati, di maniera che e' lo conduce a perfezione come se e' fusse cera o di terra. Con questa maniera medesima di chiodi e di ferramenti fatti a posta, e maggiori e minori secondo il bisogno, si adornano di stucchi le volte, gli spartimenti e le fabbriche vecchie: come si vede costumarsi oggi per tutta Italia da molti maestri che si son dati a questo esercizio. Nè si debbe dubitare di lavoro così fatto come di cosa poco durabile, perchè e' si conserva infinitamente, ed indurisce tanto nello star fatto, che e' diventa col tempo come marmo.

Capitolo VII

Come si conducono le figure di legno, e che legno sia buono a farle.

Chi vuole che le figure del legno si possano condurre a perfezione, bisogna che e' ne faccia prima il modello di cera o di terra, come dicemmo. Questa sorte di figure si è usata molto nella cristiana religione, attesochè infiniti maestri hanno fatto molti Crocifissi, e diverse altre cose. Ma, invero, non si dà mai al legno quella carnosità o morbidezza, che al metallo ed al marmo, ed all'altre sculture che noi veggiamo o di stucchi o di cera o di terra. Il migliore, nientedimanco, tra tutti i legni che si adoperano alla scultura, è il tiglio, perchè egli ha i pori uguali per ogni lato, ed ubbidisce più agevolmente alla lima ed allo scarpello. Ma perchè l'artefice, essendo grande la figura che e'vuole, non può fare il tutto d'un pezzo solo; bisogna ch'egli lo commetta di pezzi, e l'alzi ed ingrossi secondo la forma che e'lo vuol fare. E per appiccarlo insieme in modo che e'tenga, non tolga mastrice di cacio, perchè non terrebbe, ma colla di spicchi; con la quale strutta, scaldati i predetti pezzi al fuoco, gli commetta e gli serri insieme, non con chiovi di ferro, ma del medesimo legno. Il che fatto, lo lavori e lo intagli secondo la forma del suo modello. E degli artifici di così fatto mestiero si sono vedute ancora opere di bossolo lodatissime ed ornamenti di noce bellissimi; i quali, quando sono di bel noce che sia nero, appariscono quasi di bronzo. Ed ancora abbiamo veduti intagli in noccioli di frutte, come di ciregie e meliache, di mano di Tedeschi molto eccellenti, lavorati con una pacienza e sottigliezza grandissima. E sebbene e'non hanno gli stranieri quel perfetto disegno che nelle cose loro dimostrano gl'Italiani, hanno nientedimeno operato ed operano continuamente in guisa, che riducono le cose a tanta sottigliezza, che elle fanno stupire il mondo. come si può vedere in un'opera, o per meglio dire un miracolo di legno, di mano di maestro Janni franzese: il quale abitando nella città di Firenze, la quale egli si aveva eletta per patria, prese in modo nelle cose del disegno, del quale gli dilettò sempre, la maniera italiana, che, con la pratica che aveva nel lavorare il legno, fece di tiglio una figura d'un San Rocco, grande quanto il naturale; e condusse con sottilissimo intaglio tanto morbidi e traforati i panni che la vestono, ed in modo cartosi, e con bello andare l'ordine delle pieghe, che non si può veder cosa più maravigliosa. Similmente condusse la testa, la barba, le mani e le gambe di quel Santo con tanta perfezione, che ella ha meritato e merita sempre lode infinita da tutti gli uomini: e, che è più, acciò si veggia in tutte le sue parti l'eccellenza dell'artefice, è stata conservata insino a oggi questa figura nella Nunziata di Firenze sotto il pergamo,[1] senza alcuna coperta di colori o di pitture, nello stesso color del legname, e con la solita pulitezza e perfezione che maestro Janni le diede, bellissima sopra tutte l'altre che si veggia intagliata in legno. E questo basti brevemente aver detto delle cose della scultura. Passiamo ora alla pittura.

DELLA PITTURA

Capitolo I

Che cosa sia disegno, e come si fanno e si conoscono le buone pitture e da che; e dell'invenzione delle storie.

Perchè il disegno, padre delle tre arti nostre, Architettura, Scultura e Pittura, procedendo dall'intelletto, cava di molte cose un giudizio universale; simile a una forma ovvero idea di tutte le cose della natura, la quale è singolarissima nelle sue misure; di qui è che non solo nei corpi umani e degli animali, ma nelle piante ancora, e nelle fabbriche e sculture e pitture, conosce la proporzione che ha il tutto con le parti, e che hanno le

[1] Questa statua è ancora nella stessa chiesa, sotto l'organo.

parti fra loro e col tutto insieme. E perchè da questa cognizione nasce un certo concetto e giudizio, che si forma nella mente quella tal cosa che poi espressa con le mani si chiama disegno; si può conchiudere che esso disegno altro non sia che una apparente espressione e dichiarazione del concetto che si ha nell'animo, e di quello che altri si è nella mente immaginato e fabbricato nell'idea. E da questo, per avventura, nacque il proverbio dei Greci *Dall'ugna un leone;* quando quel valente uomo, vedendo scolpita in un masso l'ugna sola d'un leone, comprese con l'intelletto da quella misura e forma le parti di tutto l'animale, e dopo il tutto insieme, come se l'avesse avuto presente e dinanzi agli occhi. Credono alcuni che il padre del disegno e dell'arti fusse il caso, e che l'uso e la sperienza, come balia e pedagogo, lo nutrissero con l'aiuto della cognizione e del discorso; ma io credo che con più verità si possa dire il caso aver piuttosto dato occasione, che potersi chiamar padre del disegno. Ma sia come si voglia, questo disegno ha bisogno, quando cava l'invenzione d'una qualche cosa dal giudizio, che la mano sia, mediante lo studio ed esercizio di molti anni, spedita ed atta a disegnare ed esprimere bene qualunque cosa ha la natura creato, con penna, con stile, con carbone, con matita o con altra cosa: perchè, quando l'intelletto manda fuori i concetti purgati e con giudizio, fanno quelle mani che hanno molti anni esercitato il disegno, conoscere la perfezione ed eccellenza dell'arti, ed il sapere dell'artefice insieme. E perchè alcuni scultori talvolta non hanno molta pratica nelle linee e ne'dintorni, onde non possono disegnare in carta: eglino, in quel cambio, con bella proporzione e misura facendo con terra o cera uomini, animali ed altre cose di rilievo, fanno il medesimo che fa colui, il quale perfettamente disegna in carta o in su altri piani. Hanno gli uomini di queste arti chiamato, ovvero distinto, il disegno in varj modi, e secondo le qualità de' disegni che si fanno. Quelli che sono tocchi leggiermente ed appena accennati con la penna o altro, si chiamano schizzi; come si dirà in altro luogo. Quegli poi che hanno le prime linee intorno intorno, sono chiamati profili, dintorni o lineamenti. E tutti questi, o profili o altrimenti che vogliam chiamarli, servono così all' architettura e scultura come alla pittura; ma all'architettura massimamente; perciocchè i disegni di quella non son composti se non di linee: il che non è altro, quanto all' architettore, che il principio e la fine di quell' arte, perchè il restante, mediante i modelli di legname tratti dalle dette linee, non è altro che opera di scarpellini e muratori. Ma nella scultura serve il disegno di tutti i contorni, perchè a veduta per veduta se ne serve lo scultore, quando vuol disegnare quella parte che gli torna meglio, o che egli intende di fare per ogni verso o nella cera o nella terra o nel marmo o nel legno o altra materia.

Nella pittura servono i lineamenti in più modi, ma particolarmente a dintornare ogni figura; perchè quando eglino sono ben disegnati e fatti giusti ed a proporzione, l'ombre che poi vi si aggiungono ed i lumi, sono cagione che i lineamenti della figura che si fa, ha grandissimo rilievo, e riesce di tutta bontà e perfezione. E di qui nasce, che chiunque intende e maneggia bene queste linee, sarà in ciascuna di queste arti, mediante la pratica ed il giudizio, eccellentissimo. Chi dunque vuole bene imparare a esprimere disegnando i concetti dell' animo e qualsivoglia cosa, fa di bisogno, poichè avrà alquanto assuefatta la mano, che per divenir più intelligente nell' arti, si eserciti in ritrarre figure di rilievo, o di marmo, di sasso, ovvero di quelle di gesso formate sul vivo; ovvero sopra qualche bella statua antica, o sì veramente rilievi di modelli fatti di terra, o nudi o con cenci interrati addosso, che servono per panni e vestimenti: perciocchè tutte queste cose, essendo immobili e senza sentimento, fanno grande agevolezza, stando ferme, a colui che disegna; il che non avviene nelle cose vive che si muovono. Quando poi avrà in disegnando simili cose fatto buona pratica ed assicurata la mano, cominci a ritrarre cose naturali, ed in esse faccia con ogni possibile opera e diligenza una buona e sicura pratica; perciocchè le cose che vengono dal naturale, sono veramente quelle che fanno onore a chi si è in quelle affaticato, avendo in sè, oltre a una certa grazia e vivezza, di quel semplice, facile e dolce che è proprio della natura, e che dalle cose sue s'impara perfettamente, e non dalle cose dell'arte abbastanza giammai. E tengasi per fermo, che la pratica che si fa con lo studio di molti anni in disegnando, come si è detto di sopra, è il vero lume del disegno, e quello che fa gli uomini eccellentissimi. Ora, avendo di ciò ragionato abbastanza, seguita che noi veggiamo che cosa sia la pittura.

Ell'è, dunque, un piano coperto di campi di colori, in superficie o di tavola o di muro o di tela, intorno a' lineamenti detti di sopra, i quali per virtù di un buon disegno di linee girate circondano la figura. Questo sì fatto piano dal pittore con retto giudizio mantenuto nel mezzo chiaro e negli estremi e ne' fondi scuro ed accompagnato tra questi e quello da colore mezzano tra il chiaro e lo scuro; fa che, unendosi insieme questi tre campi, tutto quello che è tra l'uno lineamento e l'altro, si rilieva ed apparisce tondo e spiccato, come s'è detto. Bene è vero, che questi tre campi non possono bastare ad ogni cosa minutamente, attesochè egli è necessario dividere qualunque di loro almeno in due spezie, facendo di quel chiaro due mezzi, e di quest'oscuro due più chiari, e di quel mezzo due altri mezzi che pendino l'uno nel più chiaro e l'altro nel più scuro. Quando queste tinte d'un color solo, qualunque egli si sia, saranno stemperate, si vedrà a poco a poco cominciare il chiaro, e poi meno chiaro, e poi un poco più scuro, di maniera che a poco a poco troveremo il nero schietto. Fatte dunque le mestiche, cioè mescolati insieme questi colori, volendo lavorare o a olio o a tempera o in fresco, si va coprendo il lineamento, e mettendo a' suoi luoghi i chiari e gli scuri ed i mezzi e gli abbagliati de' mezzi e dei lumi, che sono quelle tinte mescolate de' tre primi, chiaro, mezzano e scuro; i quali chiari e mezzani e scuri ed abbagliati si cavano dal cartone, ovvero altro disegno che per tal cosa è fatto per porlo in opra: il quale è necessario che sia condotto con buona collocazione e disegno fondato, e con giudizio ed invenzione; attesochè la collocazione non è altro nella pittura, che avere spartito in quel loco dove si fa una figura, che gli spazj siano concordi al giudizio dell'occhio, e non siano disformi; che il campo sia in un luogo pieno e nell'altro voto: la qual cosa nasca dal disegno, e dall'avere ritratto o figure di naturale vive, o da' modelli di figure fatte per quello che si voglia fare; il qual disegno non può avere buon' origine, se non s' ha dato continuamente opera a ritrarre cose naturali, e studiato pitture d'eccellenti maestri, e di statue antiche di rilievo, come s'è tante volte detto. Ma sopra tutto il meglio è gl' ignudi degli uomini vivi e femmine, e da quelli avere preso in memoria per lo continuo uso i muscoli del torso, delle schiene, delle gambe, delle braccia, delle ginocchia, e l'ossa di sotto; e poi avere sicurtà, per lo molto studio, che senza avere i naturali innanzi si possa formare di fantasia da sè attitudini per ogni verso: così aver veduto degli uomini scorticati, per sapere come stanno l'ossa sotto ed i muscoli ed i nervi, con tutti gli ordini e termini della notomia, per potere con maggior sicurtà e più rettamente situare le membra nell'uomo, e porre i muscoli nelle figure. E coloro che ciò sanno, forza è che facciano perfettamente i contorni delle figure; le quali dintornate come elle debbono, mostrano buona grazia e bella maniera. Perchè, chi studia le pitture e sculture buone, fatte con simil modo, vedendo ed intendendo il vivo, è necessario che abbia fatto buona maniera nell'arte. E da ciò nasce l'invenzione, la quale fa mettere insieme in istoria le figure a quattro, a sei, a dieci, a venti, talmente che si viene a formare le battaglie e l'altre cose grandi dell'arte. Questa invenzione vuol in sè una convenevolezza formata di concordanza ed obbedienza; che, s'una figura si muove per salutare un'altra, non si faccia la salutata voltarsi indietro, avendo a rispondere: e con questa similitudine tutto il resto.

La istoria sia piena di cose variate e differenti l'una dall'altra, ma a proposito sempre di quello che si fa, e che di mano in mano figura lo artefice. il quale debbe distinguere i gesti e l'attitudini, facendo le femmine con aria dolce e bella, e similmente i giovani; ma i vecchi, gravi sempre di aspetto, ed i sacerdoti massimamente e le persone d'autorità. Avvertendo però sempremai, che ogni cosa corrisponda ad un tutto dell'opera; di maniera che quando la pittura si guarda, vi si conosca una concordanza unita, che dia terrore nelle furie e dolcezza negli effetti piacevoli, e rappresenti in un tratto la intenzione del pittore, e non le cose che e' non pensava. Conviene, adunque, per questo che e' formi le figure che hanno ad esser fiere, con movenza e con gagliardia; e sfugga quelle che sono lontane dalle prime, con l'ombre e con i colori appoco appoco dolcemente oscuri: di maniera che l'arte sia accompagnata sempre con una grazia di facilità e di pulita leggiadria di colori: e condotta l'opera a perfezione, non con uno stento di passione crudele, che gli uomini che ciò guardano, abbiano a patire pena della passione che in tal'opera veggono sopportata dallo artefice, ma da rallegrarsi della felicità che la sua mano abbia avuto dal cielo quella agilità, che renda le cose finite con istudio e fatica sì, ma non con istento; tanto che, dove elle sono poste, non siano morte, ma si appresentino vive e vere a chi le considera. Guardinsi dalle crudezze, e cerchino che le cose che di continuo fanno, non paiano dipinte, ma si dimostrino vive e di rilievo fuor della opera loro: e questo è il vero disegno fondato, e la vera invenzione che si conosce esser data, da chi le ha fatte, alle pitture che si conoscono e giudicano come buone.

Capitolo II

Degli schizzi, disegni, cartoni, ed ordine di prospettive; per quel che si fanno, ed a quello che i pittori se ne servono.

Gli schizzi, de' quali si è favellato di sopra, chiamiamo noi una prima sorte di disegni che si fanno per trovar il modo delle attitudini, ed il primo componimento dell'opra; e sono fatti in forma di una macchia, ed accennati solamente da noi in una sola bozza del tutto. E perchè dal furor dello artefice sono in poco tempo con penna o con altro disegnatoio o carbone espressi, solo per tentare l'animo di quel che gli sovviene, perciò si chiamano schizzi. Da questi dunque vengono poi rilevati in buona forma i disegni; nel far dei quali, con tutta quella diligenza che si può. si cerca vedere dal vivo, se già l'artefice non si sentisse gagliardo in modo che da sè li potesse condurre. Appresso, misuratili con le seste o a occhio, si ringrandiscono dalle misure piccole nelle maggiori, secondo l'opera che si ha da fare. Questi si fanno con varie cose; cioè, o con lapis rosso, che è una pietra, la qual viene da' monti di Alemagna, che, per esser tenera, agevolmente si sega e riduce in punte sottili da segnare con esso in su i fogli come tu vuoi; o con la pietra nera, che viene da' monti di Francia, la qual'è similmente come la rossa: altri, di chiaro e scuro, si conducono su fogli tinti, che fanno un mezzo, e la penna fa il lineamento, cioè il dintorno o profilo, e l'inchiostro poi con un poco d'acqua fa una tinta dolce che lo vela ed ombra; di poi, con un pennello sottile intinto nella biacca stemperata con la gomma si lumeggia il disegno: e questo modo è molto alla pittoresca, e mostra più l'ordine del colorito. Molti altri fanno con la penna sola, lasciando i lumi della carta, che è difficile, ma molto maestrevole; ed infiniti altri modi ancora si costumano nel disegnare, de' quali non accade fare menzione, perchè tutti rappresentano una cosa medesima, cioè il disegnare. Fatti così i disegni, chi vuole lavorar in fresco, cioè in muro, è necessario che faccia i cartoni, ancorachè e' si costumi per molti di fargli per lavorar anco in tavola. Questi cartoni si fanno così: impastansi i fogli con colla di farina e acqua cotta al fuoco (fogli dico, che siano squadrati), e si tirano al muro con l'incollarli attorno due dita verso il muro con la medesima pasta, e si bagnano spruzzandovi dentro per tutto acqua fresca; e così molli si tirano, acciò nel seccarsi vengano a distendere il molle delle grinze. Dappoi, quando sono secchi, si vanno con una canna lunga, che abbia in cima un carbone, riportando sul cartone, per giudicar da discosto tutto quello che nel disegno piccolo è disegnato con pari grandezza; e così, a poco a poco, quando a una figura e quando all'altra danno fine. Qui fanno i pittori tutte le fatiche dell'arte, del ritrarre dal vivo ignudi e panni di naturale; e tirano le prospettive, con tutti quelli ordini che piccoli si sono fatti in su fogli, ringrandendoli a proporzione. E se in quelli fussero prospettive, o casamenti, si ringrandiscono con la rete; la qual'è una graticola di quadri piccoli, ringrandita nel cartone, che riporta giustamente ogni cosa. Perchè, chi ha tirate le prospettive ne' disegni piccoli, cavate di su la pianta, alzate col profilo, e con la intersecazione e col punto fatte diminuire e sfuggire, bisogna che le riporti proporzionate in sul cartone. Ma del modo del tirarle, perchè ella è cosa fastidiosa e difficile a darsi ad intendere, non voglio io parlare altrimenti. Basta che le prospettive son belle tanto, quanto elle si mostrano giuste alla loro veduta e sfuggendo si allontanano dall'occhio, e quando elle sono composte con variato e bello ordine di casamenti. Bisogna poi che 'l pittore abbia risguardo a farle con proporzione sminuire con la dolcezza de' colori, la qual'è nell'artefice una retta discrezione ed un giudicio buono: la causa del quale si mostra nella difficultà delle tante linee confuse, colte dalla pianta, dal profilo ed intersecazione; che ricoperte dal colore restano una facilissima cosa, la qual fa tenere l'artefice dotto, intendente ed ingegnoso nell'arte. Usano ancora molti maestri, innanzi che facciano la storia nel cartone, fare un modello di terra in su un piano, con situar tonde tutte le figure, per vedere gli sbattimenti, cioè l'ombre che da un lume si causano addosso alle figure, che sono quell'ombra tolta dal sole, il quale più crudamente che il lume le fa in terra nel piano per l'ombra della figura. E di qui ritraendo il tutto dell'opra, hanno fatto l'ombre che percuotono addosso all'una e l'altra figura; onde ne vengono i cartoni e l'opera, per queste fatiche, di perfezione e di forza più finiti, e dalla carta si spiccano per il rilievo: il che dimostra il tutto più bello e maggiormente finito. E quando questi cartoni al fresco o al muro s'adoprano, ogni giorno nella commettitura se ne taglia un pezzo, e si calca sul muro, che sia incalcinato di fresco e pulito eccellentemente. Questo pezzo del cartone si mette in quel luogo dove s'ha a fare la figura, e si contrassegna; perchè, l'altro dì che si voglia rimettere un altro pezzo, si riconosca il suo luogo appunto, e non possa nascere errore. Appresso, per i dintorni del pezzo detto, con un ferro si va calcando in su l'intonaco della calcina; la quale, per essere fresca, acconsente alla carta, e così ne rimane segnata. Per il che si leva via il cartone, e per quei segni che nel muro sono calcati, si va con i colori lavorando; e così si conduce il lavoro in fresco o in muro. Alle tavole ed alle tele si fa il medesimo calcato, ma il cartone tutto d'un pezzo; salvochè bisogna tingere di dietro il cartone con carboni o polvere nera, acciocchè, segnando poi col ferro, egli venga profilato e disegnato nella tela o tavola. E per questa cagione i cartoni si fanno, per compartire che l'opra venga giusta e misurata. Assai pittori sono, che per l'opre a olio sfuggono ciò; ma per il lavoro in fresco non si può sfuggire che non si faccia. Ma certo, chi trovò tal'invenzione, ebbe buona fantasia; attesochè ne'cartoni si vede il giudizio di tutta l'opera insieme, e si acconcia e guasta finchè stiano bene; il che nell'opra poi non può farsi.

Capitolo III

Degli scorti delle figure al di sotto in su, e di quegli in piano

Hanno avuto gli artefici nostri una grandissima avvertenza nel fare scortare le figure, cioè nel farle apparire di più quantità che elle non sono veramente, essendo lo scorto a noi una cosa disegnata in faccia corta, che all'occhio, venendo innanzi, non ha la lunghezza o l'altezza che ella dimostra; tuttavia la grossezza, i dintorni, l'ombre ed i lumi fanno parere che ella venga innanzi, e per questo si chiama scorto. Di questa specie non fu mai pittore o disegnatore che facesse meglio che s'abbia fatto il nostro Michelagnolo Buonarroti; ed ancora nessuno meglio gli poteva fare, avendo egli divinamente fatto le figure di rilievo. Egli prima di terra o di cera ha per questo uso fatti i modelli; e da quegli, che più del vivo restano fermi, ha cavato i contorni, i lumi e l'ombre. Questi danno a chi non intende grandissimo fastidio, perchè non arrivano con l'intelletto alla profondità di tale difficultà; la qual'è la più forte a farla bene, che nessuna che sia nella pittura. E certo i nostri vecchi come amorevoli dell'arte trovarono il tirarli per via di linee in prospettiva (il che non si poteva fare prima), e li ridussero tanto innanzi, che oggi s'ha la vera maestria di farli. E quegli che li biasimano (dico degli artefici nostri), sono quelli che non li sanno fare; e che per alzare se stessi, vanno abbassando altrui. Ed abbiamo assai maestri pittori, i quali, ancorachè valenti, non si dilettano di fare scorti; e nientedimeno, quando gli veggono belli e difficili, non solo non gli biasimano, ma gli lodano sommamente. Di questa specie ne hanno fatto i moderni alcuni che sono a proposito e difficili; come sarebbe a dir, in una volta, le figure che guardando in su scortano e sfuggono; e questi chiamiamo al di sotto in su, ch'hanno tanta forza ch'eglino bucano le volte. E questi non si possono fare, se non si ritraggono dal vivo, o con modelli in altezze convenienti non si fanno fare loro le attitudini e le movenze di tali cose. E certo in questo genere si recano in quella difficultà una somma grazia e molta bellezza, e mostrasi una terribilissima arte. Di questa specie troverete che gli artefici nostri, nelle Vite loro, hanno dato grandissimo rilievo a tali opere e condottele a una perfetta fine; onde hanno conseguito loda grandissima. Chiamansi scorti di sotto in su, perchè il figurato è alto, e guardato dall'occhio per veduta in su, e non per la linea piana dell'orizzonte. Laonde alzandosi la testa a volere vederlo, e scorgendosi prima le piante de'piedi e l'altre parti di sotto, giustamente si chiama col detto nome.

Capitolo IV

Come si debbano unire i colori a olio, a fresco o a tempera; e come le carni, i panni e tutto quello che si dipigne, venga nell'opera a unire in modo, che le figure non vengano divise, ed abbiano rilievo e forza, e mostrino l'opera chiara ed aperta.

L'unione nella pittura è una discordanza di colori diversi accordati insieme, i quali, nella diversità di più divise, mostrano differentemente distinte l'una dall'altra le parti delle figure; come le carni dai capelli, ed un panno diverso di colore dall'altro. Quando questi colori son messi in opera accesamente e vivi, con una discordanza spiacevole, talchè siano tinti e carichi di corpo, siccome usavano di fare già alcuni pittori; il disegno ne viene ad essere offeso di maniera, che le figure restano più presto dipinte dal colore, che dal pennello, che le lumeggia e adombra, fatte apparire di rilievo e naturali. Tutte le pitture, adunque, o a olio o a fresco o a tempera, si debbon fare talmente unite ne'loro colori, che quelle figure che nelle storie sono le principali, vengano condotte chiare chiare, mettendo i panni di colore non tanto scuro addosso a quelle dinanzi, che quelle che vanno dopo gli abbiano più chiari che le prime; anzi, a poco a poco, tanto quanto elle vanno diminuendo allo indentro, divenghino anco parimente di mano in mano, e nel colore delle carnagioni e nelle vestimenta, più scure. E principalmente si abbia grandissima avvertenza di mettere sempre i colori più vaghi, più dilettevoli e più belli nelle figure principali, ed in quelle massimamente che nella istoria vengono intere, e non mezze; perchè queste sono sempre le più considerate, e quelle che sono più vedute che l'altre, le quali servono quasi per campo nel colorito di queste; ed un colore più smorto fa parere più vivo l'altro che gli è posto accanto, ed i colori maninconici e pallidi fanno parere più allegri quelli che li sono accanto, e quasi d'una certa bellezza fiammeggianti. Nè si debbono vestire gl'ignudi di colori tanto carichi di corpo, che dividano le carni da' panni, quando detti panni attraversassino detti ignudi; ma i colori dei lumi di detti panni siano chiari simili alle carni, o gialletti o rossigni o violati o pagonazzi, con cangiare i fondi scuretti o verdi o azzurri o pagonazzi o gialli, purchè tragghino allo scuro, e che unitamente si accompagnino nel girare delle figure con le lor ombre: in quel medesimo modo che noi veggiamo nel vivo, che quelle parti che ci si appresentano più vicine all'occhio, più hanno di lume, e l'altre perdendo di vista, perdono ancora del lume e del colore. Così nella pittura si debbono adoperare i colori con tanta unione, che e' non si lasci uno scuro ed un chiaro sì spiacevolmente ombrato e lumeggiato, che e' si faccia una discordanza ed una disunione spiacevole: salvochè negli sbattimenti, che sono quell'ombre che fanno le figure addosso l'una all'altra, quando un lume solo percuote addosso a una prima figura, che viene ad ombrare col suo sbattimento la seconda. E questi ancora, quando accaggiono, voglion esser dipinti con dolcezza ed unitamente; perchè, chi li disordina, viene a fare che quella pittura par più presto un tappeto colorito, o un paro di carte da giocare, che carne unita o panni morbidi o altre cose piumose, delicate e dolci. Chè, siccome gli orecchi restano offesi da una musica che fa strepito o dissonanza o durezza (salvo però in certi luoghi ed a tempi, siccome io dissi degli sbattimenti); così restano offesi gli occhi da' colori troppo carichi o troppo crudi. Conciossiachè il troppo acceso offende il disegno, e lo abbacinato, smorto, abbagliato e troppo dolce, pare una cosa spenta, vecchia ed affumicata: ma lo unito che tenga in fra lo acceso e lo abbagliato, è perfettissimo e diletta l'occhio, come una musica unita ed arguta diletta l'orecchio. Debbonsi perdere negli scuri certe parti delle figure, e nella lontananza della istoria; perchè, oltre che, se elle fussono nello apparire troppo vive ed accese, confonderebbono le figure; elle danno ancora, restando scure ed abbagliate quasi come campo, maggior forza alle altre che vi sono innanzi. Nè si può credere quanto nel variare le carni con i colori, facendole ai giovani più fresche che ai vecchi, ed ai mezzani tra il cotto ed il verdiccio e gialliccio, si dia grazia e bellezza all'opera, e quasi in quello stesso modo che si faccia nel disegno, l'aria delle vecchie accanto alle giovani ed alle fanciulle ed a' putti; dove veggendosene una tenera e carnosa, l'altra pulita e fresca, fa nel dipinto una discordanza accordatissima. Ed in questo modo si debbe nel lavorare metter gli scuri dove meno offendino e faccino divisione, per cavar fuori le figure; come si vede nelle pitture di Raffaello da Urbino e di altri pittori eccellenti che hanno tenuto questa maniera. Ma non si debbe tenere questo ordine nelle istorie dove si contraffacessino lumi di sole e di luna, ovvero fuochi o cose notturne; perchè queste si fanno con gli sbattimenti crudi e taglienti, come fa il vivo. E nella sommità, dove sì fatto lume percuote, sempre vi sarà dolcezza ed unione. Ed in quelle pitture che aranno queste parti, si conoscerà che la intelligenza del pittore arà con la unione del colorito campata la bontà del disegno, dato vaghezza alla pittura, e rilievo e forza terribile alle figure.

Capitolo V

Del dipingere in muro, come si fa, e perchè si chiama lavorare in fresco

Di tutti gli altri modi, che i pittori facciano, il dipingere in muro è più maestrevole e bello, perchè consiste nel fare in un giorno solo quello che negli altri modi si può in molti ritoccare sopra il lavorato. Era dagli antichi molto usato il fresco, ed i vecchi moderni ancora l'hanno poi seguitato. Questo si lavora su la calce che sia fresca, nè si lascia mai sino a che sia finito quanto per quel giorno si vuole lavorare. Perchè, allungando punto il dipingerla, fa la calce una certa crosterella pel caldo, pel freddo, pel vento e per ghiacci, che muffa e macchia tutto il lavoro. E per questo vuole essere continovamente bagnato il muro che si dipigne; e i colori che vi si adoperano, tutti di terre e non di miniere, ed il bianco di trevertino cotto. Vuole ancora una mano destra, risoluta e veloce, ma sopra tutto un giudizio saldo ed intiero; perchè i colori, mentre che il muro è molle, mostrano una cosa in un modo, che poi secco non è più quella. E però bisogna che in questi lavori a fresco giuochi molto più nel pittore il giudizio che il disegno, e che egli abbia per guida sua una pratica più che grandissima, essendo sommamente difficile il condurlo a perfezione. Molti de' nostri artefici vagliono assai negli altri lavori, cioè a olio o tempera, ed in questo poi non riescono; per essere egli veramente il più virile, più sicuro, più risoluto e durabile di tutti gli altri modi; e quello che, nello stare fatto, di continuo acquista di bellezza e di unione più degli altri infinitamente. Questo all'aria si purga, e dall'acqua si difende, e regge di continuo a ogni percossa. Ma bisogna guardarsi di non avere a ritoccarlo co' colori che abbiano colla di carnicci, o rosso di uovo, o gomma o draganti, come fanno molti pittori; perchè, oltra che il muro non fa il suo corso di mostrare la chiarezza, vengono i colori appannati da quello ritoccar di sopra, e con poco spazio di tempo diventano neri. Però quelli che cercano lavorar in muro, lavorino virilmente a fresco, e non ritocchino a secco; perchè, oltra l'esser cosa vilissima, rende più corta vita alle pitture, come in altro luogo s'è detto.

Capitolo VI

Del dipignere a tempera, overo a uovo, su le tavole o tele, e come si può usare sul muro che sia secco

Da Cimabue in dietro, e da lui in qua, s'è sempre veduto opre lavorate da' Greci a tempera in tavola e in qualche muro. Ed usavano nello ingessare delle tavole questi maestri vecchi, dubitando che quelle non si aprissero in su le commettiture, mettere per tutto, con la colla di carnicci, tela lina, e poi sopra quella ingessavano per lavorarvi sopra, e temperavano i colori da condurle col rosso dell'uovo o tempera, la qual'è questa: toglievano un uovo e quello dibattevano, e dentro vi tritavano un ramo tenero di fico, acciocchè quel latte con quell'uovo facesse la tempera dei colori, i quali con essa temperando lavoravano l'opere loro. E toglievano per quelle tavole i colori che erano di miniere, i quali son fatti parte dagli alchimisti, e parte trovati nelle cave. Ed a questa specie di lavoro ogni colore è buono, salvo che il bianco che si lavora in muro fatto di calcina, perch'è troppo forte: così venivano loro condotte con questa maniera le opere e le pitture loro, e questo chiamavano colorire a tempera. Solo gli azzurri temperavano con colla di carnicci; perchè la giallezza dell'uovo gli faceva diventar verdi, ove la colla li mantiene nell'essere loro; e il simile fa la gomma. Tiensi la medesima maniera su le tavole o ingessate o senza; e così su' muri che siano secchi, si dà una o due mani di colla calda, e di poi con colori temperati con quella si conduce tutta l'opera; e chi volesse temperare ancora i colori a colla, agevolmente gli verrà fatto, osservando il medesimo che nella tempera si è raccontato. Nè saranno peggiori per questo; poichè anco de' vecchi maestri nostri si sono vedute le cose a tempera conservate centinaia d'anni con bellezza e freschezza grande.[1] E certamente, e' si vede ancora delle cose di Giotto, che ce n'è pure alcuna in tavola, durata già dugento anni e mantenutasi molto bene. È poi venuto il lavorar a olio, che ha fatto per molti mettere in bando il modo della tempera: siccome oggi veggiamo che nelle tavole e nelle altre cose d'importanza si è lavorato e si lavora ancora del continuo.

Capitolo VII

Del dipingere a olio in tavola, e su le tele.

Fu una bellisima invenzione ed una gran comodità all'arte della pittura, il trovare il colorito a olio; di che fu primo inventore in Fiandra Giovanni da Bruggia,[2] il quale mandò la tavola a Napoli al re Alfonso,[3] ed al duca d'Urbino Federico II,[4] la stufa sua; e fece un San Gironimo,[5] che Lorenzo de' Medici aveva, e molte altre cose lodate. Lo seguitò poi Ruggieri da Bruggia, suo discepolo; ed Ausse, creato di Ruggieri, che fece a' Portinari,

[1] Nel Museo Sacro, ch'è parte della Libreria Vaticana, è un quadro di pittura greca a tempera, dove son rappresentate l'esequie di sant' Efrem Siro, con una moltitudine d'anacoreti; benissimo mantenuto, sebbene già molto antico; cioè del decimo o dell'undecimo secolo. Vedi il tomo III delle *Pitture e Sculture* tratte dai cimiterj di Roma, nel quale se ne ha una stampa. Il D'Agincourt, nella tav. LXXXII della *Pittura*, dette l'intaglio di questa preziosa opera, che porta il nome del pittore Emmanuel Tranfurnari.

[2] Oggi è fuor di dubbio che si dipingesse a olio anche prima di Giovanni di Bruges.

[3] Su questa tavola vedasi quanto è detto nella corrispondente nota alla Vita di Antonello da Messina.

[4] C'è errore di certo in questa denominazione di Federico II, perchè prima di Federico, non ci fu altro duca che il fanciullo Oddantonio.

[5] Nel R. Museo di Napoli, nella terza stanza dei quadri, esiste una tavola che si dice di Giovanni da Bruggia, o della maniera di Van der Weyden, già sin qui malamente attribuita a Colantonio del Fiore, dove è rappresentato San Girolamo in atto di trarre la spina dalla zampa del leone. Sarebbe mai essa la tavola che il Vasari qui cita del detto Giovanni?

in Santa Maria Nuova di Firenze, un quadro picciolo, il qual è oggi appresso al duca Cosimo;[1] ed è di sua mano la tavola di Careggi, villa fuora di Firenze della illustrissima casa de' Medici. Furono similmente de' primi Lodovico da Luano e Pietro Crista, e maestro Martino e Giusto da Guantò,[2] che fece la tavola della Comunione del duca d'Urbino ed altre pitture; ed Ugo d'Anversa,[3] che fe la tavola di Santa Maria Nuova di Fiorenza. Questa arte condusse poi in Italia Antonello da Messina, che molti anni consumò in Fiandra; e, nel tornarsi di qua dai monti, fermatosi ad abitare in Venezia, la insegnò ad alcuni amici; uno de' quali fu Domenico Veniziano, che la condusse poi in Firenze, quando dipinse a olio la cappella dei Portinari in Santa Maria Nuova; dove la imparò Andrea dal Castagno, che la insegnò agli altri maestri:[4] con i quali si andò ampliando l'arte ed acquistando sino a Pietro Perugino, a Lionardo da Vinci, ed a Raffaello da Urbino; talmentechè ella s'è ridotta a quella bellezza che gli artefici nostri, mercè loro, l'hanno acquistata. Questa maniera di colorire accende più i colori; nè altro bisogna che diligenza ed amore, perchè l'olio in sè si reca il colorito più morbido, più dolce e dilicato, e di unione e sfumata maniera più facile che gli altri; e, mentre che fresco si lavora, i colori si mescolano e si uniscono l'uno con l'altro più facilmente; ed

[1] Nella Galleria degli Ufizj in Firenze, e precisamente nella scuola fiamminga, è un piccolo e grazioso quadretto di Giovanni Hemling o Memling (l'Ausse del Vasari), che rappresenta Nostra Donna col Bambino Gesù in collo, il quale fu creduto che fosse quel medesimo qui ricordato dal Vasari. Ma vedendo che egli poi torna a parlarne nelle notizie degli Artefici Fiamminghi, e ne dice il soggetto che era la Passione di Nostro Signore, non si può più tenere quella opinione, e bisogna dire che il quadretto del Memling citato dal Vasari è da gran tempo perduto.

[2] Cioè di Gand in Fiandra.

[3] Ossia, Ugo Van der Goes.

[4] Intorno alla pittura a olio che si dice portata in Italia da Antonello da Messina, sarà trattato nelle note alla Vita di questo artefice.

insomma, gli artefici danno in questo modo bellissima grazia e vivacità e gagliardezza alle figure loro, talmentechè spesso ci fanno parere di rilievo le loro figure e che ell'eschino della tavola, e massimamente quando elle sono continovate di buono disegno, con invenzione e bella maniera. Ma per mettere in opera questo lavoro, si fa così: quando vogliono cominciare, cioè ingessato che hanno le tavole o quadri, gli radono, e, datovi di dolcissima colla quattro o cinque mani con una spugna, vanno poi macinando i colori con olio di noce o di seme di lino (benchè il noce è meglio, perchè ingialla meno), e così macinati con questi olii, che è la tempera loro, non bisogna altro, quanto a essi, che distenderli col pennello. Ma conviene far prima una mestica di colori seccativi, come biacca, giallolino, terre da campane, mescolati tutti in un corpo e d'un color solo; e quando la colla è secca, impiastrarla su per la tavola e poi batterla con la palma della mano, tanto che ella venga egualmente unita e distesa per tutto: il che molti chiamano l'imprimatura. Dopo distesa detta mestica o colore per tutta la tavola, si metta sopra essa il cartone che averai fatto con le figure e invenzioni a tuo modo; e sotto questo cartone se ne metta un altro tinto da un lato di nero, cioè da quella parte che va sopra la mestica. Appuntati poi con chiodi piccoli l'uno e l'altro, piglia una punta di ferro, ovvero d'avorio o legno duro, e vai sopra i profili del cartone segnando sicuramente; perchè così facendo non si guasta il cartone, e nella tavola o quadro vengono benissimo profilate tutte le figure, e quello che è nel cartone sopra la tavola. E chi non volesse far cartone, disegni con gesso da sarti bianco sopra la mestica, ovvero con carbone di salcio, perchè l'uno e l'altro facilmente si cancella. E così si vede che, seccata questa mestica, lo artefice, o calcando il cartone o con gesso bianco da sarti disegnando, l'abbozza: il che alcuni chiamano imporre. E, finita di coprire tutta, ritorna con somma politezza lo artefice da capo a finirla; e qui usa l'arte e la diligenza per condurla a perfezione; e così fanno i maestri in tavola a olio le loro pitture.

Capitolo VIII

Del pingere a olio nel muro che sia secco.

Quando gli artefici vogliono lavorare a olio in sul muro secco, due maniere possono tenere: una con fare che il muro, se vi è dato su il bianco, o a fresco o in altro modo, si raschi; o se egli è restato liscio senza bianco, ma intonacato, vi si dia su due o tre mani di olio bollito e cotto, continuando di ridarvelo su, sino a tanto che non voglia più bere; e poi secco, se gli dà di mestica o imprimatura, come si disse nel Capitolo avanti a questo. Ciò fatto, e secco, possono gli artefici calcare o disegnare, e tale opera come la tavola condurre al fine, tenendo mescolato continuo nei colori un poco di vernice, perchè facendo questo non accade poi verniciarla. L'altro modo è, che l'artefice, o di stucco di marmo e di matton pesto finissimo fa un arricciato che sia pulito, e lo rade col taglio della cazzuola, perchè il muro ne resti ruvido; appresso gli dà una man d'olio di seme di lino, e poi fa in una pignatta una mistura di pece greca e mastico e vernice grossa, e quella bollita, con un pennel grosso si dà nel muro; poi si distende per quello con una cazzuola da murare che sia di fuoco: questa intasa i buchi dell'arricciato, e fa una pelle più unita per il muro. E poi ch'è secca, si va dandole d'imprimatura o di mestica, e si lavora nel modo ordinario dell'olio, come abbiamo ragionato. E perchè la sperienza di molti anni mi ha insegnato come si possa lavorar a olio in sul muro, ultimamente ho seguitato, nel dipigner le sale, camere ed altre stanze del palazzo del duca Cosimo, il modo che in questo ho per l'addietro molte volte tenuto; il qual modo brevemente è questo: facciasi l'arricciato, sopra il quale si ha da far l'intonaco di calce, di matton pesto e di rena, e si lasci seccar bene affatto; ciò fatto, la materia del secondo intonaco sia calce, matton pesto stiacciato bene, e schiuma di ferro; perchè tutte e tre queste cose, cioè di ciascuna il terzo, incorporate con chiara d'uovo battute quanto fa bisogno, ed olio di seme di lino, fanno uno stucco tanto serrato, che non si può disiderar in alcun modo migliore. Ma bisogna bene avvertire di non abbandonare l'intonaco, mentre la materia è fresca, perchè fenderebbe in molti luoghi; anzi è necessario a voler che si conservi buono, non se gli levar mai d'intorno con la cazzuola, ovvero mestola o cucchiara che vogliam dire, insino a che non sia del tutto pulitamente disteso come ha da stare. Secco poi che sia questo intonaco, e datovi sopra d'imprimatura o mestica, si condurranno le figure e le storie perfettamente; come l'opere del detto palazzo e molte altre possono chiaramente dimostrare a ciascuno.

Capitolo IX

Del dipignere a olio su le tele.

Gli uomini, per potere portare le pitture di paese in paese, hanno trovato la comodità delle tele dipinte, come quelle che pesano poco, ed avvolte sono agevoli a trasportarsi. Queste a olio, perch'elle siano arrendevoli, se non hanno a stare ferme, non s'ingessano, attesochè il gesso vi crepa su arrotolandole; però si fa una pasta di farina con olio di noce, ed in quello si mettono due o tre macinate di biacca; e quando le tele hanno avuto tre o quattro mani di colla che sia dolce, ch'abbia passato da una banda all'altra, con un coltello si dà questa pasta, e tutt'i buchi vengono con la mano dell'artefice a turarsi. Fatto ciò, se le dà una o due mani di colla dolce, e dappoi la mestica o imprimatura; ed a dipingervi sopra si tiene il medesimo modo che agli altri di sopra racconti. E perchè questo modo è paruto agevole e comodo, si sono fatti non solamente quadri piccoli per portare attorno, ma ancora tavole da altari ed altre opere di storie grandissime; come si vede nelle sale del palazzo di San Marco di Vinezia, ed altrove: avvegnachè, dove non arriva la grandezza delle tavole, serve la grandezza e 'l comodo delle tele.

Capitolo X

Del dipingere in pietra a olio, e che pietre siano buone.

È cresciuto sempre l'animo a' nostri artefici pittori, facendo che il colorito a olio, oltra l'averlo lavorato in muro, si possa volendo lavorare ancora su le pietre. Delle quali hanno trovato nella riviera di Genova quella spezie di lastre che noi dicemmo nella Architettura, che sono attissime a questo bisogno;[1] perchè, per esser serrate in sè e per avere la grana gentile, pigliano il pulimento piano. In su queste hanno dipinto modernamente quasi infiniti, e trovato il modo vero da potere lavorarvi sopra. Hanno provate poi le pietre più fine; come mischi di marmo, serpentini e porfidi, ed altre simili, che sendo lisce brunite, vi si attacca sopra il colore. Ma nel vero, quando la pietra sia ruvida ed arida, molto meglio inzuppa e piglia l'olio bollito ed il colore dentro; come alcuni piperni ovvero piperigni gentili, i quali quando siano battuti col ferro e non arrenati con rena o sasso

[1] Attissime se il nitro non le sciogliesse, come ha fatto di quelle del Duomo d'Orvieto dipinte dal Zuccheri.

di tufi, si possono spianare con la medesima mistura che dissi nell'arricciato, con quella cazzuola di ferro infocata. Perciocchè a tutte queste pietre non accade dar colla in principio, ma solo una mano d'imprimatura di colore a olio, cioè mestica; e secca che ella sia, si può cominciare il lavoro a suo piacimento. E chi volesse fare una storia a olio su la pietra, può torre di quelle lastre genovesi e farle fare quadre, e fermarle nel muro co'perni sopra una incrostatura di stucco, distendendo bene la mestica in su le commettiture, di maniera che e' venga a farsi per tutto un piano, di che grandezza l'artefice ha bisogno. E questo è il vero modo di condurre tali opere a fine: e finite, si può a quelle fare ornamenti di pietre fini, di misti e d'altri marmi; le quali si rendono durabili in infinito, purchè con diligenza siano lavorate; e possonsi e non si possono verniciare, come altrui piace, perchè la pietra non prosciuga, cioè non sorbisce quanto fa la tavola e la tela, e si difende da'tarli, il che non fa il legname.

Capitolo XI

Del dipignere nelle mura di chiaro e scuro di varie terrette; e come si contraffanno le cose di bronzo; e delle storie di terretta per archi o per feste, a colla; che è chiamato a guazzo ed a tempera.

Vogliono i pittori, che il chiaroscuro sia una forma di pittura che tragga più al disegno che al colorito; perchè ciò è stato cavato dalle statue di marmo, contraffacendole, e dalle figure di bronzo ed altre varie pietre: e questo hanno usato di fare nelle facciate de'palazzi e case, in istorie, mostrando che quelle siano contraffatte, e paino di marmo o di pietra, con quelle storie intagliate: o veramente, contraffacendo quelle sorti di spezie di marmo e porfido, e di pietra verde, e granito rosso e bigio, o bronzo, o altre pietre, come par loro meglio, si sono accomodati in più spartimenti di questa maniera; la qual'è oggi molto in uso per fare le facce delle case e de'palazzi, così in Roma come per tutta Italia. Queste pitture si lavorano in due modi: prima in fresco, che è la vera; o in tele per archi che si fanno nell'entrate de'principi nelle città e ne'trionfi, o negli apparati delle feste e delle commedie, perchè in simili cose fanno bellissimo vedere. Tratteremo prima della spezie e sorte del fare in fresco; poi diremo dell'altra. Di questa sorte di terretta si fanno i campi con la terra da fare i vasi, mescolando quella con carbone macinato o altro nero per far l'ombre più scure, e bianco di trevertino, con più scuri e più chiari; e si lumeggiano col bianco schietto, e con ultimo nero a ultimi scuri finite. Vogliono avere tali specie fierezza, disegno, forza, vivacità e bella maniera; ed essere espresse con una gagliardezza che mostri arte e non stento, perchè si hanno a vedere ed a conoscere di lontano. E con queste ancora s'imitino le figure di bronzo; le quali col campo di terra gialla e rosso s'abbozzano, con più scuri di quello nero e rosso e giallo si sfondano, e con giallo schietto si fanno i mezzi, e con giallo e bianco si lumeggiano. E di queste hanno i pittori le facciate e le storie di quelle con alcune statue tramezzate, che in questo genere hanno grandissima grazia. Quelle poi che si fanno per archi, commedie o feste, si lavorano poi che la tela sia data di terretta; cioè di quella prima terra schietta da far vasi, temperata con colla: e bisogna che essa tela sia bagnata di dietro, mentre l'artefice la dipinge, acciocchè con quel campo di terretta unisca meglio gli scuri ed i chiari dell'opera sua; e si costuma temperare i neri di quelle con un poco di tempera; e si adoperano biacche per bianco, e minio per dar rilievo alle cose che paiono di bronzo, e giallognolo per lumeggiare sopra detto minio; e per i campi e per gli scuri le medesime terre gialle e rosse, ed i medesimi neri che io dissi nel lavorare a fresco, i quali fanno mezzi ed ombre. Ombrasi ancora con altri diversi colori altre sorte di chiari e scuri; come con terra d'ombra, alla quale si fa la terretta di verde terra, e gialla e bianco; similmente con terra nera, che è un'altra sorte di verde terra, e nera, che la chiamano verdaccio.

Capitolo XII

Degli sgraffiti delle case che reggono all'acqua; quello che si adoperi a farli; e come si lavorino le grottesche nelle mura.

Hanno i pittori un'altra sorte di pittura, che è disegno e pittura insieme, e questo si domanda *sgraffito*, e non serve ad altro che per ornamenti di facciate di case e palazzi, che più brevemente si conducono con questa spezie, e reggono all'acque sicuramente; perchè tutt'i lineamenti, in vece di essere disegnati con carbone o con altra materia simile, sono tratteggiati con un ferro dalla mano del pittore. Il che si fa in questa maniera: pigliano la calcina mescolata con la rena ordinariamente, e con paglia abbruciata la tingono d'uno scuro che venga in un mezzo colore che trae in argentino, e verso lo scuro un poco più che tinta di mezzo, e con questa intonacano la facciata. E fatto ciò, e pulita col bianco della calce di trevertino, l'imbiancano tutta; ed imbiancata, ci spolverano su i cartoni, ovvero disegnano quel che ci vogliono fare, e di poi, aggravando col ferro, vanno dintornando e tratteggiando la calce, la quale, essendo sotto di corpo nero, mostra tutti i graffi del ferro come segni di disegno. E si suole ne' campi di quelli radere il bianco, e poi avere una tinta d'acquerello scuretto molto acquidoso, e di quello dare per gli scuri, come si desse a una carta; il che di lontano fa un bellissimo vedere: ma il campo, se ci è grottesche o fogliami, si sbattimenta, cioè ombreggia con quello acquerello. E questo è il lavoro che per esser dal ferro graffiato, hanno chiamato i pittori *sgraffito*. Restaci ora a ragionare delle grottesche, che si fanno sul muro. Dunque, quelle che vanno in campo bianco, non ci essendo il campo di stucco, per non essere bianca la calce, si dà per tutto sottilmente il campo di bianco; e fatto ciò, si spolverano, e si lavorano in fresco di colori sodi, perchè non avrebbono mai la grazia c' hanno quelle che si lavorano su lo stucco. Di questa spezie possono essere grottesche grosse e sottili, le quali vengono fatte nel medesimo modo che si lavorano le figure a fresco o in muro.

Capitolo XIII

Come si lavorino le grottesche su lo stucco.

Le grottesche sono una spezie di pitture licenziose e ridicole molto, fatte dagli antichi per ornamenti di vani, dove in alcuni luoghi non stava bene altro che cose in aria. per il che facevano in quelle tutte sconciature di mostri, per strettezza della natura, e per gricciolo e ghiribizzo degli artefici; i quali fanno in quelle, cose senza alcuna regola, appiccando a un sottilissimo filo un peso che non si può reggere, ad un cavallo le gambe di foglie, e a un uomo le gambe di gru, ed infiniti sciarpelloni e passerotti, e chi più stranamente se gl'immaginava. quello era tenuto più valente. Furono poi regolate e per fregi e spartimenti fatto bellissimi andari: così di stucchi mescolarono quelle con la pittura. E sì innanzi andò questa pratica, che in Roma ed in ogni luogo dove i Romani risedevano, ve n' è ancora conservato qualche vestigio. E nel vero, tocche d'oro ed intagliate di stucchi, elle sono opera allegra e dilettevole a vedere. Queste si lavorano di quattro maniere· l'una lavora lo stucco schietto; l'altra fa gli ornamenti soli di stucco, e dipinge le storie ne' vani e le grottesche ne' fregi; la terza fa le figure parte lavorate di stucco e parte dipinte di bianco e nero, contraffacendo cammei ed altre pietre. E di questa specie grottesche e stucchi se n'è visto e vede tante opere lavorate dai moderni, i quali con somma grazia e bellezza hanno adornato le fabbriche più notabili di tutta l'Italia, che gli antichi rimangono vinti di grande spazio. L'ultima, finalmente, lavora d'acquerello in su lo stucco, campando il lume con esso, ed ombrandolo con diversi colori. Di tutte queste sorti, che si difendono assai dal tempo, se ne veggono delle antiche in infiniti luoghi a Roma, e a Pozzuolo, vicino a Napoli. E questa ultima sorte si può anco benissimo lavorare con colori sodi a fresco, lasciando lo stucco bianco per campo a tutte queste, che nel vero hanno in sè bella grazia; e fra esse si mescolano paesi, che molto danno loro dell'allegro; e così ancora storiette di figure piccole colorite. E di questa sorte oggi in Italia ne sono molti maestri che ne fanno professione, ed in esse sono eccellenti.

Capitolo XIV

Del modo del mettere d'oro a bolo ed a mordente, ed altri modi.

Fu veramente bellissimo segreto ed investigazione sofistica il trovar modo che l'oro si battesse in fogli sì sottilmente, che per ogni migliaio di pezzi battuti, grandi un ottavo di braccio per ogni verso, bastasse fra l'artificio e l'oro, il valore solo di sei scudi. Ma non fu punto meno ingegnosa cosa il trovar modo a poterlo talmente distendere sopra il gesso, che il legno od altro accostovi sotto, paresse tutto una massa d'oro: il che si fa in questa maniera. Ingessasi il legno con gesso sottilissimo, impastato colla colla piuttosto dolce che cruda, e vi si dà sopra grosso più mani, secondo che il legno è lavorato bene o male: in oltre, raso il gesso e pulito, con la chiara dell'uovo schietta, sbattuta sottilmente con l'acqua, dentrovi si tempera il bolo armeno macinato ad acqua sottilissimamente, e si fa il primo acquidoso, o vogliamo dirlo liquido e chiaro, e l'altro appresso più corpulento. Poi si dà con esso almanco tre volte sopra il lavoro, fino che ei lo pigli per tutto bene; e bagnando di mano in mano, con un pennello, con acqua pura dov'è dato il bolo, vi si mette su l'oro in foglia, il quale subito si appicca a quel molle; e quando egli è soppasso, non secco, si brunisce con una zanna di cane o di lupo, sinchè e' diventi lustrante e bello. Dorasi ancora in un'altra maniera che si chiama a mordente: il che si adopera ad ogni sorte di cose; pietre, legni, tele, metalli d'ogni spezie, drappi e corami; e non si brunisce come quel primo. Questo mordente, che è la maestra che lo tiene, si fa di colori seccaticci a olio di varie sorti, e di olio cotto con la vernice dentrovi, e dassi in sul legno che ha avuto prima due mani di colla. E poichè il mordente è dato così, non mentre che egli è fresco, ma mezzo secco, vi si mette su l'oro in foglie. Il medesimo si può fare ancora con l'armoniaco, quando s'ha fretta; attesochè, mentre si dà, è buono: e questo serve più a fare selle, arabeschi ed altri ornamenti, che ad altro. Si macina ancora di questi fogli in una tazza di vetro con un poco di mele e di gomma, che serve ai miniatori, ed a infiniti che col pennello si dilettano fare profili e sottilissimi lumi nelle pitture. E tutti questi sono bellissimi segreti; ma per la copia di essi non se ne tiene molto conto.

Capitolo XV

Del musaico de' vetri, ed a quello che si conosce il buono e lodato.

Essendosi assai largamente detto di sopra nel VI Capitolo dell'Architettura che cosa sia il musaico, e come e'si faccia, continuandone qui quel tanto che è proprio della pittura, diciamo che egli è maestria veramente grandissima condurre i suoi pezzi cotanto uniti, che egli apparisca di lontano per onorata pittura e bella: attesochè in questa spezie di lavoro bisogna e pratica e giudizio grande, con una profondissima intelligenza nell'arte del disegno; perchè chi offusca ne' disegni il musaico con la copia ed abbondanza delle troppe figure nelle istorie, e con le molte minuterie de' pezzi, le confonde. E però bisogna che il disegno de' cartoni che per esso si fanno, sia aperto, largo, facile, chiaro, e di bontà e bella maniera continuato. E chi intende nel disegno la forza degli sbattimenti, e del dare pochi lumi ed assai scuri, con fare in quelli certe piazze o campi; costui sopra d'ogni altro lo farà bello e bene ordinato. Vuole avere il musaico lodato chiarezza in sè, con certa unita scurità verso l'ombre; e vuole esser fatto con grandissima discrezione, lontano dall'occhio, acciocchè lo stimi pittura e non tarsia commessa. Laonde i musaici che aranno queste parti, saranno buoni e lodati da ciascheduno. E certo è che il musaico è la più durabile pittura che sia; imperocchè l'altra col tempo si spegne, e questa nello stare fatta di continuo s'accende; ed inoltre, la pittura manca e si consuma per se medesima, ove il musaico per la sua lunghissima vita si può quasi chiamare eterno. Perlochè scorgiamo noi in esso non solo la perfezione de' maestri vecchi, ma quella ancora degli antichi, mediante quelle opere che oggi si riconoscono dell'età loro; come nel tempio di Bacco a Sant'Agnesa fuor di Roma, dove è benissimo condotto tutto quello che vi è lavorato; similmente a Ravenna n'è del vecchio bellissimo in più luoghi, ed a Vinezia in San Marco, a Pisa nel Duomo, ed a Fiorenza in San Giovanni la tribuna: ma il più bello di tutti è quello di Giotto, nella nave del portico di San Piero di Roma, perchè veramente in quel genere è cosa miracolosa: e ne' moderni, quello di Domenico del Ghirlandaio, sopra la porta di fuori di Santa Maria del Fiore che va all'Annunziata.[1] Preparansi, adunque, i pezzi da farlo in questa maniera: quando le fornaci de' vetri sono disposte e le padelle piene di vetro, se li vanno dando i colori, a ciascuna padella il suo: avvertendo sempre che da un chiaro bianco che ha corpo e non è trasparente, si conduchino i più scuri di mano in mano, in quella stessa guisa che si fanno le mestiche de' colori per dipingere ordinariamente. Appresso, quando il vetro è cotto e bene stagionato, e le mestiche sono condotte e chiare e scure e d'ogni ragione, con certe cucchiaie lunghe di ferro si cava il vetro caldo e si mette in su un marmo piano, e sopra con un altro pezzo di marmo si schiaccia pari; se ne fanno rotelle che venghino ugualmente piane e restino di grossezza la terza parte dell'altezza d'un dito. Se ne fa poi, con una bocca di cane di ferro, pezzetti quadri tagliati, ed altri col ferro caldo lo spezzano, inclinandolo a loro modo. I medesimi pezzi diventano lunghi, e con uno smeriglio si tagliano: il simile si fa di tutti i vetri che hanno di bisogno, e se n'empiono le scatole, e si tengono ordinati come si fa i colori quando si vuole lavorare a fresco, che in vari

[1] I musaici di San Pietro in Roma, e tra questi la Santa Petronilla e la cupola del Battistero; quelli che si veggono in Venezia sopra la porta di San Marco, ecc., vorrebbero lodi anche maggiori. Tra i musaici antecedenti al tempo di Giotto, i più belli sono quelli fatti in Sicilia, cioè a Cefalù, a Palermo e a Monreale. (V. De Marzo, *Delle Belle Arti in Sicilia*; e *Il Duomo di Monreale* illustrato da Don Domenico B. Gravina, anno 1859.

scodellini si tiene separatamente la mestica delle tinte più chiare e più scure per lavorare. Ècci un'altra spezie di vetro che s'adopra per lo campo e per i lumi dei panni, che si mette d'oro. Questo quando lo vogliano dorare, pigliano quelle piastre di vetro che hanno fatto, e con acqua di gomma bagnano tutta la piastra del vetro, e poi vi mettono sopra i pezzi d'oro; fatto ciò, mettono la piastra su una pala di ferro, e quella nella bocca della fornace, coperta prima con un vetro sottile tutta la piastra di vetro che hanno messa d'oro; e fanno questi coperchi o di bocce o a modo di fiaschi spezzati, di maniera che un pezzo cuopra tutta la piastra; e lo tengono tanto nel fuoco, che vien quasi rosso; ed in un tratto cavandolo, l'oro viene con una presa mirabile a imprimersi nel vetro e fermarsi, e regge all'acqua ed a ogni tempesta: poi questo si taglia ed ordina come l'altro di sopra. E per fermarlo nel muro, usano di fare il cartone colorito, ed alcuni altri senza colore; il quale cartone calcano o segnano a pezzo a pezzo in su lo stucco, e di poi vanno commettendo a poco a poco quanto vogliono fare nel musaico. Questo stucco, per esser posto grosso in su l'opera, gli aspetta due dì e quattro, secondo la qualità del tempo; e fassi di trevertino, di calce, mattone pesto, draganti e chiara d'uovo; e, fattolo, tengono molle con pezze bagnate. Così, dunque, pezzo per pezzo tagliano i cartoni nel muro, e lo disegnano sullo stucco calcando; finchè poi con certe mollette si pigliano i pezzetti degli smalti e si commettono nello stucco, e si lumeggiano i lumi, e dassi mezzi a' mezzi e scuri agli scuri, contraffacendo l'ombre, i lumi ed i mezzi minutamente, come nel cartone; e così, lavorando con diligenza, si conduce a poco a poco a perfezione. E chi più lo conduce unito, sicchè ei torni pulito e piano, colui è più degno di loda e tenuto da più degli altri. Imperò sono alcuni tanto diligenti al musaico, che lo conducono di maniera che gli apparisce pittura a fresco. Questo, fatta la presa, indura talmente il vetro nello stucco, che dura infinito; come ne fanno fede i musaici antichi che sono in Roma, e quelli che sono vecchi; ed anco nell'una e nell'altra parte i moderni ai dì nostri n'hanno fatto del meraviglioso.

Capitolo XVI

Dell'istorie e delle figure che si fanno di commesso ne' pavimenti, ad imitazione delle cose di chiaro e scuro.

Hanno aggiunto i nostri moderni maestri al musaico di pezzi piccoli un'altra specie di musaici di marmi commessi, che contraffanno le storie dipinte di chiaroscuro; e questo ha causato il desiderio ardentissimo di volere che e' resti nel mondo a chi verrà dopo, se pure si spegnessero l'altre spezie della pittura, un lume che tenga accesa la memoria de' pittori moderni; e così hanno contraffatto, con mirabile magistero, storie grandissime, che non solo si potrebbono mettere ne' pavimenti dove si cammina, ma incrostarne ancora le facce delle muraglie e de' palazzi, con arte tanto bella e meravigliosa, che pericolo non sarebbe che il tempo consumasse il disegno di coloro che sono rari in questa professione: come si può vedere nel Duomo di Siena, cominciato prima da Duccio Sanese,[1] e poi da Domenico Beccafumi, a' dì nostri, seguitato ed augumentato. Questa arte ha tanto del buono e del nuovo e del durabile, che per pittura commessa di bianco e nero poco più si puote desiderare di bontà e di bellezza. Il componimento suo si fa di tre sorte marmi che vengono de' monti di Carrara, l'uno de' quali è bianco

[1] Vedremo, annotando la vita di Duccio, se egli pote essere l'inventore dei lavori di commesso a chiaroscuro nel Duomo di Siena

finissimo e candido; l'altro non è bianco, ma pende in livido, che fa mezzo a quel bianco; ed il terzo è un marmo bigio, di tinta che trae in argentino, che serve per iscuro.[1] Di questi volendo fare una figura, se ne fa un cartone di chiaro e scuro con le medesime tinte; e ciò fatto, per i dintorni di que' mezzi e scuri e chiari, a' luoghi loro si commette nel mezzo con diligenza il lume di quel marmo candido, e così i mezzi e gli scuri allato a quei mezzi, secondo i dintorni stessi che nel cartone ha fatto l'artefice. E quando ciò hanno commesso insieme, e spianato di sopra tutti i pezzi de' marmi, così chiari come scuri e come mezzi, piglia l'artefice che ha fatto il cartone, un pennello di nero temperato, quando tutta l'opera è insieme commessa in terra, e tutta sul marmo la tratteggia e profila dove sono gli scuri, a guisa che si contorna, tratteggia e profila con la penna una carta che avesse disegnata di chiaroscuro. Fatto ciò, lo scultore viene incavando coi ferri tutti quei tratti e profili che il pittore ha fatti, e tutta l'opra incava dove ha disegnato di nero il pennello. Finito questo, si murano ne' piani a pezzi a pezzi; e finito, con una mistura di pegola nera bollita, o asfalto, e nero di terra, si riempiono tutti gli incavi che ha fatto lo scarpello; e, poi che la materia è fredda e ha fatto presa, con pezzi di tufo vanno levando e consumando ciò che sopravanza, e con rena, mattoni e acqua si va arrotando e spianando tanto, che il tutto resti ad un piano, cioè il marmo stesso ed il ripieno. Il che fatto, resta l'opera in una maniera, che ella pare veramente pittura in piano: ed ha in sè grandissima forza, con arte e con maestria. Laonde è ella molto venuta in uso per la sua bellezza, ed ha causato ancora che molti pavimenti di stanze oggi si fanno di mattoni, che siano una parte di terra bianca, cioè di quella che trae in azzurrino quando

[1] Devesi aggiungere il rosso e il nero

ella è fresca, e cotta diventa bianca; e l'altra della ordinaria da fare mattoni, che viene rossa quando ella è cotta. Di queste due sorti si sono fatti pavimenti commessi di varie maniere a spartimenti: come ne fanno fede le sale papali a Roma al tempo di Raffaello da Urbino; e ora ultimamente molte stanze in Castel Sant'Agnolo, dove si sono con i medesimi mattoni fatte imprese di gigli commessi di pezzi, che dimostrano l'arme di papa Paulo,[1] e molte altre imprese; ed in Firenze il pavimento della libreria di San Lorenzo[2] fatto fare dal duca Cosimo: e tutte sono state condotte con tanta diligenza, che più di bello non si può desiderare in tal magisterio; e di tutte queste cose commesse fu cagione il primo musaico. E perchè, dove si è ragionato delle pietre e marmi di tutte le sorti, non si è fatto menzione d'alcuni misti novamente trovati dal signor duca Cosimo; dico che, l'anno 1563, sua Eccellenza ha trovato nei monti di Pietrasanta, presso alla villa di Stazzema, un monte che gira due miglia ed altissimo, la cui prima scorza è di marmi bianchi, ottimi per fare statue. Il di sotto è un mischio rosso e gialliccio, e quello che è più addentro è verdiccio, nero, rosso e giallo, con altre varie mescolanze di colori; e tutti sono in modo duri, che quanto più si va a dentro, si trovano maggior saldezze; ed insino a ora vi si vede da cavar colonne di quindici in venti braccia. Non se n'è ancor messo in uso, perchè si va tuttavia faccendo d'ordine di sua Eccellenza una strada di tre miglia, per potere condurre questi marmi dalle dette cave alla marina: i quali mischi saranno, per quello che si vede, molto a proposito per pavimenti.

[1] Paolo III.

[2] Vedi il disegno di questo pavimento inventato dal Tribolo e messo in opera da Santi Buglioni, che è inciso in rame molto esattamente nel primo volume della *Libreria Mediceo-Laurenziana*, da Giuseppe Ignazio Rossi; Firenze, 1739.

Capitolo XVII

Del musaico di legname, cioè delle tarsie; e dell'istorie che si fanno di legni tinti e commessi a guisa di pitture.

Quanto sia facil cosa l'aggiugnere all'invenzioni de' passati qualche nuovo trovato sempre, assai chiaro ce lo dimostra non solo il predetto commesso de' pavimenti, che senza dubbio vien dal musaico, ma le stesse tarsie ancora, e le figure di tante varie cose che a similitudine pur del musaico e della pittura, sono state fatte da' nostri vecchi di piccoli pezzetti di legno commessi ed uniti insieme nelle tavole del noce, e colorati diversamente: il che i moderni chiamano lavoro di commesso, benchè a' vecchi fosse tarsia. Le miglior cose che in questa spezie già si facessero, furono in Firenze nei tempi di Filippo di ser Brunellesco, e poi di Benedetto da Maiano; il quale nientedimanco, giudicandole cosa disutile, si levò in tutto da quelle, come nella Vita sua si dirà. Costui come gli altri passati, le lavorò solamente di nero e di bianco; ma Fra Giovanni Veronese, che in esse fece gran frutto, largamente le migliorò, dando varj colori a' legni con acque e tinte bollite e con olii penetrativi, per avere di legname i chiari, e gli scuri variati diversamente, come nell'arte della pittura, e lumeggiando con bianchissimo legno di silio sottilmente le cose sue. Questo lavoro ebbe origine primieramente nelle prospettive, perchè quelle avevano termine di canti vivi, che commettendo insieme i pezzi facevano il profilo, e pareva tutto d'un pezzo il piano dell'opera loro, sebbene e' fosse stato di più di mille. Lavorarono però di questo gli antichi ancora nelle incrostature delle pietre fini: come apertamente si vede nel portico di San Pietro, dove è una gabbia con uno uccello in un campo di porfido e d'altre pietre diverse, commesse in quello con tutto il resto degli staggi e delle altre cose.[1] Ma per essere il legno più facile e molto più dolce a questo lavoro, hanno potuto i maestri nostri lavorarne più abbondantemente, ed in quel modo che hanno voluto. Usarono già per far l'ombre, abbronzarle col fuoco da una banda, il che bene imitava l'ombra; ma gli altri hanno usato di poi olio di zolfo, ed acque di solimati e di arsenichi, con le quali cose hanno dato quelle tinture che eglino stessi hanno voluto: come si vede nell'opre di Fra Damiano in San Domenico di Bologna.[2] E perchè tale professione consiste solo ne' disegni che siano atti a tale esercizio, pieni di casamenti e di cose che abbino i lineamenti quadrati, e si possa per via di chiari e di scuri dare loro forza e rilievo; hannolo fatto sempre persone che hanno avuto più pacenzia che disegno. E così s'è causato che molte opere vi sono fatte, e si sono in questa professione lavorate storie di figure, frutti ed animali, che invero alcune cose sono vivissime; ma, per essere cosa che tosto diventa nera, e non contraffà se non la pittura, essendo da meno di quella, e poco durabile per i tarli e per il fuoco, è tenuto tempo buttato in vano, ancorachè e' sia pure e lodevole e maestrevole.

Capitolo XVIII

Del dipignere le finestre di vetro, e come elle si conduchino co' piombi e co' ferri da sostenerle senza impedimento delle figure.

Costumarono già gli antichi, ma per gli uomini grandi o almeno di qualche importanza, di serrare le finestre in modo, che senza impedire il lume non vi entrassero i venti o il freddo: e questo non solamente ne' bagni loro e ne' su-

[1] La gabbia or più non si vede.

[2] E questi fra Damiano da Bergamo, domenicano, del quale esistono opere in patria, ed in Bologna i postergali del coro di San Domenico, dove figurò il Vecchio e Nuovo Testamento. Il Vasari lo rammenta nella Vita di Francesco

datoi, nelle stufe e negli altri luoghi riposti, chiudendo le aperture o vani di quelle con alcune pietre trasparenti, come sono le agate, gli alabastri ed alcuni marmi teneri che sono mischi o che traggono al gialliccio. Ma i moderni, che in molto maggior copia hanno avuto le fornaci de' vetri, hanno fatto le finestre di vetro di occhi e di piastre, a similitudine od imitazione di quelle che gli antichi fecero di pietra; e con i piombi accanalati da ogni banda, le hanno insieme serrate e ferme; e ad alcuni ferri messi nelle muraglie a questo proposito, o veramente ne' telai di legno, le hanno armate e ferrate, come diremo. E dove elle si facevano nel principio semplicemente d'occhi bianchi, e con angoli bianchi oppur colorati, hanno poi imaginato gli artefici fare un musaico delle figure di questi vetri diversamente colorati e commessi ad uso di pittura. E talmente si è assottigliato l'ingegno in ciò, che e' si vede oggi condotta quest'arte delle finestre di vetro a quella perfezione che nelle tavole si conducono le belle pitture, unite di colori e pulitamente dipinte: siccome nella Vita di Guglielmo da Marcillà franzese largamente dimostreremo. Di questa arte hanno lavorato meglio i Fiamminghi ed i Franzesi, che l'altre nazioni; attesochè eglino, come investigatori delle cose del fuoco e de' colori, hanno ridotto a cuocere a fuoco i colori che si pongono in sul vetro, a cagione che il vento, l'aria e la pioggia non le offenda in maniera alcuna; dove già costumavano dipigner quelle di colori velati con gomme, ed altre tempere, che col tempo si consumavano, ed i venti, le nebbie e l'acque se le portavano di maniera, che altro non vi restava che il semplice colore del vetro. Ma nella età presente veggiamo noi condotta questa arte a quel sommo grado, oltra il

Salviati; ma nuove e più estese notizie di questo intarsiatore possono leggersi nel secondo volume dell'opera del P. L. Vincenzo Marchese sopra i più insigni artefici dell'Ordine Domenicano; Firenze, 1845-46, in-8.

quale non si può appena desiderare perfezione alcuna di finezza e di bellezza e di ogni particularità che a questo possa servire; con una delicata e somma vaghezza, non meno salutifera per assicurare le stanze da' venti e dall' arie cattive, che utile e comoda per la luce chiara e spedita che per quella ci si appresenta. Vero è che, per condurle che elle siano tali, bisognano primieramente tre cose: cioè una luminosa trasparenza ne' vetri scelti, un bellissimo componimento di ciò che vi si lavora, ed un colorito aperto senza alcuna confusione. La trasparenza consiste nel saper fare elezione di vetri che siano lucidi per se stessi: ed in ciò meglio sono i franzesi, fiamminghi ed inghilesi, che i veniziani; perchè i fiamminghi sono molto chiari, ed i veniziani molto carichi di colore; e quegli che son chiari, adombrandoli di scuro, non perdono il lume del tutto, tale che e' non traspaiano nell' ombre loro; ma i veniziani, essendo di loro natura scuri, ed oscurandoli di più con l'ombre, perdono in tutto la trasparenza. Ed ancora che molti si dilettino d'averli carichi di colori artifiziatamente soprappostivi, che sbattuti dall'aria e dal sole mostrano non so che di bello più che non fanno i colori naturali; meglio è nondimeno avere i vetri di loro natura chiari che scuri, acciocchè dalla grossezza del colore non rimanghino offuscati.

A condurre questa opera, bisogna avere un cartone disegnato con profili, dove siano i contorni delle pieghe dei panni e delle figure, i quali dimostrino dove si hanno a commettere i vetri; dipoi si pigliano i pezzi de' vetri rossi, gialli, azzurri e bianchi, e si scompartiscono secondo il disegno per panni o per carnagioni, come ricerca il bisogno. E per ridurre ciascuna piastra di essi vetri alle misure disegnate sopra il cartone, si segnano detti pezzi in dette piastre posate sopra il detto cartone con un pennello di biacca; ed a ciascun pezzo s'assegna il suo numero, per ritrovargli più facilmente nel commettergli: i quali numeri, finita l'opera, si scancellano. Fatto questo, per tagliarli a misura, si piglia un ferro appuntato affocato, con la punta del quale avendo prima con una punta di smeriglio intaccata alquanto la prima superficie dove si vuole cominciare, e con un poco di sputo bagnatovi, si va con esso ferro lungo que' dintorni, ma alquanto discosto; ed a poco a poco, movendo il predetto ferro, il vetro s'inclina e si spicca dalla piastra. Dipoi, con una punta di smeriglio, si va rinettando detti pezzi e levandovi il superfluo, e con un ferro, che e' chiamano *grisatoio* ovvero *topo*, si vanno rodendo i dintorni disegnati, tale che e' venghino giusti da poterli commettere per tutto. Così dunque commessi i pezzi di vetro, in su una tavola piana si distendono sopra il cartone, e si comincia a dipignere per i panni l'ombra di quelli; la quale vuol essere di scaglia di ferro macinata, e d'un'altra ruggine che alle cave del ferro si trova, la quale è rossa, ovvero matita rossa e dura macinata; e con queste si ombrano le carni, cangiando quelle col nero e rosso, secondo che fa bisogno. Ma prima è necessario alle carni velare con quel rosso tutti i vetri, e con quel nero fare il medesimo a' panni, con temperarli con la gomma, a poco a poco dipignendoli ed ombrandoli come sta il cartone. Ed appresso, dipinti che e' sono, volendoli dare lumi fieri, si ha un pennello di setole corto e sottile, e con quello si graffiano i vetri in su il lume, e levasi di quel panno che aveva dato per tutto il primo colore, e con l'asticciuola del pennello si va lumeggiando i capelli, le barbe, i panni, i casamenti e paesi, come tu vuoi. Sono però in questa opera molte difficultà; e chi se ne diletta, può mettere varj colori sul vetro, perchè segnando su un colore rosso un fogliame o cosa minuta, volendo che a fuoco venga colorito d'altro colore, si può squammare quel vetro quanto tiene il fogliame, con la punta d'un ferro che levi la prima scaglia del vetro, cioè il primo suolo, e non la passi; perchè, facendo così, rimane il vetro di color bianco, e se gli dà poi quel rosso fatto di più misture, che nel cuocere, mediante lo scorrere, diventa giallo. E questo si può fare su tutti i colori: ma il giallo meglio riesce sul bianco che in altri colori; l'azzurro a campirlo divien verde nel cuocerlo, perchè il giallo e l'azzurro mescolati fanno color verde. Questo giallo non si dà mai se non dietro dove non è dipinto, perchè mescolandosi e scorrendo guasterebbe e si mescolerebbe con quello, il quale cotto rimane sopra grosso il rosso,[1] che raschiato via con un ferro vi lascia giallo. Dipinti che sono i vetri, vogliono esser messi in una tegghia di ferro, con un suolo di cenere stacciata e calcina cotta mescolata; ed a suolo a suolo i vetri parimente distesi e ricoperti della cenere istessa, poi posti nel fornello; il quale a fuoco lento a poco a poco riscaldato,[2] venga a infuocarsi la cenere e i vetri, perchè i colori che vi sono su infocati, irrugginiscono e scorrono, e fanno la presa sul vetro. Ed a questo cuocere bisogna usare grandissima diligenza, perchè il troppo fuoco violento li farebbe crepare, ed il poco non li cocerebbe. Nè si debbono cavare finchè la padella o tegghia dove e'sono, non si vede tutta di fuoco, e la cenere con alcuni saggi sopra, che si vegga quando il colore è scorso. Fatto ciò, si buttano i piombi in certe forme di pietra o di ferro, i quali hanno due canali; cioè da ogni lato uno, dentro al quale si commette e serra il vetro, e si piallano e dirizzano, e poi su una tavola si conficcano, ed a pezzo per pezzo s'impiomba tutta l'opera in più quadri, e si saldano tutte le commettiture de'piombi con saldatoi di stagno; ed in alcune traverse dove vanno i ferri, si mette fili di rame impiombati, acciocchè possino reggere e legare l'opra; la quale s'arma di ferri che non

[1] In alcune edizioni leggesi, « il quale vòlto il rosso rimane sopra grosso ecc. ».

[2] Nella edizione del 1568 diceva per errore di stampa *riscaldati*, che noi facilmente abbiamo corretto come qui si legge.

siano al dritto delle figure, ma torti secondo le commettiture di quelle, a cagione che e'non impedischino il vederle. Questi si mettono con inchiovature ne'ferri che reggono il tutto, e non si fanno quadri, ma tondi, acciò impedischino manco la vista; e dalla banda di fuori si mettono alle finestre, e ne'buchi delle pietre s'impiombano, e con fili di rame, che ne'piombi delle finestre saldati siano a fuoco, si legano fortemente. E perchè i fanciulli o altri impedimenti non le guastino, vi si mette dietro una rete di filo di rame sottile. Le quali opere, se non fossero in materia troppo frangibile, durerebbono al mondo infinito tempo. Ma per questo non resta che l'arte non sia difficile, artificiosa e bellissima.

Capitolo XIX

Del niello, e come per quello abbiamo le stampe di rame; e come s'intaglino gli argenti per fare gli smalti di bassorilievo, e similmente si cesellino le grosserie.

Il niello, il quale non è altro che un disegno tratteggiato e dipinto su lo argento, come si dipigne o si tratteggia sottilmente con la penna, fu trovato dagli orefici sino al tempo degli antichi, essendosi veduti cavi co'ferri ripieni di mistura negli ori ed argenti loro.[1] Questo si disegna con lo stile su lo argento che sia piano, e s'intaglia col bulino, che è un ferro quadro tagliato a unghia dall'uno degli angoli all'altro per isbieco, che così calando verso uno de'canti, lo fa più acuto e tagliente da due lati, e la punta di esso scorre e sottilissimamente intaglia. Con questo si fanno tutte le cose che sono intagliate ne'metalli, per riempierle o per lasciarle vuote,

[1] De'nielli e de'niellatori pubblicò il Cicognara nel 1831 una storia compitissima, quale, dopo tante relazioni imperfette de'nostri e tante asserzioni arrischiate degli esteri, era veramente desiderata.

secondo la volontà dell'artefice. Quando hanno dunque intagliato e finito col bulino, pigliano argento e piombo, e fanno di esso al fuoco una cosa che, incorporata insieme, è nera di colore e frangibile molto e sottilissima a scorrere. Questa si pesta e si pone sopra la piastra dell'argento dov'è l'intaglio, il qual è necessario che sia ben pulito; ed accostatolo al fuoco di legne verdi, soffiando co' mantici, si fa che i raggi di quello percuotino dove è il niello; il quale per la virtù del calore fondendosi e scorrendo, riempie tutti gl'intagli che aveva fatti il bulino. Appresso, quando l'argento è raffreddo, si va diligentemente co' raschiatoi levando il superfluo, e con la pomice a poco a poco si consuma, fregandolo e con le mani e con un cuoio, tanto che e' si trovi il vero piano, e che il tutto resti pulito. Di questo lavorò mirabilissimamente Maso Finiguerra fiorentino, il quale fu raro in questa professione; come ne fanno fede alcune paci di niello in San Giovanni di Fiorenza, che sono tenute mirabili. Da questo intaglio di bulino son derivate le stampe di rame, onde tante carte italiane e tedesche veggiamo oggi per tutta Italia; chè siccome negli argenti s'improntava, anzi che fussero ripieni di niello, di terra, e si buttava di zolfo, così gli stampatori trovarono il modo di fare le carte su le stampe di rame col torculo, come oggi abbiam veduto da essi imprimersi. Ècci un'altra sorte di lavori in argento o in oro, comunemente chiamato smalto, che è spezie di pittura mescolata con la scultura; e serve dove si mettono l'acque, sicchè gli smalti restino in fondo. Questa, dovendosi lavorare in su l'oro, ha bisogno d'oro finissimo; ed in su l'argento, argento almeno a lega di giulj. Ed è necessario questo modo, perchè lo smalto ci possa restare, e non iscorrere altrove che nel suo luogo. Bisogna lasciarli i profili d'argento, che di sopra sian sottili e non si vegghino. Così si fa un rilievo piatto, ed in contrario all'altro, acciocchè, mettendovi gli smalti, pigli

gli scuri e chiari di quello, dall'altezza e dalla bassezza dell'intaglio. Pigliasi poi smalti di vetri e di varj colori, che diligentemente si fermano col martello; e si tengono negli scodellini con acqua chiarissima, separati e distinti l'uno dall'altro. E quelli che si adoperano all'oro, sono differenti da quelli che servono per l'argento, e si conducono in questa maniera; con una sottilissima palettina d'argento si pigliano separatamente gli smalti, e con pulita pulitezza si distendono a' luoghi loro, e vi se ne mette e rimette sopra, secondo che ragnano, tutta quella quantità che fa di mestiero. Fatto questo, si prepara una pignatta di terra fatta apposta, che per tutto sia piena di buchi, ed abbia una bocca dinanzi; e vi si mette dentro la mufola, cioè un coperchietto di terra bucato, che non lasci cadere i carboni a basso; e dalla mufola in su si empie di carboni di cerro, e si accende ordinariamente. Nel voto che è restato sotto il predetto coperchio, in su una sottilissima piastra di ferro, si mette la cosa smaltata a sentire il caldo a poco a poco; e vi si tiene tanto, che, fondendosi gli smalti, scorrino per tutto quasi come acqua. Il che fatto, si lascia raffreddare; e poi con una frassinella, ch'è una pietra da dare filo ai ferri, e con rena da bicchieri si sfrega, e con acqua chiara, finchè si truovi il suo piano. E quando è finito di levare il tutto, si rimette nel fuoco medesimo, acciò il lustro, nello scorrere l'altra volta, vada per tutto. Fassene d'un'altra sorte a mano, che si pulisce con gesso di Tripoli e con un pezzo di cuoio, del quale non accade far menzione: ma di questo l'ho fatto, perchè, essendo opra di pittura come le altre, m'è paruto a proposito.

Capitolo XX

Della tausia, cioè lavoro alla damaschina.

Hanno ancora i moderni ad imitazione degli antichi rinvenuto una spezie di commettere ne'metalli intagliati d'argento o d'oro, facendo in essi lavori piani o di mezzo o di basso rilievo; ed in ciò grandemente gli hanno avanzati. E così abbiamo veduto nello acciaio l'opere intagliate alla tausia, altrimenti detta alla damaschina, per lavorarsi di ciò in Damasco e per tutto il levante eccellentemente. Laonde veggiamo oggi di molti bronzi e ottoni e rami, commessi di argento ed oro con arabeschi, venuti di que'paesi; e negli antichi abbiamo veduti anelli d'acciaio con mezze figure e fogliami molto belli. E di questa spezie di lavoro se ne sono fatte ai dì nostri armadure da combattere, lavorate tutte d'arabeschi d'oro commessi; e similmente staffe, arcioni di selle, e mazze ferrate; ed ora molto si costumano i fornimenti delle spade, de'pugnali, de'coltelli, e d'ogni ferro che si voglia riccamente ornare e guernire: e si fa così: cavasi il ferro in sotto squadra, e per forza di martello si commette l'oro in quello, fattovi prima sotto una tagliatura a guisa di lima sottile, sicchè l'oro viene a entrare ne'cavi di quella ed a fermarvisi. Poi con ferri si dintorna o con garbi di foglie o con girare di quel che si vuole, e tutte le cose, co'fili d'oro passati per filiera, si girano per il ferro, e col martello s'ammaccano, e fermano nel modo di sopra. Avvertiscasi, nientedimeno, che i fili siano più grossi, ed i profili più sottili, acciò si fermino meglio in quelli. In questa professione infiniti ingegni hanno fatto cose lodevoli e tenute maravigliose; e però non ho voluto mancare di farne ricordo, dependendo dal commettersi, ed essendo scultura e pittura, cioè cosa che deriva dal disegno.

Capitolo XXI

Delle stampe di legno, e del modo di farle, e del primo inventor loro; e come con tre stampe si fanno le carte che paiono disegnate, e mostrano il lume, il mezzo e l'ombre.

Il primo inventore delle stampe di legno di tre pezzi, per mostrare, oltra il disegno, l'ombre, i mezzi ed i lumi ancora, fu Ugo da Carpi; il quale a imitazione delle stampe di rame ritrovò il modo di queste, intagliandole in legname di pero o di bossolo, che in questo sono eccellenti sopra tutti gli altri legnami. Fecele dunque di tre pezzi; ponendo nella prima tutte le cose profilate e tratteggiate; nella seconda tutto quello che è tinto accanto al profilo, con lo acquerello per ombra; e nella terza i lumi ed il campo, lasciando il bianco della carta in vece di lume, e tingendo il resto per campo. Questa, dove è il lume ed il campo, si fa in questo modo: pigliasi una carta stampata con la prima, dove sono tutte le profilature ed i tratti, e così fresca fresca si pone in su l'asse del pero, ed aggravandola sopra con altri fogli che non siano umidi, si strofina in maniera, che quella che è fresca lascia su l'asse la tinta di tutti i profili delle figure. E allora il pittore piglia la biacca a gomma, e dà in su 'l pero i lumi; i quali dati, lo intagliatore gli incava tutti co'ferri, secondo che sono segnati. E questa è la stampa che primieramente si adopera, perchè fa i lumi ed il campo, quando ella è imbrattata di colore ad olio; e per mezzo della tinta, lascia per tutto il colore, salvo che dove ella è incavata, chè ivi resta la carta bianca. La seconda poi è quella dell'ombre, che è tutta piana e tutta tinta di acquerello; eccetto che dove le ombre non hanno ad essere, chè quivi è incavato il legno. E la terza, che è la prima a formarsi, è quella dove il profilato del tutto è incavato per tutto, salvo che dove e' non ha profili tocchi dal nero della penna. Queste si stampano al torculo, e vi si rimettono sotto tre volte, cioè una volta per ciascuna stampa, sicchè elle abbino il medesimo riscontro. E certamente che ciò fu bellissima invenzione. Tutte queste professioni ed arti ingegnose si vede che derivano dal disegno, il quale è capo necessario di tutte; e non l'avendo, non si ha nulla. Perchè, sebbene tutti i segreti ed i modi sono buoni, quello è ottimo, per lo quale ogni cosa perduta si ritrova, ed ogni difficil cosa per esso diventa facile: come si potrà vedere nel leggere le Vite degli artefici, i quali dalla natura e dallo studio aiutati hanno fatto cose sopra umane per il mezzo solo del disegno. E così facendo qui fine alla Introduzione delle tre arti, troppo più lungamente forse trattate che nel principio non mi pensai, me ne passo a scrivere le Vite.

PROEMIO DELLE VITE

SOMMARIO: — I. Origine delle arti del disegno; e dapprima presso i Caldei. - II. Presso gli Egiziani e gli Ebrei. - III. Presso i Greci ed i Romani. - IV. Presso gli Etruschi. - V. Della decadenza delle arti presso i Romani. - VI. L'architettura più lenta al cadere. - VII. Per la partenza dei Cesari da Roma, l'architettura cade in maggior rovina. - VIII. L'invasione dei barbari nel romano impero conduce a miserabile condizione tutte le arti del disegno. - IX. Dei danni recati alle arti dallo zelo indiscreto dei primi cristiani. - X. Maggiori danni patiti per opera dell'imperatore Costante II, e dei Saraceni. - XI. Dell'arte sotto i Longobardi, e dell'origine dell'architettura detta *tedesca*. - XII. Di alcuni migliori edificj innalzati in Firenze, in Venezia e altrove. - XIII. L'architettura risorge alquanto nella Toscana, e segnatamente in Pisa. - XIV. In Lucca. - XV. La scultura, la pittura e il mosaico, lasciata la imitazione dei Greci, cominciano a risorgere per opera degl'Italiani. - XVI. Si distingue l'arte antica dalla vecchia. - XVII. Conclusione.

I. Io non dubito punto che non sia quasi di tutti gli scrittori comune e certissima opinione, che la scultura insieme con la pittura fussero naturalmente dai popoli dello Egitto primieramente trovate; e che alcun'altri non siano, che attribuiscono a'Caldei le prime bozze dei marmi ed i primi rilievi delle statue; come danno anco a'Greci la invenzione del pennello e del colorire. Ma io dirò bene, che dell'una e dell'altra arte il disegno, che è il fondamento di quelle, anzi l'istessa anima che concepe e nutrisce in se medesima tutti i parti degli intelletti, fusse perfettissimo in su l'origine di tutte l'altre cose, quando l'altissimo Dio, fatto il gran corpo del mondo ed ornato il cielo de'suoi chiarissimi lumi, discese con l'intelletto più giù nella limpidezza dell'aere e nella solidità della terra, e formando l'uomo, scoperse con la vaga invenzione delle cose la prima forma della scultura e della pittura: dal quale uomo, a mano a mano poi (chè non si dee dire il contrario), come da vero esemplare, fur cavate le statue e le sculture, e la difficultà dell'attitudini e dei contorni; e per le prime pitture, qual che elle si fussero, la morbidezza, l'unione, e la discordante concordia che fanno i lumi con l'ombre. Così, dunque, il primo modello, onde uscì la prima imagine dell'uomo, fu una massa di terra: e non senza cagione, perciocchè il divino architetto del tempo e della natura, come perfettissimo, volle mostrare nella imperfezione della materia la via del levare e dell'aggiugnere; nel medesimo modo che sogliono fare i buoni scultori e pittori, i quali ne' lor modelli aggiungendo e levando, riducono le imperfette bozze a quel fine e perfezione che vogliono. Diedegli colore vivacissimo di carne; dove s'è tratto nelle pitture, poi, dalle miniere della terra gli istessi colori, per contraffare tutte le cose che accaggiono nelle pitture. Bene è vero, che e' non si può affermare per certo quello che ad imitazione di così bella opera si facessino gli uomini avanti al Diluvio, in queste arti; avvegnachè verisimilmente paia da credere che essi ancora e scolpissero e dipignessero d'ogni maniera: poichè Belo, figliuolo del superbo Nembrot, circa dugento anni dopo il Diluvio, fece fare la statua, donde nacque poi la idolatria; e la famosissima nuora sua, Semiramis regina di Babilonia, nella edificazione di quella città, pose tra gli ornamenti di quella non solamente variate e diverse spezie di animali, ritratti e coloriti di naturale, ma la imagine di se stessa e di Nino suo marito, e le statue ancora di bronzo del suocero e della suocera e della antisuocera sua (come racconta Diodoro), chiamandole coi nomi de' Greci (che ancora non erano), Giove, Giunone ed Ope. Dalle quali statue appresero per avventura i

Caldei a fare le imagini de' loro Dii: poichè centocinquanta anni dopo Rachel, nel fuggire di Mesopotamia insieme con Jacob suo marito, furò gl' idoli di Laban suo padre; come apertamente racconta il Genesi.

II. Nè furono però soli i Caldei a fare sculture e pitture, ma le fecero ancora gli Egizj, esercitandosi in queste arti con tanto studio, quanto mostra il sepolcro maraviglioso dello antichissimo re Simandio, largamente descritto da Diodoro; e quanto arguisce il severo comandamento fatto da Mosè nell' uscire dell' Egitto; cioè, che sotto pena della morte non si facessero a Dio imagini alcune. Costui, nello scendere di sul monte, avendo trovato fabbricato il vitello d' oro e adorato solennemente dalle sue genti, turbatosi gravemente di vedere concessi i divini onori all' imagine d' una bestia, non solamente lo ruppe e ridusse in polvere, ma per punizione di cotanto errore fece uccidere da' Leviti molte migliaia degli scellerati figliuoli d' Israel che avevano commessa quella idolatria. Ma perchè, non il lavorare le statue, ma l' adorarle era peccato scelleratissimo, si legge nell' Esodo, che l' arte del disegno e delle statue, non solamente di marmo, ma di tutte le sorte di metallo, fu donata per bocca di Dio a Beseleel della tribù di Juda, e ad Oliab della tribù di Dan; che furono quei che fecero i due cherubini d'oro, i candelieri, e 'l velo, e le fimbrie delle vesti sacerdotali, e tante altre bellissime cose di getto nel tabernacolo, non per altro che per indurvi le genti a contemplarle ed adorarle. Dalle cose, dunque, vedute innanzi al Diluvio, la superbia degli uomini trovò il modo di fare le statue di coloro che al mondo volsero che restassero per fama immortali. Ed i Greci, che diversamente ragionano di questa origine, dicono che gli Etiopi trovarono le prime statue (secondo Diodoro), e gli Egizj le presono da loro, e da questi i Greci. Poichè, insino a' tempi d' Omero si vede essere stata perfetta la scultura e la pittura; come fa fede nel ragionar dello scudo d'Achille quel divino poeta, che, con tutta l'arte, piuttosto sculpito e dipinto che scritto ce lo dimostra. Lattanzio Firmiano, favoleggiando, le concede a Prometeo: il quale, a similitudine del grande Dio, formò l'immagine umana di loto; e da lui l'arte delle statue afferma essere venuta. Ma, secondo che scrive Plinio, quest'arte venne in Egitto da Gige Lidio; il quale, essendo al fuoco, e l'ombra di se medesimo riguardando, subito con un carbone in mano contornò sè stesso nel muro; e da quella età, per un tempo, le sole linee si costumò mettere in opera senza corpi di colore, siccome afferma il medesimo Plinio: la qual cosa da Filocle Egizio, con più fatica, e similmente da Cleante ed Ardice Corintio e da Delefane Sicionio fu ritrovata.

III. Cleofante Corintio fu il primo appresso de' Greci che colorì, ed Apollodoro il primo che ritrovasse il pennello. Seguì Polignoto, Tasio, Zeusi e Timagora Calcidese, Pitio ed Alaufo, tutti celebratissimi; e dopo questi il famosissimo Apelle, da Alessandro Magno tanto per quella virtù stimato ed onorato, ingegnosissimo investigatore della calunnia e del favore; come ci dimostra Luciano, e come sempre fur quasi tutti i pittori e gli scultori eccellenti, dotati dal cielo il più delle volte non solo dell'ornamento della poesia, come si legge di Pacuvio, ma della filosofia ancora, come si vede in Metrodoro, perito tanto in filosofia, quanto in pittura, mandato dagli Ateniesi a Paulo Emilio per ornare il trionfo, che ne rimase a leggere filosofia a' suoi figliuoli. Furono adunque grandemente in Grecia esercitate le sculture, nelle quali si trovarono molti artefici eccellenti; e tra gli altri, Fidia ateniese, Prasitele e Policleto, grandissimi maestri; così Lisippo e Pirgotele in intaglio di cavo valsero assai, e Pigmalione in avorio di rilievo; di cui si favoleggia che coi pregi suoi impetrò fiato e spirito alla figura della vergine ch'ei fece. La pittura similmente onorarono, e con premj, gli antichi Greci e Romani; poichè a coloro che la fecero maravigliosa apparire, lo dimostrarono col donare loro città e dignità grandissime. Fiorì talmente quest'arte in Roma, che Fabio diede nome al suo casato, sottoscrivendosi nelle cose da lui sì vagamente dipinte nel tempio della Salute, e chiamandosi Fabio Pittore. Fu proibito per decreto pubblico, che le persone serve tal'arte non facessero per le città; e tanto onore fecero le genti del continuo all'arte ed agli artefici, che l'opere rare, nelle spoglie de' trionfi, come cose miracolose, a Roma si mandavano; e gli artefici egregi erano fatti di servi liberi, e riconosciuti con onorati premj dalle repubbliche. Gli stessi Romani tanta riverenza a tali arti portarono, che (oltre il rispetto che nel guastar la città di Siracusa volle Marcello che s'avesse a un artefice famoso di queste, nel volere pigliare la città predetta) ebbero riguardo di non mettere il fuoco a quella parte, dove era una bellissima tavola dipinta; la quale fu dipoi portata a Roma nel trionfo, con molta pompa. Dove in spazio di tempo, avendo quasi spogliato il mondo, ridussero gli artefici stessi e le egregie opere loro; delle quali Roma poi si fece sì bella, perchè le diedero grande ornamento le statue pellegrine, e più che le domestiche e particolari: sapendosi che in Rodi, città d'isola non molto grande, furono più di tremila statue annoverate, fra di bronzo e di marmo; nè manco ne ebbero gli Ateniesi, ma molto più quei d'Olimpia e di Delfo; senza alcun numero quei di Corinto, e furono tutte bellissime e di grandissimo prezzo. Non si sa egli, che Nicomede re di Licia, per l'ingordigia di una Venere che era di marmo, di Prasitele, vi consumò quasi tutte le ricchezze dei popoli? Non fece il medesimo Attalo? che per aver la tavola di Bacco dipinta da Aristide, non si curò di spendervi dentro più di seimila sesterzj. La qual tavola da

Lucio Mummio fu posta, per ornarne pur Roma, nel tempio di Cerere, con grandissima pompa. Ma, con tutto che la nobiltà di quest'arte fusse così in pregio, e' non si sa però ancora per certo chi le desse il primo principio. Perchè, come già si è disopra ragionato, ella si vede antichissima ne'Caldei, certi la danno alli Etiopi, ed i Greci a se medesimi l'attribuiscono.

IV. E puossi non senza ragione pensare ch'ella sia forse più antica appresso a'Toscani, come testifica il nostro Leon Batista Alberti: e ne rende assai buona chiarezza la maravigliosa sepoltura di Porsena a Chiusi, dove non è molto tempo che si è trovato sotto terra, fra le mura del Laberinto, alcune tegole di terra cotta, dentrovi figure di mezzo rilievo tanto eccellenti e di sì bella maniera, che facilmente si può conoscere l'arte non esser cominciata appunto in quel tempo; anzi, per la perfezione di que'lavori, esser molto più vicina al colmo che al principio. Come ancora ne può far medesimamente fede il veder tutto il giorno molti pezzi di que'vasi rossi e neri aretini, fatti, come si giudica per la maniera, intorno a quei tempi, con leggiadrissimi intagli e figurine ed istorie di basso rilievo, e molte mascherine tonde sottilmente lavorate da'maestri di quell'età, come per l'effetto si mostra, pratichissimi e valentissimi in tale arte. Vedesi ancora, per le statue trovate a Viterbo nel principio del pontificato d'Alessandro VI, la scultura essere stata in pregio e non piccola perfezione in Toscana: e, come e'non si sappia appunto il tempo che elle furon fatte, pure e dalla maniera delle figure, e dal modo delle sepolture e delle fabbriche, non meno che dalle iscrizioni di quelle lettere toscane, si può verisimilmente conietturare che elle sono antichissime, e fatte nei tempi che le cose di qua erano in buono e grande stato. Ma che maggior chiarezza si può di ciò avere? essendosi ai tempi nostri, cioè l'anno 1554, trovata una figura di bronzo fatta per la Chimera di Bellerofonte, nel far fossi, fortificazione e muraglia d'Arezzo:[1] nella quale figura si conosce la perfezione di quell'arte essere stata anticamente appresso i Toscani, come si vede alla maniera etrusca, ma molto più nelle lettere intagliate in una zampa: che, per essere poche, si coniettura, non si intendendo oggi da nessuno la lingua etrusca, che elle possino così significare il nome del maestro, come d'essa figura, e forse ancora gli anni secondo l'uso di que' tempi. la quale figura è oggi, per la sua bellezza ed antichità, stata posta dal signor duca Cosimo nella sala delle stanze nuove del suo palazzo, dove sono stati da me dipinti i fatti di papa Leone X. Ed oltre a questa, nel medesimo luogo furono ritrovate molte figurine di bronzo della medesima maniera; le quali sono appresso il detto signor Duca. Ma, perchè le antichità delle cose de' Greci e degli Etiopi e de' Caldei sono parimente dubbie come le nostre, e forse più; e, per il più, bisogna fondare il giudizio di tali cose in su le conietture, che ancor non sieno talmente deboli che in tutto si scostino dal segno; io credo non mi esser punto partito dal vero. e penso che ognuno che questa parte vorrà discretamente considerare, giudicherà come io, quando di sopra io dissi, il principio di queste arti essere stata l'istessa natura, e l'innanzi o modello la bellissima fabbrica del mondo, ed il maestro quel divino lume infuso per grazia singolare in noi, il quale non solo ci ha fatti superiori agli altri animali, ma simili, se è lecito dire, a Dio. E se ne' tempi nostri si è veduto, come io credo per molti esempj poco innanzi poter mostrare, che i semplici fanciulli e rozzamente al-

[1] Questa Chimera, della quale il Vasari parla ancora nel Ragionamento terzo della Giornata seconda, dal gabinetto dei bronzi antichi della Galleria degli Uffizj fu a' giorni nostri trasportato nel Museo Nazionale Fu data incisa e descritta dal Dempstero nella *Etruria Regale*, nel *Museo Etrusco* del Gori, nei *Monumenti Etruschi* del cav Francesco Inghirami, e nei *Monumenti* del Winkelmann

levati ne' boschi, in sull'esempio solo di queste belle pitture e sculture della natura, con la vivacità del loro ingegno da per se stessi hanno cominciato a disegnare; quanto più si può e debbe verisimilmente pensare, quei primi uomini, i quali quanto manco erano lontani dal suo principio e divina generazione, tanto erano più perfetti e di migliore ingegno, essi da per loro, avendo per guida la natura, per maestro l'intelletto purgatissimo, per esempio sì vago modello del mondo, aver dato origine a queste nobilissime arti, e da picciol principio, a poco a poco migliorandole, condottele finalmente a perfezione? Non voglio già negare che e' non sia stato un primo che cominciasse; chè io so molto bene che e' bisognò che qualche volta e da qualcuno venisse il principio; nè anche negherò essere stato possibile che l'uno aiutasse l'altro, ed insegnasse ed aprisse la via al disegno, al colore e rilievo; perchè io so che l'arte nostra è tutta imitazione della natura principalmente, e poi, perchè da sè non può salir tanto alto, delle cose[1] che da quelli che miglior maestri di sè giudica sono condotte: ma dico bene, che il volere determinatamente affermare chi costui o costoro fussero, è cosa molto pericolosa a giudicare, e forse poco necessaria a sapere; poichè veggiamo la vera radice ed origine donde ella nasce. Perchè, poichè delle opere che sono la vita e la fama degli artefici, le prime, e di mano in mano le seconde e le terze, per il tempo che consuma ogni cosa venner manco; e non essendo allora chi scrivesse, non potettono essere almanco per quella via conosciute da' posteri; vennero ancora a essere incogniti gli artefici di quelle. Ma da che gli scrittori cominciarono a far memoria delle cose state innanzi a loro, non potettono già parlare di quelli,

[1] In alcune edizioni si legge « tanto alto ad arrivare le cose »; il che, se non più elegante, è certamente più chiaro. Forse mutando in *alle* il *delle* del testo, il costrutto ne acquisterebbe maggior chiarezza.

de' quali non avevano potuto aver notizia: in modo che primi appo loro vengono a esser quelli, de' quali era stata ultima a perdersi la memoria. Siccome il primo dei poeti per consenso comune si dice esser Omero, non perchè innanzi a lui non ne fusse qualcuno (chè ne furono, sebbene non tanto eccellenti, e nelle cose sue istesse si vede chiaro), ma perchè di quei primi, tali quali essi furono, era persa già due mila anni fá ogni cognizione. Però lasciando questa parte indietro, troppo per l'antichità sua incerta, venghiamo alle cose più chiare, della loro perfezione e rovina e restaurazione, e per dir meglio, rinascita; delle quali con molti migliori fondamenti potremo ragionare.

V. Dico adunque,[1] essendo però vero che elle cominciassero in Roma tardi,[2] se le prime figure furono, come

[1] Il sunto che segue sulla storia dell' architettura del medio evo onora grandemente lo spirito indagatore del Vasari, ma non ci da un buon concetto del suo modo di vedere e del suo storico giudizio. Affidato ad alcune acute osservazioni, egli fu condotto ad ammettere, sino all'anno 1100 circa, un progressivo barbarismo nell'architettura dell'impero cadente, e poscia una passeggiera influenza bizantina, ed una piu durevole dei modelli germanici. Sennonche, nello svolgere l'argomento, egli s'intricò in dati storici indeterminati o del tutto falsi, i quali, in sostanza, e a credere non fosser raccolti da lui stesso, ma piuttosto comunicatigli da eruditi privi di critica, la cooperazione dei quali non si può mettere in dubbio. Egli diede soverchia estensione alla influenza bizantina; ora chiamo, e con ragione, tedesca la maniera architettonica che dal 1200 gl' Italiani tolsero ad imitare dai Germani; poi novamente la chiama *un' altra maniera gotica*, riconoscendo evidentemente il tipo romano dei genuini monumenti degli Ostrogoti. Siccome il Vasari e assolutamente il creatore del moderno linguaggio dell' arte, cosi a quella confusione delle sue idee generali sulla storia dell' architettura dobbiamo attribuire le denominazioni, certo non istoriche, di architettura gotica e bizantina, applicate a due distinte e posteriori maniere de l' architettura dell' Europa occidentale, le quali non hanno punto che fare coi Goti, e pochissimo ancora coi Greci moderni (RUMOHR, nella edizione del Vasari tradotto in tedesco da L. Schorn e E. Förster, Stocoarda e Tobinga, 1832-1845, in-8, tom. I.)

[2] Non propriamente verso i tempi d' Augusto, come taluno dice, e potrebbe credersi facilmente leggendo alcuni passi, già spesso citati, di Virgilio, di Giovenale, ecc. ecc., non però innanzi a Mummio espugnator di Corinto, come s' intende dai lepidi aneddoti che di lui narra Patercolo, di che veggasi il D'Agincourt ed altri. Se furono in Roma figure piu o meno antiche (e l'Adriani nella sua Lettera ne annovera diverse) e non di mano straniera, vi furono, se cosi possiamo esprimerci, senza saputa dell' arte.

si dice, il simulacro di Cerere fatto di metallo de' beni di Spurio Cassio, il quale, perchè macchinava di farsi re, fu morto dal proprio padre senza rispetto alcuno; che, sebbene continuarono l'arti della scultura e della pittura insino alla consumazione de' dodici Cesari, non però continuarono in quella perfezione e bontà che avevano avuto innanzi: perchè si vede negli edifizj che fecero, succedendo l'uno all'altro, gli imperatori, che, ogni giorno queste arti declinando, venivano a poco a poco perdendo l'intera perfezione del disegno. E di ciò possono rendere chiara testimonianza l'opere di scultura e d'architettura che furono fatte al tempo di Costantino in Roma, e particularmente l'arco trionfale fattogli dal popolo romano al Colosseo; dove si vede che, per mancamento di maestri buoni, non solo si servirono delle storie di marmo fatte al tempo di Traiano, ma delle spoglie ancora condotte di diversi luoghi a Roma. E chi conosce che i vuoti che sono ne' tondi, cioè le sculture di mezzo rilievo, e parimente i prigioni e le storie grandi e le colonne e le cornici ed altri ornamenti fatti prima e di spoglie, sono eccellentemente lavorati; conosce ancora, che l'opere, le quali furon fatte per ripieno dagli scultori di quel tempo, sono goffissime: come sono alcune storiette di figure piccole di marmo sotto i tondi, ed il basamento da piè, dove sono alcune vittorie, e fra gli archi dalle bande certi fiumi che sono molto goffi e sì fatti, che si può credere fermamente che insino allora l'arte della scultura aveva cominciato a perdere del buono; e nondimeno non erano ancora venuti i Goti e l'altre nazioni barbare e straniere, che distrussero insieme con l'Italia tutte l'arti migliori. Ben è vero che nei detti tempi aveva minor danno ricevuto l'architettura che l'altre arti del disegno fatto non avevano; perchè nel bagno che fece esso Costantino fabbricare a Laterano nell'entrata del portico principale, si vede, oltre alle colonne di porfido, i capitelli lavorati di marmo, e le base doppie, tolte d'altrove, benissimo intagliate, che tutto il composto della fabbrica è benissimo inteso. dove, per contrario, lo stucco, il musaico ed alcune incrostature delle facce, fatte dai maestri di quel tempo, non sono a quelle simili che fece porre nel medesimo bagno levate per la maggior parte dai tempj degli Dii de' gentili. Il medesimo, secondo che si dice, fece Costantino del giardino d'Equizio, nel fare il tempio che egli dotò poi e diede a sacerdoti cristiani. Similmente, il magnifico tempio di San Giovanni Laterano, fatto fare dallo stesso imperadore, può fare fede del medesimo; cioè che al tempo suo era di già molto declinata la scultura: perchè l'imagine del Salvatore e i dodici Apostoli d'argento, che egli fece fare, furono sculture molto basse, e fatte senza arte e con pochissimo disegno. Oltre ciò, chi considera con diligenza le medaglie di esso Costantino, e l'imagine sua, ed altre statue fatte dagli scultori di quel tempo, che oggi sono in Campidoglio; vede chiaramente ch'elle sono molto lontane dalla perfezione delle medaglie e delle statue dagli altri imperatori; le quali tutte cose mostrano che molto innanzi la venuta in Italia de' Goti era molto declinata la scultura.

VI. L'architettura, come si è detto, si andò mantenendo, se non così perfetta, in miglior modo: nè di ciò è da maravigliarsi, perchè, facendosi gli edifizj grandi quasi tutti di spoglie, era facile agli architetti nel fare i nuovi imitare in gran parte i vecchi, che sempre avevano dinanzi agli occhi; e ciò molto più agevolmente che non potevano gli scultori, essendo mancata l'arte, imitare le buone figure degli antichi. E che ciò sia vero, è manifesto che il tempio del principe degli Apostoli in Vaticano non era ricco se non di colonne, di base, di capitelli, d'architravi, cornici, porte ed altre incrostature ed ornamenti, che tutti furono tolti di diversi luoghi, e dagli edifizj stati fatti innanzi molto magnificamente. Il medesimo si potrebbe dire di Santa Croce in Gerusalemme, la quale fece fare Costantino a' preghi della madre Elena; di San Lorenzo fuor delle mura; e di Sant'Agnese, fatta dal medesimo a richiesta di Costanza sua figliuola.[1] E chi non sa che il fonte, il quale servì per lo battesimo di costei e d'una sua sorella, fu tutto adornato di cose fatte molto prima? e particolarmente di quel pilo di porfido intagliato di figure bellissime, e d'alcuni candelieri di marmo eccellentemente intagliati di fogliami, e d'alcuni putti di basso rilievo che sono veramente bellissimi? Insomma, per questa e molte altre cagioni, si vede quanto già fusse al tempo di Costantino venuta al basso la scultura, e con essa insieme l'altre arti migliori. E se alcuna cosa mancava all'ultima rovina loro, venne loro data compiutamente dal partirsi Costantino di Roma per andare a porre la sede dell'imperio in Bisanzio; perciocchè egli condusse in Grecia non solamente tutti i migliori scultori ed altri artefici di quella età, comunque fussero, ma ancora una infinità di statue e d'altre cose di scultura bellissime.

VII. Dopo la partita di Costantino, i Cesari che egli lasciò in Italia, edificando continuamente ed in Roma ed altrove, si sforzarono di fare le cose loro quanto potettero migliori: ma, come si vede, andò sempre così la scultura come la pittura e l'architettura di male in peggio. E ciò forse avvenne, perchè quando le cose umane cominciano a declinare non restano mai d'andare sempre perdendo, se non quando non possono più oltre peggiorare. Parimente si vede, che sebbene s'ingegnarono al tempo di Liberio papa gli architetti di quel tempo di far gran cose nell'edificare la chiesa di Santa Maria Maggiore, che non però riuscì loro il tutto felicemente; per-

[1] Tradizione confutata da un pezzo nel terzo volume della *Roma sotterranea*, e delle Pitture, Sculture ecc. tratte dai Cimiterj.

ciocchè, sebbene quella fabbrica, che è similmente per la maggior parte di spoglie, fu fatta con assai ragionevoli misure, non si può negare nondimeno (oltre a qualche altra cosa) che il partimento fatto intorno intorno sopra le colonne con ornamenti di stucchi e di pitture, non sia povero affatto di disegno, e che molte altre cose che in quel gran tempio si veggiono, non argomentino l'imperfezione dell'arti. Molti anni dopo, quando i Cristiani sotto Giuliano Apostata erano perseguitati, fu edificato in sul monte Celio un tempio a' santi Giovanni e Paulo martiri, di tanto peggior maniera che i sopraddetti, che si conosce chiaramente che l'arte era a quel tempo poco meno che perduta del tutto. Gli edifizj ancora, che in quel medesimo tempo si fecero in Toscana, fanno di ciò pienissima fede. E per tacere molti altri, il tempio che fuor delle mura d'Arezzo fu edificato a San Donato vescovo di quella città, il quale insieme con Ilariano monaco fu martirizzato sotto il detto Giuliano Apostata, non fu di punto migliore architettura che i sopraddetti.[1] Nè è da credere che ciò procedesse da altro. che dal non essere migliori architetti in quell'età conciofussechè il detto tempio, come si è potuto vedere a' tempi nostri, a otto facce, fabbricato delle spoglie del teatro, colosseo ed altri edifizj che erano stati in Arezzo innanzi che fusse

[1] Il tempio di San Donato, detto anche Duomo vecchio, anziche a' giorni di Giuliano, cioe nel quarto secolo, fu edificato nell'undecimo, di che veggasi la Storia di Glabro Rodolfo nel quarto volume delle *Antichità Italiche* del Muratori, la *Relazione sullo stato antico e moderno d'Arezzo*, del Rondinelli, ecc Il Camici (*Supplementi alla Serie de' Duchi e Marchesi della Toscana* del Della Rena) riporta uno strumento tratto dall'Archivio Capitolare d'Arezzo, dell'anno 1026, col quale Tedaldo vescovo di quella citta assegna alcuni pezzi di terra all'architetto Mainardo in ricompensa della costruzione da lui fatta della cattedrale, pigliando per modello la chiesa di San Vitale di Ravenna, e della restaurazione del palazzo episcopale d'Arezzo Fu distrutto d'ordine di Cosimo I, con altri tempj minori, nel 1561, per far luogo alle fortificazioni della citta Nella sagrestia del Duomo nuovo, nella provveditoria della Misericordia della città medesima ecc, se ne vedeva a' di del Bottari, e forse ancor se ne vede dipinto in tela il prospetto.

convertita alla fede di Cristo, fu fatto senza alcun risparmio e con grandissima spesa, e di colonne di granito, di porfido e di mischi, che erano stati delle dette fabbriche antiche, adornato. Ed io, per me, non dubito, alla spesa che si vedeva fatta in quel tempio, che, se gli Aretini avessono avuti migliori architetti, non avessono fatto qualche cosa maravigliosa; poichè si vede in quel che fecero, che a niuna cosa perdonarono per fare quell'opera, quanto potettono maggiormente ricca e fatta con buon ordine. E perchè, come si è già tante volte detto, meno aveva della sua perfezione l'architettura che l'altre arti perduto, vi si vedeva qualche cosa di buono. Fu in quel tempo similmente aggrandita la chiesa di Santa Maria in Grado a onore del detto Ilariano;[1] perciocchè in quella aveva lungo tempo abitato, quando andò con Donato alla palma del martirio.

VIII. Ma perchè la fortuna, quando ella ha condotto altri al sommo della ruota, o per ischerzo o per pentimento il più delle volte lo torna in fondo; avvenne dopo queste cose, che sollevatesi in diversi luoghi del mondo quasi tutte le nazioni barbare contra i Romani, ne seguì, fra non molto tempo, non solamente lo abbassamento di così grande imperio, ma la rovina del tutto, e massimamente di Roma stessa; con la quale rovinarono del tutto parimente gli eccellentissimi artefici, scultori, pittori ed architetti, lasciando l'arti e loro medesimi sotterrate e sommerse fra le miserabili stragi e rovine di quella famosissima città. E prima andarono in mala parte la pittura e la scultura, come arti che più per diletto che per altro servivano; e l'altra, cioè l'architettura, come necessaria ed utile alla salute del corpo, andò con-

[1] Della maggiore o minore antichità di questa chiesa non resta o non si conosce alcun certo documento. E come sulla fine del secolo decimosesto fu rinnovata del tutto con disegno dell'Ammannato, non si può neppur trarne indizio dalla sua struttura. Lo potè, per vero dire, il Vasari; ma a farlo con più sicurezza, gli bisognava forse giudizio più severo ed occhio più esercitato.

tinuando, ma non già nella sua perfezione e bontà. E se non fusse stato che le sculture e le pitture rappresentavano innanzi agli occhi di chi nasceva di mano in mano coloro che n'erano stati onorati per dar loro perpetua vita, se ne sarebbe tosto spenta la memoria dell'une e dell'altre. Laddove alcune ne conservarono per l'imagine e per l'iscrizioni poste nell'architetture private e nelle pubbliche; cioè negli anfiteatri, ne'teatri, nelle terme, negli acquedotti, ne'tempj, negli obelischi, ne'colossi, nelle piramidi, negli archi, nelle conserve e negli erarj, e finalmente nelle sepolture medesime: delle quali furono distrutte una gran parte da gente barbara ed efferata, che altro non avevano d'uomo che l'effigie e 'l nome. Questi fra gli altri furono i Visigoti, i quali, avendo creato Alarico loro re,[1] assalirono l'Italia e Roma, e la saccheggiarono due volte, e senza rispetto di cosa alcuna. Il medesimo fecero i Vandali, venuti d'Africa con Genserico loro re;[2] il quale, non contento alla roba e prede e crudeltà che vi fece, ne menò in servitù le persone, con loro grandissima miseria; e con esse, Eudossia, moglie stata di Valentiniano imperatore, stato ammazzato poco avanti dai suoi soldati medesimi, i quali degenerati in grandissima parte dal valore antico romano, per esserne andati gran tempo innanzi tutti i migliori in Bisanzio con Costantino imperatore, non avevano più costumi nè modi buoni nel vivere. Anzi, avendo perduto in un tempo medesimo i veri uomini ed ogni sorte di virtù, e mutato leggi, abito, nomi e lingue; tutte queste

[1] Nel 409 ovvero 410 dell'era volgare (Vedi MURATORI, *Annali d'Italia, ad ann*)

[2] Genserico, re dei Vandali, entrò in Roma nel 455; e per le preghiere del pontefice San Leone si rattenne dall'incendiare la città. Spogliò il palazzo imperiale di quanto vi era, non omessi gli utensili di rame; tolse al tempio Capitolino la metà delle lamine di bronzo indorato che lo coprivano; caricò una nave di statue, forse di bronzo, per mandarle a Cartagine, che poi perì nel mare, e portò via, fra le altre cose preziose, i vasi d'oro tolti da Tito al tempio di Gerusalemme, come riferisce Cedreno, *Comp. Hist.*, tom. I, pag. 316.

cose insieme, e ciascuna per sè, avevano ogni bell'animo ed alto ingegno, fatto bruttissimo e bassissimo diventare.

IX. Ma quello che sopra tutte le cose dette fu di perdita e danno infinitamente alle predette professioni, fu il fervente zelo della nuova religione cristiana; la quale dopo lungo e sanguinoso combattimento, avendo finalmente con la copia de' miracoli e con la sincerità delle operazioni abbattuta e annullata la vecchia fede de' gentili; mentrechè ardentissimamente attendeva con ogni diligenza a levar via ed a stirpare in tutto ogni minima occasione, donde poteva nascere errore; non guastò solamente o gettò per terra tutte le statue maravigliose, e le sculture, pitture, musaici ed ornamenti de' fallaci Dii de' gentili; ma le memorie ancora e gli onori d'infinite persone egregie, alle quali per gli eccellenti meriti loro dalla virtuosissima antichità erano state poste in pubblico le statue e l'altre memorie. Inoltre, per edificare le chiese all'usanza cristiana, non solamente distrusse i più onorati tempj degl'idoli; ma, per fare diventare più nobile e per adornare San Pietro,[1] oltre gli ornamenti che da principio avuto avea, spogliò di colonne di pietra la mole d'Adriano, oggi detto Castello Sant'Agnolo, e molte altre, le quali veggiamo oggi guaste. Ed avvegnachè la religione cristiana non facesse questo per odio che ella avesse per le virtù, ma solo per contumelia ed abbattimento degli Dii de' gentili; non fu però che da questo ardentissimo zelo non seguisse tanta rovina a queste onorate professioni, che non se ne perdesse in tutto la forma. E, se niente mancava a questo grave infortunio, sopravvenne l'ira di Totila contro a Roma; che, oltre a sfasciarla di mura, e rovinar col ferro e col fuoco tutti i più mirabili e degni edificj di quella, universalmente la bruciò tutta; e spogliatola di tutti i viventi

[1] Correggi « San Paolo ».

corpi, la lasciò in preda alle fiamme ed al fuoco; e, senza che in diciotto giorni continui si ritrovasse in quella vivente alcuno, abbattè e distrusse talmente le statue, le pitture, i musaici e gli stucchi maravigliosi, che se ne perdè, non dico la maestà sola, ma la forma e l'essere stesso. Per il che, essendo le stanze terrene, prima, de' palazzi o altri edificj, di stucchi, di pitture e di statue lavorate, con le rovine di sopra affogarono tutto il buono, che a' giorni nostri s'è ritrovato. E coloro che successer poi, giudicando il tutto rovinato, vi piantarono sopra le vigne: di maniera che, per essere le dette stanze terrene rimaste sotto terra, le hanno i moderni nominate grotte, e grottesche le pitture che vi si veggono al presente.

X. Finiti gli Ostrogoti, che da Narsete furono spenti, abitandosi per le rovine di Roma in qualche maniera pur malamente, venne dopo cento anni Costante II imperadore di Costantinopoli; e ricevuto amorevolmente dai Romani, guastò, spogliò e portossi via tutto ciò che nella misera città di Roma era rimaso, più per sorte, che per libera volontà di coloro che l'avevano rovinata. Ben è vero che e' non potette godersi di quella preda; perchè, dalla tempesta del mare trasportato nella Sicilia, giustamente ucciso dai suoi, lasciò le spoglie, il regno e la vita, tutto in preda della fortuna. La quale non contenta ancora de' danni di Roma, perchè le cose tolte non potessino tornarvi giammai, vi condusse un'armata di Saracini a' danni dell'isola: i quali e le robe de' Siciliani e le stesse spoglie di Roma se ne portarono in Alessandria, con grandissima vergogna e danno dell'Italia e del cristianesimo: e così tutto quello che non avevano guasto i pontefici, e San Gregorio massimamente[1] (il quale si dice

[1] Il pontefice San Gregorio Magno è stato egregiamente difeso da una tale accusa con una dottissima dissertazione di Carlo Fea, intitolata *Delle rovine di Roma*, inserita nel vol. XI delle opere del Winkelmann, pag 321, edizione di Prato, 1833

che messe in bando tutto il restante delle statue e delle spoglie degli edifizj), per le mani di questo scelleratissimo greco finalmente capitò male. Di maniera che, non trovandosi più nè vestigio nè indizio di cosa alcuna che avesse del buono, gli uomini che vennero appresso, ritrovandosi rozzi e materiali, e particolarmente nelle pitture e nelle sculture, incitati dalla natura e assottigliati dall'aria, si diedero a fare non secondo le regole dell'arti predette (che non l'avevano), ma secondo la qualità degl'ingegni loro.

XI. Essendo, dunque, a questo termine condotte l'arti del disegno, e innanzi e in quel tempo che signoreggiarono l'Italia i Longobardi, e poi; andarono dopo agevolmente, sebbene alcune cose si facevano, in modo peggiorando, che non si sarebbe potuto nè più goffamente nè con manco disegno lavorar di quello che si faceva: come ne dimostrano, oltr'a molte altre cose, alcune figure che sono nel portico di San Pietro in Roma sopra le porte, fatte alla maniera greca, per memoria di alcuni Santi Padri che per la Santa Chiesa avevano in alcuni concilj disputato. Ne fanno fede similmente molte cose dell'istessa maniera, che nella città ed in tutto l'esarcato di Ravenna si veggiono; e particolarmente alcune che sono in Santa Maria Ritonda fuor di quella città, fatte poco dopo che d'Italia furono cacciati i Longobardi: nella qual chiesa non tacerò che una cosa si vede notabilissima e maravigliosa, e questa è la volta ovvero cupola che la cuopre; la quale, come che sia larga dieci braccia, e serva per tetto e coperta di quella fabbrica, è nondimeno tutta d'un pezzo solo, e tanto grande e sconcio, che pare quasi impossibile che un sasso di quella sorte, di peso di più di dugento mila libbre, fosse tanto in alto collocato.[1] Ma, per tornare al proposito nostro,

[1] Conosciuta volgarmente col nome di tomba di Teodorico (SCHORN, *Intorno ai viaggi in Italia di Thiersch*, vol. I, pag. 594). Che Teodorico si edificasse

uscirono dalle mani de' maestri di que' tempi quei fantocci e quelle goffezze che nelle cose vecchie ancora oggi appariscono. Il medesimo avvenne dell'architettura; perchè bisognando pur fabbricare, ed essendo smarrita in tutto la forma e il modo buono, per gli artefici morti e per l'opere distrutte e guaste; coloro che si diedero a tale esercizio, non edificavano cosa che per ordine o per misura avesse grazia nè disegno nè ragion alcuna. Onde ne vennero a risorgere nuovi architetti, che delle loro barbare nazioni fecero il modo di quella maniera di edifizj ch'oggi da noi son chiamati tedeschi,[1] i quali facevano alcune cose piuttosto a noi moderni ridicole, che a loro lodevoli; finchè la miglior forma e alquanto alla buona antica simile trovarono poi i migliori artefici, come si veggono di quella maniera per tutta Italia le più vecchie chiese, e non antiche, che da essi furono edificate: come da Teodorico re d'Italia un palazzo in Ravenna, uno in Pavia ed un altro in Modena, pur di maniera barbara, e piuttosto ricchi e grandi, che bene intesi o di buona architettura. Il medesimo si può affermare di Santo Stefano in Rimini, di San Martino di Ravenna, e del tempio di San Giovanni Evangelista edificato nella medesima città da Galla Placidia intorno agli anni di nostra salute 438, di San Vitale che fu edificato l'anno 547, e della Badia di Classi di fuori, ed insomma di molti altri monasteri e tempj edificati dopo i Longobardi. I quali tutti edifizj, come si è detto, sono grandi e magnifici,

da se stesso questo monumento, lo mostra l'anonimo Valesio, autore contemporaneo (chiamato così perchè aggiunto dal Valesio alla sua edizione dell'Ammiano Marcellino), a pag. 671 in fine, colle parole: *se autem vivo fecit sibi monumentum ex lapide quadrato, mirae magnitudinis opus, et saxum ingentem, quem* (*sic*) *superponeret, inquisivit.* (L. Schorn, note al Vasari tradotto in tedesco).

[1] Non vi sarà bisogno di maggiore spiegazione per provare che qui il Vasari è in errore, o che almeno parla in modo troppo indeciso, se, come pare, estende al generale il nome di Architettura teutonica, col quale dal sec. XIII al XV, chiamavansi gli archi acuti in edifizj di secoli antecedenti. (L. Schorn, op. cit.).

ma di goffissima architettura: e fra questi sono molte badie in Francia edificate a San Benedetto, e la chiesa e monastero di Monte Casino, il tempio di San Giovanni Battista a Monza, fatto da quella Teodelinda reina dei Goti, alla quale San Gregorio papa scrisse i suoi Dialoghi. Nel qual luogo essa reina fece dipignere la storia de' Longobardi; dove si vedeva che eglino dalla parte di dietro erano rasi, e dinanzi avevano le zazzere, e si tignevano fino al mento; le vestimenta erano di tela larga, come usarono gli Angli ed i Sassoni, e sotto un manto di diversi colori, e le scarpe fino alle dita de' piedi aperte, e sopra legate con certi correggiuoli. Simili a' sopraddetti tempj furono la chiesa di San Giovanni in Pavia, edificata da Gundiperga, figliuola della sopraddetta Teodelinda; e nella medesima città la chiesa di San Salvadore, fatta da Ariperto fratello della detta reina, il quale successe nel regno a Rodoaldo marito di Gundiperga; la chiesa di Sant' Ambrogio di Pavia, edificata da Grimoaldo re de' Longobardi, che cacciò dal regno Perterit, figliuolo di Riperto.[1] Il quale Perterit, restituito nel regno dopo la morte di Grimoaldo, edificò pur in Pavia un monasterio di donne, detto il Monasterio Nuovo, in onore di Nostra Donna e di Sant' Agata, e la reina ne edificò uno fuora delle mura, dedicato alla Vergine Maria in Pertica. Conipert, similmente figliuolo d'esso Perterit, edificò un monasterio e tempio a San Giorgio detto di Co-

[1] Il Vasari, come a' tempi nostri il D'Agincourt, cerca i monumenti della dominazione longobarda nel paese che chiamasi anche oggi Lombardia; mentre le chiese che i re longobardi hanno fatto fabbricare, soprattutto in Pavia, sono state interamente rammodernate nel secolo XII e nei seguenti. La chiesa di San Michele a Pavia, il cui ingrandimento è provato da un'iscrizione sopra l'altar maggiore, possiede ancora alcuni filari di pietre fondamentali. Questi sono di grandi massi assai ben collegati, simili a quelli molto meglio conservati, e veri monumenti longobardi, nel ducato di Spoleto. La costruzione romana, la tecnica, la spartizione mantenevansi in molti luoghi oltre il secolo VIII. Il divulgato errore che siasi fabbricato, durante il dominio longobardo dal VI all' VIII secolo, nel modo che non venne in voga se non nel secolo XII, deriva da uno scambio assai ridicolo della parola *lombardo* e *longobardo*. (RUMOHR).

ronate, nel luogo dove aveva avuto una gran vittoria contra a Alahi, di simile maniera. Nè dissimile fu a questi il tempio che 'l re de' Longobardi Luiprando, il quale fu al tempo del re Pipino padre di Carlo Magno, edificò in Pavia, che si chiama San Piero in Cieldauro; nè quello similmente che Desiderio, il quale regnò dopo Astolfo, edificò, di San Piero Clivate, nella diocesi milanese; nè 'l monasterio di San Vincenzo in Milano, nè quello di Santa Giulia in Brescia: perchè tutti furono di grandissima spesa, ma di bruttissima e disordinata maniera.

XII. In Fiorenza poi migliorando alquanto l'architettura, la chiesa di Sant'Apostolo, che fu edificata da Carlo Magno, fu ancorchè piccola, di bellissima maniera; perchè, oltre che i fusi delle colonne, sebbene sono di pezzi, hanno molta grazia e sono condotti con bella misura, i capitelli ancora e gli archi girati per le volticciuole delle due piccole navate mostrano che in Toscana era rimaso ovvero risorto qualche buono artefice. Insomma, l'architettura di questa chiesa è tale, che Pippo di ser Brunellesco non si sdegnò di servirsene per modello nel fare la chiesa di Santo Spirito, e quella di San Lorenzo, nella medesima città. Il medesimo si può vedere nella chiesa di San Marco di Vinezia; la quale (per non dir nulla di San Giorgio Maggiore stato edificato da Giovanni Morosini l'anno 978) fu cominciata sotto il doge Justiniano e Giovanni Particiaco appresso San Teodosio, quando d'Alessandria fu mandato a Vinezia il corpo di quell'evangelista: perciocchè, dopo molti incendj che il palazzo del doge e la chiesa molto dannificarono, ella fu sopra i medesimi fondamenti finalmente rifatta alla maniera greca, ed in quel modo che ella oggi si vede, con grandissima spesa e col parere di molti architetti, al tempo di Domenico Selvo doge, negli anni di Cristo 973,[1]

[1] Questo tempio, fatto a imitazione di quello di Santa Sofia di Costantinopoli, ch'è de' giorni di Giustiniano, cioè del VI secolo, fu cominciato nel 977 sotto il

il quale fece condurre le colonne di que' luoghi, donde le potette avere. E così si andò continuando insino all'anno 1140, essendo doge messer Piero Polani; e, come si è detto, col disegno di più maestri, tutti greci. Della medesima maniera greca furono, e nei medesimi tempi, le sette badie che il conte Ugo marchese di Brandiburgo fece fare in Toscana; come si può vedere nella Badia di Firenze, in quella di Settimo, e nell'altre.[1] Le quali tutte fabbriche, e le vestigia di quelle che non sono in piedi, rendono testimonianza che l'architettura si teneva alquanto in piedi, ma imbastardita fortemente e molto diversa della buona maniera antica. Di ciò posson anco far fede molti palazzi vecchi, stati fatti in Fiorenza dopo la rovina di Fiesole, d'opera toscana, ma con ordine barbaro nelle misure di quelle porte e finestre lunghe lunghe, e ne' garbi di quarti acuti nel girare degli archi, secondo l'uso degli architetti stranieri di que' tempi. L'anno poi 1013 si vede l'arte aver ripreso alquanto di vigore nel riedificarsi la bellissima chiesa di San Miniato in sul monte, al tempo di messer Alibrando cittadino e vescovo di Firenze; perciocchè, oltre agli ornamenti che di marmo vi si veggiono dentro e fuori, si vede nella facciata dinanzi, che gli architetti toscani si sforzarono d'imitare nelle porte, nelle finestre, nelle colonne, negli archi e nelle cornici, quanto potettono il più, l'ordine buono antico, avendolo in parte riconosciuto nell'anti-

doge Pietro Orseolo, che ne pose le fondamenta, e terminato non prima del 1071. Intorno ad esso, e intorno agli altri tempj, di cui parla il Vasari in questo Proemio, vedi la *Storia* del D'Agincourt, e anche quella del Cicognara. Vedi anche, per ciò che riguarda particolarmente i tempj di Firenze, le ricerche di G. Del Rosso intorno a quello di San Giovanni, compito verosimilmente, se non eretto pur esso, nel VI secolo con avanzi di più antichi edifizj; come già dimostrò il Nelli nel tom. IV dell'*Architettura* del Ruggieri, e come può dimostrarsi del tempio di San Miniato al Monte, riedificato dal vescovo Ildebrando nel 1013.

[1] Quanto al conte Ugo, detto dal Vasari di Brandiburgo, e alle sette badie che si vogliono da lui fondate in Toscana, vedi tra le note alla Vita di Arnolfo, e in quelle di Niccola e Gio. Pisani.

chissimo tempio di San Giovanni nella città loro. Nel medesimo tempo la pittura, che era poco meno che spenta affatto, si vide andare riacquistando qualche cosa; come ne mostra il musaico che fu fatto nella cappella maggiore della detta chiesa di San Miniato.[1]

XIII. Da cotal principio, adunque, cominciò a crescere a poco a poco in Toscana il disegno ed il miglioramento di queste arti; come si vide, l'anno 1016, nel dare principio i Pisani alla fabbrica del Duomo loro;[2] perchè in quel tempo fu gran cosa mettei mano a un corpo di chiesa così fatto, di cinque navate, e quasi tutto di marmo dentro e fuori. Questo tempio, il quale fu fatto con ordine e disegno di Buschetto, greco da Dulicchio, architettore in quell'età rarissimo,[3] fu edificato ed ornato dai Pisani d'infinite spoglie condotte per mare (essendo eglino nel colmo della grandezza loro) di diversi lontanissimi luoghi; come ben mostrano le colonne, base, capitelli, cornicioni, ed altre pietre d'ogni sorte che vi si veggiono. E perchè tutte queste cose erano alcune piccole, alcune grandi ed altre mezzane, fu grande il giudizio e la virtù di Buschetto nell'accomodarle, e nel fare lo spartimento di tutta quella fabbrica, dentro e fuori molto bene ac-

[1] Il musaico ch'è nell'abside o tribuna rappresentante Cristo in mezzo a San Giovanni, San Matteo Evangelista e San Miniato re d'Armenia, non è del secolo XI, ma del 1297, come dice la iscrizione ch'è nel fregio sottoposto

[2] La fabbrica del Duomo di Pisa fu cominciata non nel 1016, ma sì bene nel 1063, come attesta la iscrizione ch'è nella facciata, riportata per intero anche dal Grassi, *Descrizione ecc di Pisa ecc*

[3] La tradizione che fa Buschetto di Dulichio, venne, dice il Cicognara, dal primo distico, semicorroso, d'una delle sue iscrizioni sepolcrali, che dal cav. Del Borgo fu restituito così

Busketus jacet hic qui motibus ingeniorum
Dulichio fertur prevaluisse Duci

In essa Buschetto è per l'ingegno paragonato ad Ulisse, al duce di Dulichio (isoletta vicino ad Itaca), come poi è a Dedalo pel magistero Non si badò al paragone, e si diede per patria a Buschetto medesimo quell'isoletta, che ben difficilmente, nell'undecimo secolo in ispecie, poteva esser patria di tale architetto Nè egli, probabilmente, fu d'altra isola o terra greca; ma, come sembra incomodata. Ed oltre all'altre cose, nella facciata dinanzi con gran numero di colonne accomodò il diminuire del frontespizio molto ingegnosamente, quello di varj e diversi intagli d'altre colonne e di statue antiche adornando: siccome anco fece le porte principali della medesima facciata; fra le quali, cioè allato a quella del Carroccio, fu poi dato a esso Buschetto onorato sepolcro con tre epitaffi, de'quali è questo uno in versi latini, non punto dissimili dall'altre cose di que'tempi:

Quod vix mille boum possent juga juncta movere,
Et quo vix potuit per mare ferre ratis;
Buschetti nisu, quod erat mirabile visu,
Dena puellarum turba levavit onus.

E perchè si è di sopra fatto menzione della chiesa di Sant'Apostolo di Firenze, non tacerò che in un marmo di essa, dall'uno de'lati dell'altare maggiore, si leggono queste parole: VIII. V. DIE VI APRILIS *in resurrectione* DOMINI KAROLUS *Francorum rex a Roma revertens, ingressus Florentiam, cum magno gaudio et tripudio susceptus, civium copiam torqueis aureis decoravit et in Pentecostem fundavit ecclesiam Sanctorom Apostolorum; in altari inclusa est lamina plum-*

dicare il suo nome, fu italiano. Parlasi di un documento originale del 1064 esistente nella Vaticana, e comprovante che Buschetto fu chiesto dai Pisani all'imperatore di Costantinopoli. Il documento però debb'essere sognato, poichè nè al Marini, nè al Mai, nè ad altri è riescito di rinvenirlo. Non è impossibile, intanto, che l'artefice benchè italiano, fosse agli stipendj di quell'imperadore, e che, richiesto, venisse a lavorare in Pisa; come Olinto italiano scultore, già agli stipendj di Cassiodoro, e da lui scacciato, venne a lavorare a Monte Cassino. E ben potè essere italiano Buschetto, se italiano fu pure quel Rinaldo che compì l'opera sua; e di cui fa meraviglia che il Vasari non dica parola, veggendosi di lui nella facciata dell'opera stessa, in alto presso la porta, questa iscrizione:

Hoc opus eximium, tam mirum, tam pretiosum
. . . . Rainaldus prudens operator et ipse
Magister constituit mire, solerter et ingeniose etc.

Dalla quale iscrizione parrebbe potersi inferire, che tutta l'opera è dovuta a due Italiani, e forse Pisani; l'uno architetto principalmente dell'interno, l'altro dell'esterno.

bea, in qua descripta apparet prefata fundatio et consecratio facta per ARCHIEPISCOPUM TURPINUM, *testibus* ROLANDO *et* ULIVERIO.[1]

XIV. L'edifizio sopraddetto del Duomo di Pisa, svegliando per tutta Italia, ed in Toscana massimamente, l'animo di molti a belle imprese, fu cagione che nella città di Pistoia si diede principio l'anno 1032 alla chiesa di San Paulo, presente il beato Atto vescovo di quella città, come si legge in un contratto fatto in quel tempo;[2] ed in somma a molti altri edifizj, de' quali troppo lungo sarebbe fare al presente menzione. Non tacerò già, continuando l'andar de' tempi, che l'anno poi 1060 fu in Pisa edificato il tempio tondo di San Giovanni, dirimpetto al Duomo ed in su la medesima piazza.[3] E quello che è cosa maravigliosa e quasi del tutto incredibile, si trova per ricordo in uno antico libro dell' Opera del Duomo detto, che le colonne del detto San Giovanni, i pilastri e le volte furono rizzate e fatte in quindici giorni, e non più. E nel medesimo libro, il quale può chiunque n'avesse voglia vedere, si legge che per fare quel tempio fu posta una gravezza d'un danaio per fuoco; ma non vi si dice già se d'oro o di piccioli. Ed in quel tempo erano in Pisa, come nel medesimo libro si vede, trentaquattro mila fuochi. Fu certo questa opera grandissima, di molta spesa e difficile a condursi; e massimamente la volta della tribuna, fatta a guisa di pera, e di sopra

[1] Con questa iscrizione pare che qualche letterato suo amico abbia preso a gabbo la ignoranza del Vasari, il quale crede bonamente che Turpino, Rolando e Oliviero sieno personaggi storici. Ciò è di poco momento, ma pure manifesta con quale credulità il Vasari si facesse dare ad intendere un'infinità di notizie di tempi più remoti, prive affatto di fondamento; il che ci dà autorità di stimarlo giudice ed osservatore poco critico di antichi documenti. (RUMOHR).

[2] Secondo gli scrittori della Vita di Sant'Atto, qui sarebbe un anacronismo di 104 anni; perchè egli fu fatto vescovo nel 1133, e la compra del campo, in cui è fabbricata la presente chiesa, è del 1136. Questa compra fu fatta per ingrandire e dar nuova forma all'antica chiesa, che si crede eretta nel 748.

[3] Il Battistero di San Giovanni non fu fondato nel 1060, ma nel 1153, come è scritto in un pilastro a destra entrando: MCLIII *mense aug. fundata fuit hec Ecclesia;* e nell'altro dì contro: *Deotisalvi magister hujus operis.*

coperta di piombo. Il di fuori è pieno di colonne, d'intagli e d'istorie; e nel fregio della porta di mezzo è un Gesù Cristo con dodici Apostoli, di mezzo rilievo di maniera greca.[1]

XV. I Lucchesi ne' medesimi tempi, cioè l'anno 1061, come concorrenti de' Pisani, principiarono la chiesa di San Martino in Lucca, col disegno (non essendo allora altri architetti in Toscana) di certi discepoli di Buschetto.[2] Nella facciata dinanzi della qual chiesa si vede appiccato un portico di marmo, con molti ornamenti ed intagli di cose fatte in memoria di papa Alessandro II, stato poco innanzi che fusse assunto al pontificato, vescovo di quella città; della quale edificazione e di esso Alessandro si dice in nove versi latini pienamente ogni cosa. Il medesimo si vede in alcune altre lettere antiche intagliate nel marmo sotto il portico infra le porte. Nella detta facciata sono alcune figure, e sotto il portico molte storie di marmo di mezzo rilievo, della vita di San Martino, e di maniera greca: ma le migliori, le quali sono sopra una delle porte, furono fatte cento settanta anni dopo da Niccola Pisano, e finite nel 1233 (come si dirà al luogo suo), essendo operai, quando si cominciarono, Abellenato ed Aliprando; come per alcune lettere nel medesimo luogo intagliate in marmo, apertamente si vede. Le quali figure di mano di Niccola Pisano mostrano quanto per lui migliorasse l'arte della scultura. Simili a

[1] In questo fregio non sono rappresentati i dodici Apostoli, ma undici Santi, tutti in mezza figura.

[2] La chiesa cattedrale di San Martino di Lucca fu rifatta, secondo le Guide, nel 1160. La facciata però è opera di un tal Guidetto, fatta nel 1204, come ne fa fede la seguente iscrizione riferita dal Ciampi nelle *Notizie della Sagrestia de' Belli Arredi di Pistoia*: MILL. CCIII. CONDIDIT ELECTI TAM PULCRAS DEXTRA GVIDECTI. Il barone di Rumohr soggiunge, poi, a questo proposito: « Vi sono in Lucca così stupendi monumenti di architettura dal X al XII secolo (vedi San Frediano, San Michele, Santa Maria Alba), che io non comprendo come il Vasari nomini per l'appunto San Martino; chiesa di bella architettura gotica del secolo XIII, la quale non può essere stata edificata da que' suoi immaginati allievi di Buschetto. »

questi furono per lo più, anzi tutti gli edifizj, che dai tempi detti di sopra insino all'anno 1250 furono fatti in Italia; perciocchè poco o nullo acquisto o miglioramento si vide nello spazio di tanti anni avere fatto l'architettura, ma essersi stata nei medesimi termini, e andata continuando in quella goffa maniera, della quale ancora molte cose si veggiono: di che non farò al presente alcuna memoria, perchè se ne dirà di sotto, secondo l'occasioni che mi si porgeranno.

XVI. Le sculture e le pitture similmente buone, state sotterrate nelle rovine d'Italia, si stettono insino al medesimo tempo rinchiuse, o non conosciute dagli uomini ingrossati nelle goffezze del moderno uso di quell'età; nella quale non si usavano altre sculture nè pitture che quelle, le quali un residuo di vecchi artefici di Grecia facevano, o in imagini di terra e di pietra, o dipignendo figure mostruose, e coprendo solo i primi lineamenti di colore. Questi artefici, come migliori, essendo soli in queste professioni, furono condotti in Italia, dove portarono insieme col musaico la scultura e la pittura in quel modo che la sapevano; e così le insegnarono agl'Italiani, goffe e rozzamente; i quali Italiani poi se ne servirono, come si è detto e come si dirà, insino a un certo tempo. E gli uomini di quei tempi, non essendo usati a veder altra bontà nè maggior perfezione nelle cose di quella che essi vedevano, si maravigliavano; e quelle, ancorchè baronesche fossero, nondimeno per le migliori apprendevano. Pur gli spiriti di coloro che nascevano, aitati in qualche luogo dalla sottilità dell'aria, si purgarono tanto, che nel 1250 il cielo a pietà mossosi dei begli ingegni che 'l terren toscano produceva ogni giorno, li ridusse alla forma primiera. E sebbene gl'innanzi a loro avevano veduto residui d'archi o di colossi o di statue, o pili o colonne storiate; nell'età che furono dopo i sacchi e le ruine e gl'incendj di Roma, e' non seppono mai valersene o cavarne profitto alcuno, sino al tempo detto di sopra. Gli ingegni che vennero poi, conoscendo assai bene il buono dal cattivo, ed abbandonando le maniere vecchie, ritornarono ad imitare le antiche con tutta l'industria ed ingegno loro.

XVII. Ma perchè più agevolmente s'intenda quello che io chiami vecchio ed antico; antiche furono le cose innanzi a Costantino, di Corinto, d'Atene e di Roma e d'altre famosissime città, fatte fino a sotto Nerone, ai Vespasiani, Traiano, Adriano ed Antonino: perciocchè l'altre si chiamano vecchie, che da San Silvestro in qua furono poste in opera da un certo residuo de' Greci, i quali piuttosto tignere che dipignere sapevano. Perchè, essendo in quelle guerre morti gli eccellenti primi artefici, come si è detto, al rimanente di que' Greci, vecchi e non antichi, altro non era rimaso che le prime linee in un campo di colore: come di ciò fanno fede oggidì infiniti musaici che per tutta Italia, lavorati da essi Greci, si veggono per ogni vecchia chiesa di qualsivoglia città d'Italia, e massimamente nel Duomo di Pisa, in San Marco di Vinegia, ed ancora in altri luoghi;[1] e così molte pitture, continovando, fecero di quella maniera, con occhi spiritati e mani aperte, in punta di piedi: come si vede ancora in San Miniato fuor di Fiorenza, fra la porta che va in sagrestia e quella che va in convento; ed in Santo Spirito di detta città, tutta la banda del chiostro verso la chiesa; e similmente in Arezzo, in San Giuliano ed in San Bartolommeo[2] ed in altre chiese; ed in Roma, in San Pietro, nel vecchio, storie intorno intorno fra le fine-

[1] Migliori de' musaicisti greci erano alcuni italiani, romani specialmente; fra i quali i Cosmati, cioè Lorenzo, Jacopo, Cosmate, e Luca, Jacopo, Giovanni, e Diodato suoi figliuoli, i quali lavorarono di musaico e di scultura dai primi anni del secolo XIII, fino al principio del seguente, in Roma, in Anagni, presso Civita Castellana, a Subiaco e ad Orvieto. Vedi *Storia della Pittura in Italia* di G. B. Cavalcaselle e A. Crowe; Firenze, Successori Le Monnier, 1876, in-8, vol. I, cap. III.

[2] Le pitture qui mentovate più non si veggono.

stre: cose che hanno più del mostro nel lineamento, che effigie di quel che e' si sia. Di scultura ne fecero similmente infinite; come si vede ancora sopra la porta di San Michele, a piazza Padella di Fiorenza, di basso rilievo; ed in Ognissanti, e per molti luoghi, sepolture, ed ornamenti di porte per chiese: dove hanno per mensole certe figure, per regger il tetto, così goffe e sì ree, e tanto malfatte di grossezza e di maniera, che par impossibile che immaginare peggio si potesse.

XVIII. Sino a qui mi è parso discorrere dal principio della scultura e della pittura, e per avventura più largamente che in questo luogo non bisognava: il che ho io però fatto, non tanto traportato dall'affezione dell'arte, quanto mosso dal benefizio ed utile comune degli artefici nostri; i quali, avendo veduto in che modo ella da piccol principio si conducesse alla somma altezza, e come da grado sì nobile precipitasse in ruina estrema (è per conseguente, la natura di quest'arte simile a quella dell'altre, che, come i corpi umani, hanno il nascere, il crescere, lo invecchiare ed il morire), potranno ora più facilmente conoscere il progresso della sua rinascita, e di quella stessa perfezione dove ella è risalita ne' tempi nostri. Ed a cagione ancora, che se mai (il che non acconsenta Dio) accadesse per alcun tempo, per la trascuraggine degli uomini o per la malignità de' secoli, oppure per ordine de' cieli, i quali non pare che voglino le cose di quaggiù mantenersi molto in uno essere; ella incorresse di nuovo nel medesimo disordine di rovina; possono queste fatiche mie, qualunque elle si siano (se elle però saranno degne di più benigna fortuna), per le cose discorse innanzi e per quelle che hanno da dirsi, mantenerla in vita, o almeno dare animo ai più elevati ingegni di provvederle migliori aiuti: tanto che, con la buona volontà mia e con le opere di questi tali, ella abbondi di quegli aiuti ed ornamenti, dei quali (siami lecito liberamente dire il vero) ha mancato sino a quest'ora. Ma tempo è di venire oggimai alla Vita di Giovanni Cimabue; il quale siccome dette principio al nuovo modo di disegnare e dipignere, così è giusto e conveniente che e'lo dia ancora alle Vite; nelle quali mi sforzerò di osservare il più che si possa l'ordine delle maniere loro, più che nel tempo. E nel descrivere le forme e le fattezze degli artefici, sarò breve; perchè i ritratti loro, i quali sono da me stati messi insieme con non minore spesa e fatica che diligenza, meglio dimostreranno quali essi artefici fussero quanto all'effigie, che il raccontarlo non farebbe giammai; e se d'alcuno mancasse il ritratto, ciò non è per colpa mia, ma per non si essere in alcun luogo trovato. E se i detti ritratti non paressero a qualcuno, per avventura, simili affatto ad altri che si trovassono, voglio che si consideri, che il ritratto fatto di uno quando era di diciotto o venti anni, non sarà mai simile al ritratto che sarà stato fatto quindici o venti anni poi. A questo si aggiunge, che i ritratti disegnati non somigliano mai tanto bene quanto fanno i coloriti: senza che gl'intagliatori, che non hanno disegno, tolgono sempre alle figure, per non potere nè sapere fare appunto quelle minuzie che le fanno esser buone e somigliare, quella perfezione che rade volte o non mai hanno i ritratti intagliati in legno. In somma, quanta sia stata in ciò la fatica, spesa e diligenza mia, coloro il sapranno che, leggendo, vedranno onde io gli abbia quanto ho potuto il meglio ricavati.[1]

[1] I ritratti, de' quali andò ornata, per la prima volta, la edizione de' Giunti, furono disegnati dal Vasari stesso e da' suoi creati; e intagliati in legno da messer Cristofano Lederer, detto dagli Italiani Coriolano. Ciò racconta il Vasari medesimo nella Vita di Marcantonio. In una lettera poi al Borghini, del 1566, parla del proprio ritratto fatto allo specchio, e dato a intagliare nel bossolo al detto M. Cristofano (Gaye, *Carteggio inedito ecc.*, III, 227). Abbiamo già detto indietro per quali ragioni a noi è parso di non dover riprodurre i detti ritratti nella presente edizione.

DELLE VITE

PARTE PRIMA

GIOVANNI CIMABUE[1]

PITTORE FIORENTINO

(Nato nel 1240, morto circa il 1302)

Erano per l'infinito diluvio de' mali ch' avevano cacciato al disotto ed affogata la misera Italia, non solamente rovinate quelle che veramente fabbriche chiamar si potevano, ma quello che importa più, spento affatto tutto il numero degli artefici;[2] quando, come Dio volle, nacque nella città di Fiorenza l'anno 1240, per dar i primi lumi all'arte della pittura, Giovanni cognomato Cimabue, della nobil famiglia in que' tempi de' Cimabui.[3] Costui crescendo, per esser giudicato dal padre e da altri di bello e acuto ingegno, fu mandato, acciò si esercitasse nelle lettere, in Santa Maria Novella ad un maestro suo parente, che

[1] Crediamo opportuno, fin dal principio di queste Vite, di dover avvertire i lettori, che le note senza nessun segno che le preceda, sono tratte dall'edizione Passigli (Firenze, 1832-38, in-8) curata prima da Giuseppe Montani, e poi da Giovanni Masselli, che le nostre sono segnate con un asterisco, e che finalmente le aggiunte da noi nella presente ristampa portano innanzi una crocellina

[2] Grande esagerazione, come s'esprime il Lanzi nella sua *Storia Pittorica*. Se non che il Vasari, in seguito, rammentando pur egli varj scultori e architetti e pittori che viveano quando Cimabue venne al mondo, corresse da se medesimo la troppa generalità di quelle men caute parole, contro cui innumerabili scrittori han declamato e declamano

[3] Detti anche Gualtieri. Vedi l'albero di questa famiglia nel Baldinucci, tomo primo.

allora insegnava grammatica a'novizj di quel convento: ma Cimabue in cambio di attendere alle lettere, consumava tutto il giorno, come quello che a ciò si sentiva tirato dalla natura, in dipingere in su' libri ed altri fogli, uomini, cavalli, casamenti ed altre diverse fantasie. Alla quale inclinazione di natura fu favorevole la fortuna; perchè essendo chiamati in Firenze da chi allora governava la città alcuni pittori di Grecia, non per altro che per rimettere in Firenze la pittura piuttosto perduta che smarrita, cominciarono fra l'altre opere tolte a far nella città la cappella de'Gondi; di cui oggi le volte e le facciate sono poco meno che consumate dal tempo, come si può vedere in Santa Maria Novella allato alla principale cappella, dove ella è posta.[1] Onde Cimabue, cominciato a dar principio a quest'arte che gli piaceva, fuggendosi spesso dalla scuola, stava tutto il giorno a

[1] * Non è possibile che questi pretesi maestri greci dipingessero in Santa Maria Novella, perchè la chiesa, qual oggi si vede, fu cominciata a fabbricare nel 1279. Il Vasari poi, per usare un modo d'indicazione più inteso a' tempi suoi, chiamò de' Gondi la cappella di San Luca. Poteva ben dirla o degli Scali o di altri patroni o possessori più antichi; ma forse non sarebbe stato inteso meglio. La prova più calzante è, che la cappella non può essere stata edificata se non contemporaneamente alla chiesa; la quale al tempo de' pretesi maestri greci non esisteva. Perciò le pitture della nominata cappella, vedute e citate dal Vasari, è da credere che fossero posteriori anche al tempo di Cimabue; e per quanto giudicar si possa dalla Vocazione di San Pietro, che in una piccola stampa il Corbinelli (*Histoire de la maison de Gondi*, I, 202) riporta, come un avanzo di quelle pitture che vedevansi al tempo suo (oggi imbiancate), e che egli pure, seguendo gli altri, credette opera greca; si può congetturare che fossero fatte nel tempo che durarono ad esserne patroni li Scali, cioè a dire nel secolo XIV (1325-1419). Ed il Cinelli, in una amara critica contro il primo volume del Baldinucci che ha per titolo *L'Anonimo d'Utopia a Filalete*, scritta nel 1681 (ms. inedito autografo, posseduto dal sig. Giuseppe Porri di Siena), rammentando una Vergine col Bambino, dipinta nell'arco sotto la piegatura di questa cappella, la giudica migliore d'ogni altra conservata in Santa Maria Novella; e tanto ben condotta, che Cimabue, e forse Giotto, non arrivarono a fare altrettanto. E questo prova sempre più che le pitture della cappella de' Gondi erano molto posteriori al tempo comunemente loro assegnato; e che, per conseguente, i Greci non v'ebbero nulla che fare. Quanto a ciò che narra qui il Vasari dei pretesi Greci maestri di Cimabue, vedansi le riflessioni esposte da noi nel *Commentario* in fine di questa Vita.

vedere lavorare que'maestri; di maniera che giudicato dal padre e da quei pittori in modo atto alla pittura, che si poteva di lui sperare, attendendo a quella professione, onorata riuscita; con non sua piccola soddisfazione fu da detto suo padre acconcio con esso loro: laddove di continuo esercitandosi, l'aiutò in poco tempo talmente la natura, che passò di gran lunga, sì nel disegno come nel colorire, la maniera de'maestri che gl'insegnavano; i quali, non si curando passar più innanzi, avevano fatte quelle opere nel modo che elle si veggono oggi, cioè non nella buona maniera greca antica, ma in quella goffa moderna di quei tempi: e perchè, sebbene imitò que'Greci, aggiunse molta perfezione all'arte, levandole gran parte della maniera loro goffa, onorò la sua patria col nome e con l'opere che fece; di che fanno fede in Fiorenza le pitture che egli lavorò: come il dossale dell'altare di Santa Cecilia,[1] ed in Santa Croce una tavola drentovi una Nostra Donna, la quale fu ed è ancora appoggiata in un pilastro a man destra intorno al coro.[2] Dopo la quale fece, in una tavoletta in campo d'oro, un San Francesco,[3] e lo ritrasse (il che fu cosa nuova in quei tempi)[4] di naturale, come seppe il meglio; ed intorno ad esso tutte l'istorie della vita sua in venti quadretti,

[1] *Che dalla chiesa della Santa passò poi in quella di Santo Stefano, ed ultimamente nella Galleria degli Uffizj Ma siccome dal confronto di questa colle altre opere certe di Cimabue appare notevolissima differenza tanto nel disegno, quanto nel modo di dipingere; così non dubitiamo di asserire che Cimabue non sia autore di questa opera, la quale se ha il carattere della pittura di quei tempi, è però inferiore ai meriti del fiorentino maestro.

[2] Rammentata anche dal Cinelli, il quale dice che, ornandosi la chiesa, già era stata levata dal luogo ove il Vasari la vide, nè più si sapea dove fosse Ricomparve poi ai nostri giorni in Firenze, e fece parte della Raccolta de'signori Lombardi e Baldi, i quali la venderono nel 1857 alla galleria del Museo Britannico, dove si vede sotto il num. 565.

[3] *Esiste sempre nella chiesa di Santa Croce, nella cappella di San Francesco, ma è da riporsi tra le altre opere che senza fondate ragioni si sono volute attribuire a Cimabue

[4] *Vuolsi intendere, non dallo stesso Santo, morto già da molti anni, ma da un modello qualunque fatto vivente il Santo Il Padre Della Valle soggiunge

pieni di figure piccole in campo d'oro. Avendo poi preso a fare per i monaci di Vall'Ombrosa, nella badia di Santa Trinita di Fiorenza, una gran tavola, mostrò in quell'opera, usandovi gran diligenza per rispondere alla fama che già era conceputa di lui, migliore invenzione e bel modo nell'attitudini d'una Nostra Donna che fece col Figliolo in braccio, e con molti Angeli intorno che l'adoravano, in campo d'oro: la quale tavola finita, fu posta da que'monaci in sull'altar maggiore di detta chiesa; donde essendo poi levata per dar quel luogo alla tavola che v'è oggi di Alesso Baldovinetti,[1] fu posta in una cappella minore della navata sinistra di detta chiesa. Lavorando poi in fresco allo spedale del Porcellana,[2] sul canto della Via nuova che va in borgo Ognissanti, nella facciata dinanzi che ha in mezzo la porta principale, da un lato la Vergine Annunziata dall'Angelo, e dall'altro Gesù Cristo con Cleofas e Luca, figure grandi quanto il naturale; levò via quella vecchia, facendo in quest'opera i panni, le vesti e l'altre cose un poco più vive, naturali e più morbide che la maniera di que' Greci, tutta piena di linee e di profili così nel musaico, come nelle pitture: la qual maniera scabrosa, goffa ed ordinaria, avevano, non mediante lo studio, ma per una cotal usanza, insegnata l'uno all'altro per molti e molti anni i pittori di quei tempi, senza pensar mai a migliorare il disegno, a bellezza di colorito, o invenzione alcuna che buona

a questo proposito, che eziandio Giunta Pisano ritrasse di naturale in Assisi Frate Elia; e ciò potè essere veramente, sendo Frate Elia stato contemporaneo del pittore.

[1] *Anche la tavola del Baldovinetti fu poi levata per dar luogo al brutto quadro di Pietro Dandini. L'opera di Cimabue è ora nella Galleria dell'Accademia delle Belle Arti di Firenze.

[2] *È questo lo spedale sotto il titolo de'SS. Iacopo e Filippo, soppresso nel 1504. Fu detto del Porcellana, da un certo frate Guccio di questo cognome, che nella prima metà del secolo XIV ne fu spedalingo. Al presente non esiste di esso che la chiesa, già sino al 1808 stata delle Suore Stabilite, e oggi, di una confraternita col titolo della SS. Concezione, in via della Scala. È inutile il dire che questa pittura è perduta.

nsse. Essendo dopo quest' opera richiamato Cimabue dallo stesso guardiano che gli aveva fatto fare l'opere di Santa Croce, gli fece un Crocifisso grande in legno, che ancora oggi si vede in chiesa:[1] la quale opera fu cagione, parendo al guardiano essere stato servito bene, che lo conducesse in San Francesco di Pisa, loro convento, a fare in una tavola un San Francesco; che fu da que' popoli tenuto cosa rarissima, conoscendosi in esso un certo che più di bontà, e nell'aria della testa e nelle pieghe dei panni, che nella maniera greca non era stata usata in sin'allora da chi aveva alcuna cosa lavorato non pure in Pisa, ma in tutta Italia. Avendo poi Cimabue per la medesima chiesa fatto in una tavola grande l'immagine di Nostra Donna col Figliuolo in collo, e con molti Angeli intorno, pur in campo d oro; ella fu dopo non molto tempo levata di dove ella era stata collocata la prima volta, per farvi l'altare di marmo che vi è al presente, e posta dentro alla chiesa allato alla porta a man manca: per la quale opera fu molto lodato e premiato dai Pisani. Nella medesima città di Pisa, fece a richiesta dell'abbate allora di San Paulo in Ripa d'Arno, in una tavoletta, una Sant'Agnesa, ed intorno ad essa, di figure piccole, tutte le storie della vita di lei: la qual tavoletta è oggi sopra l'altare delle Vergini in detta chiesa.[2] Per queste opere dunque essendo assai chiaro per tutto il nome di Cimabue, egli fu condotto

[1] *Questo crocifisso, del quale prima del Vasari diede notizia Francesco Albertini (nel suo *Memoriale di molte Statue et Picture sono nella ciptà di Florentia*, stampato nel 1510 e ristampato in Firenze nel 1863 coi tipi della Cellimiana), gli scrittori moderni dicono esser quello che ora si vede nella sagrestia di quella chiesa, in prossimità della parete dipinta, dove nel 1839 fu trasportato per accompagnamento di un altro alquanto più piccolo. Ma tanto la maniera del disegno, quanto il carattere delle figure che sono alle estremità laterali della croce, hanno molto più della maniera neo-greca, di quel che non sia nella bellissima tavola di Santa Maria Novella; la più certa opera che di Cimabue ci rimanga

[2] *Tutte le pitture che Cimabue fece in Pisa sono perite ma quanto alla tavola grande essa rappresenta Nostra Donna seduta sopra un ricco trono, col

in Ascesi, città dell'Umbria; dove, in compagnia d'alcuni maestri greci, dipinse nella chiesa di sotto di San Francesco parte delle volte, e nelle facciate la vita di Gesù Cristo e quella di San Francesco; nelle quali pitture passò di gran lunga que' pittori greci; onde, cresciutogli l'animo, cominciò da sè solo a dipignere a fresco la chiesa di sopra, e nella tribuna maggiore fece sopra il coro, in quattro facciate, alcune storie della Nostra Donna; cioè la morte; quando è da Cristo portata l'anima di lei in cielo sopra un trono di nuvole; e quando in mezzo ad un coro d'Angeli la corona, essendo da piè gran numero di Santi e Sante, oggi dal tempo e dalla polvere consumati. Nelle crociere poi delle volte di detta chiesa, che sono cinque, dipinse similmente molte storie. Nella prima, sopra il coro, fece i quattro Evangelisti maggiori del vivo, e così bene, che ancor oggi si conosce in loro assai del buono; e la freschezza de' colori nelle carni mostra che la pittura cominciò a fare per le fatiche di Cimabue grande acquisto nel lavoro a fresco. La seconda crociera fece piena di stelle d'oro in campo d'azzurro oltramarino. Nella terza fece, in alcuni tondi, Gesù Cristo, la Vergine sua madre, San Giovanni Batista e San Francesco; cioè in ogni tondo una di queste figure, ed in ogni quarto della volta un tondo. E fra questa e la quinta crociera dipinse la quarta di stelle d'oro, come di sopra, in azzurro d'oltramarino. Nella quinta dipinse i quattro Dottori della Chiesa, ed appresso a ciascuno di loro una delle quattro prime religioni: opera certo faticosa e con-

Bambino Gesù sulle ginocchia in atto di benedire. Tre angeli stanno da ciascun lato, e ne' 25 tondi dell'ornamento sono altrettante mezze figure di Apostoli e di Santi. Questa tavola che ha in genere più somiglianza con quella attribuita a Cimabue, ora nella galleria dell'Accademia di Firenze, che con l'altra di Santa Maria Novella (Vedi Cavalcaselle, op. cit., vol. I, pag. 311), sappiamo che da Pisa passò a Parigi, dov'è rimasta; e M. Leclanché, traduttore del Vasari, soggiunge: *Le Musée du Louvre possède deux tableaux de Cimabue: la Vierge et des Anges; la Vierge et l'Enfant-Jésus.*

dotta con diligenza infinita. Finite le volte, lavorò pure in fresco le facciate di sopra della banda manca di tutta la chiesa; facendo verso l'altar maggiore, fra le finestre ed insino alla volta, otto storie del Testamento vecchio, cominciandosi dal principio del Genesi, e seguitando le cose più notabili. E nello spazio che è intorno alle finestre, insino a che elle terminano in sul corridore che gira intorno dentro al muro della chiesa, dipinse il rimanente del Testamento vecchio in altre otto storie. E dirimpetto a quest'opera, in altre sedici storie, ribattendo quelle, dipinse i fatti di Nostra Donna e Gesù Cristo. E nella facciata da piè, sopra la porta principale, e intorno all'occhio della chiesa, fece l'ascendere di lei in cielo, e lo Spirito Santo che discende sopra gli Apostoli. La qual opera, veramente grandissima e ricca e benissimo condotta, dovette, per mio giudizio, fare in quei tempi stupire il mondo, essendo massimamente stata la pittura tanto tempo in tanta cecità; ed a me che, l'anno 1563, la rividi, parve bellissima, pensando come in tante tenebre potesse veder Cimabue tanto lume. Ma di tutte queste pitture (al che si deve aver considerazione), quelle delle volte, come meno dalla polvere e dagli altri accidenti offese, si sono molto meglio che l'altre conservate.[1] Finite queste opere, mise mano Giovanni a dipignere le

[1] *Non tutti gli scrittori sono di una sentenza circa al distinguere le pitture di questo santuario, e circa i loro autori. Così il P. Angeli (*Storia della Basilica d'Assisi*) attribuisce a Giunta Pisano la storia dell'Assunzione di Maria Vergine, con molti Santi in basso, lodata più sopra dal Vasari come opera di Cimabue. E il D'Agincourt la riporta incisa nella tav. CII, fra le opere assegnate a Giunta. Vedi ancora la *Storia della Pittura Italiana* del Rosini, I, 110. Il Rumohr giunse perfino a negare che Cimabue abbia dipinto nella chiesa superiore di San Francesco di Assisi. Vedi *Ricerche Italiane* (*Italienische Forshungen*), tom. I, § 8. — † I signori Cavalcaselle e Crowe (op. cit., cap. v), che hanno diligentemente rintracciato e descritto le pitture della chiesa superiore di San Francesco d'Assisi, credono della mano di Giunta pisano quelle della parete del braccio destro della crociera, rappresentanti la Crocifissione, e di altro maestro ignoto, ma contemporaneo, le altre che sono sopra gli archi del ballatoio, la Trasfigurazione che è sopra la gran lunetta del detto ballatoio, e i Fatti degli

facciate di sotto, cioè quelle che sono dalle finestre in giù, e vi fece alcune cose: ma essendo a Firenze da alcune sue bisogne chiamato, non seguitò altramente il lavoro; ma lo finì, come al suo luogo si dirà, Giotto molti anni dopo. Tornato dunque Cimabue a Firenze, dipinse nel chiostro di Santo Spirito, dov'è dipinto alla greca da altri maestri tutta la banda di verso la chiesa, tre archetti di sua mano della vita di Cristo; e certo, con molto disegno.[1] E nel medesimo tempo mandò alcune cose da sè lavorate in Firenze a Empoli; le quali ancor oggi sono nella pieve di quel castello tenute in gran venerazione.[2] Fece poi per la chiesa di Santa Maria Novella la tavola di Nostra Donna, che è posta in alto fra la cappella de' Rucellai e quella de' Bardi da Vernio:[3] la qual opera fu di maggior grandezza, che figura che fusse stata fatta insin a quel tempo; ed alcuni Angeli che le sono intorno, mostrano, ancor ch'egli avesse la maniera greca, che s'andò accostando in parte al lineamento e modo della moderna: onde fu quest' opera di tanta maraviglia ne' popoli di quell'età, per non si essere veduto insino allora meglio, che da casa di Cimabue fu con molta festa e con le trombe alla chiesa portata con solennissima processione, ed egli perciò molto premiato ed onorato. Dicesi, ed in certi ricordi di vecchi pittori si legge, che mentre Cimabue la detta tavola dipigneva in certi orti appresso porta San Piero, passò il re Carlo il vecchio d'Angiò per

Apostoli e di Simon Mago nella vicina parete. Riconoscono poi i caratteri della maniera di Cimabue nelle pitture sulle tre pareti del braccio sinistro della crociera, in quelle sulle cinque del coro, e nelle altre sulle pareti interne del ballatoio e dell'arco.

[1] E queste sue pitture e quelle degli altri maestri sono egualmente perite.

[2] *Nella pieve d'Empoli ancora oggi restano alcuni avanzi di tavole antiche, ma nessuno che sia del tempo e della maniera di Cimabue.

[3] *Questa tavola assai conservata è sempre nella cappella de' Rucellai. A chi si ponga ad esaminarla attentamente, e voglia farne confronto, non solo con quel che fu fatto avanti a Cimabue, ma sì ancora con quello che dopo di lui fino a Giotto si fece da' maestri fiorentini, apparirà manifesto che le lodi del Vasari sono in ogni parte ragionevolissime.

Firenze; e che, fra le molte accoglienze fattegli dagli uomini di questa città, lo condussero a vedere la tavola di Cimabue; e che per non essere ancora stata veduta da nessuno, nel mostrarsi al re vi concorsero tutti gli uomini e tutte le donne di Firenze, con grandissima festa e con la maggiore calca del mondo. Laonde per l'allegrezza che n'ebbero i vicini, chiamarono quel luogo Borgo Allegri; il quale, col tempo messo fra le mura della città, ha poi sempre ritenuto il medesimo nome.[1] In San Francesco di Pisa (dove egli lavorò, come si è detto di sopra, alcune altre cose) è di mano di Cimabue nel chiostro allato alla porta che entra in chiesa, in un cantone, una tavolina a tempera: nella quale è un Cristo in croce, con alcuni Angeli attorno, i quali piangendo pigliano con le mani certe parole che sono scritte intorno alla testa di Cristo, e le mandano all'orecchie d'una Nostra Donna che a man ritta sta piangendo, e dall'altro lato a San Giovanni Evangelista, che è tutto dolente a man sinistra; e sono le parole alla Vergine: *Mulier, ecce filius tuus*, e quelle a San Giovanni: *Ecce mater tua;* e quelle che tiene in mano un altro Angelo appartato, dicono: *Ex illâ horâ accepit eam discipulus in suam.* Nel che è da considerare che Cimabue cominciò a dar lume ed aprire la via all'invenzione, aiutando l'arte con le parole per esprimere il suo concetto: il che certo fu cosa capricciosa e nuova.

[1] *La passata di Carlo d'Angiò il vecchio per Firenze avvenne nel 1267, come narrano il Malespini, contemporaneo, e il Villani; ma nè l'uno nè l'altro fanno però menzione della visita del re Carlo a Cimabue laonde rende maraviglia ch'essi, come cronisti molto diffusi in minuzie di minor conto, abbiano pretermesso di raccontare un fatto che, se deve credersi al Vasari, non si potrebbe altrimenti chiamare che una festa pubblica e solenne E il Cinelli, nella inedita critica al Baldinucci sopra citata, nega che Borgo Allegri prendesse la denominazione da un tal fatto, con queste parole « Non è però vero che Borgo Allegri abbia dall'allegrezza della tavola di Cimabue lo nome preso, ma dalla famiglia *Allegri*, assai più moderna bensì, come molte altre strade di Firenze hanno lo nome degli abitanti di una sola casata ritenuto » † Ma anche il Cinelli s'inganna, perchè si ha memoria che anche nel 1301 quella strada portava il nome di Borgo Allegri

Ora perchè mediante queste opere si aveva acquistato Cimabue con molto utile grandissimo nome, egli fu messo per architetto in compagnia d'Arnolfo Lapi,[1] uomo allora nell'architettura eccellente, alla fabbrica di Santa Maria del Fiore in Fiorenza. Ma finalmente, essendo vivuto sessanta anni, passò all'altra vita l'anno 1300,[2] avendo poco meno che resuscitata la pittura. Lasciò molti discepoli, e fra gli altri Giotto, che poi fu eccellente pittore; il quale Giotto abitò dopo Cimabue nelle proprie case del suo maestro, nella via del Cocomero. Fu sotterrato Cimabue in Santa Maria del Fiore, con questo epitaffio fattogli da uno de'Nini:

Credidit ut Cimabos picturae castra tenere,
Sic tenuit, vivens; nunc tenet astra poli.

Non lascerò di dire, che se alla gloria di Cimabue non avesse contrastato la grandezza di Giotto suo discepolo, sarebbe stata la fama di lui maggiore; come ne dimostra Dante nella sua *Commedia*, dove, alludendo nell'undecimo canto del Purgatorio alla stessa iscrizione della sepoltura,[3] disse:

Credette Cimabue nella pintura
Tener lo campo, ed ora ha Giotto il grido,
Sì che la fama di colui oscura.

Nella dichiarazione de'quali versi, un commentatore di Dante, il quale scrisse nel tempo che Giotto vivea,

[1] Arnolfo di Lapo, com'è chiamato (ma sempre erroneamente) nella Vita che da lui s'intitola, e che vien subito dopo questa di Cimabue. † È poi da tenere che non abbia nessun fondamento quel che afferma qui il Vasari, cioè che Cimabue fosse messo per compagno di Arnolfo nell'edificazione di Santa Maria del Fiore; non avendosi di questo fatto nè memorie contemporanee nè testimonianze di antichi scrittori.

[2] Il Ciampi nelle *Notizie della Sagrestia de'Belli Arredi* riporta un documento che dice Cimabue aver fatto, nell'anno 1302, stile pisano, oltre la Maestà nel Duomo di Pisa, ancora la figura di San Giovanni.

[3] Anzi il contrario, perchè l'epitaffio dovè essere stato fatto posteriormente ai versi di Dante.

e dieci o dodici anni dopo la morte d'esso Dante, cioè intorno agli anni di Cristo 1334, dice, parlando di Cimabue, queste proprie parole precisamente: «Fu Cimabue « di Firenze pintore nel tempo di l'autore, molto nobile « di più che homo sapesse, et con questo fue sì arogante « et sì disdegnoso, che si per alcuno li fusse a sua opera « posto alcun fallo o difetto, o elli da sè l'avessi veduto « (che, come accade molte volte, l'artefice pecca per « difetto della materia, in che adopra, o per mancamento ch'è nello strumento con che lavora), inmanatenente quell'opra disertava, fussi cara quanto volesse. « Fu et è Giotto intra li dipintori il più sommo della « medesima città di Firenze, e le sue opere il testimo- « niano a Roma, a Napoli, a Vignone, a Firenze, a Pa- « dova, et in molte parti del mondo etc. ».[1] Il qual commento è oggi appresso il molto reverendo Don Vincenzio Borghini, priore degl'Innocenti; uomo non solo per nobiltà, bontà e dottrina chiarissimo, ma anco così amatore ed intendente di tutte l'arti migliori, che ha meritato esser giudiziosamente eletto dal signor duca Cosimo in suo luogotenente nella nostra Accademia del disegno. Ma, per tornare a Cimabue, oscurò Giotto veramente la fama di lui, non altrimenti che un lume grande faccia lo splendore d'un molto minore: perciocchè, sebbene fu Cimabue quasi prima cagione della rinnovazione dell'arte della pittura; Giotto nondimeno suo creato, mosso da lodevole ambizione ed aiutato dal cielo e dalla natura, fu quegli che, andando più alto col pensiero, aperse la porta della verità a coloro che l'hanno poi ridotta a quella perfezione e grandezza, in che la veggiamo al secolo nostro; il quale, avvezzo ogni dì a vedere le maraviglie, i miracoli e l'impossibilità degli artefici in que-

[1] Questo comento è quello che gli eruditi conoscono sotto il titolo di Anonimo, e che si dice anche l'Ottimo: pubblicato la prima volta per cura di Alessandro Torri in Pisa, 1827-30

st'arte, è condotto oggimai a tale, che di cosa che facciano gli uomini, benchè più divina che umana sia, punto non si maraviglia. E buon per coloro che lodevolmente s'affaticano, se in cambio d'essere lodati ed ammirati, non ne riportassero biasimo e molte volte vergogna. Il ritratto di Cimabue si vede di mano di Simone Sanese, nel capitolo di Santa Maria Novella,[1] fatto in profilo nella storia della Fede, in una figura che ha il viso magro, la barba piccola, rossetta ed appuntata, con un cappuccio secondo l'uso di quei tempi, che lo fascia intorno intorno e sotto la gola con bella maniera. Quello che gli è allato, è l'istesso Simone maestro di quell'opera, che si ritrasse da sè con due specchi per far la testa in profilo, ribattendo l'uno nell'altro. E quel soldato coperto d'arme, che è fra loro, è, secondo si dice, il conte Guido Novello, signore allora di Poppi. Restami a dire di Cimabue, che nel principio d'un nostro libro, dove ho messo insieme disegni di propria mano di tutti coloro che da lui in qua hanno disegnato,[2] si vede di sua mano alcune

[1] † Circa alle pitture del Capitolo di S. Maria Novella, detto il Cappellone degli Spagnuoli, ed a' loro autori, sarà parlato nella Vita di Simone da Siena. Solamente noteremo qui che il Vasari, secondo il nostro parere, s'inganna stimando che in quella figura di profilo nella storia della Fede si abbia da riconoscere il ritratto di Cimabue; mentre a noi la foggia del suo vestito ce lo scopre per un cavaliere francese, e forse per il Duca d'Atene.

[2] Racconta il Baldinucci, nella Vita del Passignano, che dal cav. Gaddi furono venduti ad alcuni mercanti per molte migliaia di scudi cinque volumi di disegni, i quali componevano il famoso libro posseduto dal Vasari, e da lui tante volte nelle Vite rammentato. Più tardi il card. Leopoldo de' Medici ne ragunò molte migliaia di mano dei più celebri maestri, tra' quali parecchi che appartennero alla raccolta del Biografo aretino. Lo stesso Baldinucci, nell'*Avvertimento a chi legge*, e nella lettera al march. Vincenzo Capponi, dice di aver proposto al card. Leopoldo di disporre in ordine cronologico l'immensa quantità dei raccolti disegni, e di avere avuto egli stesso l'incarico di questo lavoro dal cardinale medesimo, e poi anche da Cosimo III: ma Giovanni Cinelli, nella sua amara *Critica*, sopraccitata, nega al Baldinucci non solo il concetto di questo riordinamento, ma sì ancora ch'egli vi presiedesse; e ne dà tutto il merito al conte Carlo Cesare Malvasia di Bologna, aiutato ancora dai consigli del Volterrano, del Lippi e del cardinale medesimo. Checchè ne sia però, non si potrà mai negare che il Baldinucci non abbia avuto parte principale in questo riordinamento. Questa raccolta, nel 1700, fu mandata in gran parte alla Galleria degli Uffizj;

cose piccole fatte a modo di minio; nelle quali, come ch'oggi forse paino anzi goffe che altrimenti, si vede quanto per sua opera acquistasse di bontà il disegno.

dove oggi, in mezzo a tanta abbondanza di disegni, non sarebbe agevole il discernere quelli appartenuti al Vasari Vero è che questa serie, ora novamente riordinata, incomincia da *alcune piccole cose fatte* in pergamena *a modo di minio, anzi goffe che altrimenti*, le quali si attribuiscono a Cimabue, e potrebbero essere quelle stesse che il Biografo rammenta in questo luogo Molti altri disegni appartenuti al Vasari furono acquistati dal Crozat, che in parte gli pubblicò Molti, di architettura specialmente, passarono in mano del Mariette, e furono poi acquistati dalla Galleria suddetta

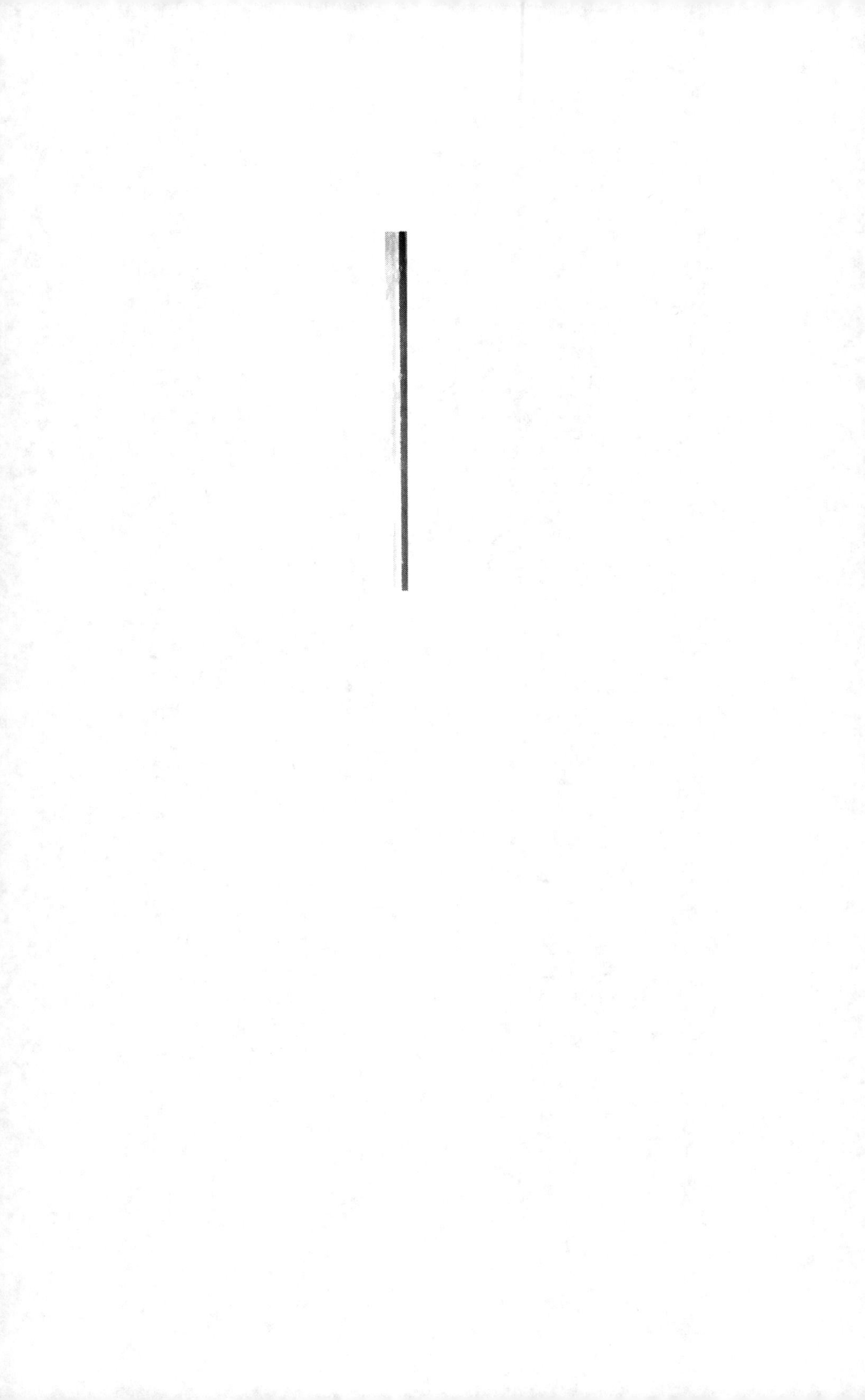

ALBERETTO
DEI
GUALTIERI o CIMABUOI

CIMABUE

- GUALTIERI
  - LAPO
    - DOMENICO
      setajuolo, fa testamento nel 1372
      moglie
      Sandra di mess. Gio. Davizi
      - GUALTIERI
        n. 1365
        moglie Mita
- GIOVANNI
  detto
  CIMABUE
  † 1302
  - AGNOLO
    setajuolo † 1359
    - DOMENICO

GIOVANNI 1372
moglie Giovanna
di Bonifazio di Berto
di mess. Ridolfo Peruzzi

FRANCESCO

SANDRA
marito Ambrosio Pierozzi

COMMENTARIO

ALLA VITA DI G. CIMABUE

Nessuna autorità o antica testimonianza troviamo che avvalori l'asserzione del Vasari, ripetuta anche dal Baldinucci e da altri, circa al decreto emanato dalla Repubblica fiorentina intorno all anno 1240, per chiamare in Firenze greci maestri ad insegnare l'arte della pittura. Esso fu citato da molti, e da alcuni cercato, ma nessuno potè trovarlo Questa, pertanto, altro non è che una supposizione trovata dal Vasari per dare maggior fondamento e fermezza al suo sistema di attribuire ogni opera anteriore a Cimabue, alla mano de'soli artefici greci Ma, ammesso per un momento che la Repubblica fiorentina potesse aver chiamato a dipingere greci pittori, piuttostochè quelli che fin dal principio del secolo XIII in Pisa, in Siena e in Lucca, città vicine, ma rivali e nemiche, lodevolmente l'arte della pittura esercitavano, chi mai potrà farsi del pari persuaso che questi pittori greci *non per altro* fossero chiamati, che per *rimettere in Firenze la pittura, piuttosto perduta che smarrita?* [1] Questo non è credibile, imperciocchè fu abbastanza provato che anche l'occidente cristiano non cessò mai, bene o mal che si fosse, di dipingere e di scolpire le immagini de'suoi Santi, come è facile intendere da per sè, e coi documenti dimostrare E rispetto ai tempi che di poco precedettero Cimabue, basterà aver considerazione al merito de'musaici tuttavia esistenti in San Giovanni di Firenze, da Fra Jacopo francescano e da Andrea Tafi condotti innanzi alla pretesa chiamata dei greci maestri, per tenere in tutto falsa questa opinione. [2]

[1] Nella Vita di Cimabue, pag 248

[2] Oggi non si può più tenere che Andrea Tafi lavorasse i mosaici di San Giovanni innanzi alla pretesa chiamata de'maestri greci, essendo stata meglio stabilita l'età, in cui visse ed operò quell'artefice, come sarà chiaramente dimostrato nella sua Vita.

Quanto poi alla presunta educazione artistica di Cimabue, vuole il Vasari che mentre egli giovinetto andava ad apprendere i primi rudimenti di lettere da un suo parente, maestro de' novizj in Santa Maria Novella, i pittori greci prenominati lavorassero appunto nella cappella de' Gondi, di cui a' giorni suoi le volte e le facciate erano poco men che consumate dal tempo. Ma gli scrittori venuti dopo hanno già avvertito come al tempo di Cimabue non potesse essere edificata quella cappella, imperciocchè la odierna chiesa, in cui essa si trova, fu incominciata a fabbricare nel 1279. Di qui è che alcuni argomentarono che quei greci pittori operassero piuttosto nella antica chiesa, al presente situata sotto la sagrestia; e giudicarono avanzi di loro opere quelle pitture tuttavia visibili nelle sotterranee cappelle, dedicate l'una a Sant'Anna, l'altra a Sant'Antonio. Ma, a questo proposito, rende grandissima maraviglia il vedere l'enorme abbaglio che prese il D'Agincourt; il quale, nella sua *Storia dell'Arte*, nella tavola CIX, dà come saggio delle pitture operate da quei greci pretesi maestri di Cimabue, una delle storie dipinte nella menzionata cappella di Sant'Anna;[1] mentre sappiamo che essa fu fondata nel sec. XIV dalla famiglia degli Steccuti, e che il suo fondatore vi fu sepolto nell'anno 1360.[2] Le quali pitture, che hanno evidentemente il carattere delle cose del sec. XIV, corrispondono, quanto al tempo, a quelle che sono nella contigua cappella di Sant'Antonio, fatta edificare nel 1337 da Fuligno Carboni, per testamento di Ulivieri suo padre.[3] Anche il prof. Rosini, per aver seguitato il D'Agincourt, ha giudicato queste stesse pitture, opere dei maestri greci.[4] Sennonchè narra il padre Fineschi[5] che questa cappella di Sant'Antonio era già più anticamente edificata, come un accidente a' suoi tempi occorso dimostrò; e fu che, cadendo una parte d'intonaco, si scoprì una pittura più antica, la quale fu giudicata opera di quei greci che dipingevano in Firenze, e da' quali si vuole apprendesse l'arte Giovanni Cimabue: e in questa opinione furon concordi il Padre Della Valle e l'ab. Lanzi.[6] Per buona sorte, anche al presente sono visibili nella detta cappella di Sant'Antonio alcune tracce di queste antiche pitture, sotto la storia della Crocifissione. In esse

[1] D'Agincourt, *Storia dell'Arte*, tom. IV, pag. 355, ediz. di Prato.

[2] Fineschi, *Memorie sopra l'antico cimitero di Santa Maria Novella*, p. 83.

[3] Fineschi, *Mem. cit.*, pag. 80 e seg. Fuligno Carboni vescovo di Fiesole, fu seppellito in questa stessa cappella di Sant'Antonio nel 1349, come si ritrae dalla iscrizione ch'è nel suo avello, riportata per intiero dal P. Fineschi, e che ora non si vede che per metà.

[4] *Storia della Pittura italiana*, tom. I, pag. 74.

[5] *Mem. cit.*, pag. 18.

[6] *Lettere Senesi*, II, 8. — *Storia pittorica della Italia ecc.*, tom. I, *Scuola Fiorentina*, lib. I.

a mala pena si scorgono i segni di cinque archi sorretti da altrettanti pilastri di proporzione assai tozza, qualche testa umana, una che sembra di cavallo; le braccia, il torso e una gamba di una piccola figura tutta tinta di un solo color bigio, e un'altra figura che pare abbia le ali, colla destra alzata e munita di una specie di bastone o scettro Nell'arcata di mezzo, un avanzo di una testa più grande, e il vestigio della mano sinistra.[1] Noi non dubitiamo di affermare che questi frammenti non sono niente affatto lavoro greco, ma un mostruoso e rozzissimo lavoro a tempra di un qualche ignorantissimo italiano pittore, se così può chiamarsi chi è digiuno finanche d'ogni principio d'arte. E quanto dei greci pittori dice il Vasari in varj luoghi del Proemio delle Vite, meglio si attaglia a qualificare questo informe lavoro, piuttostochè le opere dei veri greci, i quali certamente non erano tanto goffi ed ignoranti quanto egli li volle far credere:[2] e a proferire sì sfavorevole giudizio sopra di loro (sebbene ne' suoi viaggi a Roma, a Ravenna, ed in altre città d'Italia, il Vasari dovesse aver veduto opere greche veramente stimabili per merito artistico) egli fu portato dalla forza del suo prestabilito sistema di gettare a terra tutto quanto innanzi a Cimabue si era fatto, e mettendo in discredito grandissimo i greci pittori esaltar maggiormente il suo Cimabue, e far credere che sotto la disciplina di sì perversi maestri l'ingegno di lui valesse a tramutar l'arte, e rinnovarla maravigliosamente, come fece

Quando venne al mondo Cimabue, già in molte parti d'Italia era sorta una maniera di pittura, dove il tipo greco incominciava ad esser cacciato via da nuove fattezze, le quali a grado a grado colla scorta del vero migliorandosi, ben presto dettero alla pittura un aspetto tutto nuovo e un carattere nazionale In varie parti d'Italia greci artefici e seguaci di essi saranno stati, come vi furono, e specialmente in quelle città, dove l'incivilimento arrivò più tardi e si andava svolgendo più lentamente ma in Toscana, dove la rinnovata civiltà si propagò precoce, e in breve dette splendidi frutti in ogni genere d'arte e di disciplina, la pittura stessa dovette spogliare la vecchia veste più presto, e più presto vestire la nuova

Dopo di che, toccando di nuovo della educazione artistica di Cimabue, è agevole il farsi persuaso che quanto il Vasari ci racconta, altro non è che una mera invenzione romanzesca, immaginata dal Biografo per dar

[1] Abbiamo descritto tritamente questi frammenti, perchè essi tra breve non esisteranno più, essendo molto deperiti

[2] « . . . dipingevano figure mostruose, coprendo solo i primi lineamenti di colore; che più tosto che dipingere tingevano; di quei Greci vecchi e non antichi, dei quali altro non era rimaso che le prime linee in un campo di colore, con un profilo che ricinge per tutto le figure, le quali hanno più del mostro nel lineamento, che effigie di quel che e' si sia »

corpo di storia seguita e provata ad una tradizione volgare, della quale nessuna memoria certa per documenti si trova, e dal Vasari stesso a noi tramandata con tutto quel di più che la sua poetica fantasia vi seppe aggiungere. Sarà pertanto più giusto e di verità più istorica il dire che, nel modo istesso che Siena ebbe pittori anche avanti il suo Guido,[1] così Firenze potesse avere in quel tempo pittori e miniatori capaci di potere, con esempi e con buone discipline, rettamente avviare nell'arte della pittura la gioventù fiorentina. E difatti, de' tempi che precessero a Cimabue, si ha memoria di un Rustico, cherico e pittore fiorentino nel 1066;[2] e di una tavola dipinta nel 1191 da un tal Marchisello fiorentino, la quale fino al tempo di Cosimo *Pater Patriae* stette nell'altar maggiore della chiesa di San Tommaso.[3] Del 1112 è ricordo di un Girolamo di Morello, parimente cherico e pittore.[4] Nel 1224 si trova un maestro Fidanza pittore;[5] e nel 1236 un altro pittore fiorentino, di nome Bartolommeo.[6] E per dare un esempio de' tempi stessi di Cimabue, il Del Migliore riferisce il nome di un « Maso dipintore, figliuolo di Risalito, del popolo di San Michele Bisdomini; il quale visse nel 1260, abile al governo in tempo che

[1] In Siena, dove non è nè memoria nè tradizione che siano stati greci artefici, abbiamo nella Galleria delle Belle Arti un paliotto, che fu già della Badia della Berardenga, nel quale a caratteri romani è questa iscrizione: ANNO DOMINI MILLESIMO CCXV MENSE NOVEMBRI HEC TABULA FACTA EST. È opera di maniera affatto diversa e più antiquata di quella di maestro Guido. † Intorno al quale ed alla sua celebre tavola in San Domenico di Siena è stato provato a' nostri giorni che egli fu Guido di Graziano, vissuto nell'ultima metà del secolo XIII, e che dipinse quella tavola, non nel 1221, come è detto nella iscrizione alterata nel suo millesimo da posteriori restauri, ma sibbene cinquant'anni dopo, cioè nel 1281. (Vedi MILANESI Gaetano, *Della vera età di Guido pittore senese e della celebre sua tavola in San Domenico di Siena*, nel *Giornale Storico degli Archivi Toscani*, vol. III, anno 1859).

[2] *Archivio diplomatico di Firenze*: carte di San Pier maggiore di Pistoia.

[3] DEL MIGLIORE, *Firenze illustrata*, pag. 468.

[4] *Anno 1112. Aprile — Bernardo di Signoretto vende a Girolamo, cherico e pittore, figliuolo di Morello, la sua parte delle terre in luogo Callebuono e in Materaio, pel prezzo di soldi 30. Fatto nella Pieve di San Pietro a Sillano, nel territorio fiorentino. Rogato Teuzzo notaro (*Archivio diplomatico di Firenze*: carte dell'Abazia di Passignano). Ragionevolmente è da credere che questo pittore fosse fiorentino.

[5] « Nel 1224, Diotifeci, priore della chiesa di Santa Maria Maggiore di Fi« renze, col consenso del suo Capitolo, vendè una casa posta in campo Corbolini, « per pagare un debito a maestro *Fidanza* pittore; come si ha da una carta del « nostro Archivio capitolare di quell'anno ». (LAMI, *Dissertazione relativa ai Pittori e Scultori Italiani che fiorirono dal 1000 al 1300*). L'original testo di questo documento nelle parti più importanti fu pubblicato dal Rumohr nel tomo II delle sue *Ricerche italiane*, in nota, pag. 28.

[6] LAMI, l. c. « E nel 1236 era in Firenze un pittore chiamato Bartolomeo, « come si ha da una carta del predetto Archivio capitolare ».

la signoria era ne'Magnati e nelle persone di alto lignaggio, senza la comunità della gente bassa », e di un tal Ghese di Pietro pittore, che nel 1297 era già morto.[1] Notabilissimo è pure il trovare che nel 1269 si fa menzione della *Via de' Pittori* (palazzo de' Ghibellini *inter dipintores*) per il che, se una delle principali vie della città aveva già preso il nome da loro, ciò sta a provare che Firenze aveva abbondante numero di pittori.[2]

A questi fatti, i quali ci mostrano già formata e stabilita in Firenze una scuola propria, un altro ne abbiamo da aggiungere, che mentre ci fa conoscere un altro pittore fiorentino, e (quel che molto più importa alla storia) un'opera segnata del suo nome e dell'anno, servirà eziandio a formare un più sicuro e intero giudizio intorno al merito di questa scuola. Questo pittore, nato certamente innanzi a Cimabue, e degno pel suo valore di non andar dimenticato, è Coppo di Marcovaldo fiorentino. Costui solamente da alcuni anni in qua era noto per un documento pubblicato dal Ciampi,[3] dal quale si ritrae che nel 1265 dipinse nella cappella di San Iacopo di Pistoia una facciata verso la porta opera oggi perduta [4] Ma

[1] Il corpo di Madonna Riguardata, *uxor olim Ghesis dipintoris*, nel 1297 fu riposto nella sepoltura di famiglia in Santa Reparata (Del Migliore, *op cit*, pag 417).

[2] Il Del Migliore (*op cit*, pag 414), fa cenno di una serie di pittori da lui messa insieme da Cimabue indietro, fin ne' tempi di Federigo II † Noi ancora possiamo registrarne molti altri che vissero ed operarono sul finire di questo medesimo secolo, e il cominciare del seguente Da un protocollo di ser Matteo Biliotti dal 1291 al 1296, conservato nell'Archivio Generale de' contratti di Firenze, togliamo i nomi de' seguenti pittori fiorentini che pattuiscono d' insegnare l'arte loro ad alcuni giovani, i più per tre e qualcuno anche per quattro anni.

Lapo di Cambio, Lapo di Beliotto, Lapo di Taldo, Corso di Buono, Andrea di Cante, Grifo di Tancredi, Tura di Ricovero, Vanni di Rinuccio, Chele di Pino, Ranuccio di Bogolo, Guiduccio di Maso, Cresta di Piero, Bindaccio di Bruno, Guccio di Lippo, Bertino della Marra, Rossello e Scalore di Lottieri, Dino e Lippo Benivieni, Asinello d'Alberto, Lapo di Compagno detto Scatapecchia, Vannuccio di Duccio e Bruno di Giovanni, il compagno di Buffalmacco e di Calandrino

Troviamo in altro notaio ancora che nel 1282 Azzo del fu Mazzetto pittore del pop di San Tommaso fece patto d' insegnare l' arte sua per sei anni a Vanni di Bruno del fu Papa del popolo di San Romolo, il qual Vanni è forse Giovanni padre di Bruno sopra nominato

[3] *Notizie della Sagrestia Pistoiese ecc*, pag 143, documento XXII, donde è utile a sapere che il padre di M Coppo era già morto tra il 1265 e 1267, anno, a cui si riferisce quel documento

[4] « Di mano del medesimo Coppo fu pure, secondo il Dondori nella *Pietà di Pistoia*, una Nostra Donna con putto, che stava già in un tabernacolo all'altare maggiore del Duomo, d' onde venne poi tolta all' occasione che quell'altare dovette in altra forma rifabbricarsi, e fu collocata nell' ora soppressa chiesa di San Luca Al presente non ne resta memoria » (Ciampi, *Notizie della Sagrestia Pistoiese ecc*)

le ricerche che continuamente andiamo facendo d'opere e di notizie di belle arti, ci hanno fatto scoprire la esistenza di un'altra opera importantissima di questo pittore, condotta fuori di patria. Essa si conserva nella chiesa di Santa Maria dei Servi in Siena; ed è la Madonna così detta *del Bordone*, in una cappella in prima appartenuta, secondo che si dice, ai Bordoni,[1] poi ai Ronconi, e nel 1617 ai Biringucci, dai quali verso il 1700 passò in monsignor Borgognini vescovo di Montalcino. In questa tavola, col fondo messo a oro, è figurata tutta intera, e della grandezza maggiore del naturale, una Nostra Donna seduta in un molto ornato seggio, tenendo in braccio con aggraziato modo il Divino Infante, che fa l'atto del benedire. Due piccoli Angeli stanno sospesi in aria presso la testa della Vergine e del Bambino. Quest'opera è ben conservata: e sebbene nella movenza degli Angeli, e soprattutto nelle pieghe della veste della Vergine e nella forma e negli ornamenti del trono, tenga assaissimo della maniera bizantina; le teste però, sì pel carattere come per la forma, che è più aggraziata e rotondeggiante, se ne allontanano notabilmente.

Il Faluschi e il Romagnoli, autori delle più moderne Guide di Siena che si hanno a stampa, attribuiscono questa pittura a Diotisalvi Petroni, pittore senese: e perciò sotto questo nome si vede incisa nella tav. VI della *Storia* del prof. Rosini. Ma certi ricordi sopra il convento e la chiesa de'Servi di Siena,[2] del padre Filippo Buondelmonti servita, il quale visse nella prima metà del secolo XVII, ci dicono che questa tavola è opera di Coppo di Marcovaldo; e meglio poi, da una Descrizione inedita delle cose più notabili della città di Siena, del 1625, secondo il parere di alcuni fatta da Fabio Chigi, poi papa Alessandro VII, veniamo a sapere che in questa tavola a quel tempo si leggeva l'anno e il nome del pittore così: MCCLXI. COPPUS DE FLORENTIA ME PINXIT.[3] Sebbene questa iscrizione sia dovuta sparire quando fu variata la forma della tavola e rifatta la cornice, la quale è evidentemente moderna; tuttavia nessuno vorrà impugnarne l'autenticità. Ciò posto, sembra a noi di poter concludere che questa tavola di Coppo Marcovaldo sia uno de'più evidenti e forti argomenti in favore della indipendenza della scuola fiorentina al tempo di Cimabue.

Per quali cagioni, adunque, tra i pittori che a quella stagione produsse la scuola fiorentina, il solo Cimabue levò alto grido di sè, non tanto

[1] Essendoci sconosciuto che in Siena sia stata in antico una famiglia di questo nome, propendiamo a credere che piuttosto questa Madonna fosse così detta da qualche bordone appeso presso di lei, in segno di voto o di grazia ricevuta.

[2] Manoscritto nella Biblioteca Comunale di Siena.

[3] *Descrizione delle cose più notabili di Siena* (ms. originale nella Biblioteca Chigiana di Roma, e in copia nella Comunale di Siena).

tra i coetanei,[1] quanto ancora tra quelli che in patria lo precedettero in questo esercizio? Tale eccellenza su tutti gli altri è chiaro che da queste cagioni derivò: primo, dall'avere egli avuto in dono dal cielo un ingegno più felicemente disposto d'ogni altro, col quale potè più produrre opere migliori, e più potentemente aiutare, quasi sul principio, l'affrancamento che nella pittura si andava operando; poi, dall'essere stato maestro di Giotto, onde il nome dell'uno non fu più disgiunto da quello dell'altro, e finalmente, dalla fortuna che il suo nome fosse tramandato ai posteri nei noti versi del Divino Poeta, quando disse:

Credette Cimabue nella pintura
Tener lo campo *ecc.*

[1] A provare che egli vinse i suoi contemporanei, recheremo l'esempio di una tavola d'ignoto pittore, il quale operò nei medesimi tempi di Cimabue, anzi gli sopravvisse, e fu più di lui seguace della greca maniera, ma non al pari di lui valente. Questa importante tavola, da noi con piacere veduta in questi giorni, e appena accennata dall'ultima *Guida di Firenze*, del 1841, e da nessuno dei patrii scrittori considerata. Essa si trova nella sagrestia della chiesa di San Simone, dove fu trasportata da quella, oggi demolita, di San Pier Maggiore, per la quale fu fatta. († Ora è nel primo altare a destra, entrando, di detta chiesa.) È una tavola alquanto grande, simile, nella forma e in certi ornati e accessorj dipinti, a quella di Cimabue in Santa Maria Novella. In essa è figurato, su fondo d'oro, e più grande del naturale, un San Pietro maestosamente seduto in cattedra, con chiavi e un libro nella sinistra, e colla destra benedicente, e ai lati due Angeli in piedi. A piè della tavola abbiamo letto, non senza fatica perchè mezzo spenta, questa scritta a lettere d'oro, da nessun altro conosciuta: ISTAM TABULAM FECIT SOTIETAS BEATI PETRI APOSTOLI DE MENSE. IUNII. SUB ANNIS. DOMINI. M. CCC VIII.

ARNOLFO DI LAPO

ARCHITETTO FIORENTINO

(Nato nel 1232?, morto nel 1310)

Essendosi ragionato nel Proemio delle Vite d'alcune 'abbriche di maniera vecchia non antica,[1] e taciuto per non sapergli i nomi degli architetti che le fecero fare; 'arò menzione nel proemio di questa Vita d'Arnolfo l'alcuni altri edifizj fatti ne' tempi suoi o poco innanzi, lei quali non si sa similmente chi furono i maestri; e poi di quelli che furono fatti nei medesimi tempi, dei quali si sa chi furono gli architettori, o per riconoscersi benissimo la maniera d'essi edifizj, o per averne notizia avuto mediante gli scritti e memorie lasciate da loro nelle opere fatte. Nè sarà ciò fuor di proposito, perchè sebbene non sono nè di bella nè di buona maniera, ma solamente grandissimi e magnifici, sono degni nondimeno li qualche considerazione. Furono fatti, dunque, al tempo li Lapo e d'Arnolfo suo figliuolo[2] molti edifizj d'imporanza in Italia e fuori, dei quali non ho potuto trovare o gli architettori; come sono la Badia di Monreale in

[1] Savia distinzione fatta da lui anche sulla fine del Proemio delle Vite, ove spiega ciò che intende per vecchio e ciò che intende per antico.

[2] Arnolfo, come si mostrerà più sotto, non fu figliuolo d'un Lapo

Sicilia,[1] il Piscopio di Napoli,[2] la Certosa di Pavia,[3] il Duomo di Milano,[4] San Piero e San Petronio di Bologna,[5] ed altri molti che per tutta Italia, fatti con incredibile spesa, si veggiono: i quali tutti edificj avendo io

[1] Fondata verso il 1177, probabilmente da un principe francese d'origine normanna; onde si annovera fra i monumenti di quell'architettura che qui dicesi gotica, altrove normanna o francese; e potrebb'anche, per certa imitazione che vi si scorge dell'arabico, annoverarsi fra i monumenti d'altro nome. Molte ricerche fece indarno per discoprirne l'architetto o gli architetti chi ne diede in Palermo una descrizione sul principio del secolo scorso. Il D'Agincourt stimò opera perduta il far ricerche ulteriori.

‡ Non così la pensarono Domenico Lo Faso Pietrasanta duca di Serradifalco, e Don Domenico Benedetto Gravina abate cassinense, i quali pubblicarono in Palermo, il primo nel 1838, ed il secondo nel 1859 in un magnifico volume in-folio, la *Storia del Duomo di Monreale*. Circa al suo fondatore, il padre Gravina dice essere stato Guglielmo II detto il Buono, e che fosse posto mano alla sua edificazione verso il 1172.

[2] *Vedi la nota 4, pag. 303 nella vita di Niccola e Giovanni, Pisani.

[3] Fatta erigere sulla fine del secolo decimoquarto da Gio. Galeazzo Visconti, primo duca di Milano; poi adornata sul declinar del seguente degli stupendi lavori che veggonsi nella sua facciata specialmente, e che fanno di essa una delle meraviglie d'Italia. I nomi di quelli che si segnalarono in questi lavori, si son raccolti alla meglio da' registri della Certosa medesima, e posson leggersi nelle descrizioni che abbiamo di essa, nella storia del Cicognara e altrove. Il nome dell'architetto o degli architetti non s'è ancor discoperto.

‡ Il Calvi nell'op. cit., p. 105, crede, e con buone ragioni e documenti, che il primo e principale architetto della Certosa di Pavia sia stato maestro Bernardo da Venezia.

[4] *Sebbene una iscrizione incastrata dietro il coro della cattedrale milanese dica che essa fu fondata nel 1386, tuttavia un decreto dei deputati alla fabbrica, del 16 ottobre 1387, afferma che da molto tempo era già cominciata. Architetti italiani e tedeschi ebbero mano alla fabbrica; ma sbaglierebbe chi, col Cicognara, credesse di vedere somiglianza tra questa e la cattedrale di Strasburgo. Del rimanente, l'interno di questo Duomo è tenuto da tutti come uno dei più magnifici delle cattedrali archiacute, e forse a tutti superiore; e quella specie di capitelli de' piedritti sono cosa singolarissima, e che non trovasi in nessun altro edifizio gotico. Questa insigne cattedrale, fondata da Giovanni Galeazzo, fu compita sotto Napoleone.

‡ Nuove ricerche fatte modernamente ne' libri della fabbrica hanno escluso che architetto del Duomo di Milano sia stato un Enrico di Gamundia tedesco, e dimostrato che invece questa lode si debba con più ragione e giustizia concedere a Marco da Campione, architetto lombardo. (Vedi Calvi Girolamo Luigi, *Notizie sulla vita e sulle opere de' principali architetti, scultori e pittori che fiorirono in Milano durante il governo de' Visconti e degli Sforza*. Milano, Ronchetti, 1859, in-8; vol. I, p. 59).

[5] San Piero, che è la Metropolitana, fu eretta non si sa ancora per opera di chi, nel secolo decimo, e probabilmente al principio; poi rinnovata nel deci-

veduti e considerati, e così molte sculture di que' tempi, e particolarmente in Ravenna, e non avendo trovato mai non che alcuna memoria dei maestri, ma nè anche molte volte in che millesimo fussero fatte; non posso se non maravigliarmi della goffezza e poco desiderio di gloria degli uomini di quell'età. Ma tornando al nostro proposito, dopo le fabbriche dette di sopra comminciarono pure a nascere alcuni di spirito più elevato, i quali se non trovarono, cercarono almeno di trovar qualche cosa di buono. Il primo fu Buono,[1] del quale non so nè la patria nè il cognome, perchè egli stesso, facendo memoria di sè in alcuna delle sue opere, non pose altro che semplicemente il nome.[2] Costui, il quale fu scultore ed architetto, fece primieramente in Ravenna molti palazzi e chiese ed alcune sculture negli anni di nostra salute 1152: per le quali cose venuto in cognizione, fu chiamato a Napoli, dove fondò (sebbene furono finiti da altri, come

nottavo sotto Benedetto XIV * Quanto a San Petronio, da un documento stampato a pag 92 della Serie terza delle *Memorie di Belle Arti*, pubblicate per cura di Michelangelo Gualandi, si ritrae che, li 8 d'aprile dell'anno 1392, fu deputato a capo maestro della detta Basilica (della quale fu posta la prima pietra nel 1390) Antonio Vincenzi, architetto bolognese; uomo celebre allora, il quale fu dei riformatori, e nel 1396 degli ambasciatori alla Repubblica Veneziana Gli fu dato però a compagno in quella fabbrica il Padre Andrea Manfredi, generale dell'Ordine dei Servi di Maria, valente architetto esso pure, di cui si vedono fabbriche in Bologna ed altrove Questo decreto che al Vincenzi da per compagno il Manfredi, è riportato per intiero dal Cicognara, *Storia della Scultura*, vol II, lib II, cap VII, p 235 dell'ediz in-8

[1] *Il Vasari, come vedremo, confonde qui più artefici di diverse età e di diverso nome

[2] *In Pisa fu certo a lavorare (se non vuol dirsi Pisano) un tal Buonamico, del quale in Campo Santo è un architrave con rozzissime sculture, dov'è rappresentato, dentro una mandorla ch'è nel mezzo, il Redentore benedicente, e ai lati i quattro Evangelisti, con sopra il re David seduto, che suona il salterio In basso è scritto ✝ OPVS QVOD VIDETIS BONVSAMICVS MAGISTER FECIT PRO EO ORATE Di questo infelice lavoro fa menzione il Da Morrona (*Pisa antica e moderna, per servire di guida ecc* Pisa, 1821, pag 55) Ma chi crederebbe che di questo Buonamico s'incontri il nome in un'altra iscrizione fin qui ignota, e da noi scoperta, l'anno 1841, nella pieve di Mensano, terra vicino a Casole nel Senese? In fatti, in una lastra di fino marmo, posta ora nel fianco dell'altar maggiore *a cornu evangelii*, con grandi e singolari lettere è scritto ✝ AGLA.

si dirà) Castel Capoano e Castel dell'Uovo;[1] e dopo al tempo di Domenico Morosini doge di Vinezia fondò il campanile di San Marco con molta considerazione e giudizio,[2] avendo così bene fatto palificare e fondare la platea di quella torre, ch'ella non ha mai mosso un pelo, come aver fatto molti edifizj fabbricati in quella città innanzi a lui si è veduto e si vede. E da lui forse appararono i Viniziani a fondare nella maniera che oggi fanno i bellissimi e ricchissimi edifizj che ogni giorno si fanno magnificamente in quella nobilissima città. Bene è vero che non ha questa torre altro di buono in sè, nè maniera nè ornamento, nè insomma cosa alcuna che sia molto lodevole. Fu finita sotto Anastasio IV e Adriano IV pontefici, l'anno 1154. Fu similmente architettura di Buono la chiesa di Sant'Andrea di Pistoia: è sua scultura un architrave di marmo che è sopra la porta, pieno di figure fatte alla maniera de' Goti: nel quale architrave è il suo nome intagliato, ed in che tempo fu da lui fatta quell'opera, che fu l'anno 1166.[3] Chiamato poi a Firenze,

OPVS QVOD VIDETIS BONVSAMICVS MAGISTER FECIT. PRO EO ORETIS. Sebbene il carattere delle sculture simboliche che adornano i capitelli delle colonne di travertino che sostengono la navata di mezzo di questa importante chiesa, sia somigliantissimo a quello dell'architrave sopra descritto, in guisa che si potrebbe anche credere che Buonamico fosse l'architetto di questa pieve; tuttavia la iscrizione pare che alluda piuttosto a qualche altro lavoro di scultura, fatto per questa chiesa, ed oggi disperso.

† Il Cavalcaselle, op. cit., pag. 181, crede probabilmente di lui i bassirilievi nella porta orientale del Battistero di Pisa, con Cristo, Maria, San Giovanni, ed altri apostoli e angeli in mezze figure.

[1] *Vedi la nota 2, pag. 309, nella vita di Niccola e Giovanni, Pisani.

[2] *Quegli, di cui qui parla il Vasari, e che non fondò, per vero dire, ma condusse innanzi il campanile di San Marco, opera di mirabile ardimento e solidità, fu, siccome scrive il Cicognara, un Bartolommeo Buono bergamasco, autore delle vecchie Procuratie, e d'altri begli edifizj del secolo XVI che sono in Venezia. (Vedi anche CICOGNA, *Iscrizioni Veneziane*).

[3] La chiesa di Sant'Andrea, come osserva il Ciampi nella *Sagrestia de' Belli Arredi*, è forse del secolo VIII. Si crede, egli dice, che la sua facciata, quale oggi la vediamo, sia opera d'un Gruamonte, chi dice Pisano, chi Ravennate, o di qualche altro artefice che lavorava con lui. Suo è certamente l'architrave con bassirilievi rappresentanti l'adorazione dei Magi, come attesta l'iscrizione (ove pur si nomina come compagno dell'opera un Adeodato suo fratello), ivi chia-

diede il disegno di ringrandire, come si fece, la chiesa di Santa Maria Maggiore, la quale era allora fuor di città,[1] ed avuta in venerazione, per averla sagrata papa Pelagio molti anni innanzi: e per esser, quanto alla grandezza e maniera, assai ragionevole corpo di chiesa.[2]

Condotto poi Buono dagli Aretini nella loro città, fece l'abitazione vecchia dei signori d'Arezzo; cioè un palazzo della maniera de' Goti,[3] ed appresso a quello una torre per la campana: il quale edificio, che di quella maniera era ragionevole, fu gettato in terra per essere dirimpetto ed assai vicino alla fortezza di quella città, l'anno 1533. Pigliando poi l'arte alquanto di miglioramento per l'opere d'un Guglielmo di nazione (credo io) Tedesco,[4] furono

mato per encomio *magister bonus*, onde l'equivoco del Vasari. — *La iscrizione, già esibita dal Ciampi e dal Tolomei, è questa: *Fecit hoc opus Gruamons magister bon* (nus) *et Adot.* (Adeodatus) *frater eius. Tunc erant operarii Villanus et Pathus filius Tignosi.* A. D. MCIXVI.

‡ Ma circa l'anno di essa iscrizione il dott. Roulin fece le seguenti osservazioni comunicate alla Società Filomatica di Parigi nel 1859 (V. *Giornale di Liouville*, tom. IV). Le lettere M e C di questo millesimo, secondo lui equivalgono, come è comunemente, a millecento: il nove poi così notato, IX, e posto alla sinistra delle cifre che indicano le unità prende qui un valore di posizione, cioè dieci volte maggiore che se fosse nel luogo di queste ultime, e indica novanta; il VI che gli succede ha il solito valore di sei unità: e così prese complessivamente tutte le dette cifre MC IX VI debbono significare 1196. Notisi che fin qui il detto millesimo è stato letto e stampato per 1166, prendendo la I innanzi alla X per una L, mentre veramente non è che una I. (TIGRI; *Guida di Pistoia* del 1853, p. 255 in nota). L'architetto Buono lavorò in più fabbriche di Pistoia fra il 1260 e il 1270, vale a dire più di 60 anni dopo Gruamonte.

[1] Di questa chiesa, di cui ancor rimangono le mura maestre e la volta, fu probabilmente ringranditore un Buono fiorentino, che lavorò nel secolo decimoterzo alla cappella di San Iacopo e in varie chiese di Pistoia, siccome risulta dagli archivj dell'Opera di San Iacopo detto, e da altre memorie. Di che vedi la *Sagrestia*, già citata, del Ciampi, e i *Monumenti Pistoiesi* illustrati dal Tolomei.

[2] *Fu consacrata da Pelagio I il 15 d'aprile del 556, secondo la iscrizione che riporta il Del Migliore, pag. 425; la quale oggi non si vede più.

[3] *Il Palazzo de' Signori, di cui esiste tuttora in Arezzo un avanzo fra il Duomo e la fortezza, fu (come leggesi negli *Annali Aretini* inseriti dal Muratori nel tom. XXIV degli *Script. Rer. Ital.*, e nel *Catalogo* de' Potestà d'Arezzo) edificato nel 1232. Però non può essere architettato da questo Buono, che il Vasari stesso più sopra ha detto che operava nel secolo XII.

[4] *Questo Guglielmo, che il Vasari dubitativamente dice tedesco, dal Dempstero è chiamato d'Inspruk: ma le ricerche istituite in Inspruk non hanno por-

fatti alcuni edifizj di grandissima spesa e d'un poco migliore maniera; perchè questo Guglielmo, secondo che si dice, l'anno 1174, insieme con Bonanno scultore, fondò in Pisa il campanile del Duomo, dove sono alcune parole intagliate che dicono: A. D. MCLXXIIII. CAMPANILE HOC FVIT FVNDATVM MENSE AVGVSTI. Ma, non avendo questi due architetti molta pratica di fondare in Pisa, e perciò non palificando la platea come dovevano, prima che fussero al mezzo di quella fabbrica, ella inchinò da un lato e piegò in sul più debole; di maniera che il detto campanile pende sei braccia e mezzo fuor del diritto suo, secondo che da quella banda calò il fondamento: e sebbene ciò nel disotto è poco, e all'altezza si dimostra assai, con far star altrui maravigliato, come possa essere che non sia rovinato e non abbia gettato peli; la ragione è, perchè questo edifizio è tondo fuori, e dentro è fatto a guisa d'un pozzo voto, e collegato di maniera con le pietre, che è quasi impossibile che rovini, e massimamente aiutato dai fondamenti, che hanno fuor della terra un getto di tre braccia, fatto, come si vede, dopo la calata del campanile per sostentamento di quello.[1] Credo

tato a farci sapere di questo architetto più in là di quel che ci dicono gli scrittori italiani (vedi TORRI, *Cenno storico analitico ecc. sul campanile pisano.* Pisa, 1838).

† Questo maestro Guglielmo che forse fu pisano, ma senza dubbio italiano, era nel 1165 capomaestro in compagnia di un maestro Riccio, della Primaziale di Pisa. Tra le pergamene che appartennero a quella chiesa, oggi conservate nell'Archivio di Stato di Pisa, è uno strumento del primo di gennaio di quello anno, col quale i detti maestri fanno convenzione cogli Operai di Santa Maria di Pisa circa il loro salario e de' discepoli. Questo Guglielmo è certamente quel medesimo, di cui parla qui il Vasari. E di più crediamo che l'autore dell'antico pergamo della Primaziale, fatto innanzi a quello di Giovanni: del qual lavoro come fatto da un Guglielmo maestro parla un'iscrizione scoperta a' nostri giorni.

[1] Questo *getto*, che il Vasari dice fatto dopo la calata del campanile per sostentamento suo, fu aggiunto nel 1637 circa, come il Da Morrona ricavò dai libri dell'Opera. E nella occasione di alcuni scavi fatti nel 1838 per sgombrare il muro, la balaustrata ed il terreno che circondava la pisana torre pendente, si è veduto che questa mole sta in piedi senza l'aiuto di quel rinfianco; e che la esterna sua inclinazione è di braccia 7 e 2/3. Nessun'opera poi diè luogo a più curiosi discorsi come questa. Molte quistioni si sono agitate intorno alla

bene che non sarebbe oggi, se fusse stato quadro, in piedi; perciocchè i cantoni delle guadrature l'avrebbono, come spesso si vede avvenire, di maniera spinto di fuori, che sarebbe rovinato. E se la Carisenda,[1] torre in Bologna, è quadra, pende e non rovina,[2] ciò avviene perchè ella è sottile e non pende tanto, non aggravata da tanto peso, a un gran pezzo, quanto questo campanile: il quale è lodato, non perchè abbia in sè disegno o bella maniera, ma solamente per la sua stravaganza, non parendo a chi lo vede che egli possa in niuna guisa sostenersi. Ed il sopraddetto Bonanno, mentre si faceva il detto campanile, fece l'anno 1180 la porta reale di bronzo del detto Duomo di Pisa, nella quale si veggiono queste lettere: *Ego Bonannus Pis. mea arte hanc portam uno anno perfeci, tempore Benedicti operarii.*[3] Nelle muraglie, poi, che in Roma furono fatte di spoglie antiche a San Giovanni La-

vera cagione della pendenza di questo campanile; assegnandole alcuni ad un accidentale avvallamento del suolo, avvenuto quando era stato sin circa alla metà costruito; altri sostenendo doversi attribuire al bizzarro e ardito pensiero degli architetti, che vollero dare ad esso questa singolare postura. E l'esame di tutto ciò che di più importante si è scritto intorno a tale quistione, può vedersi nell'opuscolo del sig. A. Torri sopra citato, nel quale l'autore prende a combattere, non senza forti e buone ragioni, coloro che furono della prima sentenza. Noteremo in ultimo che il Vasari, nella Vita di Andrea Pisano, dice che la fine di questo campanile, cioè quella parte dove sono le campane, fu posta da Tommaso Pisano, architetto e scultore.

[1] O Garisenda, dalla famiglia Garisendi, che la fece fabbricare, dicesi, nel 1110. Chiamasi anche Torre mozza.

[2] Anche la sua pendenza fu attribuita da alcuni a capriccio dell'architetto. Fu mostrato ad evidenza dal Bianconi e da altri, com'era un effetto del terreno cedevole.

[3] *Questa porta perì nell'incendio del 1596. Il Da Morrona riferì due volte per intero la iscrizione che il Vasari dà solo per metà. Notisi ancora che, sei anni dopo, lo stesso Bonanno fece la porta della chiesa di Santa Maria Nuova di Monreale, tuttora esistente; dove scrisse il nome suo, e l'anno in questa maniera: ANNO DÑI MCLXXXVI INDETIONE III BONAÑVS CIVIS PISANVS ME FECIT. Reca maraviglia il silenzio, non solamente del D'Agincourt e del Cicognara su quest'opera, ma benanche quello degli scrittori pisani di Belle Arti; tanto più che il Lanzi, in una nota al libro I della sua *Storia*, ne aveva fatto menzione. Una bella illustrazione di questa ricchissima porta può vedersi nell'opera già citata di Domenico Lo Faso Pietrasanta, duca di Serra di Falco, stampata in Palermo nel 1838 in-fol. mas. con tav., intitolata: *Del Duomo di Monreale e di altre chiese siculo-normanne, ragionamenti tre*; nella quale la bontà e copia della

terano sotto Lucio III ed Urbano III[1] pontefici, quando da esso Urbano fu coronato Federigo imperatore, si vede che l'arte andava seguitando di migliorare; perchè certi tempietti e cappelline, fatti, come s'è detto, di spoglie, hanno assai ragionevole disegno ed alcune cose in sè degne di considerazione: e fra l'altre questa, che le volte furono fatte, per non caricare le spalle di quegli edifizj, di cannoni piccoli, e con certi partimenti di stucchi, secondo quei tempi, assai lodevoli; e nelle cornici ed altri membri si vede che gli artefici si andavano aiutando per trovare il buono.[2] Fece poi fare Innocenzio III in sul monte Vaticano due palazzi, per quel che si è potuto vedere, di assai buona maniera: ma perchè da altri papi furono rovinati, e particolarmente da Niccola V, che disfece e rifece la maggior parte del palazzo, non ne dirò altro, se non che si vede una parte d'essi nel torrione tondo, e parte nella sagrestia vecchia di San Piero.[3] Questo Innocenzio III, il quale sedette anni diciannove e si dilettò molto di fabbricare, fece in Roma molti edifizj; e particolarmente, col disegno di Marchionne Aretino, architetto e scultore, la torre de' Conti,[4] così nominata dal cognome di lui,

erudizione ben corrisponde alla splendidezza e magnificenza della stampa. E lode sia al prof. Rosini, che alla difficoltà ch'altri può avere di poter consultare la costosa opera del Pietrasanta, ha in parte riparato col riportare nel tomo I della sua *Storia della Pitt. Ital.* i disegni di due storie, e la surriferita iscrizione di quest'opera di Bonanno. — Due frammenti di antica lapida scritta, trovati recentemente nello sgombrare il terrapieno che era alla base del campanile pisano, furono ragionevolmente creduti un avanzo del sepolcro dell'architetto Bonanno, essendovi visibilmente scolpito il suo nome. Essi furono pubblicati dal dott. Alessandro Torri, con illustrazione, nel tomo XXXVI, n° 97, anno 1838, del *Nuovo Giornale de' Letterati di Pisa.*

[1] Lucio fu creato Papa nel 1181, e Urbano nel 1185.

[2] L'abbondanza degli antichi monumenti serbò in Roma più che altrove certo gusto dell'arti, che doveva aiutarle ad uscire dalla barbarie.

[3] *Il torrione tondo rimane dietro al forno di Palazzo, nelle mura degli orti pontificj. Circa alla sagrestia di San Pietro, qualche antiquario ha creduto che fosse un tempio più antico assai del secolo XI; ma la struttura di essa mostra la verità di quanto dice il Vasari. Così notava il Bottari.

[4] Vedi intorno ad essa una dissertazione epistolare del Valesio al barone di Stosch, e altri scritti posteriori.

che era di quella famiglia. Il medesimo Marchionne finì, l'anno che Innocenzio III morì, la fabbrica della Pieve d'Arezzo, e similmente il campanile, facendo di scultura nella facciata di detta chiesa tre ordini di colonne, l'una sopra l'altra molto variatamente non solo nella foggia de' capitelli e delle base, ma ancora nei fusi delle colonne essendo fra sè alcune grosse, alcune sottili, altre a due a due, altre a quattro a quattro legate insieme. Parimente, alcune sono avvolte a guisa di vite, ed alcune fatte diventar figure che reggono, con diversi intagli. Vi fece ancora molti animali di diverse sorti, che reggono i pesi, col mezzo della schiena, di queste colonne; e tutti con le più strane e stravaganti invenzioni che si possino immaginare; e non pur fuori del buono ordine antico, ma quasi fuor d'ogni giusta e ragionevole proporzione. Ma con tutto ciò, chi va bene considerando il tutto, vede che egli andò sforzandosi di far bene, e pensò per avventura averlo trovato in quel modo di fare e in quella capricciosa varietà. Fece il medesimo di scultura, nell'arco che è sopra la porta di detta chiesa, di maniera barbara, un Dio Padre, con certi Angeli di mezzo rilievo assai grandi; e nell'arco intagliò i dodici mesi, ponendovi sotto il nome suo in lettere tonde come si costumava, ed il millesimo, cioè l'anno 1216.[1] Dicesi che Marchionne fece in Roma, per il medesimo papa Innocenzio III, in Borgo Vecchio, l'edifizio antico dello spedale e chiesa di Santo Spirito in Sassia, dove si vede ancora qualche cosa del vec-

[1] Ciò fece credere al Vasari, che Marchionne fosse l'architetto e lo scultore di tutta la facciata e del campanile Ma il campanile, la facciata e buona parte della chiesa sono opere del 1300 (vedi gli *Annali Aretini*, la *Descrizione d'Arezzo* del Rondinelli, ecc); vale a dire molto posteriori a quell'artefice — *E difatti la iscrizione non qualifica Marchionne se non come autore delle sculture Avendo ottenuto dalla cortesia del sig Ranieri Bartolini scultore un calco fedele di essa, crediamo utile qui riferirla, perchè (per quanto sappiamo) da nessuno pubblicata ANNI D M CC XVI M̄S (*mense*) MADII MARCHIŌ SCULPSIT PB̄R MATH̄S (*presbiter Matheus?*) MVNERA FVI SIT Ī TP̄E (*in tempore*) ARCHIPB̄I Z (*Archipresbiteri Zenonis*)

chio; ed a' giorni nostri era in piedi la chiesa antica, quando fu rifatta alla moderna, con maggiore ornamento e disegno, da papa Paulo III di casa Farnese.

E in Santa Maria Maggiore, pur di Roma, fece la cappella di marmo,[1] dove è il presepio di Gesù Cristo. In essa fu ritratto da lui papa Onorio III di naturale: del quale anco fece la sepoltura, con ornamenti alquanto migliori, ed assai diversi dalla maniera che allora si usava per tutta Italia comunemente.[2] Fece anco Marchionne, in que' medesimi tempi, la porta del fianco di San Piero di Bologna, che veramente fu opera in que' tempi di grandissima fattura, per i molti intagli che in essa si veggiono; come leoni tondi[3] che sostengono colonne, ed uomini a uso di facchini, ed altri animali che reggono

[1] Rifatta poi da Sisto V.

[2] *Nella edizione Giuntina, il passo che sotto riportiamo precede l'*Indice delle cose notabili* del primo volume, dove il Vasari lo pose per aggiunta alla Vita d'Arnolfo, richiamandolo a questo luogo di detta Vita:

« Cominciò il detto Arnolfo in Santa Maria Maggiore di Roma la sepoltura « di papa Onorio III di casa Savella, la quale lasciò imperfetta, con il ritratto « di detto papa, il quale con il suo disegno fu posto poi nella cappella maggiore « di musaico in San Paolo di Roma, con il ritratto di Giovanni Gaetano abate « di quel monasterio.

« E la cappella di marmo, dove è il presepio di Gesù Cristo, fu dell'ultime « sculture di marmo che facesse mai Arnolfo, che la fece ad istanza di Pandolfo « Ipotecorvo l'anno dodici, come ne fa fede un epitaffio che è nella facciata al- « lato detta cappella; e parimente la cappella e sepolcro di papa Bonifazio VIII « in San Pietro di Roma, dove è scolpito il medesimo nome d'Arnolfo che la « lavorò. »

È da notare che il Vasari con questo passo non solo volle fare un'aggiunta alle notizie di Arnolfo, che seguono; ma volle anche ricredersi del suo detto circa all'autore della sepoltura di papa Onorio III, da lui qui attribuita a Marchionne Aretino. Se non che il Cicognara, per quante ricerche e diligenze facesse, nessuna iscrizione poté trovare nel sepolcro di Bonifazio VIII; nel quale egli dice, anzichè lo stile della scuola pisana, di cui Arnolfo era allievo, apparisce quello dei Cosmati. Il Cicognara però lesse il nome di Arnolfo in un tabernacolo nella Basilica di San Paolo fuori di Roma; dov'era scolpita questa iscrizione: *Hoc opus fecit Arnolfus cum suo socio Petro, anno milleno centum bis et octuageno quinto etc.* (Vedi *Storia della Scultura*, tom. III); e prima di lui il D'Agincourt, il quale ne dette un intaglio nella tavola XXIII della *Scultura*.

[3] *Questa porta scolpita da Marchionne non si vede più; e i due leoni ora reggono le pile dell'acqua santa, poste allato la porta maggiore. Delle due

pesi; e nell'arco di sopra fece di tondo rilievo i dodici mesi con varie fantasie, e ad ogni mese il suo segno celeste: la quale opera dovette in que' tempi essere tenuta maravigliosa.

Nei medesimi tempi, essendo cominciata la religione de' Frati Minori di San Francesco, la quale fu dal detto Innocenzio III pontefice confermata l'anno 1206,[1] crebbe di maniera, non solo in Italia, ma in tutte l'altre parti del mondo, così la divozione come il numero de' Frati, che non fu quasi alcuna città di conto, che non edificasse loro chiese e conventi di grandissima spesa, e ciascuna secondo il poter suo. Laonde, avendo Frate Elia, due anni innanzi la morte di San Francesco, edificato, mentr'esso Santo, come generale, era fuori a predicare ed egli guardiano in Ascesi, una chiesa col titolo di Nostra Donna; morto che fu San Francesco, concorrendo tutta la cristianità a visitare il corpo di San Francesco, che in morte ed in vita era stato conosciuto tanto amico di Dio, e facendo ogni uomo al santo luogo limosina secondo il poter suo, fu ordinato che la detta chiesa cominciata da Frate Elia si facesse molto maggiore e più magnifica.[2] Ma essendo carestia di buoni architettori, ed avendo l'opera che si aveva da fare bisogno d'uno eccellente, avendosi a edificar sopra un colle altissimo, alle radici del quale cammina un torrente chiamato Tescio; fu condotto in Ascesi, dopo molta considerazione, come migliore di quanti allora si ritrovavano, un maestro Iacopo Tedesco.[3] il quale, considerato il sito ed intesa la volontà

colonne sostenute una volta da essi leoni una sola si vede nel giardino dell'arcivescovo, con un busto di marmo sopra Delle altre sculture non si ha più memoria

[1] *La regola fu confermata oralmente da papa Innocenzo III, ma formalmente, ossia per bolla pontificia, soltanto nel 1216 da Onorio III

[2] Ciò fu, per le memorie che se ne hanno, nel 1228

[3] Quel che qui dice il Vasari di questo Iacopo, e il credersi ch'ei fosse stato condotto in Italia da Federigo II, favorisce, dice il Cicognara, l'opinione di co-

de' Padri, i quali fecero perciò in Ascesi un capitolo generale, disegnò un corpo di chiesa e convento bellissimo, facendo nel modello tre Ordini, uno da farsi sotto terra, e gli altri per due chiese; una delle quali sul primo piano servisse per piazza, con un portico intorno assai grande; l'altra per chiesa; e che dalla prima si salisse alla seconda per un ordine comodissimo di scale, le quali girassono intorno alla cappella maggiore, inginocchiandosi in due pezzi, per condurre più agiatamente alla seconda chiesa; alla quale diede forma d'un T, facendola cinque volte lunga quanto ell'è larga, e dividendo l'un vano dall'altro con pilastri grandi di pietra; sopra i quali poi girò archi gagliardissimi, e fra l'uno e l'altro le volte in crociera. Con sì fatto, dunque, modello si fece questa veramente grandissima fabbrica, e si seguitò in tutte le parti, eccetto che nelle spalle di sopra, che avevano a mettere in mezzo la tribuna e cappella maggiore, e fare le volte a crociere; perchè non le fecero come si è detto, ma in mezzo tondo a botte, perchè fussero più forti. Misero poi dinanzi alla cappella maggiore della chiesa di sotto l'altare, e sotto quello, quando fu finito, collocarono con solennissima traslazione il corpo di San Francesco. E perchè la propria sepoltura che serba il corpo del glorioso Santo,

loro, i quali sostengono che quell'architettura, in cui è fatto uso del sesto acuto, e del quale la chiesa d'Assisi è fra noi uno de' monumenti più celebri e più antichi, ci venga originariamente dalla Germania. Se non che di quest'architettura si hanno monumenti assai più antichi; p. e. la Badia di Subiaco, la quale è del nono secolo. Che se potesse provarsi che la chiesa già detta sia, come piace all'autore delle *Lettere Senesi* (tom. I, pag. 185), opera di Niccola Pisano (il che, nelle note alla Vita di quest'artefice, vedremo che non si può), sarebbe invece corroborata l'opinione di quelli che vogliono tale architettura d'origine italiana. È da notarsi intanto, che Iacopo stesso fu italiano, della Valtellina forse o de' Laghi: i cui artefici per lungo tempo, siccome pur dice il Cicognara, furono nel resto d'Italia, ove andavano operando, chiamati tedeschi. E poichè la fabbrica della chiesa d'Assisi fu data a fare per concorso; se Iacopo veramente, come attesta anche una cronaca latina di questa chiesa, ne fu l'architetto, convien dire che fosse valentissimo. In quella cronaca gli è dato per aiuto o per secondo architetto un Fra Filippo di Campello. — *Questi fu artefice valente, il quale architettò eziandio la fabbrica dell'antica chiesa di Santa Chiara d'Assisi.

è nella prima, cioè nella più bassa chiesa, dove non va mai nessuno e che ha le porte murate; intorno al detto altare sono grate di ferro grandissime, con ricchi ornamenti di marmo e di musaico, che laggiù riguardano.[1] È accompagnata questa muraglia dall'uno dei lati da due sagrestie e da un campanile altissimo, ciò è cinque volte alto quanto egli è largo. Aveva sopra una piramide altissima a otto facce, ma fu levata, perchè minacciava rovina. La quale opera tutta fu condotta a fine nello spazio di quattro anni e non più dall'ingegno di maestro Iacopo Tedesco e dalla sollecitudine di Frate Elia: dopo la morte del quale, perchè tanta macchina per alcun tempo mai non rovinasse, furono fatti intorno alla chiesa di sotto dodici gagliardissimi torrioni, ed in ciascun d'essi una scala a chiocciola che saglie da terra insino in cima. E col tempo poi vi sono state fatte molte cappelle e altri ricchissimi ornamenti; dei quali non fa bisogno altro raccontare, essendo questo intorno a ciò per ora abbastanza; e massimamente potendo ognuno vedere quanto a questo principio di maestro Iacopo abbiano aggiunto utilità, ornamento e bellezza molti sommi pontefici, cardinali, principi, ed altri gran personaggi di tutta Europa.

Ora, per tornare a maestro Iacopo, egli mediante questa opera si acquistò tanta fama per tutta Italia, che fu da chi governava allora la città di Firenze chiamato, e poi ricevuto quanto più non si può dire volentieri: sebbene, secondo l'uso che hanno i Fiorentini, e più avevano anticamente, d'abbreviare i nomi, non Iacopo, ma

[1] *Il racconto di questa chiesa *invisibile*, creduto ciecamente da tutti e trasmesso di secolo in secolo fino ai nostri giorni, fu smentito finalmente nel 1818; nel quale anno facendosi diligenti ricerche del corpo di San Francesco, si rinvenne che questa chiesa *invisibile* non era mai esistita; e che il corpo del santo patriarca era stato sepolto in una fossa scavata in parte nel vivo sasso del monte, ricoperta e chiusa con muri fortissimi sotto l'altar maggiore della chiesa inferiore. Vedi *Memorie storiche del ritrovamento delle sacre spoglie di San Francesco d'Assisi*; Assisi 1824, in-8., cap. 15 e 16.

Lapo[1] lo chiamarono in tutto il tempo di sua vita, perchè abitò sempre con tutta la sua famiglia questa città. E sebbene andò in diversi tempi a fare molti edifizj per Toscana, come fu in Casentino il palazzo di Poppi a quel conte, che aveva avuto per moglie la bella Gualdrada ed in dote il Casentino;[2] agli Aretini il Vescovado,[3] ed il Palazzo Vecchio de' signori di Pietramala;[4] fu nondimeno sempre la sua stanza in Firenze: dove fondate, l'anno 1218, le pile del ponte alla Carraia,[5] che allora si chiamò il Ponte Nuovo, le diede finite in due anni; ed in poco tempo poi fu fatto il rimanente di legname, come allora si costumava. E l'anno 1221 diede il disegno e fu cominciata con ordine suo la chiesa di San Salvadore del Vescovado, e quella di San Michele a Piazza Padella;[6] dove sono alcune sculture della maniera di quei tempi. Poi dato il disegno di scolare l'acque della città; fatto alzare la piazza

[1] Qui cominciano tali favole intorno a lui, che hanno persin fatto dubitare della sua esistenza.

[2] *Da due documenti, l'uno del 1180, l'altro del 1190, citati dal Repetti nel suo *Dizionario*, all'articolo *Poppi*, si ritrae che la contessa Gualdrada fu moglie di un conte Guido palatino di Toscana, che debb'essere il conte Guido Guerra V. Ma l'Ammirato ci dice che, nell'agosto del 1274, il conte Simone (di cui fu avo Guido Guerra suddetto) ottenne dai capitani di Parte Guelfa di poter fabbricare un palazzo con un castello dentro Poppi: a somiglianza del quale Arnolfo disegnò poi il palazzo de' Priori in Firenze. Tal che, se debbesi credere alle parole dello storico fiorentino, il Vasari cadde in errore dicendo che il palazzo di Poppi fu fatto edificare dal marito della bella Gualdrada, vissuto più d'un secolo innanzi ad Arnolfo.

[3] *Il Vescovado, ossia l'odierna cattedrale, già chiesa de' Monaci Cassinensi, fu cominciata a restaurarsi dai fondamenti nel 1218 da questo Iacopo o Lapo; e fu seguitata, dopo non breve interruzione, dall'architetto aretino Margaritone nel 1275. Interrotta di nuovo, fu finalmente terminata, s'ignora da quale architetto, sotto il governo del celebre vescovo Guglielmino degli Ubertini, morto nel 1289. (Vedi Brizi, *Guida d'Arezzo*; Rondinelli, *Relazione d'Arezzo*).

[4] *La rôcca de' Pietramaleschi, insieme col palazzo, fu buttata a terra dai Fiorentini nel 1384, quando i figliuoli di Pier Saccone si arresero.

[5] *Lepidissima veramente! fondò le pile del ponte alla Carraia nel 1218, egli che venne in Firenze, chiamatovi per la riputazione che si acquistò nella fabbrica della chiesa d'Assisi, cominciata nel 1228.

[6] *Della prima di queste due chiese altro non rimane di antico fuor che parte della facciata; l'altra, detta San Michele degli Antinori ed oggi San Gaetano, fu rifatta dai fondamenti nel secolo XVII con disegno del Nigetti.

di San Giovanni;[1] e fatto al tempo di messer Rubaconte da Mandella milanese il ponte che dal medesimo ritiene il nome; e trovato l'utilissimo modo di lastricare le strade, che prima si mattonavano; fece il modello del palagio oggi del podestà,[2] che allora si fabbricò per gli Anziani: e mandato finalmente il modello d'una sepoltura in Sicilia alla Badia di Monreale per Federigo imperatore, e d'ordine di Manfredi, si morì,[3] lasciando Arnolfo suo figliuolo, erede non meno della virtù che delle facoltà paterne.[4] Il quale Arnolfo, dalla cui virtù non manco ebbe

[1] *Due deliberazioni, del 23 gennaio e 12 aprile 1289, parlano di mattonare la piazza di San Giovanni. (GAYE, *Carteggio inedito ecc.*, I, 418, 419).

[2] *Ora palazzo del Bargello, che ebbe principio nel 1250; fu riattato nel 1292 (GAYE, *Carteggio inedito*, I, 423), ed ebbe ingrandimento nel 1345 sotto la direzione di Agnolo Gaddi, o meglio sotto Neri Fioravanti e Benci di Cione, che lo ridussero nel modo che oggi si vede. (Vedi RICORDANO MALESPINI, cap. 137; MATTEO VILLANI, lib. XX, cap. 46; e VASARI, nella Vita di Agnolo Gaddi).

[3] *Se Lapo morì al tempo di Manfredi re di Sicilia, il quale regnò dal 1258 al 66, è certo che non potè essere autore di molte fabbriche che il Vasari gli attribuisce, perchè esse sono posteriori: come, per esempio, il Vescovado di Arezzo, il Palazzo Vecchio de' Pietramaleschi nella stessa città, ed altre.

[4] *Il Del Migliore (*Fir. illustr.*, pag. 9) e il Manni (note al Baldinucci) certificarono quel che il Baldinucci non seppe asseverare circa al padre di Arnolfo, per mezzo di un privilegio concesso dalla repubblica fiorentina all'architetto di Santa Reparata, dove è detto *Magister Arnolfus de Colle, filius olim Cambii, caput magister laborerii et operis S. Reparate*; il qual documento, ch'è dell'anno 1300, fu pubblicato dal Del Migliore, dal Moreni, e ultimamente dal Gaye nel tomo I del *Carteggio d'Artisti*, pag. 445-46. È indubitato pertanto, che il padre d'Arnolfo fu Cambio e non Lapo, e che la patria sua fu Colle di Val d'Elsa. Di più, da un altro documento del 1266, spettante all'allogagione del pergamo di Siena a Niccola Pisano, si ritrae che Arnolfo non fu figliuolo di Lapo, ma suo compagno e condiscepolo sotto la disciplina del maestro Niccola, al quale è imposto che .... *secum ducat Senas Arnolfum et Lapum suos discipulos*, a fare quel lavoro. (Vedi *Lettere Senesi*, tom. I, pag. 160, e *Documenti per la storia dell'Arte senese*, vol. I, p. 148).

† Ora si può credere senza pericolo d'ingannarsi, che il Vasari abbia orribilmente confuso i fatti, i tempi e i nomi; e che di mezzo a questa confusione non si possa cavare altro di meno incerto, se non che a' tempi d'Arnolfo visse ed operò un maestro Lapo, fiorentino, figliuolo di Ciuccio di Ciuto e fratello di Donato e di Goro parimente scultori, i quali tutti nel 1272 ottennero la cittadinanza di Siena in benemerenza dell'opera da loro prestata nei lavori del Duomo di quella città; e che il detto Lapo, condiscepolo di Arnolfo e non padre suo, fu forse l'architetto di alcuni edifizj fatti in Toscana negli ultimi anni del secolo XIII, e ricordati qui dal Vasari.

miglioramento l'achitettura, che da Cimabue la pittura avuto s'avesse, essendo nato l'anno 1232, era quando il padre morì, di trenta anni ed in grandissimo credito: perciocchè, avendo imparato non solo dal padre tutto quello che sapeva, ma appresso Cimabue dato opera al disegno per servirsene anco nella scultura, era in tanto tenuto il migliore architetto di Toscana, che non pure fondarono i Fiorentini col parere suo l'ultimo cerchio delle mura della loro città l'anno 1284, e fecero secondo il disegno di lui, di mattoni e con un semplice tetto di sopra la loggia ed i pilastri d'Or San Michele, dove si vendeva il grano; ma deliberarono, per suo consiglio, il medesimo anno che rovinò il poggio de' Magnoli della costa di San Giorgio sopra Santa Lucia nella via de' Bardi, mediante un decreto pubblico, che in detto luogo non si murasse più, nè si facesse alcuno edifizio giammai, attesochè per i relassi delle pietre, che hanno sotto gemitii d'acque, sarebbe sempre pericoloso qualunque edifizio vi si facesse: la qual cosa esser vera si è veduto a' giorni nostri, con rovina di molti edifizj e magnifiche case di gentiluomini. L'anno poi 1285, fondò la loggia e piazza dei Priori; e fece la cappella maggiore, e le due che la mettono in mezzo, della Badia di Firenze; rinnovando la chiesa ed il coro,[1] che prima molto minore aveva fatto fare il conte Ugo fondatore di quella Badia;[2] e facendo per lo cardinale Giovanni degli Orsini, legato del papa in Toscana, il campanile di detta chiesa, che fu secondo l'opere di que' tempi lodato assai, come che non avesse il suo finimento di macigni se non poi l'anno 1330.[3] Dopo

[1] La chiesa qual or si vede (di croce greca) fu rifabbricata nel 1625.

[2] *La fondazione di questa insigne Badia, avvenuta nel 978, si deve alla contessa Willa figliuola di Bonifazio marchese di Toscana, e non al conte Ugo suo figliuolo, come, seguendo il Villani, qui ripete il Vasari. (Vedi PUCCINELLI, *Storia della Badia Fiorentina ecc.*).

[3] *Racconta Giovanni Villani, che nel 1307 avendo i monaci ricusato di pagare la imposta, chiuse le porte in faccia all'ufficiale esattore, e quindi so-

ciò fu fondata col suo disegno, l'anno 1294, la chiesa di Santa Croce,[1] dove stanno i Frati Minori; la quale condusse Arnolfo tanto grande nella navata del mezzo e nelle due minori, che con molto giudizio, non potendo fare sotto 'l tetto le volte per lo troppo gran spazio, fece fare archi da pilastro a pilastro, e sopra a quelli i tetti a frontespizio per mandar via l'acque piovane con docce di pietra murata sopra detti archi, dando loro tanto pendío, che fussero sicuri, come sono, i tetti dal pericolo dell'infracidare, la qual cosa, quanto fu nuova ed ingegnosa, tanto fu utile e degna d'essere oggi considerata. Diede poi il disegno dei primi chiostri del convento vecchio di quella chiesa; e poco appresso fece levare d'intorno al tempio di San Giovanni,[2] dalla banda di fuori, tutte l'arche e sepolture che vi erano di marmo e di macigno, e metterne parte dietro al campanile, nella facciata della calonaca, allato alla compagnia di San Zanobi; e rincrostar poi di marmi neri di Prato tutte le otto facciate di fuori di detto San Giovanni, levandone i macigni che

nato a stormo, il Comune fece disfare questo campanile presso che alla metà, e poi soggiunge, che nel 1330 *s'alzò e compiè il campanile di Badia, e per noi fu fatto fare a prego e istanza di messer Giovanni degli Orsini di Roma, cardinale e legato in Toscana, e signore della detta Badia, e della sua entrata* (Lib VIII, cap 89, e lib X, cap 76) Il Vasari confonde le cose, dicendo che il campanile fu fatto costruire dal cardinale suddetto, mentre egli non fece altro che richiedere i Signori che fosse ristaurato Ed ancora apparisce chiaro, che essendo Legato in Toscana il cardinale Orsini nel 1330, non poteva Arnolfo, morto molti anni avanti, lavorare quel campanile per commissione sua

[1] *Lo stesso dice il Villani, sebbene la iscrizione ch'è in chiesa, e il decreto della Signoria portino l'anno 1295 (Vedi Moisè, *Santa Croce illustrata*)

[2] *Ciò sappiamo da Giovanni Villani, lib VIII, cap. 3; il quale dice che nell'anno 1293 « levarsi tutti i monumenti, sepolture e arche di marmo, che erano intorno a San Giovanni » Queste arche, dice il Lami nelle *Antichità Toscane*, dovettero essere avelli di Gentili, come si vede dalle figure che vi sono scolpite; e di esse essersi serviti poscia i cristiani, come risulta dai coperchi appostivi più modernamente, dove sono scolpite le armi di alcune antiche famiglie fiorentine Di questi sarcofagi alcuni furono illustrati dal Gori nelle *Inscriptiones Antiquæ*, e sono quelli che al presente si vedono nell'atrio del palazzo Riccardi, oltre un altro di privato possesso de' signori di Montalvo, che si trova da molto tempo nel loro palazzo di abitazione

prima erano fra que' marmi antichi.[1] Volendo, in questo mentre, i Fiorentini murare in Valdarno di sopra il castello di San Giovanni, e Castel Franco, per comodo della città e delle vettovaglie, mediante i mercati; ne fece Arnolfo il disegno, l'anno 1295,[2] e soddisfece di maniera così in questa, come aveva fatto nell'altre cose, che fu fatto cittadino fiorentino.

Dopo queste cose, deliberando i Fiorentini, come racconta Giovanni Villani nelle sue Istorie,[3] di fare una chiesa principale nella loro città, e farla tale che, per grandezza e magnificenza non si potesse desiderare nè maggiore nè più bella dall'industria e potere degli uomini; fece Arnolfo il disegno ed il modello del non mai abbastanza lodato tempio di Santa Maria del Fiore, ordinando che s'incrostasse di fuori tutto di marmi lavorati

[1] *Il barone di Rumohr dice che il Vasari qui con troppa facilità attribuì ad Arnolfo tutta la parte esteriore di questo tempio. « Arnolfo era, come tutti i suoi contemporanei, un architetto gotico: ora, non è verisimile che egli volesse far risorgere quell'antica architettura già da lungo tempo dismessa, e che per imitarla si astenesse al tutto dalla propria ed allora usata maniera. Ma questa difficoltà non ha bisogno di ulteriori dichiarazioni, essendo manifesto che il Vasari ha preso tali notizie, senza troppo disaminarle, da Giovanni Villani (lib. VIII, cap. 3). Questo storico fiorentino, quasi coetaneo d'Arnolfo, dice solamente che furono restaurati e coperti di marmo bianco e nero i pilastri di San Giovanni: con che debbonsi intendere i pilastri ad angolo ottuso ne' cantoni dell'ottagono, i quali erano prima di mattoni, e furono poi da Arnolfo rifatti di *gheroni*, ossia di *grossi e triangolari* pezzi di marmo .... Sembra altresì che il Villani riguardasse quella viziosa costruzione come un ingegnoso rimedio adoperato dall'architetto; intanto che egli usa le parole formali *rifece di gheroni* ecc. Imperciocchè era pur difficile il congiungere durevolmente negli angoli ottusi de' pilastri le tavole di marmo e piane, con cui tutte le mura si veggon coperte. E forse per ciò avevano i primi architetti lasciate quelle parti nude, finchè non venne ad Arnolfo il pensiero di soprapporvi que' massicci gheroni, mentre ricopriva di tavole di marmo anche il tetto della chiesa ». (Vedi l'*Antologia di Firenze*, tom. I, p. 467-68). † Ma è bene di notare che i gheroni della cupola furono rifatti come oggi si vedono, dal 1450 al 1465; come pure nello stesso tempo fu ricoperto il tetto di lamine di piombo.

[2] *In un ms. in pergamena contenente gli Statuti dell'Oratorio della Madonna delle Grazie di detta terra, codice del 1486, si legge che San Giovanni fu edificato *corrente l'anno 1298*. E in un'antica vita di Francesco Petrarca dicesi quel castello eretto nel 1300: ma è più ragionevole attenersi a Giovanni Villani, scrittore contemporaneo, che lo dice fabbricato nel 1296 (*Storie Fiorentine*, lib. VIII, cap. 17).

[3] Libro VIII, cap. 7.

con tante cornici, pilastri, colonne, intagli di fogliami, figure ed altre cose, con quante egli oggi si vede condotto, se non interamente, a una gran parte almeno della sua perfezione. E quello che in ciò fu sopra tutte l'altre cose maraviglioso, fu questo, che incorporando, oltre Santa Reparata, altre piccole chiese e case che gli erano intorno, nel fare la pianta (che è bellissima) fece con tanta diligenza e giudizio fare i fondamenti di sì gran fabbrica larghi e profondi, riempiendoli di buona materia, cioè di ghiaia e calcina, e di pietre grosse in fondo (là dove ancora la piazza si chiama: lungo i fondamenti), che eglino hanno benissimo potuto, come oggi si vede, reggere il peso della gran macchina della cupola, che Filippo di ser Brunellesco le voltò sopra.[1] Il principio dei quali fondamenti, e di tanto tempio, fu con molta solennità celebrato: perciocchè il giorno della natività di Nostra Donna del 1298, fu gettata la prima pietra dal cardinale legato del papa,[2] in presenza non pure di molti vescovi e di tutto il clero, ma del podestà ancora, capitani, priori ed altri magistrati della città, anzi di tutto il popolo di Firenze, chiamandola Santa Maria del Fiore[3]

[1] Hanno i fondamenti d'Arnolfo retto il peso della cupola, come dice il Vasari, ma non sì che dopo molt'anni non abbian fatto un poco di movimento, e la cupola per tutto il suo lungo una fessura, di cui per altro i più dotti architetti mai non fecero gran caso Ma di ciò nelle note alla Vita del Brunellesco

† Parrebbe, secondo il Vasari, che la presente fabbrica del Duomo, come fu incominciata da Arnolfo, così fosse da lui condotta a fine nel modo che oggi si vede Ma i moderni critici hanno potuto stabilire, mediante un più accurato esame delle parti che la compongono, e coll'aiuto de' documenti dell'Archivio dell'Opera, quello che rimase del primo disegno d'Arnolfo, allorchè dopo lunga interruzione la fabbrica fu ripresa nel 1357, ingrandita, e condotta a fine dall'architetto Francesco Talenti Si rileva infatti che di Arnolfo furono conservate le navate nella loro larghezza, ma che il corpo della chiesa fu accresciuto di due archi verso la facciata, che i muri laterali furono alzati, e mutata in parte la loro decorazione esterna.

[2] Pietro Valeriano di Piperno (notava il Bottari), creato cardinale da Bonifazio VIII

[3] † All'antico nome di Santa Reparata che ebbe la cattedrale di Firenze non fu sostituito l'altro che tuttora conserva, cioè di Santa Maria del Fiore, se non nel 1412 per deliberazione de' Signori e Collegi

E perchè si stimò le spese di questa fabbrica dover essere, come poi sono state, grandissime; fu posta una gabella alla camera del Comune di quattro danari per lira di tutto quello che si mettesse a uscita, e due soldi per testa l'anno: senza che il papa ed il legato concedettono grandissime indulgenze a coloro che per ciò le porgessino limosine. Non tacerò ancora, che, oltre ai fondamenti larghissimi e profondi quindici braccia, furono con molta considerazione fatti a ogni angolo dell'otto facce quegli sproni di muraglie; perciocchè essi furono poi quelli che assicurarono l'animo del Brunellesco a porvi sopra molto maggior peso di quello che forse Arnolfo aveva pensato di porvi. Dicesi, che, cominciandosi di marmo le due prime porte de' fianchi di Santa Maria del Fiore, fece Arnolfo intagliare in un fregio alcune foglie di fico, che erano l'arme sua e di maestro Lapo suo padre; e che perciò si può credere che da costui avesse origine la famiglia dei Lapi, oggi nobile in Fiorenza. Altri dicono similmente, che dai discendenti d'Arnolfo discese Filippo di ser Brunellesco: ma lasciando questo, perchè altri credono che i Lapi siano venuti da Figaruolo, castello in su le foci del Po,[1] e tornando al nostro Arnolfo; dico, che per la grandezza di quest'opera egli merita infinita lode e nome eterno; avendola, massimamente, fatta incrostare di fuori tutta di marmi di più colori, e fatte insino le minime cantonate di quella stessa pietra. Ma perchè ogn'uno sappia la grandezza appunto di questa maravigliosa fabbrica,[2] dico che dalla porta insino all'ul-

[1] *Provato coi documenti che Arnolfo fu figliuolo di un Cambio e non di un Lapo, cadono a terra tutte le supposizioni di coloro che immaginarono il nostro artista disceso dai Lapi, o Lapi Ficozzi.

[2] Più descrizioni pregiate si hanno di *questa fabbrica maravigliosa:* quella di B. Sgrilli, ricca di belle e grandi tavole: quelle di G. B. Nelli, ricchissima d'erudizione, ed ove (sia detto per incidenza) si danno misure più precise che quelle date qui dal Vasari delle varie parti della fabbrica medesima: quella di V. Follini, che empie il tomo II della sua *Firenze antica e moderna*, ecc. ecc. Può vedersi l'ultima, impressa magnificamente dal Molini, e attribuita a G. Del Rosso.

timo della cappella di San Zanobi, è la lunghezza di braccia dugento sessanta, e larga nelle crociere cento sessantasei, nelle tre navi braccia sessanta sei; la nave sola del mezzo è alta braccia settantadue, e l'altre due navi minori braccia quarantotto; il circuito di fuori di tutta la chiesa è braccia mille dugento ottanta; la cupola è da terra insino al piano della lanterna braccia cento cinquantaquattro; la lanterna senza la palla è alta braccia otto, tutta la cupola da terra insino alla sommità della croce è braccia dugento due.[1] Ma, tornando ad Arnolfo, dico, che essendo tenuto, come era, eccellente, si era acquistato tanta fede, che niuna cosa d'importanza senza il suo consiglio si deliberava: onde il medesimo anno, essendosi finito di fondar dal Comune di Firenze l'ultimo cerchio delle mura della città, come si disse di sopra essersi già cominciato, e così i torrioni delle porte, ed in gran parte tirati innanzi, diede al Palazzo de' Signori principio e disegno,[2] a simiglianza di quello che in Casentino aveva fatto Lapo suo padre ai Conti di Poppi. Ma non potette già, comecchè magnifico e grande lo disegnasse, dargli quella perfezione che l'arte ed il giudizio suo richiedevano: perciocchè, essendo state disfatte e mandate per terra le case degli Uberti, rubelli del popolo fiorentino e ghibellini, e fattone piazza, potette tanto sciocca caparbietà d'alcuni, che non ebbe forza Arnolfo, per molte ragioni che allegasse, di far sì che gli fusse conceduto almeno mettere il palazzo in isquadra

[1] *Le misure più esatte di questo tempio si possono vedere nella nuova *Guida di Firenze* dell'architetto Federigo Fantozzi. Firenze 1842

[2] *In una delle pareti della stanza d'ingresso che si presenta appena percorso l'andito unito alla piccola porta di entratura della fabbrica dov'erano le Stinche, si vede una pittura di maniera giottesca, allusiva al discacciamento del Duca d'Atene, nella quale è ritratta la esterna primitiva forma di questo palazzo Vedi *Cenni sulle Stinche di Firenze* dell'ab. Fruttuoso Becchi (Firenze, 1839), dov'è riportata la incisione di questa pittura; e F. Moisè, *Illustrazione storico-artistica del Palazzo Vecchio ecc.*

per non aver voluto chi governava, che in modo nessuno il palazzo avesse i fondamenti in sul terreno degli Uberti rubelli; e piuttosto comportarono che si gettasse per terra la navata di verso tramontana di San Piero Scheraggio, che lasciarlo fare in mezzo della piazza con le sue misure: oltre che vollero ancora che si unisse ed accomodasse nel palazzo la torre de' Foraboschi chiamata la torre della Vacca, alta cinquanta braccia, per uso della campana grossa; ed insieme con essa alcune cose comprate dal Comune per cotale edifizio. Per le quali cagioni niuno maravigliare si dee, se il fondamento del palazzo è bieco e fuor di squadra; essendo stato forza, per accomodar la torre nel mezzo e renderla più forte, fasciarla intorno colle mura del palazzo: le quali da Giorgio Vasari, pittore e architetto, essendo state scoperte, l'anno 1551, per rassettare il detto palazzo al tempo del duca Cosimo, sono state trovate bonissime. Avendo, dunque, Arnolfo ripiena la detta torre di buona materia, ad altri maestri fu poi facile farvi sopra il campanile altissimo che oggi vi si vede,[1] non avendo egli in termine di due anni finito se non il palazzo; il quale poi, di tempo in tempo, ha ricevuto que' miglioramenti che lo fanno esser oggi di quella grandezza e maestà che si vede. Dopo le quali tutte cose ed altre molte che fece Arnolfo, non meno comode ed utili che belle, essendo d'anni settanta, morì nel 1300,[2] nel tempo appunto che Giovanni

[1] *La provvisione, colla quale il Comune Fiorentino decretò la fabbrica del Palazzo de' Priori, è del 30 dicembre 1298. (Vedi GAYE, *Carteggio ecc.*, tom. I, pag. 490). Il Vasari, seguendo qui il Villani, ripete le ragioni politiche che obbligarono l'architetto a costruire questo palazzo a sbieco e fuori di squadra. Ma Filippo Moisè, con plausibili, ma non incontrastabili ragioni, si oppone al detto del Vasari (*Illustrazione del Palazzo de' Priori*; Firenze, 1843).

[2] *La morte di Arnolfo si trova registrata a carte 12 dell'antico Necrologio di Santa Reparata, esistente nell'Archivio dell'Opera del Duomo, con queste parole: IIII *idus* (*martii*). *Obiit magister Arnolfus de l'opera di sancta Reparata.* MCCCX. Sbaglia dunque il Vasari, e quanti lo seguirono, ponendo la morte di Arnolfo nel 1300.

Villani cominciò a scrivere l'istorie universali de' tempi suoi. E perchè lasciò non pure fondata Santa Maria del Fiore, ma voltate, con sua molta gloria, le tre principali tribune di quella, che sono sotto la cupola; meritò che di sè fosse fatto memoria in sul canto della chiesa dirimpetto al campanile, con questi versi intagliati in marmo con lettere tonde:

ANNIS. MILLENIS. CENTVM. BIS. OCTO. NOGENIS
VENIT. LEGATVS. ROMA. BONITATE. DOTATVS
QVI. LAPIDEM. FIXIT. FVNDO. SIMVL. ET. BENEDIXIT
PRESVLE. FRANCISCO. GESTANTE. PONTIFICATUM
ISTVD. AB. ARNVLFO. TEMPLUM. FVIT. EDIFICATVM
HOC. OPVS. INSIGNE. DECORANS. FLORENTIA. DIGNE
REGINE. CELI. CONSTRVXIT. MENTE. FIDELI
QVAM TV. VIRGO PIA. SEMPER. DEFENDE. MARIA.[1]

Di questo Arnolfo avemo scritta con quella brevità che si è potuta maggiore la Vita, perchè, sebbene l'opere sue non s'appressano a gran pezzo alla perfezione delle cose d'oggi, egli merita nondimeno essere con amorevole memoria celebrato, avendo egli fra tante tenebre mostrato a quelli che sono stati dopo sè la via di caminare alla perfezione.[2] Il ritratto d'Arnolfo si vede di mano di Giotto in Santa Croce. a lato alla cappella maggiore, dove

[1] † È stato creduto che questa iscrizione stabilisse che i fondamenti di S. Maria del Fiore fossero gettati nel 1298. Ma punteggiando il primo verso in modo che il *bis* si unisca a *octo nogenis*, si ha propriamente l'anno 1296, che fu, secondo altre memorie, quello, in cui fu dato principio alla chiesa.

[2] * Tra le opere degne di memoria, fatte da Arnolfo, è da annoverare il deposito del cardinal di Braye, morto nel 1290, posto in San Domenico d'Orvieto; nel quale lavoro di musaico, di scultura e di architettura magnificamente. Il Della Valle vorrebbe che fosse opera di Arnolfo anche il bassorilievo colla resurrezione dei morti nella facciata del Duomo della medesima città, ma ciò è un suo supposto, non convalidato dai documenti. Della sua andata a Perugia, per comando di Carlo I d'Angiò, a richiesta dei Perugini, faremo cenno nella nota 1, pag. 307 della Vita di Niccola e Giovanni, Pisani.

i Frati piangono la morte di San Francesco, nel principio della storia, in uno de' due uomini che parlano insieme.[1] Ed il ritratto della chiesa di Santa Maria del Fiore, cioè del di fuori, con la cupola, si vede di mano di Simon Sanese nel Capitolo di Santa Maria Novella, ricavato dal proprio di legname che fece Arnolfo. Nel che si considera, che egli aveva pensato di voltare immediate la tribuna in su le spalle al finimento della prima cornice: laddove Filippo di ser Brunellesco, per levarle carico e farla più svelta, vi aggiunse, prima che cominciasse a voltarla, tutta quell'altezza dove oggi sono gli occhi: la qual cosa sarebbe ancora più chiara di quello che ella è, se la poca cura e diligenza di chi ha governato l'Opera di Santa Maria del Fiore negli anni addietro, non avesse lasciato andar male l'istesso modello che fece Arnolfo, e di poi quello del Brunellesco e degli altri.[2]

[1] *Questa storia è tra le molte di questo luogo che oggi più non si vedono.

[2] *Si attribuiscono a lui due modelli (oggi molto danneggiati dalle tarme) delle tribune della chiesa, come stanno presentemente. Si crede che Arnolfo, nel farli, avesse l'idea di dimostrare per intero la fabbrica; essendo memoria nell'Opera, per tradizione di uomini vecchi, che vi fosse anco parte della navata laterale.

NICCOLA E GIOVANNI

SCULTORI ED ARCHITETTI PISANI

(Il primo, nato tra il 1205 e il 1207; morto nel 1278
l'altro, nato nel 1250 in circa, morto dopo il 1328)

Avendo noi ragionato del disegno e della pittura nella Vita di Cimabue, e dell'architettura in quella d'Arnolfo Lapi, si tratterà in questa di Niccola e Giovanni Pisani della scultura, e delle fabbriche ancora che essi fecero di grandissima importanza: perchè, certo, non solo come grandi e magnifiche, ma ancora come assai bene intese, meritano l'opere di scultura ed architettura di costoro d'essere celebrate, avendo essi in gran parte levata via, nel lavorare i marmi e nel fabbricare, quella vecchia maniera greca, goffa e sproporzionata; ed avendo avuto ancora migliore invenzione nelle storie, e dato alle figure migliore attitudine. Trovandosi dunque Niccola Pisano sotto alcuni scultori greci che lavorarono le figure e gli altri ornamenti d'intaglio del Duomo di Pisa e del tempio di San Giovanni;[1] ed essendo fra molte spoglie di marmi

[1] *Nacque Niccola da un Pietro da Siena, figliuolo di Biagio Pisano, il quale, perchè nei documenti del tempo ha il titolo di Sere, può credersi che fosse un notaio. Rispetto all'anno della sua nascita, varie furono le congetture degli scrittori; ma non potevano essi circoscriverle entro sì brevi confini da fermare il giudizio degli eruditi. Viene ora fuori una iscrizione della fontana di Perugia, di cui parleremo più sotto, dove un verso, per disgrazia non in-

stati condotti dall'armata de' Pisani, alcuni pili antichi, che sono oggi nel Campo Santo di quella città; uno ve n'aveva fra gli altri bellissimo, nel quale era scolpita la caccia di Meleagro e del porco Calidonio con bellissima maniera, perchè così gl'ignudi come i vestiti erano lavorati con molta pratica e con perfettissimo disegno. Questo pilo, essendo per la sua bellezza stato posto dai Pisani nella facciata del Duomo, dirimpetto a San Rocco, allato alla porta di fianco principale, servì per lo corpo della madre della contessa Matelda;[1] se però sono vere queste parole che intagliate nel marmo si leggono:

tiero, farebbe sospettare che a quel lavorio, fatto ai tempi di papa Niccolò III, che governò dal 1277 all'80, Niccola nell'età di 71 anni, insieme col figliuolo, presiedesse. La quale interpretazione se non potesse esser soggetta a dubbio, ci darebbe l'anno della nascita di Niccola fra il 1205 e il 1207. Determinazione, come ognun vede, importantissima, per meglio fissare in molta parte la cronologia artistica di questo fondatore di una nuova scuola italiana.

† Il primo ad affermare che Niccola nacque da un Pietro *da Siena* figliuolo d'un *Ser Biagio* pisano, fu il Ciampi nelle *Notizie inedite della Sagrestia Pistoiese de' Belli Arredi* ecc., Firenze, Molini, 1810 in-4, giovandosi di due documenti dell'Archivio di Sant'Iacopo di Pistoia, oggi riunito all'Archivio Comunale di quella città. Egli lesse infatti nel primo dell'11 di luglio 1272: *magister Nichola pisanus filius q. Petri de ....* (la carta è lacera, ma il Ciampi supplì la lacuna colla parola *Senis*); e nell'altro del 13 di novembre 1273: *Magistro Nichole quondam Petri de Senis ser Blasii pisani ....* (altra lacuna per la lacerazione della pergamena). Ma noi avendo avuto comodità di rivedere gli originali di que' documenti, ci siamo accorti, non senza maraviglia, che quel dotto pistoiese aveva arbitrariamente supplito alle lacune del primo, e letto male il secondo, il quale, sciolte le sue abbreviature, dice veramente così: *magistro Nichole quondam Petri de cappella Sancti Blasii pisa....* Ora è chiaro che il Ciampi lesse *de Senis* dove è scritto *de Capella*, e *ser Blasii* invece di *Sancti Blasii*, e così diede a Niccola per padre un Senese, e per avolo un ser Biagio pisano: il che, come si vede, è privo di fondamento. Perciò con più verità oggi si deve dire che Niccola nacque da un Pietro pisano, ed abitò nella cappella o parrocchia di S. Biagio di Pisa.

[1] Il sarcofago che racchiude le ceneri della madre della contessa Matilde, già posto nel Campo Santo Pisano, poi incassato in una delle muraglie laterali del Duomo, poi restituito (nel 1810) al Campo Santo ond'erasi tolto, rappresenta, non la caccia di Meleagro, o, com'altri imaginò, Atalanta invitata alla caccia dal figliuolo d'Oeno; ma, come opinano i più intelligenti, la storia d'Ippolito e Fedra: di che vedi l'illustrazione fattane dal Ciampi, le *Lettere sul Campo Santo* del Rosini e del De Rossi, ecc.ª Esso è lavoro greco e stupendo, benchè assai danneggiato. Quello che rappresenta veramente la caccia di Meleagro, e che pur trovasi nel Campo Santo, è lavoro romano. — *La storia di

Anno domini MCXVI. IX *Kal. Aug. obiit D. Matilda felicis memoriæ comitissa, quæ pro anima genitricis suæ Dominæ Beatricis comitissæ venerabilis, in hac tumba honorabili quiescentis, in multis partibus mirifice hanc dotavit ecclesiam quarum animæ requiescant in pace.* E poi: *Anno Domini* MCCCIII. *sub dignissimo operario Burgundio Tadi, occasione graduum fiendorum per ipsum circa ecclesiam supradictam, tumba superius notata bis translata fuit, tunc de sedibus primis in ecclesiam, nunc de ecclesia in hunc locum, ut cernitis, excellentem*

Niccola, considerando la bontà di quest'opera e piacendogli fortemente, mise tanto studio e diligenza per imitare quella maniera, ed alcune altre buone sculture che erano in quegli altri pili antichi, che fu giudicato, non passò molto, il migliore scultore de'tempi suoi, non essendo stato in Toscana in quei tempi dopo Arnolfo [1] in pregio niuno altro scultore che Fuccio, architetto e scultore fiorentino,[2] il quale fece Santa Maria sopra Arno in

questo insigne monumento si ha in una iscrizione dettata dal prof Ciampi, e posta nello stesso sarcofago, quando nel 1810 fu tolto dalla facciata del Duomo, e trasportato nel Campo Santo Questa iscrizione si trova a pag 1130 della edizione del Vasari fatta in Firenze nel 1832-38

[1] Parrebbe da queste parole, che Arnolfo, il quale fu discepolo di Niccola, fosse a lui anteriore

[2] Ecco una delle più vaghe favolette che in queste Vite sieno narrate Il Baldinucci la ricopiò; il Bottari la confutò, ma con altra favoletta più bella « Allato alla porta di Santa Maria sopr'Arno, egli disse, e sopra un arco di pietra quest'iscrizione che dice *Fuccio mi feci*; ch'è stato letto *fece*, ma erroneamente E di qui nacque che Fuccio ne fu creduto l'architetto Ma l'iscrizione accenna che ivi si nascose uno, che, trovato dalla corte del Bargello di notte, si finse ladro per non vituperare una gentildonna, alla cui posta stava quivi, poiche Fuccio (vedi Dante, Inf 24) era un famoso ladro ec » Il Bottari, come osserva il Cicognara, allude qui probabilmente al fatto notissimo (vero o finto, non importa) d'Ippolito Buondelmonti e Dianora de'Bardi Or questo fatto, essendo del secolo XIV, non può servirgli a spiegare un'iscrizione del XIII Non può nemmen servirgli il passo, a cui egli allude, di Dante, poichè, supposto che il nome di Fuccio, grazie al gran furto ricordato da Dante, fosse divenuto antonomastico pe'ladri, e quel furto non avvenne che nel 1293, anzi non fu scoperto che nel 94, come mai quel nome poteva essere antonomastico nel 93? Non perciò diremo noi ch'esso sia nome d'architetto o di scultore Che ne la chiesa piccolissima, delle cui poche antichità si era conservata, rimodernandola,

Firenze, l'anno 1229, mettendovi sopra una porta il nome suo; e nella chiesa di San Francesco d'Ascesi, di marmo, la sepoltura della regina di Cipri con molte figure, ed il ritratto di lei particolarmente a sedere sopra un leone per dimostrare la fortezza dell'animo di lei, la quale dopo la morte sua lasciò gran numero di danari, perchè si desse a quella fabbrica fine.[1] Niccola dunque, essendosi fatto conoscere per molto miglior maestro che Fuccio non era, fu chiamato a Bologna l'anno 1225, essendo morto San Domenico Calagora primo istitutore dell'Ordine de' Frati Predicatori, per fare di marmo la sepoltura

l'iscrizione già detta, fu mai insigne per architettura o per sculture; nè l'iscrizione, che tuttor vi si legge (benchè il Cicognara dica il contrario), posta al sommo di una porta, è scolpita o accompagna opera di scultura, ma dipinta e ridipinta, come l'arme della città, che è sotto. Quindi Fuccio che *fece* la chiesa, o *fecie*, come doveva essere scritto anticamente, può credersi colui che fece rifare la chiesa (già fatta, giusta un documento citato dal Moreni, nel 1180); e che vi lavorò, e del quale, come vedremo, non si parla in alcun'antica memoria.

† Intorno a questo tanto disputato Fuccio, noi propendiamo a credere che egli sia vissuto dopo Niccola Pisano. La chiesetta di S. Maria Sopr'Arno, stata distrutta pochi anni sono per fare il nuovo lungarno Torrigiani, potrebbe essere stata rifatta o restaurata da lui ne' primi anni del 1300. E la forma delle lettere della detta iscrizione, che oggi si vede nel Museo Nazionale, è certamente di quel secolo. Forse questo Fuccio non fu l'architetto, ma solamente il soprastante alla restaurazione della detta chiesa. Ad un Fuccio d'Amadore, che potrebbe ben essere quello stesso nominato dal Vasari, la Signoria di Firenze commise il 7 di febbraio 1327 di restaurare il lastrico del ponte di Rubaconte, ossia delle Grazie. La deliberazione dice così: *Domini Priores artium et Vexillifer Iustitie — stantiaverunt quod Camerarii Camere dent — Fuccio Amadoris libras sexaginta florenorum parvorum, pro ipsis — expendendis — in reparando et aptare faciendo, seu lastricando pontem Rubacontis, qui ut asseritur, adeo est dirutus et devastatus, quod super eo commode transiri non potest, maxime tempore pluviali.* (Archivio di Stato in Firenze; Provvisioni de' Consigli maggiori del Comune di Firenze, vol. 22, c. 61t).

[1] Chi fosse questa regina di Cipri, non si sa. Nella Cronaca del convento di Assisi altre volte citata, essa chiamasi Ecuba; ma qui la Cronaca non sembra meritare alcuna fede. Ben sembra meritarla interissima, ove la dice morta nel 1240, cioè, undici anni dopo il tempo in cui il Vasari dice fatta la sua sepoltura; e quindi nè dal suo Fuccio, di cui la Cronaca non dice nulla, nè da altro artefice anteriore a Niccola. Lo stile stesso di questa sepoltura ha alcun che della scuola di questo maestro, e fa pensare a qualche opera del figliuolo, della quale poi si dirà. Mal dunque non si apporrebbe chi la credesse opera di Lapo, o d'altro non più valente de' suoi allievi, poich'essa, per vero dire, è assai mediocre.

del detto Santo:[1] onde, convenuto con chi aveva di ciò la cura, la fece piena di figure in quel modo ch'ella ancor oggi si vede, e la diede finita l'anno 1231, con molta sua lode, essendo tenuta cosa singolare, e la migliore di quante opere infino allora fussero di scultura state lavorate. Fece similmente il modello di quella chiesa, e d'una gran parte del convento.[2] Dopo ritornato Niccola in Toscana, trovò che Fuccio s'era partito di Firenze, ed andato in que' giorni che da Onorio fu coronato Federigo imperatore,[3] a Roma, e di Roma con Federigo a Napoli; dove finì il castel di Capoana, oggi detta la Vicarìa, dove sono tutti i tribunali di quel regno; e così Castel dell'Uovo:[4] e dove fondò

[1] *San Domenico Guzman, nativo di Calaroga o Calaruega, e non Calagora come scrive il Vasari, avea cessato di vivere a' 6 di agosto del 1221. Soltanto nel 1234 venne ascritto al novero dei Santi. Non era pertanto verisimile che Niccola Pisano, nel 1225, come si legge nel Vasari, scolpisse l'urna marmorea del Santo, ove è effigiata la sua vita e i suoi miracoli. Dalla Cronaca del convento di Santa Caterina di Pisa dei Frati Predicatori, che in breve vedrà la luce per le cure del ch. prof. Bonaini nell'*Archivio Storico Italiano* (tom. VI), apparisce come soltanto al tempo della seconda traslazione del corpo di San Domenico, avvenuta a' 5 di giugno del 1267, le sacre reliquie fossero collocate entro un'urna marmorea scolpita da Niccola Pisano, e che questo scultore avesse per aiuto in quel lavoro il suo discepolo Fra Guglielmo da Pisa, laico domenicano. Le parole della Cronaca sono le seguenti: *Hic* (fr. Gulielmus), *cum beati Dominici corpus sanctissimum in sollempniori tumulo levaretur, quem sculpserant* (sic) *magistri Nicole de Pisis, Policretior manu, sociatus dicto architectori*, ecc. Il P. Marchese, che ne ha scritto a lungo nelle *Memorie degli Artisti Domenicani* (vol. I, lib. I, cap. V e IV), è d'avviso, che opera di Niccola siano le sculture che ornano la parte anteriore del monumento, e le due laterali, e che appartengano allo scalpello di Fra Guglielmo quelle della parte posteriore, che sono molto più deboli nella esecuzione. Congettura altresì, che il tempo, in cui vennero incominciate, si debba fissare o sul terminare del 1265, o nei primi del 1266, perciocchè ai 29 settembre di detto anno 1266 (s. c. 1265) Niccola era già in Pisa, e fermava il contratto per iscolpire il pulpito di Siena, che dovea eseguire in un solo anno. Intorno all'urna di San Domenico in Bologna, può leggersi ancora un importante opuscolo del ch. marchese Virgilio Davia. Vedi la seconda edizione del 1842.

[2] *L'antichissima chiesa di San Domenico di Bologna, eretta con disegno di Niccola, e nella quale il figlio Giovanni fece la cappella maggiore, dopo subite parziali innovazioni, fu totalmente rimodernata nei primi del secolo passato per ordine del pontefice Benedetto XIII.

[3] *Ciò fu nel 1221. Si noti con quanto disordine e con quanta confusione di tempi e di fatti sia distesa questa Vita di Niccola Pisano.

[4] *Castel Capuano, già stato cominciato da Guglielmo I, e nel 1231 compito da Federigo II, fu nel 1540 da Pietro di Toledo convertito in sede de' Tri-

similmente le torri, fece le porte sopra il fiume del Volturno alla città di Capua, un barco cinto di mura per l'uccellagioni presso a Gravina, e a Melfi un altro per le cacce di verno; oltre a molte altre cose che per brevità non si raccontano. Niccola intanto, trattenendosi in Firenze, andava non solo esercitandosi nella scultura, ma nell'architettura ancora, mediante le fabbriche che s'andavano con un poco di buon disegno facendo per tutta Italia, e particolarmente in Toscana. Onde si adoperò non poco nella fabbrica della Badía di Settimo, non stata finita dagli esecutori del conte Ugo di Andeborgo, come le altre sei, secondo che si disse di sopra.[1] E sebbene si legge nel campanile di detta Badía, in un epitaffio di marmo: *Gugliel. me fecit,* si conosce nondimeno alla maniera, che si governava col consiglio di Niccola:[2] il quale, in que' medesimi tempi, fece in Pisa il palazzo degli Anziani vecchio; oggi stato disfatto dal duca Cosimo per fare nel medesimo luogo, servendosi d'una parte del vecchio, il magnifico palazzo e convento della nuova religione de' cavalieri di Santo Stefano, col disegno e modello di Giorgio Vasari aretino, pittore ed architettore; il quale si è accomodato, come ha potuto il meglio, sopra quella muraglia vecchia, riducendola alla moderna. Fece similmente

bunali. Castel dell'Uovo, fondato nel 1154 dallo stesso Guglielmo, ebbe il suo compimento da Federigo II nel 1221. Il primo disegno di ambedue i castelli fu di Buono architetto, come nella Vita di Arnolfo ha detto il Vasari, e che alcuni scrittori vogliono napoletano.

[1] *Non ci sono prove per sostener l'opinione invalsa in antico, ed abbracciata da molti scrittori, che il conte Ugo, malamente detto di Andeburgo, giacchè si può credere toscano, fondasse queste sette Badie. E rispetto a quella di Firenze, avvertimmo ciò nella nota 2, pag. 284 della Vita di Arnolfo.

[2] *A questa asserzione del Vasari pare che contradica il Repetti, il quale, nel suo *Dizionario*, all'articolo *Abbadia a Settimo*, riferisce che in una pietra di esso campanile trovansi solamente queste lettere: OLASITDNO (*Gloria sit Domino*). E prima di lui il Manni, in una nota ai *Discorsi* di Vincenzo Borghini (tom. I, pag. 133), aveva osservato che la iscrizione non dice come la riporta il Vasari, ma invece *comitis Guielmi tempore fecit*; che è il nome di uno dei donatori, e non dell'architetto di quella Badia.

Niccola in Pisa molti altri palazzi e chiese: e fu il primo, essendosi smarrito il buon modo di fabbricare, che mise in uso fondar gli edifizj a Pisa in sui pilastri, e sopra quelli voltare archi, avendo prima palificato sotto i detti pilastri; perchè facendosi altrimenti, rotto il primo piano sodo del fondamento, le muraglie calavano sempre; dove il palificare rende sicurissimo l'edifizio, siccome la sperienza ne dimostra. Col suo disegno fu fatta ancora la chiesa di San Michele in Borgo, de' monaci di Camaldoli.[1] Ma la più bella, la più ingegnosa e più capricciosa architettura che facesse mai Niccola, fu il campanile di San Niccola di Pisa, dove stanno Frati di Sant'Agostino. perciocchè egli è di fuori a otto facce, e dentro tondo, con scale che girando a chiocciola vanno insino in cima, e lasciano dentro il vano del mezzo libero ed a guisa di pozzo; e sopra ogni quattro scaglioni sono colonne che hanno gli archi zoppi, e che girano intorno intorno; onde, posando la salita della volta sopra i detti archi, si va in modo salendo insino in cima, che chi è in terra vede sempre tutti quelli che sagliono; coloro che sagliono, veggion coloro che sono in terra; e quei che sono a mezzo, veggono gli uni e gli altri, cioè quei che sono di sopra e quei che sono a basso. La quale capricciosa invenzione fu poi, con miglior modo e più giuste misure e con più ornamento, messa in opera da Bramante architetto a Roma, in Belvedere, per papa Giulio II; e da Antonio da Sangallo, nel pozzo che è a Orvieto, d'ordine di papa Clemente VII; come si dirà quando fia tempo.[2] Ma tornando a Niccola, il quale fu non meno eccellente scultore che architettore.

[1] *Fondata, come si vuole, nel 1018, fu ampliata nel 1219, poi nel 1262, ed infine nel 1304, col disegno di Fra Guglielmo da Pisa, scolare di Niccola Pisano.

[2] *Alla singolarità della scala di questo campanile, imitata poi da molti altri architetti, si aggiunge quella della sua notabile divergenza dalla perpendicolare, la qual pendenza attribuita da alcuni al cedimento del suolo, da altri si crede piuttosto fatta ad arte

egli fece, nella facciata della chiesa di San Martino in Lucca, sotto il portico che è sopra la porta minore a man manca entrando in chiesa, dove si vede un Cristo deposto di croce, una storia di marmo di mezzo rilievo, tutta piena di figure, fatte con molta diligenza, avendo traforato il marmo e finito il tutto di maniera, che diede speranza a coloro che prima facevano l'arte con stento grandissimo, che tosto doveva venire chi le porgerebbe con più facilità migliore aiuto.[1] Il medesimo Niccola diede, l'anno 1240, il disegno della chiesa di Sant' Iacopo di Pistoia,[2] e vi mise a lavorare di musaico alcuni maestri toscani, i quali feciono la volta della nicchia; la quale, ancora che in que' tempi fusse tenuta così difficile e di molta spesa, noi più tosto muove oggi a riso ed a compassione che a maraviglia: e tanto più che cotale disordine, il quale procedeva dal poco disegno, era non solo in Toscana, ma per tutta Italia; dove molte fabbriche ed altre cose, che si lavoravano senza modo e senza disegno, fanno conoscere non meno la povertà degli ingegni loro, che le smisurate ricchezze male spese dagli uomini di quei tempi, per non avere avuto maestri che con buona maniera conducessino loro alcuna cosa che facessero. Niccola, dunque,

[1] *Questa opera si dice fatta nel 1233, ed ha, nell' architrave che gli sta sotto, un' adorazione de' re magi, attribuita a Giovanni da Pisa. (Vedi *Guida di Lucca*).

† È errore il dire che quest' opera, lodata dal Cavalcaselle (op. cit. p. 208), sopra tutte le altre uscite dallo scarpello di Niccola e di Giovanni, sia del 1233. Questo millesimo che si legge sulla parete del portico di San Martino, non si può in nessun modo riferire alla scultura de' Pisani, ma più veramente all' innalzamento del detto portico.

[2] *È di parere il Tolomei, e ne porta buone ragioni, che Niccola sia stato soltanto l' architetto della volta della nave di mezzo, dell' altra *a cornu epistolæ*, e forse ancora dell' antica nicchia del coro: nella cui demolizione, fatta nel 1599, andarono perduti i musaici che il Vasari nomina qui appresso.

† Niccola si allogò con strumento degli 11 di luglio 1272 a restaurare l' altare di Sant' Iacopo di Pistoia. E perciò si può credere che l' andata sua colà fosse piuttosto in quel tempo, che nel 1240, come afferma il Vasari. (Vedi Ciampi, *Notizie* ecc., a pag. 122).

per l'opere che faceva di scultura e d'architettura, andava sempre acquistando miglior nome che non facevano gli scultori ed architetti che allora lavoravano in Romagna: come si può vedere in Sant'Ippolito e San Giovanni di Faenza, nel Duomo di Ravenna, in San Francesco, e nelle case de' Traversari e nella chiesa di Porto; ed in Arimini, nell'abitazione del palazzo pubblico, nelle case de' Malatesti ed in altre fabbriche, le quali sono molto peggiori che gli edifizj vecchi fatti ne' medesimi tempi in Toscana.[1] E quello che si è detto di Romagna, si può dire anco con verità di una parte di Lombardia. Veggiasi il Duomo di Ferrara[2] e l'altre fabbriche fatte dal marchese Azzo, e si conoscerà così essere il vero; e quanto siano differenti dal Santo di Padoa, fatto col modello di Niccola,[3] e dalla chiesa dei Frati Minori in Venezia; fabbriche amendue magnifiche ed onorate. Molti nel tempo di Niccola, mossi da lodevole invidia, si misero con più studio alla scultura che per avanti fatto non avevano; e particolarmente in Milano, dove concorsero alla fabbrica del Duomo molti Lombardi e Tedeschi, che poi si sparsero per Italia per le discordie che nacquero fra i Milanesi e Federigo imperatore.[4] E così cominciando questi artefici a gareggiare fra loro, così nei marmi come

[1] Non si può vedere (son parole del Bottari) quel che dice il nostro autore delle goffezze degli antichi architetti, perchè quasi tutte le fabbriche che egli qui nomina, son rovinate o guaste o rimodernate. Ben può vedersi anche in molte fabbriche de' tempi nostri quel ch' ei dice più versi sopra, cioè che sono fatte con molta spesa e con poco sapere.

[2] Fu rifatto verso la metà del secolo scorso.

[3] *« Nessuna iscrizione, nessuna memoria contemporanea, nessun documento nell' archivio del Santo, conferma l'asserzione del Vasari. Solo mezzo a raccertare questa opinione, sarebbe trovare in questa basilica lo stile conforme alle altre opere di Niccola, ma lo stile invece fa pensare tutt'altro. Quando io esamino i pergami di Siena e di Pisa, e le architetture non dubbie di Niccola, vi ravviso maniere ben differenti, così nel concetto come negli ornamenti » (SELVATICO; *Guida di Padova per gli Scienziati*.)

[4] *Qui si deve intendere del più antico Duomo di Milano, il quale ai tempi di Federigo II o s'ingrandiva o si fondava di nuovo.

nelle fabbriche, trovarono qualche poco di buono. Il medesimo accadde in Firenze, poi che furono vedute l'opere d'Arnolfo e di Niccola: il quale, mentre che si fabbricava col suo disegno, in su la piazza di San Giovanni, la chiesetta della Misericordia, vi fece di sua mano in marmo una Nostra Donna, un San Domenico ed un altro Santo, che la mettono in mezzo; siccome si può anco veder nella facciata di fuori di detta chiesa.[1] Avendo al tempo di Niccola cominciato i Fiorentini a gettare per terra molte torri, già state fatte di maniera barbara per tutta la città, perchè meno venissero i popoli, mediante quelle, offesi nelle zuffe che spesso fra' Guelfi e Ghibellini si facevano, o perchè fusse maggior sicurtà del pubblico; gli pareva che dovesse esser molto difficile il rovinare la torre del Guardamorto, la quale era in su la piazza di San Giovanni, per avere fatto le mura così gran presa, che non se ne poteva levare con i picconi, e tanto più essendo altissima: perchè, facendo Niccola tagliar la torre da piedi da uno de' lati, e fermatala con puntelli corti un braccio e mezzo, e poi dato lor fuoco, consumati che furono i puntelli, rovinò e si disfece da sè quasi tutta; il che fu tenuto cosa tanto ingegnosa ed utile per cotali affari, che è poi passata di maniera in uso, che, quando bisogna, con questo facilissimo modo si rovina in poco tempo ogni edifizio.[2] Si trovò Niccola

[1] *Della Misericordia vecchia, oggi parte del Bigallo. La Madonna, con San Domenico e Santa Maria Maddalena, che esistono sempre dentro ad altrettanti tabernacoli, sopra la prima arcata a tramontana, sono di altra mano, cioè di un Filippo di Cristoforo e del 1413. La Madonna con due Angeli nell'Oratorio è di Alberto Arnoldi.

[2] *La torre del Guardamorto fu così detta, perchè in essa era una stanza, dove per un corso di ore determinato si guardavano, ossia custodivano, i cadaveri da seppellire in San Giovanni; e per 120 braccia sorgeva all'entrare del corso degli Adimari. Nel 1248, i Ghibellini avendo, per odio ai Guelfi, gettato a terra molte torri di loro, a disfare questa saldissima usarono dell'ingegnoso modo che il Vasari dice inventato da Niccola Pisano; coll'intendimento che, cadendo, rovinasse sopra la chiesa di San Giovanni, dove i Guelfi facevano molto

alla prima fondazione del Duomo di Siena, e disegnò il tempio di San Giovanni nella medesima città;[1] poi, tornato in Firenze, l'anno medesimo che tornarono i Guelfi, disegnò la chiesa di Santa Trinita,[2] ed il monasterio delle donne di Faenza, oggi rovinato per fare la cittadella.[3] Essendo poi richiamato a Napoli, per non lasciar le faccende di Toscana, vi mandò Maglione suo creato, scultore ed architetto, il quale fece poi, al tempo di Currado, la chiesa di San Lorenzo di Napoli, finì parte del Piscopio,[4] e vi fece alcune sepolture, nelle quali imitò forte la maniera di Niccola suo maestro. Niccola intanto, es-

capo di loro, ma per buona ventura, quando venne a basso schivò la chiesa, e rivolsesi, e cadde per lo diritto della piazza, e il batistero rimase inoffeso (Vedi G. VILLANI, lib. VI, cap. 34).

[1] *Il Vasari che asserisce aver Niccola, nel 1240, dato il disegno del Duomo di Siena, pare che cada poi in contradizione, allorchè vuole che i Senesi fossero mossi ad allogargli il pergamo del loro Duomo dalla fama che egli si era acquistata per quello di Pisa. perchè per giudicare del merito dell'artefice pisano non era bisogno ai Senesi di questa prova, se già vent'anni innanzi avevano avuto campo di conoscere e di esercitare l'ingegno di lui nella edificazione della loro principal chiesa. Il tempio di San Giovanni poi fu fondato dopo il 1300, come sarà detto più sotto.

[2] *Nel 1250, secondo il Villani e l'Ammirato.

[3] *La cittadella di San Giovan Batista, detta Fortezza da basso. Ma è da osservare che di questo monastero, fondato nel 1281, non poteva fare il disegno Niccola, morto nel 1278, come dice lo stesso Vasari.

[4] *La chiesa di San Lorenzo martire fu eretta da Carlo I d'Angiò nel 1266, per voto della vittoria riportata sopra a Manfredi, e non già ai tempi di Corrado, come per errore narra il Vasari. Interrotta, si ripigliò da Carlo II e si dice coll'opera dell'architetto Masuccio, e l'edifizio non si vide compiuto se non più tardi dell'anno 1324. La parte che v'ebbe Masuccio è tanta, che il tempio può dirsi più da lui che da Maglione architettato. Ma, sventuratamente, per i danni operati in quella fabbrica dai distruttori e rifacitori, oggi non restano d'antica architettura che la porta maggiore e le nove cappelle della tribuna. Il Piscopio poi, cioè l'antico vescovado di rito greco, fu basilica dedicata a Santa Restituta, ed eretta verso l'anno 334 di nostra salute. Sugli avanzi di questa basilica, Carlo I nel 1272 gettò le fondamenta del Duomo, che poi Carlo II continuò, tra il 1286 e il 1309. e che, verso il 1321 il re Roberto compì col disegno e coll'opera di Masuccio napoletano. Ai primi lavori d'edificazione è probabile che qui alluda il Vasari (Vedi *Guida di Napoli* pel congresso del 1845).

† Quanto agli architetti Maglione, Masuccio primo e secondo, a' quali si attribuiscono i soprannominati edifizj, si ha molta ragione di dubitare che non sieno mai esistiti. La storia delle arti napoletane in questi antichi tempi, e per quasi un secolo dopo, è piena di favole, d'oscurità e d'incertezze.

sendo chiamato dai Volterrani l'anno 1257 che vennono sotto i Fiorentini, perchè accrescesse il Duomo loro, che era piccolo; egli lo ridusse, ancorchè storto molto, a miglior forma, e lo fece più magnifico che non era prima. Poi ritornato finalmente a Pisa, fece il pergamo di San Giovanni di marmo, ponendovi ogni diligenza per lasciare di sè memoria alla patria; e fra l'altre cose, intagliando in esso il Giudizio universale, vi fece molte figure, se non con perfetto disegno, almeno con pacienza e diligenza infinita; come si può vedere. E perchè gli parve, come era vero, aver fatto opera degna di lode, v'intagliò a piè questi versi.

Anno milleno centum bis bisque trideno
Hoc opus insigne sculpsit Nicola Pisanus.[1]

I Sanesi, mossi dalla fama di quest'opera, che piacque molto non solo a' Pisani, ma a chiunque la vide, allogarono a Niccola il pergamo del loro Duomo, dove si canta l'evangelio, essendo pretore Guglielmo Mariscotti: nel quale fece Niccola molte storie di Gesù Cristo con molta sua lode, per le figure che vi sono lavorate e con molta difficultà spiccate intorno intorno dal marmo.[2] Fece similmente Niccola il disegno della chiesa e convento di San Domenico d'Arezzo, ai signori di Pietramala che lo edificarono; ed ai prieghi del vescovo degli Ubertini re-

[1] *Il Vasari non riportò intera la iscrizione, la quale è questa.

Anno milleno bis centum bisque triceno
Hoc opus insigne sculpsit Nicola Pisanus
Laudetur digne tam bene docta manus

[2] *Lo strumento d'allogazione del pergamo del Duomo di Siena è de' 29 settembre 1266, al tempo di Fra Melano, monaco cisterciense, operaio dell'Opera di Santa Maria. A questo lavoro ebbe in aiuto Arnolfo e Lapo suoi discepoli, e senza forse anche Giovanni suo figliuolo Vedi il documento pubblicato nel tom I delle *Lettere Senesi*, dal Rumhor, *Ricerche Italiane* (*Italienische Forschungen*), da Gaetano Milanesi nel vol I, pag 149 de' *Documenti per l'arte Senese* Guglielmo Marescotti da Bologna fu pretore di Siena, cioè potestà, nel 1268, mentre nel 1265 stile comune (1266 stile pisano), quando fu allogato il lavoro del pergamo, era potestà Ranieri d'Andrea da Perugia

staurò la pieve di Cortona, e fondò la chiesa di Santa Margherita pe' Frati di San Francesco in sul più alto luogo di quella città.[1] Onde, crescendo per tante opere sempre più la fama di Niccola, fu l'anno 1257 chiamato da papa Clemente IV a Viterbo; dove, oltre a molte altre cose, restaurò la chiesa e convento de' Frati Predicatori. Da Viterbo andò a Napoli al re Carlo I; il quale, avendo rotto e morto nel pian di Tagliacozzo Curradino, fece fare in quel luogo una chiesa e badia ricchissima, e seppellire in essa l'infinito numero de' corpi morti in quella giornata; ordinando appresso, che da molti monaci fusse giorno e notte pregato per l'anime loro. Nella qual fabbrica restò in modo soddisfatto il re Carlo dell'opera di Niccola, che l'onorò e premiò grandemente. Da Napoli tornando in Toscana, si fermò Niccola alla fabbrica di Santa Maria d'Orvieto; e lavorandovi in compagnia d'alcuni Tedeschi, vi fece di marmo, per la facciata dinanzi di quella chiesa, alcune figure tonde, e particolarmente due storie del Giudizio universale, ed in esse il Paradiso e l'Inferno. E siccome si sforzò di fare nel Paradiso, della maggior bellezza che seppe, l'anime de' beati ne' loro corpi ritornate; così nell'Inferno fece le più strane forme di diavoli che si possano vedere, intentissime al tormentar l'anime dannate. Nella quale opera, non che i Tedeschi che quivi lavoravano, ma superò se stesso, con molta sua lode. E perchè vi fece gran numero di figure, e vi durò molta fatica, è stato, non che altro, lodato insino a' tempi nostri da chi non ha avuto più giudicio che tanto nella scultura.[2]

[1] *Il Da Morrona (*Pisa ill.*, II, 69) dice che ciò fu nel 1297, e in una pietra del campanile della chiesa di Santa Margherita lesse scolpiti i nomi *Nicolaus et Johannes.*

[2] *Se il Duomo d'Orvieto non ebbe il suo principio che nel 1290, e il termine dopo il 1310. nel quale anno gli Orvietani, perchè ne fosse accelerata la fabbrica, con più larghi stipendj obbligarono l'architetto Lorenzo Maitani di Siena a risiedere nella loro città, ov'egli morì nel 1330; è manifesto che qui il

Ebbe, fra gli altri, Niccola un figliuolo chiamato Giovanni: il quale, perchè seguitò sempre il padre, e sotto la disciplina di lui attese alla scultura ed all'architettura, in pochi anni divenne non solo eguale al padre, ma in alcuna cosa superiore; onde essendo già vecchio, Niccola si ritirò in Pisa, e lì vivendo quietamente, lasciava d'ogni cosa il governo al figliuolo. Essendo dunque morto in Perugia papa Urbano IV, fu mandato per Giovanni, il quale andato là fece la sepoltura di quel pontefice di marmo, la quale, insieme con quella di papa Martino IV,[1] fu poi gettata per terra quando i Perugini aggrandirono il loro vescovado, di modo che se ne veggiono solamente alcune reliquie sparse per la chiesa. E avendo nel medesimo tempo i Perugini, dal monte di Pacciano, lontano due miglia dalla città, condotto per canali di piombo un'acqua grossissima, mediante l'ingegno ed industria d'un Frate de' Silvestrini; fu dato a fare a Giovanni Pisano tutti gli ornamenti della fonte, così di bronzo come di marmi; onde egli vi mise mano, e fece tre ordini di vasi, due di marmo ed uno di bronzo; il primo è posto sopra dodici gradi di scalee a dodici

Vasari cade in grave errore, perchè molte buone congetture ci fanno tenere che Niccola a quel tempo fosse da qualche anno morto. Ed è meraviglia che, come dice il Cicognara, sieno stati tratti in questo stesso errore anche i più chiari storici delle Belle Arti, compresi il Lanzi e il D'Agincourt. Puossi bensì credere che in quei bassorilievi della facciata lavorasse Giovanni figlio di Niccola, Arnolfo, Frate Guglielmo da Pisa, ed altri scultori della scuola di Niccola. Il Della Valle, nella sua *Storia del Duomo d'Orvieto*, è d'opinione che l'errore di attribuire quei bassorilievi a Niccola da Pisa sia nato dall'aver trovato che nel 1321 era agli stipendj degli Orvietani un Niccolò scultore fiorentino; il quale, per la somiglianza del nome, senza ben riflettere alla età molto posteriore, fu scambiato con il Pisano maestro. Rispetto poi a quei Tedeschi, che secondo il Vasari aiutarono Niccola in questi lavori, non accade ripeter qui quel che altrove dicemmo.

[1] *Urbano IV morì nel 1264. Il Mariotti inclinerebbe a credere che Giovanni Pisano facesse la sepoltura, piuttosto che a Urbano, a Martino IV, morto in Perugia nel 1285; perchè lo storico Pellini rammenta un sepolcro di finissimi marmi innalzato a pubbliche spese a questo pontefice; e perchè dopo la sua morte fu tenuto da' Perugini in singolare venerazione (*Lett. pitt. perug.*, pag. 21.)

facce; l'altro sopra alcune colonne che posano in sul piano del primo vaso, cioè nel mezzo; ed il terzo, che è di bronzo, posa sopra tre figure, ed ha nel mezzo alcuni grifoni, pur di bronzo, che versano acqua da tutte le bande. E perchè a Giovanni parve avere molto bene in quel lavoro operato, vi pose il nome suo.[1] Circa l'anno

[1] *Nel 1254 i Perugini decretarono di condurre per canali di piombo le acque del Monte Pacciano nella piazza del Comune. Un Frate Plenerio dette principio a quest'opera, la quale poi fu continuata da un tal Leonardo, da un Bevegnate perugino (e questi è il Frate dei Silvestrini nominato dal Vasari), da un Alberto Frate Minorita, e da un Boninsegna da Venezia. Più tardi si trovano registrati negli atti pubblici Guido da Città di Castello, un tal maestro Copo, un Ristoro da Santa Giuliana, un Frate Vincenzo pur Minorita. Questi, adunque, furono gl'ingegneri idraulici che presiedettero alla condotta delle acque Paccianesi dentro Perugia. Agli ornamenti, sia di marmo, sia di bronzo, della fontana, vuole il Vasari che dèsse opera il solo Giovanni da Pisa; ma una preziosa iscrizione, stata per lungo tempo nascosta sotto il tartaro, e pochi anni sono scoperta dal prof. Massari, mentre ci dà i nomi degl'ingegneri Fra Bevegnate e Boninsegna, ci fa conoscere altresì che lo stesso Niccola ebbe parte a quel lavorio. Al magistero dei due pisani scultori, quello d'un altro non men valoroso maestro si aggiunge; e questi fu il fiorentino Arnolfo, il quale da Carlo I d'Angiò, con un diploma del 1277, fu mandato ai Perugini appunto per continuare il sospeso lavoro della fonte. Ma l'esser questo il solo documento che sin ad ora ci parli di Arnolfo chiamato in Perugia, e il non trovarsi scolpito insieme cogli altri il nome suo in quella iscrizione, ci farebbe sospettare o che egli per qualsivoglia cagione non andasse altrimenti a Perugia, o che la iscrizione fosse già messa su quando egli giunse colà. Alquanto difficile ancora è il distinguere il lavoro che a ciascuno dei due maestri pisani si appartiene. Si vogliono assegnare a Niccola le ventiquattro figure addossate ne' pilastri del secondo catino; a Giovanni si danno le sculture delle venticinque faccie (e non dodici, come dice il Vasari) che girano intorno al primo e più grande cratere di essa fontana. Compie questo insieme piramidale una tazza, sorretta da una colonna e adorna di tre ninfe, di grifoni e di leoni; lavoro tutto di bronzo, eseguito da un tal maestro Rosso nel 1277, come dice la iscrizione che gira intorno alla tazza. Costui, sin qui conosciuto per questa epigrafe solamente, forse potrebbe esser quel maestro Rosso *padellaio* (arte che nel secolo XIII, e nei due seguenti, indicava un lavoratore di metalli), il quale nel 1264 ebbe varie somme per la palla di rame della cupola del Duomo di Siena (*pro mela mete operis Sancte Marie*). E un artefice che viveva e lavorava nel 1264, può ben essere che vivesse e lavorasse nel 1277. Intanto in Siena era un maestro Rosso gettatore di metalli: non sappiamo se in Perugia o altrove, altro artefice di tal nome e a quei tempi fosse dato di trovare. Ciò poniamo come semplice congghiettura, e non per cosa certa e provata. La fonte fu finita durante il pontificato di Niccola III, che resse la chiesa dal 1277 al 1280. — † Oggi questa congettura circa al maestro Rosso non ha più nessun valore, essendosi trovato che veramente fu a' quei tempi un maestro perugino così nominato, che fece

1560, essendo gli archi e i condotti di questa fonte, la quale costò cento sessanta mila ducati d'oro, guasti in gran parte e rovinati; Vincenzio Danti perugino scultore, e con sua non piccola lode, senza far gli archi (il che sarebbe stato di grandissima spesa), ricondusse molto ingegnosamente l'acqua alla detta fonte nel modo che era prima.[1] Finita quest'opera, desideroso Giovanni di riveder il padre vecchio ed indisposto, si partì di Perugia per tornarsene a Pisa; ma, passando per Firenze, gli fu forza fermarsi, per adoperarsi, insieme con altri, all'opera delle mulina d'Arno, che si facevano da San Gregorio appresso la piazza de' Mozzi. Ma finalmente, avendo avuto nuove che Niccola suo padre era morto, se n'andò a Pisa, dove fu per la virtù sua da tutta la città con molto onore ricevuto, rallegrandosi ognuno che dopo la perdita di Niccola, fusse di lui rimaso Giovanni erede così delle virtù come delle facoltà sue. E venuta occasione di

il lavoro di metallo della detta fonte. — Chi, infine, bramasse maggiori e più estese notizie su questa celebre fonte, potrà consultare l'eruditissimo e diligente ragionamento del prof. G. B. Vermiglioli, intitolato *Dell'Acquedotto e della Fontana maggiore di Perugia ecc.*, Perugia 1827, in-4, e l'altra bell'opera *Le sculture di Niccolò e Giovanni da Pisa e di Arnolfo fiorentino, che ornano la Fontana maggiore di Perugia, disegnate e incise da Silvestro Massari, e descritte da Gio. Battista Vermiglioli*, Perugia 1834, in-4, con 80 tavole in rame. — † Dell'andata e dimora a Perugia di Arnolfo oggi abbiamo altre maggiori testimonianze scoperte dal valoroso e diligente ricercatore e illustratore dei documenti della storia dell'arte perugina, che è il prof. Adamo Rossi. Egli adunque comunicò al Cavalcaselle le seguenti preziose notizie. Avendo fra Bevignate soprastante all'acquedotto della fonte fatto venire in Perugia Arnolfo per il lavoro marmoreo della fontana, il maestro fiorentino dichiarò nel 27 agosto 1277 di non potersi trattenere nella città, nè intraprendere quell'opera, senza licenza di re Carlo, o di Ugo suo vicario in Roma. E re Carlo, soddisfacendo al Comune di Perugia che ne lo aveva pregato, con sua lettera data presso il Lago Pensile il 10 settembre di quell'anno, concesse non solo che Arnolfo andasse colà per quell'opera, ma insieme i marmi che vi sarebbero bisognati. E si trova che a' 4 di febbraio del 1481 furono pagate ad Arnolfo per ventiquattro giorni di lavoro dato alla fontana lire 10, e soldi 4 di denari, a ragione di 10 soldi al giorno. È però da notare che i libri di spese degli anni precedenti mancano, e così non possiamo sapere altri particolari intorno a questo fatto.

[1] *Il Danti a titolo d'onore fu creato officiale della fonte, e per ricompensa gli furono assegnati 250 scudi romani.

far prova di lui, non fu punto ingannata la loro opinione; perchè, avendosi a fare alcune cose nella picciola, ma ornatissima chiesa di Santa Maria della Spina, furono date a fare a Giovanni; il quale, messovi mano, con l'aiuto di alcuni suoi giovani, condusse molti ornamenti di quell'oratorio a quella perfezione che oggi si vede; la quale opera, per quello che si può giudicare, dovette esser in que' tempi tenuta miracolosa, e tanto più avendovi fatto in una figura il ritratto di Niccola di naturale, come seppe meglio. Veduto ciò i Pisani, i quali molto innanzi avevano avuto ragionamento e voglia di fare un luogo per le sepolture di tutti gli abitatori della città, così nobili come plebei, o per non empiere il Duomo di sepolture o per altra cagione; diedero cura a Giovanni di fare l'edifizio di Campo Santo, che è in su la piazza del Duomo verso le mura; onde egli, con buon disegno e con molto giudizio, lo fece in quella maniera, e con quelli ornamenti di marmo, e di quella grandezza che si vede. E perchè non si guardò a spesa nessuna, fu fatta la coperta di piombo; e fuori della porta principale si veggiono nel marmo intagliate queste parole: *A. D. MCCLXXXVIII, tempore Domini Friderigi archiepiscopi Pisani, et Domini Tarlati potestatis, operario Orlando Sardella, Iohanne magistro edificante.* Finita quest'opera, l'anno medesimo 1283 andò Giovanni a Napoli, dove per lo re Carlo fece il Castel Nuovo di Napoli;[1] e, per allargarsi e farlo più forte, fu forzato a rovinare molte case e chiese, e particolarmente un convento di Frati di San Francesco; che poi fu rifatto maggiore e più magnifico assai che non era prima, lontano dal castello, e col titolo di Santa Maria della Nuova.[2] Le quali fabbriche cominciate e tirate assai bene innanzi,

[1] Credesi l'interno del Castel Nuovo, finito poi nel secolo XVI sotto il governo di D Pietro di Toledo

[2] Anche questa fabbrica (Vedi SIGNORELLI, *Culto delle due Sicilie*) è attribuita a Giovanni.

si partì Giovanni di Napoli per tornarsene in Toscana; ma giunto a Siena, senza essere lasciato passare più oltre, gli fu fatto fare il modello della facciata del Duomo di quella città, e poi con esso fu fatta la detta facciata ricca e magnifica molto.[1] L'anno poi 1286, fabbricandosi il vescovado d'Arezzo col disegno di Margaritone architetto aretino, fu condotto da Siena in Arezzo Giovanni, da Guglielmo Ubertini vescovo di quella città; dove fece di marmo la tavola dell'altar maggiore, tutta piena d'intagli di figure, di fogliami ed altri ornamenti, scompartendo per tutta l'opera alcune cose di mosaico sottile, e smalti posti sopra piastre d'argento commesse nel marmo con molta diligenza. Nel mezzo è una Nostra Donna col figliuolo in collo, e dall'uno de' lati San Gregorio papa (il cui volto è il ritratto al naturale di papa Onorio IV); e dall'altro, un San Donato, vescovo di quella città e protettore; il cui corpo, con quelli di Sant'Antilla e di altri Santi, è sotto l'istesso altare riposto. E perchè il detto altare è isolato, intorno e dai lati sono storie picciole di basso rilievo della vita di San Donato; ed il fini-

[1] *Il Duomo senese ebbe certamente un principio più antico assai di quello che vorrebbe il Vasari. Il barone di Rumhor, che sulla storia di questo magnifico tempio portò luce maggiore d'ogni altro scrittore, addusse autentiche memorie per le quali si conosce che fino dai primi anni del secolo XIII si lavorava in quella chiesa. Si può bensì credere che questi lavori riguardassero il restauro o l'ornamento maggiore di alcuna sua parte, e non una nuova forma o disegno di essa. Ma dopo il 1250 crebbero assai i lavori, perchè troviamo essere maggiore il numero de' maestri stipendiati, e maggiori le somme spesevi; in modo che nel 1258 e 1259 si fecero dei notabili accrescimenti nel corpo della chiesa, di cui nel 1264 era già compita la cupola. Si sgombrava, frattanto, la piazza col demolire, nel 1276, il palazzo del vescovo. E nel 1297 si proponeva a quest'effetto di abbattere ed innalzare altrove la chiesa di San Giovanni, situata in quei tempi sulla piazza del Duomo allato alla presente casa dell'Opera. La qual proposizione, sebbene rinnovata nel 1301 e 1315, non ebbe il suo effetto se non dopo quest'ultimo anno. Da tutto ciò adunque si raccoglie, che se non può tenersi per vero che Giovanni si trovasse alla prima fondazione del Duomo senese, ben può essere ch'egli desse il disegno dell'antico San Giovanni.

† Vedi a questo proposito quel che è detto in una nota posta ai documenti riguardanti il vecchio Duomo di Siena, pubblicati nel vol. I, p. 235 de' *Documenti per la Storia dell'Arte Senese* raccolti ed illustrati dal Dr. Gaetano Milanesi (Siena, Porri, 1855-56; vol. III, in-8).

mento di tutta l'opera sono alcuni tabernacoli pieni di figure tonde di marmo, lavorate molto sottilmente. Nel petto della Madonna detta è la forma d'un castone d'oro, dentro al quale, secondo che si dice, erano gioie di molta valuta; le quali sono state per le guerre, come si crede, dai soldati che non hanno molte volte nè anco rispetto al SS. Sagramento, portate via insieme con alcune figurine tonde che erano in cima e intorno a quell'opera, nella quale tutta spesero gli Aretini, secondo che si trova in alcuni ricordi, trentamila fiorini d'oro. Nè paia ciò gran fatto, perciò che ella fu in quel tempo cosa, quanto potesse essere, preziosa e rara;[1] onde tornando Federigo Barbarossa da Roma, dove si era incoronato, e passando per Arezzo molti anni dopo ch'era stata fatta, la lodò, anzi ammirò infinitamente.[2] Ed in vero a gran ragione;

[1] Esiste ancora in quel Duomo, benchè molto danneggiata.

† Il Cavalcaselle (op. cit., vol. I, pag. 222) a proposito di questo lavoro dell'altar maggiore del Duomo d'Arezzo, crede che sia stato fatto coi disegni di Giovanni da suoi scolari, perchè gli pare che non corrisponda nè all'ingegno suo nè alla maniera l'architettura pesante e senza grazia, il comporre confuso delle storie, il modellare delle figure, la loro volgarità, le attitudini forzate e la poca diligenza. E noi in conferma delle giuste osservazioni del Cavalcaselle possiamo addurre alcuni documenti, i quali ci scoprono che quell'ornamento marmoreo fu lavorato in tempo posteriore, e da altri maestri. Infatti tra i rogiti di ser Adatto Cungi notaio aretino si trova uno strumento del 22 di febbrajo 1369, che si dice fatto sotto il portico della cattedrale di Arezzo, essendo presenti *magistro Iohanne Francisci de Aretis et magistro Betto Francisci de Florentia magistris lapidum et intalli laborerii quod fit super altare beati Donati in dicta ecclesia*; ed in un altro del 9 di marzo 1375 fatto parimente sotto il portico suddetto fu tra i testimoni *magistro Iohanne magistro intallii marmorei quod construitur super altare beati Donati in ecclesia aretina, filio olim ...... cive aretino*. E facile che la somiglianza del nome abbia fatto scambiare l'artefice aretino col pisano: sebbene la diversità della maniera che si riscontra nel lavoro d'Arezzo, e la inferiorità sua appetto alle altre opere del Pisano, dovessero fare accorto il Vasari del suo errore. Della dimora di Giovanni da Pisa in Arezzo noi non abbiamo nessun ricordo o testimonianza antica. Invece è per certissimi documenti provato che m.° Agostino da Siena e Giovanni suo figliuolo vi lavorarono alcune cappelle e nella cattedrale e nella pieve nel 1300, 1332 e 1334. E non è fuor di ragione il credere che m.° Giovanni di Francesco d'Arezzo fosse ammaestrato nell'arte dai detti scultori senesi.

[2] † Qui il Vasari dice cosa incredibile. Non il Barbarossa, che visse due secoli innanzi, ma forse Federigo III fu l'imperatore che passando per Arezzo nel suo ritorno da Roma vide ed ammirò quelle sculture.

perchè, oltre all'altre cose, sono le commettiture di quel lavoro, fatto d'infiniti pezzi, murate e commesse tanto bene, che tutta l'opra, chi non ha gran pratica delle cose dell'arte, la giudica agevolmente tutta d'un pezzo. Fece Giovanni nella medesima chiesa la cappella degli Ubertini, nobilissima famiglia, e signori (come sono ancora oggi, e più già furono) di castella, con molti ornamenti di marmo, che oggi sono ricoperti da altri molti, e grandi ornamenti di macigno, che in quel luogo, col disegno di Giorgio Vasari, l'anno 1535, furono posti per sostenimento d'un organo che vi è sopra, di straordinaria bontà e bellezza.

Fece similmente Giovanni Pisano il disegno della chiesa di Santa Maria de' Servi, che oggi è rovinata, insieme con molti palazzi delle più nobili famiglie della città, per le cagioni dette di sopra. Non tacerò che essendosi servito Giovanni, nel fare il detto altare di marmo, d'alcuni Tedeschi, che più per imparare che per guadagnare s'acconciarono con esso lui; eglino divennero tali sotto la disciplina sua, che andati dopo quell'opera a Roma servirono Bonifazio VIII in molte opere di scultura per San Pietro, ed in architettura quando faceva Civita Castellana. Furono, oltre ciò, mandati dal medesimo a Santa Maria d'Orvieto, dove per quella facciata fecero molte figure di marmo, che secondo que' tempi furono ragionevoli. Ma, fra gli altri che aiutarono Giovanni nelle cose del vescovado d'Arezzo, Agostino ed Agnolo, scultori ed architetti sanesi, avanzarono col tempo di gran lunga tutti gli altri; come al suo luogo si dirà. Ma tornando a Giovanni, partito che egli fu d'Orvieto, venne a Firenze per vedere la fabbrica che Arnolfo faceva di Santa Maria del Fiore, e per vedere similmente Giotto, del quale aveva sentito fuori gran cose ragionare: ma non fu sì tosto arrivato a Firenze, che dagli operai della detta fabbrica di Santa Maria del Fiore gli fu data a fare la Madonna che, in mezzo a due angioli piccoli, è sopra la porta di detta chiesa che va in Canonica; la quale opera fu allora molto lodata.[1] Dopo, fece il battesimo di San Giovanni, dove sono alcune storie di mezzo rilievo della vita di quel Santo.[2] Andato poi a Bologna, ordinò la cappella maggiore della chiesa di San Domenico, nella quale gli fu fatto fare di marmo l'altare da Teodorico Borgognoni lucchese, vescovo, e Frate di quell'Ordine; nel qual luogo medesimo fece poi, l'anno 1298, la tavola di marmo dove sono la Nostra Donna ed altre otto figure assai ragionevoli.[3]

E l'anno 1300, essendo Niccola da Prato cardinale legato dal papa a Firenze per accomodare le discordie dei Fiorentini, gli fece fare un monasterio di donne in Prato, che dal suo nome si chiama San Niccola; e restaurare nella medesima terra il convento di San Domenico, e così anco quel di Pistoia; nell'uno e nell'altro de' quali si vede ancora l'arme di detto cardinale.[4] E perchè i Pistoiesi avevano in venerazione il nome di Niccola padre di Giovanni, per quello che colla sua virtù aveva in quella città adoperato; fecion fare ad esso Giovanni un pergamo di marmo per la chiesa di Sant'Andrea, simile a quello che egli aveva fatto nel Duomo di Siena:[5]

[1] *Queste belle e conservate sculture vedonsi sempre nel luogo indicato dal Vasari

[2] *Il presente fonte battesimale non può essere opera di Giovanni Pisano, nè d'Andrea, come vorrebbe il Del Migliore, perchè la iscrizione incisa attorno lo dice fatto nel 1370; nel qual tempo Giovanni era morto da circa 42 anni, e Andrea da 20

[3] *Quest'altare e le descritte figure più non esistono Credono alcuni che Fra Guglielmo da Pisa operasse con Giovanni in dette sculture; il che, sebbene sia verosimile, non può accertarsi, per mancanza di documenti

[4] *Giovanni Pisano non poteva nel 1300 restaurare la chiesa di San Domenico di Prato, come scrive il Vasari, perchè se ne inalzava allora la fabbrica, cominciata nel 1281 e non ancora compiuta nel 1322, sotto la direzione di Fra Mazzetto converso domenicano Verosimilmente fu invitato Giovanni a porgere consigli sui lavori fatti e quelli che restavano a farsi Le stesse difficoltà sono per la chiesa di San Domenico di Pistoia

[5] *Cioè Niccola suo padre, come s'è veduto.

e ciò per concorrenza d'uno che poco innanzi n'era stato fatto nella chiesa di San Giovanni Evangelista da un Tedesco, che ne fu molto lodato.[1] Giovanni, dunque, diede finito il suo in quattro anni, avendo l'opera di quello divisa in cinque storie della vita di Gesù Cristo, e fattovi oltre ciò un Giudizio universale con quella maggior diligenza che seppe, per pareggiare o forse passare quello allora tanto nominato d'Orvieto. E intorno a detto pergamo, sopra alcune colonne che lo reggono, intagliò nell'architrave, parendogli (come fu in vero), per quanto sapeva quella età, aver fatto una grande e bell'opera, questi versi:

Hoc opus sculpsit Johannes, qui res non egit inanes,
Nicoli natus. . meliora beatus,
Quem genuit Pisa, doctum super omnia visa [2]

Fece Giovanni in quel medesimo tempo la pila dell'acqua santa di marmo della chiesa di San Giovanni Evangelista nella medesima città, con tre figure che la reggono; la Temperanza. la Prudenza e la Giustizia: la quale opera, per essere allora stata tenuta molto bella, fu posta nel mezzo di quella chiesa come cosa singolare.[3] E prima che partisse di Pistoia, sebben non fu così allora cominciata l'opera, fece il modello del campanile di San Iacopo, principale chiesa di quella città, nel quale campanile che è in sulla piazza di detto San Iacopo ed a

[1] Il pulpito di S Gio *Fuor civitas* di Pistoia oggi è provato essere opera di Fra Guglielmo da Pisa, domenicano e scolaro di Niccola (Vedi Tigri, *Guida di Pistoia*, e Cavalcaselle, Op. cit , vol I, pag. 217) Il Tigri afferma che nei ricordi mss di essa chiesa si dice quel pulpito essere stato fatto nel 1270 da Fra Guglielmo

[2] *Questa iscrizione, che il Vasari ha data incompiuta ed inesatta, porta l'anno 1301, e può vedersi fedelmente riferita dal Morrona, dal Cicognara e dal Tolomei

[3] Essa e oggi molto logora, ma fortunatamente assai meno (avverte il Cicognara) che gli scrittori non dicano — *Oggi pero non e piu nel mezzo, ma presso la porta laterale

canto alla chiesa, è questo millesimo. *A. D 1301.*[1] Essendo, poi, morto in Perugia papa Benedetto IX,[2] fu mandato per Giovanni, il quale andato a Perugia fece nella chiesa vecchia di San Domenico de' Frati Predicatori una sepoltura di marmo per quel pontefice; il quale ritratto di naturale e in abito pontificale pose intorno sopra la cassa con due Angeli, uno da ciascun lato, che tengono una cortina; e di sopra una Nostra Donna con due Santi di rilievo che la mettono in mezzo; e molti altri ornamenti intorno a quella sepoltura intagliati. Parimente, nella chiesa nuova de' detti Frati Predicatori fece il sepolcro di messer Niccolò Guidalotti perugino e vescovo di Recanati, il quale fu institutore della Sapienza nuova di Perugia.[3] Nella quale chiesa nuova, dico, che prima era stata fondata da altri, condusse la navata del mezzo; che fu con molto migliore ordine fondata da lui, che il rimanente della chiesa non era stato fatto; la quale da un lato pende, e minaccia (per essere stata male fondata) rovina. E nel vero, chi mette mano a fabbricare ed a far cose d'importanza, non da chi sa poco, ma dai migliori, doverebbe sempre pigliar consiglio, per non aver dopo il fatto, con danno e vergogna a pentirsi d'essersi dove più bisognava mal consigliato.

Voleva Giovanni, speditosi dalle cose di Perugia, andare a Roma per imparare da quelle poche cose antiche che vi si vedevano,[4] sì come aveva fatto il padre; ma

[1] *Il Tolomei non potè leggervi l'anno 1301, citato dal Vasari, ma solo il 1200, tempo probabile del principio della fabbrica

[2] Leggi Benedetto XI, che morì in Perugia nel 1304 Il celebre cardinale Niccolò da Prato gli fece fare da Giovanni la sepoltura, di cui si parla, e che tuttora si vede Essa, dice il Cicognara, ha qualche somiglianza con quella della regina di Cipri in Assisi, che il Vasari dice opera di Fuccio (Vedi la nota 1, a pag 296)

[3] Si chiamava Benedetto, dice il Mariotti nelle *Lettere Perugine*, e fu posteriore a Giovanni, almeno di un secolo.

[4] *Se non si potesse supporre che Giovanni nella sua gioventù fosse andato a Roma per istudiare le cose antiche, sarebbe stato ben tardi se si fosse risoluto quando era già vecchio

da giuste cagioni impedito, non ebbe effetto questo suo desiderio, e massimamente sentendo la corte essere di poco ita in Avignone.[1] Tornato adunque a Pisa, Nello di Giovanni Falconi operaio gli diede a fare il pergamo grande del Duomo, che è a man ritta, andando verso l'altar maggiore, appiccato al coro: al qual dato principio, ed a molte figure tonde, alte braccia tre, che a quello avevano a servire, a poco a poco lo condusse a quella forma che oggi si vede, posato parte sopra le dette figure, parte sopra alcune colonne sostenute da leoni; e nelle sponde fece alcune storie della vita di Gesù Cristo. È un peccato veramente, che tanta spesa, tanta diligenza e tanta fatica, non fusse accompagnata da buon disegno; e non avesse la sua perfezione, nè invenzione, nè grazia, nè maniera che buona fusse, come avrebbe a' tempi nostri ogni opera che fusse fatta anco con molto minore spesa e fatica. Nondimeno dovette recare agli uomini di que' tempi, avvezzi a vedere solamente cose goffissime, non piccola maraviglia. Fu finita quest'opera l'anno 1320,[2]

[1] Fu cola trasferita da Clemente V, eletto papa nel 1305, e ricondotta a Roma da Gregorio XI nel 1377

[2] *Il pulpito fu cominciato nel 1302, e terminato nel 1310 (stile comune), come si ritrae e dal frammento d'iscrizione riferito dal Vasari, e da altro frammento che oggi si vede in un pilastro esterno della facciata di mezzo giorno Esso fu poi tutto scomposto e guasto da Gio Batta Riminaldi pisano intagliatore di legname, per ordine dell'operaio Ceuli alcune parti furono adoprate nel nuovo pergamo costruito nel 1627 col disegno di uno scultore francese e scolpito da Chiarissimo Fancelli, fiorentino, i bassorilievi furono posti per parapetto alla ringhiera ch'è in fondo alla chiesa i quali, tolti anche di lì, ora si vedono nella galleria sopra la sinistra navata del Duomo, per esser poi posti, come si dice, nei nuovi amboni Essi sono in numero di sei, e rappresentano la nascita di Gesù, e l'Angelo che ne da l'annunzio ai pastori, l'adorazione dei Re magi; la presentazione al tempio, e la fuga in Egitto; la strage degli Innocenti; il tradimento di Giuda, e la crocifissione, ch'è la storia meno pregevole, anzi il Cristo e cosa molto difettosa Queste opere bastano solo a provarci, dice il Cicognara, che sono di Giovanni i bassorilievi del Duomo d'Orvieto, attribuiti al padre

† A' nostri giorni il prof. G Fontana, con molto studio e fatica ricercando gli avanzi di questo pulpito, ha potuto ricomporlo quasi tutto, e ne ha fatto un modello di legno che mostra la forma sua primitiva, rifacendone le parti che

come appare in certi versi che sono intorno al detto pergamo, che dicono così:

Laudo Deum verum, per quem sunt optima rerum,
Qui dedit has puras homini formare figuras,
Hoc opus his annis Domini sculpsere Johannis
Arte manus sole quondam, natique Nicole,
Cursis undenis tercentum, milleque plenis, ecc.

Con altri tredici versi, i quali non si scrivono per meno essere noiosi a chi legge, e perchè questi bastano non solo a far fede che il detto pergamo è di mano di Giovanni, ma che gli uomini di que' tempi erano in tutte le cose così fatti. Una Nostra Donna ancora, che in mezzo a San Giovanni Batista ed un altro Santo si vede in marmo sopra la porta principale del Duomo, è di mano di Giovanni, e quegli che a' piedi della Madonna sta in ginocchioni, si dice essere Pietro Gambacorti operaio.[1] Comunque sia, nella base dove posa l'imagine di Nostra Donna, sono queste parole intagliate:

Sub Petri cura haec pia fuit sculpta figura;
Nicoli nato sculptore Johanne vocato

Similmente sopra la porta del fianco, che è dirimpetto al campanile, è di mano di Giovanni una Nostra Donna di marmo, che ha da un lato una donna inginocchioni, con due bambini, figurata per Pisa, e dall'altro l'imperadore Enrico.[2] Nella base dove posa la Nostra Donna,

mancavano, con molta intelligenza dello stile antico; e secondo questo modello il Municipio di Pisa ha deliberato che il pulpito di Giovanni si ricostruisca e si compia in quelle parti mancanti, allogandone il lavoro al cav. Tito Sarrocchi di Siena. Vedi l'opuscolo intitolato: *Sulla ricomposizione del pulpito di Giovanni pisano*. Rapporto della Commissione istituita dal Consiglio Municipale di Pisa. (Pisa, Nistri 1873, in-8.)

[1] *È falsa la tradizione che riferisce il Vasari, perchè Pietro Gambacorti, che fu nel 1392 ucciso a tradimento, ai tempi di Giovanni Pisano non doveva esser nato, o se nato, era ancor fanciullo.

[2] *Di queste sculture il Da Morrona vide gli avanzi confusi fra i sassi e la terra, e che poi furono collocati nel Campo Santo pisano.

sono queste parole: *Ave gratia plena, Dominus tecum;* e appresso:

Nobilis arte manus sculpsit Johannes Pisanus
Sculpsit sub Burgundio Tadi benigno...;

ed intorno alla base di Pisa:

Virginis ancilla sum Pisa quieta sub illa;

ed intorno alla base d'Enrico:

Imperat Henricus qui Christo fertur amicus.

Essendo stata già molti anni nella pieve vecchia della terra di Prato, sotto l'altare della cappella maggiore, la cintola di Nostra Donna, che Michele da Prato tornando di Terra Santa aveva recato nella patria l'anno 1141, e consegnatala a Uberto proposto di quella pieve, che la pose ove si è detto, e dove era stata sempre con gran venerazione tenuta; l'anno 1312 fu voluta rubare da un pratese, uomo di malissima vita, e quasi un altro ser Ciappelletto: ma, essendo stato scoperto, fu per mano della giustizia come sacrilego fatto morire. Da che mossi i Pratesi deliberarono di fare, per tenere più sicuramente la detta cintola, un sito forte e ben accomodato: onde, mandato per Giovanni, che già era vecchio, feciono col consiglio suo nella chiesa maggiore la cappella, dove ora sta riposta la detta cintola di Nostra Donna. E poi col disegno del medesimo feciono la detta chiesa molto maggiore di quello ch'ella era, e la incrostarono di fuori di marmi bianchi e neri; e similmente il campanile, come si può vedere.[1] Finalmente, essendo Giovanni già vecchis-

[1] *L'ingrandimento della cattedrale di Prato fu cominciato l'anno 1317. Il campanile, lasciato non finito da Giovanni, per la morte sopravvenutagli, fu condotto a fine da Niccolò di Cecco del Mercia, e da Sano suo discepolo, scultori e architetti senesi; e ciò dovette essere circa il 1340, perchè a quel tempo il vescovo chiedeva ai suoi diocesani elemosine per fare le campane. (Vedi Bianchini, *Memorie della Sacra Cintola*: Repetti, *Dizionario della Toscana*).

† Questi artefici scolpirono dal 1354 al 1359 il pergamo di marmo della cappella della Cintola nella Cattedrale di Prato.

simo, si morì l'anno 1320, dopo aver fatto, oltre a quelle che dette si sono, molte altre opere di scultura ed architettura.[1] E nel vero, si deve molto a lui ed a Niccola suo padre; poichè, in tempi privi d'ogni bontà di disegno, diedero in tante tenebre non piccolo lume alle cose di quest'arti, nelle quali furono in quell'età veramente eccellenti. Fu sotterrato Giovanni in Campo Santo onoratamente, nella stess'arca dove era stato posto Niccola suo padre.[2]

Furono discepoli di Giovanni molti che dopo lui fiorirono; ma particolarmente Lino, scultore ed architetto sanese, il quale fece in Pisa la cappella, dov'è il corpo di San Ranieri in Duomo, tutta ornata di marmi, e similmente il vaso del battesimo ch'è in detto Duomo col nome suo.[3] Nè si maravigli alcuno che facessero Niccola e Giovanni tante opere; perchè, oltre che vissono assai, essendo i primi maestri in quel tempo che fussono

[1] *Opera di Giovanni è pure una pila con bassorilievo esistente nella chiesa di San Pietro in Vinculis, del castello detto di San Piero, circa a dieci miglia da Pisa, nella quale incise il suo nome e quello di un tal Leonardo, suo scolaro Giovanni lavorò pure in avorio, come si ritrae da un instrumento de'5 giugno 1299 col quale egli si obbliga di fare delle figure d'avorio a tutta perfezione; e perciò si crede opera di lui una molto bella immagine della Vergine col Bambino, scolpita in questa materia, che si conserva nel Santuario del Duomo di Pisa (Vedi Da Morrona, *Pisa illustrata*, tom II)

[2] In una lastra di marmo, posta a' piè della facciata del palazzo arcivescovile di Siena, è questa iscrizione HOC EST SEPVLCRUM MAGISTRI JOHANNIS QUONDAM MAGISTRI NICOLAI ET DE EIUS EREDIBUS Se questo Giovanni è il Pisano (il che a noi parrebbe certo), allora bisogna dire ch'egli, affezionatissimo a Siena, si eleggesse ivi la sua sepoltura qualche tempo innanzi al morire, e che poi, per mutata volontà, ordinasse d'esser seppellito a Pisa

† Giovanni non morì in quest'anno, perchè ci sono memorie che egli viveva e lavorava anche dopo Così nel 1328 fece nell'Arena di Padova il monumento di Enrico degli Scrovegni morto in quell'anno In una iscrizione intagliata nelle tre faccie del plinto sotto il gruppo della Madonna col Putto che fa parte del detto monumento, si legge *Deo gratias opus Iohannis magistri Nicholi de Pisis* Quanto alla sua nascita, noi congetturiamo che possa essere accaduta verso il 1250, supponendolo di 15 o 16 anni, quando fu condotto a lavorare nel pulpito di Siena da Niccolò suo padre

[3] *Vuolsi che sia quello che ora vedesi in Campo Santo sotto il numero 132 ma siccome esso, non solo manca del nome dello scultore (contro quel che

in Europa, non si fece alcuna cosa d'importanza, alla quale non intervenissono; come, oltre a quelle che dette si sono, in molte iscrizioni si può vedere. E poichè con l'occasione di questi due scultori ed architetti si è delle cose di Pisa ragionato, non tacerò che in su le scalee di verso lo Spedale Nuovo, intorno alla base che sostiene un leone ed il vaso che è sopra la colonna di porfido, sono queste parole:

Questo é 'l talento che Cesare imperadore diede a Pisa, con lo quale si misurava lo censo che a lui era dato: lo quale è edificato sopra questa colonna e leone nel tempo di Giovanni Rosso operaio dell' opera di Santa Maria maggiore di Pisa, A. D. MCCCXIII, Inditione secunda di Marzo.[1]

dice il Vasari), ma sì ancora d'ogni carattere del tempo, così non si può tenere che per opera molto posteriore al 200; ed è lavoro di assai cattivo gusto. Rispetto al maestro Lino, noi sospettiamo che il Vasari abbia equivocato nel nome, credendo che sia piuttosto Tino di Camaino, autore di opere ragguardevoli; del quale faremo parola nelle note alla Vita di Agostino ed Agnolo.

[1] *Questo vaso di marmo pario, dove è rappresentata una ceremonia bacchica, è squisito lavoro di greco scarpello. La epigrafe riportata dal Vasari fu fatta cancellare da Francesco Quarantotto operaio, perchè creduto favoloso il racconto. Cosimo Cioli da Settignano, nel 1604, restaurò il coperchio, vi fece il dado sotto la base, e adattò e pulì la colonna. Finalmente, nell'anno 1810, per meglio provvedere alla conservazione sua, fu trasportato dentro il Campo Santo, dove ora è indicato sotto il numero 52.

† Un' altra opera di Giovanni è stata scoperta a' nostri giorni. Essa è il sepolcro marmoreo della principessa Margherita, morta in Genova nel 1311, fattole innalzare dall' imperatore Arrigo VII di Lussemburgo suo marito. Ebbelo a scolpire Giovanni nel 1313. Gli avanzi di questo sepolcro furono trasferiti dalla distrutta chiesa di S. Francesco di Castelletto nella villa Brignole-Sale in Voltri. Essi constano di tre figure, cioè d'una muliebre in atto di essere messa nella tomba da due altre mutilate della testa, le quali indossano una lunga veste, e paiono monaci. (Vedi *Archivio Storico Italiano*; Serie Terza, Tomo XXII, n.° 89: 1875, a pag. 327).

COMMENTARIO

ALLA

VITA DI NICCOLA E GIOVANNI, PISANI

Allorchè le ricerche erudite e gli studj critici intorno alla storia dell'arte italiana successero a' nostri giorni alla noncuranza ed anche al disprezzo, in cui erano state tenute per gran tempo le opere del medio evo, fu come una loro naturale conseguenza che si cominciasse ad indagare chi furono coloro che innanzi a Niccola Pisano tennero il campo dell'arte, e quali le opere che ancora ne rimangono, non parendo verosimile, che questo artefice, sebbene di straordinario ingegno, e dal quale la scultura riconosce con ragione il primo avviamento verso il suo meglio, potesse esser sorto così d'improvviso, senza che altri lo avessero preceduto e senza che l'arte loro, sia pure da lontano e per infiniti gradi, in qualche modo con la sua non si rappiccasse.

Per queste ricerche e studj adunque fatti in ogni parte d'Italia, dove sono tuttavia opere di scultura di que' tempi, e mediante l'esame e confronto loro, è nata oggi fra i critici una assai viva controversia, nella quale si disputa, prima se Niccolò veramente sia nato in Pisa o non piuttosto nella Puglia; in secondo luogo, se la sua educazione artistica sia stata nel mezzogiorno d'Italia, oppure nella Toscana, come, dopo il Vasari, è stato fino ad ora creduto ed affermato da tutti. Sostengono l'origine ed istituzione pugliese di Niccola, dopo il Rumhor, che fu il primo a muovere questa disputa, il Crowe e il Cavalcaselle principalmente, a' quali si sono poi aggiunti il Forster, il Grimm, il Lubke, lo Springer e il Salazaro. Continuano a riputarlo nato ed allevato in Toscana, il Semper, lo Schnaase e il Dobbert.

Nella qual controversia che conferma o toglie alla nostra Toscana il vanto di essere stata la culla ed insieme la scuola di questo artefice, noi abbiamo stimato di dovere intervenire e come Toscani e come annotatori del Vasari; non colla presunzione di risolverla; chè non ci teniamo da tanto; ma coll'intendimento di mostrare che le ragioni ed argomenti addotti dai sostenitori della nuova opinione non sono, chi ben li esamini, di tanto peso e valore, da far rigettare come erronei e senza fondamento quelli de' seguaci della vecchia credenza.

E siccome il Crowe e il Cavalcaselle hanno con maggiore apparato critico preso a difendere il loro assunto; raccogliendo il più e il meglio che sopra questa materia era stato detto per l'innanzi; così noi ci contenteremo di esaminare solamente e sotto brevità le loro ragioni: tanto più che gli altri oppositori non fanno che ripetere il già esposto da quelli, o abbracciare la costoro opinione, senza aggiungervi niente o pochissimo del proprio. E lo faremo con la medesima modestia e temperanza che ci furono sempre di guida nelle passate controversie intorno ad alcuni punti oscuri o disputabili della storia dell'arte italiana; confessando di aver cavato non piccolo frutto dal libretto del dottor Odoardo Dobbert intitolato *Dello Stile di Niccola Pisano e della sua derivazione*, nel quale l'erudito e giudizioso autore, agli argomenti de' detti critici, ha saputo contrapporne altri, che ci paiono vincer quelli di valore e di bontà.

Forse questa novella opinione non si sarebbe formata, nè mai avrebbe avuto luogo la presente controversia, se non fosse stata la espressione fino ad ora poco avvertita di uno strumento fatto in Siena l'undici di maggio 1266, nel quale si dice, che Fra Melano operaio del Duomo, quel medesimo che l'anno innanzi aveva allogato a Niccola il lavoro del pergamo della detta chiesa; *requisivit magistrum Nicholam Petri* DE APULIA, *quod ipse faceret et curaret ita, quod Arnolfus discipulus suus statim veniret Senas ad laborandum in dicto opere cum ipso magistro Nichola.*[1]

Parve agl'impugnatori della origine toscana di Niccola, che nella parola *de Apulia* del suddetto strumento fosse uno de' principali argomenti per provare che egli abbia avuto per patria la Puglia; col qual nome era allora chiamata la parte d'Italia che poi fu detta il reame di Napoli. Ma questa loro interpretrazione, che alcuni hanno abbracciata come la più naturale e più vera, a noi in quella vece apparisce per le ragioni che diremo, falsissima.

È ormai provato per tante scritture così contemporanee a Niccola, come posteriori, che stipulandosi uno strumento, soleva il notaio scrivere, oltre il nome, il cognome o il patronimico delle persone che v'intervenivano, anche la patria o il luogo della loro provenienza; fosse pure il più povero ed oscuro

[1] Vedi il vol. I, pag. 149, de' *Documenti per la Storia dell'Arte Senese*, pubblicati e illustrati dal dott. G. Milanesi (Siena, Porri, 1854-56, in-8).

villaggio del mondo; così per modo d'esempio, diceva: *Iohannes quondam Guidi de Florentia, de Pistorio, de Campi, de Scarlino, de Vespignano* ecc. Ma trattandosi di luogo, il quale, perchè posto fuori della provincia, dove si stipulava lo strumento, poteva essere meno noto, o in tutto sconosciuto alle parti contraenti, egli allora, per meglio dichiararlo e per fuggire ogni equivoco, al nome del luogo aggiungeva quello della provincia, in questo modo: *Franciscus Antonii de Bertinoro, de provincia*, oppure, *de partibus Romandiole; Petrus Joannis de Como, de partibus Lombardie* ecc. Se poi il notaio si fosse abbattuto a nominare un uomo venuto in Italia da lontane parti, di cui non conosceva la nazione, gli bastava allora di dirlo venuto così in genere *de partibus ultramontanis;* e sapendone la nazione, ma non la terra nativa, usava la espressione *de partibus Gallie, Alamagne, Hungarie ecc.*

Ora, dopo queste premesse, le quali da chi ha maneggiato scritture antiche, saranno riconosciute verissime, venendo al caso nostro particolare; noi vediamo che il notaio per dichiarare in quello strumento la patria di Niccola, usa la semplice espressione *de Apulia*, che, come abbiamo detto, non può, nè deve voler indicare che un paese, una terra di questo nome, e non mai la Puglia. La quale, se egli avesse inteso di nominare, avrebbelo fatto adoperando la solita formula in genere de *partibus Apulie*, per non sapere per l'appunto in che città o terra di quella provincia fosse nato Niccola. Onde per noi è chiaro che colla espressione *de Apulia*, non solo egli volesse significare un paese di questo nome, ma ancora, scrivendolo senz'altra aggiunta, che quel paese fosse in Toscana e non altrove: perchè come quell'aggiunta sarebbe stata necessaria per meglio determinarlo, se quel luogo fosse stato fuori della Toscana, così riusciva non meno superflua che oziosa, essendo posto nella medesima provincia, dove si stipulava lo strumento.

Ricercando perciò se in Toscana fosse un paese di quel nome, noi ne abbiamo trovati due, detti nelle vecchie carte latine *Apulia*, ed oggi volgarmente *Puglia* o *Pulia*; de' quali l'uno è nel territorio d'Arezzo, e l'altro nel suburbio di Lucca.[1] E di quest'ultimo noi abbiamo buone ragioni per credere che parli il citato strumento.

[1] Il Repetti (*Dizionario Geografico, Fisico, Storico della Toscana*, vol. I, p. 102) dice: che *Apulia* o Pulia di Lucca è una contrada nel suburbio meridionale di quella città, che dà il suo nome a quattro popoli: San Colombano, San Concordio, San Pier Maggiore, e San Ponziano di Pulia. Questo nome le è derivato dalle acque che pullulano dal suo terreno. *Pulia* è rammentato fino dal secolo VIII. E nel vol. II, pag. 678, si legge, che Puglia o Pulia (*Apulia*) è un villaggio del Valdarno aretino posto sopra una vaga collina distante quasi tre miglia da Arezzo e dà il nome ad una delle *Cortine*, o suburbî di quella città. Se ne hanno memorie fino dal principio del secolo X.

Ora se ci fosse domandato: credete voi che con questa parola *de Apulia* si sia voluto indicare il luogo nativo di Niccola, o non piuttosto quello di Pietro suo padre? noi potremmo rispondere: che guardando alla materiale collocazione della detta parola, posta dopo il nome di Pietro, parrebbe che a lui si dovesse riferire; ma considerando tutta insieme la proposizione, la ragione logica farebbe invece riferirla più specialmente a Niccola, come al soggetto principale di quella. Nondimeno noi siamo d'opinione che *de Apulia* serva in quel luogo, ed altri esempj non mancano, al doppio scopo di esprimere così la patria del padre come quella del figliuolo.[1] Anzi avendo esaminato a lungo i diversi documenti che parlano di Niccola, e riflettutovi sopra maturamente, siamo venuti in quest'ultima persuasione, cioè: che egli nascesse nel villaggio di Puglia del suburbio Lucchese; che condotto in Lucca dal padre suo, la cui condizione è ignota, ma forse fu un lavoratore di terra, o un piccolo possidente di villa, fosse messo allo scultore, facilmente nella bottega di quel maestro Guidetto, che nel 1204 ornava colla sua *bella destra* la facciata di S. Martino di quella città; che venuto in fama fosse poi chiamato a Pisa per scolpire il bel pergamo di quel Battistero; e finalmente che per la lunga dimora fatta in quella città, e per la civiltà ottenutavi in ricompensa delle sue opere, s'acquistasse l'appellazione di Pisano, o da Pisa.

Noi sappiamo benissimo che col restituire ad un oscuro villaggio Lucchese la gloria di essere stato la culla di questo famosissimo artefice, e coll'attribuire a Lucca l'altra di avergli dato il primo avviamento all'arte, togliendole ambedue a Pisa che da lungo tempo le possedeva; facciamo cosa che a' Pisani dispiacerà grandemente: il che certo non avremmo voluto, se alcuni di que' medesimi documenti, ne' quali si era creduto fino ad ora di trovare un validissimo appoggio alla vecchia credenza, esaminati da noi con occhio critico e spassionato, non ci avessero condotti a questa nuova e contraria conclusione.

[1] E a questo proposito ci piace di far notare, che riferendo il Ciampi nelle sue *Notizie della Sagrestia Pistoiese de' Belli Arredi* ecc. due documenti del 1272 e 1273; nel primo de' quali si legge *Magister Nicola quond. Petri de* .... egli arbitrariamente supplì quella lacuna che cade appunto dove più importava che non fosse, colla parola *Senis,* mentre sarebbe stato meglio coll'altra *Apulia,* cioè con quella medesima che per dichiarare la patria di Niccola e di Pietro è scritta nello strumento del 1266.

Nell'altro poi che egli riferì in questo modo: *Magistro Nichole quond. Petri de Senis ser Blasii pisa*..........., si legge invece, come abbiamo riscontrato noi stessi nell'originale pergamena, *Magistro Nichole quondam Petri de cappella Santi Blasii pisa*.......... Il che è stato cagione dell'errore durato fino ad oggi di credere che Niccola nascesse da un Pietro da Siena, figliuolo d'un Ser Biagio, notaio pisano.

Ad ogni modo, qualunque delle due opinioni che ci sono intorno a questo fatto si voglia seguitare, o che Niccola sia nativo del detto villaggio di Puglia, o che abbia avuto Pisa per patria, sarà sempre vero che egli fu, ed è tuttavia da riputare per origine e per nazione in tutto Toscano.

Avendo affermato il Crowe e il Cavalcaselle, secondo la interpretrazione data da loro alla parola *Apulia* del più volte citato strumento la origine pugliese o napoletana di Niccola, vengono alla seconda e più importante parte del loro assunto; la quale è, che la educazione artistica di Niccola sia stata nelle parti meridionali d'Italia, e non nella Toscana. E per meglio procedere alla sua dimostrazione, si fanno primamente a ricercare e descrivere le opere di scultura che sono ancora in essere nella Toscana e a Parma, fatte innanzi la venuta di Niccola; e trovano in Pistoia un maestro Roberto che scolpì nel 1167 sull'architrave della porta principale di San Bartolommeo in Pantano, Cristo che manda gli Apostoli a predicare la sua dottrina; un maestro Enrico che intagliò i capitelli de' pilastri che sostengono l'architrave della porta maggiore di Sant'Andrea, nei quali espresse l'angelo con Zaccheria, l'Annunziazione e la Visitazione, un maestro Gruamonte, che sulla porta di S. Giovanni *fuorcivitas* fece circa il 1180 la ultima Cena, e scolpì in compagnia d'Adeodato suo fratello, nel 1196 (e non 1166, come è stato detto) il viaggio de' Magi sull'architrave della porta della suddetta chiesa di Sant'Andrea. Nè tralasciano d'esaminare il pulpito scolpito da anonimo nel 1180 in San Michele a Groppoli, fuori di Pistoia, nel quale sono in bassorilievo le storie dell'Annunziazione, della Visitazione, della Natività di Cristo, del suo Battesimo, e della Fuga in Egitto. Passando quindi a Pisa, discorrono di Buonanno, autore nel 1180 delle porte di bronzo della Primaziale, state distrutte dall'incendio del 1595, e delle altre porte parimente di bronzo fatte da lui nel 1186, che ancora si veggono nel duomo di Monreale. Poi descrivono i bassorilievi del Battistero di quella città lavorati da un anonimo, e quelli di un sarcofago conservato nel Camposanto, scolpiti da maestro Bonamico. Registrano quindi passando a Lucca il fonte battesimale, opera di un maestro Biduino, nella chiesa di San Frediano, e il già ricordato bassorilievo di maestro Guidetto sulla facciata di San Martino, rappresentante il Santo che dà parte del suo mantello al povero ignudo. E finalmente vanno a Parma, e vi notano le sculture di Benedetto d'Antelamo, nel Duomo e nel Battistero, degli anni 1178 e 1196.

Dopo la quale ricerca ed esame, considerando i detti critici che tutte le accennate opere degli scultori toscani sono povere d'invenzione, goffe nel sentimento, e rozze nell'esecuzione, e che appartengono ad un'arte che si può dire sempre bambina, la quale sarebbe impossibile ricongiungere anche da lontano e passando per infiniti gradi con quella di Niccola, ed osservando altresì, che questo si può meglio e più agevolmente fare coll'arte meridionale di que'medesimi tempi, della quale si hanno tuttavia molte e pregevolissime opere di scultura ad Amalfi, a Salerno, a Troia, ed in altri luoghi; vengono in ultimo a questa conclusione, cioè, che la educazione artistica di Niccola, piuttostochè in Toscana, sia stata nel mezzogiorno d'Italia; della cui arte ragionando, dicono che essa ne'soggetti cristiani fu schiettamente bizantina; e che solamente nelle parti ornative si valse dell'elemento moresco, essendo noto che gli Arabi furono in siffatto genere di lavori, sopra gli altri, eccellenti. Aggiungono oltracciò, che prevalendo sempre in essa i due elementi bizantino ed arabo, divenuti per così dire indigeni, non vi cessò per questo l'influenza dell'elemento pagano, il quale essi non dubitano di chiamare locale. Dichiarata così la natura e le principali qualità di quell'arte, affermano non potersi negare che Niccola non ne abbia sentito l'influenza, avendo le sue opere grandissima somiglianza con quella, nelle forme e nel carattere. Che se questo legame e corrispondenza tra l'arte del mezzodì e quella di Niccola non fosse, bisognerebbe ammettere che egli non abbia avuto chi lo precedette: il che è inverosimile; o che egli avesse portata l'arte sua in quella contrada: la qual cosa non può essere, perchè l'arte nel mezzogiorno d'Italia era coltivata e fiorente in ogni ramo fino dai tempi de'Normanni. Così si può spiegare ed intendere, come Niccola abbia saputo inventare e scolpire nel 1260 il pergamo del Battistero di Pisa; nel quale, abbandonando le tradizioni religiose fino allora seguitate nell'arte, ed alle sottili e leggiere forme de'suoi predecessori, sostituendo le carnose e pesanti dell'arte romana della decadenza, già dimenticata e quasi spenta, diede con questa ardita novità diverso indirizzo alla scultura, e fu prima cagione del felice mutamento di lei verso il suo meglio.

Quando uno scrittore si è già formato nella mente un concetto, cerca con ogni industria di rivolgere alla dimostrazione sua le testimonianze della storia e de'monumenti. Così coloro che sostengono Niccola aver derivato l'arte sua dal mezzogiorno, si sforzano, innalzando quella oltre il ragionevole, di abbassare l'arte Toscana, perchè giova al loro assunto. Noi non negheremo, essendo evidente, che tra le opere di Niccola e quelle degli scultori toscani che lo precedettero, passi quanto alla tecnica, grandissima differenza, ma al tempo stesso vogliamo che ci si conceda di credere che questa medesima differenza, sebbene alquanto minore, interceda tra Niccola e gli scultori meridionali. Rispetto ai quali, paragonati coi toscani, si vede bene che ebbero sempre per guida le tradizioni e le pratiche dell'arte bizantina: e se essi vincono in qualche parte i Toscani, non è per altra ragione, se non perchè più direttamente dai greci maestri impararono, e facilmente nella stessa Costantinopoli, e sotto la loro guida condussero le opere di bronzo che ornano le porte di alcune chiese del mezzogiorno. Ma dall'altra parte si conosce che se i maestri toscani cedono ai meridionali, serbano nondimeno uno stile più semplice ed uniforme.

Ed ora venendo più specialmente a discorrere di Niccola, diremo che noi siamo all'oscuro circa a' primi trent'anni della sua vita. La prima volta che egli comparisce nella storia è nel 1260, quando piglia a scolpire il pergamo del Battistero di Pisa; ma è certo che egli non può aver incominciato la sua carriera artistica con quest'opera. Dove stette, che cosa fece innanzi a quel tempo, è ignoto. Forse, sebbene il Crowe e il Cavalcaselle sieno di contrario parere, e ne dubiti il Dobbert, una delle sue primizie scultorie è quel bassorilievo del Deposto di Croce che è dentro la chiesa di San Martino di Lucca, tanto lodato dallo stesso Cavalcaselle, e da lui riputato una delle migliori opere di scultura toscana fatte innanzi a Niccola. Al quale il Vasari attribuisce il disegno di alcuni edifizi civili e religiosi innalzati in Napoli da re Carlo I. mentre dagli scrittori napoletani sono invece attribuiti ad un loro architetto chiamato Masuccio I, della cui esistenza, e con più ragione di quella di Masuccio II, è permesso sempre di dubitare, finchè non se ne adducano prove e testimonianze certe e contemporanee. Ma il Vasari e gli altri non hanno mai ricordato di lui un'opera sola di scultura in quelle parti, dove essendo nato ed allevato, come oggi si vorrebbe, è ragionevole che egli dovesse aver lasciato qualche documento dell'arte sua.

Noi abbiamo veduto che i detti critici fondano più specialmente la novella loro opinione intorno alla derivazione artistica di Niccola, sopra la grande somiglianza che dicono esistere nelle forme e nel carattere pagano tra l'arte di lui e quella del mezzogiorno. Ma questa somiglianza a noi invero non riesce di trovare: perchè, se facilmente riconosciamo che nelle opere di Niccola sia un aperto studio ed imitazione dell'arte antica, non possiamo concedere che questo medesimo studio ed imitazione si osservi negli artefici meridionali; i quali all'elemento bizantino, che fu fondamentale nell'arte italiana di que'tempi, ne aggiunsero altri, come il mauro e il normanno, secondochè le vicende politiche di quel paese portarono; mentre dell'elemento pagano non pare a noi che vi se ne vegga traccia. Ma della qualità particolari che formano lo stile di Niccola avendo parlato il Dobbert nel citato libretto, con grande acume critico, e con non minor dottrina e verità, noi riferiremo per sommi capi il suo ragionamento, stimando di non poter dire nè meglio nè più appropriatamente di lui sopra questo argomento.

Il Dobbert adunque esaminando lo stile di Niccola, specialmente nel pergamo del Battistero di Pisa, che è l'opera più antica che si abbia di lui, e con data certa, prova che egli, quanto al modo di rappresentare le storie de'suoi bassorilievi, così nella invenzione, come nella disposizione delle figure si attenne alla tradizione bizantina, la cui maniera era da lunga pezza introdotta e sparsa nell'Occidente; ma quanto alle forme delle sue figure, le quali si differenziano grandemente da quelle usate per lo innanzi nell'arte cristiana, è manifesto che egli le trasse dagli antichi; in modo che è facile riconoscere quelle, nelle quali seguì l'arte del suo tempo, dall'altre che cavò dallo studio diligente della natura e dall'esempio ed imitazione dell'antico, non sempre con opportunità e con ragione introdotto da lui ne'suoi soggetti. Cosicchè, secondo l'esemplare che egli ebbe innanzi, ora apparisce tozzo, pesante ed affollato, ora svelto, leggiero e sobrio. Di più dice il Dobbert che un altro contrassegno caratteristico dello stile di Niccola è la vigorosa rotondità che dà alle sue figure, le quali si spiccano quasi interamente dal fondo; e che in questo egli non ha nessun riscontro nè coi Bizantini, nè co'suoi predecessori così di Toscana, come d'altre parti d'Italia, i quali, al modo greco, solevano dare alle loro pochissimo rilievo. Un'ultima osservazione, non meno importante delle altre, è che Niccola in alcune parti ornamentali ed architettoniche delle sue opere usò le forme così dette gotiche, le quali invano si cercherebbero, se non dopo di lui, nell'arte meridionale; essendo invece provato per altri esempj che esse erano per l'innanzi state introdotte nella Toscana.

Di più noi vogliamo aggiungere, che, per confessione degli stessi critici, certe qualità che furono proprie dello stile di Niccola, si riscontrano in parte ne'maestri pisani suoi predecessori, come per esempio le figure *tozze e grosse* ne'bassorilievi degli sguanci della porta orientale del Battistero di Pisa, scolpiti da Buonamico, e le figure che *sentono* l'*antico* in quelli dello scultore anonimo de'pilastri e dell'architrave del detto Battistero: il che mostra che anche prima di Niccola gli scultori pisani avevano cominciato a studiare negli esemplari dell'arte antica, de'quali Pisa doveva essere in que'tempi più abbondante che oggi non è.

Se dunque Niccola, conformandosi colla tradizione bizantina quanto alla invenzione e al carattere generale delle storie che introduce nelle sue opere, se ne differenzia poi nelle forme e nella esecuzione plastica, derivate in lui dallo studio e dalla imitazione dell'antico; se nelle parti architettoniche ed ornamentali seguita quelle che si dicono gotiche, le quali, prima che altrove, si cominciarono ad usare nel centro d'Italia e specialmente nella Toscana; noi non intendiamo perchè avendosi in Pisa argomenti e testimonianze così chiare e alla mano per provare l'influenza dell'arte toscana sopra Niccola, si voglia invece andar cercandola nel mezzodì d'Italia, dove è impossibile che vi si trovi ciò che forma il precipuo carattere dello stile di Niccola. Che se la sua educazione fosse stata, come dicono, alla scuola meridionale, non si vede perchè nelle sue opere non dovesse apparire qualche cosa che fu propria di quella scuola, colla quale invece egli non ha altra comunanza se non nel seguire la tradizione bizantina, ma se ne differenzia in una parte essenzialissima, la quale trova solamente riscontro nelle pratiche e negl'intendimenti dell'arte toscana.

E ci fa non piccola maraviglia che alcuni, pigliando occasione dalla presente controversia, vadano con enfatiche parole predicando e scrivendo che nel mezzogiorno d'Italia sia stata dall'undecimo secolo fino a Federigo II un'arte che chiamano *nazionale, indigena, originale* e *scevra in tutto dell'elemento bizantino*, alla quale assegnano le opere di pittura e di scultura di que' tempi che si veggono tuttavia sparse per le chiese e i monasteri di quelle parti, parendo che questa loro sentenza, contradica al processo storico dell'arte in Italia, la quale non fu per tutto quel periodo se non una imitazione più o meno goffa della maniera bizantina, la cui influenza più che altrove si distese, e fu più diuturna nel mezzogiorno per effetto della lunga dominazione greca. Ad ogni modo dato e non concesso che la loro opinione possa esser vera, bisogna pur dire che quest'arte meridionale, proclamata con sì magnifici nomi, non fosse invero che ben povera cosa, e senza forze proprie, se nello spazio di un secolo essa era di tanto declinata e quasi spenta, che Carlo I e i suoi successori furono costretti a chiamare di fuori gli artefici, e specialmente dalla Toscana, dove l'arte, dopo aver menato vita misera e stentata al pari di quella, trovò in sè tanta virtù, che aiutata dagl'ingegni paesani, e rinvigorita dalla libertà, s'aperse una nuova via, nella quale mettendosi animosamente, operò che, dimenticata la vecchia maniera, fosse la novella a poco a poco in ogni parte d'Italia seguita ed abbracciata.

Venuti al fine di questo nostro Commentario, nel quale abbiamo tentato di difendere l'origine e la educazione toscana di Niccola con quelle migliori ragioni ed argomenti che avevamo in pronto, contro coloro che si sforzano di far prevalere la contraria opinione, noi crediamo d'avere soddisfatto all'obbligo nostro, il quale era di rivendicare alla Toscana la gloria, meritamente e senza contrasto posseduta da lei per lo spazio di sei secoli, di essere stata la culla, e al tempo stesso la scuola di Niccola Pisano.

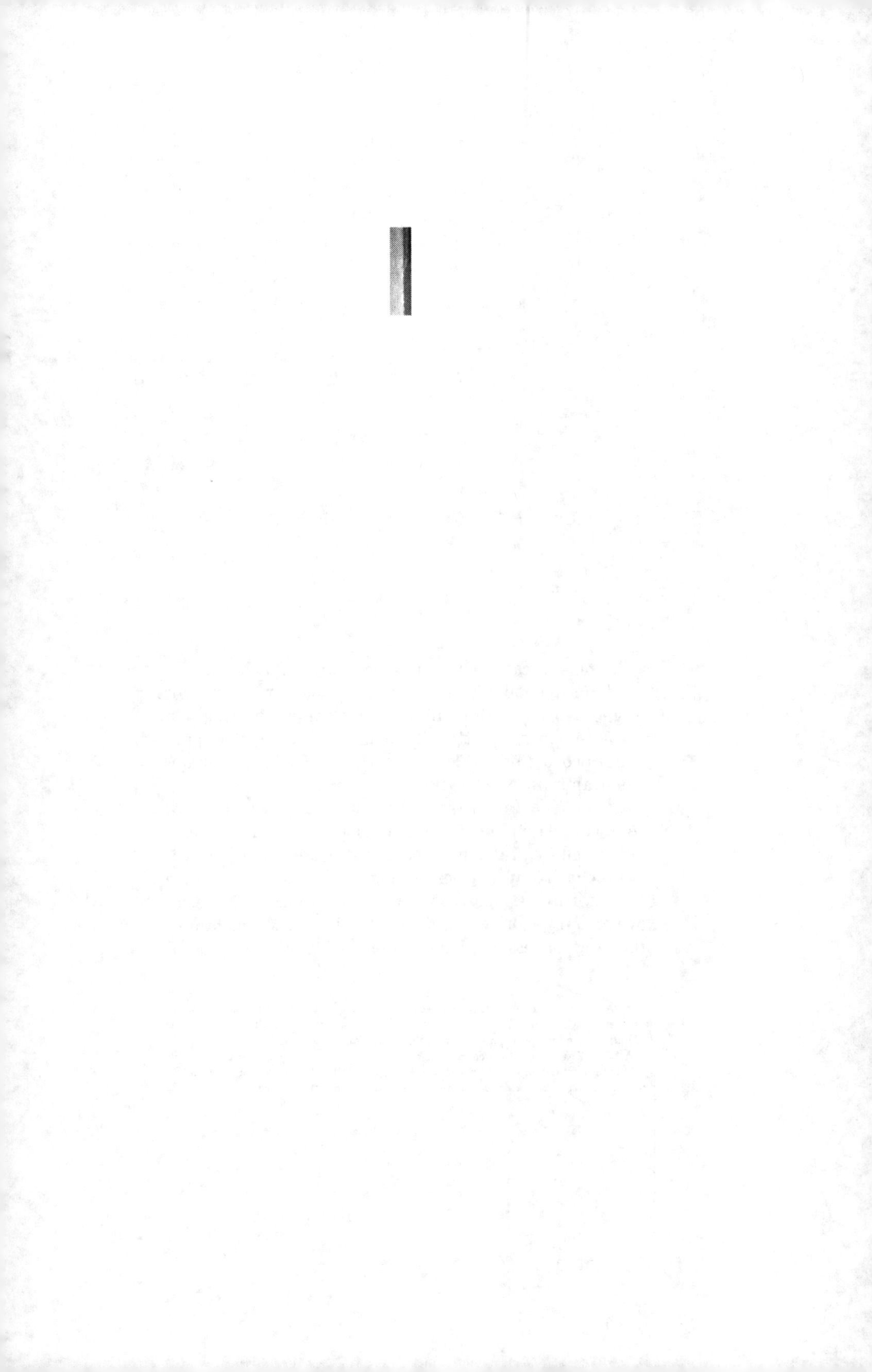

ANDREA TAFI

PITTORE FIORENTINO

(Nato nel 1250 ?, viveva ancora nel 1320)

Siccome recarono non piccola maraviglia le cose di Cimabue (avendo egli dato all'arte della pittura miglior disegno e forma) agli uomini di que'tempi, avvezzi a non vedere se non cose fatte alla maniera greca; così l'opere di musaico d'Andrea Tafi, che fu nei medesimi tempi, furono ammirate; ed egli perciò tenuto eccellente, anzi divino, non pensando que'popoli, non usi a veder altro, che in cotale arte meglio operar si potesse.[1] Ma di vero, non essendo egli il più valente uomo del mondo, considerato che il musaico per la lunga vita era più che tutte l'altre pitture stimato, se n'andò da Firenze a Venezia, dove alcuni pittori greci lavoravano in San Marco di musaico;[2] e con essi pigliando dimestichezza, con preghi,

[1] Al Vasari, che pur doveva aver veduti i musaici delle chiese di Roma, di Ravenna e di Napoli, e aver sentito almeno parlare di quelli di Palermo e di Monreale, come poterono cader dalla penna queste parole?

[2] *Che l'arte del musaico non si perdesse mai in Italia, lo provarono con molte testimonianze di antichi scrittori il Muratori, in prima, nella Dissertazione 24 delle sue *Antichità italiane del medio-evo*, ove riferì per intero un trattato di

con danari e con promesse operò di maniera, che a Firenze condusse maestro Apollonio pittore greco, il quale gl'insegnò a cuocere i vetri del musaico e far lo stucco per commetterlo; ed in sua compagnia lavorò nella tribuna di San Giovanni la parte di sopra, dove sono le Potestà, i Troni e le Dominazioni: nel qual luogo poi Andrea, fatto più dotto, fece, come si dirà di sotto, il Cristo che è sopra la banda della cappella maggiore.[1] Ma, avendo fatto menzione di San Giovanni, non passerò con silenzio, che quel tempio antico è tutto, di fuori e di dentro, lavorato di marmi d'opera corintia; e che egli è non pure in tutte le sue parti misurato e condotto perfettamente, e con tutte le sue proporzioni, ma benissimo ornato di porte e di finestre, ed accompagnato da due colonne di granito per faccia, di braccia undici l'una, per fare i tre vani; sopra i quali sono gli architravi che posano in su le dette colonne, per reggere tutta la macchina della volta doppia: la quale è dagli architetti moderni come cosa singolare lodata, e meritamente: perciocchè ella ha mostrato il buono che già aveva in sè quell'arte, a Filippo di ser Brunellesco, a Donatello, ed agli altri maestri di que'tempi, i quali impararono l'arte col mezzo di quell'opera e della chiesa di Sant'Apostolo di Firenze; opera di tanto buona maniera, che tira alla vera bontà antica; avendo, come si è detto di sopra, tutte le colonne di pezzi misurate e commesse con tanta diligenza, che si può molto imparare a considerarle in tutte le sue parti. Ma, per tacere molte cose che della buona architettura

varie pratiche o segreti sulle arti e sul musaico, scritto nel secolo VIII, il quale si conserva nell'Archivio Capitolare di Lucca; e poscia monsignor Furietti, nella sua bella ed erudita opera *De Musivis:* dalla quale apparisce che non solo l'arte del musaico non fu perduta, ma (quel che è più, e contradice all'asserzione del Vasari) che essa fu esercitata da artefici italiani, anche avanti a'tempi di Fra Iacopo Francescano, del Tafi e del Gaddi.

[1] *Intorno a questo Apollonio, preteso greco, vedasi il Commentario in fine di questa Vita.

di questa chiesa si potrebbono dire, dirò solamente che molto si diviò da questo segno e da questo buon modo di fare, quando si rifece di marmo la facciata della chiesa di San Miniato sul Monte fuor di Firenze, per la conversione del beato Giovanni Gualberto cittadino di Firenze, e fondatore della congregazione de' Monaci di Vall'Ombrosa; perchè quella, e molte altre opere che furono fatte poi, non furono punto in bontà a quelle dette somiglianti.[1] Il che medesimamente avvenne nelle cose della scultura; perchè tutte quelle che fecero in Italia i maestri di quell'età, come si è detto nel Proemio delle Vite, furono molto goffe: come si può vedere in molti luoghi, e particolarmente in Pistoia in San Bartolommeo de' Canonici regolari; dove, in un pergamo fatto goffissimamente da Guido da Como, è il principio della vita di Gesù Cristo con queste parole, fattevi dall'artefice medesimo l'anno 1199:

Sculptor laudatur, qui doctus in arte probatur,
Guido de Como me cunctis carmine promo.[2]

Ma per tornare al tempio di San Giovanni, lasciando di raccontare l'origine sua, per essere stata scritta da Giovanni Villani e da altri scrittori;[3] avendo già detto

[1] *Qui il Vasari contraddice a quelle lodi che meritamente aveva dato all'architettura di questa Basilica, nel *Proemio delle Vite* a pag. 236.

[2] In questo pergamo veramente è scritto, dopo i due versi riportati dal Vasari, *Anno Domini* MCCL; e quindi altri due versi che dicono:

Est operi sanus superestans Turrisianus
Namque fide prona vigil hc̄ (hunc) Deus inde corona.

Il quale Torrisiano, che il Ciampi credette lo scultore delle parti men buone di questo pergamo, a noi sembra piuttosto che fosse l'operaio, o il soprintendente al lavoro. Il *superestans operi* equivale al *prestantes operi* che è scritto nella facciata di San Salvadore della stessa Pistoia.

[3] Dal Villani, secondo la volgar tradizione; da altri, secondo più o men probabili congetture. E stando alle più probabili, il tempio, come già si accennò, può credersi del sesto secolo. Formato in gran parte di frammenti antichi, potè esser creduto più antico. La confusione e l'invertimento degli ordini (vedi il D'Agincourt, il Cicognara, ecc.), l'uso che vi fu fatto di qualche lapida preziosa in luogo di semplice materiale ecc., mostrano esser opera di tempi barbarici.

che da quel tempio s'ebbe la buona architettura che oggi è in uso, aggiungerò che, per quel che si vede. la tribuna fu fatta poi; e che, al. tempo che Alesso Baldovinetti, dopo Lippo pittore fiorentino, racconciò quel musaico, si vide ch'ella era stata anticamente dipinta e disegnata di rosso, e lavorata tutta sullo stucco. Andrea Tafi, dunque, e Apollonio greco fecero in quella tribuna, per farlo di musaico, uno spartimento che stringendo da capo accanto alla lanterna, si veniva allargando insino sul piano della cornice di sotto, dividendo la parte più alta in cerchj di varie storie. Nel primo sono tutti i ministri ed esecutori della volontà divina; cioè gli Angeli, gli Arcangeli, i Cherubini, i Serafini, le Potestati, i Troni e le Dominazioni. Nel secondo grado sono, pur di musaico alla maniera greca, le principali cose fatte da Dio, da che fece la luce insino al diluvio. Nel giro che è sotto questi, il quale viene allargando le otto facce di quella tribuna, sono tutti i fatti di Ioseffo e de'suoi dodici fratelli. Seguitano poi sotto questi, altri e tanti vani della medesima grandezza, che girano similmente innanzi, nei quali è pur di mosaico la vita di Gesù Cristo, da che fu concetto nel ventre di Maria, insino all'ascensione in cielo; poi, ripigliando il medesimo ordine, sotto i tre fregi è la vita di San Giovanni Battista, cominciando dall'apparizione dell'Angelo a Zaccheria sacerdote, insino alla decollazione e sepoltura che gli danno i suoi discepoli. Le quali tutte cose essendo goffe senza disegno e senz'arte, e non avendo in sè altro che la maniera greca di que'tempi, io non lodo semplicemente, ma sì bene avuto rispetto al modo di fare di quell'età, e all'imperfetto che allora aveva l'arte della pittura: senza che, il lavoro è saldo, e sono i pezzi del musaico molto bene commessi. Insomma, il fine di quell'opera è molto migliore, o, per dir meglio, manco cattivo che non è il principio; sebbene il tutto, rispetto alle cose d'oggi, muove piuttosto a riso che a piacere o maraviglia. Andrea, finalmente, fece con molta sua lode, da per sè e senza l'aiuto d'Apollonio, nella detta tribuna, sopra la banda della cappella maggiore, il Cristo che ancor oggi si vede, di braccia sette. Per le quali opere famoso per tutta l'Italia divenuto, e nella patria sua eccellente reputato, meritò d'essere onorato e premiato largamente. Fu veramente felicità grandissima quella d'Andrea, nascer in tempo che, goffamente operandosi, si stimasse assai quello che pochissimo o piuttosto nulla stimare si dovea:[1] la qual cosa medesima avvenne a Fra Iacopo da Turrita[2] dell'ordine di San Francesco; perchè avendo fatto l'opere di musaico che sono nella scarsella dopo l'altare di detto San Giovanni,[3] non ostante che fussero poco lodevoli, ne fu con premj straordinarj remunerato, e poi come eccellente maestro condotto a Roma; dove lavorò alcune cose nella cappella dell'altar maggiore di San Giovanni Laterano, e in quella di Santa Maria Maggiore.[4] Poi, condotto a Pisa, fece nella tribuna princi-

[1] *Questo è uno dei passi delle Vite, dove il Vasari svela il gusto del tempo suo, e il suo contradittorio e pregiudicato modo di sentenziare sulle opere dell'arte ch'egli chiama vecchia. Ma oggi che, per buona sorte, va cessando quel disprezzo, al quale furono dagli accademici condannate le opere dei vecchi artefici, anche i primi tentativi dell'arte rinascente sono considerati e studiati; imperciocchè si comincia a più universalmente conoscere che nella parte più essenziale dell'arte, cioè nel concetto e nel sentimento, anche le opere di questi tempi, piuttosto che muovere al riso, sono degne di ammirazione e di riverenza.

[2] *Vedi il Commentario in fine di questa Vita.

[3] Cioè la tribuna aggiuntavi (nel 1200) per far il coro, e nella quale è un'iscrizione metrica che riferiremo più sotto, ove leggesi il nome dell'autore de' musaici, l'anno in cui li fece o terminò, cioè il 1225, ecc. Di che vedi coloro che hanno parlato del tempio, ove essi ancor si veggono, i quali, in confronto di quelli d'ogni altro, sono benissimo conservati.

[4] *Nella tribuna o abside di San Giovanni Laterano, fatto fare da Niccolò IV nel 1291, dov'è figurata la Croce mistica in mezzo alla Beatissima Vergine, san Giovanni, sant'Antonio, san Francesco e cinque Apostoli. Il nome del musaicista, così scritto: IACOBUS TORIT. PICTOR HOC OPUS FECIT, è nell'angolo a sinistra di chi guarda, sotto i piedi di san Paolo. Ebbe il Torriti in aiuto Fra Iacopo da Camerino, Francescano, del quale debbono essere le figure dei nove Apostoli che si vedono nella fascia o fregio sottoposto al gran musaico; imperciocchè il

pale del Duomo, colla medesima maniera che aveva fatto l'altre cose sue, aiutato nondimeno da Andrea Tafi e da Gaddo Gaddi, gli Evangelisti ed altre cose che vi sono; le quali poi furono finite da Vicino,[1] avendole egli lasciate poco meno che imperfette del tutto. Furono dunque in pregio per qualche tempo l'opere di costoro; ma poi che l'opere di Giotto furono, come si dirà al luogo suo, poste in paragone di quelle d'Andrea, di Cimabue e degli altri, conobbero i popoli in parte la perfezione dell'arte, vedendo la differenza ch'era dalla maniera prima di Cimabue e quella di Giotto nelle figure degli uni e degli altri, ed in quelle che fecero i discepoli ed imitatori loro. Dal qual principio, cercando di mano in mano gli altri di seguire l'orme de'maestri migliori, e sopravanzando l'un l'altro felicemente più l'un giorno che l'altro, da tanta bassezza sono state quest'arti al colmo della loro perfezione, come si vede, innalzate. Visse Andrea anni ottant'uno, e morì innanzi a Cimabue nel 1294.[2] E per la reputazione e onore che si guadagnò col musaico, per averlo egli prima d'ogni altro arrecato ed

nome si legge presso il suo ritratto, ch'è una figura in ginocchio vestita dell'abito francescano, avente in mano un martello, con accanto la scritta: F. JACOBUS DE CAMERINO SOCIUS MAGISTRI OPERIS. L'altro musaico in Santa Maria Maggiore, parimente nell'abside, e rappresentante l'Incoronazione della Vergine, fu fatto fare dallo stesso Niccolò IV, che vi si vede effigiato di faccia al cardinal Iacopo Colonna. E quivi il nome di Iacopo musaicista è scritto egualmente alla sinistra di chi guarda, accanto a san Francesco: JACOBUS TORITI PICTOR HOC OPUS MOSAICEN FECIT. Ed alla destra è l'anno MCCXCV.

[1] Pittor pisano, del quale è parlato nella Vita del Gaddi.

[2] † Circa alla nascita d'Andrea, a noi pare molto più verosimile di assegnarla all'anno 1250, piuttostochè al 1213, come vorrebbe il Vasari. È certo che Andrea viveva ancora nel 1320, nel quale anno si trova tra i matricolati all'Arte de' Medici e Speziali, scritto in questo modo: *Andreas vocatus Tafus, olim Ricchi*: mostrando che Tafo fu un soprannome, e non un cognome. Riformata così in parte la cronologia di questo artefice, è chiaro che egli fu coetaneo di Gaddo Gaddi, e contemporaneo di Giotto. E veramente chi esamini i musaici di S. Giovanni attribuiti dal Vasari al Tafi; della qual cosa noi confessiamo di non essere in tutto persuasi; vede già in essi apparire in alcuna parte un aperto influsso della nuova maniera di Giotto.

insegnato agli uomini di Toscana in miglior maniera, fu cagione che Gaddo Gaddi, Giotto e gli altri fecero poi l'eccellentissime opere di quel magisterio, che hanno acquistato loro fama e nome perpetuo. Non mancò chi dopo la morte d'Andrea lo magnificasse con questa iscrizione:

Qui giace Andrea, ch'opre leggiadre e belle
Fece in tutta Toscana, ed ora è ito
A far vago lo regno delle stelle.[1]

Fu discepolo d'Andrea Buonamico Buffalmacco, che gli fece essendo giovinetto molte burle,[2] ed il quale ebbe da lui il ritratto di papa Celestino IV milanese, e quello d'Innocenzio IV; l'uno e l'altro de' quali ritrasse poi nelle pitture sue che fece a Pisa in San Paolo a ripa d'Arno. Fu discepolo, e forse figliuolo del medesimo, Antonio di Andrea Tafi, il quale fu ragionevole dipintore; ma non ho potuto trovare alcun' opera di sua mano: solo si fa menzione di lui nel vecchio libro della Compagnia degli uomini del disegno.[3]

Merita, dunque, d'esser molto lodato fra gli antichi maestri Andrea Tafi; perciocchè, sebbene imparò i principj del musaico da coloro che egli condusse da Venezia a Firenze, aggiunse nondimeno tanto di buono all'arte, commettendo i pezzi con molta diligenza insieme, e conducendo il lavoro piano come una tavola (il che è nel musaico di grandissima importanza), che egli aperse la

[1] † È chiaro che questo epitaffio o iscrizione sia stato fatto a' tempi del Vasari, e forse per Andrea del Sarto

[2] Vedi la novella 191 del Sacchetti, che il Baldinucci riferì, mutilandola nella Vita di Buffalmacco

[3] Ed in fatti, nel libro della Compagnia di San Luca, che fu già del canonico Moreni e poi di Gio Masselli, il quale lo donò all'Archivio di Stato di Firenze, si trova *Antonio di Andrea Tafi* 1348

† Costui fece testamento, rogato da Ser Nofrio di Niccolo di Dante, sotto il dì 17 aprile del 1404, chiamando erede madonna Salvetta sua figliuola

via di far bene, oltre gli altri, a Giotto, come si dirà nella Vita sua; e non solo a Giotto, ma a tutti quelli che dopo a lui insino a'tempi nostri si sono in questa sorte di pittura esercitati. Onde si può con verità affermare, che quelle opere che oggi si fanno maravigliose di musaico in San Marco di Venezia ed in altri luoghi, avessero da Andrea Tafi il loro primo principio.[1]

[1] Proposizione, per quel che già si è detto, ormai insostenibile.

COMMENTARIO

ALLA VITA DI ANDREA TAFI

Intorno a Fra Iacopo francescano e ad Iacopo Torriti, musaicisti

A render più incerto quel tanto che di Fra Iacopo musaicista sappiamo, mal si addiceva al Padre Della Valle il venir fuori con nuovi supposti, e dar motivo di quistione, com'egli fece,[1] confondendo l'artefice francescano con un pittore senese di nome Mino, il quale nel 1289 dipinse una Vergine con varii Santi, nella *casa de' Nove* di Siena, ossia nel palazzo pubblico; opera (oggi perduta) che ha dato luogo a dispute ed errori, che noi toglieremo di mezzo annotando la Vita di Simone di Martino, detto Simone Memmi. Onde accadde che il Lanzi ed altri scrittori moderni, seguendo il Della Valle, chiamarono promiscuamente questo artefice ora Fra Iacopo ed ora Fra Mino. E da questa confusione di nomi ne venne per conseguenza la confusione delle cose.

Quindi scendendo a dichiarare un po' più le parole del Vasari riguardanti Fra Iacopo, diremo innanzi a tutto, ch'è stata grave inavvertenza l'aver fatto dire al Vasari che esso fu scolaro del Tafi; mentre nessuna espressione di lui accenna a questo, ma piuttosto il contrario: ed il Baldinucci, tirato dal sistema di far derivare ogni risorgimento dell'arte dalla scuola fiorentina, fu il primo che gettò questo sospetto; ch'è stato poi, senza ben ponderare le espressioni del Biografo aretino, seguitato a chius'occhi

[1] *Lettere Senesi*, tom. I, pag. 282 e seg.

da molti scrittori anche de' tempi nostri. E difatti, chi attentamente si faccia a leggere il nostro scrittore, non solo si persuaderà che il Tafi non fu maestro di Fra Iacopo francescano; il quale dopo il Vasari fu spesso confuso con un supposto Fra Iacopo da Torrita; ma forse potrebbe più ragionevolmente congetturare che gli sia stato scolare. Ed invero, se il Tafi nacque intorno al 1250, e non nel 1213, secondo che pone il Vasari, come poteva esser maestro di Fra Iacopo, il quale col musaico della Tribuna di San Giovanni di Firenze si mostra già artefice fatto nel 1225?[1] E quanto all'essergli stato discepolo, noi incliniamo più volentieri a credere che il Tafi, piuttostochè dal Frate francescano, apprendesse l'arte del musaico da que' maestri che dopo di lui molti anni lavorarono in San Giovanni di Firenze, tra i quali furono un maestro Francesco, un maestro Bingo e un maestro Pazzo nominati negli ultimi del secolo XIII, oltre quel maestro Apollonio che si vuole insegnasse ad Andrea l'arte di cuocere i vetri e di commetterli in musaico. A proposito del quale, adempiendo qui la promessa fatta in una nota al Commentario della Vita di Cimabue, metteremo fuori la congettura che questo maestro Apollonio, dal Vasari detto greco, possa essere invece un artefice fiorentino. Alcuni impugnarono la esistenza di questo musaicista, perchè tra quelli che operarono in Venezia non venne loro fatto di trovare il nome di un Apollonio; ma ciò non toglie ch'egli non sia esistito: e noi abbiamo nella testimonianza di uno scrittore una prova, non solo che egli sia stato al mondo, ma altresì che fu fiorentino. È questi il Del Migliore, il quale nelle sue *Riflessioni* ed *Aggiunte* alle Vite del Vasari,[2] dice di aver letto *Magister Apollonius pictor Florentinus*, in un contratto dell'anno 1297.

Se dunque Apollonio non fu greco, ma fiorentino, cessa ogni ragione di dire che il Tafi imparasse a Venezia da maestri greci, e di là conducesse un maestro Apollonio di quella nazione. E di fatti, se tutte le città prin-

[1] La iscrizione nel detto musaico della Tribuna dice così:

ANNUS PAPA TIBI NONUS CURREBAT HONORI,
AC FEDERICE TUO QUINTUS MONARCA DECORI,
VIGINTI QUINQUE CHRISTI CUM MILLE DUCENTIS,
TEMPORA CURREBANT PER SECULA CUNCTA MANENTIS:
HOC OPUS INCEPIT LUX MAI TUNC DUODENA,
QUOD DOMINI NOSTRI CONSERVET GRATIA PLENA:
SANCTI FRANCISCI FRATER FUIT HOC OPERATUS,
JACOBUS IN TALI PRE CUNCTIS ARTE PROBATUS.

E ci facciam sostegno del Vasari, non già riguardo al fatto per sè medesimo, ma perchè egli usa una parola che ci mostra il Tafi non come maestro, ma come *aiuto* di frate Iacopo francescano fatto da lui una medesima persona col supposto Fra Iacopo da Torrita.

[2] MS. nella Magliabechiana, classe XVII, codice 292.

cipali avevano i loro maestri di pittura, non è ammissibile che dappertutto si chiamassero dalla Grecia, quand'anche si vogliano credere migliori degli Italiani. Questa opinione di tener per greco tutto ciò che fu fatto avanti a Cimabue, è conseguenza del sistema Vasariano, che ormai è stato messo da parte come un'arme spuntata.

Ma dopo tutto questo, non possiamo lasciar di parlare di Fra Iacopo senza condurre il nostro discorso sopra un altra importantissima quistione, dalla quale se non verremo a svilupparci come dalla precedente, procureremo di schierare innanzi i principali argomenti che servano di stimolo a coloro, i quali, con armi più valide, vorranno scendere in questo arringo.

Non è forse punto nella storia dell'arte italiana che sia più oscuro, e, per conseguente, più controverso di quello che riguarda la persona e le opere di Frate Iacopo musaicista. E sebbene i passati scrittori cercassero di portare qualche luce in materia avvolta da tanta oscurità, nondimeno pare a noi che in molta parte abbiano conseguito un effetto contrario. In fatti, alle poche ed inesatte notizie che di questo artefice dà il Vasari, qual'altra essi ne aggiunsero, o qual ragione addussero per rifiutare o seguire il suo racconto, onde si generasse in noi persuasione od acquietamento?

Leggendo le povere cose di Uberto Benvoglienti, il quale, per altro, fu uomo di molta dottrina ed acutezza nelle materie istoriche, e quelle che vi aggiunse il Padre Della Valle, suo copiatore; s'ingenera in noi tale e tanta confusione, che non sappiamo come uscire da questo intricatissimo labirinto. Nè vanno monde, in gran parte, da questo biasimo le notizie che di Iacopo da Turrita scrisse e pubblicò in Siena nel 1821 l'abate Luigi De Angelis,[1] nelle quali, oltre l'aver confuso, come fece il Vasari, il Frate francescano con Iacopo Torriti, ed averne fatto una sola e medesima persona, chiamandola Fra Iacopo da Torrita, è un disordine, una intemperanza di erudizione, una speciosità di ragioni che stanca e muove a sdegno il lettore.

Ma questo sfavorevole nostro giudizio non ci fa così presuntuosi da credere che, riprendendosi da noi ad esaminare la quistione, ci sia dato di sgombrarla da ogni dubbio e da ogni oscurità. Sola nostra intenzione è di prendere novamente in mano gli argomenti e le ragioni altrui, e sottoporle a più pacato e più minuto esame.

Due sono i termini della quistione. Primo, se il maestro che si sottoscrive *Jacobus Torriti*, nei musaici di San Giovanni Laterano e in quelli di Santa Maria Maggiore di Roma (1291-1295), sia lo stesso Iacopo, *Frater Sancti Francisci*, che nel 1225 decorò di musaico la tribuna di San Gio-

[1] De Angelis Luigi, *Notizie di Fra Iacopo da Torrita*.

vanni di Firenze. In secondo luogo, se quest'artefice possa esser veramente di Torrita, terra del senese.

Facendoci dal primo punto della questione, ammesso anche per probabile, se non per provato, che un artefice il quale lavorava nel 1225 potesse e vivere e operare nel 1291, resta a stabilirsi se i due musaicisti di nome Iacopo, le cui opere hanno tanta distanza di tempo, possano essere un solo artefice ed una stessa persona. Frattanto noi abbiamo nella iscrizione di San Giovanni di Firenze il nome di un Frate di San Francesco, che fu Iacopo, senza altra aggiunta che lo distingua; ed in quelle di S. Maria Maggiore e di S. Giovanni Laterano, quello di un Iacopo Torriti. La somiglianza del nome e della professione, veduto l'intervallo di tempo che passa tra la prima e le due ultime opere, non può senza buon numero di prove persuaderci che di esse sia stato un solo e medesimo l'autore. Quell'aggiunta di *Torriti* al nome di Iacopo nei musaici di Roma deve pure avere qualche peso nelle nostre considerazioni e ne'nostri giudizj; e noi crediamo che *Jacobus Turriti* non possa intendersi che di un Iacopo figliuolo di *Torrito*, contro l'opinione di coloro che vorrebbono vedere ne'musaici di Roma lo stesso Iacopo frate Francescano che operò il musaico di Firenze.[1] Alla quale opinione, cioè di fare de'due musaicisti tutt'una persona, un'altra difficoltà si oppone; ed è questa. Se Fra Iacopo Francescano nel 1225 fece il musaico di Firenze, ed in quest'arte, come testimonia la iscrizione ch'è in quello, egli era *prae cunctis probatus*; ragion vuole che si debba tenere esser egli a quel tempo (1225) pervenuto ad una età di oltre i trenta anni. Partendoci da questo dato, lo stesso Frate Iacopo, qualora si voglia che sia il medesimo che *Jacobus Torriti*, doveva avere nel 1291-95 l'età di 96 o 99 anni. Di più, se è suo anche il musaico del sepolcro di Bonifazio VII, fatto nel 1301, ecco Fra Iacopo Francescano aver toccato, con sanità e robustezza, il suo centesimosesto o centesimonono anno: età troppo decrepita, da credere che un artefice potesse condurre lavori (specialmente quelli di San Giovanni Laterano e di Santa Maria Maggiore) tanto più belli e di migliore stile di quello di Firenze. Che se non sono rari gli esempi di artefici di lunga ed operosa vita, vero è però che le opere della loro vecchiezza sono molto inferiori di quelle fatte nel vigore della gioventù o della virilità.

[1] Si osservi ancora che i frati solevano in que'tempi e dopo porre non il nome del padre o il cognome, ma quello della patria. Infatti anche nel caso nostro vediamo che l'artefice, il quale aiutò il Torriti (*socius magistri operis*), si sottoscrisse *Frater Iacobus de Camerino*, e tacque il cognome suo e il nome del padre; quindi è che se il maestro de'musaici di Roma fosse stato frate, non si sarebbe detto semplicemente *Iacobus Torriti*, ma scritto la patria sua, e la qualità di frate.

Nello stato presente della quistione, adunque, noi tenghiamo che sieno stati due musaicisti diversi, di nome Iacopo, piuttosto che un solo, nè la difficoltà che taluni potrebbero vedere nel trovar vissuti nello stesso tempo due artefici del medesimo nome e professione, è poi sì grande, che la storia non ce ne dia esempj molti, massime nei secoli XV e XVI

Il secondo punto della quistione è se Fra Iacopo musaicista possa dirsi da Torrita Di questa opinione sono tutti gli scrittori, e prima del Vasari, lo disse Frate Mariano da Firenze nella sua Cronaca francescana, e Marco da Lisbona, che visse 60 anni prima che il Vasari pubblicasse le sue Vite.[1] Questo stesso afferma il Richa, il quale dice d'aver letto; non già nei libri dei Consoli di Calimala, perduti o smarriti al suo tempo,[2] ma sibbene negli Spogli di loro fatti da Carlo Strozzi, ed oggi conservati nell'Archivio di Stato, essere tra i musaicisti del San Giovanni nominato Fra Iacopo, ma noi dubitiamo che egli veramente non ve lo leggesse, perchè que' libri non vanno tanto indietro cogli anni da giungere fino al 1225, e che solamente colla scorta del Vasari lo aggiungesse agli altri

[1] Fra Mariano fiorentino scrisse la sua cronaca dal principio della Religione francescana sino al 1486, nel quale anno forse morì Il Waddingo trovò molto aiuto in quella Cronaca per comporre i suoi *Annales Ordinis Minorum*, e spesso la cita (Vedi *Lucae Waddingi Vita* pag XXXIX, edizione di Roma del 1731)

[2] Dice il Richa (*Chiese fiorentine*, tom. V pag XLII) .... «parecchi maestri di musaico ch'ebbero parte o in lavorar simili quadri che veggonsi in San Giovanni, o pure in restaurarli .. ho io trovato ne' libri de Consoli dell'Arte (di Calimala) e qui confusamente li riporto, e sono; Apollonio, Andrea Tafi, Fra Iacopo da Torrita, Taddeo Gaddi, Agnolo di Taddeo Gaddi, Alesso Baldovinetti, Domenico Grillandaio, Zaccaria d'Andrea, Donato di Donato, il Grasso, il Nibbio, Mariotto di Cristofano, Gio. Batta da Cortona, Filippo di Corso, maestro Biagio, maestro Pazzo, maestro Costanzo, e un suo figlio » Ma, come abbiamo detto, il Richa non potè vedere i libri dell'Arte di Calimala, che a'suoi tempi erano, come sono anch'oggi, perduti o smarriti, ma sibbene gli spogli che di que' libri aveva fatto lo Strozzi un secolo avanti Ora in questi spogli non si legge tra coloro che lavorarono ai musaici di San Giovanni, che un maestro Francesco, al quale i Consoli fanno comandamento il 14 di maggio 1298 che non debba lavorare nell'opera del musaico, per tutto il loro consolato Il qual maestro Francesco è forse quel medesimo che cominciò nel 1301 la Maestà di musaico nell'abside della Primaziale di Pisa, continuata da Cimabue, e compita da Vicino o Vincino musaicista pisano o pistoiese. Poi comparisce nel 1388 un maestro Zaccheria d'Andrea, al quale è dato a rifare il musaico guasto della faccia dinanzi di San Miniato al Monte, nel 1402 e 1404 Filippo di Corso che di nuovo restaura il detto musaico, e quelli di San Giovanni, e finalmente Alesso Baldovinetti che nel 1455, e poi nel 1481 risarcisce e rischiara tanto il musaico della detta facciata, quanto alcuni de' musaici di San Giovanni Negli Statuti dell'arte di Calimala approvati nel 1302 si trova alla rubrica x del primo libro, che i già da noi ricordati maestro Bingo (e non Biagio, come dice il Richa, e maestro Pazzo, per aver rubato del vetro e altre cose appartenenti al musaico,

nomi che ne' detti Spogli trovò, e lo chiamasse da Torrita piuttosto seguendo il Vasari, che perchè così fosse veramente: e l'aver fatto il musaicista francescano nativo di Torrita, conghietturiamo sia venuto dalla falsa credenza che Fra Iacopo musaicista e Iacopo Torriti autore de' musaici di Roma fossero una medesima persona e dalla non men falsa interpretazione dell'aggiunto di *Torriti* ch'è ne' detti musaici; badando più alla somiglianza del nome e della professione di questi due artefici, che al vero senso da darsi alla parola *Torriti*; la quale sarebbe fuor d'ogni sana critica il volere che indicasse la patria, e non piuttosto il patronimico *di Torrito*, o il cognome *Torriti*.

Ma noi vogliamo in questa disquisizione andare ancora più innanzi, e non solo affermare che Fra Iacopo francescano sia persona diversa da Iacopo Torriti, ma ancora che un Fra Iacopo da Torrita, creduto dal Vasari lo stesso che Fra Iacopo suddetto e da altri un artefice diverso, non sia mai stato al mondo, e che perciò si debba cancellare dalla storia dell'Arte italiana.

sono cacciati dall'Opera di S. Giovanni, deliberandosi *quod consules procurent quod alii boni et legales magistri habeant, pro dicto opere faciendo, de Venetiis vel aliunde, quanto melius et citius fieri poterit*; il che, oltre al mostrare che in quel tempo in Firenze doveva essere scarsità di artefici abili a quell'esercizio, fa ancora pensare che il Tafi e il Gaddi, se furono veramente musaicisti, come tutti hanno detto dopo il Vasari, ma senza prove, abbiano dovuto lavorare di musaico in San Giovanni ne' primi anni del secolo XIV, e non, come si era fino ad ora creduto, sul finire dell'antecedente. Quanto al maestro Costanzo nominato dal Richa tra i musaicisti, esso si chiamò Costantino, ed insieme col suo figliuolo Feo fu muratore o architetto della detta chiesa. Ed il Grasso e il Nibbio furono pittori che nel 1342 dipinsero a figure e a marmi le pareti circostanti all'altare maggiore di San Miniato al Monte.

GADDO GADDI

PITTORE FIORENTINO

(Nato nel 1259?, viveva ancora nel 1333?)[1]

Dimostrò Gaddo, pittore fiorentino, in questo medesimo tempo, più disegno nelle opere sue lavorate alla greca e con grandissima diligenza condotte, che non fece Andrea Tafi e gli altri pittori che furono innanzi a lui; e nacque forse questo dall'amicizia e dalla pratica che dimesticamente tenne con Cimabue: perchè, o per la conformità de' sangui o per la bontà degli animi, ritrovandosi tra loro congiunti d'una stretta benevolenza, nella frequente conversazione che avevano insieme, e nel discorrere bene spesso amorevolmente sopra le difficultà dell'arti, nascevano ne' loro animi concetti bellissimi e grandi. E ciò veniva loro tanto più agevolmente fatto, quanto erano aiutati dalla sottigliezza dell'aria di Firenze, la quale produce ordinariamente spiriti ingegnosi e sottili, levando loro continuamente d'attorno quel poco

[1] Le ragioni che ci muovono a mutare la cronologia di Gaddo Gaddi circa l'anno della sua nascita e quello della sua morte, sono queste Gaddo si trova fra i matricolati all'Arte de'Medici e Speziali sotto l'anno 1312, che secondo il Vasari sarebbe quello della sua morte Di più negli Spogli del Dell'Ancisa, Gaddo è ancora vivo nel 1327, ed in quelli del Manni, nel 1333 Supposto che morisse poco dopo quest'ultimo anno, e che ciò accadessegli nella età di 73 anni, come vuole il Vasari, troveremmo che egli nacque nel 1259 o 60 incirca

di ruggine e grossezza, che il più delle volte la natura non puote, con l'emulazione e coi precetti che d'ogni tempo porgono i buoni artefici. E vedesi apertamente, che le cose conferite fra coloro che nell'amicizia non sono di doppia scorza coperti, come che pochi così fatti se ne ritrovino, si riducono a molta perfezione. Ed i medesimi nelle scienze che imparano, conferendo le difficultà di quelle, le purgano e le rendono così chiare e facili, che grandissima lode se ne trae. Là dove, per lo contrario, alcuni diabolicamente nella professione dell'amicizia praticando, sotto spezie di verità e d'amorevolezza, e per invidia e malizia, i concetti loro defraudano: di maniera che l'arti non così tosto a quell'eccellenza pervengono, che farebbono, se la carità abbracciasse gl'ingegni degli spiriti gentili; come veramente strinse Gaddo e Cimabue, e similmente Andrea Tafi e Gaddo, che in compagnia fu preso da Andrea a finire il musaico di San Giovanni. dove esso Gaddo imparò tanto, che poi fece da sè i Profeti che si veggiono intorno a quel tempio nei quadri sotto le finestre; i quali, avendo egli lavorato da sè solo e con molto miglior maniera, gli arrecarono fama grandissima.[1] Laonde, cresciutogli l'animo e dispostosi a lavorare da sè solo, attese continuamente a studiar la maniera greca, accompagnata con quella di Cimabue. Onde, fra non molto tempo, essendo venuto eccellente nell'arte, gli fu dagli operai di Santa Maria del Fiore allogato il mezzo tondo dentro la chiesa sopra la porta principale; dove egli lavorò di musaico l'incoronazione di Nostra Donna: la quale opera finita, fu da tutti i mae-

[1] † Noi crediamo, ed in questo abbiamo concorde il sentimento del Cavalcaselle (op cit, vol 1, pag 366), che Gaddo, seppure lavorò di musaico, non l'apprendesse dal Tafi, artefice suo contemporaneo, e non più antico di lui, come vorrebbe il Vasari Quanto ai Profeti che sono sotto le finestre del Battistero di San Giovanni, il medesimo Cavalcaselle non li crede di sua mano, come neppure il musaico sopra la porta maggiore di Santa Maria del Fiore, nel quale si vede alla vecchia maniera greca accoppiata quella che fu propria di Cimabue

stri, e forestieri e nostrali, giudicata la più bella che fusse stata veduta in Italia di quel mestiero, conoscendosi in essa più disegno, più giudicio e più diligenza, che in tutto il rimanente dell'opere che di musaico allora in Italia si ritrovavono.[1] Onde, spartasi la fama di quest'opera, fu chiamato Gaddo a Roma l'anno 1308 (che fu l'anno dopo l'incendio che abbruciò la chiesa e i palazzi di Laterano) da Clemente V,[2] al quale finì di musaico alcune cose lasciate imperfette da Fra Iacopo da Turrita.[3]

Dopo lavorò nella chiesa di San Pietro, pur di musaico, alcune cose nella cappella maggiore, e per la chiesa; ma particolarmente nella facciata dinanzi, un Dio Padre grande, con molte figure:[4] ed aiutando a finire alcune storie, che sono nella facciata di Santa Maria Maggiore, di musaico, migliorò alquanto la maniera, e si partì per un poco da quella greca che non aveva in sè punto di buono.[5] Poi, ritornato in Toscana, lavorò nel Duomo vecchio, fuor della città d'Arezzo, per i Tarlati signori di Pietramala, alcune cose di musaico in una volta, la quale era tutta di spugne, e copriva la parte di mezzo di quel tempio; il quale essendo troppo aggravato dalla volta

[1] È tuttavia benissimo conservata.

[2] Il Baldinucci vuole che fosse chiamato da Niccola IV innanzi al 1291, poichè Clemente non fu mai a Roma. Se non che, riflette opportunamente il Della Valle, se fu chiamato dopo l'incendio del Laterano, accaduto nel 1307, convien pur concedere che fu da Clemente o in suo nome, il che è lo stesso. Così, ad istanza del Petrarca, furono poi chiamati in nome d'altro pontefice i nostri migliori artefici a risarcire gli edifizj di Roma che minacciavan rovina.

[3] † I lavori di musaico in San Giovanni Laterano sono periti.

[4] † Anche questi perirono.

[5] I musaici della parte superiore della facciata di Santa Maria Maggiore di Roma sono di Filippo Rossuti, artefice che mostra di seguire in questi lavori più la maniera toscana, che la romana. Sotto a' mosaici del Rossuti se ne vedono altri, che il Vasari assegna al Gaddi, i quali rappresentano quattro storie riguardanti la fondazione della basilica. Nella prima è quando Maria Vergine apparisce a san Liborio papa; nella seconda è la visione di Giovanni patrizio; nella terza, lo stesso Giovanni che rivela al Papa la sua visione; nella quarta, quando papa Liborio disegna sulla neve la forma del tempio che doveva edificarsi.

antica di pietre, rovinò al tempo del vescovo Gentile Urbinate,[1] che la fece poi rifare tutta di mattoni. Partito d'Arezzo, se n'andò Gaddo a Pisa; dove, nel Duomo, sopra la cappella dell'Incoronata fece nella nicchia una Nostra Donna che va in cielo, e di sopra un Gesù Cristo che l'aspetta e le ha per suo seggio una ricca sedia apparecchiata: la quale opera, secondo que' tempi, fu sì bene e con tanta diligenza lavorata, ch'ella si è insino a oggi conservata benissimo.[2] Dopo ciò, ritornò Gaddo a Firenze, con animo di riposarsi: perchè, datosi a fare piccole tavolette di musaico, ne condusse alcune di guscia d'uova con diligenza e pacienza incredibile; come si può, fra le altre, vedere in alcune che ancor oggi sono nel tempio di San Giovanni di Firenze.[3] Si legge anco, che ne fece due per il re Ruberto; ma non se ne sa altro. E questo basti aver detto di Gaddo Gaddi, quanto alle cose di musaico. Di pittura poi fece molte tavole; e fra l'altre, quella che è in Santa Maria Novella nel tramezzo della chiesa alla cappella dei Minerbetti,[4] e molte altre che furono in diversi luoghi di Toscana mandate. E così lavorando quando di musaico e quando di pittura, fece

[1] Gentile de' Becchi da Urbino, già precettore di Lorenzo il Magnifico, e vescovo aretino dal 1473 al 1497.

[2] *E ancor oggi si conserva. Notisi però, che questo musaico rappresenta solamente la Madonna seduta in trono con vari Angeli.

[3] *Una di queste tavolette musaiche, fatte nella maniera che dice il Vasari, si conserva in una stanza della Galleria degli Uffizj di Firenze. In essa è rappresentato il Salvatore in mezza figura tutta di faccia, colla destra sul petto, e sostenendo nella sinistra mano un libro aperto, dove sono scritte parole greche; e greco è tutto il disegno ed il carattere di questa figura. Il musaico è composto di minutissimi pezzi di gusci d'uovo, uniti insieme con una diligenza e pazienza veramente incredibile, come dice il Biografo. Il fondo è dorato, e in due formelle sono scritti i monogrammi IC XC (*Jhesus Christus*). Un piccolo meandro alla greca ricinge in quadro la tavola, ch'è alta un braccio e 3 soldi, e larga soldi 18.

† Ma noi abbiamo ragione di negare che questa tavoletta non sia opera di Gaddo Gaddi, considerando che essa ritiene nello stile, nel disegno e nella tecnica esecuzione la maniera bizantina, la quale è improbabile che Gaddo continuasse a seguitare dopochè Giotto suo amico e coetaneo aveva introdotto la nuova.

[4] *Levato il tramezzo, non sappiamo dire che sorte avesse questa tavola.

nell'uno e nell'altro esercizio molte opere ragionevoli, le quali lo mantennero sempre in buon credito e reputazione.[1] Io potrei qui distendermi più oltre in ragionare di Gaddo; ma, perchè le maniere dei pittori di quei tempi non possono agli artefici per lo più gran giovamento arrecare, le passerò con silenzio, serbandomi a essere più lungo nelle Vite di coloro, che avendo migliorate l'arti, possono in qualche parte giovare.

Visse Gaddo anni settantatre, e morì nel 1312, e fu in Santa Croce da Taddeo suo figliuolo onorevolmente seppellito. E sebbene ebbe altri figliuoli, Taddeo solo, il quale fu alle fonti tenuto a battesimo da Giotto, attese alla pittura,[2] imparando primamente i principj da suo padre, e poi il rimanente da Giotto Fu discepolo di Gaddo, oltre a Taddeo suo figliuolo, come s'è detto, Vicino pittor pisano, il quale benissimo lavorò di musaico alcune cose nella tribuna maggiore del Duomo di Pisa, come ne dimostrano queste parole che ancora in essa tribuna si veggiono: *Tempore domini Joannis Rossi operarii istius ecclesiæ, Vicinus pictor incepit et perfecit hanc imaginem B. Mariæ; sed Majestatis, et Evangelistæ, per alios inceptæ, ipse complevit et perfecit, Anno Domini 1321, de mense Septembris. Benedictum sit nomen Domini Dei nostri Jesu Christi. Amen.*[3]

[1] † Il Cavalcaselle è d'opinione che alcune pitture della chiesa superiore di San Francesco d'Assisi possano essere state condotte da Gaddo Gaddi come compagno di Cimabue

[2] *Più innanzi se ne legge la Vita Da lui e dal padre suo ebbe cominciamento la chiarezza della lor famiglia, oggi spenta, e della quale parla il Monaldi citato dal Baldinucci, e il Litta nelle *Famiglie celebri Italiane*

[3] *Il prof Ciampi, in un lungo, e per vero dire, indigesto *Commentario* sopra Vicino (vedi a pag 1485 delle Opere vasariane, ediz Passigli 1832-38), prese a dimostrare che Vicino deve dirsi Vincino, perchè così è scritto ne' documenti, e che fu Pistoiese, e non Pisano, come dice il Vasari e il Da Morrona (*Vincinus pictor de Pistorio, filius Vannis*) Rileva poi tutti gli errori, ne' quali cadde l'autore della iscrizione nella tribuna maggiore del Duomo pisano, il quale confuse le pitture fatte da Vincino fra il 1290 e il 1300 (stile pisano) nella cappella detta oggi Puteana della chiesa del Campo Santo, con quelle di musaico

Il ritratto di Gaddo è di mano di Taddeo suo figliuolo nella chiesa medesima di Santa Croce, nella cappella de' Baroncelli, in uno sposalizio di Nostra Donna; e a canto gli è Andrea Tafi.[1] E nel nostro libro, detto di sopra, è una carta di mano di Gaddo, fatta a uso di minio come quella di Cimabue, nella quale si vede quanto valesse nel disegno.

Ora, perchè in un libretto antico, dal quale ho tratto queste poche cose che di Gaddo Gaddi si sono raccontate, si ragiona anco della edificazione di Santa Maria Novella, chiesa in Firenze de' Frati Predicatori, e veramente magnifica e onoratissima; non passerò con silenzio da chi e quando fusse edificata. Dico dunque, che essendo il Beato Domenico in Bologna, ed essendogli conceduto il luogo di Ripoli fuor di Firenze,[2] egli vi mandò, sotto la cura del Beato Giovanni da Salerno, dodici frati: i quali, non molti anni dopo, vennero in Fiorenza nella chiesa e luogo di San Pancrazio, e lì stavano; quando venuto esso Domenico in Fiorenza, n'uscirono, e, come piacque a lui, andarono a stare nella chiesa di San Paulo. Poi essendo conceduto al detto Beato Giovanni il luogo

nella tribuna maggiore del Duomo, cioè la Madonna senza il figliolo; mentre in quelle dipinse i due San Giovanni; e nel Duomo uno solo. Soggiunse ancora, che l'Evangelista San Giovanni non fu finito da questo pittore nel **1321**, come vuole l'inscrizione; ma è opera incominciata e finita dal solo Cimabue l'anno 1301, stile romano.

[1] *Sono in quelle due figure che rimangono a sinistra dello spettatore, accanto a una donna vestita di celeste: e di quì il Vasari ricavò i ritratti che mise in fronte a ciascuna Vita di questi due artefici, come si vede nella edizione del Giunti. Se non che nella pittura quello di Gaddo è volto a sinistra della storia, porgendo, a quanto sembra, la parola al Tafi.

† Il Cavalcaselle (op. cit., vol. I, p. 372) crede invece che il ritratto del Gaddi dato inciso dal Vasari sia tolto da quella figura con lunga barba e con folti capelli cadenti sulle spalle che si vede di profilo e in piè nell'angolo a destra dell'altra storia che rappresenta Nostra Donna che sale i gradi del tempio.

[2] *Prima che ottenessero il luogo di Ripoli, i Frati Predicatori si erano ricoverati nel pubblico ospizio de' pellegrini presso porta San Gallo, credesi nel 1219. (Vedi Fineschi, *Memorie istoriche degli uomini illustri di Santa Maria Novella*, vol. I, pref., pag. XXVII).

li Santa Maria Novella, con tutti i suoi beni, dal legato lel papa e dal vescovo della città, furono messi in possesso, e cominciarono ad abitare il detto luogo il dì ul-imo d'ottobre 1221.[1] E perchè la detta chiesa era assai piccola, e risguardando verso occidente aveva l'entrata lalla piazza vecchia, cominciarono i Frati, essendo già cresciuti in buon numero e avendo gran credito nella città, a pensare d'accrescer la detta chiesa e convento. Onde, avendo messo insieme grandissima somma di da-nari, e avendo molti nella città che promettevano ogni aiuto, cominciarono la fabbrica della nuova chiesa il dì li San Luca nel 1278, mettendo solennemente la prima pietra de' fondamenti il cardinale Latino degli Orsini, egato di papa Niccola III appresso i Fiorentini. Furono architettori di detta chiesa Fra Giovanni fiorentino e Fra Ristoro da Campi, conversi nel medesimo Ordine; quali rifeciono il ponte alla Carraia e quello di Santa Trinita, rovinati pel diluvio del 1264 il primo dì d'ot-obre.[2] La maggior parte del sito di detta chiesa e con-vento fu donato ai Frati dagli eredi di messer Iacopo cavaliere de' Tornaquinci. La spesa, come si è detto, fu fatta parte di limosine, parte de' danari di diverse persone che aiutarono gagliardamente, e particolarmente con l'aiuto di Frate Aldobrandino Cavalcanti; il quale fu poi vescovo d'Arezzo,[3] ed è sepolto sopra la porta della Vergine. Costui dicono che oltre all'altre cose messe

[1] *Nel giorno 12 novembre 1221 fu dal vescovo fiorentino fermato l'atto i cessione ai Frati Predicatori dell'antica e piccola chiesa detta la *Novella*. Nel giorno 29 dello stesso mese, i religiosi ne presero possesso

[2] *Questa memorabile inondazione non avvenne nel 1264, come scrive il Vasari, ma bensì nel 1269. (Vedi GIOVANNI VILLANI, lib VII, cap 34).

[3] *Il Padre Aldobrandino Cavalcanti fu eletto vescovo non d'Arezzo, ma di Orvieto dal pontefice Gregorio X, l'anno 1272 Resse quella chiesa fino al 1277, dimorando quasi sempre in Roma vicario del pontefice Nel 1279 si recò in Firenze, e vi morì nel giorno 31 agosto, quando era al momento di porre la prima pietra della nuova chiesa di Santa Maria Novella (FINESCHI, l. c, *Vita del Padre Aldobrandino Cavalcanti*)

insieme con l'industria sua tutto il lavoro e materia che andò in detta chiesa: la quale fu finita essendo priore di quel convento Fra Iacopo Passavanti,[1] che però meritò avere un sepolcro di marmo innanzi alla cappella maggiore a man sinistra. Fu consecrata questa chiesa, l'anno 1420, da papa Martino V; come si vede in un epitaffio di marmo nel pilastro destro della cappella maggiore, che dice così *Anno Domini 1420 die septima Septembris Dominus Martinus divina providentia papa V personaliter hanc ecclesiam consecravit, et magnas indulgentias contulit visitantibus eamdem.* Delle quali tutte cose e molte altre si ragiona in una cronaca dell'edificazione di detta chiesa, la quale è appresso i Padri di Santa Maria Novella, e nelle istorie di Giovanni Villani similmente.[2] Ed io non ho voluto tacere di questa chiesa e convento queste poche cose; sì perchè ell'è delle principali e delle più belle di Firenze; e sì anco perchè hanno in essa, come si dirà di sotto. molte eccellenti opere fatte da' più famosi artefici che siano stati negli anni adietro.

[1] *Il Passavanti non era priore del convento, quando fu ultimata la fabbrica della nuova chiesa, ma soprastante e direttore dell'opera, la quale ebbe il suo compimento intorno il 1357, con la spesa di 100,000 fiorini d oro

[2] Vedi il lib VII, cap 56

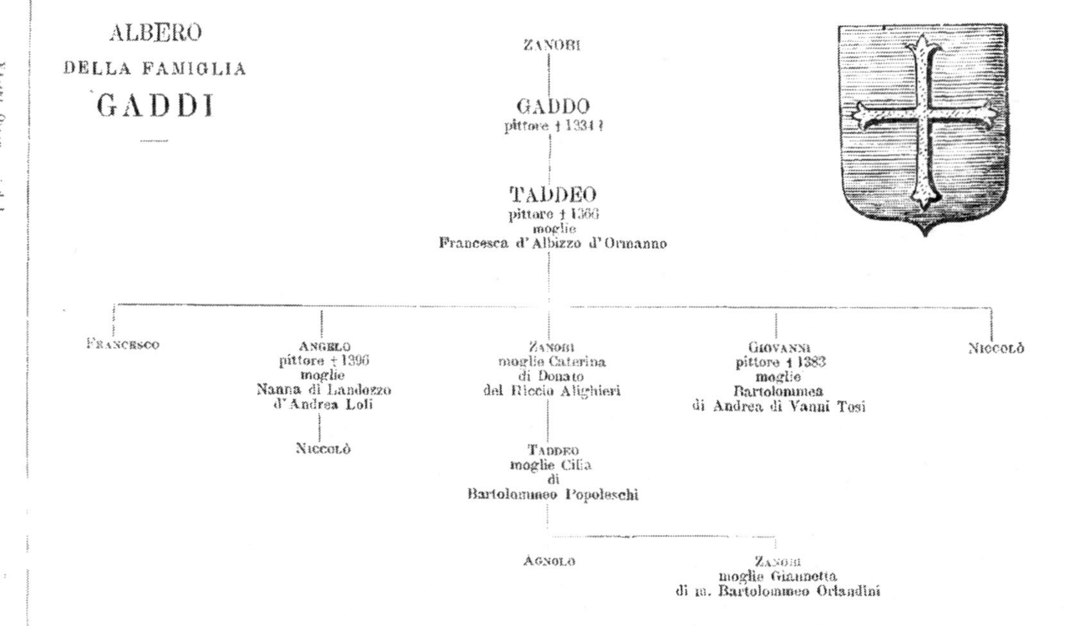
ALBERO
DELLA FAMIGLIA
GADDI
ZANOBI
GADDO
pittore † 1334 ?
TADDEO
pittore † 1366
moglie
Francesca d'Albizzo d'Ormanno
FRANCESCO
ANGELO
pittore † 1396
moglie
Nanna di Landozzo
d'Andrea Loli
NICCOLÒ
ZANOBI
moglie Caterina
di Donato
del Riccio Alighieri
TADDEO
moglie Cilia
di
Bartolommeo Popoleschi
AGNOLO
ZANOBI
moglie Giannetta
di m. Bartolommeo Orlandini
GIOVANNI
pittore † 1383
moglie
Bartolommea
di Andrea di Vanni Tosi
NICCOLÒ

COMMENTARIO

ALLA VITA DI GADDO GADDI

Sugli architetti della chiesa di Santa Maria Novella.

L'inesattezza, con la quale il Vasari e gli altri storici delle Arti scrissero della fabbrica e degli architetti di Santa Maria Novella, e l'importanza che siano meglio conosciuti gli artefici di tanto vago edificio, ci consigliarono questi brevi cenni storici. Fra Sisto e Fra Ristoro, conversi Domenicani (il primo nato in Firenze, il secondo nella terra di Campi), furono gli architetti che diedero il disegno della chiesa di Santa Maria Novella. Si credono nati tra il 1225 e il 1230. Da chi apprendessero l'arte, s'ignora; ma errarono gravemente coloro che gli credettero discepoli o imitatori di Arnolfo, sendo di età troppo maggiori di lui. Intorno il 1230, dalla repubblica fiorentina ambedue erano invitati a dar componimento al palazzo dei Priori, non già il Palazzo Vecchio innalzato da Arnolfo molti anni dopo, ma quello del Podestà, al presente detto *del Bargello*, e vi ergevano alcune vôlte, o fors'anco un atrio o un cortile (*magnas testudines*). La piena dell'Arno, del primo ottobre 1269, avendo atterrate le pile del ponte alla Carraia, erette nel 1218 da Iacopo Tedesco (se il vero narra il Vasari), furono dalla repubblica fatte riedificare dai due religiosi architetti. Alcuni attribuiscono a questi medesimi artefici il ponte Santa Trinita, che era rovinato in quella stessa piena; ma di ciò non si hanno prove sufficienti, come non si hanno per asserire che dai medesimi fosse architettata la piccola chiesa di San Remigio della stessa città di Firenze. Aveva adunate il Padre Aldobrandino Cavalcanti ragguardevoli somme per la nuova chiesa di Santa Maria Novella; ma essendo egli morto pochi giorni innanzi di porne la prima pietra, ne fece le veci il cardinale legato Latino Malabranca degli Orsini, domenicano, nel tempo stesso che riamicava in Firenze le due fazioni dei Guelfi e dei Ghibellini, a dì 18 ottobre 1279, ponendosi con ogni alacrità mano al lavoro Non erano se non pochi mesi che Fra Sisto e Fra Ristoro dirigevano la fabbrica di Santa Maria Novella, quando il pontefice Niccolò III gli invitava a Roma ad operare nel Vaticano, ove fecero un atrio, o cortile che sia Con tutta ragione si crede architettassero eziandio in Roma la magnifica chiesa di Santa Maria sopra Minerva, o ne dirigessero i lavori; conciliandosi a meraviglia i tempi di quella fabbrica, la dimora in Roma di que' religiosi, non che la somiglianza dello stile fra le due chiese della Novella in Firenze e della Minerva in Roma Fra Ristoro, dopo breve tempo avendo fatto ritorno in Firenze, vi morì nel 1283 Fra Sisto, rimasto in Roma, vi chiuse i suoi giorni nel marzo del 1289.

Alcuni architetti Domenicani di minor grido seguitarono la fabbrica della chiesa di Santa Maria Novella per alcuni anni, fin che ne presero la direzione due altri valenti artefici toscani, religiosi dello stesso convento Sono questi Fra Giovanni da Campi e Fra Iacopo Talenti: il primo nato intorno il 1280, il secondo, non pochi anni dopo, aveva sortiti i natali nel castello di Nipozzano, della diocesi di Fiesole. Sembra che il primo prendesse a dirigere la fabbrica di Santa Maria Novella nel 1319, e che a lui debba attribuirsi il campanile della medesima: ma, per le molteplici commissioni che Fra Giovanni riceveva dalla repubblica e dai privati cittadini, tostochè s'ebbe a socio Fra Iacopo Talenti, gli affidò il compimento della fabbrica della Novella, ed egli tutto si adoperò in servigio del pubblico. Nel primo novembre 1333, una straordinaria piena dell'Arno avendo novamente distrutto il ponte alla Carraia, che era stato ricostruito interamente di pietra tra il 1304 e il 1305, la repubblica lo fece edificare una quarta volta dall'architetto Fra Giovanni da Campi: il quale lo cominciò nel luglio del 1334, e nel gennaio del 1336 già era ultimato, con la spesa di 25 mila fiorini d'oro A questo stesso architetto si attribuisce dal Padre Fineschi il disegno della chiesa di San Domenico di Cafaggio, ossia del Maglio, e in Santa Maria Novella, il cappellone detto degli Spagnuoli, il chiostro verde, e i dormentorj inferiori del convento Fra Giovanni da Campi chiudeva i suoi giorni nel 1339 [1] Succeduto il Talenti alla direzione di tutti i lavori, nel 1350, o poco innanzi, conduceva a termine il grandioso edificio della sacristia di Santa Maria Novella

[1] † Il cav. Aristide Nardini nella seconda Appendice del dotto e giudizioso suo libro intitolato *Il sistema tricuspidale e la facciata del Duomo di Firenze* (Livorno, Vigo 1871, in-8), discorrendo delle pitture del Cappellone degli Spagnuoli, dimostra con molti e gravissimi argomenti che quell'edifizio non pote

Intorno allo stesso anno poneva le fondamenta del vastissimo refettorio del convento, e nel 1353 già era compiuto. Nel 1357 ultimava la fabbrica della chiesa, intorno alla quale si era per 77 anni lavorato. Due anni appresso, Fra Iacopo innalzava l'ospizio, avendo di già eretta la biblioteca. Nel 1360 riprendeva la fabbrica del nuovo convento che era stata intralasciata per difetto di denaro, ed a lui è probabilmente dovuto il chiostro grande, dipinto poi dall'Allori, dal Poccetti, da Santi di Tito, ecc ecc Nel 1362, a' 2 di ottobre, cessava di vivere, lasciando molti allievi nelle cose dell'architettura in quello stesso convento di Santa Maria Novella (Vedi *Memorie dei più insigni Pittori, Scultori e Architetti domenicani, del* Padre Vincenzio Marchese Firenze 1845. vol. I, lib. I cap II e IX)

essere innalzato nel 1320, ma sibbene nel 1350, osservando che esso fa parte in qualche modo del Chiostro Verde, il quale è appoggiato alle mura occidentali della chiesa di Santa Maria Novella, non ancora incominciata nel 1320, ed a quelle della sagrestia che ebbe principio nel 1334.

MARGARITONE

PITTORE, SCULTORE ED ARCHITETTO ARETINO

(Nato nel 1216?, morto nel 1293?)

Fra gli altri vecchi pittori, ne' quali misero molto spavento le lodi che dagli uomini meritamente si davano a Cimabue ed a Giotto suo discepolo; de' quali il buono operare nella pittura faceva chiaro il grido per tutta Italia; fu un Margaritone aretino, pittore,[1] il quale con gli altri, che in quell' infelice secolo tenevano il supremo grado nella pittura, conobbe che l'opere di coloro oscuravano poco meno che del tutto la fama sua. Essendo dunque Margaritone, fra gli altri pittori di que' tempi che lavoravano alla greca, tenuto eccellente, lavorò a tempera in Arezzo molte tavole; ed a fresco, ma in molto tempo e con molta fatica, in più quadri, quasi tutta la chiesa di San Clemente, Badia dell' Ordine di Camaldoli, oggi rovinata e spianata tutta,[2] insieme con molti altri edifizj e con una rôcca forte, chiamata San Chimenti,

[1] Che a tutti gl'indizj, dice il Lanzi, doveva pure esser nato parecchi anni innanzi a Cimabue Uno strumento d'allogazione, fatto nel 1262 *in claustro Sancti Micaelis* (d'Arezzo) *coram Margaritto pictore, filio quondam Magnani*, e forse l'unico documento che si abbia dell' origin sua

[2] Fu rovinata e spianata nel 1517 Da essa, per altro, si denomina tuttavia una delle porte della città

per avere il duca Cosimo de' Medici, non solo in quel luogo, ma intorno intorno a quella città, disfatto, con molti edificj,[1] le mura vecchie, che da Guido Pietramalesco, già vescovo e padrone di quella città, furono rifatte; per rifarle con fianchi e baluardi intorno intorno, molto più gagliarde e minori di quello che erano, e per conseguente più atte a guardarsi e da poca gente. Erano nei detti quadri molte figure piccole e grandi: e, come che fussero lavorate alla greca, si conosceva nondimeno che ell'erano state fatte con buon giudizio e con amore. come possono far fede l'opere che di mano del medesimo sono rimase in quella città; e massimamente una tavola che è ora in San Francesco, con un ornamento moderno, nella cappella della Concezione, dove è una Madonna tenuta da' que' Frati in gran venerazione. Fece nella medesima chiesa, pure alla greca, un Crocifisso grande, oggi posto in quella cappella, dove è la stanza degli operai, il quale è in su l'asse, dintornata la croce:[2] e di questa sorte ne fece molti in quella città. Lavorò nelle monache di Santa Margherita un'opera che oggi è appoggiata al tramezzo della chiesa, cioè una tela confitta sopra una tavola; dove sono storie di figure piccole della vita di Nostra Donna e di San Giovanni Batista, d'assai migliore maniera che le grandi, e con più diligenza e grazia condotte. della quale opera è da tener conto, non solo perchè le dette figure piccole sono tanto ben fatte che paiono di minio, ma ancora per essere una maraviglia vedere un lavoro in tela lina essersi trecento anni conservato.[3]

[1] Fra i quali il Duomo Vecchio, di cui già si disse nelle note alla Vita d'Arnolfo, e le chiese di Santa Giustina e di San Matteo, delle quali il Vasari parla nella Vita di Giovanni da Ponte.

[2] *Tanto la Madonna, quanto il Crocifisso esistono tuttora Il Crocifisso è di grandezza straordinaria, con san Francesco che abbraccia la croce

[3] *Quest'opera, che tutti gli annotatori tennero per perduta, dopo che dalla chiesa di Santa Margarita fu tolto il tramezzo, al quale stava appoggiata, noi crediamo di averla riconosciuta tra le tavole raccolte in Firenze dai signori Francesco Lombardi e Ugo Baldi. E perchè tra le poche pitture che ora ci ri-

Fece per tutta la città pitture infinite; ed a Sargiano, convento dei Frati de' Zoccoli, in una tavola, un San Francesco ritratto di naturale, ponendovi il nome suo,[1] come in opera, a giudizio suo, da lui più del solito ben lavorata. Avendo poi fatto, in legno, un Crocifisso grande dipinto alla greca, lo mandò in Firenze a messer Fari-

mangono di Margaritone, questa per ogni conto è la più caratteristica ed importante, ci piace di darne una esatta descrizione La tavola è di forma quadrilunga In mezzo ad essa sta seduta la Vergine col Bambino Gesù in grembo, dentro la solita mandorla, nella quale stanno due Angioletti volanti, e ai quattro angoli sono gli Evangelisti, espressi per mezzo dei loro simboli Nelle parti laterali divise in quattro scompartimenti, e a due a due, sono in quelli a destra figurati, il parto della Vergine, un Angiolo che libera san Giovanni dalla caldaja dell'olio bollente, il martirio di santa Caterina, e san Niccolò che esorta i marinari a gettar via il vaso donato loro dal diavolo A sinistra, san Giovanni che resuscita Drusiana; san Benedetto che si getta nelle spine per liberarsi dalle tentazioni della carne, san Niccolò che libera dalla morte alcuni condannati, e santa Margherita in carcere, ingoiata e rigettata dal dragone Sopra a ciascuna di queste piccole storie sono le scritte che dicono quel che rappresentano; oggi però non interamente leggibili Sotto la Vergine, a lettere più grandi, sta scritto: MARGARIT DE ARITIO . ME . FECIT . Questa pittura, anche oggi ben conservata, ha il fondo messo a oro, ed è fatta sopra una tela incollata in sur un'asse, alta un braccio e mezzo, e larga due

† Questa tavola passò poi alla Galleria Nazionale di Londra, dove è sotto il numero 564 Trovasi parimente a Londra, ed è posseduto dal signor R H. Wornum, segretario della Galleria Nazionale, un altro quadro del medesimo pittore con la scritta MARGARIT RITIO ME FECIT Dice il Cavalcaselle, che questo dipinto, conservando tuttavia i caratteri propri di Margaritone, è uno de' meno brutti che si abbiano di lui

[1] *Vi esiste tuttora, e la iscrizione è questa. MARGARIT DE ARETIO PINGEBAT Nell'Appendice alla edizione fiorentina del Vasari (1832-38) notava il sig Masselli, che nel convento dei PP Cappuccini fuori di Sinigaglia evvi un'immagine di san Francesco, ritto in piè con cappuccio in capo, e la mano destra mossa verso il costato, per mostrare la piaga, e che ai piedi del Santo è scritto MARGARITONIS DEVOTIO ME FEC

† Facilmente questa iscrizione diceva. MARGARIT · DE ARITIO · ME · FECIT · ma per esser guasta, fu rifatta sulle poche tracce che ne restavano, mutando MARGARIT in MARGARITONIS, e DE ARITIO in DEVOTIO Il proprio nome del pittore aretino fu Margarito, e così sempre si scrisse. Il primo che lo chiamasse Margaritone fu il Vasari Questo quadro ora non è più in quella chiesa, ma invece sua vi è una copia moderna, che non riproduce il carattere dell'originale, e neppure la iscrizione.

*Un altro san Francesco simile, dipinto in una tavola alta due braccia circa, ed avente in basso scritto il nome di Margaritone, abbiamo noi veduto in questi giorni, insieme con altre tavole di vecchi maestri, mentre s'incassavano da un mercante per essere trasportate fuori di Toscana

nata degli Uberti, famosissimo cittadino, per avere, fra molte altre opere egregie, da soprastante rovina e pericolo la sua patria liberato. Questo Crocifisso è oggi in Santa Croce, tra la cappella dei Peruzzi e quella de' Giugni.[1] In San Domenico d'Arezzo, chiesa e convento fabbricato da' signori di Pietramala l'anno 1275, come dimostrano ancora l'insegne loro, lavorò molte cose[2] prima che tornasse a Roma, dove già era stato molto grato a papa Urbano IV, per fare alcune cose a fresco di com-

[1] *Il Villani, là dove parla della magnanima protesta di Farinata per iscampo della sua patria (lib vii, cap 83), non ricorda questo religioso dono di gratitudine fatto dal pittore Margaritone al cittadino guerriero, ed il Vasari stesso non ne fece motto nella prima edizione delle Vite Ne con questo noi pretendiamo di distruggere un fatto; ma neghiamo francamente (contro la opinione de' moderni scrittori) che opera di Margaritone sia quel Crocifisso che ora vedesi nel vestibolo che e comune alla sagrestia e alla cappella del noviziato della chiesa di Santa Croce Noi preghiamo gl'intelligenti a considerare attentamente ogni parte di questo dipinto; e poi dire se un pittore retrogrado, qual fu Margaritone, che pare si studiasse di tenere in vita la piu rozza maniera bizantina, poteva giungere a far un'opera come questa, nella quale l'arte e così avanti da stare a fronte a quanto di meglio la pittura pote produrre fino dai tempi di Giotto Se non che, altre Croci antiche, oltre a questa, si vedono in Santa Croce; e si potrebbe supporre che lo sbaglio de' mentovati scrittori stesse solo nella indicazione dell'opera, e che la croce dipinta da Margaritone si debba cercare in una delle due che ora stanno appese ad una parete della sagrestia e l'argomento sarebbe ragionevolissimo; ma anche qui il confronto di queste colle pitture certe di Margaritone risponde negativamente

† Giudica il Cavalcaselle (op cit, vol I, p 287) che il Crocifisso attribuito a Margaritone sia lavoro debole d'un pittore della fine del secolo XIV, e vuole invece (giudicandolo dal carattere) che sia di Margaritone, sebbene manchi del suo nome, un altro Crocifisso che è nell'andito della sagrestia di San Francesco a Castiglione Aretino. Oltracciò crede che sia di lui quella tavola col ritratto di san Francesco, che e sull'altare di san Francesco in Santa Croce di Firenze, attribuita dal Vasari a Cimabue, e l'altra col medesimo soggetto che e in San Francesco di Pistoia, nell'altare Bracciolini, data con manifesto errore a Lippo Memmi Nella chiesa della Madonna delle Vertighe presso Monte San Savino è la tavola di Nostra Donna seduta in trono, dipinta, o restaurata da Margaritone Nell'interno del quadro sono dipinti i Quattro Misteri, cioè l'Annunziazione, la Natività di Gesu Cristo, l'Adorazione de' Magi, e l'Assunzione di Maria In basso della tavola è una iscrizione tanto guasta, che con difficolta vi si leggono queste sole parole. MARGARITVS ... AR... T A . MCC XIII.. che si potrebbe restituire a un dipresso così *Margaritus de Aretio fecit* (o *restauravit*) *Anno Domini* MCCLXXXIIII

[2] Queste molte cose da lui lavorate sono tutte perdute.

missione sua nel portico di San Pietro, che di maniera greca, secondo que' tempi, furono ragionevoli. Avendo poi fatto a Ganghereto, luogo sopra Terranova di Valdarno, una tavola di San Francesco,[1] si diede, avendo lo spirito elevato, alla scultura; e ciò con tanto studio, che riuscì molto meglio che non aveva fatto nella pittura: perchè, sebbene furono le sue prime sculture alla greca, come ne mostrano quattro figure di legno che sono nella pieve in un Deposto di Croce, ed alcune altre figure tonde poste nella cappella di San Francesco sopra il battesimo,[2] egli prese nondimeno miglior maniera, poi che ebbe in Firenze veduto l'opere d'Arnolfo e degli altri allora più famosi scultori. Onde, tornato in Arezzo, l'anno 1275, dietro alla corte di papa Gregorio, che tornando d'Avignone a Roma passò per Firenze, se gli porse occasione di farsi maggiormente conoscere: perchè, essendo quel papa morto in Arezzo, dopo l'aver donato al comune trenta mila scudi, perchè finisse la fabbrica del Vescovado, già stata cominciata da maestro Lapo e poco tirata innanzi; ordinarono gli Aretini, oltre all'aver fatto per memoria di detto pontefice in Vescovado la cappella di San Gregorio, dove col tempo Margaritone fece una tavola,[3] che dal medesimo gli fusse fatta di marmo una sepoltura nel detto Vescovado; alla quale messo mano, la condusse in modo a fine, col farvi il ritratto del papa di naturale, di marmo e di pittura, ch'ella fu tenuta la migliore opera che avesse ancora fatto mai.[4]

[1] *Si conserva anche oggi, nella chiesa di San Francesco, sebbene ritoccato da più moderno autore. Un altro san Francesco, che nell'atteggiamento è simile in tutto a questo di Ganghereto, è ora nella Galleria delle Belle Arti di Siena, ed ha il nome del pittore così scritto: MARGARIT. DE. ARITIO. ME. FEC. Ma è una figura che ha più effigie di mostro che d'uomo.

[2] Questa, e le quattro figure lodate poco sopra, sono anch'esse andate a male.

[3] Nè la cappella nè la tavola sono più in essere.

[4] Il ritratto in pittura da un pezzo è quasi spento. Quello in marmo, coll'altre figure scolpite per la sepoltura, è tuttavia in buono stato. Due di quelle figure furono intagliate per la grand'opera del Cicognara, che loda in esse la

Dopo, rimettendosi mano alla fabbrica del Vescovado, la condusse Margaritone molto innanzi, seguitando il disegno di Lapo, ma non però se le diede fine;[1] perchè, rinnovandosi pochi anni poi la guerra tra i Fiorentini e gli Aretini, il che fu l'anno 1289, per colpa di Guglielmo Ubertini vescovo e signore d'Arezzo, aiutato dai Tarlati da Pietramala e da' Pazzi di Valdarno, come che male glien'avvenisse, essendo stati rotti e morti a Campaldino;[2] furono spesi in quella guerra tutti i danari lasciati dal papa alla fabbrica del Vescovado. E perciò fu ordinato poi dagli Aretini, che in quel cambio servisse il Danno dato del contado (così chiamano un dazio[3]) per entrata particolare di quell'opera. il che è durato sino a oggi, e dura ancora. Ora tornando a Margaritone, per quello che si vede nelle sue opere, quanto alla pittura, egli fu il primo che considerasse quello che bisogna fare quando si lavora in tavole di legno, perchè stiano ferme nelle commettiture, e non mostrino aprendosi, poi che sono dipinte, fessure e squarti; avendo egli usato di mettere

semplicità, l'imitazione della natura ecc., l'opposto, insomma, di ciò che vedevasi nell'opere di que' maestri greci ch'egli per lungo tempo avea seguitati.

† Bene a ragione riflette il Cavalcaselle (op. cit., vol. I, p. 291) che non si può mai restar persuasi che Margaritone, così rozzo seguace de' bizantini nella pittura, abbia mostrato nelle sculture che il Vasari gli attribuisce, uno spirito tanto elevato ed una maniera tanto migliore da avvicinarlo a' più riputati scultori della scuola de' Pisani. Il sepolcro di papa Gregorio X nella cattedrale di Arezzo non può essere di lui: la figura del papa giacente è trattata con modo largo e non senza naturalezza, e le figurette che sono sopra il sepolcro ricordano quella maniera stessa che si vede nelle opere di Arnolfo e de' suoi condiscepoli.

Parimente non possono essere lavoro di Margaritone i santi e gli apostoli scolpiti nel portico e sopra la porta di San Ciriaco di Ancona, ricordati più sotto dal Vasari, perchè essi hanno tutto il carattere delle opere d'un secolo posteriore. Quanto alle cose che secondo il Vasari fece Margaritone nelle finestre del palazzo de' Governatori d'Ancona, oggi non vi si vedono più, essendo stato quel palazzo in tutto rifatto nel secolo XVI. Ma non ostante questo, noi dobbiamo credere di que' lavori di scultura quel medesimo che degli altri, cioè che essi non fossero del vecchio e rozzo maestro aretino.

[1] Del suo proseguimento ecc., vedi la descrizione d'Arezzo del Rondinelli.

[2] Vedi Gio. Villani, lib. VII, cap. 130, ed altri storici.

[3] Il *danno dato* non era un dazio, ma un uffizio, così chiamato perchè condannava a pene pecuniarie chi danneggiava altrui nelle sue possessioni.

sempre sopra le tavole, per tutto, una tela di panno lino, appiccicata con forte colla, fatta con ritagli di cartapecora e bollita al fuoco; e poi sopra detta tela dato di gesso, come in molte sue tavole e d'altri si vede.[1] Lavorò ancora sopra il gesso, stemperato con la medesima colla, fregi e diademe di rilievo, ed altri ornamenti tondi; e fu egli inventore del modo di dare di bolo, e mettervi sopra l'oro in foglie e brunirlo.[2] Le quali tutte cose, non essendo mai prima state vedute, si veggiono in molte opere sue; e particolarmente nella pieve d'Arezzo, in un dossale, dove sono storie di San Donato; e in Sant Agnese e in San Niccolò della medesima città.[3]

Lavorò, finalmente, molte opere nella sua patria che andarono fuori; parte delle quali sono a Roma in San Giovanni ed in San Pietro, e parte in Pisa in Santa Caterina; dove, nel tramezzo della chiesa, è appoggiata sopra un altare una tavola dentrovi Santa Caterina e molte storie in figure piccole della sua vita, ed in una tavoletta un San Francesco con molte storie in campo d'oro. E nella chiesa di sopra di San Francesco d'Ascesi è un Crocifisso di sua mano, dipinto alla greca, sopra un legno che attraversa la chiesa:[4] le quali tutte opere furono in

[1] *Questo modo di preparare le tavole, che il Vasari dice essere stato usato prima da Margaritone, fu praticato anche dai pittori che furono avanti a lui e per citare un solo esempio con una tavola di data certa, noteremo quell'ignoto pittore di un paliotto segnato coll'anno 1215, che si conserva nella Galleria delle Belle Arti di Siena, come abbiamo già detto nel Commentario alla Vita di Cimabue

[2] *E tutto questo pure erasi fatto da maestri anteriori a Margaritone.

[3] *Se queste e le altre opere di pittura, nominate più sotto, esistano ancora oggi, non abbiamo nessuna notizia Nella sopraccitata raccolta dei signori Lombardi e Baldi trovasi una tavola di forma quadra, dove è figurato San Niccolò in piedi, in mezzo a quattro storie, due per parte, in una delle quali è la nascita della Madonna, e nelle altre tre alcuni fatti della vita di quel Santo Essa non è firmata, ma la maniera sua ce la scopre indubitatamente per opera di Margaritone, e la sua provenienza ci dà a credere, essere quella stessa che un tempo stette nella chiesa di San Niccolò d'Arezzo

[4] *Nel modo stesso che di sopra abbiamo notato, che il Vasari scambia le opere di Giunta pisano con quelle di Cimabue, similmente qui faremo osservare che questo Crocifisso, che *stava sopra un legno che attraversava la chiesa*,

gran pregio appresso i popoli di quell'età, sebbene oggi da noi non sono stimate, se non come cose vecchie, e buone quando l'arte non era, come è oggi, nel suo colmo. E perchè attese Margaritone anco all'architettura, sebbene non ho fatto menzione d'alcune cose fatte col suo disegno, perchè non sono d'importanza; non tacerò già, che egli, secondo ch'io trovo, fece il disegno e modello del palazzo de'Governatori della città d'Ancona, alla maniera greca, l'anno 1270; e, che è più, fece di scultura nella facciata principale otto finestre, delle quali ha ciascuna nel vano del mezzo due colonne che a mezzo sostengono due archi, sopra i quali ha ciascuna finestra una storia di mezzo rilievo, che tiene da i detti piccioli archi insino al sommo della finestra: una storia, dico, del testamento vecchio, intagliata in una sorte di pietra ch'è in quel paese. Sotto le dette finestre, sono nella facciata alcune lettere, che s'intendono più per discrezione, che perchè siano o in buona forma o rettamente scritte, nelle quali si legge il millesimo, ed al tempo di chi fu fatta questa opera.[1] Fu anco di mano del medesimo il disegno della chiesa di San Ciriaco d'Ancona.[2] Morì Margaritone d'anni settantasette, infastidito, per quel che si disse, d'esser tanto vivuto, vedendo variata l'età e gli onori negli artefici nuovi. Fu sepolto nel Duomo

era quello dipinto nel 1236 da Giunta pisano, col ritratto di Frate Elia in atto di adorazione a piè della croce. L'opera fu tolta dal suo posto nel 1624, e quindi perduta. (Vedi Da Morrona, II, 124, e Rosini, I, 111.)

[1] *Questo palazzo coll'andar del tempo soffrì cambiamenti così notabili, da non distinguersi più la primitiva sua forma. Ma i maggiori restauri non ebbero effetto che nel 1564, allorquando era preside della Marca san Carlo Borromeo. A questi, altri ne succedettero nel 1647; ed allora si perdette ogni traccia dell'antica primiera fabbrica.

[2] *La chiesa di San Ciriaco d'Ancona, attenendosi al carattere della sua architettura, si crede fabbricata sul declinare del x o sui primi dell'xi secolo; cosicchè Margaritone, morto sulla fine del secolo xiii, non potè esserne stato l'architetto, e neppure possono esser suoi i lavori di scultura che vi si vedono, come abbiamo detto indietro.

vecchio fuor d'Arezzo in una cassa di trevertino,[1] oggi andata a male nelle rovine di quel tempio;[2] e gli fu fatto questo epitaffio:

Hic jacet ille bonus pictura Margaritonus,
Cui requiem Dominus tradat ubique pius.

Il ritratto di Margaritone era nel detto Duomo vecchio, di mano di Spinello, nell'istoria de' Magi; e fu da me ricavato prima che fusse quel tempio rovinato.[3]

[1] *Nella prima edizione il Vasari a questo luogo aggiunge *l'anno MCCCXIII*, che egli poteva aver letto, perche allora il Duomo Vecchio era in piedi Cosicche Margaritone secondo il computo vasariano sarebbe nato l'anno 1236, ossia quattro anni avanti a Cimabue

† Margaritone deve essere certamente morto innanzi al 1299, perche nel Ruolo de' Fratelli della Fraternita d'Arezzo (cominciato in quell'anno), alla quale erano scritti quasi tutti i cittadini, il suo nome non si trova Ed a questo proposito mettiamo avanti una nostra congettura, la quale e che nella prima stampa del Vasari sia corso un errore, cioè che invece del MCCCXIII doveva dire MCCXCIII, e che così avesse scritto il Vasari, ma che lo stampatore trasponendo alcune lettere di quel millesimo ne compose un nuovo che diceva MCCCXIII Se poi Margaritone mori, come congetturiamo, nel 1293, e della eta di 77 anni, come dice il Vasari, egli sarebbe nato nel 1216, cioè 24 anni prima di Cimabue

[2] *Cio avvenne nel 1561, tredici anni innanzi alla morte del Vasari

[3] † E impossibile che Spinello, vissuto un secolo dopo, avesse l'intenzione non che il modo di fargli il ritratto Onde si può tenere per indubitato che quello di Margaritone dato dal Vasari nella seconda edizione delle *Vite* non abbia nessuna autenticità, come non l'hanno molti altri suoi ritratti di artisti di quel secolo e del seguente.

GIOTTO

PITTORE, SCULTORE E ARCHITETTO FIORENTINO

(Nato nel 1266, morto nel 1336 (s c 1337)

Quell'obbligo stesso che hanno gli artefici pittori alla natura, la quale serve continuamente per esempio a coloro che, cavando il buono dalle parti di lei migliori e più belle, di contraffarla ed imitarla s'ingegnano sempre;[1] avere, per mio credere, si deve a Giotto, pittore fiorentino. perciocchè, essendo stati sotterrati tanti anni dalle rovine delle guerre i modi delle buone pitture e i dintorni di quelle, egli solo, ancora che nato fra artefici inetti, per dono di Dio, quella che era per mala via, risuscitò ed a tale forma ridusse, che si potette chiamar buona. E veramente fu miracolo grandissimo, che quella età e grossa ed inetta avesse forza d'operare in Giotto sì dottamente, che il disegno, del quale poca o niuna cognizione avevano gli uomini di que' tempi, mediante lui ritornasse del tutto in vita.[2] E nientedimeno i prin-

[1] « Quell'obbligo istesso, che hanno gli artefici pittori alla natura, la quale continuamente serve per esempio a quelli, che cavando il buono delle parti di lei più mirabili e belle, di contraffarla sempre s'ingegnano ecc. » Così nella prima edizione, ove non di rado i periodi hanno ad un tempo e più semplicità e più armonia

[2] Qui altre declamazioni degli scrittori, che negano a Giotto questo vanto, come negano quello, che già vedemmo dato dal Vasari a Cimabue « Ma il fatto (dice il Lanzi) vince ogni facondia Giotto fu il padre della nuova pittura, come

cipj di sì grand'uomo furono, l'anno 1276,[1] nel contado di Firenze, vicino alla città quattordici miglia, nella villa di Vespignano,[2] e di padre detto Bondone, lavoratore di terra e naturale persona.[3] Costui, avuto questo figliuolo, al quale pose nome Giotto,[4] l'allevò, secondo lo stato suo, costumatamente. E quando fu all'età di dieci anni pervenuto, mostrando in tutti gli atti ancora fanciulleschi una vivacità e prontezza d'ingegno straordinario, che lo rendea grato non pure al padre, ma a tutti quelli ancora che nella villa e fuori lo conoscevano; gli diede Bondone in guardia alcune pecore, le quali egli andando pel podere, quando in un luogo e quando in un altro pasturando, spinto dall'inclinazione della natura all'arte del disegno, per le lastre ed in terra o in su l'arena del continuo disegnava alcuna cosa di naturale, ovvero che gli venisse in fantasia. Onde andando un giorno Cimabue per sue bisogne da Fiorenza a Vespignano, trovò Giotto che, mentre le sue pecore pascevano, sopra una lastra

della nuova prosa il padre fu detto il Boccaccio ... Un Simone da Siena, uno Stefano da Firenze, un Pietro Laurati ecc, aggiunsero vezzo all'arte; ma essi e gli altri ingegni deggiono a Giotto il passaggio da un vecchio ad un nuovo stile »

[1] † Circa alla nascita di Giotto, che il Vasari assegna all'anno 1276, oggi si vuole tirare a dieci anni indietro, cioè al 1266, seguitando in ciò l'autorità di Antonio Pucci, il quale nel suo *Centiloquio*, pubblicato nelle *Delizie degli Eruditi Toscani*, dice che Giotto morì nel 1336 di settant'anni Ed invero considerando che egli lavorò in Roma nel 1298 il musaico della Navicella di san Pietro e due anni dopo le altre opere commessegli da papa Bonifazio VIII, pare più probabile che compisse que' lavori di 32 anni, quando era più maturo d'età e d'esperienza, piuttostochè di 22, secondo il computo vasariano.

[2] Nacque Giotto nel villaggio del Colle posto nel comune di Vespignano, come testimoniano moltissimi strumenti riguardanti la sua persona

[3] Abbiamo dal Baldinucci l'albero di sua famiglia, che noi riporteremo in fine di questa Vita, riscontrato sui documenti che servirono al Baldinucci per compilarlo

[4] *Fu controversa fra gli scrittori la derivazione di questo nome Il Manni lo fece un'accorciatura di Angelotto, altri di Ambrogiotto e noi stiamo col Manni Ma il Cinelli, nella citata scrittura inedita contro i *Decennali* del Baldinucci, afferma che Giotto non sia accorciatura di nome, ma sibbene un nome proprio e particolare di persona. La quale opinione, per molti altri esempi, si può ritenere verissima.

piana e pulita, con un sasso un poco appuntato, ritraeva una pecora di naturale, senza avere imparato modo nessuno di ciò fare da altri che dalla natura: perchè fermatosi Cimabue tutto maraviglioso, lo domandò se voleva andar a star seco. Rispose il fanciullo, che, contentandosene il padre, anderebbe volentieri. Dimandandolo dunque Cimabue a Bondone, egli amorevolmente glie lo concedette, e si contentò che seco lo menasse a Firenze[1] là

[1] Nella vita degli uomini, i quali da umili principj salirono per virtù del proprio ingegno a grande altezza di fama, v'è stato sempre mescolato alcun che di straordinario e di favoloso Questo racconto del Vasari, che egli prese dal Commentario del Ghiberti, ha per noi tutta l'apparenza d'una favoletta Ben altrimenti si narra il fatto dell'andata di Giotto nella bottega di Cimabue in un Commento anonimo della Divina Commedia scritto sulla fine del secolo XIV e pubblicato in Bologna dal 1866 al 1871, dalla Commissione de' Testi di lingua Le parole dell'anonimo, che, oltre al contradire al racconto del Vasari, danno ancora qualche nuovo particolare della vita di Giotto, dicono così « Giotto similmente fu dipintore et maestro grande in quella arte, tanto che non solamente in Firenze, d'onde era nato, ma per tutta Italia corse il nome suo Et dicesi che 'l padre di Giotto l'avea posto all'arte della lana, et ogni volta ch'egli n'andava a bottega, si fermava et ponea alla bottega di Cimabue Il padre domandò il lanaiuolo con cui avea posto Giotto, com'egli facea rispuosegli egli è gran tempo ch'egli non v'era stato trovò ultimamente ch'elli si rimanea co' dipintori, dove la natura sua il tirava ond'egli per consiglio di Cimabue il levò dall'arte della lana et poselo a dipinguiere con Cimabue. Divenne gran maestro et corse in ogni parte il nome suo. et molte dell'opere sue si truovano, non solamente in Firenze, ma a Napoli et a Roma et a Bologna Et dicesi, che oltre all'arte del dipigniere, egli fu intendente et valente et eloquente uomo et dipigniendo a Bologna una cappella, il Cardinale che a quel tempo era Legato e Vicario della Chiesa in Bologna, andando spesso a vederlo, gli giovava di ragionare con lui. et faccendo un dì et dipigniendo un Vescovo et facendogli la mitria, il Cardinale, per udirlo, il dimandò un dì, per che a' vescovi si facea la mitria Giotto gli rispose Signore et padre reverendo, voi il sapete: ma poi che voi volete udirlo da me, queste due corna significano et dimostrono che chiunque tiene luogo di vescovo o d'altro cherico che porti mitria, egli debbe sapere il Testamento vecchio et il nuovo Il Cardinale non contento a questa risposta, che gli piacque, il dimandò. che vogliono dire quelle due bende che si pongono pendenti dirietro alla mitria? Giotto accorgendosi ch'egli avea diletto di lui, et ch'egli l'uccellava, disse· Queste due bende significano ch' e' Pastori d'oggi che portano mitria, non sanno nè il Testamento vecchio, nè il nuovo, et però l'hanno gettate dirietro. Compose et ordinò il campanile di marmo di Santa Riparata di Firenze notabile campanile et di gran costo. Commissevi due errori l'uno che non ebbe ceppo da piè, l'altro che fu stretto: posesene tanto dolore al cuore, ch'egli si dice, ch'egli ne 'nfermò et morissene »

dove venuto, in poco tempo, aiutato dalla natura ed ammaestrato da Cimabue, non solo pareggiò il fanciullo la maniera del maestro suo, ma divenne così buono imitatore della natura, che sbandì affatto quella goffa maniera greca, e risuscitò la moderna e buona arte della pittura, introducendo il ritrarre bene di naturale le persone vive: il che più di dugento anni non s'era usato: e se pure si era provato qualcuno, come si è detto di sopra, non gli era ciò riuscito molto felicemente, nè così bene a un pezzo, come a Giotto. Il quale, fra gli altri, ritrasse, come ancor oggi si vede, nella cappella del palagio del Podestà di Firenze, Dante Alighieri, coetaneo ed amico suo grandissimo, e non meno famoso poeta che si fusse nei medesimi tempi Giotto pittore;[1] tanto lodato da messer Giovanni Boccaccio nel proemio della novella di messer Forese da Rabatta e di esso Giotto dipintore.[2] Nella medesima cappella è il ritratto, similmente di mano del medesimo, di ser Brunetto Latini maestro di Dante, e di messer Corso Donati gran cittadino di que' tempi.[3] Fu-

[1] *La cappella del Potestà fu poi mutata in dispensa delle carceri; e le pitture di Giotto, ricoperte barbaramente di bianco, sotto il quale stettero nascoste sino a che, nel 1841, il Governo Toscano volendo riparare a tanta vergogna, e far paghi i voti di molti zelanti delle patrie memorie e dei cultori del divino poeta, secondò i tentativi fatti dall'inglese Seymour Kirkup, da Aubrey Bezzi, e dall'americano Enrico Wilde per lo scoprimento di queste pitture La quale operazione, eseguita dal prof Antonio Marini, ci ha restituito, sebbene non tutte in buono stato, le pitture di questa cappella Ed oggi quelle pareti, spogliate di quel lurido intonaco che una sacrilega mano vi aveva posto sopra, scoprono all'occhio dei riguardanti l'immagine dell'Alighieri. † E avendo uno di noi, insieme col cav Passerini, preso a sostenere in una Memoria pubblicata nell'occasione del sesto centenario del Divino Poeta celebrato in Firenze nel 1865, che le pitture di quella cappella, e per conseguenza il ritratto di Dante, non fossero della mano di Giotto, aiutandoci con ragioni ed argomenti, che anche oggi, non ostante le opposizioni di uomini riputati, non hanno perduto del loro valore; ci è parso opportuno di riprodurre la parte sostanziale di quella Memoria nella parte prima del Commentario che segue

[2] Vedi la Novella V della Giornata VI Il Boccaccio era sommamente invaghito di Giotto, *al qual la bella natura parte di sè somigliante non occulto*, com' egli canta nell'*Amorosa Visione*

[3] † È assai difficile poter riconoscere quali dei personaggi dipinti presso l'Alighieri rappresentino il Latini ed il Donati.

rono le prime pitture di Giotto nella cappella dell'altar maggiore della Badia di Firenze; nella quale fece molte cose tenute belle,[1] ma particolarmente una Nostra Donna quand'è annunziata; perchè in essa espresse vivamente la paura e lo spavento che nel salutarla Gabriello mise in Maria Vergine, la qual pare che tutta piena di grandissimo timore voglia quasi mettersi in fuga.[2] È di mano di Giotto parimente la tavola dell'altar maggiore di detta cappella; la quale vi si è tenuta insino a oggi ed anco vi si tiene, più per una certa reverenza che s'ha all'opera di tanto uomo, che per altro.[3] Ed in Santa Croce sono quattro cappelle di mano del medesimo; tre fra la sagrestia e la cappella grande, ed una dall'altra banda. Nella prima delle tre, la quale è di messer Ridolfo de' Bardi, che è quella dove sono le funi delle campane, è la vita di San Francesco, nella morte del quale un buon numero di Frati mostrano assai acconciamente l'effetto del piangere. Nell'altra, che è della famiglia de' Peruzzi, sono due storie della vita di San Giovan Batista, al quale è dedicata la cappella; dove si vede molto vivamente il

[1] Ma tutte sventuratamente perite.

[2] *La particolare descrizione che il Vasari fa dell'atto timoroso di questa Vergine corrisponde perfettamente con quello di una Annunziata espressa in un trittico che sino al 1812 stette in questa Badia, e ora si conserva nella Galleria delle Belle Arti di Firenze. Onde questa tavola fu creduta opera di Giotto. Ma in questi ultimi anni avendoci la fortuna fatto ritrovare molte importantissime pitture di Don Lorenzo monaco Camaldolense, il confronto di quelle con questa ci fece conoscere com'ella sia indubitatamente opera di questo pittore. Noi pertanto siamo indotti a credere che la descrizione del Vasari si debba riferire alla tavola di Don Lorenzo, e non ad un'opera di Giotto, al quale egli, per uno di quei non infrequenti suoi abbagli, abbia fatto fare una Annunziazione dove Giotto non ne fece mai. Ed è da notare il silenzio del Ghiberti e del Baldinucci, il primo de' quali rammenta un'altra pittura fatta da Giotto in questa chiesa. Questo trittico, che, oltre il soggetto principale, ha nei laterali due Santi per banda, è stato come lavoro del ridetto monaco intagliato ed illustrato nella pregevolissima Raccolta delle migliori opere che nella suddetta Galleria si conservano, pubblicata da una società di valenti artisti.

[3] Fu col tempo trasportata nell'interno della Badia davanti al refettorio. Oggi non si sa più dove si trovi, e tacendosi dal Vasari il soggetto rappresentatovi, riesce anche più difficile il rinvenirla.

ballare e saltare d'Erodiade, e la prontezza d'alcuni serventi presti ai servigi della mensa. Nella medesima sono due storie di San Giovanni Evangelista maravigliose, cioè quando risuscita Drusiana, e quando è rapito in cielo. Nella terza, ch'è de' Giugni, intitolata agli Apostoli, sono di mano di Giotto dipinte le storie del martirio di molti di loro. Nella quarta, che è dall'altra parte della chiesa verso tramontana, la quale è de' Tosinghi e degli Spinelli, e dedicata all'Assunzione di Nostra Donna, Giotto dipinse la Natività, lo Sposalizio, l'essere Annunziata, l'Adorazione de' Magi, e quando ella porge Cristo piccol fanciullo a Simeone, che è cosa bellissima; perchè, oltre a un grande affetto che si conosce in quel vecchio ricevente Cristo, l'atto del fanciullo, che, avendo paura di lui, porge le braccia e si rivolge tutto timorosetto verso la madre, non può essere nè più affettuoso nè più bello.[1] Nella morte poi di essa Nostra Donna sono gli Apostoli, ed un buon numero d'Angeli, con torchi in mano, molto belli. Nella cappella de' Baroncelli, in detta chiesa, è una tavola a tempera di man di Giotto, dove è condotta con molta diligenza l'incoronazione di Nostra Donna, ed un grandissimo numero di figure piccole, ed un coro di Angeli e di Santi molto diligentemente lavorati. E perchè in questa opera è scritto a lettere d'oro il nome suo ed il millesimo, gli artefici che considereranno in che tempo Giotto, senza alcun lume della buona maniera, diede principio al buon modo di disegnare e di colorire, saranno forzati averlo in somma venerazione.[2] Nella medesima

[1] *Fu posteriormente dato di bianco a tutte le pitture di queste quattro cappelle. Ma ora in quella de' Peruzzi è stata scoperta la storia del convito di Erode. Speriamo che la bellezza sua, e il felice esito con cui è riuscito questo primo saggio, ci faranno un giorno veder compiuta la lodevole impresa.

† Scoperte le pitture della cappella Peruzzi nel 1841, si continuò alle altre, salvo quelle della cappella Tosinghi e Spinelli perdute senza rimedio, dopochè nel 1837 vi fu ridipinto sopra dal pittore Martellini.

[2] *Questa tavola si vede anch'oggi nella cappella dei Baroncelli. Sono cinque scompartimenti alla gotica, riquadrati evidentemente in una nuova cornice

chiesa di Santa Croce sono ancora, sopra il sepolcro di marmo di Carlo Marzuppini Aretino, un Crocifisso, una Nostra Donna, un San Giovanni e la Maddalena a piè della croce; e dall'altra banda della chiesa, appunto dirimpetto a questa, sopra la sepoltura di Lionardo Aretino, è una Nunziata verso l'altar maggiore, la qual è stata da pittori moderni, con poco giudizio di chi ciò ha fatto fare, ricolorita.[1] Nel refettorio è, in un albero di Croce, istoria di San Lodovico, e un Cenacolo di mano del medesimo;[2] e negli armarj della sacrestia, storie di figure picciole della vita di Cristo e di San Francesco.[3]

dello stile del secolo XV. Vi si legge ancora, in tante lettere staccate, chiuse ciascuna in un esagono: OPUS MAGISTRI JOCTI; ma il millesimo che dice il Vasari, non v'è (si noti che nella prima edizione egli rammenta il solo nome). — Il prof. Rosini, il quale si è studiato il riordinare la cronologia delle opere di Giotto, pone i lavori, sia in muro, sia in tavola, fatti per questa chiesa, in quello spazio di tempo che e'dimorò in Firenze tra dopo il ritorno ch'e' fece da Roma e la sua andata a Padova, cioè dal 1299 al 1303.

† Ma noi, come avremo occasione di dire nella Vita di Taddeo Gaddi, siamo circa al tempo di questa tavola, d'opinione diversa; cioè che essa fosse dipinta da Giotto nel 1334 incirca, quando già da due anni Taddeo Gaddi aveva cominciato le pitture delle pareti di quella cappella.

[1] *Le pitture dei due sepolcri di Carlo Marsuppini e di Lionardo Aretino sono da gran tempo imbiancate.

[2] *Queste pitture dell'antico refettorio esistono tuttavia. Oltre il Cenacolo (dato inciso dal Lasinio e dal Ruschweyh) e l'albero di Croce, sono nella stessa parete quattro storie della vita di san Francesco e di san Lodovico; pitture tutte bellissime. Ma giustamente osservava il Rumohr, ch'esse sono posteriori ai tempi di Giotto; e la maniera corrisponde a quella dei pittori che furono dal 1350 al 1400, ma non a quella de' Giotteschi, meno arditi e franchi, e di colorito più debole e dilavato. (*Ricerche italiane*, tom. II, pag. 70, nota 1).

† Anche il Cavalcaselle nega che sieno di Giotto, e in quella vece propende a crederle di Taddeo Gaddi.

[3] Le storie degli armadii erano in tutto ventisei: dodici appartenenti alla vita di Cristo, e quattordici a quella di san Francesco. Le prime dodici, e dieci delle altre, ancor si conservano nella nostra Accademia di Belle Arti. † Delle quattro che mancano, due passarono nella Galleria di Berlino e rappresentano l'una la Discesa dello Spirito Santo, e l'altra la caduta del figliuolo dello Spini. Due si credono nella Galleria di Monaco; ma pare che non appartengano alla serie di quelle di Santa Croce. Nell'una è la Cena di Nostro Signore, e nell'altra è Gesù Crocifisso, con san Francesco inginocchiato a piè della croce, la Madonna svenuta a destra, ed a sinistra san Giovanni Evangelista, Nicodemo e Giuseppe d'Arimatea. Ma tutte queste tavolette, piuttostochè da Giotto, si vogliono dipinte da un suo discepolo.

Lavorò anco nella chiesa del Carmine, alla cappella di San Giovanni Batista, tutta la vita di quel Santo divisa in più quadri:[1] e nel Palazzo della parte guelfa di Firenze è di sua mano una storia della Fede Cristiana in fresco, dipinta perfettamente;[2] ed in essa è il ritratto di papa Clemente IV, il quale creò quel magistrato,[3] donandogli l'arme sua, la qual egli ha tenuto sempre e tiene ancora. Dopo queste cose, partendosi di Firenze per andare a finir in Ascesi l'opere cominciate da Cimabue, nel passar per Arezzo, dipinse nella pieve la cappella di

[1] Nel 1772, cioè un anno dopo l'incendio della chiesa del Carmine che distrusse questa cappella, Tommaso Patch (ossia il Cocchi) pubblicò in Firenze nel libro intitolato *Selections from the works of Masaccio, Fra Bartolomeo and Giotto*, sei storie e cinque teste lucidate sopra alcuni pezzi d'intonaco rimasti illesi, e da lui acquistati. È però da avvertire, che le stampe furono fatte sopra disegni ricavati prima dell'incendio da mano così inesperta, che niuna idea offrono dello stile dell'autore e del carattere delle figure. Le cinque teste, perchè lucidate, non sono tanto scorrette.

* Di tre frammenti di queste istorie ci dà notizia il dott. G. F. Waagen, direttore della R. Galleria di Berlino, nella sua importantissima opera tedesca intitolata *Kunstwerke und Künstler in England und Paris* (Opere d'Arte e Artisti in Inghilterra e in Parigi); Berlino 1837-38. Due sono ora nell'Istituto di Liverpool, l'uno rappresentante tre donne con San Giovan Battista bambino, frammento molto pregevole e importante, e noto per la incisione data dal Patch. L'altro, che si conserva nel medesimo luogo, rappresenta la figlia di Erodiade che riceve il capo del Battista, figura molto maestosa, e data incisa essa pure dal Patch. Il terzo frammento, con due mezze figure di Paolo e di Giovanni, appartenne alla raccolta dei quadri del poeta Rogers, ed oggi è nella Galleria Nazionale di Londra. Altri frammenti degli affreschi del Carmine si conservano nella cappella detta dell'Ammannati nel Campo Santo di Pisa, e rappresentano san Giovanni battezzante, due Angeli che porgono il panno per asciugare il battezzato, una testa di vecchia (forse Sant'Elisabetta), ed un giovane che suona l'arpa, forse alla cena di Erode (Vedi GRASSI, *Descrizione di Pisa*, II, 1874).

† Il Cavalcaselle che descrive questi frammenti (vol. I, pag. 536 e seg.), dice che mostrano di non essere della mano di Giotto, ma derivare invece dalla sua scuola, e ricordare la maniera di Taddeo Gaddi e di Angelo suo figliuolo. Ora che veramente quelle pitture non possano essere sue, si prova ancora dal sapersi che esse furono fatte a spese dell'eredità di Vanni Manetti, il quale con suo testamento del 29 di settembre 1348, rinnovato il 30 d'ottobre 1350 e rogato da ser Bartolo di Neri da Roffiano, dispone che la cappella da lui fondata nel Carmine in onore di san Giovan Batista, *pingatur, decoretur et adornetur quam melius fieri poterit*.

[2] Nel Palazzo che fu della Parte Guelfa questa storia più non si vede.

[3] Non creò, ma decorò quel magistrato. (Vedi GIO. VILLANI, lib. VII, cap. 2).

San Francesco, ch'è sopra il battesimo; e in una colonna tonda, vicino a un capitello corintio e antico e bellissimo, un San Francesco e un San Domenico, ritratti di naturale:[1] e nel Duomo fuor d'Arezzo una cappelluccia, dentrovi la lapidazione di Santo Stefano, con bel componimento di figure.[2] Finite queste cose, si condusse in Ascesi, città dell'Umbria, essendovi chiamato da Fra Giovanni di Muro della Marca, allora generale de' Frati di San Francesco; dove, nella chiesa di sopra, dipinse a fresco, sotto il corridore che attraversa le finestre, dai due lati della chiesa, trentadue storie della vita e fatti di San Francesco, cioè sedici per facciata, tanto perfettamente, che ne acquistò grandissima fama.[3] E nel vero, si vede in quell'opera gran varietà non solamente nei gesti ed attitudini di ciascuna figura, ma nella composizione ancora di tutte le storie; senza che fa bellissimo vedere la diversità degli abiti di que' tempi, e certe imitazioni ed osservazioni delle cose della natura. E fra le altre, è bellissima una storia dove uno assetato, nel quale si vede vivo il desiderio dell'acque, bee stando chinato in terra a una fonte, con grandissimo e veramente maraviglioso affetto, in tanto che par quasi una persona viva che bea. Vi sono anco molte altre cose degnissime di considerazione; nelle quali, per non esser lungo, non

[1] L'uso che fa qui il Vasari di questa frase *ritratti di naturale*, parrebbe indicarci ch'ei la prendesse in senso assai largo, onde sarebbe liberato dalla taccia d'anacronismo datagli per quel che disse del ritratto di San Francesco fatto da Cimabue I due ritratti di Giotto qui ricordati (e trasferiti poi dalla cappella ov'erano, e adorni di lavori di marmo, in una colonna del presbiterio dal lato dell'Evangelio), sono le sue sole pitture che ancor si conservino nella pieve Aretina

† Anche queste pitture vuole il Cavalcaselle che non sieno di Giotto, e quanto alle figure di san Francesco e di san Domenico gli pare di vedervi la mano di Jacopo di Casentino

[2] Perì col vecchio Duomo nel 1561.

[3] *Se è vero che Giotto fu chiamato a dipingere alla serafica Basilica d'Assisi da Fra Giovanni di Muro, ciò non potè accadere che dopo il 1296, perchè Fra Giovanni fu eletto Generale di quell'Ordine in quest'anno (Vedi WADDINGO, *Annal Ord Min*, tom V, pag 348, an 1296)

mi distendo altrimenti. Basti che tutta questa opera acquistò a Giotto fama grandissima, per la bontà delle figure, e per l'ordine, proporzione, vivezza e facilità che egli aveva dalla natura, e che aveva mediante lo studio fatto molto maggiore, e sapeva in tutte le cose chiaramente dimostrare. E perchè, oltre quello che aveva Giotto da natura, fu studiosissimo, ed andò sempre nuove cose pensando e dalla natura cavando, meritò d'esser chiamato discepolo della natura, e non d'altri.

Finite le sopradette storie, dipinse nel medesimo luogo, ma nella chiesa di sotto, le facciate di sopra dalle bande dell'altar maggiore, e tutti quattro gli angoli della volta di sopra, dove è il corpo di San Francesco; e tutte con invenzioni capricciose e belle.[1] Nella prima è San Francesco glorificato in cielo, con quelle virtù intorno che a voler esser perfettamente nella grazia di Dio sono richieste. Da un lato, l'Ubbidienza mette al collo d'un Frate che le sta innanzi ginocchioni, un giogo, i legami del quale sono tirati da certe mani al cielo; e, mostrando con un dito alla bocca silenzio, ha gli occhi a Gesù Cristo che versa sangue dal costato. E in compagnia di questa virtù sono la Prudenza e l'Umiltà, per dimostrare che, dove è veramente l'ubbidienza, è sempre l'umiltà e la prudenza che fa bene operare ogni cosa. Nel secondo angolo è la Castità, la quale standosi in una fortissima ròcca, non si lascia vincere nè da regni nè da corone nè da palme che alcuni le presentano. A'piedi di costei è la Mondizia, che lava persone nude; e la Fortezza va conducendo genti a lavarsi e mondarsi. Appresso alla Castità è, da un lato, la Penitenza che caccia Amore alato con una disciplina, e fa fuggire la Immondizia. Nel terzo luogo è la Povertà, la quale va coi piedi scalzi calpestando le spine: ha un cane che le abbaia dietro, e intorno un

[1] In esse, dice il Lanzi, « diede i primi saggi della pittura simbolica, tanto a'migliori suoi seguaci familiare ».

putto che le tira sassi, ed un altro che le va accostando con un bastone certe spine alle gambe. E questa Povertà si vede esser quivi sposata da San Francesco, mentre Gesù Cristo le tiene la mano, essendo presenti non senza misterio la Speranza e la Carità. Nel quarto ed ultimo dei detti luoghi è un San Francesco, pur glorificato, vestito con una tonicella bianca da diacono,[1] e come trionfante in cielo in mezzo a una moltitudine d'Angeli, che intorno gli fanno coro, con uno stendardo, nel quale è una croce con sette stelle; e in alto è lo Spirito Santo. Dentro a ciascuno di questi angoli sono alcune parole latine che dichiarano le storie. Similmente, oltre i detti quattro angoli, sono nelle facciate dalle bande pitture bellissime e da essere veramente tenute in pregio, sì per la perfezione che si vede in loro, e sì per essere state con tanta diligenza lavorate, che si sono insino a oggi conservate fresche.[2] In queste storie è il ritratto d'esso Giotto, molto ben fatto; e sopra la porta della sagrestia è di mano del medesimo, pur a fresco, un San Francesco che riceve le stimate, tanto affettuoso e divoto, che a me pare la più eccellente pittura che Giotto facesse in quell'opere, che sono tutte veramente belle e lodevoli.[3] Finito, dunque, che ebbe per ultimo il detto San Francesco, se ne tornò a Firenze: dove giunto, dipinse, per mandare a Pisa, in una tavola un San Francesco nell'orribile sasso della Vernia, con straordinaria diligenza; perchè, oltre a certi paesi pieni di alberi e di scogli, che fu cosa

[1] *Il Della Valle dubitò se tutte le pitture, tanto della chiesa superiore quanto dell'inferiore, che si dicono di Giotto, siano sue veramente. Altri scrittori moderni ancora lo negarono; e tra questi il Rumohr, il Forster, e ultimamente il Cavalcaselle.

[2] *Fu così rappresentato dal pittore, perchè veramente san Francesco non ascese, per umiltà, al sacerdozio, ma volle rimaner diacono.

[3] Fresche veramente oggi non son più nè quelle della chiesa di sotto, nè le altre della chiesa di sopra. Pure, in quelle della chiesa di sotto, che prese tutte insieme sono le più belle, è, quantunque non da per tutto, conservato abbastanza il colorito.

nuova in que' tempi, si vede nell'attitudine di San Francesco, che con molta prontezza riceve ginocchioni le stimate, un ardentissimo desiderio di riceverle ed infinito amore verso Gesù Cristo, che in aria circondato di Serafini glie le concede, con sì vivi affetti, che meglio non è possibile immaginarsi. Nel disotto, poi, della medesima tavola sono tre storie della vita del medesimo, molto belle. Questa tavola, la quale oggi si vede in San Francesco di Pisa, in un pilastro a canto all'altar maggiore,[1] tenuta in molta venerazione per memoria di tanto uomo, fu cagione che i Pisani, essendosi finita appunto la fabbrica di Campo Santo, secondo il disegno di Giovanni di Niccola Pisano, come si disse di sopra, diedero a dipignere a Giotto parte delle facciate di dentro: acciocchè, come tanta fabbrica era tutta di fuori incrostata di marmi e d'intagli fatti con grandissima spesa, coperto di piombo il tetto, e dentro piena di pile e sepolture antiche, state de' gentili e recate in quella città di varie parti del mondo; così fusse ornata dentro nelle facciate di nobilissime pitture. Perciò, dunque, andato Giotto a Pisa, fece nel principio d'una facciata di quel Campo Santo[2] sei storie grandi in fresco del pazientissimo Iobbe.[3] E perchè giu-

[1] *Questa tavola dalla chiesa di San Francesco fu trasportata in quella di San Niccola, poi nella cappella maggiore del Campo Santo; dove, malconcia dai restauri, la vide il Da Morrona, e vi scoprì il nome. Al presente si conserva nel Museo del Louvre a Parigi, trasportatavi sotto il governo napoleonico; e il nome del pittore si legge a caratteri d'oro nella cornice, così: OPVS IOCTI FLORENTINI.

[2] Da quella parte (suppone il Rosini nella sua *Descrizione del Campo Santo*), ove probabilmente fu altra volta l'ingresso principale del Campo Santo medesimo, giacchè fu la prima ad essere ornata.

[3] *Se debbe credersi a quel che dice lo stesso Vasari nella Vita di Niccola e Giovanni pisani, cioè che il Campo Santo fu finito nel 1283; Giotto non avrebbe potuto dipingervi che molti anni dopo, essendochè a quel tempo egli contava soli sette anni, o, secondo la nuova opinione circa alla sua nascita, diciassette. Ma quand'anche si voglia ammettere che egli vi lavorasse molti anni dopo; il non aver trovato ancora documenti che lo attestino, e il silenzio del Ghiberti medesimo, danno luogo a dubitare se le storie di Giobbe possano veramente dirsi dipinte da Giotto. E a questo dubbio dà forza il Vasari stesso, il quale nella

diziosamente considerò che i marmi, da quella parte della fabbrica dove aveva a lavorare, erano volti verso la marina; e che tutti, essendo saligni, per gli scilocchi sempre sono umidi e gettano una certa salsedine, siccome i mattoni di Pisa fanno per lo più; e che perciò accie-cano e si mangiano i colori e le pitture: fece fare, perchè si conservasse quanto potesse il più l'opera sua, per tutto dove voleva lavorare in fresco, un arricciato ovvero intonaco o incrostatura che vogliam dire, con calcina, gesso e matton pesto mescolati così a proposito, che le pitture che egli poi sopra vi fece, si sono insino a questo giorno conservate.[1] E meglio starebbono, se la stracurataggine di chi ne doveva aver cura non l'avesse lasciate molto offendere dall'umido; perchè il non avere a ciò, come si poteva agevolmente, provveduto,[2] è stato cagione, che avendo quelle pitture patito umido, si sono guaste in certi luoghi, e l'incarnazioni fatte nere, e l'intonaco scortecciato: senza che la natura del gesso, quando è con la calcina mescolato, è d'infracidare col tempo e corrompersi;[3] onde nasce che poi per forza guasta i colori, sebben

prima edizione (Vita dell'Orcagna) dice fatte queste pitture da Taddeo Gaddi: il che mostra come spesso egli andava a tentone ed incerto nei suoi giudizj.

† Le ricerche de' moderni eruditi hanno provato che queste storie furono cominciate a dipingere nel 1371 da Francesco da Volterra, il quale fino dal 1340 si trova aver fatto in Pisa altre cose di pittura.

[1] Ora, e già da un pezzo, più non se ne veggono che due (restaurate nel 1625 da uno Stefano Maruscelli, nè però intere): altre quattro sono miseramente perite.

[2] Dalle tracce che si veggono negli stipiti e nelle colonne degli archi interni del Campo Santo, apparisce che la cura di difenderne le pitture con finestre di vetro, non è nuova. Se non che al bisogno pur troppo fu tarda, massime a quello delle pitture attribuite a Giotto, alle quali toccarono danni straordinarj, narrati dal Morrona nella *Pisa illustrata*.

† È certo che un tempo per difender quelle pitture c'erano finestre a vetri colorati con istorie. Noi infatti sappiamo che nel 1460 furono allogate sette finestre a vetri dipinti pel Campo Santo a Lionardo di Bartolommeo e a Bartolommeo, detto Banco, d'Andrea della Scarperia, fratelli cugini e maestri di vetro.

[3] Se la natura del gesso, quand'è mescolato alla calcina, è d'infradiciarsi e corrompersi, non fu dunque *a proposito* il mescolamento che Giotto ne fece

pare che da principio faccia gran presa e buona. Sono in queste storie, oltre al ritratto di messer Farinata degli Uberti, molte belle figure; e massimamente certi villani, i quali nel portare le dolorose nuove a Iobbe, non potrebbono essere più sensati nè meglio mostrare il dolore che avevano per i perduti bestiami e per l'altre disavventure, di quello che fanno. Parimente ha grazia stupenda la figura d'un servo, che con una rosta sta intorno a Iobbe piagato, e quasi abbandonato da ognuno: e come che ben fatto sia in tutte le parti, è maraviglioso nell'attitudine che fa, cacciando con una delle mani le mosche al lebbroso padrone e puzzolente, e con l'altra, tutto schifo, turandosi il naso per non sentire il puzzo.[1] Sono, similmente, l'altre figure di queste storie, e le teste così de' maschi come delle femmine, molto belle;[2] e i panni in modo lavorati morbidamente, che non è maraviglia se quell'opera gli acquistò in quella città e fuori tanta fama, che papa Benedetto IX[3] da Trevisi mandasse in Toscana un suo cortigiano e vedere che uomo fusse

per conservare le proprie pitture. Più a proposito fu l'incannicciata che poi altri pittori del Campo Santo adattarono al muro, fermandovela con sottilissime grappe di ferro, e distendendovi sopra non so che grosso intonaco; ond'è che le lor pitture, difese ad un tempo dall'umido interno e dall'esterno, poterono meglio conservarsi.

[1] Nella pittura dello scompartimento inferiore, un po' men guasta dell'altre, ove son rappresentati gli amici di Giobbe.

[2] Delle bellezze delle due superstiti pitture è parlato distesamente nella *Descrizione* già citata del *Campo Santo* fatta dal Rosini nelle *Lettere pittoriche* del Rosini medesimo e del De Rossi. Le altre quattro pitture pare che perissero in tempi diversi; due assai presto e due più tardi. Il Totti, infatti, parla d'una, ove rappresentavasi fra varie cose un suntuoso convito, con moltitudine di servi ecc., a dimostrare la gran ricchezza di Giobbe; e d'un'altra, ove vedevasi crollare, per gran turbine, e cader la casa, ove i figli e le figlie di Giobbe stavano a banchetto. Le superstiti posson vedersi fra le altre del Campo Santo (40 grandi tavole), disegnate in parte dal Nenci, in parte dal Lasinio padre, e incise quasi tutte dal Lasinio figlio per cura del Rosini, che d'alcune figure tratte da esse adornò pure la *Descrizione* e le *Lettere* già indicate.

[3] † Alcuni corressero l'errore del Vasari, ponendo in luogo di Benedetto IX, Benedetto XI; sennonchè, questo pontefice avendo regnato mesi e non anni, non potè avere altro tempo che di chiamare Giotto a Roma. Il papa, sotto il quale Giotto operò in Roma, fu, come testimoniano i documenti, Bonifazio VIII.

Giotto e quali fussero l'opere sue, avendo disegnato far in San Piero alcune pitture. Il quale cortigiano, venendo per veder Giotto, e intendere che altri maestri fussero in Firenze eccellenti nella pittura e nel musaico, parlò in Siena a molti maestri.[1] Poi, avuto disegni da loro, venne a Firenze, e andato una mattina in bottega di Giotto che lavorava, gli espose la mente del papa, e in che modo si voleva valere dell'opera sua; ed in ultimo, gli chiese un poco di disegno per mandarlo a Sua Santità. Giotto, che garbatissimo era, prese un foglio, ed in quello, con un pennello tinto di rosso, fermato il braccio al fianco per farne compasso, e girato la mano, fece un tondo sì pari di sesto e di profilo, che fu a vederlo una maraviglia. Ciò fatto, ghignando disse al cortigiano: Eccovi il disegno. Colui, come beffato, disse: Ho io avere altro disegno che questo? Assai e pur troppo è questo; rispose Giotto: mandatelo insieme con gli altri, e vedrete se sarà conosciuto. Il mandato, vedendo non potere altro avere, si partì da lui assai male sodisfatto, dubitando non essere uccellato. Tuttavia, mandando al papa gli altri disegni e i nomi di chi gli aveva fatti, mandò anco quel di Giotto, raccontando il modo che aveva tenuto nel fare il suo tondo senza muovere il braccio e senza seste. Onde il papa e molti cortigiani intendenti conobbero per ciò quanto Giotto avanzasse d'eccellenza tutti gli altri pittori del suo tempo. Divolgatasi poi questa cosa, ne nacque il proverbio che ancora è in uso dirsi agli uomini di grossa pasta. *Tu se' più tondo che l' O di Giotto.* Il qual proverbio non solo per lo caso donde nacque si può dir bello, ma molto più per lo suo significato, che consiste nell'ambiguo,

[1] *Molti e valenti artefici contava allora Siena, già divenuta centro di una straordinaria operosità nelle imprese artistiche d'ogni maniera, come bene osservava il barone di Rumohr, e come i documenti attestano. E restringendoci a' soli pittori noteremo, tra gli altri, Ugolino di Pietro, il celebre Duccio di Buoninsegna, Segna di Buonaventura, e il famoso Simone di Martino, detto Memmi

pigliandosi *tondo* in Toscana, oltre alla figura circolare perfetta, per tardità e grossezza d'ingegno. Fecelo, dunque, il predetto papa andare a Roma; dove, onorando molto e riconoscendo la virtù di lui, gli fece nella tribuna di San Piero dipignere cinque storie della vita di Cristo, e nella sagrestia la tavola principale; che furono da lui con tanta diligenza condotte, che non uscì mai a tempera delle sue mani il più pulito lavoro:[1] onde meritò che il papa, tenendosi ben servito, facesse dargli per premio secento ducati d'oro, oltre avergli fatto tanti favori che ne fu detto per tutta Italia.

Fu in questo tempo a Roma molto amico di Giotto, per non tacere cosa degna di memoria che appartenga all'arte, Oderigi d'Agobbio, eccellente miniatore in quei tempi; il quale, condotto perciò dal papa, miniò molti

[1] † Le cinque storie che erano nella cappella di San Pietro, furono distrutte nell'ingrandimento della chiesa. La tavola divisa in tre compartimenti che dall'altare di san Pietro fu poi trasportata in sagrestia, dove tuttora si vede, ha nel mezzo la figura del Salvatore in trono in atto di benedire. Ai lati del trono stanno otto Angeli disposti simmetricamente l'uno sopra l'altro. Sul davanti, alla sinistra di chi guarda, vedesi a capo scoperto e inginocchiato il cardinale Jacopo Gaetano Stefaneschi, che nel 1298 commise questo lavoro a Giotto, e vi spese 500 fiorini d'oro. Dall'altro lato è parimente inginocchiato un Angelo che guarda il Salvatore. Nell'alto della tavola è, dentro un compasso, il Padre Eterno, e più abbasso due altri compassi dentrovi il busto d'un Profeta, e sulla cornice sono tre piccole figure per banda di Santi ed Evangelisti. In uno de' pezzi laterali della tavola è dipinta la Decollazione di san Paolo, e nell'altro il Martirio di san Pietro. Nel rovescio del compartimento di mezzo è dipinto san Pietro in cattedra vestito cogli abiti pontificali, con due Angeli ai lati. Davanti, a destra del Santo, si vede di profilo e inginocchiato un vescovo, che colla testa levata e lo sguardo rivolto a san Pietro gli offre un quadro della forma d'un trittico, che è l'immagine in piccolo della tavola dipinta. Questo vescovo, che è lo Stefaneschi, è presentato da san Giorgio in abito guerriero, il quale mentre tiene la destra sulla spalla dello *Stefaneschi*, leva l'altra verso san Pietro. Dall'altro lato è in ginocchio un altro Santo vescovo, il quale è rivolto verso il Santo, e solleva un libro con ambedue le mani. Vicino a lui è in piedi un altro Santo vestito pontificalmente, che forse rappresenta sant'Jacopo. Sono nel rovescio dell'altro compartimento, dove è il Martirio di san Paolo, sant'Jacopo e san Paolo. E nel rovescio di quello ove è dipinta la Crocifissione di san Pietro, gli apostoli sant'Andrea e san Giovanni Evangelista. Finalmente nel mezzo d'uno de' pezzi che formavano la base o predella del quadro è seduta sopra un trono lavorato a finto musaico Maria Vergine col Divin Figliuolo.

libri per la libreria di palazzo, che sono in gran parte oggi consumati dal tempo. E nel mio libro de' disegni antichi sono alcune reliquie di man propria di costui, che in vero fu valente uomo: sebbene fu molto miglior maestro di lui Franco Bolognese miniatore,[1] che per lo stesso papa e per la stessa libreria, ne' medesimi tempi, lavorò assai cose eccellentemente in quella maniera, come si può vedere nel detto libro; dove ho di sua mano disegni di pitture e di minio, e fra essi un'aquila molto ben fatta, ed un leone che rompe un albero, bellissimo. Di questi due miniatori eccellenti fa menzione Dante nell'undecimo capitolo del Purgatorio, dove si ragiona de' vanagloriosi, con questi versi

O, dissi lui, non se' tu Oderisi,
L'onor d'Agobbio, e l'onor di quell'arte
Che alluminare è chiamata in Parisi?
Frate, diss'egli, più ridon le carte
Che pennelleggia Franco Bolognese:
L'onor è tutto or suo, e mio in parte.

[1] † Di maestro Oderigi da Gubbio, più che delle opere sue di minio da gran tempo perdute, immortalato dai versi dell'Alighieri, sono state pubblicate a' nostri giorni alcune notizie importanti, per le quali oltre a meglio conoscersi il tempo del viver suo e dell'operare, si scopre altresì che egli fu figliuolo di Guido da Gubbio, che nel 1268 e poi nel 1271 dimorava in Bologna, nel quale ultimo anno agli 11 di marzo messer Azone de' Lambertazzi allogava a lui ed a Paolo di Iacopino dell'Avvocato le miniature di pennello e di buono azzurro di ottantadue fogli d'un Antifonario pel prezzo di trenta soldi bolognesi, e nel termine di quindici giorni (V. *Giornale d'Erudizione Artistica*, Perugia, Boncompagni, 1873, vol. II, pag. 1). Vuolsi che maestro Oderigi, andato a Roma nel 1295, vi morisse nel 1299. A lui si attribuiscono da alcuni le miniature di due Messe dell'Annunziata e di San Giorgio conservate nell'Archivio dei Canonici di San Pietro di Roma. Altri vorrebbero vedere in esse la maniera, se non la mano, di Giotto. Ma i meglio intendenti vi riconoscono piuttosto il fare della scuola di Gubbio.

Quanto a Franco Bolognese scolare di Oderigi, non si conosce di lui nessuna opera, e quella miniatura colla Madonna in trono, e Gesù bambino in collo, già nella Raccolta Malvezzi, e poi nella Galleria Hercolani di Bologna, colla iscrizione falsa FRANCO BOLOGNESE FEC. 1312, apparisce pittura del sec. XV e ricorda nella grazia affettata delle movenze l'arte di Gubbio e di Fabriano. Fiorì Franco, secondo il Baldinucci, verso il 1310, e furono suoi scolari, come dice il Malvasia, Iacopo e Simone bolognesi, ed altri pittori che operarono intorno al 1370.

Il papa, avendo veduto queste opere, e piacendogli la maniera di Giotto infinitamente, ordinò che facesse intorno intorno a San Piero istorie del Testamento vecchio e nuovo: onde, cominciando, fece Giotto a fresco l'Angiolo di sette braccia, che è sopra l'organo, e molte altre pitture; delle quali parte sono da altri state restaurate a'dì nostri; e parte, nel rifondare le mura nuove, o state disfatte o trasportate dall'edifizio vecchio di San Piero fin sotto l'organo:[1] come una Nostra Donna in muro; la quale perchè non andasse per terra, fu tagliato attorno il muro ed allacciato con travi e ferri, e così levata, e murata poi, per la sua bellezza, dove volle la pietà ed amore che porta alle cose eccellenti dell'arte messer Niccolò Acciaiuoli, dottore fiorentino, il quale di stucchi e d'altre moderne pitture adornò riccamente quest'opera di Giotto. Di mano del quale ancora fu la nave di musaico[2] ch'è sopra le tre porte del portico nel cortile di San Piero, la quale è veramente miracolosa e meritamente lodata da tutti i belli ingegni; perchè in essa, oltre al disegno, vi è la disposizione degli Apostoli, che in diverse maniere travagliano per la tempesta del mare, mentre soffiano i venti in una vela, la quale ha tanto rilievo che non farebbe altrettanto una vera: e pure è difficile avere a fare di que'pezzi di vetri una unione come quella che si vede nei bianchi e nell'ombre di sì gran vela, la quale col pennello, quando si facesse ogni sforzo, a fatica si pareggerebbe: senza che, in un pesca-

[1] Queste sue pitture sono quasi tutte perite. Così son perite quelle dell'interno del portico di San Giovanni Laterano, eccetto papa Bonifazio VIII che nel 1300 istituisce il giubileo. Il qual pontefice, ritratto di naturale, vedesi ora sotto cristallo fra due altre figure quasi intere in un pilastro della chiesa, con iscrizione appostavi nel 1776 dalla famiglia Gaetani. — * Il D'Agincourt ne ha dato l'intaglio nella tav. cxv della *Pittura*.

[2] * In un necrologio che si conserva nell'Archivio Vaticano, a pag. 87, si trova memoria come il detto cardinale Stefaneschi, nel 1298, fece fare a Giotto il mosaico della Navicella di san Pietro. Questa memoria è riportata dal Baldinucci, dal Turrigio e dal Della Valle.

tore, il quale pesca in sur uno scoglio a lenza, si conosce nell'attitudine una pacienza estrema propria di quell'arte, e nel volto la speranza e la voglia di pigliare.[1] Sotto quest'opera sono tre archetti in fresco; de' quali, essendo per la maggior parte guasti, non dirò altro. Le lodi, dunque, date universalmente dagli artefici a questa opera, se le convengono.

Avendo poi Giotto nella Minerva, chiesa de' Frati Predicatori, dipinto in una tavola un Crocifisso grande, colorito a tempera, che fu allora molto lodato;[2] se ne tornò, essendone stato fuori sei anni, alla patria. Ma essendo, non molto dopo, creato papa Clemente V in Perugia, per essere morto papa Benedetto IX, fu forzato Giotto andarsene con quel papa, là dove condusse la corte, in Avignone, per farvi alcune opere: perchè, andato, fece, non solo in Avignone, ma in molti altri luoghi di Francia, molte tavole e pitture a fresco bellissime le quali piacquero infinitamente al pontefice e a tutta la corte.[3] Laonde, spedito che fu, lo licenziò amorevolmente e con molti doni; onde se ne tornò a casa non meno ricco che onorato e famoso; e, fra l'altre cose, recò il ritratto di quel papa, il quale diede poi a Taddeo Gaddi suo disce-

[1] Fu essa trasportata più volte da un luogo all'altro, come narra minutamente il Baldinucci Oggi si trova nel portico di San Pietro, in faccia alla porta maggiore della chiesa Il Richardson ne aveva il disegno originale, mancante però di quello della figura del pescatore, che il Resta credeva di avere Tal figura fu due volte restaurata, prima da Marcello Provenzale, poi da Orazio Manetti, sotto la direzione del cav Bernino

[2] Pare che il Nibby, nell'*Itinerario di Roma*, dubiti che non sia di Giotto

† Oggi è perito, ed in suo luogo si addita un Crocifisso di rilievo, senza nessuna ragione assegnandolo per opera di Giotto

[3] *Dopo la morte di Benedetto XI, e non IX, come per errore dice il Vasari, fu creato Clemente V, il quale trasportò la sede papale in Avignone nel 1305, cosicchè Giotto non sarebbe potuto andar là prima di questo tempo

† Il Vasari ha fatto una gran confusione e circa al tempo della supposta andata di Giotto in Avignone e circa al pontefice che ve lo chiamò Oggi la critica storica ha stabilito che dopo il 1334 Giotto fosse chiamato colà da Benedetto XII per dipingere la storia de' Martiri nel palazzo pontificio, e che per essere stato in questo mezzo sopraggiunto dalla morte, non vi andasse altrimenti.

polo: e questa tornata di Giotto in Firenze fu l'anno 1316. Ma non però gli fu conceduto fermarsi molto in Firenze; perchè, condotto a Padoa per opera de' signori della Scala, dipinse nel Santo, chiesa stata fabbricata in que' tempi, una cappella bellissima.[1] Di lì andò a Verona, dove a messer Cane fece nel suo palazzo alcune pitture,[2] e particolarmente il ritratto di quel signore; e ne' Frati di San Francesco una tavola. Compiute queste opere, nel tornarsene in Toscana gli fu forza fermarsi in Ferrara, e dipignere in servigio di que' signori Estensi, in palazzo ed in Sant'Agostino, alcune cose che ancor oggi vi si veggiono. Intanto, venendo agli orecchi di Dante, poeta fiorentino, che Giotto era in Ferrara, operò di maniera che lo condusse a Ravenna, dove egli si stava in esilio; e gli fece fare in San Francesco per i signori da Polenta alcune storie in fresco intorno alla chiesa, che sono ragionevoli.[3] Andato poi da Ravenna a Urbino, ancor quivi lavorò alcune cose. Poi, occorrendogli passar per Arezzo, non potette non compiacere Piero Saccone, che molto l'aveva carezzato; onde gli fece in un pilastro della cappella maggiore del vescovado, in fresco, un San Martino, che, tagliatosi il mantello nel mezzo, ne dà una parte a un povero che gli è innanzi quasi tutto ignudo.[4] Avendo poi fatto nella Badia di Santa Fiore, in legno, un Crocifisso grande a tempera, che è oggi nel mezzo di quella chiesa,[5] se ne ritornò finalmente in Firenze; dove, fra l'altre cose, che furono molte, fece nel monasterio delle Donne di Faenza alcune pitture ed in fresco ed a tempera, che oggi non sono in essere, per esser rovinato quel monasterio. Similmente, l'anno 1322,

[1] *Delle pitture di questa cappella ora non esiste più nulla, o quasi nulla; giacchè il misero avanzo che si vede, non basta neppure a far ben comprendere la composizione dello spartimento rimasto. (Vedi SELVATICO, nella *Guida di Padova pel Congresso del 1842*)

[2] Indi perite, come quelle che, secondo il Baldinucci, fece colà nell'Arena.

[3] *Queste pitture e le altre di Ferrara, già rammentate, sono perite

[4] * Anche questa pittura è perita.

[5] Questo è ancora in buon essere.

essendo l'anno innanzi, con suo molto dispiacere, morto Dante suo amicissimo, andò a Lucca; ed, a richiesta di Castruccio, signore allora di quella città sua patria, fece una tavola in San Martino, drentovi un Cristo in aria, e quattro Santi protettori di quella città; cioè San Piero, San Regolo, San Martino e San Paulino, i quali mostrano di raccomandare un papa ed un imperadore; i quali, secondo che per molti si crede, sono Federigo[1] Bavaro e Niccola V antipapa.[2] Credono parimente alcuni, che Giotto disegnasse a San Frediano, nella medesima città di Lucca, il Castello e Fortezza della Giusta,[3] che è inespugnabile. Dopo, essendo Giotto ritornato in Firenze, Ruberto re di Napoli scrisse a Carlo duca di Calavria suo primogenito,[4] il quale si trovava in Firenze, che per ogni modo gli mandasse Giotto a Napoli; perciocchè, avendo finito di fabbricare Santa Chiara, monasterio di donne e chiesa reale, voleva che da lui fusse di nobile pittura adornata. Giotto, adunque, sentendosi da un re tanto lodato

[1] *Cioe Lodovico Se Giotto fece questa tavola nel 1322, non puo essere che nella figura del papa vi sia rappresentato Niccolo V antipapa, il quale fu creato nel 12 di maggio del 1328. Come pure non puo essere Lodovico il Bavaro, che fu coronato nel 17 gennaio del 1328 Potrebbero essere Federigo d'Austria e Giovanni XXII

[2] *Ne gli annotatori del Vasari, nè le Guide di Lucca, hanno piu rammentato questa tavola.

[3] *Propriamente fu chiamata l'*Augusta*, e corrottamente la *Gosta* o *Agosta*, e fu fondata da Castruccio nel giugno del 1322 (Vedi ALDO MANUZIO, *Vita di Castruccio* Lucca, 1843, pag 69 e seg)

[4] † Nella stampa e detto per errore re di Calabria, che noi abbiamo corretto in duca, perche Carlo ebbe quel titolo, e solamente fu eletto re di Sicilia, come dice Giovanni Villani (lib vii, cap 2) Esso sul principio del 1326 fu eletto signor di Firenze, ove giunse dopo qualche tempo, e d'onde, sulla fine del 27, parti per non più ritornarvi, essendo morto nel 28. Quindi e a credersi che Giotto gli fosse chiesto o sulla fine del 26 o innanzi la fine del seguente Egli lo avea ritratto in una delle stanze di Palazzo Vecchio, ove poi fu collocata la Depositeria, di che vedi piu innanzi la Vita di Michelozzo Al ritratto fu dato di bianco

† L'andata di Giotto a Napoli, chiamatovi dal re Roberto, accadde intorno al 1329 Si conosce un privilegio del 21 gennaio 1330 dato dal detto re al pittore fiorentino, col quale lo fa suo familiare. Il privilegio fu pubblicato dallo Schulz nel vol IV, pag 163 della sua opera gia citata, *I monumenti del mezzogiorno d'Italia* Giotto dimorava tuttavia in Napoli nel 1332

e famoso chiamare, andò più che volentieri a servirlo; e giunto,[1] dipinse in alcune cappelle del detto monasterio molte storie del vecchio Testamento e nuovo.[2] E le storie dell'Apocalisse, che fece in dette cappelle, furono (per quanto si dice) invenzione di Dante; come per avventura furono quelle tanto lodate d'Ascesi, delle quali si è di sopra abbastanza favellato: e, sebbene Dante in questo tempo era morto, potevano averne avuto, come spesso avviene fra gli amici, ragionamento. Ma per tornare a Napoli, fece Giotto nel castello dell'Uovo molte opere,[3] e particolarmente la cappella, che molto piacque a quel re: dal quale fu tanto amato, che Giotto molte volte, lavorando, si trovò essere trattenuto da esso re, che si pigliava piacere vederlo lavorare e d'udire i suoi ragionamenti; e Giotto, che aveva sempre qualche motto alle mani e qualche risposta arguta in pronto, lo tratteneva con la mano dipignendo, e con ragionamenti piacevoli motteggiando. Onde, dicendogli un giorno il re, che voleva farlo il primo uomo di Napoli, rispose Giotto: e perciò sono io alloggiato a porta Reale, per essere il primo di Napoli. Un'altra volta, dicendogli il re: Giotto, se io fussi in te, ora che fa caldo, tralascerei un poco il dipingere; rispose: ed io certo, s'io fussi voi. Essendo, dunque, al re molto grato, gli fece in una sala, che il re Alfonso I rovinò per fare il castello, e così nell'Incoronata,[4] buon numero di pitture; e fra l'altre della detta

[1] Si scordò il Vasari di narrar qui come Giotto, nell'andare a Napoli, volle passar da Orvieto per veder le sculture della facciata; e quel ch'indi avvenne, e si narra qui appresso nella Vita di Agostino ed Agnolo Sanesi

[2] * Roberto, re di Napoli, gettò la prima pietra della fabbrica di Santa Chiara, nel 1310, la quale fu terminata l'anno 1328 Le pitture di Giotto furono, nella prima metà del secolo passato, fatte ricoprire di stucco dal Barrionuovo, reggente della chiesa, la cui vandalica mania di cancellare l'opere degli antichi è restata in proverbio. (Vedi *Napoli e sue vicinanze, Guida offerta agli scienziati nel Congresso del 1845*, vol I, pag 353)

[3] Anche a queste fu poi dato di bianco

[4] * Queste pitture hanno dato materia, in quest'ultimi tempi, a varj scritti di dotte e intelligenti persone, sia per mostrare che esse furono veramente opera

sala, vi erano i ritratti di molti uomini famosi, e fra essi quello di esso Giotto. al quale avendo un giorno, per capriccio, chiesto il re che gli dipingesse il suo reame, Giotto (secondo che si dice) gli dipinse un asino imbastato, che teneva ai piedi un altro basto nuovo e, fiutandolo, facea sembianza di desiderarlo; ed in su l'uno e l'altro basto nuovo era la corona reale e lo scettro della podestà: onde, dimandato Giotto dal re, quello che cotale pittura significasse, rispose tale i sudditi suoi essere e tale il regno, nel quale ogni giorno nuovo signore si desidera.

Partito Giotto da Napoli per andare a Roma, si fermò a Gaeta; dove gli fu forza, nella Nunziata, far di pittura alcune storie del Testamento nuovo, oggi guaste dal tempo, ma non però in modo, che non vi si veggia benissimo il ritratto d'esso Giotto appresso a un Crocifisso

di Giotto, sia per negarlo Il Rumohr, il Kugler, il Nagler, il Waagen, il conte Vilain XIV, il Förster, il Kestner, stettero per la prima opinione, e, di più, il cav Stanislao Aloe di Berlino, dettò in francese una illustrazione di queste pitture, e ne esibì l'intaglio L'operetta dell'Aloe dette occasione a Domenico Ventimiglia di scrivere tre lettere *Sugli affreschi di Giotto nella chiesa dell'Incoronata di Napoli*, ed ambidue questi scrittori non fecero altro che svolgere più largamente gli argomenti a sostegno di questa opinione Ultimo nell'arringo è sceso il signor Camillo Minieri Riccio: il quale, con un libretto intitolato *Saggio storico critico intorno alla chiesa dell Incoronata di Napoli e suoi affreschi* (Napoli 1845), ha preso ad esaminar novamente la questione, e a combattere l'opinione degli autori summenzionati, mostrando, con ragioni storiche e critiche, che Giotto non potè esser l'autore degli affreschi co' sette Sacramenti che oggi si vedono nell'Incoronata, nè di nessun'altra pittura che un tempo possa essere esistita in quel luogo E siccome la sua opinione parve a noi la più accettabile, perchè sostenuta con ragioni più sicure e meglio fondate, così, a dilucidare una così importante questione, riferiremo nella seconda parte del Commentario posto in fine di questa Vita, l'estratto che della operetta del Minieri Riccio stampò il signor Emmanuele Rocco nel numero 43 del *Lucifero* (novembre 1845)

† Scrissero ancora sopra questo argomento, e negando che le dette pitture fossero di Giotto, lo Schulz ne' suoi *Monumenti del Mezzogiorno d'Italia*, l'Angelucci nelle sue *Lettere sulla chiesa dell'Incoronata*, ed ultimamente il Cavalcaselle (vol I, p 561 e seg dell'op cit), concludendo che « quelle pitture mostrano di esser l'opera d'uno vissuto nella metà del secolo decimoquarto, seguace delle grandi massime di Giotto, senza però che ne possedesse il genio inventivo, l'energia e il sapere »

grande, molto bello. Finita quest'opera, non potendo ciò negare al signor Malatesta, prima si trattenne per servigio di lui alcuni giorni in Roma, e di poi se n'andò a Rimini, della qual città era il detto Malatesta signore; e lì, nella chiesa di San Francesco, fece moltissime pitture: le quali poi da Gismondo, figliuolo di Pandolfo Malatesti, che rifece tutta la detta chiesa di nuovo, furono gettate per terra e rovinate. Fece ancora nel chiostro di detto luogo, all'incontro della facciata della chiesa, in fresco, l'istoria della Beata Michelina;[1] che fu una delle più belle ed eccellenti cose che Giotto facesse giammai, per le molte e belle considerazioni che egli ebbe nel lavorarla: perchè, oltre alla bellezza de' panni, e la grazia e vivezza delle teste, che sono miracolose, vi è, quanto può donna esser bella, una giovane, la quale, per liberarsi dalla calunnia dell'adulterio, giura sopra un libro in atto stupendissimo, tenendo fissi gli occhi suoi in quelli del marito, che giurare le facea per diffidenza d'un figliuolo nero partorito da lei, il quale in nessun modo poteva acconciarsi a credere che fusse suo. Costei, siccome il marito mostra lo sdegno e la diffidenza nel viso, fa conoscere, con la pietà della fronte e degli occhi, a coloro che intentissimamente la contemplano, la innocenza e semplicità sua, ed il torto che se le fa, facendola giurare e pubblicandola a torto per meretrice. Medesimamente, grandissimo affetto fu quello ch' egli espresse in un infermo di certe piaghe; perchè tutte le femmine che gli sono intorno, offese dal puzzo, fanno certi storcimenti

[1] *Le storie della Beata Michelina da Pesaro, oggi imbiancate, non poterono esser dipinte da Giotto, perciocchè essa morì nel 1356. (Vedi MARCHESELLI, *Pitture di Rimini*. Rimini 1751). Ma ch' egli poi dipingesse in questa città, ce lo attesta ancora Riccobaldo Ferrarese, cronista contemporaneo, in quel suo prezioso ricordo sotto l'anno 1312, ove dice: *Zòtus pictor eximius florentinus agnoscitur qualis in arte fuerit. Testantur opera facta per eum in ecclesiis Minorum Assisii, Arimini, Padua, et ea quae pinxit in Palatio Communis Paduae, et in ecclesia Arenae Paduae.* (MURATORI, *Rer. Ital. Script.*, tom. IX, col. 255; e CICOGNARA, *Nielli* ecc.).

schifi, i più graziati del mondo. Gli scorti, poi, che in un altro quadro si veggiono fra una quantità di poveri rattratti, sono molto lodevoli, e deono essere appresso gli artefici in pregio, perchè da essi si è avuto il primo principio e modo di farli; senza che non si può dire che siano, come primi, se non ragionevoli. Ma, sopra tutte l'altre cose che sono in questa opera, è meravigliosissimo l'atto che fa la sopraddetta Beata verso certi usurai, che le sborsano i danari della vendita delle sue possessioni per dargli a' poveri; perchè in lei si dimostra il dispregio de' danari e delle altre cose terrene, le quali pare che le putano; ed in quelli il ritratto stesso dell'avarizia e ingordigia umana. Parimente, la figura d'uno che, annoverandole i danari, pare che accenni al notaio che scriva, è molto bella; considerato, che sebbene ha gli occhi al notaio, tenendo nondimeno le mani sopra i danari, fa conoscere l'affezione, l'avarizia sua e la diffidenza. Similmente, le tre figure che in aria sostengono l'abito di San Francesco, figurate per l'Ubbidienza, Pacienza e Povertà, sono degne d'infinita lode; per essere, massimamente nella maniera de'panni un naturale andar di pieghe, che fa conoscere che Giotto nacque per dar luce alla pittura. Ritrasse, oltre ciò, tanto naturale il signor Malatesta in una nave di questa opera, che pare vivissimo; ed alcuni marinari ed altre genti, nella prontezza, nell'affetto e nell'attitudini; e particolarmente una figura che, parlando con alcuni e mettendosi una mano al viso, sputa in mare, fa conoscere l'eccellenza di Giotto. E certamente, fra tutte le cose di pittura fatte da questo maestro, questa si può dire che sia una delle migliori; perchè non è figura in sì gran numero. che non abbia in sè grandissimo artifizio e che non sia posta con capricciosa attitudine. E però non è maraviglia, se non mancò il signor Malatesta di premiarlo magnificamente e lodarlo. Finiti i lavori di quel signore, fece, pregato da un priore fiorentino che allora era in San Cataldo d'Arimini, fuor della porta della chiesa, un San Tommaso d'Aquino che legge a' suoi Frati.[1] Di quivi partito, tornò a Ravenna, ed in San Giovanni Evangelista fece una cappella a fresco lodata molto.[2] Essendo poi tornato a Firenze con grandissimo onore e con buone facultà, fece in San Marco, a tempera, un Crocifisso in legno, maggiore che il naturale, e in campo d'oro; il quale fu messo a man destra in chiesa:[3] ed un altro simile ne fece in Santa Maria Novella, in sul quale Puccio Capanna, suo creato, lavorò in sua compagnia; e quest'è ancor oggi sulla porta maggiore, nell'entrare in chiesa a man destra, sopra la sepoltura de' Gaddi.[4] E nella medesima chiesa fece, sopra il tramezzo, un San Lodoviço a Paolo

[1] * Sopra la porta maggiore della detta chiesa, che oggi dicesi di San Domenico, ai tempi del Piacenza si vedeva tuttavia qualche vestigio di questa pittura.

[2] * Nella volta della cappella di San Bartolommeo, di San Giovanni della Sagra, stanno espressi i quattro Evangelisti coi loro simboli, e i santi dottori Gregorio, Ambrogio, Agostino e Girolamo, d'invenzione del famoso Giotto; pitture ultimamente ravvivate da Francesco Zanoni padovano. (Così il BELTRAMI, *Guida di Ravenna*, 1783). † Si attribuiscono a Giotto anche altre pitture in Ravenna, cioè quelle che si veggono in Santa Croce, in Santa Maria in Porto Fuori, e le altre della Badia della Pomposa. Ma sono cose di gran lunga inferiori alle opere del maestro fiorentino.

[3] * Questo Crocifisso vedesi oggi sopra la porta maggiore. Esso avanza in bellezza gli altri due citati più sotto dal Vasari; quello, cioè, della chiesa di Ognissanti, e l'altro di Santa Maria Novella.

[4] * Anche questo sta tuttavia sopra la porta principale di questa chiesa: sennonchè esso differisce non poco nel carattere da quello di San Marco e dall'altro d'Ognissanti; della qual differenza può esser cagione l'averci lavorato Puccio Capanna. Ma che non si possa escludere dalle opere di Giotto, ce ne da ragione un prezioso documento inedito, già nel Diplomatico di Firenze, ed ora esistente nell'Archivio di Stato, tra le carte di Santa Maria Novella. È questo il testamento di Riccuccio del fu Puccio del Mugnaio, del popolo di Santa Maria Novella, de' 15 giugno 1312, rogato da Maffeo di Lapo da Firenze; nel quale, tra gli altri legati, lascia «*solvere sacristie Sancte Marie Fratrum Predicatorum dicte ecclesie Sancte Marie Novelle libras quinque Florenorum parvorum pro emendis exinde annuatim duobus urceis olei, ex quo oleo unus urceus sit pro tenenda continue illuminata lampada Crucifixi entis in eadem ecclesia Sancte Marie Novelle, picti per egregium pictorem nomine* GIOTTUM BONDONIS, *qui est de dicto populo Sancte Marie Novelle.... Alius vero urceus sit ad allevandum hanc societatem (Laudum) expensis solitis factis per eam in emendo oleo pro lampade magne tabule in qua est picta figura Beate Marie Virginis:*

di Lotto Ardinghelli, e a' piedi il ritratto di lui e della moglie di naturale.[1]

L'anno poi 1327, essendo Guido Tarlati da Pietramala, vescovo e signore d'Arezzo, morto a Massa di Maremma nel tornare da Lucca, dove era stato a visitare l imperadore; poichè fu portato in Arezzo il suo corpo, e lì ebbe avuta l'onoranza del mortorio onoratissima: deliberarono Piero Saccone e Dolfo da Pietramala, fratello del vescovo, che gli fosse fatto un sepolcro di marmo, degno della grandezza di tanto uomo, stato signore spirituale e temporale, e capo di parte ghibellina in Toscana. Perchè, scritto a Giotto che facesse il disegno d'una sepoltura ricchissima, e quanto più si potesse onorata, e mandatogli le misure; lo pregarono appresso, che mettesse loro per le mani uno scultore il più eccellente, secondo il parer suo, di quanti ne erano in Italia, perchè si rimettevano di tutto al giudizio di lui. Giotto, che cortese era, fece il disegno e lo mandò loro; e secondo quello, come al suo luogo si dirà,[2] fu fatta la detta sepoltura. E perchè il detto Piero Saccone amava infinitamente la virtù di questo uomo; avendo preso, non molto dopo che ebbe avuto il detto disegno, il Borgo a San Sepolcro, di là condusse in Arezzo una tavola di man di Giotto, di figure piccole, che poi se n'è ita in pezzi: e Baccio Gondi, gentiluomo fiorentino, amatore di queste nobili arti e di tutte le virtù, essendo commissario d'Arezzo, ricercò con gran diligenza i pezzi di questa tavola, e trovatone alcuni, li condusse a Firenze, dove li tiene in gran vene-

que tabula est in eadem ecclesia Sancte Marie Novelle E più sotto *conventui Fratrum Predicatorum de Prato solidos viginti flor parvorum solvendos pro opere tempus sepulture corporis ipsius testatoris ut expendantur in oleo pro illuminanda pictura tabula ante in ecclesia ipsius conventus, quam ipse Riccucci fecit pingi per egregium pictorem nomine* GIOTTUM BONDONIS *de Florentia* ».

[1] *Quest'opera, tolto via il tramezzo, è perduta

[2] Vide per avventura il disegno che dallo scultore ne fu fatto e ne disse il proprio parere Vedi appresso nelle note alla Vita d'Agostino ed Agnolo Sanesi.

razione, insieme con alcune altre cose che ha di mano del medesimo Giotto: il quale lavorò tante cose, che raccontandole, non si crederebbe. E non sono molti anni, che trovandomi io all'eremo di Camaldoli, dove ho molte cose lavorato a que' reverendi Padri, vidi in una cella (e vi era stato portato dal molto reverendo Don Antonio da Pisa, allora generale della congregazione di Camaldoli) un Crocifisso piccolo in campo d'oro, e col nome di Giotto di sua mano, molto bello: il quale Crocifisso si tiene oggi, secondo che mi dice il reverendo Don Silvano Razzi monaco camaldolense, nel monasterio degli Angeli di Firenze,[1] nella cella del maggiore, come cosa rarissima, per essere di mano di Giotto, ed in compagnia d'un bellissimo quadretto di mano di Raffaello da Urbino.

Dipinse Giotto a' Frati Umiliati d'Ognissanti di Firenze una cappella e quattro tavole; e fra l'altre, in una la Nostra Donna con molti Angeli intorno e col Figliuolo in braccio, ed un Crocifisso grande in legno:[2] dal quale Puccio Capanna pigliando il disegno, ne lavorò poi molti per tutta Italia, avendo molto in pratica la maniera di Giotto. Nel tramezzo di detta chiesa era, quando questo libro delle Vite dei Pittori, Scultori e Architetti

[1] *Di questo Crocifisso non abbiamo più notizia.

[2] *Di queste opere, la sola che oggi si veda in questo luogo, è il Crocifisso, che sta appeso in una parete della cappella Gondi Dini. La tavola di Nostra Donna con molti Angeli intorno e col Figliuolo in braccio fu trasportata nella Galleria dell'Accademia delle Belle Arti.

† Di essa tavola, che pare fosse posta in un altare della chiesa d'Ognissanti presso la porta del coro, parla un Ricordo, citato anche dal Richa (*Chiese Fiorentine*, vol. IV, pag. 250), che dice così: « *Anno 1417, die 21 martii. Frater Antonius procurator domini fratris Bindi Philippi Prepositi, et aliorum fratrum Omnium Sanctorum de Florentia concedit Francisco Ser Benozii pro se et filiis et descendentibus masculis ex linea masculina altare positum in eorum ecclesia dive Marie Virginis cum tabula nobili picta per olim famosum pictorem* MAGISTRUM GIOTTUM, *positum iuxta portam introitus chori a latere dextro intrando a via et eundo ad chorum* » (Zibaldone Manni e Baldinucci. Ms. magliabechiano; cod. 110, palch. II, c. 374. Spogli delle carte di casa Rosselli).

si stampò la prima volta, una tavolina a tempera, stata dipinta da Giotto con infinita diligenza; dentro la quale era la morte di Nostra Donna con gli Apostoli intorno, e con un Cristo che in braccio l'anima di lei riceveva. Questa opera dagli artefici pittori era molto lodata, e particolarmente da Michelagnolo Buonarroti; il quale affermava, come si disse altra volta; la proprietà di questa istoria dipinta non potere essere più simile al vero di quello ch'ell'era. Questa tavoletta, dico, essendo venuta in considerazione, da che si diede fuora la prima volta il libro di queste Vite, è stata poi levata via da chi che sia, che, forse per amor dell'arte e per pietà, parendogli che fusse poco stimata, si è fatto, come disse il nostro poeta, spietato.[1] E veramente, fu in que' tempi un mi-

[1] *È nell'*Etruria Pittrice* un intaglio di una piccola tavola posseduta a quel tempo dal pittore Lamberto Gori, oggi smarrita, e che supponevasi esser quella stessa di Giotto che dalla chiesa d'Ognissanti fu ai tempi del Vasari rubata. Ma l'annotatore alla edizione vasariana fatta in Firenze nel 1832-38 giustamente osservava, che l'intaglio non corrisponde punto colla descrizione che fa di essa tavoletta il Biografo. Infatti, in esso, oltre gli Apostoli, sono altri quattro Santi, e non vi si vede il *Cristo che in braccio l'anima della Vergine riceve.* Avvi però in alto rappresentato come il Paradiso, dove in figure molto più piccole è espresso Cristo, che nella mano sinistra tiene un libro ov'è scritto A e Ω, e colla destra benedice la Vergine, la quale in atto reverente a lui si presenta. Sei Angeli, tre per banda, fanno loro corona. È dunque evidente che l'intaglio suddetto non riproduce la celebrata tavoletta giottesca; essendochè in questa era figurato il Transito della Vergine; e nell'altra dell'*Etruria Pittrice* è rappresentato quando essa è posta dagli Apostoli nel sepolcro. Nondimeno, il prof. Rosini, non curando questa differenza, la diede di nuovo come opera di Giotto nella tav. XIV della sua *Storia della pittura italiana*; e prima di lui fu esibita dal D'Agincourt nella tav. CXIV della *Pittura.* Ma qualunque intelligente delle diverse maniere non solo dei maestri, ma sì ancora dei tempi, si porrà ad esaminare in ogni sua parte quell'intaglio, vi troverà non leggiera differenza dalle opere di Giotto, sì nel comporre come nel panneggiare; e verrà nell'opinione, quello esser tratto da un dipinto di un maestro del secolo XV. Anzi noi, quantunque sia cosa ardita di giudicare d'un'opera dall'intaglio, teniamo per fermo che il dipinto da cui esso fu tratto sia opera di mano dell'Angelico. E qui (non certo per vanità) ci sia permesso dichiarare, che qualche tempo innanzi che ci fosse dato l'incarico di condurre la presente edizione del Vasari, noi già per semplice ricordo avevamo gettato in carta questa nostra opinione; quando venutaci fra mano la importantissima opera tedesca del signor G. F. Waagen sopraccitata, trovammo in essa, con nostra grande soddisfazione, che quella tavoletta ora si conserva in Inghilterra nella raccolta di Young Ottley; (ora è

racolo, che Giotto avesse tanta vaghezza nel dipingere, considerando massimamente che egli imparò l'arte in un certo modo senza maestro.

Dopo queste cose, mise mano, l'anno 1334 a dì 9 di luglio, al campanile di Santa Maria del Fiore: il fondamento del quale fu, essendo stato cavato venti braccia a dentro, una platea di pietre forti,[1] in quella parte donde si era cavata acqua e ghiaia; sopra la quale platea, fatto poi un buon getto, che venne alto dodici braccia dal primo fondamento, fece fare il rimanente, cioè l'altre otto braccia di muro a mano. E a questo principio e fondamento intervenne il vescovo della città, il quale, presente tutto il clero e tutti i magistrati, mise solennemente la prima pietra.[2] Continuandosi poi questa opera col detto modello, che fu di quella maniera tedesca che in quel tempo s'usava, disegnò Giotto tutte le storie che andavano nell'ornamento, e scompartì di colori bianchi, neri e rossi il modello in tutti que' luoghi, dove avevano a andare le pietre e i fregi, con molta diligenza. Fu il

posseduto dal signor William Fuller Maitland) e, quel che più importa, confermato il nostro giudizio dall'autore tedesco, il quale senza esitare la restituisce all'Angelico con queste parole: « Fiesole. *Maria portata al sepolcro.* Questo qua« dro, eseguito a guisa di miniatura, ha nelle moltiformi e delicate teste degli « Apostoli e nel viso nobile di Maria tutta la bellezza e tutto l'intimo senti« mento dell'artista. Vi si trova dietro una iscrizione di Lamberto Gori del« l'anno 1789, nella quale si dice che questo quadretto dev'essere citato dal « Vasari come un'opera di Giotto esistita nella chiesa di Borgognissanti, ma « che trovossi più tardi nelle mani del ben noto Hudgford, che in fatti lo fece « incidere come opera di Giotto nella *Etruria Pittrice.* Adduco questo come una « notabile prova di quanto fossero deboli in quel tempo e la critica e la cogni« zione di simili quadri ». Dopo questa testimonianza del peritissimo e diligentissimo signor Waagen, non è da prestar fede allo Schorn, annotatore del Vasari tradotto in tedesco, quando dice di aver letto in questa tavoletta la iscrizione *Opus magistri Jocti*: della quale scritta non fecero menzione nè il Vasari nè quanti altri di essa parlarono. Forse è da credere che il nome di Giotto si trovi scritto in quella memoria apposta dietro a essa tavoletta da Lamberto Gori, persuaso che fosse quella dal Vasari descritta.

[1] Nell'edizione del 1568 leggesi replicatamente *piatea*, il che ci è sembrato di dover correggere in *platea*.

[2] *Il Villani, lib. XI, cap. 12, assegna il 18 di luglio come giorno della solenne fondazione di questo campanile.

circuito da basso, in giro, largo braccia cento, cioè braccia venticinque per ciascuna faccia; e l'altezza braccia cento quaranta quattro. E se è vero, che tengo per verissimo, quello che lasciò scritto Lorenzo di Cione Ghiberti; fece Giotto non solo il modello di questo campanile, ma di scultura ancora e di rilievo parte di quelle storie di marmo, dove sono i principii di tutte l'arti.[1] E Lorenzo detto afferma aver veduto modelli di rilievo di man di Giotto, e particolarmente quelli di queste opere: la qual cosa si può credere agevolmente, essendo il disegno e l'invenzione il padre e la madre di tutte quest'arti, e non d'una sola. Doveva questo campanile, secondo il modello di Giotto, avere per finimento sopra quello che si vede, una punta ovvero piramide quadra alta braccia cinquanta; ma, per essere cosa tedesca e di maniera vecchia, gli architettori moderni non hanno mai se non consigliato che non si faccia, parendo che stia meglio così. Per le quali tutte cose fu Giotto non pure fatto cittadino fiorentino, ma provvisionato di cento fiorini d'oro l'anno dal Comune di Firenze, ch'era in que' tempi gran cosa; e fatto provveditore sopra questa opera,[2] che fu seguitata dopo lui da Taddeo Gaddi, non essendo egli tanto vivuto che la potesse vedere finita. Ora, mentre che quest' opera si andava tirando innanzi, fece alle monache di San Giorgio una tavola;[3] e nella Badia di Firenze, in un arco sopra la porta di dentro la chiesa, tre mezze figure, oggi coperte di bianco per illuminare la chiesa. E nella

[1] Lo stesso affermò il Varchi nell'Orazione per l'esequie di Michelangiolo.

[2] * Il Baldinucci, nell'Apologia che segue alla Vita di Cimabue, riferisce una Provvisione della Repubblica Fiorentina, ottenuta nel 12 aprile 1334, colla quale è ordinato che sia eletto e deputato Giotto a capomaestro del lavorio e dell'opera della chiesa di Santa Reparata, della costruzione e perfezione delle mura e fortificazioni della città, e d'ogni e qualunque opera del Comune di Firenze. Questa Provvisione fu ristampata dal Gaye nel vol. I, p. 483, del *Carteggio inedito* ecc.

[3] * Questa tavola, che il Ghiberti dice perfettissima, ai tempi del Cinelli esisteva; ora non ne abbiamo più memoria.

sala grande del podestà di Firenze dipinse il Comune rubato da molti: dove, in forma di giudice con lo scettro in mano, lo figurò a sedere, e sopra la testa gli pose le bilance pari per le giuste ragioni ministrate da esso; aiutato da quattro virtù, che sono la Fortezza con l'animo, la Prudenza con le leggi, la Giustizia con l'armi, e la Temperanza con le parole: pittura bella, ed invenzione propria e verisimile.[1]

Appresso, andato di nuovo a Padoa, oltre a molte altre cose e cappelle ch'egli vi dipinse,[2] fece nel luogo dell'Arena[3] una Gloria mondana, che gli arrecò molto onore e utile. Lavorò anco in Milano alcune cose, che sono sparse per quella città, e che insino a oggi sono

[1] * Pittura che oggi non si vede più.

[2] * A Padova dipinse nella sala della Ragione; ma queste pitture dopo l'incendio del 1420 dovettero perire. Quelle che al presente si vedono, e che in trecento diciannove scompartimenti rappresentano i segni dello zodiaco, le faccende di ciascun mese, i pianeti, le inclinazioni dell'uomo, la vita umana ecc., sono opera, parte di un *Zuan Miretto Padovano*, e parte di un *Ferrarese*, come si rileva dall'Anonimo Morelliano. (Vedi Selvatico, *Guida di Padova*).

[3] Questo luogo è l'Oratorio dell'Annunziata, fatto edificare da Enrico Scrovegno nel 1303. Le pitture sono disposte in tre ordini di spartimenti: nel più alto si vedono rappresentati i fatti della vita della Madonna, e nei due inferiori quelli della vita di Gesù Cristo. Nel basamento sono dipinte a chiaroscuro le sette principali Virtù, e di faccia i Vizj contrarj. Sopra la porta è il Giudizio finale: anche la volta, azzurra e stellata, ha, a quando a quando, delle mezze figure di Santi. Non tutti questi affreschi (che sono moltissimi) mostrano di essere usciti dalla mano di Giotto; e sembrano in molte parti opera piuttosto dei suoi aiuti ed allievi. Giotto era in Padova nel 1306; dove Dante, che si trovava colà da qualche tempo, lo incontrò, come dice Benvenuto da Imola; il quale aggiunge che il pittor fiorentino era *assai giovane*. Delle due andate di Giotto a Padova potrebbesi muover dubbio colle espressioni di Michele Savonarola (*De Laudibus Patavii*, in Muratori, *Rer. Ital. Script.*, tom. XXIV, col. 1170). Egli, dopo aver nominato la cappella degli Scrovegni e il Capitolo del Santo, soggiunge: *Et tantum dignitas Civitatis eum commovit, ut maximam suae vitae partem in ea consumavit.* La quale notizia è di molta rilevanza, e degna anche di molta fede, perchè venuta da uno scrittore di coscienza, che scriveva in Padova appena un secolo dopo la morte di Giotto, e che poteva aver notizie esatte di lui. E sarebbe più ragionevole il credere, che quanto Giotto dipinse in Padova, fosse fatto non in due volte, ma in un tempo solo. Per una più estesa illustrazione di questo Oratorio, vedi la pregevole operetta del marchese P. Selvatico, intitolata: *Sulla Cappellina degli Scrovegni ecc., e su i freschi di Giotto* (Padova 1836, in-8 con tav.).

tenute bellissime.[1] Finalmente, tornato da Milano, non passò molto che, avendo in vita fatto tante e tanto belle opere, ed essendo stato non meno buon cristiano che eccellente pittore, rendè l'anima a Dio l'anno 1336,[2] con molto dispiacere di tutti i suoi cittadini, anzi di tutti coloro che non pure l'avevano conosciuto, ma udito nominare, e fu seppellito, siccome le sue virtù meritavano, onoratamente, essendo stato in vita amato da ognuno, e particolarmente dagli uomini eccellenti in tutte le professioni: perchè, oltre a Dante, di cui avemo di sopra favellato, fu molto onorato dal Petrarca, egli e l'opere sue; intanto che si legge nel testamento suo, ch'egli lascia al signor Francesco da Carrara, signor di Padoa, fra l'altre cose da lui tenute in somma venerazione, un quadro di man di Giotto, dentrovi una Nostra Donna, come cosa rara e stata a lui gratissima. E le parole di quel capitolo del testamento dicono così: *Transeo ad dispositionem aliarum rerum, et prædicto igitur domino meo Pa-*

[1] *Le pitture fatte a Milano da Giotto, chiamatovi da Azzone Visconti, furono indegnamente distrutte. Oggi in Milano non si conosce se non un quadro di Nostra Donna col putto, nella Pinacoteca di Brera, che porta scritto il suo nome così: OPVS MAGISTRI JOCTI FLORENTINI. Ma il signor G. Masselli notava, a pag. 1151-52 della edizione vasariana, fatta in Firenze negli anni 1832-33, che questo quadro non è se non la parte di mezzo dell'ancona che una volta era nella sagrestia di Santa Maria degli Angeli di Bologna, i cui laterali si conservano ora nella Pinacoteca di quella città. In essi sono figurati San Pietro, San Paolo, e gli Arcangeli Michele e Gabriele, e nello zoccolo, le immagini del Redentore, della Vergine e di tre Santi.

† Sarebbe per noi lunga faccenda e noiosa se dovessimo registrare tutte le opere che sotto il nome di Giotto, senza nessun fondamento di verità o di ragione, si veggono sparse per le Gallerie pubbliche e nelle Raccolte private d'Europa. Molte di quelle che il Vasari od altri ricordano, sono oggi perdute. Opera senza dubbio del maestro fiorentino, anche senza far caso dell'esservi scritto il suo nome, si dice quella tavoletta posseduta dalla principessa Orloff in Firenze, nella quale è rappresentata in piccole figure la Cena del Nostro Signore cogli Apostoli. In basso della tavoletta è questa iscrizione: *Hoc opus fecit fieri domina Iohanna uxor olim Gianni de Bardis pro remedio anime ipsius Gianni Magister Iocti (sic) de Florentia.*

[2] *Il Villani (lib. XI, cap. 12) registra la morte sua con queste parole: « Maestro Giotto tornato da Milano, che il nostro Comune ve l'avea mandato al servizio del signore di Milano, passò di questa vita a' dì 8 di gennaio 1336 ».

duano, quia et ipse per Dei gratiam non eget, et ego nihil aliud habeo dignum se, mitto tabulam meam sive historiam Beatæ Virginis Mariæ, opus Jocti pictoris egregii, quæ mihi ab amico meo Michaële Vannis de Florentia missa est, in cujus pulchritudinem ignorantes non intelligunt, magistri autem artis stupent: hanc iconem ipsi domino lego, ut ipsa Virgo benedicta sibi sit propitia apud filium suum Jesum Christum etc. Ed il medesimo Petrarca, in una sua pistola latina nel quinto libro delle Familiari, dice queste parole: *Atque (ut a veteribus ad nova, ab externis ad nostra transgrediar) duos ego novi pictores egregios, nec formosos, Joctum Florentinum civem, cujus inter modernos fama ingens est, et Simonem Senensem. Novi scultores aliquot etc.* Fu sotterrato in Santa Maria del Fiore, dalla banda sinistra entrando in chiesa, dove è un matton di marmo bianco per memoria di tanto uomo. E, come si disse nella Vita di Cimabue, un comentator di Dante, che fu nel tempo che Giotto viveva, disse: « Fu ed è Giotto tra i « pittori il più sommo della medesima città di Firenze, « e le sue opere il testimoniano a Roma, a Napoli, a Vi- « gnone, a Firenze, a Padova e in molte altre parti del « mondo ».

I discepoli suoi furono Taddeo Gaddi, stato tenuto da lui a battesimo, come s'è detto; e Puccio Capanna fiorentino, che in Rimini, nella chiesa di San Cataldo dei Frati Predicatori, dipinse perfettamente in fresco un voto d'una nave che pare che affoghi nel mare, con uomini che gettano robe nell'acqua; de' quali è uno esso Puccio. ritratto di naturale, fra un buon numero di marinari. Dipinse il medesimo in Ascesi nella chiesa di San Francesco molte opere dopo la morte di Giotto:[1] ed in Fiorenza, nella chiesa di Santa Trinita, fece allato alla porta di fianco, verso il fiume, la cappella degli Strozzi, dove

[1] Le pitture da lui fatte in Assisi dopo la morte di Giotto si sono in buona parte conservate.

è in fresco la Coronazione della Madonna, con un coro d'Angeli, che tirano assai alla maniera di Giotto; e dalle bande sono storie di Santa Lucia, molto ben lavorate.[1] Nella Badia di Firenze dipinse la cappella di San Giovanni Evangelista, della famiglia de' Covoni, allato alla sagrestia;[2] ed in Pistoia fece a fresco la cappella maggiore della chiesa di San Francesco,[3] e la cappella di San Lodovico, con le storie loro, che sono ragionevoli.[4] Nel mezzo della chiesa di San Domenico della medesima città è un Crocifisso, una Madonna e un San Giovanni, con molta dolcezza lavorati; e ai piedi un'ossatura di morto intera; nella quale, che fu cosa inusitata in que' tempi, mostrò Puccio aver tentato di vedere i fondamenti dell'arte. In quest'opera si legge il suo nome, fatto da lui stesso, in questo modo: PUCCIO DI FIORENZA ME FECE.[5] È di sua mano ancora in detta chiesa, sopra la porta di Santa Maria Nuova, nell'arco, tre mezze figure; la Nostra Donna col Figliuolo in braccio, e San Piero da una banda, e dall'altra San Francesco.[6] Dipinse ancora nella già detta città d'Ascesi, nella chiesa di sotto di San Francesco, alcune storie della passione di Gesù Cristo in fresco, con buona pratica e molto risoluta; e nella cappella della chiesa di Santa Maria degli Angeli, lavorata a fresco, un Cristo in gloria, con la Vergine che lo priega pel popolo cristiano: la quale opera, che è assai buona, è tutta affu-

[1] Cappella che poi fu rimodernata, ed ove dipinse la tavola l'Empoli, e i freschi il Poccetti. Delle pitture del Capanna nulla vi rimase.

[2] Anche questa fu poi tutta rimodernata.

[3] Le pitture di questa cappella furono poi tutte imbiancate, tranne una santa Maria Egiziaca, che si conserva in un armadio destinato al servizio dell'altare.

[4] Le storie di san Lodovico e di altri Santi sono benissimo conservate. Era in San Francesco anche un Crocifisso del Capanna, simile a quello fatto da Giotto per la chiesa d'Ognissanti, e fu venduto ad un mercante. Nel Capitolo del convento sono le *Capannucce* istituite da san Francesco, ed altre storie dipinte in parte dal Capanna, e terminate (credesi) da Antonio Vite.

[5] Di questo Cristo colla Madonna e san Giovanni non si sa quel che ne sia avvenuto.

[6] Queste tre mezze figure sono invece sopra la porta di San Francesco.

micata dalle lampane e dalla cera che in gran copia vi si arde continuamente. E di vero, per quello che si può giudicare, avendo Puccio la maniera e tutto il modo di fare di Giotto suo maestro, egli se ne seppe servire assai nell'opere che fece; ancorchè, come vogliono alcuni, egli non vivesse molto, essendosi infermato e morto per troppo lavorare in fresco. È di sua mano, per quello che si conosce, nella medesima chiesa la cappella di San Martino, e le storie di quel Santo lavorate in fresco per lo cardinal Gentile. Vedesi ancora, a mezza la strada nominata Portica, un Cristo alla colonna; ed in un quadro, la Nostra Donna, e Santa Caterina e Santa Chiara che la mettono in mezzo. Sono sparte in molti altri luoghi opere di costui: come, in Bologna, una tavola nel tramezzo della chiesa,[1] con la passion di Cristo, e storie di San Francesco; e, insomma, altre che si lasciano per brevità. Dirò bene, che in Ascesi, dove sono il più dell'opere sue, e dove mi pare che egli aiutasse a Giotto a dipignere, ho trovato che lo tengono per loro cittadino, e che ancora oggi sono in quella città alcuni della famiglia de' Capanni. Onde facilmente si può credere che nascesse in Firenze, avendolo scritto egli, e che fusse discepolo di Giotto; ma che poi togliesse moglie in Ascesi, che quivi avesse figliuoli, e ora vi siano discendenti. Ma perchè ciò sapere appunto non importa più che tanto, basta che egli fu buon maestro.

Fu similmente discepolo di Giotto, e molto pratico dipintore, Ottaviano da Faenza, che in San Giorgio di Ferrara, luogo de' monaci di Monte Oliveto, dipinse molte cose; ed in Faenza, dove egli visse e morì, dipinse nell'arco sopra la porta di San Francesco una Nostra Donna, e San Piero e San Paolo; e moltre altre cose in detta sua patria ed in Bologna.

[1] *In qual chiesa? Il Vasari si dimenticò di dirlo. Forse si può congetturare che fosse in San Francesco.

Fu anche discepolo di Giotto Pace da Faenza, che stette seco assai e l'aiutò in molte cose: ed in Bologna sono di sua mano, nella facciata di fuori di San Giovanni decollato, alcune storie in fresco. Fu questo Pace valentuomo, ma particolarmente in fare figure piccole: come si può insino a oggi veder nella chiesa di San Francesco di Forlì, in un albero di Croce, e in una tavoletta a tempera, dove è la vita di Cristo e quattro storiette della vita di Nostra Donna; che tutte sono molto ben lavorate. Dicesi che costui lavorò in Ascesi in fresco, nella cappella di Sant'Antonio, alcune istorie della vita di quel Santo, per un duca di Spoleti ch'è sotterrato in quel luogo con un suo figliuolo: essendo stati morti in certi sobborghi d'Ascesi combattendo, secondo che si vede in una lunga inscrizione che è nella cassa del detto sepolcro.[1] Nel vecchio libro della Compagnia de'dipintori si trova essere stato discepolo del medesimo un Francesco detto di maestro Giotto; del quale non so altro ragionare.[2]

Guglielmo da Forlì fu anch'egli discepolo di Giotto; ed oltre a molte altre opere, fece in San Domenico di Forlì sua patria la cappella dell'altar maggiore.[3] Furono anco discepoli di Giotto, Pietro Laureati, Simon Memmi sanesi,[4] Stefano fiorentino, e Pietro Cavallini romano. Ma perchè di tutti questi si ragiona nella Vita di ciascun di loro, basti in questo luogo aver detto che furono discepoli di Giotto: il quale disegnò molto bene nel suo tempo,

[1] Ci fu additata in Faenza, dice il Lanzi, come opera di questo Pace un antica imagine di Nostra Donna nella chiesa che fu già dei Templari.

[2] Fra i maestri che lavorarono di scultura al Duomo d'Orvieto nel 1345, trovo, dice il Della Valle nella *Storia* di quel Duomo, un Angiolino di maestro Giotto Fiorentino.

[3] Questo Guglielmo, che fu il più antico pittore di Forlì, e trovasi pur chiamato Guglielmo degli Organi, fece in sua patria, dice il Lanzi, alcune pitture anche a'Francescani. Non par che siasi conservata di lui pittura alcuna.

[4] Il Laurati, ossia il Lorenzetti, e Simone da Siena (vedine più oltre le Vite) non furono certo scolari di Giotto.

e di quella maniera; come ne fanno fede molte cartepecore disegnate di sua mano di acquerello, e profilate di penna e di chiaro e scuro, e lumeggiate di bianco, le quali sono nel nostro Libro de' disegni;[1] e sono, a petto a quelli de' maestri stati innanzi a lui, veramente una maraviglia.

Fu, come si è detto, Giotto ingegnoso[2] e piacevole molto, e ne' motti argutissimo, de' quali n' è anco viva memoria in questa città;[3] perchè, oltre a quello che ne scrisse messer Giovanni Boccaccio, Franco Sacchetti nelle sue trecento Novelle ne racconta molti e bellissimi; dei quali non mi parrà fatica scriverne alcuni con le proprie parole appunto di esso Franco, acciò con la narrazione della Novella si veggano anco alcuni modi di favellare e locuzioni di que' tempi. Dice dunque in una,[4] per mettere la rubrica:

« *A Giotto gran dipintore è dato un palvese a dipignere da*
« *un uomo di picciol affare. Egli facendosene scherne, lo*
« *dipigne per forma che colui rimase confuso.*

« Ciascuno può avere già udito chi fu Giotto, e quanto « fu gran dipintore sopra ogni altro. Sentendo la fama

[1] * Su questo libro di disegni, vedi la nota fatta alla Vita di Cimabue.

[2] * Giotto fu anche poeta: ed in vero, un pittore di così eccellente ed inventivo ingegno non è da maravigliare se fu anche trovatore di rime. Il barone di Rumhor il primo dette alla luce (*Italienische Forschungen*, tom. II, pag. 51) una sua canzone in lode della Povertà, da lui scoperta nella Biblioteca Laurenziana; nella quale i generosi concetti e alti sensi sono vestiti di una molto nobile forma poetica. Il professor Rosini stampò novamente questa poesia di Giotto (l'unica che si conosca) nel tomo I della sua *Storia della Pittura Italiana ecc.* Ma perchè sì l'una come l'altra opera non possono andar per le mani d'ogni condizione di lettori, abbiamo creduto far cosa grata ripubblicandola in fine di questa Vita (V. pag. 426), giovandoci della ristampa fattane dal Trucchi nel vol. II della sua Raccolta di Poesie, sopra l'esemplare di un codice Riccardiano, che dà buone varianti.

[3] Da questo tornare addietro, che qui e altrove fa il Vasari, per riparlar di cose, delle quali ha già parlato, raccogliesi ch' egli andava facendo alle sue Vite or una or altre aggiunte, che non sempre, per vero dire, gli veniva fatto di collocare a suo luogo.

[4] Novella LXII.

« sua un grossolano artefice, ed avendo bisogno, forse per
« andare in castellaneria, di far dipignere uno suo palvese,
« subito n'andò alla bottega di Giotto, avendo chi li por-
« tava il palvese drieto, e giunto dove trovò Giotto,
« disse: Dio ti salvi, maestro: io vorrei che mi dipignessi
« l'arme mia in questo palvese. Giotto, considerando e
« l'uomo e 'l modo, non disse altro se non: Quando il
« vuo' tu? e quel ghele disse. Disse Giotto: Lascia far a
« me. E partissi. E Giotto, essendo rimaso pensa fra se
« medesimo: Che vuol dir questo? sarebbemi stato man-
« dato costui per ischerne? sia che vuole; mai non mi fu
« recato palvese a dipignere. E costui che 'l reca, è un
« omiciatto semplice, e dice ch'io gli facci l'arme sua,
« come se fosse de' reali di Francia. Per certo, io gli debbo
« fare una nuova arme. E, così pensando fra se mede-
« simo, si recò innanzi il detto palvese, e, disegnato quello
« gli parea, disse a un suo discepolo desse fine alla di-
« pintura; e così fece. La quale dipintura fu una cervel-
« liera, una gorgiera, un paio di bracciali, un paio di
« guanti di ferro, un paio di corazze, un paio di cosciali
« e gambernoli, una spada, un coltello ed una lancia.
« Giunto il valente uomo, che non sapea chi si fusse, fassi
« innanzi e dice. Maestro, è dipinto quel palvese? Disse
« Giotto: Sì bene. Va', recalo giù. Venuto il palvese, e
« quel gentiluomo per procuratore il comincia a guar-
« dare, e dice a Giotto: Oh che imbratto è questo che
« tu m'hai dipinto? Disse Giotto: E' ti parrà bene im-
« bratto al pagare. Disse quegli: Io non ne pagherei
« quattro danari. Disse Giotto: E che mi dicestù ch'io
« dipignessi? E quel rispose: L'arme mia. Disse Giotto:
« Non è ella qui? mancacene niuna? Disse costui: Ben
« istà. Disse Giotto: Anzi sta mal, che Dio ti dia, e dèi
« essere una gran bestia; che chi ti dicesse, chi se' tu,
« appena lo sapresti dire, e giungi qui e di': dipignimi
« l'arme mia. Se tu fussi stato de' Bardi, sarebbe bastato.

« Che arme porti tu? di qua' se' tu? chi furono gli an« tichi tuoi? deh, che non ti vergogni? comincia prima « a venire al mondo, che tu ragioni d'arma, come s'tu « fussi il Dusnam (il *Duca Namo*) di Baviera Io t'ho « fatta tutta armadura sul tuo palvese: se ce n'è più « alcuna, dillo, ed io la farò dipignere. Disse quello: Tu « mi di' villania, e m' hai guasto un palvese. E partesi, « e vassene alla Grascia, e fa richieder Giotto. Giotto « comparì, e fa richieder lui, addomandando fiorini dua « della dipintura: e quello domandava a lui. Udite le ra« gioni, gli ufficiali, che molto meglio le dicea Giotto, giu« dicarono che colui si togliesse il palvese suo così di« pinto, e desse lire sei a Giotto, perocch'egli avea ra« gione. Onde convenne togliesse il palvese e pagasse, e fu « prosciolto. Così costui, non misurandosi, fu misurato ».[1]

Dicesi che stando Giotto ancor giovinetto con Cimabue, dipinse una volta in sul naso d'una figura ch'esso Cimabue avea fatta, una mosca tanto naturale, che tornando il maestro per seguitare il lavoro, si rimise più d'una volta a cacciarla con mano, pensando che fusse vera, prima che s'accorgesse dell'errore.[2] Potrei molte altre burle fatte da Giotto e molte argute risposte raccontare: ma voglio che queste, le quali sono di cose pertinenti all'arte, mi basti aver detto in questo luogo, rimettendo il resto al detto Franco ed altri.[3]

Finalmente, perchè restò memoria di Giotto non pure nell'opere che uscirono delle sue mani, ma in quelle ancora che uscirono di mano degli scrittori di que' tempi;

[1] Quando il Vasari scriveva, le Novelle del Sacchetti non erano ancora a stampa Quindi ei riporto intera questa che abbiamo letta, e non quella del Boccaccio, benche tanto più onorifica per Giotto

[2] In ogni vita di pittor celebre ci deve essere qualcuna di queste novellette.

[3] Lo stesso Franco, Nov LXXV, racconta ciò ch'e compendiato nel titolo di detta Novella così « A Giotto dipintore, andando a sollazzo con certi, vien per caso ch'è fatto cadere da un porco Dice un bel motto; e domandato d'un altra cosa, ne dice un altro » La novella e riportata dal Baldinucci, che pur riferisce di lui un altro motto più bello narrato da Benvenuto da Imola

essendo egli stato quello che ritrovò il vero modo di dipingere, stato perduto innanzi a lui molti anni; onde, per pubblico decreto, e per opera ed affezione particolare del magnifico Lorenzo vecchio dei Medici, ammirate le virtù di tanto uomo, fu posta in Santa Maria del Fiore l'effigie sua scolpita di marmo da Benedetto da Maiano scultore eccellente, con gli infrascritti versi fatti dal divino uomo messer Angelo Poliziano;[1] acciocchè quelli che venissero eccellenti in qualsivoglia professione, potessero sperare d'avere a conseguire da altri di queste memorie, che meritò e conseguì Giotto dalla bontà sua largamente:

Ille ego sum, per quem pictura extincta revixit,
Cui quam recta manus, tam fuit et facilis.
Naturæ deerat nostræ quod defuit arti:
Plus licuit nulli pingere, nec melius.
Miraris turrim egregiam sacro ære sonantem?
Hæc quoque de modulo crevit ad astra meo.
Denique sum Jottus, quid opus fuit illa referre?
Hoc nomen longi carminis instar erit.

E perchè possino coloro che verranno, vedere dei disegni di man propria di Giotto, e da quelli conoscere maggiormente l'eccellenza di tanto uomo; nel nostro già detto Libro ne sono alcuni maravigliosi, stati da me ritrovati con non minore diligenza che fatica e spesa.

[1] Cinque altri epigrammi, parte editi e parte inediti, furon fatti dal Poliziano prima di questo, del quale poi si contentò.

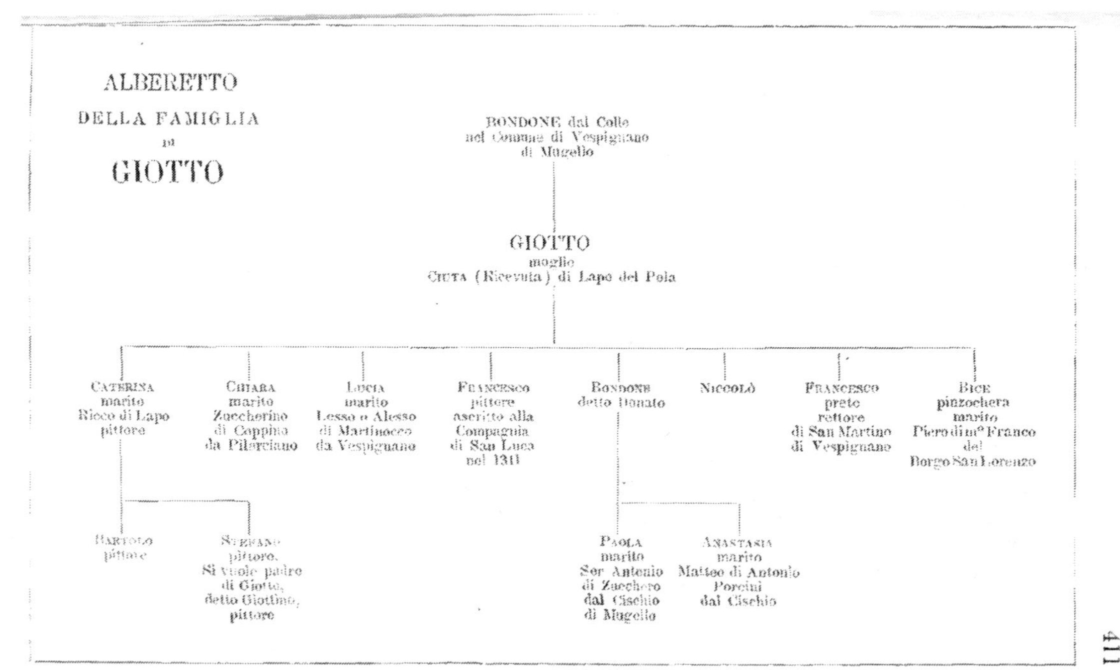

ALBERETTO
DELLA FAMIGLIA
DI
GIOTTO
BONDONE dal Colle
nel Comune di Vespignano
di Mugello
GIOTTO
moglie
CIUTA (Ricevuta) di Lapo del Pela
CATERINA
marito
Ricco di Lapo
pittore
CHIARA
marito
Zuccherino
di Coppino
da Pilarciano
LUCIA
marito
Lesso o Alesso
di Martinocco
da Vespignano
FRANCESCO
pittore
ascritto alla
Compagnia
di San Luca
nel 1341
BONDONE
detto Donato
NICCOLÒ
FRANCESCO
prete
rettore
di San Martino
di Vespignano
BICE
pinzochera
marito
Piero di m° Franco
del
Borgo San Lorenzo
BARTOLO
pittore
STEFANO
pittore.
Si vuole padre
di Giotto,
detto Giottino,
pittore
PAOLA
marito
Ser Antonio
di Zucchero
dal Cischio
di Mugello
ANASTASIA
marito
Matteo di Antonio
Porcini
dal Cischio

COMMENTARIO

ALLA VITA DI GIOTTO

PARTE PRIMA

Del ritratto di Dante Alighieri nella cappella del palazzo del Podestà di Firenze

Allorchè, richiesti dal Ministro della Pubblica Istruzione di ricercare qual fosse il più autentico ritratto dell'Alighieri, dettammo nel 1865, in compagnia del compianto cav. Passerini, quel Rapporto che fu stampato nel numero 17 del giornale intitolato *Il Centenario di Dante*, nel quale, sotto brevità e per sommi capi, erano esposte le ragioni e gli argomenti che ci facevano anteporre al ritratto in fresco della cappella del Palazzo del Potestà, celebratissimo perchè creduto della mano di Giotto, l'altro in miniatura del codice Riccardiano 1040; vennero fuori subito da più parti scritture che all'una o all'altra delle cose discorse da noi contraddicevano. E siccome tra quelle scritture alcune ci parvero degne di maggior considerazione, dell'altre così stimammo debito nostro di risponderví con un secondo Rapporto, del quale abbiamo creduto opportuno di riprodurre qui le parti principali e più importanti.

Non è invero maraviglia che nelle dette scritture uomini pratici ed intendenti delle cose dell'arte, e appassionati ammiratori di Giotto, mostrassero di male acconciarsi a confessare per falsa una credenza, da loro insieme coll'universale stata sempre riputata per vera; e molto meno è da meravigliare che la maggiore e più calda opposizione ci venisse da chi ben conosce quanto importasse al suo amor proprio d'autore e d'artista, ed alla riputazione meritamente acquistatasi di abile conoscitore delle maniere degli antichi maestri, che non fosse da lasciar passare, senza combatterla con tutti i mezzi che l'arte e la pratica gli prestavano, la nostra opinione.

Nè si pensi che per questa loro opposizione provassimo sdegno o fastidio, chè anzi ne avemmo piacere grandissimo, perchè ci diede e ci dà tuttavia il modo di rispondervi con nuovi e sempre più validi argomenti.

Solamente avremmo desiderato che non avessero preso ad oppugnare piuttosto l'una che l'altra, ma tutte insieme le nostre ragioni; considerando che esse sono tra loro strette e concatenate in modo che si danno e ricevono scambievole forza ed aiuto, e che così unite concorrono alla dimostrazione del nostro assunto, meglio che non farebbero divise.

Ad ogni modo, tenendo fermi i principali argomenti già da noi portati in appoggio della nostra opinione, e richiamando i nostri avversarj a meglio considerarli, perchè crediamo che anche così soli come sono, basterebbero a darci vinta la prova; passeremo ad esaminare le più forti ragioni, colle quali essi s'argomentano di combatterci.

E per cominciare dalla prima, essi credono che non sia da menarci buona la osservazione, che qualora le pitture della cappella del Potestà fossero state fatte da Giotto nel 1295, o, come altri vuole, tra il 1300 e il 1304, le avrebbe distrutte l'incendio che a'28 di febbraio del 1332 *arse*, come dice il Villani, *il tetto del vecchio palazzo* (del Podestà) *e le due parti del nuovo, dalla prima volta in su*; giudicando essi che il fuoco poteva ben distruggere i tetti e i palchi di legname, ma non mai la muraglia tanto solida di quel palazzo. A ciò si risponde: che se il fuoco non ridusse in cenere le mura, come aveva fatto de' tetti, potè e dovette grandemente guastarle, cocendole e affumicandole. E che il fuoco avrebbe certamente cagionato questo danno alle pareti dipinte, si prova per quello che è accaduto nel moderno restauro del detto palazzo, dove è stato giocoforza di gettare a terra la pittura in fresco d'una stanza terrena, perchè per essere assai malconcia dal fumo si conobbe che non ci valeva restauro. Ed è anche da pensare nel caso presente, che il guasto incominciato dal fuoco sarebbe stato compito dal martello e dalla cazzuola del muratore, quando dopo l'incendio fu ordinato (aggiunge il Villani) che il palazzo *si rifacesse tutto in volta insino ai tetti*; essendo incredibile, che mettendosi in volta la cappella, se v'erano pitture, si fossero potute conservare. Mentre oggi chi guarda quelle pitture, le giudica d'un medesimo tempo.

Affermano ancora che esse pitture *si avrebbero a ritenere di Giotto sicuramente, perchè le dissero tali il Villani e Giannozzo Manetti, e più lo attestano la maniera, e se così possiamo dire, la cifra piuttosto di Giotto, che non di Taddeo Gaddi, che specialmente nella proporzione delle figure, nella forma degli occhi, nella scarsa fronte, e nella nuca scarsissima anch'ella, tiene modo diverso.* Ai quali argomenti, perchè si fondano sulle ragioni dell'arte, noi non vogliamo nè possiamo contradire: solamente ci sia permesso di osservare, che se quelle pitture non si hanno da dire del Gaddi, perchè non potranno essere di qualche altro scolare di Giotto, stato così valente imitatore della maniera del maestro, da ingannare l'occhio anche del più pratico e franco conoscitore?

Finalmente essi sostengono che quelle pitture sieno state fatte tra il 1300 e il 1304, cioè quando, a detto loro, fu pace in Firenze per opera del cardinale Matteo d'Acquasparta legato del papa; stimandosi che la figura ritta in piè, vestita di rosso, e col cappello rosso in testa, dipinta dal lato destro, e presso la finestra della parete di testa della cappella, rappresenti il detto cardinale. Ma a chi è mezzanamente informato della storia fiorentina parrà strano che si dica aver la nostra città goduto pace in que' tempi. Al contrario testimonia la storia che la venuta dell'Acquasparta nel 1300 non riuscì a niente, nè impedì che due anni dopo i Bianchi fossero banditi da Firenze, nè che per la cacciata loro non risorgessero più fiere le discordie cittadine tra i grandi e i popolari della parte Nera. Zuffe sanguinose furono tra loro nel 1304; e nel 1308 Corso Donati capo de' grandi di quella fazione, venuto in odio de' popolari per la sua superbia, fu assalito nelle sue case, e poi fuggitosi dalla città, morto miseramente a San Salvi. Nè questo solo bastò: chè alle cagioni interne se ne aggiunsero altre di fuori, quando per due volte gli usciti Bianchi tentarono di ritornare in Firenze. Su questa congettura adunque, alla quale così chiaramente contradice la storia, non possono i nostri oppositori fare fondamento nessuno per assegnare alle pitture della cappella, e per conseguente al ritratto di Dante, il tempo e l'occasione che dicono.

Vediamo ora se la testimonianza degli antichi scrittori, della quale essi si fanno un'arme contro di noi, giovi più alla costoro opinione che alla nostra.

Filippo Villani in quella sua operetta latina che intitolò *De origine civitatis Florentiae et eiusdem famosis civibus*, scrivendo di Giotto, usa in un luogo queste precise parole: *Pinxit insuper speculorum suffragio semetipsum, sibique contemporaneum Dantem* IN TABULA ALTARIS CAPELLE PALATII POTESTATIS. Dunque nella tavola dell'altare, e non nella parete della cappella del Potestà, Giotto aveva dipinto sè stesso e l'amico suo Dante. E che un tempo sia stata in quel luogo una tavola dipinta, è confermato ancora dall'inventario del palazzo del Podestà fatto nel 1382, nel quale tra l'altre masserizie della cappella è: *Una tavola dipinta che sta in sull'altare.* Ma sul principiare del secolo XV la tavola dovette essere stata tolta dall'altare e da quel luogo, perchè colui che volgarizzò, o meglio parafrasò l'operetta del Villani, traduce quel passo così: *Dipinse eziandio al pubblico spettacolo nella città sua coll'aiuto di specchi sè medesimo e il contemporaneo suo Dante Alighieri poeta, nella cappella del palagio del Po-*

testà IN MURO. Ora se il volgarizzatore mutò le parole del testo latino *in tabula altaris*, in quelle che dicono *in muro*; fecelo, perchè a' suoi giorni, levata la tavola dell'altare non rimanevano che le pitture in muro, dove di fatto era dipinto il poeta. E che così fosse, apparisce anche meglio dal seguente passo di Giannozzo Manetti nella Vita di Dante: *Coeterum eius effigies et in Basilica Sanctae Crucis, et in cappella Pretoris Urbani, utrobique in parietibus, extat*: EA FORMA, QUA REVERA IN VITA FUIT A GIOTTO, QUODAM OPTIMO EIUS TEMPORIS PICTORE, EGREGIE DEPICTA. Alle quali parole noi crediamo che non si possa dare spiegazione diversa da questa: cioè, che in Santa Croce e nella cappella del Podestà erano due ritratti di Dante, ambidue in muro, cavati da quello che Giotto aveva fatto di naturale al poeta; chiaro essendo per noi che il Manetti abbia voluto intendere di quello dipinto dal Gaddi in Santa Croce e dell'altro che tuttavia si vede sulla parete della cappella predetta. Dal che s'inferisce, che se a' tempi del Manetti fosse stata tuttavia in essere la tavola dell'altare, dove, secondo il Villani, Giotto aveva dipinto sè stesso e l'amico, egli avrebbe dovuto ricordare l'originale, piuttostochè le copie di quel ritratto. Di più, se volessimo intendere diversamente le sue parole, ne verrebbe ancora questa falsissima conseguenza; cioè che il Manetti avrebbe attribuito a Giotto non solo il ritratto in fresco della cappella, ma ancora l'altro che una volta si vedeva in Santa Croce, dipinto dal Gaddi, come sappiamo dal Ghiberti e dal Vasari.

Ma in processo di tempo anche il ritratto in fresco della cappella fu dimenticato: ne tacciono Lionardo Aretino e Gio. Mario Filelfo nelle loro Vite dell'Alighieri, mentre ricordano e celebrano l'altro di Santa Croce. Dice infatti l'Aretino: *L'effigie sua propria si vede nella chiesa di Santa Croce, quasi nel mezzo della chiesa dalla mano sinistra, andando verso l'altar maggiore. È ritratto al naturale ottimamente per dipintore perfetto di quel tempo.* Più chiaro e più pieno è a questo proposito il Filelfo, scrivendo così: *Huius simulacrum (quandoquidem esse arbitror numen) Florentiae apud Sacrum est Sanctae Crucis, ad eorum sinistram qui ecclesiam ingressi, ad maius proficiscuntur altare. Estque communis cunctorum opinio, verum effigiem esse ac faciem pene propriam atque naturalem, ut eorum parentes nepotibus retulerunt, qui vivum videre Dantem.*

Quanto poi al Ghiberti, ecco le sue parole: *Dipinse* (Giotto) *nel palagio del Podestà di Firenze: dentro fece il Comune com'era rubato, e la cappella di Santa Maria Maddalena*: ed è maraviglia che ragionando di Giotto e delle pitture sue nel palazzo del Podestà non dica niente del ritratto di Dante; mentre poi ricorda quello dipinto da Taddeo Gaddi in Santa Croce. Ma i nostri oppositori potrebbero credere che dicendosi dal Ghiberti aver Giotto dipinto la cappella di Santa Maria Maddalena, abbia implicitamente inteso anche di parlare del ritratto del poeta che è in fresco in una di quelle pitture. Ma noi invece non interpetriamo quelle sue parole *e la cappella di Santa Maria Maddalena*, per le pitture delle pareti di essa, sibbene per la tavola dell'altare, dove è ragionevole che la figura della Santa avesse il luogo principale, se al suo nome era intitolata la cappella. Forse parrà nuova ed anche strana questa nostra interpetrazione: ma a' molti esempi che si potrebbero addurre per prova, cioè che ai tempi del Ghiberti, od anche innanzi, la tavola del principale altare d'una chiesa, o d'un oratorio, con tutti i suoi fornimenti di civori, compassi, tabernacoletti ed altro, era chiamata *cappella*, bastino questi tre che noi caviamo dalle iscrizioni poste sotto ad alcune tavole antiche della Galleria dell'Accademia delle Belle Arti in Firenze.

Nella sala detta della Esposizione sotto il n° 40 è una tavola d'ignoto pittore sel secolo XIV, già nella chiesa degli Angeli, nella quale si legge in basso: ISTAM CAPPELLAM FECIT FIERI IOHANNES GHIBERTI PRO ANIMA SVA. A. D. MCCCLXV. — Altra sotto il n° 18, parimente d'ignoto pittore del secolo XIV, ha questa iscrizione: MONNA MARGHERITA . FIGLIVOLA . CHE . FV . DI NERI . DETTO..... (*ha . fatta . fare . questa . tav*) OLA . E CHAPPELLA . PERIMEDIO . DELLANIMA . SVA . E . DE . SVOI. — La terza tavola segnata col n° 5, anch'essa d'ignoto pittore del medesimo secolo, e che fu nella detta chiesa degli Angeli, porta questa leggenda: A . MCCCLXIIII . BINDVS . CONDAM . LAPI . BENINI. FECIT . FIERI . HANC . CAPPELLAM . PRO . REMEDIO . ANIME . SVE .

Ora se il Ghiberti, con quella espressione, *e la cappella di Santa Maria Maddalena*, intese propriamente della tavola dipinta senza dubbio da Giotto per l'altare della cappella, e non delle pitture in muro di essa, non resta ai nostri oppositori neppur quest'una delle testimonianze antiche che avvalori la loro opinione; mentre tutte o nell'un modo o nell'altro concorrono a rafforzare la nostra. Oltracciò vogliamo notare, che mentre nella tavola dell'altare della cappella era, secondo il Villani, insieme col ritratto dell'Alighieri, anche quello di Giotto, che egli si era fatto allo specchio; questo suo ritratto non si vede nella pittura in fresco; e quello di lui che è nell'opera del Vasari si può credere che egli lo cavasse dalla pittura del Gaddi in Santa Croce, o meglio dalla tavoletta di Paolo Uccello, dove dipinse i ritratti di cinque famosi uomini fiorentini, oggi conservata nella Galleria del Louvre.

Così ci pare d'aver mostrato che Giotto dipinse sè stesso e l'amico suo Dante nella tavola e non sulla parete della cappella del Podestà. Che se noi avessimo, come pur troppo non abbiamo, il modo di formare una esatta, sicura e continuata cronologia delle opere di Giotto, ci sarebbe molto più agevole di assegnare il tempo di quella tavola. Ma questa cronologia, nella scarsità grande di scritture e di memorie sarà sempre difficilissima, per non dire impossibile. La tentò il Rosini, ma, al nostro parere, infelicemente, perchè invece di mettervi ordine e luce, non riuscì che ad accrescerle confusione ed oscurità. Nondimeno rispetto alla detta tavola ci pare di poter congetturare che essa sia stata fatta nel 1326, nel quale anno la Repubblica spese grosse somme di danaro per assettare ed ornare il Palazzo del Podestà, destinato per abitazione di Carlo duca di Calabria, nuovo signore della città. E questa nostra congettura trova appoggio nella ragione, la quale, sebbene non sia avvertita o curata dai nostri oppositori, è nondimeno di gran valore nella presente questione; cioè che Giotto solamente dopo la morte dell'Alighieri avrebbe potuto dipingere in quel luogo pubblico le sembianze di Dante, dopochè agli odj crudeli che lo avevano condannato a menare per venti anni, tra i dolori dell'esilio e le angustie della povertà, vita raminga e disagiata, e in ultimo a morire lontano dalla ingrata patria; era succeduta altissima ammirazione pel grande cittadino e poeta, la cui Commedia fu solo allora divulgata, letta e studiata da tutti. Nè faccia difficoltà l'aver detto che l'incendio del 1332 arse il palazzo, e ne distrusse i tetti e le masserizie; perchè ben potè essere, che la tavola di Giotto fosse sottratta al furore del fuoco, e salvata. Certo se così non fosse stato, noi non la troveremmo tuttavia ricordata nell'inventario del 1382, e dal Villani.

Ma è tempo ormai che veniamo a descrivere le pitture in fresco della cappella, ed a notare tuttociò che meglio può conferire alla prova e dimostrazione del nostro assunto.

Nella parete di testa divisa in mezzo da una grande finestra, è rappresentato il Paradiso con tre ordini di figure, l'uno sopra l'altro: nel più alto sono i Cherubini, nel mezzano i Santi e le Sante, in quel da basso molti personaggi, varj d'età, di foggie e di condizione. Presso alla finestra dal lato destro di chi guarda, è in maestà una figura incoronata, e dal sinistro un'altra figura, parimente in maestà, vestita di rosso, e col cappello rosso in testa. Nella figura reale tutto fa credere che sia effigiato Roberto d'Anjou re di Napoli, e in quella di cardinale, messer Bertrando del Poggetto, fin dal 1333 legato in Italia di papa Giovanni XXII, e poi di Benedetto XII. Poco distante dal re Roberto è l'Alighieri, il quale dalla tinta della carnagione più calda ed unita che non sia quella delle altre figure, si conosce subito essere stato restaurato. Sotto il cardinale è il Potestà inginocchiato; sotto il re, un altro personaggio del pari inginocchiato, che non si vede bene chi sia, per esser caduta la testa insieme coll'intonaco, ma dalla foggia, e più dal colore violetto della veste, si può riconoscere d'uomo di Chiesa, e forse del Vescovo di Firenze.

Nella parete laterale alla destra di chi guarda, sono dipinte su due ordini alcune storie della vita di santa Maria Maddalena, le quali dopo esser rimaste interrotte dalla rappresentazione dell' Inferno, che è a capo della porta che mette nella cappella, ripigliano poi e hanno fine nell'altra parete alla sinistra. Nella quale sono due finestre grandi divise l'una dall'altra da un pilastro di non molta larghezza, su cui è dipinta la figura di un Santo martire, che la sottoposta iscrizione latina, messa in una cartella di finta pietra, scopre essere di san Venanzio. Questa iscrizione, che è assai guasta, si conosce da alcune poche parole, che si sono potute intendere, che è una invocazione o preghiera rivolta al Santo. Nell'ultimo verso a fatica si legge: DNI . M . CCC . XXX.... che doveva dire M . CCC . XXXVII.

Alquanto più sotto alla detta iscrizione, e precisamente dentro la fascia che ricinge lo zoccolo, è un'altra iscrizione, che si stende per quanto è largo il pilastro, ma in lettere più grandi ed eleganti, la quale, sciolta dalle sue abbreviature, dice così: HOC . OPVS . FACTVM . FVIT . TEMPORE . POTESTARIE . MAGNIFICI . ET . POTENTIS . MILITIS . DOMINI . FIDESMINI . DE . VARANO . CIVIS . CAMERINENSIS . HONORABILIS . POTESTATIS.... (il resto manca).

Ora sapendosi da' Registri de' Potestà di Firenze che messer Fidesmino di messer Rodolfo da Varano tenne quell'ufficio negli ultimi sei mesi del 1337, risultano per noi chiare queste due cose: l'una, che le pitture della cappella, alle quali si deve riferire la iscrizione citata, furono fatte sotto la potesteria del Varano, nello spazio che è dal luglio al dicembre del 1337; l'altra, che esse non si possono con ragione attribuire a Giotto, il quale fin dai primi giorni di quell'anno, ossia all'otto di gennaio, era morto. Vero è che noi, ingannati dall'arme che si vede dipinta a' piedi del potestà inginocchiato, la quale è certamente de' Fieschi, credemmo che quelle pitture fossero state fatte sotto la potesteria di messer Tedice de' Fieschi, che tenne quell'ufficio nel 1358-59. Ma ora rifiutiamo come erroneo il nostro asserto, fatti accorti dell'inganno dal signor Cavalcaselle, il quale con buone ragioni ci ha mostrato che quell'arme deve essere stata dipinta dopo, vedendosi ancora dalle screpolature del colore apparire la sottoposta pittura dell'estremità inferiori del Potestà. Ma a qual fine e per quale occasione quell'arme sia stata soprapposta alle pitture, noi non possiamo intendere.

Venuti a questo punto, il quale, se sia bene chiarito, può sciogliere il nodo della presente questione, e così darci vinta la prova, noi prevedemmo che i nostri oppositori non avrebbero mancato di combattere la interpretazione data da noi alla iscrizione, e alla conseguenza tutta favorevole che ne caveremmo pel nostro assunto. In fatti avendo essi avuto dopo di noi intera la detta iscrizione, della quale a fatica erano state lette fino allora le prime parole, e riscontratala sul luogo, conobbero subito di quanto aiuto essa ci sarebbe stata, e quanto importasse, preoccupando il giudizio altrui, di prevenire o scemare l'effetto che avrebbe prodotto. Sfoderarono perciò una seconda scrittura, dove ricantate in parte le cose già dette si sforzavano di dimostrare con argomenti invero assai deboli, e con esempi che non sempre provavano quel che essi avrebbero voluto, o provavano il contrario, che quella iscrizione si avesse a riferire alla sola figura di san Venanzio, e non mai alle altre pitture della cappella.

Molte in quella vece, e tutte di gran peso, sono le ragioni che ci fanno tenere la citata iscrizione essere stata fatta per le pitture della cappella, e doversi riferire ad esse. Primieramente è da notare che i nostri antichi solevano porre o sopra un capitello, o in un pilastro, secondochè tornava meglio, della parete sinistra di una cappella, la memoria o iscrizione che doveva ricordare da chi essa fosse stata fondata o fatta dipingere, e spesso ancora da chi dipinta, in che anno e per quale occasione; e sceglievano questo luogo, perchè d'ordinario non ci andava pitture o altro ornamento, per cagione del poco spazio che aveva il pilastro, e anche perchè da esso pilastro cominciava e in esso finiva l'ordine delle dette pitture. Nel caso nostro fa questo effetto il pilastro che è tra le due finestre della parete sinistra, sul quale a preghiera di messer Fidesmino potestà fu dipinta la figura di san Venanzio protettore della sua città di Camerino. E per mostrare che la figura fu fatta fare da lui e per sua devozione, bastavano que' versi che vi erano scritti sotto.

In secondo luogo, quando la detta iscrizione avesse dovuto riferirsi ad una sola immagine o figura fatta fare da qualche devoto, non avrebbe detto HOC OPUS, ma sibbene HANC IMAGINEM, oppure FIGURAM, FECIT FIERI, ecc. E di questo ce ne sono esempi assai.

In terzo luogo dicendosi in quella iscrizione OPVS, parola di largo significato e solenne, mentre riesce proprissima e conveniente ad indicare un lavoro compiuto in ogni sua parte, come le pitture della cappella, e dove non una, ma più sono le figure e le storie, sarebbe invece stata impropria per una sola figura, quasi nascosta nella parte men nobile di essa cappella, e fuori del soggetto delle altre.

Ma i nostri oppositori, non volendosi ancora dare per vinti, rispondono: che anche ammettendo, come vogliamo noi, che la iscrizione si riferisca alle pitture della cappella, non è dall'altro lato improbabile il credere, che esse sieno state cominciate da Giotto, e poi, sopraggiunto lui dalla morte, condotte a fine da altro pittore sotto la potesteria del Da Varano. Ma neppur questa loro supposizione regge; perchè dicendo la iscrizione HOC OPUS FACTUM FUIT TEMPORE ecc., essa vuol significare, che le pitture ebbero il principio e compimento loro nel tempo di quel potestà. Che se fosse accaduto come essi si vanno pensando, è certo che allora l'iscrizione non avrebbe mancato di notar questo, col dire a un bel circa: HOC OPUS INCEPTUM TEMPORE POTESTARIE ecc. COMPLETUM ovvero ABSOLUTUM FUIT TEMPORE POTESTARIE ecc.

Nè si dica che sei mesi sono spazio di tempo troppo breve per dipingere tutta quella cappella, perchè è noto a tutti, che gli antichi conducevano a fine con grande celerità le maggiori pitture in fresco, essendochè in quei tempi fossero più semplici, e perciò più spediti, i modi del dipingere, e gli artisti curassero più la invenzione e la espressione che la finita esecuzione delle loro opere Questa medesima speditezza si trova anche ne' pittori del secolo XVI Michelangiolo, per cagion d'esempio, scoprì finita la maravigliosa volta della cappella Sistina dopo diciotto mesi d'assiduo e mortale lavoro eppure egli era senza aiuti! Quanti anni v'impiegherebbe oggi un pittore? Di più è da credere, e chi bene esamini le pitture delle pareti laterali se ne capaciterà, che in questo lavoro il pittore non sia stato solo. Certo è che gl'intendenti vi riconoscono più mani, sebbene contemporanee.

Queste sono le ragioni desunte dalla storia, dalla critica, e dalle prove di fatto, che ci hanno servito di guida alla dimostrazione del nostro assunto, il quale è stato di far conoscere quanto sia sfornita di buon fondamento la volgare credenza che attribuisce a Giotto le pitture della cappella del Palazzo del Potestà, e per conseguente anche il ritratto dell'Alighieri.

Pervenuti così al fine del nostro ragionamento noi speriamo che nessuno, se leale e ragionevole è, vorrà farci l'ingiuria di credere, che solo per smania di contradire alla opinione universale, la quale tiene di Giotto le pitture della cappella del Potestà, siamo primamente entrati nella presente controversia, e che poi, viste le opposizioni altrui, per puntiglio d'amor proprio vi abbiamo continuato, ma in quella vece vorrà persuadersi, non da altra cagione essere noi stati mossi a combattere quella opinione, se non perchè la riputiamo contraria alle ragioni della storia e della critica, parendoci che gli argomenti usati da noi per oppugnarla sieno anche oggi di tanta forza, che i contrarj non valgano ad indebolirli Noi desideriamo insomma che si creda, che solo l'amore e la ricerca della verità e non altra cagione ci abbiano posto la penna in mano Ma saremo noi giunti a mettere nell'animo altrui quella stessa intima persuasione che sentiamo nel nostro? Se guardassimo alle ragioni messe fuori contro di noi, certo noi diremmo senza presunzione, che sì quantunque ci sia noto per propria esperienza che gli errori quanto sono più vecchi, tanto più trovano chi li difende, e che nel caso nostro, non ostante tutto quello che possiamo aver detto per dimostrare che le pitture della cappella del Potestà non sono di Giotto, e per conseguenza neppure il ritratto dell'Alighieri, si continuerà tuttavia, e chi sa per quanto tempo, a tenere per vera la contraria opinione, perchè più vecchia più universale, e più difesa Pure rimettendoci in tutto questo al giudizio spassionato degli uomini che sanno, concluderemo dicendo: che quando ancora si volesse giudicare che colle nostre ragioni non siamo riusciti a dimostrare pienamente il nostro assunto, si dovrà almeno riconoscere, che dalla presente discussione sia stato meglio chiarito un fatto importante alla storia delle arti e delle lettere nostre, intorno al quale, anche dopo quel che era stato scritto in Italia e fuori, rimaneva pur sempre molta oscurità ed incertezza.

PARTE SECONDA

Delle pitture dell' Incoronata di Napoli [1]

« Primo di tutti, dopo il Celano, suscitò la quistione sull'autore degli affreschi dell'Incoronata il sig. Luigi Catalano, nel suo *Discorso su' monumenti patrii* (1842). Ivi, a pag. 72, si fa notare che la chiesa fu costruita nel 1351, e che Giotto morì nel 1336. Il Celano scioglieva la questione facendo morire Giotto dopo il 1387.

« Ma la data della morte di Giotto è comprovata da un documento riportato dal Baldinucci e tratto dall'Archivio di Firenze; dal quale rilevasi che Lucia, nel 1337, esegue i legati di sua sorella Bice per l'anima del loro defunto padre, Giotto.

« La data dell'edificazione dell'Incoronata [2] è comprovata dalle testimonianze del *Giornale* che si conservava dal duca di Monteleone, di Tristano Caracciolo, di Giovanni Villano (*cronica napoletana*), di Matteo Villani. I primi due dicono che la chiesa fu edificata in memoria dell'incoronazione che Clemente (secondo l'uno), il suo legato (secondo l'altro), fece di Giovanna e Ludovico di Taranto: incoronazione che ebbe luogo il dì di Pentecoste del 1352, come si ha da Matteo Villani (lib. III, cap. 8); mentre il matrimonio era seguito nel 1337, come si ha da Giovanni Villani e dalla Cronica Suessana.

« Ora, in mezzo a queste due date, come dar luogo ai passi del Petrarca e del Vasari? I quali passi, perchè i nostri lettori veggano chiaramente in che consista la questione, ci piace riportare qui testualmente.

« Le parole del Petrarca sono le seguenti: *Proxima in valle sedet ipsa Neapolis, inter urbes littoreas una quidem ex paucis: portus hic etiam manufactus, supra portum regia; ubi si in terra exeas, cappellam regis intrare*

[1] *Vedi la nota 14, pag. 390, alla Vita di Giotto.

[2] *Vedi *Lucifero*, n° XXXV (ottobre 1841).

non obmiseris, in qua conterraneus olim meus pictor, nostri ævi princeps, magna reliquit manus et ingenii monumenta (*Itinerarium Syriacum*).

« Il Vasari, dopo aver detto che re Roberto scrisse a suo figlio Carlo che stava in Firenze, che gli mandasse Giotto; dopo aver detto che Giotto venne in Napoli, e dipinse in Santa Chiara, monastero e chiesa reale; soggiunge: « Fece Giotto nel castello dell' Uovo molte opere, e particolar- « mente la cappella, che molto piacque a quel re.... Essendo dunque al re « molto grato, gli fece in una sala che il re Alfonso I rovinò per fare il « castello, e così nell' Incoronata, buon numero di pitture; e fra l' altre, « nella detta sala vi erano i ritratti di molti uomini famosi, e fra essi « quello di esso Giotto ».

« Secondo il Petrarca, adunque, Giotto dipinse la *cappella del re* ch' era nella reggia, la quale reggia stava sopra il porto manufatto, e vi si entrava appena sbarcato. Quindi, per mettere d' accordo la testimonianza del Petrarca colle date soprammentovate, basterà dimostrare che quella *cappella del re* non era l' Incoronata.

« Secondo il Vasari, Giotto dipinse in Santa Chiara, nel castello dell' Uovo (specialmente una *cappella* che molto piacque al re), in una sala che Alfonso I rovinò, e dove fece i ritratti di molti uomini famosi, e nell' Incoronata. Di questa testimonianza tardissima tutto regge, quando il *Castello dell' Uovo* si cangi in *Castello Nuovo*, e l' Incoronata si tolga.

« Noi dunque ci sforzeremo di dimostrare, che la *cappellam regis* del Petrarca non sia l' Incoronata; che nel racconto del Vasari si debba cangiare il *Castel dell' Uovo* in *Castello Nuovo;* e che s' ingannò lo stesso Vasari ponendo fra gli edifizj, ove dipinse Giotto, anche l' Incoronata.

« I. Ed in primo luogo, secondo il Petrarca, venendo in Napoli, sopra il porto *manufactus* trovavasi la reggia, ove (cioè *nella reggia*), sbarcando, non dovevasi trascurare di visitar la cappella del re. La cappella del re dipinta da Giotto era dunque nella reggia, e la reggia in quel tempo sanno tutti ch' era nel Castello Nuovo, situato appunto sul porto. Del quale porto agevolmente potrebbero coloro che di antica napolitana topografia si occupano, determinare il sito; perocchè, essendo venuto il Petrarca in Napoli nel 1341 e nel 1343, ed essendo appunto nell' anno 1343 accaduta quella celebre tempesta, di cui dannoci notizia ed il Petrarca ed un diario contemporaneo, tempesta che ruppe ed acciecò il porto detto *di mezzo;* di questo porto doveva intendere il Petrarca, che fu nel 1302 da Carlo II fatto costruire a Marino Nassaro, Matteo Lanzalonga e Griffo Goffredo.

« Il sig. Minieri Riccio ha dimostrato a lungo, che mal potevasi convenire alla chiesa dell' Incoronata il nome di *cappella regis.* In fatti, egli dice, fin dal 1269, quando non esisteva il Palazzo della Giustizia nè l' Incoronata, trovasi menzione del *magister regie cappellæ.* Che se vuolsi una storica testimonianza del nome di *cappella* dato a quella che re Roberto fece edificare in Castel Nuovo, oltre quella di Tommaso di Catania e delle carte vedute dal Chioccarello, v' ha l'altra della *Cronica di Napoli* di Notar Giacomo, impressa in questo anno dall' ab. Garzilli; ove leggesi, a pag. 52, che re Roberto fece edificare *la cappella quale è in lo castello novo.*

« Adunque, quando pur fosse vero che nel Palazzo di Giustizia esistesse una cappella fatta costruire da re Roberto (cappella suppositizia, la quale piacque poi supporre al sig. Stanislao Aloe che fosse più tardi compresa nell' edifizio dell' Incoronata), rimarrebbe pur vero che di quella cappella non intendesse parlare il Petrarca. Ma nè di quella cappella nel Palazzo di Giustizia, nè della costruzione dell' Incoronata nel sito preciso del Palazzo di Giustizia, fanno menzione gli storici più antichi: cioè il *Giornale* del duca di Monteleone, e Tristano Caracciolo. Che se gli storici posteriori aggiunsero che il Palazzo di Giustizia fosse convertito in tempio sotto il titolo di Santa Maria Incoronata, nessuno di essi accennò che in quello esistesse una cappella, e che nella cappella seguisse l' incoronazione. Anzi è da notare che Matteo Villani disse chiaramente che la coronazione fu fatta *alle case del prenze di Taranto sopra le Coreggie.*

« II. Dimostrato così, che la cappella, di cui fa menzione il Petrarca, fosse in Castel Nuovo, agevol cosa riesce il provare che la menzione del Castello dell' Uovo presso il Vasari è uno de' mille errori, di cui son piene le sue Vite. Ed in vero, se nel Castel Nuovo era la cappella del re dipinta da Giotto, secondo la testimonianza sincrona del Petrarca; come mai il Vasari poteva tacer di questa, ed un' altra nominarne, di cui niuno scrittore fa menzione; neanche il Chiarito, che del Castello dell' Uovo scrisse minutamente? Arrogi, che la sala rovinata da re Alfonso I nel rifare il castello, di cui fa pur menzione il Vasari, esser doveva appunto nel Castello Nuovo, poichè questo castello e non quello dell' Uovo fu da Alfonso I rifatto.

« III. Da ultimo, chiaramente si comprende dalle cose fin qui discorse, come Giotto non potesse dipingere gli affreschi dell' Incoronata. Nelle poche parole del Vasari il signor Minieri Riccio nota parecchi errori importanti; ma nota specialmente che il Palazzo di Giustizia edificato da Carlo II doveva essere interamente terminato prima del 1309, anno in cui a Carlo II succedette Roberto: or Giotto dovè venire in Napoli nel 1327; come dunque avrebbe dipinto nel Palazzo della Giustizia? Nè poteva dipingere nella chiesa che vuolsi sostituita a quel palazzo; poichè quando questa fu cominciata, Giotto era cadavere da sedici anni. Finalmente, l' affresco rappresentante il matrimonio di Giovanna con Ludovico di Taranto scioglie ogni quistione; poichè, sendo questo matrimonio avvenuto nel 1347, non poteva farne soggetto di un suo dipinto Giotto, morto fin dal 1336.

« Mostrato erroneo il racconto del Vasari intorno al Castello dell'Uovo e all'Incoronata, cadon di per sè le altre autorità del Baldinucci e del Ghiberti, che qui riporteremo solo per appagare la curiosità de' nostri leggitori:

« Dipinse in Castel dell'Uovo la cappella; e in una sala, che poi fu « rovinata per fare il castello, siccome ancora nell'Incoronata, fece molte « opere e ritratti di famosi uomini, e con essi il suo proprio ». (Baldinucci).

« Molto egregiamente dipinse la sala del re Uberto de huomini fa« mosi. In Napoli dipinse nel Castello dell'Uovo ». (Ghiberti, MS. nella Magliabechiana).[1]

« Nè dopo queste storiche discussioni debbono far peso o la tradizione popolare, o le opinioni degl'intendenti, sian pure quelle di un Kestner. Notevoli sono a questo proposito le parole del Casarano: « Molte pitture « si attribuiscono a' capiscuola, mentre appartengono a qualche discepolo « che in un quadro si è sorpassato, quando che in generale nelle altre « opere sue si mostrò di gran lunga inferiore; e viceversa, un grande ar« tista è stato qualche volta non degno della sua reputazione ».

« Per queste considerazioni ci pare aver dimostrato chiaramente l'opinione del Casarano e del Minieri Riccio contraria a quella dell'Aloe e del Ventimiglia; cioè, che Giotto non dipingesse nell'Incoronata, come asseriscono molti scrittori posteriori d'assai in ordine di tempo; e che niuna testimonianza storica possa comprovare le supposizioni messe innanzi dall'Aloe: cioè, che una cappella fosse costruita da re Roberto nel Palazzo della Giustizia; che quivi Giotto dipingesse degli affreschi; e che tal cappella dipinta da Giotto rimanesse compresa nella chiesa dell'Incoronata, quando questa fu fatta edificare da Giovanna. Anzi, bisognerebbe pur supporre, o che re Carlo costruisse la cappella col palazzo prima del 1309, e si fosse aspettato per dipingerla fino al 1327; o che re Roberto al palazzo già terminato facesse aggiungere quella cappella: e che, nell'uno o nell'altro caso, non se ne fosse accorto nessuno di quei tanti scrittori di croniche e di diarii che a quei tempi registravano le minime particolarità di ciò che visibilmente facevano i sovrani ».

[1] *Si vede chiaro che l'errore in prima fu del Ghiberti, e che il Vasari e poi il Baldinucci non fecero altro che ricopiarlo.

Canzone di Giotto sopra la povertà

Molti son quei che lodan povertade,
E tai[1] dicon che fa stato perfetto;
S'egli è approvato e eletto;
Quello osservando, o nulla cosa avendo.
A ciò inducon certa autoritade,
Che l'osservar sarebbe troppo stretto:
E pigliando quel detto,
Duro estremo mi par, s'io ben comprendo;
E però nol commendo:
Che rade volte è stremo sanza vizio.
Et a ben far difizio,
Si vuol sì provveder dal fondamento,
Che per crollar di vento,
O d'altra cosa, così ben si regga,
Che non convegna poi si ricorregga.
Di quella povertà ch'è contro a voglia,
Non è da dubitar che è tutta ria;
Che di peccare è via,
Facendo spesso a' giudici far fallo;
E d'onor donna e damigella spoglia;
E fa far furto, forza e villania,
E spesso usar bugia;
E ciascun priva d'onorato stallo.
E in piccolo intervallo
Mancando roba, par che manchi senno;
Se avesse rotto Brenno[2],

[1] Il cod. dice *tadicon*, che il Rumohr e il Rosini sciolgono in *ti dicon*.

[2] Il cod. ha *renno*, parola che, non dando senso, è da credere piuttosto uno sconcio del copiatore. Noi abbiamo fatto la correzione, conghietturando che in qualche modo s'allude al vincitore di Brenno, al savio Cammillo, cui la crudele povertà patita nell'ingiusto esiglio decretatogli dalla patria non l'inimicó contro di lei così, che nel maggior pericolo egli non prestasse il braccio ed il senno a salvarla.

O qualvuolsia che povertà lo giunga;
Tosto ciascun fa punga
Di non voler che 'nanzi gli si faccia;
Che pur pensando già si turba in faccia.
Di quella povertà che eletta pare,
Si può veder per chiara sperïenza,
Che sanza usar fallenza,
S'osserva o no, non sì come si conta;
E l'osservanzia non è da lodare,
Perchè discrezïon nè cognoscienza
O alcuna valenza
Di costumi o virtute le s'affronta.
Certo, mi par grand'onta
Chiamar virtute quel che spegne 'l bene;
E molto mal s'avvene,
Cosa bestial preporne a le virtute,
Le qua' donan salute
Ad ogni savio intendimento accetta;
E chi più vale, in ciò più si diletta.
Tu potresti qui fare un argomento:
Il Signor Nostro molto la commenda.
Guarda che ben l'intenda;
Chè sue parole son molto profonde,
E talor hanno doppio intendimento:
E' vuol che 'l salutifero si prenda.
Però 'l tuo viso sbenda,
E guarda 'l ver che dentro vi s'asconde.
Tu vedrai che risponde
Le sue parole alla sua santa vita;
Che podestà compita
Ebbe di sodisfare a tempo e loco.
E però 'l suo aver poco
Fu per noi scampar dall'avarizia
E non per darci via d'usar malizia.[1]
Noi veggiam pur col senso molto spesso,
Chi più tal vita loda, manca in pace,
E sempre studia e face
Come da essa si possa partire.

[1] Questo verso che manca nel codice Laurenziano, si legge nel Riccardiano.

Se onore e grande stato gli è commesso,
Forte l'afferra[1] qual lupo rapace;
E ben si contraffuce,
Perch'egli possa suo voler compire;
E sassi sì coprire
Che 'l piggior lupo par miglior agnello,
Sotto il falso mantello.
Se tosto non va in fondo
Questa ipocrisia, che non lascia parte
Aver nel mondo sanza usar su'arte.
Canzon, va; e se truovi de' giurgiuffi,[2]
Mostrati loro sì, che li converti.
Se pure stesson erti,
Sie sì gagliarda, che sotto li attuffi.

[1] Così il Riccardiano. Il Laurenziano, *afferma*: che starebbe a significare e l'afferrare e il tener fermo il già preso.

[2] Questa parola pare al Rosini, che dal contesto voglia dire ipocriti. Pare a noi piuttosto che voglia dire orgogliosi, e forse della povertà stessa.

AGOSTINO E AGNOLO

PITTORI E ARCHITETTI SANESI

(Nato , morto nel 1350 — Nato morto nel 1313)

Fra gli altri che nella scuola di Giovanni e Niccola scultori pisani si esercitarono, Agostino ed Agnolo scultori sanesi, de' quali al presente scriviamo la vita, riuscirono secondo que' tempi eccellentissimi. Questi, secondo che io trovo, nacquero di padre e madre sanesi,[1] e gli antenati loro furono architetti; con ciò sia che l'anno 1190,

[1] *Che tra Agostino ed Agnolo non fosse altra fratellanza che quella dell'arte, lo sospettò in prima il Della Valle: ora l'esame da noi istituito sopra antiche carte e scritture, muta il sospetto in certezza. Imperciocchè, se non è raro di trovare il nome di questi due artefici, li veggiamo però sempre ricordati come figliuoli di padre differente. Ma la maggior difficoltà sta nello stabilire quale de' due o tre Agostini, ed Agnoli, che vissero contemporanei, sia quello, di cui il Vasari ha descritto la vita e le opere. Se non che, leggendo che la Repubblica Senese si servì a quei tempi per opere di maggiore importanza di un Agostino di Giovanni e di un Angelo di Ventura, propendiamo a credere che di questi due debba intendersi aver parlato il Biografo aretino.

E qui, sul bel principio di queste note, specialmente sugli artefici senesi, non possiamo far a meno di dichiarare che le asserzioni del Vasari saranno coll'aiuto di antiche testimonianze spesso da noi contraddette, e qualche volta chiamate false o errate: onde, se fosse alcuno, il quale ci tassasse di aver con troppa industria e con poca carità di patria spogliato i due artefici senesi di quella parte di gloria che dalle opere d'architettura massimamente a loro veniva, sappia che il ricercare e il dire francamente la verità, o quella che tale stimiamo, sarà sempre per noi un dovere da mettere innanzi ad ogni altra considerazione e rispetto.

sotto il reggimento de' tre consoli, fusse da loro condotta a perfezione Fontebranda;[1] e poi, l'anno seguente, sotto il medesimo consolato, la Dogana di quella città ed altre fabbriche. E nel vero, si vede che i semi della virtù molte volte, nelle case dove sono stati per alcun tempo, germogliano e fanno rampolli che poi producono maggiori e migliori frutti che le prime piante fatto non avevano. Agostino, dunque, ed Agnolo, aggiugnendo molto miglioramento alla maniera di Giovanni e Niccola pisani, arricchirono l'arte di miglior disegno ed invenzione, come l'opere loro chiaramente ne dimostrano. Dicesi che tornando Giovanni sopraddetto da Napoli a Pisa l'anno 1284, si fermò in Siena a fare il disegno e fondare la facciata del Duomo, dinanzi[2] dove sono le tre porte principali, perchè si adornasse tutta di marmi riccamente; e che allora, non avendo più che quindici anni, andò a star seco Agostino per attendere alla scultura, della quale aveva imparato i primi principj, essendo a quell'arte non meno inclinato che alle cose d'architettura. E così, sotto la disciplina di Giovanni, mediante un continuo studio, trapassò in disegno, grazia e maniera tutti i condiscepoli suoi; intanto che si diceva per ognuno, che egli era l'occhio diritto del suo maestro. E perchè nelle persone che si amano, si desidera sopra tutti gli altri beni, o di natura o d'animo o di fortuna, la virtù, che sola rende gli uomini grandi e nobili, e più

[1] *La Fonte Branda, che è ricordata fin dal 1081, fu perfezionata nel 1193 sotto il governo de' sei Consoli, da un maestro Bellamino. E nell'anno seguente fu cominciata la Dogana, la quale più tardi formò parte del Palazzo Pubblico. Dopo quel che abbiamo detto nella nota precedente, si fa sempre più dubbioso che da questo Bellamino discendessero i nostri artefici.

[2] *Convengono col Vasari i cronisti senesi rispetto all'anno, in cui fu cominciata ad innalzare la facciata del Duomo; che nel 1290 non era ancora finita. Ma s'ingannerebbe di grosso chi dicesse disegnata da Giovanni Pisano la facciata presente; la quale pare che fosse cominciata ne' primi anni del trecento, e dopo esser rimasta sospesa fino oltre la metà di quel secolo, fu poi da Giovanni di Cecco capomastro del Duomo ripresa e condotta a fine nel modo che oggi si vede.

in questa vita e nell'altra felicissimi; tirò Agostino, con questa occasione di Giovanni, Agnolo suo fratello minore al medesimo esercizio.[1] Nè gli fu il ciò fare molta fatica; perchè il praticar d'Agnolo con Agostino e con gli altri scultori gli aveva di già, vedendo l'onore e utile che traevano di cotal arte, l'animo acceso d'estrema voglia e desiderio d'attendere alla scultura: anzi, prima che Agostino a ciò avesse pensato, avea fatto Agnolo nascosamente alcune cose. Trovandosi, dunque, Agostino a lavorare con Giovanni la tavola di marmo dell'altar maggiore del Vescovado d'Arezzo,[2] della quale si è favellato di sopra, fece tanto, che vi condusse il detto Agnolo suo fratello; il quale si portò di maniera in quell'opera, che, finita che ella fu, si trovò avere nell'eccellenza dell'arte raggiunto Agostino. La qual cosa conosciuta da Giovanni, fu cagione che dopo questa opera si servì dell'uno e dell'altro in molti altri suoi lavori, che fece in Pistoia, in Pisa ed in altri luoghi. E perchè attesero non solamente alla scultura, ma all'architettura ancora, non passò molto tempo, che, reggendo in Siena i Nove, fece Agostino il disegno del loro palazzo in Malborghetto; che fu l'anno 1308.[3] Nel che fare si acquistò tanto nome nella patria, che, ritornati in Siena dopo la morte di

[1] *Il racconto del Vasari non può che generare in noi forte sospetto di falsità, allorchè riflettiamo che le prime opere certe di questi artefici, nati al dir suo poco dopo il 1260, sarebbero state fatte tra il 1329 e il 1330, cioè quando già erano giunti all'età di 69 o 70 anni. Può egli, infatti, credersi che in tanta vecchiezza riuscisse ad Agostino e ad Agnolo di condurre un lavoro come quello del sepolcro di Guido Tarlati; lavoro che solamente quando ferve l'età, e risponde la forza del corpo, può l'uomo eseguire? Queste considerazioni ci fanno abbracciare la opinione che i due scultori senesi nascessero molto tempo dopo a quello assegnato dal Vasari; e che, per conseguente, piuttosto che dirli scolari di Giovanni Pisano, debbano chiamarsi suoi imitatori.

[2] † Nelle note alla Vita di Niccola e Giovanni Pisani, noi abbiamo dimostrato che la tavola del Vescovado d'Arezzo non è di Giovanni Pisano.

[3] *Quella porzione del Palazzo Pubblico che guarda la via di Malborghetto, fu cominciata nel 1307, e compita con molta sollecitudine nel 1310. Il Tizio nondimeno sostiene, contro il detto dei cronisti contemporanei, che ciò accadesse nel 1298. Ma che ne fosse architetto il nostro Agostino, non si può provare con

Giovanni, furono l'uno e l'altro fatti architetti del pubblico: onde poi, l'anno 1317, fu fatta per loro ordine la facciata del Duomo[1] che è volta a settentrione; e l'anno 1321, col disegno de' medesimi, si cominciò a murare la porta Romana in quel modo che ell'è oggi, e

nessuna antica testimonianza. Che anzi, non occorrendo il nome di Agostino fra quello de' molti maestri, de' quali a quei tempi, per lavori pubblici e di molta importanza, si servì la Repubblica senese, è da conchiudere che il Vasari siasi, nell'asserirlo, ingannato.

[1] *Che nel 1317 fosse innalzato il lato destro che guarda Valle Piatta, e la facciata posteriore del Duomo, lo raccontano ancora i cronisti: solo da noi si nega che questi lavori fossero ordinati da Agostino e da Agnolo, colla ragione che essi non furono mai agli stipendj dell'Opera del Duomo, la quale fin da' più antichi tempi ebbe maestri proprj deputati alla direzione ed ai lavori della fabbrica. E nel 1317 pare che fosse capo-maestro un Camaino di Crescentino, da cui nacque quel maestro Tino scultore senese, il quale fu sconosciuto fino ai nostri tempi. Per lo che, porgendosi la occasione, non sarà inutile che di alcune opere che tuttora rimangono di lui si dica qualche parola. Fece egli, adunque, nel 1312, per San Giovanni di Pisa, i bassorilievi che ornano il Battesimo, e per una cappella della Primaziale la tavola di marmo, ove è figurata Maria Vergine che apparisce a san Ranieri. Volendo poi i Pisani, dopochè fu morto Arrigo VII imperatore, onorare la sua memoria, diedero a fare a maestro Tino la sua sepoltura, la quale stette per lungo tempo nel loro Duomo, finchè ai nostri giorni fu tolta di là e trasportata nel Campo Santo. È di sua mano nel Duomo di Firenze il sepolcro del vescovo Antonio d'Orso (morto nel 1321): come apparisce dalla iscrizione che si legge murata nella parete interna della chiesa che è fra la porta principale e la laterale destra, dal qual luogo nel 1842 fu tolto il sepolcro suddetto, e collocato sopra la porta detta della Canonica. La iscrizione che fu lasciata nell'antica parete, dice: OPERV̄. DE SENIS NATUS EX MAGR̄Ō CAMAINO IN HOC SITU FLORENTINO: TINUS: SCULPSIT: ŌĒ: LĀT. NUN. P̄. PATRE GENITIVO DECET INCLINARI UT MAGISTER ILLO VIVO: NOLIT: APPELLARI. La quale barbara iscrizione si deve, per intendere qualcosa, costruire in tal guisa: *Tinus de Senis, natus ex magistro Camaino, sculpsit in hoc situ florentino omne latus operum: Nunquam pro patre genitivo etc.*

† Fece Tino anche la sepoltura del vescovo Tedice Aliotti che si vede nella chiesa di Santa Maria Novella di Firenze. Ma le maggiori sue opere furono in Napoli, dove essendosi condotto fino dal 1324, scolpì nel 1325 il sepolcro della regina Maria d'Ungheria moglie di Carlo II re di Napoli, che è collocato nella chiesa di Santa Maria detta di *Donna Regina*; nel 1332 quello di Matilde principessa d'Acaia, e nel 1338 l'altro di Carlo duca di Calabria, messo nella chiesa del Corpus Domini: e finalmente nello stesso anno quello di Maria di Valois stata moglie del detto Duca. Le quali opere dagli scrittori napoletani sono state fino ad ora attribuite ad altri maestri del loro paese: ma il vero è, e i Registri Angioini ne fanno testimonianza, che esse furono fatte da maestro Tino. Il quale, dimorando in Napoli, dove morì negli ultimi mesi del 1339, costruì pel re Roberto sul colle di Sant'Erasmo la chiesa e il monastero di San Martino, ed insieme un palazzo, ed un castello che da quel colle prese il nome

fu finita l'anno 1326: la qual porta si chiamava prima, porta San Martino. Rifeciono anco la porta a Tufi, che prima si chiamava la porta di Sant'Agata all'Arco.[1] Il medesimo anno fu cominciata, col disegno degli stessi Agostino ed Agnolo, la chiesa e convento di San Francesco,[2] intervenendovi il cardinale di Gaeta, legato apostolico. Nè molto dopo, per mezzo d'alcuni de' Tolomei che, come esuli, si stavano a Orvieto, furono chiamati Agostino ed Agnolo a fare alcune sculture per l'opera di Santa Maria di quella città. Per che, andati là, fecero di scultura in marmo alcuni profeti, che sono oggi, fra l'altre opere di quella facciata, le migliori e più proporzionate di quell'opera tanto nominata.[3] Ora avvenne, l'anno 1326, come si è detto nella sua Vita, che Giotto fu chiamato per mezzo di Carlo duca di Calavria, che allora dimorava in Fiorenza, a Napoli, per fare al re Ruberto alcune cose in Santa Chiara ed altri luoghi di quella città: onde passando Giotto, nell'andar là da Orvieto per veder l'opere che da tanti uomini vi si erano fatte e facevano tuttavia, egli volle veder minutamente ogni cosa. E perchè più che tutte l'altre sculture gli piacquero i profeti d'Agostino e d'Agnolo sanesi, di qui venne che Giotto non solamente li commendò, e gli ebbe, con molto loro contento, nel numero degli amici suoi;

[1] *Questa porta ebbe principio nel 1327, e quella di Sant Agata o dei Tufi nel 1325, come si legge in una pietra che è sopra la stessa porta. La porta Romana è forse l'unico edifizio in Siena che con qualche probabilità possa dirsi disegnato da Angelo di Ventura.

[2] *Una domanda pôrta al Gran Consiglio della città dai Frati Minori nel 16 di novembre del 1286, affine di ottenere aiuto di denari per continuare e compire la facciata della loro chiesa, farebbe credere che il cardinale Giovanni Gaetano degli Orsini intervenisse nel 1326 alla consacrazione piuttosto che alla fondazione di quella chiesa. Il che provato vero, si escluderebbe che Agostino ed Agnolo ne fossero stati gli architetti.

[3] *Fra i maestri che lavorarono nel Duomo di Orvieto, il nome di Agostino è ricordato per la prima volta nel 1339 insieme con Giovanni suo figliuolo. D'Agnolo non si fa parola. Ond'è a credere che le statue dei Profeti, seppure sono del maestro senese, fossero fatte molto più tardi che il Vasari non dice.

ma che ancora li mise per le mani a Piero Saccone da Pietramala, come migliori di quanti allora fussero scultori, per fare, come si è detto nella Vita d'esso Giotto, la sepoltura del vescovo Guido, signore e vescovo d'Arezzo. E così, adunque, avendo Giotto veduto in Orvieto l'opere di molti scultori, e giudicate le migliori quelle d'Agostino ed Agnolo sanesi, fu cagione che fu loro data a fare la detta sepoltura; in quel modo però che egli l'aveva disegnata,[1] e secondo il modello che esso aveva al detto Piero Saccone mandato. Finirono questa sepoltura Agostino ed Agnolo in ispazio di tre anni,[2] e con molta diligenza la condussono, e murarono nella chiesa del Vescovado di Arezzo, nella cappella del Sagramento. Sopra la cassa, la quale posa in su certi mensoloni intagliati più che ragionevolmente, è disteso di marmo il corpo di quel vescovo; e dalle bande sono alcuni Angeli, che tirano certe cortine assai acconciamente. Sono poi intagliate di mezzo rilievo, in quadri, dodici storie[3] della vita e fatti di quel vescovo, con un numero infinito di figure piccole. Il contenuto delle quali storie, acciò si veggia con quanta pacienza furono lavorate, e che questi

[1] Cosa poco verosimile, come ciascun vede per sè medesimo. Agostino ed Agnolo, come s'esprime il Cicognara, eran già troppo avanzati nell'arte da accettare il disegno d'altri. Erano al tempo stesso troppo savi da non gradire intorno al disegno proprio il parere di un Giotto.

[2] La cominciarono del 1327, anno della morte di Guido, e la finirono del 1330. Nel 1783 il vescovo Marcacci fece trasportare questa sepoltura, che era nella cappella del Sacramento, dal lato della sagrestia, perchè avesse maggior luce.

[3] 'Sedici, e non dodici, sono le storie; la descrizione delle quali, perchè nel Vasari è assai disordinata, daremo noi, accorciando quella compiutissima del Cicognara. Nella I. È quando Guido è *fatto vescovo* (1312). II. Quando è *chiamato signore* d'Arezzo (1321). III. Il Comune d'Arezzo sotto le sembianze di un vecchio genuflesso innanzi a Guido. IV. *Il Comune in signoria.* Il vecchio della terza storia seduto in tribunale col vescovo. V. *El fare delle mura* d'Arezzo. VI. La presa del castello di *Lucignano.* VII. La presa di *Chiusi* del Casentino. VIII. La presa di *Fronzole.* IX. La presa del Castel *Focognano.* X. La presa di *Rondina.* XI. La presa del *Bucine* in Valdarno. XII. La presa di *Caprese.* XIII. La distruzione di *Laterina.* XIV. La rovina e l'incendio del *Monte Sansovino.* XV. *La incoronazione* di Lodovico il Bavaro. XVI. *La morte di messer il vescovo Guido.*

scultori studiando cercarono la buona maniera, non mi parrà fatica di raccontare.

Nella prima è quando, aiutato dalla parte Ghibellina di Milano, che gli mandò quattrocento muratori e danari, egli rifà le mura d'Arezzo tutte di nuovo, allungandole tanto più che non erano, che dà loro forma d'una galea; nella seconda è la presa di Lucignano di Valdichiana; nella terza quella di Chiusi; nella quarta quella di Fronzoli, castello allora forte sopra Poppi, e posseduto dai figliuoli del conte di Battifolle; nella quinta è quando il castello di Rondine, dopo essere stato molti mesi assediato dagli Aretini, si arrende finalmente al vescovo; nella sesta è la presa del castello del Bucine in Valdarno; nella settima è quando piglia per forza la rôcca di Caprese, che era del conte di Romena, dopo averle tenuto l'assedio intorno più mesi; nell'ottava è il vescovo che fa disfare il castello di Laterino, e tagliare in croce il poggio che gli è soprapposto, acciò non vi si possa far più fortezza; nella nona si vede che rovina e mette a fuoco e fiamma il Monte Sansavino, cacciandone tutti gli abitatori; nell'undecima è la sua incoronazione, nella quale sono considerabili molti begli abiti di soldati a piè ed a cavallo e d'altre genti; nella duodecima, finalmente, si vede gli uomini suoi portarlo da Montenero, dove ammalò, a Massa, e di lì poi, essendo morto, in Arezzo. Sono anco intorno a questa sepoltura in molti luoghi l'insegne ghibelline e l'arme del vescovo; che sono sei pietre quadre d'oro in campo azzurro, con quell'ordine che stanno le sei palle nell'arme de' Medici. La quale arme della casata del vescovo fu descritta da Frate Guittone, cavaliere e poeta aretino, quando, scrivendo il sito del castello di Pietramala, onde ebbe quella famiglia origine, disse:

Dove si scontra il Giglion con la Chiassa
Ivi furono i miei antecessori,
Che in campo azzurro d'or portan sei sassa.

Agnolo, dunque, e Agostino sanesi condussono questa opera con miglior arte ed invenzione, e con più diligenza che fusse in alcuna cosa stata condotta mai a' tempi loro. E nel vero, non deono se non essere infinitamente lodati, avendo in essa fatte tante figure, tante varietà di siti, luoghi, torri, cavalli, uomini ed altre cose, che è proprio una maraviglia. Ed ancora che questa sepoltura fusse in gran parte guasta dai Franzesi del duca d'Angiò, i quali, per vendicarsi con la parte nimica d'alcune ingiurie ricevute, messono la maggior parte di quella città a sacco; ella nondimeno mostra che fu lavorata con bonissimo giudizio da Agostino ed Agnolo detti, i quali v' intagliarono in lettere assai grandi queste parole: *Hoc opus fecit magister Augustinus et magister Angelus de Senis.* Dopo questo, lavorarono in Bologna una tavola di marmo per la chiesa di San Francesco, l'anno 1329,[1] con assai bella maniera; ed in essa, oltre all'ornamento d' intaglio, che è ricchissimo, feciono di figure alte un braccio e

[1] *Fu controverso fra gli eruditi l'autore di questa tavola. Il Ghirardacci e il Baldinucci seguono il Vasari. Ma il Masini, e dopo di lui l'Oretti, sostennero che quest'opera fosse fatta da Iacopo e Pietro Paolo delle Masegne, scultori veneziani; secondo l'uno nel 1396, e secondo l'altro nel 1338. Il Cicognara non seppe risolversi a crederla de' due veneziani, sembrandogli che nel 1338 fossero eglino troppo giovani da condurre un'opera così bella: ma dall'altro lato, vedeva che, essendo Agostino ed Agnolo occupati a quel tempo in tanti lavori, non avrebbero potuto attendere a questo. La questione adunque rimase indecisa, sino a che, nel 1843, il marchese Virgilio Davia tolse di mezzo ogni dubbio di discrepanza, avendo trovato il documento originale, col quale i Frati Minori di Bologna, sotto il dì 16 di novembre del 1388, allogarono a Iacobello e Pietro Paolo de Masigni (quelli stessi, de' quali il Vasari fa memoria in fine di questa Vita) una tavola nuova di marmo per l'altar maggiore di detta chiesa, per il prezzo di 2150 ducati d'oro. Errò pertanto il Vasari col dire che questo monumento di scultura fu fatto da Agostino ed Agnolo senesi, e di avervi letto i loro nomi e l'anno 1329. — Profanata la chiesa, nella mutazione del governo avvenuta sul principio del corrente secolo, questo prezioso monumento fu scomposto e ammucchiato in un angusto sotterraneo di San Petronio, dove ebbe a patire quei guastamenti che, pur troppo, si sono veduti ricomponendone le disperse parti, allorchè nel 1842 fu riaperta e restituita al culto la chiesa de' Francescani. (Vedi Davia, *Memorie storico-artistiche intorno a una tavola di marmo figurata nella chiesa di San Francesco di Bologna ecc.* Bologna 1843; e *Appendice* alle dette *Memorie*, Bologna 1845).

mezzo un Cristo che corona la Nostra Donna, e da ciascuna banda tre figure simili, San Francesco, San Iacopo, San Domenico, Sant'Antonio da Padova, San Petronio e San Giovanni Evangelista; e sotto ciascuna delle dette figure è intagliata una storia di basso rilievo della vita del Santo che è sopra: e in tutte queste istorie è un numero infinito di mezze figure, che secondo il costume di quei tempi fanno ricco e bello ornamento. Si vede chiaramente che durarono Agostino ed Agnolo in quest'opera grandissima fatica, e che posero in essa ogni diligenza e studio per farla, come fu veramente, opera lodevole; ed ancor che siano mezzi consumati, pur vi si leggono i nomi loro ed il millesimo, mediante il quale, sapendosi quando la cominciarono, si vede che penassono a fornirla otto anni interi: ben è vero che in quel medesimo tempo fecero anco molte altre cosette in diversi luoghi e a varie persone. Ora, mentre che costoro lavoravano in Bologna, quella città, mediante un legato del papa, si diede liberamente alla Chiesa; e il papa, all'incontro, promise che anderebbe ad abitar con la corte a Bologna, ma che per sicurtà sua voleva edificarvi un castello, ovvero fortezza. La qual cosa essendogli conceduta dai Bolognesi, fu con ordine e disegno di Agostino e d'Agnolo tostamente fatta; ma ebbe pochissima vita: perciocchè, conosciuto i Bolognesi che le molte promesse del papa erano del tutto vane, con molto maggior prestezza che non era stata fatta, disfecero e rovinarono la detta fortezza. Dicesi che, mentre dimoravano questi due scultori in Bologna, il Po, con danno incredibile del territorio mantoano e ferrarese, e con la morte di più che diecimila persone che vi perirono, uscì impetuoso del letto, e rovinò tutto il paese all'intorno per molte miglia; e che perciò chiamati essi, come ingegnosi e valenti uomini, trovarono modo di rimettere quel terribile fiume nel luogo suo, serrandolo con argini e altri ripari utilissimi: il che fu con molta loro lode ed utile;[1] perchè, oltre che n'acquistarono fama, furono dai signori di Mantoa e dagli Estensi con onoratissimi premj riconosciuti. Essendo poi tornati a Siena l'anno 1338, fu fatta con ordine e disegno loro la chiesa nuova di Santa Maria, appresso al Duomo vecchio verso piazza Manetti:[2] e, non molto dopo, restando molto sodisfatti i Sanesi di tutte l'opere che costoro facevano, deliberarono con sì fatta occasione di mettere ad effetto quello di che si era molte volte, ma invano, insino allora ragionato; cioè di fare una fonte pubblica in su la piazza principale, dirimpetto al Palagio della Signoria. Perchè, datone cura ad Agostino ed Agnolo, eglino condussono per canali di piombo e di terra, ancor che molto difficile fusse, l'acqua di quella fonte: la quale cominciò a gettare l'anno 1343,[3]

[1] † A proposito di questo fatto si legge nella Cronica di Fra Giovanni de' Cornazani (Muratori, *Rer. Ital. Script.*, tom. XII, col. 738) che nel 1330 « del mese d'ottobre il fiume Po inondò la campagna più che mai per innanzi fosse udito dire, perchè tanto soprabondò l'acqua che uscita dal suo letto scorse fino a Torrille e a Gainaco e comunemente più che tre milliara si allargò fuori degli argini, a tanto che tutta Mantova e Ferrara furono coperte dall'acqua: cosa orribile a vedere! ».

[2] *L'accrescimento del Duomo pel piano di Santa Maria verso piazza Manetti fu cominciato nel 1339, e tirato avanti, con diverse interruzioni, fino al 1356. Ma insorte varie difficoltà, fu infine tralasciato, e ripreso ad ingrandire e ad ornare il vecchio Duomo, che è quello stesso che oggi si vede. Anche in questo luogo neghiamo che Agostino ed Agnolo dessero il disegno del nuovo Duomo; perchè sappiamo che in quello stesso anno fu dalla Repubblica chiamato da Napoli a questo effetto maestro Lando di Pietro, orafo ed architetto sanese di molta fama a' suoi giorni; e che, morto nel 1340 il detto maestro Lando, fu fermato agli stipendj del Duomo, come capo-maestro, Giovanni di maestro Agostino, e poi nel 1351 ebbe il medesimo ufficio maestro Domenico, altro figliuolo di maestro Agostino, morto nel 1369, al quale è forse da attribuire molta parte de' difetti che poi si scopersero in quella fabbrica, e che alfine cagionarono che essa fosse abbandonata.

[3] *Fin dal 1334 erano stati allogati a maestro Giacomo di Vanni i lavori dei bottini per condurre l'acqua nella Fonte di Piazza, chiamata Fonte Gaja. E nel 1340, i nominati maestro Lando di Pietro, maestro Agostino di Giovanni e maestro Giacomo, ebbero a continuare la stessa opera: la quale non fu condotta a perfezione che alcuni anni dopo. Si trova però che l'acqua venisse per la prima volta nella Fonte di Piazza il 5 gennaio 1343. I bottini sono per la massima parte tagliati nel tufo, e dove il terreno poteva cadere, vestiti con muro di mattoni.

a dì primo di giugno, con molto piacere e contento di tutta la città, che restò per ciò molto obbligata alla virtù di questi due suoi cittadini. Nel medesimo tempo, si fece la sala del consiglio maggiore nel Palazzo del Pubblico:[1] e così fu, con ordine e col disegno dei medesimi, condotta al suo fine la torre del detto palazzo l'anno 1344; e postovi sopra due campane grandi, delle quali una ebbono da Grosseto e l'altra fu fatta in Siena.[2] Trovandosi, finalmente, Agnolo nella città d'Ascesi, dove, nella chiesa di sotto di San Francesco, fece una cappella e una sepoltura di marmo per il fratello di Napoleone Orsino, il quale, essendo cardinale e Frate di San Francesco, s'era morto in quel luogo;[3] Agostino, che a Siena era rimaso per servigio del pubblico, si morì, mentre andava facendo il disegno degli ornamenti della detta fonte di piazza, e fu in Duomo orrevolmente seppellito.[4] Non ho già trovato, e però non posso alcuna cosa dirne, nè

[1] *La nuova Sala del Consiglio, che fu fatta nel 1327, diventò nel 1560 il teatro che si dice de' Rinnovati.

[2] *La prima pietra della torre del Palazzo Pubblico fu secondo alcuni, gettata nel 3 di dicembre del 1325, secondo altri, nel 12 d'ottobre dello stesso anno. Vi lavorarono varj maestri, e maestro Agostino di Giovanni ne era operaio nel 1339. Maestro Moccio la finiva in parte nel 1344, ma fu compita dopo il 1345. La campana fu gettata nel 1348 da maestro Ricciardo di Tingo da Firenze.

[3] *Si vuole da alcuni che il sepolcro del cardinal Giovanni Gaetano Orsini sia dietro all'altare della cappella di san Niccolò (ora di san Giuseppe) nella basilica d'Assisi. — † Modernamente essendo stato levato l'altare di legno dorato, si scoperse nella cappella Orsini, che è presso la sagrestia, e fu fatta innalzare dal cardinal Napoleone di questa famiglia, un vuoto, ove doveva esser collocato il monumento sepolcrale del detto cardinale, il quale si può credere che fosse nello stesso modo di quello che è nella cappella dirimpetto dall'altro lato della crociera, nel quale è scolpito il cardinale Giovanni Gaetano fratello del suddetto, giacente supino e colle mani incrociate sul petto. Due angeli aprono le cortine, l'uno tiene la navicella dell'incenso, e l'altro, ora mancante della mano destra, doveva tenere il turibolo. Forse nella prima cappella non fu mai messo il monumento del cardinal Napoleone, il quale, secondo il Ciaccomo, morì in Avignone nel 1355, e fu sepolto nella chiesa di San Francesco di quella città.

[4] *Le memorie di Agostino di Giovanni giungono al giugno del 1350. Da un documento del 18 di novembre dello stesso anno si sa che era già morto. Rispetto ad Agnolo, neppur noi sappiamo il quando della sua morte. — Agostino ebbe un figliuolo di nome Giovanni, il quale nel 1340 era capo-maestro

come nè quando morisse Agnolo, nè manco altre opere d'importanza di mano di costoro: e però sia questo il fine della Vita loro.[1]

Ora, perchè sarebbe senza dubbio errore, seguendo l'ordine de' tempi, non fare menzione d'alcuni, che, sebbene non hanno tante cose adoperato che si possa scrivere tutta la vita loro, hanno nondimeno in qualche cosa aggiunto commodo e bellezza all'arte e al mondo; pigliando occasione da quello che di sopra si è detto del Vescovado d'Arezzo e della pieve, dico che Pietro e Paolo, orefici aretini, i quali impararono a disegnare da Agnolo e Agostino sanesi, furono i primi che di cesello lavorarono opere grandi di qualche bontà: perciocchè, per un

del Duomo di Siena, come abbiamo detto. Di lui è un bassorilievo nella cappelletta contigua all'oratorio superiore di San Bernardino, nel prato di San Francesco in Siena; che rappresenta la Madonna col bambino Gesù ritto sulle ginocchia di lei, e due Angeli ai lati che porgono due vasi di fiori. Nello zoccolo è scritto: IOHANNIS (*sic*) MAGISTRI AGOSTINI DE SENIS ME FECIT.

[1] *Ebbe ancora Agostino di Giovanni parte principale nella edificazione della fortezza di Massa di Maremma, incominciata nel 1336, allorchè questa città venne stabilmente sotto il dominio della Repubblica Senese. E nei libri ordinati a registrare le spese del Comune, il nome di Agostino spesso si legge in compagnia di maestro Angelo, e di maestro Agostino di Rosso, che alcuni, senza l'appoggio di sicure prove, stimarono essere quello stesso, di cui scrive qui il Vasari. Fu ancora pubblicato dal Della Valle (molto scorrettamente invero) un contratto, nel quale sono tritamente scritti i patti che messer Gontieri di Goro Sansedoni fece nel 4 di febbraio 1340 (stile comune) con maestro Agostino del maestro Rosso, con maestro Cecco di Corsino e con Agostino di Giovanni, come principali, per la edificazione della faccia innanzi alla strada del palazzo Sansedoni. Il documento originale in pergamena, nell'alto della quale è disegnata a penna la facciata suddetta, esiste ancora nell'archivio de' signori Sansedoni. Esso è assai importante per le notizie che si possono trarre non tanto sull'arte edificatoria, quanto ancora sul linguaggio tecnico di quei tempi.

† Questo strumento fu poi ripubblicato più corretto nel vol. I, pag. 232, dei *Documenti per la storia dell'Arte senese*, già citati. Pare che maestro Agostino, dopo aver finito il sepolcro del vescovo Tarlati, dimorasse per qualche altro anno in Arezzo, trovandosi che nel 1331 lavorò una cappella nella Pieve di quella città a prete Goro, e nel 1332 fece patto di costruire ed ornare di sculture di marmo la cappella di Simone e Jacopo di Ghino Grassi nella detta Pieve. E lo strumento di questa allogazione fu pubblicato a pag. 200 del vol. I di detti *Documenti ecc.* Un anno dopo, maestro Giovanni figliuolo di maestro Agostino si obbligava con messer Roberto Tarlati di costruire ed ornare una sua cappella nel Vescovado d'Arezzo per il prezzo di 55 fiorini d'oro.

arciprete della pieve d'Arezzo, condussono una testa d'argento grande quanto il vivo, nella quale fu messa la testa di San Donato, vescovo e protettore di quella città; la quale opera non fu se non lodevole, sì perchè in essa fecero alcune figure smaltate assai belle, ed altri ornamenti; e sì perchè fu delle prime cose che fussero, come si è detto, lavorate di cesello.[1]

Quasi ne' medesimi tempi, o poco innanzi, l'arte di Calimara di Firenze[2] fece fare a maestro Cione, orefice eccellente,[3] se non tutto, la maggior parte dell'altare d'argento di San Giovanni Batista;[4] nel quale sono molte storie della vita di quel Santo, cavate d'una piastra d'argento in figure di mezzo rilievo ragionevoli. La quale opera fu, e per grandezza, e per essere cosa nuova, tenuta da chiunche la vide maravigliosa. Il medesimo maestro Cione, l'anno 1330, essendosi sotto le volte di Santa

[1] † Intendasi in Arezzo, poichè si hanno altrove cose lavorate anteriormente, come il celebre tabernacolo pel Ss Corporale d Orvieto, lavorato a storie d'argento smaltate da Ugolino di Vieri e da altri orefici sanesi nel 1338 La testa d'argento cesellata dai due artefici aretini, e poi sempre conservata nella Pieve della lor patria, è del 1346, siccome ci è attestato dalle seguenti iscrizioni, che dicono, quella nella cornice della base. HOC OPUS FACTUM FUIT TEMPORE MARGARETI BOSCHI SER BONUDITI OPER PER PAULUM ET PETRUM AURIF ARET, l'altra nell'angolo destro di detta base ET PETRUS FRANCISCI CATARARIUS, la terza nel sinistro TEMPORE GUILIELMI ARCH ARETINI, e finalmente sopra l'orecchio della testa quest'ultima: ANNO DOMINI MCCCXLVI TEMPORE DOMINI GUILIELMI ARCH. ARETINI La testa d argento, allorche le genti di Lodovico d'Angio saccheggiarono Arezzo nel 1384, fu rubata da un soldato francese e venduta a Simibaldo Ordelaffi signore di Forlì, il quale premio poi il ladro colla forca Morto l'Ordelaffi nel dicembre del detto anno, passo quella reliquia nelle mani de' suoi nipoti, da' quali riebbela il Comune di Firenze e restituilla agli Aretini nell'aprile del 1386

[2] L'Arte della Lana E il nome ne fu probabilmente portato di Costantinopoli, ove forse chiamavasi *calimara*, o bella lana, la fine tessitura de' pannilani

[3] † Padre, secondo che afferma il Vasari, del celebre Andrea Orcagna Della qual cosa noi fortemente dubitiamo, come sarà detto alla Vita di questo artefice

[4] Questo preziosissimo altare d'argento fu fatto fare dall'Arte della Lana, come rilevasi dalla seguente scritta della smaltata cornice di esso dossale. *Anno Domini MCCCLXVI inceptum fuit hoc opus dossalis tempore Benedicti Nerozzi de Albertis, Pauli Michelis de Rondinellis, Bernardi Dñi Choronis de Choronibus offitialium deputatorum* Errarono pertanto coloro che dissero incominciato questo lavoro l'anno 1330

Reparata trovato il corpo di San Zanobi, legò in una testa d'argento grande quanto il naturale quel pezzo della testa di quel Santo[1], che ancora oggi si serba nella medesima d'argento, e si porta a processione: la quale testa fu allora tenuta cosa bellissima, e diede gran nome all'artefice suo: che non molto dopo, essendo ricco ed in gran reputazione, si morì.[1]

Lasciò maestro Cione molti discepoli, e fra gli altri, Forzore di Spinello aretino, che lavorò d'ogni cesellamento benissimo, ma in particolare fu eccellente in fare storie d'argento a fuoco smaltate: come ne fanno fede, nel Vescovado d'Arezzo, una mitra con fregiature bellissime di smalti, ed un pastorale d'argento molto bello. Lavorò il medesimo al cardinale Galeotto da Pietramala molte argenterie, le quali dopo la morte sua rimasero ai Frati della Vernia,[2] dove egli volle essere sepolto; e dove, oltre la muraglia che in quel luogo il conte Orlando, signor di Chiusi (picciolo castello sotto la Vernia), aveva fatto fare, edificò egli la chiesa e molte stanze nel convento, e per tutto quel luogo, senza farvi l'in-

[1] Non fu Cione, osserva il Cicognara, quegli che lavoró questa testa veramente bellissima, e di stil più semplice e più largo che forse a' giorni di Cione ancor non si usava; ma un Andrea Arditi di Fiorenza, siccome leggesi in un cartellino di smalto ch'è nella testa medesima. — *Di questo Andrea Arditi più lavori possedeva la metropolitana fiorentina, come abbiamo scoperto dall'estratto di un *Inventario di Santa Reparata di Firenze*, fatto al tempo di messer Marco Davanzati e di messer Salutato Salutati, camarlinghi, l'anno 1413; dove si trova scritto quanto appresso: « Item, un calice d'ariento dorato, grande, smaltato con l'arme di san Zanobi, nel quale é scritto *Andrea di Ardito maestro*, colla patena smaltata quando Christo va in cielo. — Item, un calice mezzano d'ariento dorato, smaltato con molte figure di santi, fatto nel 1331, fatto per maestro *Andrea d'Ardito*, secondo ch'è scritto nel detto calice, colla patena ecc. » (Biblioteca Magliabechiana, Spogli Strozziani, classe XXXVII, var. 304, O. O. 1236).

[2] La mitra e il pastorale qui rammemorati dal Biografo, notava il Bottari, più non esistono nella cattedrale d'Arezzo, nè si sa che presso i frati della Vernia si conservino argenterie di Pietramala.

† Quanto all'autore di questi lavori noi crediamo che sia stato non Forzore Spinelli, orefice vissuto fino al 1477, ma sibbene Cola di Spinello suo antenato, che visse ed operò nella metá del secolo XIV.

segna sua o lasciarvi altra memoria. Fu discepolo ancora di maestro Cione, Lionardo di ser Giovanni fiorentino, il quale di cesello e di saldature, e con miglior disegno che non avevano fatto gli altri innanzi a lui, lavorò molte opere, e particolarmente l'altare e tavola d'argento di San Iacopo di Pistoia;[1] nella quale opera, oltre le storie che sono assai, fu molto lodata la figura che fece in mezzo, alta più d'un braccio, d'un San Iacopo, tonda e lavorata tanto pulitamente, che par piuttosto fatta di getto che di cesello.[2] La qual figura è collocata in mezzo alle dette storie nella tavola dell'altare, intorno al quale è un fregio di lettere smaltate, che dicono così: *Ad honorem Dei, et Sancti Jacobi Apostoli, hoc opus factum fuit tempore Domini Franc. Pagni dictæ operæ operarii sub anno 1371, per me Leonardum Ser Jo. de Floren. aurific.*

Ora, tornando a Agostino e Agnolo, furono loro discepoli molti che dopo loro feciono molte cose d'architettura e di scultura in Lombardia ed altri luoghi d'Italia: e fra gli altri, maestro Iacopo Lanfrani da Vinezia, il quale fondò San Francesco d'Imola, e fece la porta principale di scultura, dove intagliò il nome suo ed il millesimo, che fu l'anno 1343;[3] ed in Bologna, nella chiesa di San Domenico, il medesimo maestro Iacopo fece una sepoltura di marmo per Giovanni d'Andrea Calderino,[4] dottore di legge e segretario di papa Clemente VI; ed un'altra pur di marmo è nella detta chiesa, molto ben lavorata, per Taddeo Peppoli, conservator del popolo e

[1] L'altare, come dimostrano il Ciampi e il Tolomei altre volte citati, è opera d'un Andrea di Iacopo (o di Puccio) Ognabene pistoiese, terminata fin dal 1316.

[2] Questa figura, come pur dimostrano il Ciampi e il Tolomei, è d'un maestro Giglio o Cilio, pisano (ignoto al Vasari, al Baldinucci, e a quanti scrissero finora del risorgimento delle arti), il quale fioriva intorno al 1350.

[3] La chiesa fu poi convertita in teatro, e della porta scolpita nulla rimase.

[4] *Per errore di stampa, da noi corretto, diceva Calduino, ed intendasi il monumento di Giovanni d'Andrea Calderini, scolpito nel 1348 (*Guida di Bologna*, ediz. del 1845).

della giustizia di Bologna:[1] ed il medesimo anno, che fu l'anno 1347, finita questa sepoltura, o poco innanzi, andando maestro Iacopo a Vinezia sua patria, fondò la chiesa di Sant'Antonio, che prima era di legname, a richiesta d'uno abate fiorentino dell'antica famiglia degli Abati, essendo doge messer Andrea Daudolo; la quale chiesa fu finita l'anno 1349.[2]

Iacobello ancora e Pietro Paolo viniziani,[3] che furono discepoli d'Agostino e d'Agnolo, feciono in San Domenico di Bologna una sepoltura di marmo per messer Giovanni da Lignano, dottore di legge, l'anno 1383.[4] I quali tutti e molti altri scultori andarono per lungo spazio di tempo seguitando in modo una stessa maniera, che n'empierono tutta l'Italia. Si crede anco che quel Pesarese, che, oltre a molte altre cose, fece nella patria la chiesa di San Domenico, e di scultura la porta di marmo con le tre figure tonde, Dio Padre, San Giovanni Batista e San Marco,

[1] *Esiste anche oggi.

[2] Anche questa chiesa fu poi demolita. — † Essa era stata fondata da messer Zotto o Giotto degli Abati che ne fu anche il primo abate.

[3] Figli d'un Antonio delle Masegne, o de'Masigni, come è detto più innanzi.

[4] Fecero anche, tra l'altre cose, le belle statue (quattordici fra tutte) dell'architrave che separa il presbiterio dal resto della nave maggiore di San Marco di Venezia; e fra le quali è un Crocifisso di Iacopo di Marco Benato, lor concittadino e contemporaneo, opera notabilissima d'oreficeria. Iacobello, come dimostra il Cicognara, ebbe un figlio di nome Paolo, che nel 1394 (l'anno stesso in cui fu fatto il Crocifisso già detto) lavorava in Venezia, secondo lo stile del padre, al deposito Cavalli in San Giovanni e Paolo, † e scolpiva la sepoltura di Prendiparte Pico nella chiesa di San Francesco della Mirandola, dove messe questa iscrizione:

Questa opera de talio fatta in preda,
Un venician la fe cha nome Polo,
Nato di Jachomel cha taia preda.

Questo monumento è dato inciso dal Litta nella Famiglia Pico. Ai fratelli delle Masegne attribuisce il Cicognara l'arca di sant'Agostino, che era nella chiesa di San Pietro in Celdauro di Pavia, e poi ne'primi anni di questo secolo fu trasportato nella Cattedrale. Il Vasari, nelle Vite di Benvenuto Garofolo e di Girolamo da Carpi, la dice opera di Agostino ed Agnolo, senesi. Ma essa, secondo il Sacchi essendo stata scolpita intorno al 1370, non può essere de'detti maestri senesi, e dallo stile si riconosce ch'è opera d'un maestro uscito dalla scuola di Giovanni Balducci pisano.

fusse discepolo d'Agostino e d'Agnolo; e la maniera ne fa fede. Fu finita questa opera l'anno 1385. Ma perchè troppo sarei lungo se io volessi minutamente far menzione dell'opere che furono da molti maestri di que' tempi fatte di questa maniera, voglio che quello che n'ho detto così in generale, per ora mi basti; e massimamente non si avendo da cotali opere alcun giovamento che molto faccia per le nostre arti. De'sopraddetti mi è paruto far menzione, perchè se non meritano che di loro si ragioni a lungo, non sono anco, dall'altro lato, stati tali, che si debba passarli del tutto con silenzio.

STEFANO E UGOLINO

PITTORE FIORENTINO — PITTORE SANESE

(Nato nel 1301?, morto nel 1350? — Nato nel 1260?, morto nel 1339)

Fu in modo eccellente Stefano, pittore fiorentino e discepolo di Giotto,[1] che non pure superò tutti gli altri che innanzi a lui si erano affaticati nell'arte, ma avanzò di tanto il suo maestro stesso, che fu, e meritamente, tenuto il miglior di quanti pittori erano stati infino a quel tempo;[2] come chiaramente dimostrano l'opere sue. Dipinse costui in fresco la Nostra Donna del Campo Santo

[1] Non solo discepolo, secondo il Baldinucci, ma anche nipote, poichè figlio di Caterina figliuola di Giotto, maritata al pittore Ricco di Lapo.

† Nel Libro Alfabetico dei Matricolati all'Arte de' Medici e Speziali (mss. membran., dal 1290 al 1443, nell'Archivio Centrale di Stato), compilato verso la metà del secolo XV, questo Stefano non si trova. Forse perchè quando si tratta di pittori antichi de' primi anni del secolo XIV, questa loro professione non è sempre segnata appresso il nome. Ma neppure si trova nel Ruolo della Compagnia di S. Luca, pubblicato dal Gualandi. Il che si può spiegare, per essere in quel Ruolo scritti i pittori che vivevano nel 1349, nel qual tempo Stefano era forse già morto.

[2] *Questo merito gli è stato da molti contrastato; ma il prof. Rosini giustamente osserva, che in moltissime occasioni potè il Vasari ingannarsi e pei tempi e per le opere fatte da uno o da un altro pittore, secondochè le notizie trasmessegli erano più o meno esatte, ma che non poteva prendere (avendo sott'occhio le opere fatte in patria) un abbaglio sì forte, se i meriti di Stefano non fossero stati veramente grandi; tanto che il Ghiberti disse l'opere di costui esser molto mirabili, e fatte con grandissima dottrina.

di Pisa,[1] che è alquanto meglio di disegno e di colorito che l'opera di Giotto; ed in Fiorenza, nel chiostro di Santo Spirito, tre archetti a fresco:[2] nel primo de' quali, dove è la Trasfigurazione di Cristo con Moisè ed Elia, figurò, immaginandosi quanto dovette essere lo splendore che gli abbagliò, i tre discepoli con straordinarie e belle attitudini; e in modo avviluppati ne' panni, che si vede che egli andò con nuove pieghe, il che non era stato fatto insino allora, tentando di ricercar sotto l'ignudo delle figure: il che, come ho detto, non era stato considerato nè anche da Giotto stesso. Sotto quell'arco, nel quale fece un Cristo che libera la indemoniata, tirò in prospettiva un edifizio perfettamente, di maniera allora poco nota, a buona forma e migliore cognizione riducendolo; ed in esso con giudizio grandissimo modernamente operando, mostrò tant' arte e tanta invenzione e proporzione nelle colonne, nelle porte, nelle finestre e nelle cornici, e tanto diverso modo di fare dagli altri maestri, che pare che cominciasse a vedere un certo lume della buona e perfetta maniera dei moderni. Immaginossi costui, fra l'altre cose ingegnose, una salita di scale molto difficile; le quali in pittura, e di rilievo murate, e in ciascun modo fatte, hanno disegno, varietà ed invenzione utilissima e comoda tanto, che se ne servì il magnifico Lorenzo vecchio de' Medici nel fare le scale di fuori del palazzo del Poggio a Caiano, oggi principal villa dell'illustrissimo signor Duca.[3] Nell'altro archetto è una storia di Cristo quando libera san Pietro dal naufragio, tanto ben fatta, che pare che s'oda la voce di Pietro che dica: *Domine, salva nos, perimus.* Questa opera è giu-

[1] È l'unica pittura certa che rimanga di lui. Essa è veramente, dice il Lanzi, di più gran maniera che non son l'opere del maestro; ma ritocca.

[2] † Altri attribuisce a Giottino le pitture di questi archetti.

[3] Dovea dire che se ne servì (forse per consiglio di Lorenzo) Giuliano da San Gallo, architetto di questa scala. Se ne servì egualmente, per quella del Pozzo d'Orvieto, Antonio da San Gallo.

dicata molto più bella dell'altre; perchè, oltre la morbidezza de' panni, si vede dolcezza nell'aria delle teste, spavento nella fortuna del mare; e gli Apostoli, percossi da diversi moti e da fantasmi marini, essere figurati con attitudini molto proprie e tutte bellissime. E, benchè il tempo abbia consumato in parte le fatiche che Stefano fece in questa opera,[1] si conosce, abbagliatamente però, che i detti Apostoli si difendono dalla furia de' venti e dall'onde del mare vivamente: la qual cosa essendo appresso i moderni lodatissima, dovette certo nei tempi di chi la fece, parere un miracolo in tutta Toscana. Dipinse dopo, nel primo chiostro di Santa Maria Novella, un San Tommaso d'Aquino allato a una porta; dove fece ancora un Crocifisso, il quale è stato poi da altri pittori, per rinnovarlo, in mala maniera condotto.[2] Lasciò similmente una cappella in chiesa, cominciata e non finita, che è molto consumata dal tempo; nella quale si vede quando gli Angeli, per la superbia di Lucifero, piovvero giù in forme diverse: dove è da considerare che le figure, scortando le braccia, il torso e le gambe, molto meglio che scorci che fussero fatti prima, ci danno ad intendere che Stefano cominciò a conoscere e mostrare in parte le difficoltà che avevano a far tenere eccellenti

[1] Il tempo l'ha poi consumate del tutto

[2] *Esiste sopra la porta che dal Chiostro Verde introduce in quello grande, con san Domenico e san Tommaso ai lati di esso; ma tutto in peggiore stato di quello che era al tempo del Vasari Un qualche compenso del danno cagionato a questa opera, e della perdita delle altre, può essere il ritrovamento, fatto da noi in questo luogo, di una pittura di questo raro maestro, rimasta sconosciuta fin anco al Vasari, sebbene indicata fosse dal Ghiberti Essa si trova passato dentro quella porta, la quale dal sotterraneo introduce nell'antichissimo chiostro del convento, e precisamente in una lunetta che soprasta alla porta (ora murata) della soppressa cappella di San Tommaso Rappresenta questo santo in più che mezza figura, colla penna nella destra e un libro aperto nella sinistra, dove è scritto *Verbum caro panem verum verbo carnem efficit* Il Ghiberti descrive questa pittura come esistente in questo sotterraneo, con queste parole « E nei Frati Predicatori un san Tommaso d'Aquino, fatto molto egregiamente pare detta figura fuori del muro rilevata, fatta con molta diligenza ».

coloro, che poi con maggiore studio ce gli mostrassono, come hanno fatto, perfettamente: laonde scimia della natura fu dagli artefici per soprannome chiamato.[1]

Condotto poi Stefano a Milano, diede per Matteo Visconti principio a molte cose; ma non le potette finire, perchè, essendosi per la mutazione dell'aria ammalato, fu forzato tornarsene a Firenze: dove, avendo riavuto la sanità, fece nel tramezzo della chiesa di Santa Croce, nella cappella degli Asini, a fresco, la storia del martirio di San Marco quando fu stracinato, con molte figure che hanno del buono.[2] Essendo poi condotto, per essere stato discepolo di Giotto, fece a fresco in San Pietro di Roma, nella cappella maggiore, dove è l'altare di detto Santo, alcune storie di Cristo[3] fra le finestre che sono nella nicchia grande; con tanta diligenza, che si vede che tirò forte alla maniera moderna, trapassando d'assai nel disegno e nell'altre cose Giotto suo maestro. Dopo questo fece in Araceli, in un pilastro, accanto alla cappella maggiore a man sinistra, un San Lodovico in fresco; che è molto lodato, per avere in sè una vivacità non stata insino a quel tempo nè anche da Giotto messa in opera. E, nel vero, aveva Stefano gran facilità nel disegno: come si può vedere nel detto nostro libro, in una carta di sua mano, nella quale è disegnata la Transfigurazione che fece nel chiostro di Santo Spirito; in modo che, per mio giudizio, disegnò molto meglio che Giotto. Andato poi ad Ascesi, cominciò a fresco una storia della gloria celeste, nella nicchia della cappella maggiore nella chiesa di sotto di San Francesco, dove è il coro; e, sebbene non la finì, si vede in quello che fece, usata tanta

[1] « Stefano da tutti è nominato scimmia della natura, tanto espresse qualunque cosa volle ». Così Cristofano Landino, citato dal Baldinucci.

[2] Tolto via il tramezzo, la pittura è perita.

[3] E queste pure e l'altre cose dipinte in Roma, che si accennano più sotto, sono perite.

diligenza, quanta più non si potrebbe desiderare. Si vede in questa opra cominciato un giro di Santi e Sante, con tanta bella varietà ne' volti de' giovani, degli uomini di mezza età e de' vecchi, che non si potrebbe meglio disiderare: e si conosce in quegli spiriti beati una maniera dolcissima, e tanto unita, che pare quasi impossibile che in que' tempi fusse fatta da Stefano, che pur la fece; sebbene non sono delle figure di questo giro finite se non le teste; sopra le quali è un coro d'Angeli che vanno scherzando in varie attitudini, ed acconciamente portando in mano figure teologiche; sono tutti vôlti verso un Cristo crocifisso, il quale è in mezzo di questa opera, sopra la testa d'un San Francesco, che è in mezzo a una infinità di Santi. Oltre ciò, fece nel fregio di tutta l'opera alcuni Angeli, de' quali ciascuno tiene in mano una di quelle chiese che scrive San Giovanni Evangelista nell'Apocalisse; e sono questi Angeli con tanta grazia condotti, che io stupisco come in quella età si trovasse chi ne sapesse tanto. Cominciò Stefano questa opera per farla di tutta perfezione, e gli sarebbe riuscito; ma fu forzato lasciarla imperfetta,[1] e tornarsene a Firenze da alcuni suoi negozi d'importanza. In quel mentre, dunque, che per ciò si stava in Firenze, dipinse, per non perder tempo, ai Gianfigliazzi lung'Arno, fra le case loro ed il ponte alla Carraia, un tabernacolo piccolo, in un canto che vi è; dove figurò con tal diligenzia una Nostra Donna, alla quale, mentre ella cuce, un fanciullo vestito e che siede, porge un uccello; che, per piccolo che sia il lavoro, non manco merita esser lodato, che si facciano l'opere maggiori e da lui più maestrevolmente lavorate.[2]

[1] *Nella niccina del coro della chiesa inferiore di San Francesco d'Assisi oggi non si vede più vestigio di questa gloria celeste, e in suo luogo fu posto un cattivissimo quadro, rappresentante la Caduta degli Angeli ribelli.

[2] Il piccolo tabernacolo fu distrutto quando si fabbricò il palazzo Corsini. *Il prof. Rosini trovò presso il signor Ranieri Grassi di Pisa una molto deperita tavoletta, ch'egli tiene ragionevolmente per una replica di questo taberna-

Finito questo tabernacolo e speditosi de' suoi negozi, essendo chiamato a Pistoia da que' Signori, gli fu fatto dipignere, l'anno 1346, la cappella di San Iacopo: nella volta della quale fece un Dio Padre, con alcuni Apostoli; e nelle facciate, le storie di quel Santo, e particolarmente quando la madre, moglie di Zebedeo, dimanda a Gesù Cristo che voglia i due suoi figliuoli collocare uno a man destra, l'altro a man sinistra sua nel regno del Padre. Appresso a questo è la decollazione di detto Santo, molto bella.[1] Stimasi che Maso detto Giottino, del quale si parlerà di sotto, fusse figliuolo di questo Stefano; e, sebbene molti per l'allusione del nome lo tengono figliuolo di Giotto, io, per alcuni stratti che ho veduti, e per certi ricordi di buona fede scritti da Lorenzo Ghiberti e da Domenico del Grillandaio,[2] tengo per fermo che fusse

colo; vedendo che la Vergine e il Divino Infante sono in essa rappresentati come appunto il Vasari descrive. Un intaglio se ne vede a pag. 127 del tom. II della sua *Storia*. Ma se la congettura del chiarissimo storico è, rispetto a questa tavoletta, ragionevole, non si può in pari modo ammettere l'altra asserzione cadutagli dalla penna, quando con tanta asseveranza di parole dichiarò essere opera di questo Stefano fiorentino la tavola coll'Adorazione de' Re Magi che ora si conserva nella Pinacoteca di Brera; e della quale similmente esibì un intaglio a pag. 125 del tomo sopra citato. Ma come si può dire opera di Stefano padre di Giottino questa tavola che porta scritta la data di un secolo dopo? Difatti, non fidandoci della indicazione che ce ne dà la *Guida* della Pinacoteca di Brera, pregammo la cortesia di un nostro amico, perchè volesse mandarci copia esatta della iscrizione che in essa tavola si trova; la quale avuta, qui riportiamo: *Stefanus Pinxit. 1-435.* — † Il quale Stefano oggi con molta ragione si crede essere Stefano da Zevio, pittore veronese.

[1] Le pitture, di cui qui parla il Vasari, e che anche il Baldinucci attribuisce a Stefano, sono, secondo antiche memorie citate dal Ciampi, d'un maestro Alessio d'Andrea e d'un Bonaccorso di Cino, fiorentini, chiamati a Pistoia nel 1347, quando fu rifatta la volta della cappella di San Iacopo, e distrutta la pittura che nella cappella medesima avea fatta, tra gli altri, fino dal 1265, quel maestro Coppo di Marcoaldo fiorentino, del quale abbiamo parlato nel Commentario alla Vita di Cimabue. Erano bensì di Stefano altre pitture, ora perite, della cappella del Crocifisso, rappresentanti il Giudizio; delle quali il Vasari non parla, ma che probabilmente furono per lui cagione d'equivoco.

[2] † I Ricordi del Ghiberti furono pubblicati per la prima volta dal Cicognara in una nota della sua *Storia della Scultura*, e riprodotti da noi nella prima nostra edizione di queste Vite. Quanto a quelli del Ghirlandaio, che oggi non si trovano, noi crediamo che se ne possa avere un estratto nel codice Magliabechiano

più presto figliuolo di Stefano che di Giotto.[1] Comunque sia, tornando a Stefano, se gli può attribuire che dopo Giotto ponesse la pittura in grandissimo miglioramento; perchè, oltre all'essere stato più vario nell'invenzioni, fu ancora più unito nei colori e più sfumato che tutti gli altri; e sopra tutto, non ebbe paragone in essere diligente. E quegli scorci che fece, ancora che, come ho detto, cattiva maniera in essi, per la difficultà di fargli, mostrasse; chi è nondimeno investigatore delle prime difficoltà negli esercizj, merita molto più nome che coloro che seguono con qualche più ordinata e regolata maniera.[2] Onde, certo grande obbligo avere si dee a Stefano, perchè chi cammina al buio, e mostrando la via rincuora gli altri, è cagione che, scoprendosi i passi difficili di quella, dal cattivo cammino con spazio di tempo si pervenga al desiderato fine. In Perugia ancora, nella chiesa di San Domenico, cominciò a fresco la cappella di Santa Caterina, che rimase imperfetta.[3]

Visse ne' medesimi tempi di Stefano, con assai buon nome, Ugolino pittore sanese, suo amicissimo,[4] il quale

(già Gaddiano) di n° 17 della classe XVII, dove un anonimo della prima metà del 500 ha raccolto brevi notizie degli artefici fiorentini da Cimabue a Michelangelo. In questo codice è spesso citato un Libro antico posseduto da un Antonio Billi, dal quale sono cavate alcune notizie. Di questo codice avremo occasione di parlare più a lungo nel Commentario che segue.

[1] È più conforme all'uso, osserva il Bottari, che i fanciulli che nascono si chiamino col nome del nonno, o paterno o materno, che con quello del padre. Dubita però il Bottari medesimo, che Giottino non fosse figliuolo di Stefano, trovando nella matricola dell'arte, che questi ebbe un figliuolo chiamato Domenico; il quale poi fu padre d'altro Stefano, matricolato pittore nel 1414.

† Intorno a questo particolare noi ci riserbiamo a dire la nostra opinione nella Vita di Tommaso detto Giottino, che si legge più innanzi.

[2] † Gli affreschi della cappella Buontempi in San Domenico di Perugia, che qui il Vasari da a Stefano, altrove gli attribuisce a Buffalmacco. Ad ogni modo essi non sono nè dell'uno nè dell'altro, ma di un pittore del secolo XV.

[3] Verità che non si potea esprimere più felicemente.

[4] *In Siena, nei libri di Biccherna, all'anno 1317, è memoria di un Ugolino di Neri pittore: nel volume delle Gabelle de' Contratti del 1324, a c. 70, si trova ricordato Ugolino di Pietro pittore. Chi de' due fosse il maestro nominato dal Vasari, è difficile stabilirlo. In ogni caso, questo artefice non è da confon-

fece molte tavole e cappelle per tutta Italia: sebbene tenne sempre in gran parte la maniera greca, come quello che, invecchiato in essa, aveva voluto sempre per una certa sua caparbietà tenere piuttosto la maniera di Cimabue, che quella di Giotto, la quale era in tanta venerazione. È opera, dunque, d'Ugolino la tavola dell'altar maggiore di Santa Croce, in campo tutto d'oro;[1] ed una tavola ancora che stette molti anni all'altar maggiore di Santa Maria Novella, e che oggi è nel Capitolo, dove la nazione Spagnuola fa ogni anno solennissima festa il dì di San Iacopo, ed altri suoi uffizj e mortorj.[2] Oltre a queste, fece molte altre cose con bella pratica, senza uscire però punto della maniera del suo maestro.

dere, come fecero il Della Valle ed altri, con Ugolino di maestro Vieri, orafo senese, al quale nel 1337 fu allogato a fare il famoso reliquiario a smalto per il Duomo d'Orvieto. — † Vedi il Commentario posto in fine di questa Vita, dove si ragiona della tavola dipinta da Ugolino di Neri, e non di Pietro, e si scopre il vero autore di quella che oggi si vede nel tabernacolo d'Or San Michele.

[1] La tavola di Ugolino fatta per l'altar maggiore di Santa Croce, che il Bottari credette smarrita, e che il Della Valle ritrovò nel dormentorio del convento, fu venduta nel principio del presente secolo ad un inglese per pochi scudi. Così dice una nota manoscritta del cav. T. Puccini.

[2] *Il signor dottore G. F. Waagen ritrovò molti frammenti di questa tavola in Inghilterra, nella raccolta delle pitture della scuola italiana, posseduta da Young Ottley; e ne dette la descrizione a pag. 393-95 del tom. I della sua precitata opera, con queste parole, che noi qui riportiamo tradotte: « Alcuni quadri di vera origine bizantina, di ragguardevole antichità e di bella esecuzione artistica, tengono il primo posto: ma più importanti di tutti sono i quadri dell'antica scuola senese. Con mio gran piacere vi trovai la maggior parte delle tavole del quadro di Ugolino da Siena, fatto, secondo il Vasari, per l'altar maggiore della chiesa di Santa Croce di Firenze. Questo artista, che morì l'anno 1339 in età molto avanzata, apparisce qui come uno dei più ragguardevoli anelli fra la maniera bizantina più severa di quella di Duccio, e l'altra più dolce e più piacevole del famoso Simone di Martino. Secondo il costume del secolo XIV, questo altare era formato da una quantità di tavole divise, e riunite nel medesimo tempo da cornici di architettura gotica. Della principal serie, la cui tavola di mezzo rappresentava Maria col Divino Infante, e le sei altre tavole altrettanti Santi in mezza figura, trovansi ancora cinque tavole intere e solo un frammento della Madonna, la cui bellezza fa sentire immenso rammarico per la perdita del resto. Sopra alle rammentate trovavasi una fila di egual numero, contenente ognuna due mezze figure di santi, delle quali non restano che tre sole. La parte superiore era formata di sette cuspidi, foggiate a guisa di gotici frontespizj, ornati ciascuno di una mezza figura di santo; e ne vidi ancora quattro. Le sette

Il medesimo fece, in un pilastro di mattoni della loggia che Lapo[1] avea fatto alla piazza d'Orsanmichele, la Nostra Donna: che non molti anni poi fece tanti miracoli, che la loggia stette gran tempo piena d'imagini, e che ancora oggi è in grandissima venerazione.[2] Finalmente, nella cappella di messer Ridolfo de' Bardi, che è in Santa Croce, dove Giotto dipinse la vita di San Francesco, fece, nella tavola dell'altare, a tempera un Crocifisso e una Maddalena ed un San Giovanni che piangono, con due Frati da ogni banda che gli mettono in mezzo.[3] Passò Ugolino da questa vita, essendo vecchio, l'anno 1349,[4] e fu sepolto in Siena, sua patria, orrevolmente.

divisioni della predella, corrispondenti ai quadri principali, esistono intere, e contengono alcune storie della vita di Cristo, dalla Cena fino alla Resurrezione, le quali distinguonsi per bellezza ed espressione di concetti. L'antica maniera bizantina predomina nei santi, le teste sono bislunghe, gli occhi ben disegnati e bene aperti, i nasi lunghi e curvi in punta, le bocche di un taglio fine ed acuto, i corpi tesi, le braccia secche, le dita lunghe e magre, e le pieghe dei panni eccellentemente disposte e molto risentite. Negli angeli, al contrario, come pure nelle figure della predella, le forme sono più perfette, i movimenti più liberi e più drammatici, e però vi si scopre più stretta parentela colla maniera di Simone Martini. Nè son già trattati con le colle tenaci e scure de' Bizantini, ma invece secondo la maniera a tempra usata da Giotto, cioè col tuorlo d'uovo e la colla di carta pecora, conducendovi prima sopra uno strato di terra verde. Il fondo è generalmente dorato. Trovasi pure, sotto il compartimento di mezzo della predella, un regoletto con l'iscrizione in lettere majuscole gotiche, simile a quella citata dal Della Valle: « UGOLINUS DE SENIS ME PINXIT ».

‡ Tre pezzi di questa tavola cogli Apostoli, due figure di santi, e sei storiette della predella, eccetto quella del mezzo con Maria Vergine e il Divin Figliuolo, passarono poi nella raccolta Fuller Russell presso Enfield in Inghilterra. Due mezze figure de' santi Andrea e Bartolommeo apostoli, che facevano parte delle cuspidi della tavola, sono posseduti dal signor Davenport Bromley. Tra le opere di Ugolino, il Cavalcaselle propende a credere che si debba annoverare, sebbene non registrata dal Vasari, una tavola con Maria Vergine e quattro santi, che ha nelle cuspidi il Salvatore benedicente tra quattro angeli, la quale è nella raccolta Ramboux a Colonia sotto i numeri 31-37.

[1] Fu poi tolta anche di là, per dar luogo ad un altra d'Alessandro Allori. Di essa non ci è riuscito rinvenir traccia.

[2] *Cioè Arnolfo, come nella Vita di questo artefice ha detto lo stesso Vasari.

[3] *Questa tavola d'Ugolino non saprebbesi dire ove sia stata trasferita, se pure non è perduta.

[4] *Secondo il Baldinucci, e secondo il Vasari nella prima edizione, Ugolino sarebbe morto nel 1339.

Ma, tornando a Stefano, il quale dicono che fu anco buono architettore, e quello che se n'è detto di sopra ne fa fede; egli morì, per quanto si dice, l'anno che cominciò il giubbileo del 1350, d'età d'anni quarantanove, e fu riposto in San Spirito nella sepoltura dei suoi maggiori con questo epitaffio: *Stephano Florentino pictori, (in) faciundis imaginibus ac colorandis figuris nulli unquam inferiori; affines mœstiss. pos. Vix. an.* XXXXIX.[1]

[1] Nella prima edizione delle Vite, ove quella d'Ugolino è a parte, si legge di lui pure un epitaffio, che dice così:

Pictor divinus jacet hoc sub saxo Ugolinus,
Cui Deus eternam tribuat vitamque supernam.

Quest'epitaffio può credersi del tempo d'Ugolino; quello di Stefano è chiaramente di tempo assai posteriore.

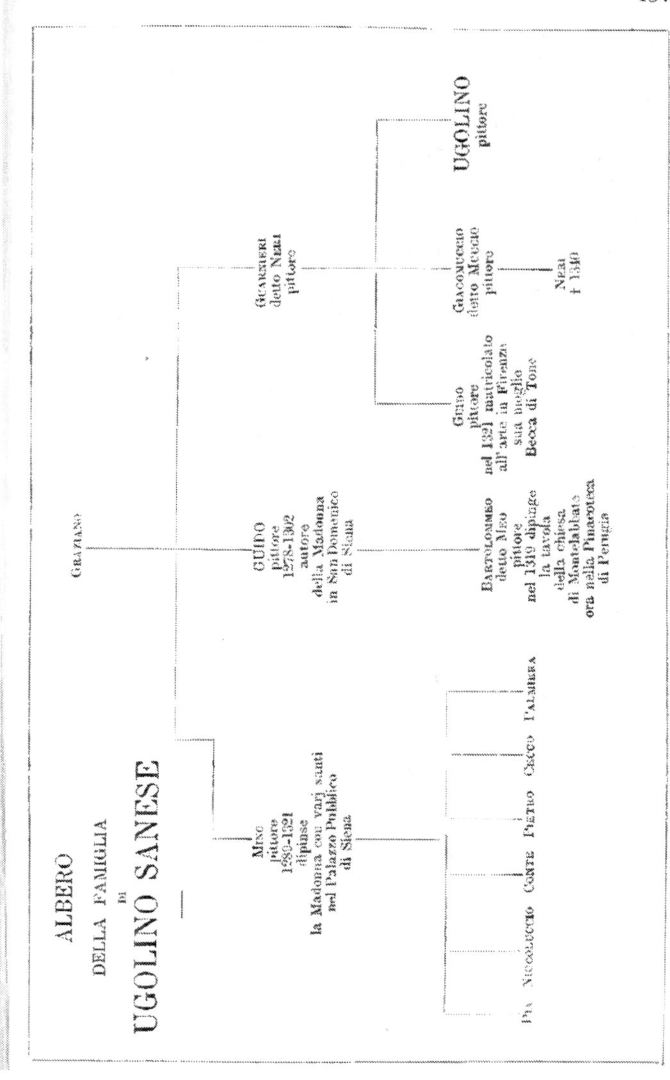
ALBERO
DELLA FAMIGLIA
DI
UGOLINO SANESE
Graziano
Mino
pittore
1289-1321
dipinse
la Madonna con varj santi
nel Palazzo Pubblico
di Siena
GUIDO
pittore
1278-1302
autore
della Madonna
in San Domenico
di Siena
Guarnieri
detto Neri
pittore
Pia
Niccoluccio
Conte
Pietro
Cecco
Palmiera
Bartolommeo
detto Meo
pittore
nel 1319 dipinge
la tavola
della chiesa
di Montelabbate
ora nella Pinacoteca
di Perugia
Guido
pittore
nel 1321 matricolato
all'arte in Firenze
sua moglie
Becca di Tone
Giacomuccio
detto Muccio
pittore
Neri
† 1340
UGOLINO
pittore

COMMENTARIO

ALLA VITA DI STEFANO FIORENTINO E D'UGOLINO SANESE

Della tavola di Nostra Donna nel tabernacolo d'Or San Michele

Nella storia de' primi tempi dell'arte risorta restano ancora alcuni punti dubbj e controversi; i più de' quali, sebbene abbiano in sè non leggera difficoltà, si può nondimeno sperare che un giorno saranno pienamente chiariti e risoluti. Tra questi non ultimo nè meno importante crediamo essere quello che riguarda il vero autore della bellissima tavola di Nostra Donna nel celebre tabernacolo d'Or San Michele di Firenze; essendochè intorno a questo i giudizi e le opinioni de' più solenni critici sieno tuttavia divise o discordi.

Il qual punto avendo noi preso ad esaminare, con quella maggior diligenza e studio che ci è stato possibile; pare a noi, o c'inganniamo, di esser pervenuti a sgomberarlo da ogni sua dubbiezza, e conseguentemente a risolverlo, secondo il vero. Dobbiamo però confessare, che non saremmo giunti giammai a questo effetto, se non fossimo stati in gran parte ajutati dalla testimonianza di documenti contemporanei, sconosciuti fino ad ora a tutti quelli che della detta tavola e del suo autore hanno di proposito, o per occasione, discorso.

Ed entrando senza più nell'argomento, diremo, che il Villani narra sotto l'anno 1292, che « a dì 3 del mese di luglio si cominciò a mostrare « grandi ed aperti miracoli per una figura dipinta di Santa Maria in un « pilastro della loggia d'Orto San Michele ». La espressione del cronista, *in un pilastro*, diede luogo in prima a disputare, se quella pittura fosse sul muro, o non piuttosto in tavola. Poi venne l'altra questione, se quella immagine di Nostra Donna, in tavola o sul muro, fosse la stessa che il Vasari dice dipinta da Ugolino da Siena, ed in fine, se la bellissima tavola che presentemente si vede nel tabernacolo d'Or San Michele, sia quella medesima del maestro senese.

Quanto alla prima quistione, è certo che le parole del Villani, *per una figura dipinta in un pilastro*, non essendo bastantemente chiare, danno luogo ad intenderle in due modi diversi; cioè, che la immagine di Nostra Donna fosse dipinta sul pilastro, oppure in una tavola appiccata ad esso. Nondimeno, al contrario di quello che altri giudicano, noi siamo di opinione, che il cronista abbia parlato d'una pittura in tavola, e che non altrimenti si debba interpretare quella sua espressione. Il che è confermato dalla rubrica 14 de' Capitoli della Compagnia di Santa Maria in Or San Michele, compilati nel 1297, dove si legge essere ordinato, affinchè la tavola colla figura di Nostra Donna non s'impolveri, nè si guasti per cagione del mercato del grano e per altre cose che si fanno sotto la loggia, e perchè si conservi nella sua bellezza; che essa stia coperta, e non si discopra se non il sabato dopo il mercato, e stia discoperta per tutta la domenica, e che per le feste solenni, in cui non si fa mercato, non si scopra nè si mostri senza torchi accesi.

Quando dunque pochi anni dopo il 1292 noi troviamo ricordata in quel medesimo luogo una tavola di grande bellezza, e tenuta in molta venerazione, non si può dubitare che essa tavola, e la figura di Nostra Donna dipinta in un pilastro della loggia, come dice il Villani, non sieno che una sola e medesima cosa.

Rispetto all'altra quistione, se fosse d'Ugolino da Siena la figura dipinta in un pilastro dell'antica loggia, noi la ragioniamo così. Quando il furioso incendio destato da Neri degli Abati arse nel 1304 la loggia, è ragionevole il credere che non toccasse sorte diversa anche alla pittura nominata dal Villani e nel detto libro de' Capitoli della Compagnia d'Or San Michele, la quale, come è detto, era in tavola e non sul muro, e che dopo quell'accidente, rifatta la loggia, o almeno in gran parte racconcia, se ne dipingesse una nuova, la cui forma si vede espressa nella bellissima miniatura d'un libro intitolato *Il Biadaiuolo*, che appartenne già ai marchesi Tempi, ed ora, per legato dell'ultimo maschio di quella casa, si conserva nella Mediceo-Laurenziana.

Questo libro in foglio di pergamena, nel quale un Domenico Lenzi biadaiuolo registra di mano in mano i prezzi del grano e delle biade in Firenze negli anni di carestia, e racconta i tumulti che avvennero nella città e in altri luoghi di Toscana per quella cagione, comincia dai primi anni del 1300, e per essere mutilato in fine, arriva solamente al 1335; ma non doveva andare che poco più innanzi, e forse fino al 39, o al 40. Esso è ornato di alcune assai grandi e belle miniature allusive ai fatti che si narrano. Nell'ultima miniatura che piglia le faccie di due carte, è rappresentato un tumulto avvenuto nel settembre del 1329 sulla piazza d'Or San Michele, dove si vendeva il grano. Si vede nella carta, a sinistra di chi guarda, il prospetto della piazza suddetta e il Potestà che coi suoi berrovieri corre a sedare quel tumulto. Alcuni uomini sono presi, e ad un poveretto è tagliato il capo sul ceppo. Da un lato è un tabernacolo di marmo, dentrovi una tavola colla figura in mezzo di Nostra Donna seduta in trono, che tiene sulle ginocchia il suo divin Figliuolo. Ai lati del trono, sono tre angeli per parte: i primi quattro in piedi ed adoranti, vestiti di tuniche azzurre e di mantelli rossi; e gli ultimi due colla veste verde, ed inginocchiati. Figurando questa miniatura, come noi pensiamo, la propria forma della tavola d'Or San Michele rifatta dopo l'incendio del 1304, noi non siamo lontani dal tenere che l'autore di essa tavola sia stato maestro Ugolino senese.

La terza ed ultima questione è mossa da coloro che nel trattare la storia dell'arte si lasciano guidare più dall'autorità altrui, che dal proprio senno e giudizio. Ma non è uomo alcun poco informato delle diverse pratiche e maniere che furono secondo i tempi nell'arte italiana, il quale possa restar dubbio o sospeso un momento nel risolvere, che la tavola che al presente si vede nel tabernacolo d'Or San Michele non sia giammai da riputarsi della mano di maestro Ugolino di Neri, nato intorno al 1260, nè pittura de' suoi tempi. Imperciocchè, mentre sappiamo che il pittore senese fu tenacissimo della vecchia maniera bizantina, non ostante la nuova luce portata nell'arte da Giotto; noi vediamo in quella tavola una maraviglia di grazia e di espressione, una grandiosità di stile straordinaria, ed una esecuzione squisitissima: qualità tutte che dichiarano quell'opera essere stata fatta da un maestro vissuto intorno alla metà del secolo XIV, il quale deriva in parte dalla scuola giottesca, ed in parte segue altre tradizioni.

Oltre a ciò, se la già descritta miniatura del codice Laurenziano rappresenta la propria forma della tavola che nel 1329 era nella loggia, e che noi crediamo essere quella stessa stata dipinta da Ugolino da Siena; sono notabili le differenze di composizione che passano tra quella e l'altra che oggi si vede nel tabernacolo; imperciocchè diverso era nell'antica il colore delle vesti; il bambino Gesù sedeva sulle ginocchia della Madre, e sei erano gli angeli, tutti di figura intiera; mentre nella presente la Vergine tiene in braccio il suo divin Figliuolo, e ai lati del trono stanno otto angeli di men che mezza figura.

Ma se intorno alla stupenda bellezza della tavola che ora sta dentro il tabernacolo d'Or San Michele, il giudizio de' più intendenti è stato fino ad oggi concorde, non così si può dire quanto all'assegnarne l'autore. Già il Lanzi senza un dubbio al mondo l'affermò di maestro Ugolino. Il Rumohr nel volume II delle sue *Ricerche Italiane*, pag. 25 in nota, dice: « Del senese Ugolino, il quale deve essere stato circa questo tempo, « io non ho trovato nulla di certo. Se la divota immagine d'Or San Mi- « chele in Firenze è della sua mano, come afferma il Vasari, egli appar- « tiene ai migliori maestri che furono contemporanei di Cimabue ». Nella prima nostra edizione del Vasari avendo pigliato ad esaminare questa medesima cosa in un Commentario alla Vita di Stefano fiorentino e di Ugolino senese, mentre riconoscemmo in quella tavola « una delle più mi- « rabili produzioni dell'arte ringiovanita, fatta più corretta e gentile », nella quale alla « grazia e dolcezza indescrivibile di espressione, alla bel- « lezza delle teste è accompagnato un magistero di disegno, specialmente « in quella del Divino Infante e nella mano destra della Madonna, ve- « ramente mirabile », e non dubitammo di riporre quell'opera « tra quanto « di più bello la pittura produsse mai fino alla metà del secolo XIV »; dicemmo poi francamente, che non vi si potevano ravvisare nè il fare d'un ostinato seguace della maniera de'Greci, nè il carattere delle cose degli ultimi anni del dugento; lasciando allora irresoluta la questione, se di quella tavola possa essere autore il maestro senese.

I signori Crowe e Cavalcaselle nella loro bella opera, già da noi più volte citata, intitolata *A new history of painting in Italy*, vol. II, p. 55, credono di scorgere in questa, detta da loro, colossale Madonna, il carattere della fine del secolo XIV ed in qualche parte la maniera senese; e tengono per molto probabile che essa sia stata dipinta da Lorenzo Monaco, piuttosto che da Ugolino.

Il pregiato e compianto nostro amico cav. Luigi Passerini, nel suo scritto sulla Loggia d'Or San Michele,[1] credette che l'autore di quella tavola fosse invece Andrea Orcagna. Ed egli fu tratto a così opinare da un documento del 1352 comunicatogli da noi, e riferito da lui per intiero; nel quale è la confessione finale del pagamento fatto al detto artista della tavola di Nostra Donna dipinta per la Compagnia d'Or San Michele. Ma noi dobbiamo confessare che in questo c'ingannammo, e insieme con noi e per cagione nostra s'ingannò il suddetto cavaliere; perchè avendo meglio esaminata la cosa, ora siamo chiari che questa ultima tavola fu dipinta dall'Orcagna per la sala dell'Udienza de'Capitani della detta Compagnia e non per il tabernacolo.

[1] Vedi *Curiosità storico-artistiche fiorentine*; scritti del cav. Luigi Passerini (Firenze, Jouhaud; 1866).

Il sig. barone Ettore de' Garriod, persona assai nota per la rara intelligenza e sentimento dell'arte, sarebbe volentieri disposto a credere che autore di quella Madonna fosse stato il celebre Simone da Siena; ma poi dubita, se piuttosto non debba attribuirsi all'Orcagna; parendogli poco verisimile, che i capitani d'Or San Michele, dopo avergli dato a fare il lavoro del prezioso tabernacolo, commettessero ad altri la esecuzione della sua tavola.

Ricercando notizie di cose d'arte nell'archivio de' Capitani della Compagnia suddetta, oggi riunito al Centrale di Stato in Firenze, ci venne alle mani un libro cartaceo in-8°, di molti fogli, nel quale è il registro delle elemosine fatte dalla Compagnia alle povere persone della città: quando verso la fine del libro, dove comincia la nota sommaria delle spese, ci abbattemmo a leggere sotto il dì primo di maggio 1346 la seguente partita:

« A Bernardo Daddi dipintore che dipigne la tavola di Nostra Donna; « in prestanza per la detta dipintura, fiorini quattro d'oro ».

Parimente in un altro libro segnato di n° 245, trovammo, sotto il dì 16 di giugno 1347, quest'altra partita:

« A Bernardo di Daddo dipintore per parte di pagamento de la dipin- « tura de la tavola NUOVA di Nostra Donna, fiorini quattro d'oro ».

Duolci che intorno a questa tavola, ed ai pagamenti fatti al pittore, nient'altro, per quanta diligenza vi abbiamo usato, ci sia riuscito di trovare tra i libri di quell'archivio. Nè questa è cosa da far meravigliare coloro, i quali per ricerche e studj eruditi hanno avuto occasione di maneggiare gli archivi così pubblici, come privati; sapendo essi che nella parte antica, qual più qual meno, i detti archivi sono stati quasi tutti manomessi e saccheggiati.

Nondimeno queste poche memorie che ne abbiamo tratte fuori per la prima volta, del cui significato non può nascere nessun dubbio, tanto esse sono chiare e precise, ci paiono bastanti a provare che l'autore fino ad ora ignoto della stupenda tavola del tabernacolo d'Orsanmichele non possa essere altri che Bernardo Daddi pittore fiorentino. Intorno al quale ed alle sue opere, avendo raccolto quelle maggiori notizie che ci è stato possibile, crediamo che non sia fuori di luogo di riferirle in questa occasione, perchè di lui fino a' nostri giorni ha parlato la storia assai scarsamente e non senza errori di fatto e di giudizio.

Il nostro Bernardo, adunque, nato negli ultimi anni del secolo XIII, fu figliuolo d'un Daddo di Simone, il quale abbiamo qualche ragione di credere che venisse in Firenze da un luogo di Mugello chiamato *il Salto*. Egli abitò dapprima nel popolo di San Lorenzo, e poi tornò nel 1333 in una casa della via Larga che aveva comperata da madonna Chiara, moglie di Lapo di Guccio, pittore.

Il Vasari lo ricorda brevemente nella vita di Iacopo di Casentino, lodandone le molte belle opere di pittura, e dicendolo molto onorato da' suoi cittadini che l'adoperarono ne' magistrati e in altri negozi pubblici. De' magistrati non sappiamo altro, se non che egli fu nel 1347 de' Consoli dell'arte de' Medici e Speziali, alla quale erano sottoposti i pittori. Delle opere diremo più innanzi.

La più antica memoria del Daddi è del 1320, leggendosi scritto in quest'anno nella matricola de' Medici e Speziali. Si trovò nel 1349 alla fondazione della Compagnia de' Pittori di Firenze, e fu uno de' primi suoi consiglieri. Il Vasari, contro ogni verosimiglianza, lo dice scolare di Spinello aretino; mentre sarebbe più ragionevole dirlo suo maestro. Chi veramente gli diede i principj dell'arte e l'avviò alla pittura fu Giotto, come si vede nelle sue opere, e testimoniano le antiche memorie.

Morì Bernardo sul finire del 1350, e non del 1380, come afferma il Biografo aretino, perchè dopo quell'anno non si trova mai più ricordato. Vero è che nel registro de' pittori della Compagnia suddetta, appresso al nome del Daddi è l'anno 1355; ma questo è un errore che si ha da correggere col 1350. Come potrebbe essere, infatti, che chi era stato del Consiglio della Compagnia, fosse solamente nel 1355 ascritto a quella? Di più nel libro dell'Estimo del 1351 Bernardo non apparisce; mentre vi è Daddo suo figliuolo, che fu pittore e si matricolò all'arte nel 1358. Dal qual Daddo nacque Simone, scultore ed architetto, che da Giovanna di Mazzuolo di Ugolino sua moglie ebbe Segna e Bertino; l'uno maritato ad una Zenobia nel 1379, e l'altro ad una Niccolosa nel 1383. Ed in loro finì, per quanto crediamo, la discendenza di Bernardo.

Questi sono i pochi particolari che siam riusciti a raccogliere intorno alla persona sua. Maggiori ragguagli invece abbiamo delle sue opere, alcune delle quali, sebbene in gran parte guaste dal tempo, o sformate dai pessimi ritocchi, sono per fortuna avanzate alla grande rovina e sperpero che per il corso di tre secoli ebbero a patire tutte le cose della nostra arte antica. Per testimonianza del Vasari dipinse Bernardo sopra le porte della città di Firenze. Poche e guaste reliquie di pitture erano sulla porta a Pinti (oggi demolita), altre ne restano ancora su quella di San Niccolò e su l'altra di San Giorgio; ed in quest'ultima è, meno rovinata delle altre, una Nostra Donna con il bambino Gesù in braccio, ed ai lati san Giorgio e san Lionardo. In basso, a fatica vi si legge un millesimo, che pare dica MCCCXXX. Che queste pitture sieno proprio del Daddi, non neghiamo nè affermiamo; solamente è bene notare, che, quanto alla porta a San Gallo, Jacopo Nucci pittore vi fece nel 1322 alcune figure pel prezzo di sette fiorini d'oro.

L'altra opera ricordata dal Biografo sono i freschi delle storie di san Lorenzo e di santo Stefano nella cappella Berardi in Santa Croce. I signori Crowe e Cavalcaselle, nella citata opera, dicono che quelle pitture scoprono la debolezza d'un artista di bassa sfera, ma che non ignora bensì le leggi della composizione, che erano note anche ai più infimi giotteschi. Questo loro giudizio apparisce da un lato troppo severo, e dall'altro non in tutto vero. Il che nasce da due cagioni: la prima, che essi non essendo ben chiari intorno alla persona ed alla età del Daddi, lo scambiano talvolta, come fa il Vasari, col fratello dell'Orcagna; il quale non Bernardo, ma Nardo, abbreviato da Lionardo, fu sempre per proprio nome appellato; secondochè mostrano apertamente tutte le memorie antiche, così latine come volgari, che parlano di lui. L'altra è, che hanno creduto essere due artisti diversi Bernardo Daddi e Bernardo da Firenze, com'è scritto in alcune tavole. Ora, il loro giudizio non poteva riuscire, sotto queste condizioni, che mal sicuro e discorde. Così mentre, come si è veduto, fanno poca stima de' freschi di Santa Croce, tanto malconci dal tempo e dai ritocchi; lodano, e meritamente, la tavola della Crocifissione, che fu già nella chiesa di San Giorgio a Ruballa, ed oggi si trova in Inghilterra; nella quale il pittore pose questa iscrizione:

ANNO DÑI MCCCXLVIII BERNARDUS PINXIT ME
QUEM FLORENTIA FINXIT;

non accorgendosi che questo Bernardo da loro lodato per quella tavola è lo stesso Daddi già chiamato artefice di bassa sfera nelle pitture di Santa Croce. Il Rumohr credette che l'autore di essa tavola fosse un Bernardo di Piero, il quale nel 1366 intervenne insieme con altri a consigliare intorno alla nuova fabbrica di Santa Reparata. Ma egli s'ingannò; perchè questo artefice ebbe parte in quel consiglio non come pittore, chè non era sua arte, ma sì come maestro di pietra. Due altre tavole di Bernardo si veggono in Firenze: l'una in Ognissanti, la quale dalla sagrestia fu portata in una stanza del chiostro: ed è un dossale diviso in tre compartimenti. In quel di mezzo è la Madonna col bambino Gesù; in quelli da lato è a destra san Matteo apostolo, e san Niccolò vescovo a sinistra.

Queste sono tutte mezze figure e d'un terzo minori del vero. Sotto vi si legge:

ANO . DNI . M . C . C . C . XXVIII . FR . NICHOLAUS . DE . MAZINGHIS . DE . CANPI . ME . FIERI . FECIT . P . REMEDIO . ANIME . MATRIS . ET . FRATVM (*sic*) ....

BERNARDVS DE FLORENTIA ME PINXIT.

L'altra, conservata nella Galleria dell'Accademia delle Belle Arti di Firenze, è la parte di mezzo assai guasta d'un piccolo trittico con Maria Vergine in trono e due santi ai lati. Sotto il trono è a lettere d'oro questa iscrizione:

NOMINE BERNARDUS DE
FLORENTIA PINXIT OP......

e nello zoccolo:

ANNO DNI M . CCC . XXXII....

Nel Catalogo di quella Galleria questo avanzo di trittico è detto erroneamente di Bernardo Orcagna.

Fra le opere che noi crediamo del Daddi, sebbene non abbiano scritto il suo nome, non sono da pretermettere le due preziosissime tavolette che possiede la Galleria dell'Istituto di Belle Arti in Siena. Nella prima, che è un tabernacoletto o piccolo trittico, notato nel Catalogo del 1860 sotto il numero 45 e detto d'ignoto, è nel mezzo Maria Vergine seduta in trono col Divin Figliuolo in braccio, e circondata da varj santi e sante che l'adorano. Figure tutte di squisita esecuzione, e di una maravigliosa bellezza. Negli sportelli è la Natività di Gesù Cristo, la sua Crocifissione, e due storiette d'argomento ignoto, forse della vita di san Niccolò. Nello zoccolo è scritto:

ANNO DOMINI . M . CCC . XXXVI.

Questo trittico è benissimo conservato. La seconda, parimente detta di ignoto, e segnata col numero 46, è la sola parte di mezzo d'un trittico, con Nostra Donna e Gesù bambino, a cui fanno corona varj santi e sante in atto d'adorazione. Ha patito assai, ma è di pari, se non di maggiore bellezza della prima.

Era un tempo nell'antica Cappella dell'Udienza del palazzo pubblico in Firenze una tavola con san Bernardo in atto di scrivere, a cui apparisce in alto Maria Vergine. Questa tavola, che non si saprebbe dire se oggi esista ancora, nè dove, fu ordinato, con deliberazione de' 17 d'agosto 1432, che si nettasse e riattasse nel suo ornamento colla spesa di trentanove fiorini d'oro. L'Inventario compilato nel medesimo anno dice a questo proposito così: « Ancora e sopradetti Signori feciono nettare e « ripulire la tavola, predella e cappella dell'altare di San Bernardo, la « quale era tutta affummicata e nera per lo fummo degl' incensi e dell'es- « sere stata grandissimo tempo non procurata: la quale trovano *fu di- « pinta nel 1335 per maestro Bernardo dipintore, il quale fu discepolo di « Giotto* ».

Nel Rapporto[1] intorno al ritratto di Dante, pubblicato nel 1865, fu da noi detto, a proposito delle pitture segnate col nome di Bernardo da Firenze, che esse potevano tenersi di mano del nostro Daddi: e fu gettato un motto, così per via di congettura, che di lui si potessero credere ancora alcune opere che il Vasari attribuisce all'Orcagna e al suo fratello. Queste opere sono i freschi del Trionfo della Morte, del Giudizio e dell'Inferno nel Camposanto di Pisa. I nominati signori Crowe e Cavalcaselle, i quali hanno discorso con gran diligenza ed esaminato con critica nuova e dotta le pitture di quel luogo, stimano che quelle assegnate ai fratelli Orcagna sieno di maestro in tutto diverso; trovando nell'esecuzione loro, non solo dissomiglianza dalle pitture della cappella Strozzi in Santa Maria Novella, ma ancora varietà grande dalla scuola fiorentina ne' tipi, nelle forme e nella espressione. Affermano di più, che esse sono tutte d'una mano, e d'uno stile più senese che fiorentino; e che se ad un artefice si dovessero assegnare, si farebbe con più ragione a Pietro Lorenzetti o al fratel suo Ambrogio.

Mentre noi ci accordiamo volentieri coll'opinione loro di non riconoscere per opera degli Orcagna quelle pitture; siamo poi di contrario avviso rispetto al più probabile loro autore. Ai tempi del Vasari doveva essere ancor viva la tradizione che nel Camposanto di Pisa avessero lavorato fra gli altri un Andrea ed un Bernardo, pittori fiorentini. Questi due nomi bastarono a lui per comporvi sopra una delle sue solite favolette. Egli dunque la ragionò così: un pittore di que' tempi di nome Andrea fu l'Orcagna; dunque quelle pitture sono sue senza dubbio. L'Orcagna ebbe un fratello, veramente chiamato Nardo dal Ghiberti, ma Nardo non è che un'abbreviatura di Bernardo; dunque chi dipinse nel Camposanto fu il fratello dell'Orcagna; tanto più che quivi egli ha ripetuto il medesimo soggetto dell'Inferno, che aveva trattato nella cappella degli Strozzi.

Ma oggi è manifesto che persona diversa dall'Orcagna fu quel maestro Andrea da Firenze, il quale nel 1377 dipinse nel Camposanto le

[1] Vedilo citato nella parte prima del Commentario alla Vita di Giotto.

storie di san Ranieri attribuite dal Vasari a Simone da Siena; sebbene resti difficile l'assegnare quale egli sia de' molti pittori del medesimo nome che furono allora in Firenze. Rispetto all'altro pittore chiamato Bernardo, non potendosi mai scambiare con Nardo fratello dell'Orcagna, è per noi certo che debba riconoscersi in lui il nostro Daddi; fuori del quale è impossibile di trovare in Firenze per tutto il secolo XIV un altro pittore di questo nome: e che perciò del Daddi e non del fratello dell'Orcagna sieno le dette pitture del Camposanto, cioè il Trionfo della Morte, il Giudizio e l'Inferno. Ed in questa opinione ci conforta ancora quel che dice l'anonimo autore d'un libro in penna, già veduto dal Baldinucci, che si conserva nella Magliabechiana tra i codici Gaddiani, sotto il numero 17 della classe XVII. Questo libro è diviso in due parti: nella prima, che si stende per 37 carte, sono raccolte sotto grande brevità le notizie de' più illustri artefici dell'antichità; e nell'altra, che comincia a carte 43 (*verso*), quelle degli artefici fiorentini da Cimabue a Michelangelo. Si vede bene che il libro non è che un primo abbozzo e come la preparazione d'un'opera che intorno a questo argomento intendeva di scrivere l'autore; il quale tenne per ciò innanzi un più antico esemplare, ch'egli chiama l'Originale, e tolse molte cose da un altro libro appartenuto ad un Antonio Billi che visse sul finire del 1400. Trovandovisi varj particolari che non si leggono nel Vasari, o sono diversi, circa la persona e le opere degli artefici, è naturale il credere che il libro sia stato compilato innanzi alla stampa delle *Vite*, e con materiali in parte differenti. Ora in esso a carte 48 (*verso*) si legge: « Bernardo fu discepolo di Giotto et operò assai in Firenze et « in altri luoghi. In Pisa dipinse la chiesa di San Paolo a Ripa d'Arno « et *in Campo santo lo Inferno* ». Le quali parole, per le ragioni dette di sopra, non si possono riferire ad altri che al Daddi, che sarebbe non solo l'autore delle pitture del Camposanto attribuite all'Orcagna, ma anche di quelle di San Paolo a Ripa d'Arno, che il Vasari dà in parte a Buffalmacco ed in parte a Giovanni da Ponte.

Quanto Bernardo fosse valente nell'arte sua, si mostra appieno dalle opere che di lui rimangono, e tra queste dovrà da qui innanzi annoverarsi come principalissima la stupenda tavola del tabernacolo d'Or San Michele. Ed in che stima fosse egli appresso i suoi contemporanei si può ancora raccogliere da quel che si legge nella Novella 136 del Sacchetti, dove varj artisti, come maestro Alberto Arnoldi, l'Orcagna e Taddeo Gaddi, sono introdotti a disputare quale sia stato il maggior maestro di dipingere da Giotto in fuori. Ed essi dicono, chi Cimabue, chi Stefano, chi Bernardo, chi Buffalmacco, e chi altri. Ora, a noi pare chiarissimo, che il maestro Bernardo quivi nominato come terzo in ischiera tra i migliori pittori che furono dopo Giotto, sia sicuramente il nostro Daddi. Nelle cui opere infatti, così in tavola, come in muro, si vede una grandiosità di stile straordinaria, una continua ricerca della forma mediante lo studio del vero, un colorire pieno di forza ed insieme di vaghezza, ed una diligenza estrema di esecuzione fino nelle minuzie. Oltre a ciò è precipua sua qualità un sentimento severo ne' volti virili, ed una espressione di soavissima grazia e di celestiale bellezza nelle teste delle Vergini, degli angeli e delle sante. In somma egli apparisce maestro tanto eccellente, che pochi pittori del suo tempo possono venirgli al paragone, e che da nessuno egli è superato.

Spesse volte è accaduto che uomini in grande riputazione appresso i contemporanei sieno stati poi con miglior giudizio condannati dalla posterità ad un perpetuo oblio; come pure non è stato raro il caso che altri uomini, il cui nome per giuoco della fortuna era rimasto da lunga pezza quasi sotterrato, sieno stati sottratti all'ingiusta dimenticanza, ed alla fama che meritavano restituiti.

Tra coloro che ancora aspettano dalla giustizia degli uomini e del tempo questa riparazione, la storia dovrà registrare Bernardo Daddi, pittore fiorentino della prima metà del secolo XIV; le cui opere, allorquando saranno meglio conosciute e studiate, basteranno senza dubbio ad assegnargli un luogo onoratissimo tra i migliori artefici di quella età.

PIETRO LAURATI

PITTORE SANESE

(Nato , morto circa il 1350)

Pietro Laurati,[1] eccellente pittore sanese, provò vivendo quanto gran contento sia quello dei veramente virtuosi, che sentono l'opere loro essere nella patria e fuori in pregio, e che si veggiono essere da tutti gli uomini desiderati: perciocchè nel corso della vita sua fu per tutta Toscana chiamato e carezzato, avendolo fatto conoscere primieramente le storie che dipinse a fresco nella Scala, spedale di Siena;[2] nelle quali imitò di sorte

[1] *Di Pietro, che fu figliuolo di Lorenzo o Lorenzetto, il primo ricordo come pittore è del 1305. Il Della Valle credette che fosse il minore de' due Lorenzetti; ma noi opiniamo il contrario, perchè Ambrogio si trova nominato nel 1323 per la prima volta; e perchè nella iscrizione che un tempo era nell'affresco fatto da essi nella facciata dello Spedale di Siena, il nome di Pietro stava avanti a quello del fratello.

[2] *Le fece insieme con Ambrogio suo fratello. Esse furono guaste nel 1720, quando fu tolta la tettoja che le riparava dalle intemperie, e fu riscialbata la muraglia. L'Ugurgieri (*Pompe Senesi*) è il primo che ci ha conservato questa iscrizione: HOC OPVS FECIT PETRVS LAVRENTII ET AMBROSIVS EIVS FRATER MCCCXXXV. Nella sagrestia del Duomo senese si vede la tavola della Natività di Nostra Donna, già citata dal ms. di Alfonso Landi e dal Della Valle: tavola molto preziosa, sì perchè ci fa conoscere il merito veramente grande di Pietro di Lorenzo, come ancora perchè è l'unica opera certa che di lui sia rimasta in Siena. In essa è scritto: PETRVS LAVRENTII DE SENIS ME PINXIT ANNO MCCCXLII.

la maniera di Giotto divulgata per tutta Toscana,[1] che si credette a gran ragione che dovesse, come poi avvenne, divenire miglior maestro che Cimabue e Giotto e gli altri stati non erano. Perciocchè, nelle figure[2] che rappresentano la Vergine quando ella saglie i gradi del tempio, accompagnata da Giovacchino e da Anna e ricevuta dal sacerdote, e poi lo Spousalizio, sono con bell' ornamento così ben panneggiate e ne' loro abiti semplicemente avvolte, ch' elle dimostrano nell' arie delle teste maestà, e nella disposizione delle figure bellissima maniera.[3] Mediante dunque questa opera, la quale fu principio d' introdurre in Siena il buon modo della pittura, facendo lume a tanti belli ingegni che in quella patria sono in ogni età fioriti;[4] fu chiamato Pietro a Monte Oliveto di Chiusuri, dove dipinse una tavola a tempera, che oggi è posta nel Paradiso sotto la chiesa.[5] In Fiorenza poi dipinse, dirimpetto alla porta sinistra della chiesa di Santo Spirito, in sul canto dove oggi sta

[1] *Pietro, che certamente ebbe i principj dell' arte nella sua patria, non imitò Giotto. Basta vedere le opere sue per riconoscervi un fare ed una pratica diversa. Pare a noi che risenta tanto della maniera di Duccio e di Segna, da credere che dall' uno de' due fosse indirizzato alla pittura. Il certo si è che ambidue i Lorenzetti furono fratelli anche nell' arte; e le pitture di Pietro somigliano in molte parti a quelle di Ambrogio per modo, che un semplice confronto basta ad indurre in ciascun intelligente la persuasione di ciò.

[2] Affine di trovar sintassi in questo periodo, leggi: « perciocchè *le* figure ».

[3] † Fra i freschi di Ambrogio Lorenzetti nel Capitolo di San Francesco di Siena, tanto celebrati dal Ghiberti e dal Vasari, e stati fino a' nostri giorni coperti dal bianco, i signori Crowe e Cavalcaselle vogliono riconoscere per opera di Pietro Lorenzetti, non ricordata dal Vasari, quella della Crocifissione, che essi lodano per grandissimo sentimento ed energia.

[4] † La lode di aver fatto avanzare l'arte della pittura in Siena non si deve in tutto attribuire a Pietro Lorenzetti e ad Ambrogio suo fratello. Vuole giustizia che grandissima parte di questa lode si riconosca meritare il vecchio Guido, autore della celebre tavola di Nostra Donna, in San Domenico, dipinta nel 1281 e non **nel 1221**, come è stato fino ad oggi creduto, e Duccio suo discepolo, e Segna e Simone Martini. (Vedi negli *Scritti varj sull' arte toscana* di G. Milanesi, Siena, tip. Sordo-Muti, 1873, in-8, l'articolo intitolato *Della vera età di Guido pittore senese e della celebre sua tavola in San Domenico di Siena*).

[5] *Questa tavola è smarrita.

un beccaio, un tabernacolo, che per la morbidezza delle teste e per la dolcezza che in esso si vede, merita di essere sommamente da ogni intendente artefice lodato.[1] Da Fiorenza andato a Pisa, lavorò in Campo Santo, nella facciata che è accanto alla porta principale, tutta la vita de' Santi Padri, con sì vivi affetti e con sì belle attitudini, che, paragonando Giotto, ne riportò grandissima lode, avendo espresso in alcune teste, col disegno e con i colori, tutta quella vivacità che poteva mostrare la maniera di que' tempi.[2] Da Pisa trasferitosi a Pistoia, fece in San Francesco, in una tavola a tempera, una Nostra Donna, con alcuni Angeli intorno molto bene accomodati; e nella predella che andava sotto questa tavola, in alcune storie, fece certe figure piccole tanto pronte e tanto vive, che in que' tempi fu cosa maravigliosa: onde, sodisfacendo non meno a sè che agli altri, volle porvi il nome suo con queste parole *Petrus Laurati de Senis.*[3] Essendo poi chiamato Pietro, l'anno 1355,[4]

[1] Pittura, che a' dì del Bottari avea molto sofferto, ed ora è affatto perita.

[2] *Il prof. Rosini (*Guida del Campo Santo*) inclina a credere che il gruppo di quei quattro monaci, i quali stanno presso ad una chiesetta occupati in varie faccende, siano di Antonio Veneziano, essendo quelle figure alquanto diverse dalle altre. Il Lanzi chiama questa storia la più ricca d'idee, la più nuova, la più ben pensata che forse si vegga in Campo Santo. Ma egli dà a questo dipinto le lodi che merita piuttosto la tavoletta ch'è nella Galleria degli Uffizj; sulla quale però il medesimo storico s'inganna dicendola copia o replica dell'affresco pisano. Se ne faccia il riscontro, e vedrassi che queste pitture altro non hanno di comune che l'argomento: il quale, come si vede, non è concetto originale del nostro pittore, ma tutto imitato dalla bizantina esposizione e rappresentazione di questo soggetto. Un'altra tavoletta più simile nella composizione all'archetipo di Campo Santo era in casa Frosini a Pisa, ora in mano del pittore Rimedio Fezzi.

[3] *Questa tavola oggi si conserva in Firenze nella Galleria degli Uffizj; mancante però del gradino. Ma l'iscrizione data dal Vasari non è nè intera nè esatta. Essa dice come segue: PETRVS · LAVRENTII · DE · SENIS · ME · PINXIT · ANNO · DOMINI · M · CCC · XL · Dall'aver letto male questa scritta venne l'errore del Vasari di cognominar Laurati il nominato Pietro di Lorenzo; e quindi il non aver conosciuto che questo pittore era fratello di Ambrogio Lorenzetti.

[4] *Qui o la stampa o il Vasari errano nell'assegnare al 1355 l'andata di Pietro ad Arezzo: giacchè dubitiamo che sia molto difficile il trovar memorie dell'esser suo che giungano al 1350. Forse è da leggere 1345, nel qual anno fu arciprete della pieve d'Arezzo un Guglielmo.

da messer Guglielmo arciprete e dagli operai della pieve d'Arezzo, che allora erano Margarito Boschi ed altri; in quella chiesa, stata molto innanzi condotta con migliore disegno e maniera che altra che fosse stata fatta in Toscana insino a quel tempo, ed ornata tutta di pietre quadrate e d'intagli, come si è detto, di mano di Margaritone; dipinse a fresco la tribuna, e tutta la nicchia grande della cappella dell'altar maggiore, facendovi a fresco dodici storie della vita di Nostra Donna, con figure grandi quanto sono le naturali; e cominciando dalla cacciata di Giovacchino[1] del tempio, fino alla Natività di Gesù Cristo. Nelle quali storie lavorate a fresco si riconoscono quasi le medesime invenzioni, i lineamenti, l'arie delle teste, e l'attitudini delle figure, che erano state proprie e particolari di Giotto suo maestro. E sebbene tutta questa opera è bella, è senza dubbio molto migliore che tutto il resto quello che dipinse nella volta di questa nicchia: perchè dove figurò la Nostra Donna andare in cielo, oltre al far gli Apostoli di quattro braccia l'uno (nel che mostrò grandezza d'animo, e fu primo a tentare di ringrandire la maniera), diede tanto bella aria alle teste e tanta vaghezza ai vestimenti, che più non si sarebbe a que' tempi potuto disiderare. Similmente, nei volti d'un coro d'Angeli che volano in aria intorno alla Madonna, e con leggiadri movimenti ballando, fanno sembiante di cantare, dipinse una letizia veramente angelica e divina; avendo massimamente fatto gli occhi degli Angeli, mentre suonano diversi istrumenti, tutti fissi e intenti in un altro coro d'Angeli, che, sostenuti da una nube in forma di mandorla, portano la Madonna in cielo, con belle attitudini, e da celesti archi tutti circondati.[2] La quale opera, perchè piacque, e meritamente, fu cagione che gli fu data

[1] In altre edizioni, ma erroneamente: *nella cacciata di Zaccheria.*
[2] Queste pitture della tribuna e della nicchia più non esistono.

a fare a tempera la tavola dell'altar maggiore della detta pieve:[1] dove, in cinque quadri, di figure grandi quanto il vivo fino al ginocchio, fece la Nostra Donna col Figliuolo in braccio, e San Giovanni Batista e San Matteo dall'uno de'lati, e dall'altro il Vangelista e San Donato, con molte figure piccole nella predella, e di sopra nel fornimento della tavola; tutte veramente belle e condotte con bonissima maniera. Questa tavola, avendo io rifatto tutto di nuovo a mie spese e di mia mano l'altar maggiore di detta pieve, è stata posta sopra l'altar di San Cristofano a piè della chiesa.[2] Nè voglio che mi paia fatica di dire in questo luogo, con questa occasione e non fuor di proposito, che mosso io da pietà cristiana e dall'affezione che io porto a questa venerabil chiesa collegiata ed antica; e per avere io in quella apparato nella mia prima fanciullezza i primi documenti, e perchè in essa sono le reliquie de'miei passati; che mosso, dico, da queste cagioni, e dal parermi che ella fusse quasi derelitta, l'ho di maniera restaurata, che si può dire ch'ella sia da morte tornata a vita: perchè, oltre all'averla illuminata, essendo oscurissima, con avere accresciute le finestre che prima vi erano e fattone dell'altre; ho levato anco il coro, che, essendo dinanzi, occupava gran parte della chiesa, e, con molta soddisfazione di que'signori canonici, postolo dietro l'altare maggiore.[3] Il quale

[1] † Questa tavola fu allogata, pel prezzo di 160 lire pisane, a Pietro da Guido Tarlati vescovo d'Arezzo ai 17 d'aprile del 1320 con strumento rogato da ser Astaldo di Baldinuccio notaio aretino. Restaurandosi a'nostri giorni la Pieve, questa tavola è stata provvisoriamente trasportata in una sala del palazzo municipale d'Arezzo.

[2] *La tavola esiste tuttora, appesa nella parete destra entrando, presso l'altare della Misericordia. Manca però il gradino, e con esso la iscrizione che diceva PETRUS · LAURENTII · HANC · PINXIT · DEXTRA · SENENSIS, lettavi dal Rumohr (*Ricerche italiane*, tom. II): il quale però ebbe ragionevole sospetto che essa vi fosse scritta posteriormente.

[3] Fino al duodecimo secolo le chiese ebbero finestre strettissime simili a feritoje: ciò che conferiva moltissimo al raccoglimento, e si accordava colla severità e co'misteri del Cristianesimo. Avevano pure il coro dinanzi e non die-

altare nuovo, essendo isolato, nella tavola dinanzi ha un Cristo che chiama Pietro ed Andrea dalle reti; e dalla parte del coro è, in un'altra tavola, San Giorgio che occide il serpente; dagli lati sono quattro quadri, ed in ciascuno d'essi due Santi, grandi quanto il naturale. Sopra, poi, e da basso nelle predelle, è una infinità d'altre figure, che per brevità non si raccontano. L'ornamento di questo altare è alto braccia tredici, e la predella alta braccia due. E perchè dentro è vôto, e vi si va con una scala per uno uscetto di ferro molto bene accomodato; vi si serbano molte venerande reliquie, che di fuori si possono vedere per due grate che sono dalla parte dinanzi: e fra l'altare, vi è la testa di San Donato, vescovo e protettore di quella città; e in una cassa di mischio di braccia tre, la quale ho fatta fare di nuovo, sono l'ossa di quattro Santi. E la predella dell'altare, che a proporzione lo cinge tutto intorno intorno, ha dinanzi il tabernacolo, ovvero ciborio del Sacramento, di legname intagliato e tutto dorato, alto braccia tre in circa: il quale tabernacolo è tutto tondo, e si vede così dalla parte del coro come dinanzi. E perchè non ho perdonato nè a fatica nè a spesa nessuna, parendomi esser tenuto a così fare in onor di Dio; questa opera, per mio giudizio, ha tutti quegli ornamenti d'oro, d'intagli, di pitture, di marmi, di trevertini, di mischi e di porfidi e d'altre pietre, che per me si sono in quel luogo potuti maggiori.[1] Ma, tornando oramai a Pietro Laurati, finita la tavola, di cui si è di sopra ragionato, lavorò in San Piero di Roma molte cose, che poi sono state rovinate per fare la fabbrica

tro l'altare, come si vede in alcune pochissime; le quali, per non perdere affatto i visibili testimonj degli usi antichi, è bene che si conservino come stanno.

[1] Tutte le cose qui descritte della pieve d'Arezzo sono tuttavia nello stato in cui il Vasari le pose o le lasciò, eccetto la tavola principale, che ha alquanto patito. Tra le figure della predella, accennate dopo quella tavola, sono ritratti d'alcuni suoi parenti; come dice egli stesso nella Vita di Lazzero Vasari suo

nuova di San Piero. Fece ancora alcune opere in Cortona ed in Arezzo, oltre quelle che si son dette, alcun'altre nella chiesa di Santa Fiora e Lucilla, monastero de' monaci Neri: e in particolare, in una cappella, un San Tommaso che pone a Cristo nella piaga del petto la mano.[1]

Fu discepolo di Pietro, Bartolommeo Bolgarini sanese,[2] il quale in Siena e in altri luoghi d'Italia lavorò

[1] Il san Tommaso qui rammemorato più non si vede.

† Il Cavalcaselle (op. cit., vol. I, pag. 171 e seg., ediz. italiana) dice che nella chiesa di sotto di San Francesco d'Assisi, nella crociera dalla banda della sagrestia, è di Pietro Lorenzetti la Crocifissione che il Vasari attribuisce a Pietro Cavallini. E dello stesso maestro crede la Passione di Nostro Signore e san Francesco che riceve le stimate, pitture che sono nelle pareti del lato sinistro della detta crociera; pitture che il Biografo aretino assegna a Giotto. Parimente vuole del Lorenzetti la Madonna col Divin Figliuolo in collo ed ai lati san Francesco ed un altro santo giovane, in mezze figure, che sono dipinte vicino alla Crocifissione suddetta: e la stessa mano riconosce nella piccola figura di Cristo in croce, con ai lati due stemmi, uno per parte, ora cancellati, e alla destra di chi guarda, la figura d'un uomo di 50 anni, sbarbato e dalla cintola in su, con mani giunte e col capo coperto da una berretta, nella qual figura si è voluto vedere il ritratto del Cavallini. Finalmente gli pare che non mostrino diverso carattere, ed abbiano la medesima maniera, il Vescovo e le tre sante in mezza figura che adornano la parete sotto la Deposizione di croce.

[2] † Nel Vasari, per errore di stampa, si leggeva qui e più a basso *Bolghini*, che noi abbiamo in ambedue i luoghi corretto in *Bolgarini*, il qual pittore operava dal 1337 al 1378, in cui morì. Egli ebbe per moglie una madonna Bartolommea, e risede nel supremo magistrato della sua città nel bimestre di marzo e aprile del 1362. Fu frate dello Spedale di Santa Maria della Scala. Miniò nel 1337 e nel 1353 le coperte de' libri del magistrato detto della Biccherna, che era sopra l'entrate del pubblico. Dipinse nel 1373 per la chiesa del detto Spedale una tavola che stette nella cappella presso la porta dell'oratorio chiamato del Sacro Chiodo. In essa si leggeva questa iscrizione: FRATER BARTHOLOMEUS DNI BULGARINI DE SENIS ME PINXIT TEMPORE DNI GALGANI RECTORIS HOSPITALIS STE MARIE · A · DNI · MCCCLXXIII. In Siena oggi non resta nulla che possa con certezza tenersi per lavoro di sua mano. Fu da alcuni creduto che maestro Martino di Bartolommeo, pittore che fiorì verso la fine del secolo XIV, fosse suo figliuolo, ma tal credenza non può altrimenti reggersi, imperciocchè certe scritture del tempo, da noi ritrovate in Siena, ci provano che maestro Martino fu figliuolo di un Bartolommeo di maestro Biagio, della famiglia Sensi, che appartenne a quell'ordine di cittadini che fu detto *dei Riformatori*; fece testamento nel 1434 e nel medesimo anno morì, mentre i Bolgarini furono sempre dell'ordine *dei Nove*. Riserbando ad altro luogo di parlare di una sua opera fatta in Siena, ci tratterremo alquanto a discorrere delle sue pitture a' nostri giorni scoperte fuori della sua patria. Martino di Bartolommeo, in compagnia di Giovanni del

molte tavole; e in Fiorenza è di sua mano quella che è in sull'altare della cappella di San Silvestro in Santa Croce.[1]

fu Piero da Napoli (pittore quasi ignoto sin qui, e del quale in Pisa, dove ebbe dimora continua, sono varie opere), prese a fare una tavola, che è nello spedale di Santa Chiara, allogata a' due socj pittori, nel dì 27 aprile del 1402, da Tommaso del fu Tieri da Calcinaja, procuratore del pio luogo. In essa, a' termini della convenzione, doveva esser dipinta una Nostra Donna col Divin Figliuolo, sant'Agostino, san Giovan Battista, san Giovanni Evangelista e santa Chiara, ai lati; e sopra, la Ss. Trinità, la Vergine Annunziata e l'angelo Gabriele (in luogo delle quali tre figure, per mutato volere o de' committenti o de' pittori, oggi si vedono san Marco e san Luca). Questa tavola manca del gradino cogli apostoli, otto profeti e due serafini. Al prof. Rosini venne in animo di attribuire quest'opera a Taddeo Bartoli, e la dette incisa molto fedelmente nel numero XXIX dei monumenti della sua *Storia*. Un'altra tavola, nella quale il nostro Martino scrisse il suo nome e l'anno 1403, è quella già rinvenuta dal Morrona (*Pisa illustrata*, prima edizione, tom. III, p. 253, 254, 266) nello Spedale de' Trovatelli di Pisa, ed oggi appesa alle pareti di una stanza contigua alla chiesa. Ma la maggiore sua opera, più copiosa d'invenzione e più importante, ed in buona parte ancora conservata, si vede nell'antica chiesa (or profanata) di San Giovan Battista, della terra di Cascina presso Pisa, la quale fu già magione de' Cavalieri Gerosolimitani. In essa sono alcuni freschi, parte a chiaroscuro e parte coloriti, che lo Zucchagni-Orlandini con manifesto errore attribuì al Luino, e il prof. Bonaini restituì al suo vero autore, avendovi scoperto e letto il 31 maggio 1846 il nome del pittore Martino da Siena. La maggiore di queste storie è la Crocifissione: al di sotto due soli dei quattro affreschi rimangono, cioè il Battesimo di Cristo e il Convito di Erodiade. Attorno alle rimanenti pareti sono disposte, in quattr' ordini, storie tratte dal vecchio Testamento, dalla Creazione al Giudizio di Salomone, parte a chiaroscuro, parte a colori; e a descriverle tutte si uscirebbe da' limiti di una nota. Insomma, questa è tal' opera, da fare molto onore a Martino. Sotto la maggior pittura leggesi questo avanzo di scritta: ...RIS DE CASCINA ANNO DOMINI M...LXXXXVI... MARTI... .....LOMEI DE SENIS PINSIT TOTUM .... ISTIUS ECCLESIE SANTI JOHANNIS BAPTISTE. Nel Cabreo della Commenda di San Giovanni di Prato e de' suoi membri di Cascina e Pontremoli, fatto dal commendatore Fra Ippolito Borromeo nel 1678 (Vedi nell'Archivio di Stato di Firenze; Carte delle corporazioni religiose soppresse: Ordine di San Giovanni di Gerusalemme, filza 176), è riferita per intero la detta iscrizione, che dice così: HOC OPUS FECIT FIERI BARTOLUS DE PALMERIIS DE CASCINA · ANNO DOMINI · M · CCC · LXXXXVIII · MARTINUS BARTHOLOMEI DE SENIS PINSIT TOTUM OPUS ISTIUS ECCLESIE SANTI JOHANNIS BAPTISTE. Tanto della scoperta degli autori della tavola di santa Chiara, quanto degli affreschi di Cascina, ripetiamo doverne saper grado alla dotta sagacità del prelodato prof. Bonaini; il quale, colle assidue ricerche di tutto ciò che spetta alla patria erudizione, seppe trovare una così abbondante e ignota mèsse di documenti, che la storia dell'arte ne è per ricevere luce nuova e grandissima: di che, fra molti altri, fa fede il bel saggio pubblicato per le stampe col titolo di *Memorie inedite intorno alla vita e ai dipinti di Francesco Traini, e ad altre opere di disegno dei secoli XI, XIV e XV.* Pisa, tipografia Nistri, 1846.

[1] Questa tavola è perita.

Furono le pitture di costoro intorno agli anni di nostra salute 1350: e nel mio libro tante volte citato si vede un disegno di mano di Pietro, dove un calzolaio che cuce, con semplici, ma naturalissimi lineamenti, mostra grandissimo affetto, e qual fusse la propria maniera di Pietro; il ritratto del quale era, di mano di Bartolommeo Bolgarini, in una tavola in Siena, quando, non sono molti anni, lo ricavai da quello nella maniera che di sopra si vede.

ANDREA PISANO

SCULTORE ED ARCHITETTO

(Nato circa il 1270; morto nel 1348)

Non fiorì mai per tempo nessuno l'arte della pittura, che gli scultori non facessino il loro esercizio con eccellenza: e di ciò ne sono testimonj, a chi ben riguarda, l'opere di tutte l'età, perchè veramente quelle due arti sono sorelle, nate in un medesimo tempo, e nutrite e governate da una medesima anima. Questo si vede in Andrea Pisano,[1] il quale, esercitando la scultura nel tempo di Giotto, fece tanto miglioramento in tal'arte, che e per pratica e per studio fu stimato in quella professione il maggior uomo che avessino avuto insino ai tempi suoi i Toscani, e massimamente nel gettar di bronzo. Perlochè, da chiunque lo conobbe furono in modo onorate e premiate l'opere sue, e massimamente da' Fiorentini, che non gl'increbbe cambiar patria, parenti, facultà ed amici. A costui giovò molto quella difficultà che avevano

[1] *Nacque, verso il 1270, da un ser Ugolino notajo figliuolo di Nino, i quali certamente non furono artisti, come taluno ha preteso. Dobbiamo al ricordato prof. Francesco Bonaini la scoperta che maestro Andrea, anche innanzi ai tempi del Vasari detto pisano, fu veramente da Pontedera. Vedansi i documenti nelle precitate *Memorie del Traini*.

avuto nella scultura i maestri che erano stati avanti a lui; le sculture de' quali erano sì rozze e sì dozzinali, che chi le vedeva a paragone di quelle di quest'uomo, le giudicava un miracolo. E che quelle prime fussero goffe, ne fanno fede, come s'è detto altrove, alcune che sono sopra la porta principale di San Paolo di Firenze, ed alcune che di pietra sono nella chiesa d'Ognissanti; le quali sono così fatte, che piuttosto muovono a riso coloro che le mirano, che ad alcuna maraviglia o piacere.[1] E certo è, che l'arte della scultura si può molto meglio ritrovare, quando si perdesse l'esser delle statue, avendo gli uomini il vivo ed il naturale, che è tutto tondo come vuol ella; che non può l'arte della pittura, non essendo così presto e facile il ritrovare i bei dintorni e la maniera buona, per metterla in luce. Le quali cose nell'opere che fanno i pittori arrecano maestà, bellezza, grazia e ornamento. Fu in una cosa alle fatiche d'Andrea favorevole la fortuna; perchè, essendo state condotte in Pisa, come si è altrove detto, mediante le molte vittorie che per mare ebbero i Pisani, molte anticaglie e pili che ancora sono intorno al Duomo ed al Campo Santo, elle gli fecero tanto giovamento e diedero tanto lume, che tale non lo potette aver Giotto, per non si essere conservate le pitture antiche tanto, quanto le sculture. E sebbene sono spesso le statue destrutte da' fuochi, dalle rovine e dal furor delle guerre, e sotterrate e trasportate in diversi luoghi; si riconosce nondimeno, da chi intende, la differenza della maniera di tutti i paesi: come, per esempio, la egizia è sottile e lunga nelle figure, la greca è artifiziosa e di molto studio negl'ignudi, e le teste hanno quasi un'aria medesima; e l'antichissima toscana, difficile

[1] *Queste sculture scomparvero quando nel 1669 fu rinnovata l'antica chiesa; delle altre che erano in Ognissanti, non si ha più notizia. Ma i pergami di Niccola e Giovanni pisani, pur dal Vasari stesso lodati, stan contro questo suo giudizio.

nei capelli ed alquanto rozza.[1] De' Romani (chiamo Romani per la maggior parte quelli che, poi che fu soggiogata la Grecia, si condussero a Roma, dove ciò che era di buono e di bello nel mondo fu portato); questa, dico, è tanto bella per l'arie, per l'attitudini, pe' moti, e per gl'ignudi e per i panni, che si può dire che eglino abbiano cavato il bello da tutte l'altre provincie, e raccoltolo in una sola maniera, perchè ella sia (com'è) la migliore, anzi la più divina di tutte l'altre.[1] Le quali tutte belle maniere ed arti essendo spente al tempo d'Andrea, quella era solamente in uso che da' Goti e da' Greci goffi era stata recata in Toscana. Onde egli, considerato il nuovo disegno di Giotto, e quelle poche anticaglie[2] che gli erano note, in modo assottigliò gran parte della grossezza di sì sciagurata maniera col suo giudizio, che cominciò a operar meglio e a dare molto maggior bellezza alle cose, che non aveva fatto ancora nessun altro in quell'arte insino ai tempi suoi. Perchè, conosciuto l'ingegno e la buona pratica e destrezza sua, fu nella patria aiutato da molti; e datogli a fare, essendo ancora giovane, a Santa Maria a Ponte alcune figurine di marmo, che gli recarono così buon nome,[3] che fu ricerco con instanza grandissima di venire a lavorare a Firenze per l'Opera di Santa Maria del Fiore; che aveva, essendosi cominciata la facciata dinanzi delle tre porte, carestia di maestri che facessero le storie che Giotto aveva disegnate pel principio di detta fabbrica. Si condusse, adunque, Andrea a Firenze in servigio dell'Opera detta; e perchè desideravano in quel tempo i Fiorentini rendersi grato

[1] Pochi vorranno convenire col Vasari nel preferire la maniera de' Romani, benchè de' tempi migliori, alla greca pur de' tempi migliori, cioè da Pericle ad Alessandro

[2] E di Niccola e di Giovanni suoi concittadini non vide egli dunque nulla? Giovanetto, siccome consta dai libri dell'Opera del Duomo di Pisa veduti dal Ciampi, ei lavorava come garzone di Giovanni, a cui poi fu compagno

[3] È Santa Maria del Ponte Nuovo, oggi detta comunemente della Spina

ed amico papa Bonifazio VIII, che allora era sommo pontefice della Chiesa di Dio, vollono che, innanzi a ogni altra cosa, Andrea facesse di marmo e ritraesse di naturale detto pontefice. Laonde, messo mano a questa opera, non restò che ebbe finita la figura del papa, ed un San Piero ed un San Paulo che lo mettono in mezzo: le quali tre figure furono poste e sono nella facciata di Santa Maria del Fiore. Facendo poi Andrea, per la porta del mezzo di detta chiesa, in alcuni tabernacoli ovver nicchie, certe figurine di profeti; si vide ch'egli avea recato gran miglioramento all'arte, e che egli avanzava in bontà e disegno tutti coloro che insino allora avevano per la detta fabbrica lavorato. Onde fu risoluto che tutti i lavori d'importanza si dessono a fare a lui, e non ad altri. Perchè, non molto dopo gli furono date a fare le quattro statue de' principali dottori della chiesa; San Girolamo, Sant'Ambrogio, Sant'Agostino e San Gregorio. E finite queste, che gli acquistarono grazia e fama appresso gli operai, anzi appresso tutta la città, gli furono date a far due altre figure di marmo della medesima grandezza; che furono il Santo Stefano e San Lorenzo, che sono nella detta facciata di Santa Maria del Fiore, in sull'ultima cantonata.[1] È di mano d'Andrea similmente la Madonna di

[1] Disfattasi sventuratamente (verso il 1586) la facciata, che già era giunta a due terzi, tutte le figure d'Andrea furon disperse, quali per la chiesa, quali altrove. Il Bonifazio VIII, opera di stil grandioso e mirabilmente condotta, fu trasportato nel giardino Riccardi, poi Stiozzi, in Gualfonda; † ed ora si trova nel giardino degli Orti Oricellarj, appartenente alla signora Orloff, ma mutilato. Alcune figure di dottori furon poste al principio dello stradone di Poggio Imperiale, e trasformate, come ancor si vede, in figure di poeti, ecc.

† Noi circa a queste statue che il Vasari assegna ad Andrea, siamo in grandissimo dubbio che sieno di altri maestri e di tempo posteriori. E questo dubbio ci nasce dal vedere che ne'libri dell'Opera del Duomo di Firenze non si comincia a parlare di statue da farsi per ornamento della facciata di Santa Reparata, se non dopo il 1357: sapendosi per esempio che le figure de'quattro dottori della Chiesa furono date a scolpire nel 1396 a Pietro di Giovanni tedesco, cioè i santi Ambrogio e Girolamo; e a Niccolò di Piero d'Arezzo, i santi Agostino e Gregorio; e che nel 1391 il detto maestro tedesco lavorava la figura di santo Stefano.

marmo, alta tre braccia e mezzo, col figliuolo in collo, che è sopra l'altar della chiesetta e compagnia della Misericordia in sulla piazza di San Giovanni in Firenze; che fu cosa molto lodata in que' tempi, e massimamente avendola accompagnata con due Angeli che la mettono in mezzo, di braccia due e mezzo l'uno:[1] alla quale opera ha fatto a'giorni nostri un fornimento intorno di legname molto ben lavorato, maestro Antonio detto il Carota; e sotto, una predella piena di bellissime figure, colorite a olio da Ridolfo figliuolo di Domenico Grillandai.[2] Parimente, quella mezza Nostra Donna di marmo, che è sopra la porta del fianco pur della Misericordia nella fac-

[1] Il Cicognara, producendo un partito dei Capitani del Bigallo e della Misericordia del 1358; ripubblicato dal cav. Passerini nelle sue *Curiosità storico-artistiche*; mostra che quest' opera è d'Alberto Arnoldi fiorentino, che imitò in essa il fare d'Andrea, della cui scuola era allievo, ed emulò il nuovo magistero che Nino figliuolo d'Andrea già aveva mostrato nella politura del marmo della sua Madonna della Spina di Pisa. — *Di questo Alberto Arnoldi il barone di Rumohr nei libri dell'Opera di Firenze trovò varj ricordi. Nel 1358 era tra gli altri maestri che servivano l'Opera. Nel 1359 lavorava nella facciata della chiesa verso il campanile, insieme con maestro Francesco Talenti, al quale era stato dato a lavorare nel campanile e in un'altra faccia della chiesa verso i Cofanai, mentre Alberto conduceva le finestre allato al campanile. Poi si trova nominato capomaestro dell'Opera; e a dì 16 di dicembre dello stesso anno 1359 gli è dato a fare l'arco della porta maggiore del Duomo. Dall'anno 1362 in poi non è più nè capomaestro nè maestro agli stipendj dell'Opera. (V. *Antologia di Firenze*, tom. III, pag. 125-26; e le *Ricerche italiane*, tom. II).

† È certo che Alberto Arnoldi fu lombardo, e che venuto ad abitare in Firenze ne' primi anni del secolo con Arnoldo Alberti suo padre e parimente maestro di pietra; furono fatti cittadini. Alberto Arnoldi nel 4 gennaio 1351 si obbligò in compagnia di Neri Fioravanti, di Benozzo di Niccolò e di Niccolò di Beltramo di fornire e lavorare marmi bianchi, rossi e neri per dieci braccia di altezza all'intorno del campanile del Duomo di Firenze, il quale era condotto allora alle ultime finestre, e secondo il modello che sarebbe stato loro dato dal capomaestro Francesco Talenti. Il contratto di questa allogazione fu rogato da ser Bartolo di Neri da Roffiano, allora notajo dell'Opera di Santa Reparata.

[2] † L'ornamento di legname fu intagliato nel 1515 per lire 231 da Noferi d'Antonio di Noferi legnaiuolo fiorentino; persona diversa dal Carota, che si chiamò per proprio nome Antonio di Marco di Giano; e indorato per lire 231 da Bernardo d'Jacopo e Zanobi di Lorenzo pittori e mettidoro. A Ridolfo del Ghirlandajo furono pagate 84 lire per la pittura delle tre storiette della predella. (Vedi la filza 15 a carte 73 delle Deliberazioni e Partiti della Compagnia del Bigallo dal 1510 al 1515, nell'Archivio Centrale di Stato in Firenze).

ciata de' Cialdonai, è di mano d'Andrea;[1] e fu cosa molto lodata, per avere egli in essa imitato la buona maniera antica, fuor dell'uso suo, che ne fu sempre lontano: come testimoniano alcuni disegni che di sua mano sono nel nostro Libro, ne' quali sono disegnate tutte l'istorie dell'Apocalisse.

E perchè aveva atteso Andrea in sua gioventù alle cose d'architettura, venne occasione di essere in ciò adoperato dal comune di Firenze; perchè, essendo morto Arnolfo, e Giotto assente, gli fu fatto fare il disegno del castello di Scarperia, che è in Mugello alle radici dell'Alpe.[2] Dicono alcuni (non l'affermerei già per vero) che Andrea stette a Vinezia un anno, e vi lavorò di scultura alcune figurette di marmo che sono nella facciata di San Marco; e che al tempo di messer Piero Gradenigo, doge di quella repubblica, fece il disegno dell'Arsenale: ma perchè io non ne so se non quello che trovo essere stato scritto da alcuni semplicemente, lascerò credere intorno a ciò ognuno a suo modo.[3] Tornato da Vinezia a Firenze Andrea, la città, temendo della venuta dell'imperadore, fece alzare con prestezza, adoperandosi in

[1] † Anche questa mezza Madonna fu scolpita da Alberto nel 1361, e gli fu pagata 16 fiorini d'oro. Fu tolta di là nel 1791, in occasione di risarcimenti. Ora vedesi sotto vetri nella facciata verso San Giovanni.

[2] *La deliberazione della Repubblica Fiorentina, colla quale si ordina l'edificazione del castello di san Barnaba a lode e venerazione di questo Santo, nel luogo denominato la Scarperia, è del 1306 (Vedi Repetti, *Dizionario della Toscana*; e Giovanni Villani, lib. vii, cap. 86): nel quale anno, sebbene Arnolfo non fosse ancor morto, Giotto però trovavasi in Padova. Che poi ne fosse architetto Andrea Pisano, non è certificato da documenti.

[3] Quel che qui dice il Vasari è pur confermato da un manoscritto citato dall'Orlandi nell'*Abbecedario pittorico*; e, siccome pare al Cicognara, anche da vecchie cronache veneziane, sebben in esse Andrea non sia nominato. Il Cicognara, paragonando alcune statue della facciata di San Marco di Venezia con altre fatte da Andrea per Firenze, le trova del medesimo stile. Nè egli conosce altro artefice contemporaneo di tanta vaglia, a cui si possano attribuire. Il solo forse, egli dice, che avrebbe potuto operarle, vivendo, sarebbe stato Filippo Calendario, architetto del palazzo del Doge e autore d'alcune sculture che l'adornano, perito immaturamente nella congiura di Marino Faliero; quindi poco nominato da' suoi Veneziani, e affatto sconosciuto agli esteri.

ciò Andrea, una parte delle mura[1] a calcina otto braccia, in quella parte che è fra San Gallo e la porta al Prato; ed in altri luoghi fece bastioni, steccati ed altri ripari di terra e di leguami sicurissimi. Ora, perchè tre anni innanzi aveva, con sua molta lode, mostrato d'essere valente uomo nel gettare di bronzo, avendo mandato al papa in Avignone per mezzo di Giotto suo amicissimo, che allora in quella corte dimorava, una croce di getto molto bella;[2] gli fu data a fare di bronzo una delle porte del tempio di San Giovanni, della quale aveva già fatto Giotto un disegno bellissimo. Gli fu data, dico, a finire, per essere stato giudicato, fra tanti che avevano lavorato insino allora, il più valente, il più pratico e più giudizioso maestro, non pur di Toscana, ma di tutta Italia. Laonde messovi mano, con animo deliberato di non volere risparmiare nè tempo nè fatica nè diligenza per condurre un'opera di tanta importanza, gli fu così propizia la sorte nel getto, in que' tempi che non si avevano i segreti che si hanno oggi, che in termine di ventidue anni la condusse a quella perfezione che si vede.[3] E, quello che è più, fece ancora in quel tempo medesimo non pure

[1] Che poi si compirono, dice Giovanni Villani (lib. xi, cap. 77), nell'anno 1316.

[2] † Noi nella Vita di Giotto abbiamo con buone ragioni mostrato esser senza prove l'andata di questo artefice ad Avignone. Quanto al Crocifisso di bronzo, forse il Vasari s'inganna dicendolo gettato da Andrea Pisano. La nostra opinione è che egli abbia scambiato l'artefice pisano con Andrea Arditi orefice fiorentino, del quale abbiamo parlato nella Vita di Agostino ed Agnolo senesi.

[3] † Non sarà senza utilità per la storia il far conoscere molti particolari riguardanti il lavoro della porta di metallo fatto da Andrea. Noi gli abbiamo tratti dai preziosi Spogli che Carlo di Tommaso Strozzi fece de' libri dell'Arte di Calimala, oggi perduti o smarriti. Fino dal 6 novembre del 1329 i Consoli della detta Arte deliberarono che le porte della chiesa di San Giovanni si facessero di metallo e più belle che si poteva, e diedero commissione a Pietro d'Jacopo orefice fiorentino che andasse a Pisa, vedesse le porte di bronzo che erano nella Primaziale, e ne facesse un ritratto, e che poi si portasse a Venezia per cercare un maestro, e trovandolo, fosse a lui dato il lavoro delle porte suddette. Pare che il detto Piero non trovasse in Venezia maestro a ciò sufficiente, perchè i Consoli allogarono quell'opera a maestro Andrea di ser Ugolino da Pisa ai nove di gennaio del 1330. Cominciò dunque Andrea a' 22 di gennaio quest'opera, nella quale ebbe per lavoranti, oltre il detto Piero di Jacopo, gli orefici Lippo

il tabernacolo dell'altar maggiore di San Giovanni, con due Angeli che lo mettono in mezzo (i quali furono tenuti cosa bellissima),[1] ma ancora, secondo il disegno di Giotto, quelle figurette di marmo che sono per finimento della porta del campanile di Santa Maria del Fiore; ed intorno al medesimo campanile, in certe mandorle, i sette Pianeti, le sette Virtù e le sette opere della misericordia, di mezzo rilievo in figure piccole, che furono allora molto lodate.[2] Fece anco, nel medesimo tempo, le tre figure di braccia quattro l'una, che furono collocate nelle nicchie del detto campanile, sotto le finestre che guardano dove

di Dino e Piero di Donato; e già nel 2 d'aprile del medesimo anno le storie di cera erano finite, e la porta era stata gettata nell'aprile del 1332 da maestro Lionardo del fu Avanzo campanaio di Venezia. Ma essa, essendo venuta tanto torta nel gettarla che non si poteva adoperare, fu dapprima commesso a Piero di Donato di raddrizzarla, e non bastandogli poi l'animo di farlo, l'Arte lo disobbligò e diede questo carico ad Andrea Pisano, che lo prese a fare a tutto rischio dell'Arte, per il prezzo di 10 fiorini d'oro ed in termine di due mesi. Nel 21 di luglio del 1333 si convenne Andrea di fare di metallo 24 teste di leone e darle finite e indorarle per il primo del prossimo dicembre, obbligandosi a commetterle bene nella mezza porta o battente che era allora nell'Opera di San Giovanni, ed insieme a indorare le storie dell'altra mezza porta che era già stata messa su. Tutto questo lavoro era già finito e messo su nel 1336, nel quale anno si fece la spesa di lire venticinque pel marmo delle soglie di essa porta, fatto venire da Carrara.

[1] Fu barbaramente disfatto nel 1732 per sostituirgliene uno di marmo di vario colore, secondo il misero gusto di quel tempo. I suoi avanzi furono comperati e custoditi per qualche tempo da Anton Francesco Gori, l'antiquario. Indi, se non tutti, in parte almeno, passarono in possesso d'Angiolo M. Bandini; che forse li tenne a principio nella sua abitazione vicino alla Marucelliana, di cui era bibliotecario; poi li collocò nell'oratorio di Sant'Ansano presso Fiesole. Il Cicognara dice d'averne veduti parte in canonica, ove non pare che più si trovino; e parte in una delle stanze della Marucelliana, volendo dir forse del bibliotecario di essa, che poi ne fece l'uso che si è detto. Vedi intorno a ciò una *Diss. epist.* di L. Tramontani al Bandini, stampata in Venezia nel 1789. — *In un ricordo del tempio di San Giovanni, riferito dal Richa, si legge: « 1336. Si volta l'altare « dall'altra parte, e in testa vi si colloca il tabernacolo, dentrovi una statua di « San Giovanni, e ai lati due angeli scolpiti da Andrea Pisano ».

‡ Ma questo tabernacolo si ha gran sospetto che non fosse fatto da Andrea, perchè fu lavorato nel 1313, come si rileva dal libro degli Statuti dell'Arte di Calimala di quell'anno.

[2] Non furono tanto lodate allora, che non sieno oggi ancor più. Il Cicognara ne ha fatto intagliare due per la sua *Storia*, e le celebra come il *non plus ultra* dell'arte.

sono oggi i Pupilli,[1] cioè verso mezzogiorno; le quali figure furono tenute in quel tempo più che ragionevoli. Ma per tornare onde mi sono partito, dico che in detta porta di bronzo sono storiette di basso rilievo della vita di San Giovanni Batista, cioè dalla nascita insino alla morte, condotte felicemente e con molta diligenza. E, sebbene pare a molti che in tali storie non apparisca quel bel disegno nè quella grande arte che si suol porre nelle figure, non merita però Andrea se non lode grandissima, per essere stato il primo che ponesse mano a condurre perfettamente un'opera che fu poi cagione che gli altri, che sono stati dopo lui, hanno fatto quanto di bello e di difficile e di buono nell'altre due porte e negli ornamenti di fuori al presente si vede. Questa opera fu posta alla porta di mezzo di quel tempio, e vi stette insino a che Lorenzo Ghiberti fece quella che vi è al presente: perchè allora fu levata, e posta dirimpetto alla Misericordia,[2] dove ancora si trova. Non tacerò che Andrea fu aiutato in far questa porta da Nino suo figliuolo, che fu poi molto miglior maestro che il padre stato non era; e che fu finita del tutto l'anno 1339,[3] cioè non solo pulita e rinetta del tutto, ma ancora dorata a fuoco; e credesi ch'ella fusse gettata di metallo da alcuni maestri viniziani molto esperti nel fondere i metalli: e di ciò si trova ricordo ne' libri dell'arte de'mercatanti di Calimara, guar-

[1] *Oggi Confraternita della Misericordia

[2] Alla Misericordia vecchia, oggi il Bigallo, che un tempo le era unito, e, separandosene, occupò anche il luogo ch'essa occupava

[3] *Giovanni Villani (lib x, cap 176) così scrive. « Nel detto anno 1330, « si cominciarono a fare le porte del metallo di San Giovanni, molto belle e di « maravigliosa opera e costo, furono formate in terra, e poi pulite e dorate le « figure per un maestro Andrea Pisano, e gittate furono a foco di fornelli per « maestri veneziani E noi autore, per l'Arte dei Mercanti di Calimala, guar- « diani dell'Opera di San Giovanni, fui ufficiale per far fare il detto lavoro ». Nella parte superiore di questa porta è scritto a lettere di rilievo · ANDREAS UGOLINI NINI DE PISIS ME FECIT A D M CCCXXX; il quale anno debbe intendersi per quello, in che fu compito il modello di terra, e incominciato il getto di metallo, a ultimare il quale si richiesero, come si è veduto, cinque anni

diani dell'Opera di San Giovanni.[1] Mentre si faceva la detta porta, fece Andrea non solo l'altre opere sopraddette, ma ancora molte altre; e particolarmente il modello del tempio di San Giovanni di Pistoia, il quale fu fondato l'anno 1337:[2] nel quale anno medesimo, a dì 25 di gennaio, fu trovato, nel cavare i fondamenti di questa chiesa, il corpo del Beato Atto, stato vescovo di quella città, il quale era stato in quel luogo sepolto cento trentasette anni. L'architettura dunque di questo tempio, che è tondo, fu secondo quei tempi ragionevole.[3] È anco di mano d'Andrea, nella detta città di Pistoia, nel tempio principale, una sepoltura di marmo, piena nel corpo della cassa di figure piccole, con alcune altre di sopra maggiori. Nella quale sepoltura è il corpo riposto di messer Cino d'Angibolgi,[4] dottor di legge e molto famoso letterato ne' tempi suoi, come testimonia messer Francesco Petrarca in quel sonetto:

Piangete, donne, e con voi pianga Amore;

[1] *L'Albertini, nel suo *Memoriale* stampato nel 1510, vuole che il fregio bellissimo ch'è intorno intorno a questa porta, con i suoi stipiti, sia lavoro fatto posteriormente da Vittorio di Lorenzo Ghiberti.

[2] *Se debbesi credere ad un ricordo pubblicato negli *Elogi degli illustri Pisani*, e riprodotto dal Da Morrona (II, 379), la fabbrica di San Giovanni di Pistoia fu incominciata nell'anno 1300: il che non osta a far autore del modello di questo tempio Andrea Pisano. Cellino di Nese da Siena, nel 1338, fu eletto *ad construendum, edificandum, complendum et perficiendum ecclesiam et edificium Sancti Joannis Baptiste juxta plateam comunis Pistorii etc.* (Ciampi, *Vita di Cino da Pistoia*, pag. 153). Il Documento IV delle *Notizie inedite della Sagrestia pistoiese ecc.* parla più specificatamente dell'ornamento e compimento esterno di questa fabbrica allogato a maestro Cellino.

[3] *Questo battistero, che il Vasari dice tondo, è ottagono.

[4] *Il Ciampi, appoggiandosi alle parole di una Memoria da lui pubblicata nella detta *Vita di Cino da Pistoia*, inclinerebbe a creder questo monumento disegnato da Agostino ed Agnolo senesi. Il Cicognara, invece, ravvisò in esso lo stile delle sculture di Goro di Gregorio da Siena, del quale è l'urna di san Cerbone nel Duomo di Massa Marittima. Sventuratamente, la lacuna che nel documento cade appunto là dove esser doveva il nome dell'artefice senese, ci toglie il modo di sciogliere la questione. Checchè pensar si voglia del senese autore del disegno, è certo però che Andrea Pisano va del tutto escluso da questo lavoro.

e nel quarto capitolo del Trionfo d'Amore, dove dice:

> Ecco Cin da Pistoia, Guitton d'Arezzo,
> Che di non esser primo par ch'ira aggia

Si vede in questo sepolcro, di mano d'Andrea, in marmo il ritratto di esso messer Cino, che insegna a un numero di suoi scolari che gli sono intorno, con sì bella attitudine e maniera, che in que' tempi (sebbene oggi non sarebbe in pregio) dovette esser cosa maravigliosa. Si servì anco d'Andrea nelle cose d'architettura Gualtieri duca d'Atene e tiranno dei Fiorentini, facendogli allargare la piazza, e, per fortificarsi nel palazzo, ferrare tutte le finestre da basso del primo piano, dov'è oggi la sala de' Dugento, con ferri quadri e gagliardi molto[1] Aggiunse ancora il detto duca, dirimpetto a San Piero Scheraggio, le mura a bozzi che sono accanto al palazzo, per accrescerlo; e nella grossezza del muro fece una scala segreta per salire e scendere occultamente; e nella detta facciata di bozzi fece, da basso, una porta grande, che serve oggi alla Dogana, e sopra quella l'arme sua, e tutto col disegno e consiglio di Andrea: la quale arme, sebbene fu fatta scarpellare dal magistrato de' Dodici, che ebbe cura di spegnere ogni memoria di quel duca, rimase nondimeno nello scudo quadro la forma del leone rampante, con due code, come può vedere chiunque la considera con diligenza. Per lo medesimo duca fece Andrea molte torri intorno alle mura della città; e non pure diede principio magnifico alla porta a San Friano e la condusse al termine che si vede,[2] ma fece ancora le mura degli antiporti a tutte le porte della città, e le porte minori per

[1] *Riferisce il Gaye una provvisione del 6 ottobre 1342, colla quale sono nominati tre uffiziali ed un camarlengo ad invigilare sopra la fabbrica del nuovo palazzo ordinato dal duca (*Carteggio inedito*, I, 493)

[2] *Questo accadde nel 1332, come si ritrae da una provvisione del Comune fiorentino riferita dal Gaye, op cit I, 477.

comodità dei popoli.[1] E perchè il duca aveva in animo di fare una fortezza sopra la costa di San Giorgio, ne fece Andrea il modello; che poi non servì, per non avere avuto la cosa principio, essendo stato cacciato il duca l'anno 1343. Ben ebbe in gran parte effetto il desiderio che quel duca avea di ridurre il palazzo in forma di un forte castello; poichè a quello che era stato fatto da principio fece così gran giunta, come quella è che oggi si vede, comprendendo nel circuito di quello le case de' Filipetri, la torre e le case degli Amidei e Mancini, e quelle de' Bellalberti. E perchè, dato principio a sì gran fabbrica ed a grosse mura e barbacani, non aveva così in pronto tutto quello che bisognava; tenendo indietro la fabbrica del Ponte Vecchio, che si lavorava con prestezza come cosa necessaria, si servì delle pietre conce e de' legnami ordinati per quello, senza rispetto nessuno. E sebbene Taddeo Gaddi non era, per avventura, inferiore nelle cose d'architettura a Andrea Pisano, non volle di lui in queste fabbriche, per esser fiorentino, servirsi il duca; ma sibbene d'Andrea. Voleva il medesimo duca Gualtieri disfare Santa Cicilia, per vedere di palazzo la strada Romana e Mercato Nuovo, e parimente San Piero Scheraggio per suoi commodi; ma non ebbe di ciò fare licenza dal papa. Intanto fu, come si è detto di sopra, cacciato a furia di popolo. Meritò dunque Andrea, per l'onorate fatiche di tanti anni, non solamente premj grandissimi, ma e la civiltà ancora; perchè, fatto dalla Signoria cittadin fiorentino, gli furono dati uffizj e magistrati nella città;[2] e l'opere sue furono in pregio e mentre che visse e dopo

[1] *Una provvisione degli 11 di dicembre 1340 parla del murare novamente le porte di San Giorgio e di San Miniato, le porticciole di San Niccolo e di Camaldoli, quella presso il Ponte alla Carraia, e altre (Gaye, op cit, I, 491)

[2] All'eccellenza nell'arte par ch'egli accoppiasse gran saviezza e prudenza, se, non ostante i favori del duca, pote conservare la fiducia del popolo, e, cacciato il duca, aver uffizj e magistrati nella citta, come dice il Vasari — † Ma ne' libri pubblici di cio non si ha memoria e neppure che egli fosse fatto cittadino di Firenze

morte, non si trovando chi lo passasse nell'operare, infino a che non vennero Niccolò aretino, Iacopo della Quercia sanese, Donatello, Filippo di ser Brunellesco, e Lorenzo Ghiberti: i quali condussono le sculture, ed altre opere che fecero, di maniera che conobbono i popoli in quanto errore eglino erano stati insino a quel tempo, avendo ritrovato questi con l'opere loro quella virtù che era molti e molti anni stata nascosa e non bene conosciuta dagli uomini. Furono l'opere d'Andrea intorno agli anni di nostra salute 1340.

Rimasero d'Andrea molti discepoli, e fra gli altri Tommaso pisano, architetto e scultore;[1] il quale finì la cappella di Campo Santo, e pose la fine del campanile del Duomo, cioè quella ultima parte dove sono le campane: il quale Tommaso si crede che fusse figliuolo d'Andrea,[2] trovandosi così scritto nella tavola dell'altar maggiore di San Francesco di Pisa, nella quale è intagliato di mezzo rilievo una Nostra Donna e altri Santi fatti da lui, e sotto quelli il nome suo e di suo padre.[3]

[1] *Come architetto, dovè prestar l'opera sua in servigio del superbo e vanitoso Giovanni dell'Agnello, primo ed ultimo doge di Pisa, quando, rovinate le case de' Gambacorta, egli comandò al pisano artefice di fargli il disegno di un palazzo, del quale si gettarono appena le fondamenta. Come scultore, fece il disegno di una sedia regale, che, eseguita in marmo col più fino lavoro, doveva esser collocata nella tribuna maggiore del Duomo; e dopo la morte di Margherita, moglie dell'Agnello, il marito ordinò a Tommaso la scultura della sua tomba da collocarsi nel Duomo: lavoro distrutto nell'incendio del 1596. Tommaso fu anche orafo e pittore, sicchè egli si può dire artefice universale, come spesso erano a que' tempi molti di coloro che davansi all'arte. Come orafo, trovasi nominato testimone ad un documento del 1368; come pittore, si sa che nell'anno medesimo dipinse due scrigni da offrirsi in dono alla duchessa Margherita. Tutte queste notizie, ignorate sin qui, sono frutto delle belle ricerche del prof. Bonaini, il quale, oltre ciò, è stato il primo a dirci che l'arte principale di Tommaso fu l'oreficeria. (Vedi le *Memorie inedite* sopraccitate, pag. 59-64.)

[2] *Quel che al Vasari parve dubbio, oggi è certo per i documenti trovati dal prof. Bonaini. Infatti, in un inventario del 1368 de' beni dell'Opera del Duomo Pisano, trovo nominato come testimone, Tommaso del *quondam maestro Andrea da Pontedera*.

[3] *Quest'opera si conserva nel Camposanto di Pisa, e la iscrizione, riportata anche dal Da Morrona, è la seguente: *Tomaso figliuolo di* [illegible]*stro Andrea F*[illegible] *esto lavoro et fu Pisano*.

D'Andrea rimase Nino suo figliuolo, che attese alla scultura; ed in Santa Maria Novella di Firenze fu la sua prima opera, perchè vi finì di marmo una Nostra Donna stata cominciata dal padre, la quale è dentro alla porta del fianco, al lato alla cappella de'Minerbetti.[1] Andato poi a Pisa, fece nella Spina una Nostra Donna di marmo dal mezzo in su, che allatta Gesù Cristo fanciulletto, involto in certi panni sottili;[2] alla quale Madonna fu fatto fare da messer Iacopo Corbini un ornamento di marmo, l'anno 1522; e un altro molto maggiore e più bello a un'altra Madonna, pur di marmo e intera, di mano del medesimo Nino,[3] nell'attitudine della quale si vede essa madre porgere con molta grazia una rosa al figliuolo, che la piglia con maniera fanciullesca e tanto bella, che si può dire che Nino cominciasse veramente a cavare la durezza de'sassi e ridurgli alla vivezza delle carni, lustrandogli con un pulimento grandissimo. Questa figura è in mezzo a un San Giovanni ed a un San Piero di marmo, che è nella testa il ritratto di Andrea di naturale. Fece ancora Nino, per un altare di Santa Caterina pur di Pisa, due statue di marmo; cioè una Nostra Donna ed un Angelo che l'annunzia; lavorate, siccome l'altre cose sue, con tanta diligenza, che si può dire ch'elle siano le migliori che fussino fatte in que'tempi. Sotto questa Madonna Annunziata, intagliò Nino nella basa queste

[1] Fece in essa ciò che dal padre non sarebbesi fatto. Nel dar morbidezza alle carni, dice il Cicognara, ei vinse, fin da questa prima opera, tutti gli altri della scuola. — *Questa Madonna, figura intera, col Bambino in braccio, oggi rimane, può dirsi, occultata in una nicchia sotto l'organo, in mezzo alle due mensole dalla parte dell'altar maggiore; e in questo luogo la vide anche il Da Morrona, le parole del quale ci sono state guida a ritrovarla.

[2] Il Da Morrona dubita se questa Madonna non debba piuttosto assegnarsi a Niccola o a suo figlio. Il Cicognara dimostra che non può attribuirsi che a Nino d'Andrea.

[3] ‡ L'ornamento di marmo a queste figure, fatto fare dall'operaio Corbini nel 1521, fu scolpito da maestro Girolamo d'Jacopo da Carrara. (Vedi Fanfani, *Notizie inedite di Santa Maria del Pontenovo.* Pisa, Nistri, 1871, in-8).

parole: *A dì primo Febbraio* 1370; e sotto l'Angelo: *Queste figure fece Nino figliuolo d'Andrea Pisano.*[1] Fece ancora altre opere in quella città ed in Napoli, delle quali non accade di far menzione.[2] Morì Andrea, d'anni settantacinque, l'anno 1345, e fu sepolto da Nino in Santa Maria del Fiore con questo epitaffio:

Ingenti Andreas jacet hic Pisanus in urna,
Marmore qui potuit spirantes ducere vultus,
Et simulacra Deûm mediis imponere templis
Ex aere, ex auro candenti, et pulcro elephanto.[3]

[1] *Questa iscrizione è certo di fattura più moderna delle sculture; perchè, oltre allo stile di essa, che non è di quel tempo, si oppone l'anno, che non può essere il 1370, nel quale, per un documento pubblicato dal citato prof. Bonaini, maestro Nino era morto. È questa una provvisione degli Anziani di Pisa, i quali, negli 8 dicembre 1368, fermarono che fossero pagati ad Andrea figliuolo del *già* Nino scultore, o a Tommaso pel nipote, venti fiorini d'oro, residuo del prezzo a Nino dovuto pel sepolcro (oggi disperso) che il doge Dell'Agnello si era da sè stesso ordinato. Le due statue fatte da Nino per la chiesa di San Zenone, antica Badia dei Camaldolensi, furono quindi comprate dai Battuti di San Gregorio. Come poi passassero in Santa Caterina e in proprietà dei Domenicani, può vedersi narrato nelle precitate *Memorie ecc.*, a pag. 65 e 67.

[2] *Fra i discepoli di Andrea, oltre Tommaso e Nino suoi figliuoli si annovera Alberto Arnoldi, già ricordato alla nota 1, pag. 485, il quale forse, secondo il Cicognara, lavorò in Milano tra il 1354 e il 1378; come sembra potersi ritrarre dalla Nov. CCXXIX del Sacchetti, il quale fa pure menzione del medesimo Alberto nella CXXXVI. Altro suo discepolo fu probabilmente Giovanni Balducci pisano. Ad esso molte opere s'attribuiscono; ma noi non faremo ricordo se non di quelle che portano scritto il suo nome, e sono le seguenti: il monumento di Guarnieri figliuolo di Castruccio, morto nel 1322, nella chiesa di San Francesco fuori di Sarzana, fatto, per quanto si ritrae dalla iscrizione, dopo la morte del padre, avvenuta nel 1328; il pergamo della chiesa di Santa Maria del Prato in San Casciano, presso Firenze; l'arca di san Pietro martire in Sant'Eustorgio di Milano, dell'anno 1339; e la porta maggiore di Santa Maria in Brera, coll'anno 1347. (Vedi DA MORRONA, *Pisa illustrata*, e CICOGNARA.).

[3] Quest'epitaffio è di un secolo almeno dopo la sua morte. Esso ci è prezioso, per la notizia che ci dà ch'egli scolpì anche in oro e in avorio. L'urna in cui era scritto, stava, secondo un codice veduto dal Moreni, dietro il pulpito nella navata a destra di chi entra: ma da un pezzo è scomparsa. — † Il Vasari non ricorda la Madonna che è sopra la porta di mezzo del Duomo d'Orvieto, scolpita da Andrea nel 1347, quando era capomaestro di quel magnifico tempio; nel qual carico troviamo che nel 1349, essendo egli morto, eragli successo Nino suo figliuolo. A loro si possono attribuire i più bei bassorilievi della sua facciata.

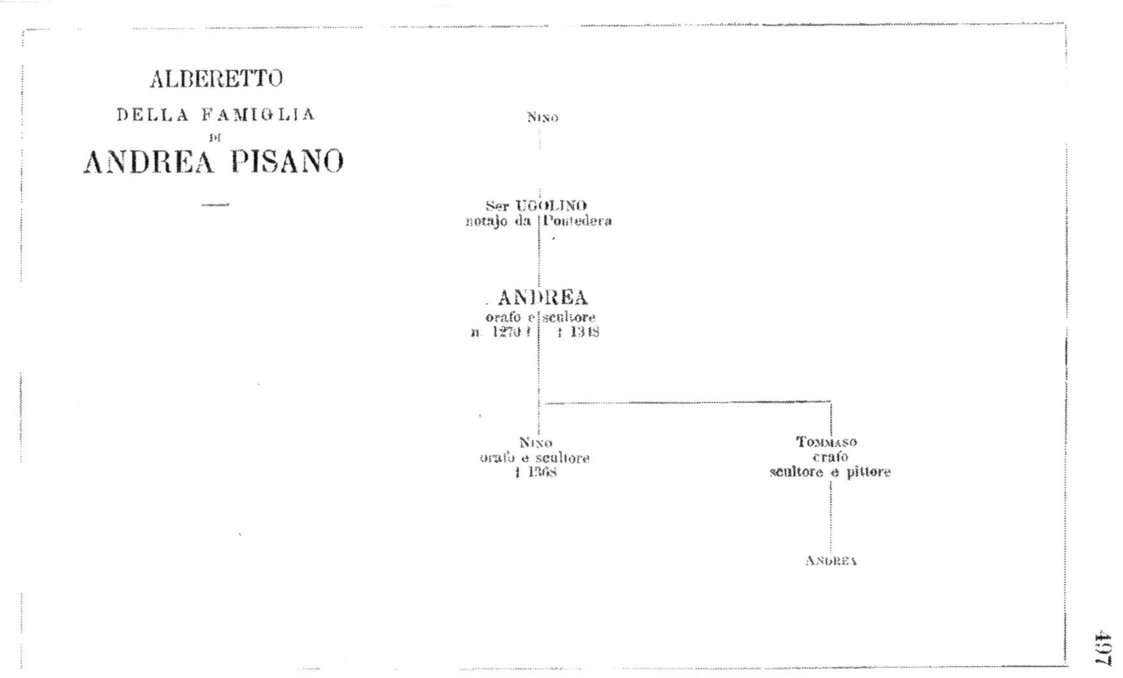
ALBERETTO
DELLA FAMIGLIA
DI
ANDREA PISANO
Nino
Ser UGOLINO
notajo da Pontedera
ANDREA
orafo e scultore
n. 1270 ? † 1348
Nino
orafo e scultore
† 1368
Tommaso
orafo
scultore e pittore
Andrea

BUONAMICO BUFFALMACCO

PITTORE FIORENTINO

(Nato ; viveva nel 1351)

Buonamico di Cristofano, detto Buffalmacco, pittore fiorentino, il quale fu discepolo d'Andrea Tafi, e, come uomo burlevole, celebrato da messer Giovanni Boccaccio nel suo Decamerone;[1] fu, come si sa, carissimo compagno di Bruno e di Calandrino,[2] pittori ancor essi faceti e piacevoli; e, come si può vedere nell'opere sue sparse per tutta Toscana, di assai buon giudizio nell'arte sua del dipignere. Racconta Franco Sacchetti nelle sue trecento Novelle, per cominciarmi dalle cose che costui fece essendo ancor giovinetto, che stando Buffalmacco, mentre era garzone, con Andrea,[3] aveva per costume il detto suo maestro, quando erano le notti grandi, levarsi innanzi giorno a lavorare e chiamare i garzoni alla vegghia; la qual cosa rincrescendo a Buonamico, che era fatto levar

[1] Vedi Giorn. VIII, Nov. 3, 6, 9; e Giorn. IX, Nov. 5.

[2] † Il vero nome di Calandrino fu Nozzo, cioè Giovannozzo, di Perino. Il Manni trasse dagli Spogli dello Strozzi, che egli si trova nominato in uno strumento rogato da ser Grimaldo di ser Compagno notajo, come testimone in questo modo: *Teste Nozzo vocato Calandrino pictore quondam Perini populi Sancti Laurentii.*

[3] Ciò narra nella Nov. CXCI. Parla di lui, come vedremo, anche nelle Nov. CLXI, CLXIV e CXCII.

in sul buono del dormire, andò pensando di trovar modo che Andrea si rimanesse di levarsi tanto innanzi giorno a lavorare: e gli venne fatto. Perchè, avendo trovato in una volta male spazzata trenta gran scarafaggi, ovvero piattole, con certe agora sottili e corte appiccò a ciascuno di detti scarafaggi una candeluzza in sul dosso; e, venuta l'ora che soleva Andrea levarsi, per una fessura dell'uscio gli mise tutti a uno a uno, avendo accese le candele, in camera d'Andrea: il quale svegliatosi, essendo appunto l'ora che soleva chiamare Buffalmacco, e veduto que' lumicini, tutto pieno di paura cominciò a tremare, e, come vecchio che era, tutto pauroso a raccomandarsi pianamente a Dio e dir sue orazioni o salmi; e finalmente, messo il capo sotto i panni, non chiamò per quella notte altrimenti Buffalmacco, ma si stette a quel modo sempre tremando di paura insino a giorno. La mattina poi levatosi, dimandò Buonamico se aveva veduto, come aveva fatto egli, più di mille demonj. A cui disse Buonamico di non, perchè aveva tenuto gli occhi serrati e si maravigliava non essere stato chiamato a vegghia. Come a vegghia? disse Tafo: io ho avuto altro pensiero che dipignere, e son risoluto per ogni modo d'andare a stare in un'altra casa. La notte seguente, sebbene ne mise Buonamico tre soli nella detta camera di Tafo, egli nondimeno, tra per la paura della notte passata e que' pochi diavoli che vide, non dormì punto: anzi, non fu sì tosto giorno, uscì di casa per non tornarvi mai più; e vi bisognò del buono a fargli mutar openione. Pure, menando a lui Buonamico il prete della parrocchia, il meglio che potè, lo racconsolò. Poi, discorrendo Tafo e Buonamico sopra il caso, disse Buonamico: Io ho sempre sentito dire che i maggiori nimici di Dio sono i demonj, e, per conseguenza, che deono anco esser capitalissimi avversarj de' dipintori; perchè, oltre che noi gli facciamo sempre bruttissimi, quello che è peggio, non attendiamo mai ad altro che a far Santi e Sante per le mura e per le tavole, ed a far perciò, con dispetto dei demonj, gli uomini più divoti o migliori. perlochè, tenendo essi demonj di ciò sdegno con esso noi, come quelli che maggior possanza hanno la notte che il giorno, ci vanno facendo di questi giuochi, e peggio faranno se questa usanza di levarsi a vegghia non si lascia del tutto. Con queste ed altre molte parole seppe così bene acconciar la bisogna Buffalmacco, facendogli buono ciò che diceva messer lo prete, che Tafo si rimase di levarsi a vegghia, e i diavoli d'andar la notte per casa co'lumicini. Ma ricominciando Tafo, tirato dal guadagno, non molti mesi dopo, e quasi scordatosi ogni paura, a levarsi di nuovo a lavorare la notte e chiamare Buffalmacco, ricominciarono anche i scarafaggi a andar attorno; onde fu forza che per paura se ne rimanesse interamente, essendo a ciò massimamente consigliato dal prete. Dopo, divulgatasi questa cosa per la città, fu cagione che per un pezzo nè Tafo nè altri pittori costumarono di levarsi a lavorare la notte. Essendo poi, indi a non molto, divenuto Buffalmacco assai buon maestro, si partì, come racconta il medesimo Franco,[1] da Tafo, e cominciò a lavorare da sè, non gli mancando mai che fare. Ora, avendo egli tolto una casa, per lavorarvi ed abitarvi parimente, che aveva allato un lavorante di lana assai agiato, il quale, essendo un nuovo uccello, era chiamato Capodoca; la moglie di costui ogni notte si levava a mattutino. quando appunto, avendo insino allora lavorato, andava Buffalmacco a riposarsi; e postasi a un suo filatoio, il quale aveva per mala ventura piantato dirimpetto al letto di Buffalmacco, attendeva tutta notte a filar lo stame. Perchè non potendo Buonamico dormire nè poco nè assai, cominciò andar pensando come potesse

[1] Nella Nov. cxcii, che il Vasari trascrive come l'antecedente ed altre, onde la nuova e leggiadra semplicità della sua narrazione

a questa noia rimediare. Nè passò molto, che s'avvide che dopo un muro di mattoni sopra mattoni, il quale divideva fra sè e Capodoca, era il focolare della mala vicina, e che per un rotto si vedeva ciò che ella intorno al fuoco faceva; perchè, pensata una nuova malizia, forò con un succhio lungo una canna, ed appostato che la donna di Capodoca non fusse al fuoco, con essa per lo già detto rotto del muro mise una od un'altra volta quanto sale egli volle nella pentola della vicina; onde tornando Capodoca o a desinare o a cena, il più delle volte non poteva nè mangiare nè assaggiare nè minestra nè carne, in modo era ogni cosa per lo troppo sale amara. Per una o due volte ebbe pacienza, e solamente ne fece un poco di rumore; ma poi che vide che le parole non bastavano, diede per ciò più volte delle busse alla povera donna, che si disperava, parendole pur essere più che avvertita nel salare il cotto. Costei, una volta fra l'altre che il marito per ciò la batteva, cominciò a volersi scusare; perchè, venuta a Capodoca maggior collera, di modo si mise di nuovo a percuoterla, che, gridando ella a più potere, corse tutto il vicinato a rumore; e fra gli altri, vi trasse Buffalmacco; il quale, udito quello di che accusava Capodoca la moglie, ed in che modo ella si scusava, disse a Capodoca: Gnaffe, sozio, egli si vuole aver discrezione: tu ti duoli che il cotto mattina e sera è troppo salato, ed io mi maraviglio che questa tua buona donna faccia cosa che bene stia. Io, per me, non so come il giorno ella si sostenga in piedi, considerando che tutta la notte veghia intorno a questo suo filatoio, e non dorme, ch'io creda, un'ora. Fa' ch'ella si rimanga di questo suo levarsi a mezza notte; e vedrai che, avendo il suo bisogno di dormire, ella starà il giorno in cervello e non incorrerà in così fatti errori. Poi, rivoltosi agli altri vicini, sì bene fece parer loro la cosa grande, che tutti dissero a Capodoca, che Buonamico diceva il vero, e così si voleva fare come egli avvisava. Onde egli, credendo che così fusse, le comandò che non si levasse a veggliа; ed il cotto fu poi ragionevolmente salato, se non quando per caso la donna alcuna volta si levava, perchè allora Buffalmacco tornava al suo rimedio, il quale finalmente fu causa che Capodoca ne la fece rimanere del tutto.

Buffalmacco dunque, fra le prime opere che fece, lavorò in Firenze nel monasterio delle donne di Faenza, che era dov'è oggi la cittadella del Prato,[1] tutta la chiesa di sua mano: e fra l'altre storie che vi fece della vita di Cristo, nelle quali tutte si portò molto bene, vi fece l'occisione che fece fare Erode de' putti innocenti, nella quale espresse molto vivamente gli affetti così degli uccisori come dell'altre figure, perciocchè in alcune balie e madri, che strappando i fanciulli di mano agli uccisori si aiutano quanto possono il più, colle mani, coi graffi, coi morsi e con tutti i movimenti del corpo, si mostra nel di fuori l'animo non men pieno di rabbia e furore che di doglia. Della quale opera, essendo oggi quel monasterio rovinato, non si può altro vedere che una carta tinta nel nostro libro de' disegni di diversi, dove è questa storia di mano propria di esso Buonamico disegnata. Nel fare questa opera alle già dette donne di Faenza, perchè era Buffalmacco una persona molto stratta ed a caso, così nel vestire come nel vivere; avvenne, non portando egli così sempre il cappuccio ed il mantello come in que' tempi si costumava, che, guardandolo alcuna volta le monache per la turata che egli aveva fatto fare, cominciarono a dire col castaldo, che non piaceva loro vederlo a quel modo in farsetto; pur, racchetate da lui, se ne stettono un pezzo senza dire altro. Alla perfine, vedendolo pur sempre in quel medesimo modo, e dubitando che non fosse qualche garzonaccio da pestar colori, gli feciono dire

[1] La cittadella di San Giovan Battista, detta la Fortezza da basso

dalla badessa, che avrebbono voluto veder lavorar il maestro, e non sempre colui. A che rispose Buonamico, come piacevole che era, che tosto che il maestro vi fosse, lo farebbe loro intendere; accorgendosi nondimeno della poca confidenza che avevano in lui. Preso, dunque, un desco e messovene sopra un altro, mise in cima una brocca ovvero mezzina da acqua, e nella bocca di quella pose un cappuccio in sul manico, e poi il resto della mezzina coperse con un mantello alla civile, affibbiandolo bene intorno ai deschi; e, posto poi nel beccuccio, donde l'acqua si trae, acconciamente un pennello, si partì. Le monache, tornando a veder il lavoro per un aperto dove aveva cansato la tela, videro il posticcio maestro in pontificale; onde credendo che lavorasse a più potere, e fusse per fare altro lavoro che quel garzonaccio a cattafascio[1] non faceva, se ne stettono più giorni senza pensare ad altro. Finalmente, essendo elleno venute in desiderio di veder che bella cosa avesse fatto il maestro, passati quindici giorni, nel quale spazio di tempo Buonamico non vi era mai capitato; una notte, pensando che il maestro non vi fusse; andarono a veder le sue pitture, e rimasero tutte confuse e rosse nello scoprir, una più ardita dell'altre, il solenne maestro che in quindici dì non aveva punto lavorato. Poi, conoscendo che egli aveva loro fatto quello che meritavano, e che l'opere che egli aveva fatte non erano se non lodevoli, fecero richiamar dal castaldo Buonamico; il quale, con grandissime risa e piacere, si ricondusse al lavoro, dando loro a conoscere che differenza sia dagli uomini alle brocche, e che non sempre ai vestimenti si deono l'opere degli uomini giudicare. Ora, quivi, in pochi giorni finì una storia, di che si contentarono molto, parendo loro in tutte le parti da contentarsene, eccetto che le figure nelle carnagioni parevano

[1] Ordinariaccio, dozzinale.

loro anzi smorticcie e pallide che no. Buonamico sentendo ciò, e avendo inteso che la badessa aveva una vernaccia la migliore di Firenze, la quale per lo sagrifizio della Messa serbava; disse loro che, a volere a cotal difetto rimediare, non si poteva altro fare che stemperare i colori con vernaccia che fusse buona, perchè, toccando con essi così stemperati le gote e l'altre carni delle figure, elle diverrebbono rosse e molto vivamente colorite. Ciò udito le buone suore, che tutto si credettono, lo tennono sempre poi fornito di ottima vernaccia, mentre durò il lavoro; ed egli, godendosela, fece da indi in poi con i suoi colori ordinarj le figure più fresche e colorite.[1]

Finita questa opera, dipinse nella Badia di Settimo alcune storie di San Iacopo nella cappella che è nel chiostro a quel Santo dedicata; nella volta della quale fece i quattro Patriarchi e i quattro Evangelisti, fra i quali è notabile l'atto che fa San Luca nel soffiare molto naturalmente nella penna, perchè renda l'inchiostro. Nelle storie poi delle facciate, che son cinque, si vede nelle figure belle attitudini, ed ogni cosa condotta con invenzione e giudizio. E perchè usava Buonamico, per fare l'incarnato più facile, di campeggiare, come si vede in quest'opera, per tutto di pavonazzo di sale, il quale fa col tempo una salsedine che si mangia e consuma il bianco e gli altri colori; non è maraviglia se quest'opera è guasta e consumata; laddove molte altre che furono fatte molto prima, si sono benissimo conservate. Ed io, che già pensava che a queste pitture avesse fatto nocumento l'umido, ho poi provato per esperienza, considerando altre opere del medesimo, che non dall'umido, ma da questa particolare usanza di Buffalmacco è avvenuto che

[1] Si dice (così il Bottari) che una volta fu sorpreso dalle monache, mentre bevea la vernaccia, e, sentendo che una diceva a un'altra ve', che se la bee; tosto spruzzò quella che aveva in bocca sulla pittura, e le monache rimasero appagate.

sono in modo guaste, che non si vede nè disegno nè altro; e, dove erano le carnagioni, non è altro rimaso che il paonazzo: il qual modo di fare non dee usarsi da chi ama che le pitture sue abbiano lunga vita.

Lavorò Buonamico, dopo quello che si è detto di sopra, due tavole a tempera ai monaci della Certosa di Firenze; delle quali l'una è dove stanno per il coro i libri da cantare, e l'altra di sotto nelle cappelle vecchie.[1] Dipinse in fresco nella Badia di Firenze la cappella de' Giochi e Bastari, allato alla cappella maggiore; la quale cappella, ancora che poi fosse conceduta alla famiglia de' Boscoli, ritiene le dette pitture di Buffalmacco insino a oggi;[2] nelle quali fece la passione di Cristo, con affetti ingegnosi e belli, mostrando in Cristo, quando lava i piedi ai discepoli, umiltà e mansuetudine grandissima, e ne' Giudei, quando lo menano ad Erode, fierezza e crudeltà. Ma particolarmente mostrò ingegno e facilità in un Pilato che vi dipinse in prigione, ed in Giuda appiccato a un albero: onde si può agevolmente credere quello che di questo piacevole pittore si racconta, cioè che quando voleva usar diligenza e affaticarsi, il che di rado avveniva, egli non era inferiore a niun altro dipintore de' suoi tempi. E che ciò sia vero; l'opere che fece in Ognissanti a fresco, dov'è oggi il cimitero, furono con tanta diligenza lavorate e con tanti avvertimenti, che l'acqua che è piovuta loro sopra tanti anni non le ha potuto guastare, nè fare sì che non si conosca la bontà loro, e che si sono mantenute benissimo, per essere state lavorate puramente sopra la calcina fresca. Nelle facce, dunque, sono la Natività di Gesù Cristo e l'adorazione de' Magi; cioè sopra la sepoltura degli Aliotti. Dopo quest' opera, andato Buonamico a Bologna, lavorò a fresco in San Petronio nella cappella

[1] E queste, e quelle d'Ognissanti nominate appresso, sono perite.

[2] Queste pitture, le une fin da quando il coro fu rifatto (1501), le altre più tardi, sono andate a male.

de' Bolognini, cioè nelle volte, alcune storie; ma da non so che accidente sopravvenuto, non le finì.[1] Dicesi che, l'anno 1302, fu condotto in Ascesi, e che nella chiesa di San Francesco dipinse, nella cappella di Santa Caterina,[2] tutte le storie della sua vita in fresco; le quali si sono molto ben conservate, e vi si veggiono alcune figure che sono degne d'essere lodate. Finita questa cappella, nel passar d'Arezzo, il vescovo Guido,[3] per avere inteso che Buonamico era piacevole uomo e valente dipintore, volle che si fermasse in quella città, e gli dipignesse in Vescovado la cappella, dove è oggi il battesimo.[4] Buonamico, messo mano al lavoro, n'aveva già fatto buona parte, quando gli avvenne un caso il più strano del mondo; e fu, secondo che racconta Franco Sacchetti nelle sue trecento Novelle,[5] questo. Aveva il vescovo un bertuccione il più sollazzevole e il più cattivo che altro che fusse mai. Questo animale, stando alcuna volta sul palco a ve-

[1] *Sebbene Buffalmacco vivesse molto piú oltre del 1340, nel quale anno pone il Vasari la morte di lui, pur tuttavia non poteva dipingere in San Petronio, cominciato a edificare nel 1390; e molto meno nella cappella Bolognini, perciocchè il testamento di Bartolommeo della Seta di questa famiglia, fatto nel 1408, ci assicura non essere a quel tempo per anche stata dipinta questa cappella. In esso ordina che si finisca e si dipinga la sua cappella ch'è in San Petronio, e descrive le storie che vi si dovevano figurare; le quali sono le stesse che ancora oggi si vedono, giá erroneamente attribuite a Buffalmacco, e ad altri due pittori, Vitale e Lorenzo. (*Guida di Bologna*, ediz. del 1845).

[2] † La cappella nella chiesa inferiore d'Assisi, giá dedicata a santa Caterina vergine e martire, ed ora chiamata del Crocefisso, fu inalzata nel 1382 dal cardinale Alvaro, o meglio Albornoz. Le pitture che ancora vi si vedono rappresentano alcuni fatti della vita di quella santa. In uno de' pilastri dell'arco, per cui s'entra nella cappella, è dipinta la consacrazione del detto cardinale fatta dal papa. Esse sono lavori d'un mediocre pittore della fine del secolo XIV, e perció non possono essere di Buffalmacco, morto parecchi anni innanzi a quel tempo.

[3] Guido Tarlati, vescovo e signor d'Arezzo.

[4] Questa cappella, notava il Bottari, non si saprebbe dire ove fosse situata. Forse sotto le finestre, ne' cui vetri Guglielmo di Marcillac, del quale si legge più oltre la Vita, dipinse il Battesimo di Cristo. Ivi ancor si veggono due figure o due avanzi di figure d'antica mano, rappresentanti Giovanni il Battista e Giovanni il Vangelista. Se non che la loro iscrizione le fa del 1331, e il vescovo Guido morì nel 1327.

[5] Nella CLXI delle sue trecento.

dere lavorare Buonamico, aveva posto mente a ogni cosa, nè levatogli mai gli occhi da dosso quando mescolava i colori, trassinava gli alberelli, stiacciava l'uova per fare le tempere, ed insomma, quando faceva qualsivoglia altra cosa. Ora, avendo Buonamico un sabato sera lasciato l'opera, la domenica mattina questo bertuccione, non ostante che avesse appiccato a' piedi un gran rullo di legno, il quale gli faceva portare il vescovo perchè non potesse così saltare per tutto, egli salì, non ostante il peso che pure era grave, in sul palco dove soleva stare Buonamico a lavorare; e quivi recatosi fra mano gli alberelli, rovesciato che ebbe l'uno nell'altro, e fatto sei mescugli e stiacciato quante uova v'erano, cominciò a imbrattare con i pennelli quante figure vi erano; e, seguitando di così fare, non restò se non quando ebbe ogni cosa ridipinto di sua mano. Ciò fatto, di nuovo fece un mescuglio di tutti i colori che gli erano avanzati, come che pochi fussero, e poi sceso dal palco si partì. Venuto il lunedì mattina, tornò Buonamico al suo lavoro, dove vedute le figure guaste, gli alberelli rovesciati ed ogni cosa sotto sopra, restò tutto maravigliato e confuso. Poi, avendo molte cose fra se medesimo discorso, pensò finalmente che qualche aretino per invidia o per altro avesse ciò fatto: onde, andatosene al vescovo, gli disse come la cosa passava e quello di che dubitava: di che il vescovo rimase forte turbato: pure, fatto animo a Buonamico, volle che rimettesse mano al lavoro, e ciò che vi era di guasto rifacesse. E perchè aveva prestato alle sue parole fede le quali avevano del verosimile, gli diede sei de' suoi fant armati che stessono co' falcioni, quando egli non lavorava in aguato, e chiunque venisse, senza misericordia, taglias seno a pezzi. Rifatte dunque la seconda volta le figure un giorno che i fanti erano in aguato, ecco che senton non so che rotolare per la chiesa, e poco appresso il ber tuccione salire sopra l'assito; e, in un baleno fatte le me stiche, veggiono il nuovo maestro mettersi a lavorare sopra i Santi di Buonamico. Perchè chiamatolo, e mostrogli il malfattore, e insieme con esso lui stando a vederlo lavorare, furono per crepar dalle risa; e Buonamico particolarmente, come che dolore glie ne venisse, non poteva restare di ridere nè di piangere per le risa. Finalmente, licenziati i fanti che con falcioni avevano fatto la guardia, se n'andò al vescovo, e gli disse: Monsignor, voi volete che si dipinga a un modo, e il vostro bertuccione vuole a un altro. Poi, contando la cosa, soggiunse: non iscadeva che voi mandaste per pittori altrove, se avevate il maestro in casa; ma egli forse non sapeva così ben fare le mestiche. Orsù, ora che sa, faccia da sè, che io non ci son più buono, e, conosciuta la sua virtù, son contento che per l'opera mia non mi sia alcuna cosa data, se non licenza di tornarmene a Firenze. Non poteva, udendo la cosa, il vescovo, sebbene gli dispiaceva, tenere le risa, e massimamente considerando che una bestia aveva fatto una burla a chi era il più burlevole uomo del mondo. Però, poi che del nuovo caso ebbono ragionato e riso abbastanza, fece tanto il vescovo, che si rimesse Buonamico la terza volta all'opera, e la finì. E il bertuccione, per gastigo e penitenza del commesso errore, fu serrato in una gran gabbia di legno e tenuto dove Buonamico lavorava, insino a che fu quell'opera interamente finita; nella quale gabbia non si potrebbe niuno immaginar i giuochi che quella bestiaccia faceva col muso, con la persona e con le mani, vedendo altri fare, e non potere ella adoperarsi. Finita l'opera di questa cappella, ordinò il vescovo; o per burla o per altra cagione che egli se lo facessi; che Buffalmacco gli dipignesse in una facciata del suo palazzo un'aquila addosso a un leone, il quale ella avesse morto. L'accorto dipintore, avendo promesso di fare tutto quello che il vescovo voleva, fece fare un buono assito di tavole, con dire, non volere esser veduto dipignere una sì fatta cosa. E ciò fatto, rinchiuso che si fu tutto solo là dentro, dipinse, per contrario di quello che il vescovo voleva, un leone che sbranava un'aquila;[1] e finita l'opera, chiese licenza al vescovo d'andare a Firenze a procacciar colori che gli mancavano. E così, serrato con una chiave il tavolato, se n'andò a Firenze con animo di non tornare altrimente al vescovo: il quale, veggendo la cosa andare in lungo e il dipintore non tornare, fatto aprire il tavolato, conobbe che più aveva saputo Buonamico, che egli. Perchè, mosso da gravissimo sdegno, gli fece dar bando della vita: il che avendo Buonamico inteso, gli mandò a dire che gli facesse il peggio che poteva; onde il vescovo lo minacciò da maladetto senno. Pur finalmente, considerando che egli si era messo a volere burlare, e che bene gli stava rimanere burlato, perdonò a Buonamico l'ingiuria, e lo riconobbe delle sue fatiche liberalissimamente. Anzi, che è più, condottolo indi a non molto in Arezzo, gli fece fare nel Duomo vecchio molte cose, che oggi sono per terra, trattandolo sempre come suo familiare e molto fedel servitore. Il medesimo dipinse pure in Arezzo, nella chiesa di San Giustino, la nicchia della cappella maggiore.[2] Scrivono alcuni, che, essendo Buonamico in Firenze e trovandosi spesso, con gli amici e compagni suoi, in bottega di Maso del Saggio,[3] egli si trovò con molti altri a ordinare la festa che, in dì di calendi maggio, feciono gli uomini di Borgo San Friano in Arno sopra certe barche; e che quando il ponte alla Carraia, che al-

[1] *Il vescovo Guido fu uno dei più fieri ghibellini del suo tempo; e perciò dando a Buffalmacco a dipingere un'aquila che sbrana un leone, volle significare la parte ghibellina o imperiale che sotto la forma dell'aquila, sua insegna, abbatte e vince la guelfa, rappresentata sotto la figura del leone. L'arme d'Arezzo è un cavallo corrente.

[2] Anche la pittura di questa cappella è perita.

[3] Noto abbastanza per la famosa Nov. 3 della Gior. IV del nostro Boccaccio. Era sensale, e però avea bottega.

lora era di legno, rovinò, per essere troppo carico di persone che erano corse a quello spettacolo,[1] egli non vi morì, come molti altri feciono; perchè, quando appunto rovinò il ponte in sulla macchina che in Arno sopra le barche rappresentava l'inferno, egli era andato a procacciare alcune cose che per la festa mancavano.

Essendo, non molto dopo queste cose, condotto Buonamico a Pisa, dipinse nella Badia di San Paolo a Ripa d'Arno, allora de'monaci di Vallombrosa, in tutta la crociera di quella chiesa da tre bande, e dal tetto insino a terra, molte istorie del Testamento vecchio, cominciando dalla creazione dell'uomo e seguitando insino a tutta la edificazione della torre di Nembrot. Nella quale opera, ancorchè oggi per la maggior parte sia guasta, si vede vivezza nelle figure, buona pratica e vaghezza nel colorito, e che la mano esprimeva molto bene i concetti dell'animo di Buonamico; il quale non ebbe però molto disegno. Nella facciata della destra crociera, la quale è dirimpetto a quella, dov'è la porta del fianco, in alcune storie di Santa Nastasia, si veggiono certi abiti ed acconciature antiche, molto vaghe e belle, in alcune donne che vi sono con graziosa maniera dipinte. Non men belle sono quelle figure ancora, che con bene accomodate attitudini sono in una barca, fra le quali è il ritratto di papa Alessandro IV; il quale ebbe Buonamico, secondo che si dice, da Tafo suo maestro, il quale aveva quel pontefice ritratto di musaico in San Piero.[2] Parimente, nell'ultima storia, dov'è il martirio di quella Santa o d'altre, espresse Buonamico molto bene nei volti il timore della morte, il dolore e lo spavento di coloro che stanno a vederla tormentare e morire, mentre sta le-

[1] Vedi i particolari di questo fatto in Giovanni Villani, lib. VIII, cap. 70.

[2] Alessandro IV fu dal 1254 al 1261. Nella Vita del Tafi, il Vasari dice che Buffalmacco ebbe da lui i ritratti di Celestino IV e d'Innocenzio IV, e tace l'Alessandro.

gata a un albero e sopra il fuoco. Fu compagno in quest'opera di Buonamico, Bruno di Giovanni pittore,[1] che così è chiamato in sul vecchio libro della Compagnia; il quale Bruno, celebrato anch'egli come piacevole uomo dal Boccaccio,[2] finite le dette storie delle facciate, dipinse nella medesima chiesa l'altar di Sant'Orsola[3] con la compagnia delle vergini; facendo in una mano di detta Santa uno stendardo con l'arme di Pisa, che è in campo rosso una croce bianca; e facendole porgere l'altra a una femmina, che, surgendo fra due monti e toccando con l'uno de'piedi il mare, le porge ambedue le mani in atto di raccomandarsi. La quale femmina, figurata per Pisa, avendo in capo una corona d'oro e indosso un drappo pieno di tondi e di aquile, chiede, essendo molto travagliata in mare, aiuto a quella Santa. Ma perchè, nel fare questa opera, Bruno si doleva che le figure che in essa faceva non avevano il vivo, come quelle di Buonamico; Buonamico, come burlevole, per insegnargli a fare le figure non pur vivaci, ma che favellassono, gli fece far alcune parole che uscivano di bocca a quella femmina che si raccomanda alla Santa, e la risposta della Santa a lei; avendo ciò visto Buonamico nell'opere che aveva fatte nella medesima città Cimabue. La qual cosa come piacque a Bruno e agli altri uomini sciocchi di quei tempi, così piace ancora oggi a certi goffi, che in ciò sono serviti da artefici plebei, come essi sono. E di vero pare gran fatto, che da questo principio sia passata in uso una cosa che per burla,

[1] Di quanto Buffalmacco fece a fresco, con Bruno, in San Paolo a Ripa d'Arno appena rimase qualche vestigio. — *Nel vecchio libro della Compagnia de'Pittori si trova scritto *Bruno Giovanni, pop. San Simone dipintore* MCCCL.

[2] Nella Novella già indicata. Vedi anche il Baldinucci.

[3] *Questa importantissima tavola ora si conserva nell'Accademia delle Belle Arti di Pisa, ed il prof. Rosini ne ha dato un intaglio nella tav. XII della sua *Storia*. — ‡ È pittura assai rozza, debole di carattere, senza rilievo, ed in gran parte ridipinta. Secondo il Cavalcaselle (vol. I, p. 397), tra essa tavola e quelle de' pittori pisani Ghetto d'Jacopo, Jacopo detto Gera e Turino di Vanni, non apparisce notabile differenza.

e non per altro, fu fatta fare;[1] conciossiachè anco una gran parte del Campo Santo, fatta da lodati maestri, sia piena di questa gofferia. L'opere, dunque, di Buonamico essendo molto piaciute ai Pisani, gli fu fatto fare dall'operaio di Campo Santo quattro storie in fresco, dal principio del mondo insino alla fabbrica dell'arca di Noè,[2] ed intorno alle storie un ornamento, nel quale fece il suo ritratto di naturale; cioè in un fregio, nel mezzo del quale, e in su le quadrature, sono alcune teste, fra le quali (come ho detto) si vede la sua con un cappuccio, come appunto sta quello che di sopra si vede.[3] E perchè in questa opera è un Dio che con le braccia tiene i cieli e gli elementi, anzi la macchina tutta dell'universo, Buonamico, per dichiarare la sua storia con versi simili alle pitture di quell'età, scrisse a' piedi in lettere maiuscole di sua mano, come si può anco vedere, questo sonetto; il quale, per l'antichità sua e per la semplicità del dire di que' tempi, mi è paruto di mettere in questo luogo, come che forse, per mio avviso, non sia per molto piacere, se non se forse come cosa che fa fede di quanto sapevano gli uomini di quel secolo:

Voi che avvisate questa dipintura
Di Dio pietoso sommo creatore,
Lo qual fe' tutte cose con amore,
Pesate, numerate ed in misura;

[1] Ma innanzi a Bruno, ed anche a Cimabue, non era stata fatta per burla.

[2] La Creazione, la morte d'Abele, l'arca di Noè e il Diluvio. — † Oggi è provato che queste pitture non sono di Buffalmacco, ma del pittore e mosaicista orvietano Pietro di Puccio, il quale si sa che nel 1390 fu con lettera particolare invitato a Pisa da Parasone Grassi operaio; e che andato colà, vi si ammalò, e che poi essendo guarito, prese a dipingere nel Camposanto la Coronazione della Vergine sopra l'ingresso della cappella Aulla, attribuita dal Vasari a Taddeo Bartoli, e le storie del Genesi. Pietro aveva dipinto nel 1370 in compagnia di Ugolino di Prete Ilario il coro della cattedrale d'Orvieto, ed eseguito nel 1387 alcuni musaici della facciata. (Vedi CIAMPI, *Notizie ecc.*, e CAVALCASELLE, op. cit., vol. I, pag. 396).

[3] *Intendi quello già posto a principio di questa Vita nella seconda edizione del 1568.

In nove gradi angelica natura,
I' nello empirio ciel pien di splendore,
Colui che non si muove ed è motore,
Ciascuna cosa fece buona e pura
Levate gli occhi del vostro intelletto,
Considerate quanto è ordinato
Lo mondo universale, e con affetto
Lodate lui che l'ha sì ben creato,
Pensate di passare a tal diletto
Tra gli Angeli, dov'è ciascun beato.
Per questo mondo si vede la gloria,
Lo basso, e il mezzo e l alto in questa storia

E, per dire il vero, fu grand'animo quello di Buonamico a mettersi a fare un Dio Padre grande cinque braccia, le gerarchie, i cieli, gli angeli, il zodiaco e tutte le cose superiori insino al cielo della luna; e poi l'elemento del fuoco, l'aria, la terra; e finalmente il centro. E per riempire i due angoli da basso, fece, in uno, Sant'Agostino e nell'altro, San Tommaso d'Aquino. Dipinse nel medesimo Campo Santo Buonamico, in testa dov'è oggi di marmo la sepoltura del Corte,[1] tutta la passione di Cristo, con gran numero di figure a piedi ed a cavallo, e tutte in varie e belle attitudini; e, seguitando la storia, fece la Resurrezione e l'apparire di Cristo agli Apostoli, assai acconciamente.[2] Finiti questi lavori, ed in un medesimo tempo tutto quello che aveva in Pisa guadagnato, che non fu poco, se ne tornò a Firenze così povero come partito se n'era; dove fece molte tavole e lavori in fresco, di che non accade fare altra memoria. Intanto, essendo dato a fare a Bruno suo amicissimo, che seco se n'era tornato da Pisa, dove si avevano sguazzato ogni cosa, alcune opere in Santa Maria Novella; perchè Bruno non

[1] Di Matteo Corte pavese, celebre medico, fattagli erigere da Cosimo I nel 1544

[2] Queste due pitture, d'altra mano che le antecedenti (forse d'Antonio Vite, a cui il Ciampi e il Morrona inclinano ad attribuire anche la prima), non hanno, non ostante i restauri fatti dal Rondinosi nel 1667, quasi più nulla d'intatto.

aveva molto disegno nè invenzione, Buonamico gli disegnò tutto quello che egli poi mise in opera in una facciata di detta chiesa dirimpetto al pergamo, e lunga quanto è lo spazio che è fra colonna e colonna: e ciò fu la storia di San Maurizio e compagni, che furono per la fede di Gesù Cristo decapitati;[1] la quale opera fece Bruno per Guido Campese, connestabile allora de' Fiorentini: il quale avendo ritratto, prima che morisse, l'anno 1312, lo pose poi in questa opera armato, come si costumava in que' tempi; e dietro a lui fece un' ordinanza d' uomini d'arme tutti armati all'antica, che fanno bel vedere; mentre esso Guido sta ginocchioni innanzi a una Nostra Donna che ha il putto Gesù in braccio, e par che sia raccomandato da San Domenico e da Sant' Agnesa che lo mettono in mezzo. Questa pittura, ancora che non sia molto bella, considerandosi il disegno di Buonamico e la invenzione, ell'è degna di esser in parte lodata, e massimamente per la varietà de' vestiti, barbute ed altre armature di que' tempi; ed io me ne sono servito in alcune storie che ho fatto per il signor duca Cosimo, dove era bisogno rappresentare uomini armati all'antica, ed altre somiglianti cose di quell' età: la qual cosa è molto piaciuta a sua eccellenza illustrissima, e ad altri che l'hanno veduta. E da questo si può conoscere quanto sia da far capitale dell' invenzioni ed opere fatte da questi antichi, come che così perfette non siano; ed in che modo utile e comodo si possa trarre dalle cose loro,[2] avendoci eglino aperta la via alle maraviglie che insino a oggi si sono fatte, e si fanno tuttavia. Mentre che Bruno faceva questa opera, volendo un contadino che Buonamico gli facesse un San Cristofano, ne furono d'accordo in Fiorenza, e convennero per contratto in questo modo: che il prezzo

[1] Le fu poi dato di bianco.

[2] E molti pittori infatti, anche di prima classe, ne hanno tratto *utile e comodo*, ma non sono stati così sinceri come il Vasari per confessarlo.

fusse otto fiorini, e la figura dovesse esser dodici braccia. Andato dunque Buonamico alla chiesa, dove doveva fare il San Cristofano, trovò che, per non essere ella nè alta nè lunga se non braccia nove, non poteva nè di fuori nè di dentro accomodarlo in modo che bene stesse; onde prese partito, perchè non vi capiva ritto, di farlo dentro in chiesa a giacere ma, perchè anco così non vi entrava tutto, fu necessitato rivolgerlo dalle ginocchia in giù nella facciata di testa. Finita l'opera, il contadino non voleva in modo nessuno pagarla, anzi gridando diceva di esser assassinato. Perchè, andata la cosa agli ufficiali di Grascia, fu giudicato, secondo il contratto, che Buonamico avesse ragione.[1]

A San Giovanni fra l'Arcore era una Passione di Cristo di mano di Buonamico molto bella; e, fra l'altre cose che vi erano molto lodate, vi era un Giuda appiccato ad un albero, fatto con molto giudizio e bella maniera. Similmente, un vecchio che si soffiava il naso, era naturalissimo; e le Marie, dirotte nel pianto, avevano arie e modi tanto mesti, che meritavano, secondo quell'età che non aveva ancora così facile il modo d'esprimere gli affetti dell'animo col pennello, di essere grandemente lodate. Nella medesima faccia, un Sant'Ivo di Brettagna, che aveva molte vedove e pupilli ai piedi, era buona figura; e due Angeli in aria che lo coronavano, erano fatti con dolcissima maniera. Questo edifizio e le pitture insieme furono gettate per terra l'anno della guerra del 1529.[2]

In Cortona ancora dipinse Buonamico, per messer Aldobrandino vescovo di quella città, molte cose nel Vescovado, e particolarmente la cappella e tavola dell'altar maggiore; ma perchè nel rinnovare il palazzo e la chiesa andò ogni cosa per terra, non accade farne altra men-

[1] Questa storiella è raccontata anche dal Manni nelle *Veglie*
[2] Vedi il BORGHINI, *Origini di Firenze*, e il MANNI, *Terme Fiorentine*.

zione. In San Francesco, nondimeno, ed in Santa Margherita della medesima città, sono ancora alcune pitture di mano di Buonamico.[1] Da Cortona andato di nuovo Buonamico in Ascesi, nella chiesa di sotto di San Francesco dipinse a fresco tutta la cappella del cardinale Egidio Alvaro spagnuolo; e perchè si portò molto bene, ne fu da esso cardinale liberalmente riconosciuto.[2] Finalmente, avendo Buonamico lavorato molte pitture per tutta la Marca, nel tornarsene a Fiorenza, si fermò in Perugia, e vi dipinse nella chiesa di San Domenico, in fresco, la cappella de' Buontempi, facendo in essa istorie della vita di Santa Caterina vergine e martire. E nella chiesa di San Domenico vecchio dipinse in una faccia, pure a fresco, quando essa Caterina, figliuola del re Costa, disputando, convince e converte certi filosofi alla fede di Cristo. E perchè questa istoria è più bella che alcune altre che facesse Buonamico giammai, si può dire con verità che egli avanzasse in questa opera se stesso: da che mossi i Perugini ordinarono, secondo che scrive Franco Sacchetti,[3] che dipignesse in piazza Sant'Ercolano, vescovo e protettore di quella città; onde convenuti del prezzo, fu fatto nel luogo, onde si aveva a dipignere, una turata di tavole e di stuoie, perchè non fusse il maestro veduto dipignere; e ciò fatto, mise mano all'opera. Ma non passarono dieci giorni, dimandando chiunque passava quando

[1] † In Santa Margherita di Cortona furono scoperti ultimamente alcuni lavori, avanzi di antiche pitture giudicate di Ambrogio Lorenzetti o del Berna, i quali, secondo il Vasari, dipinsero, oltre Buffalmacco, in quella chiesa

[2] † È chiaro che queste pitture della cappella del cardinale Alvaro sono quelle medesime già ricordate più indietro dal Vasari come esistenti nella cappella di Santa Caterina, che egli dice fatte nel 1302, e forse doveva dire 1382 Secondo altre memorie, Buffalmacco dipinse, per mons Pontani vescovo d'Assisi, la cappella di Santa Maria Maddalena nella stessa chiesa; e i suoi dipinti si conservano, benchè molto anneriti dal fumo. — † Ma il Cavalcaselle dice (vol. I, pag 390) che se fosse provato che que' dipinti de' primi anni del 300 fossero eseguiti da Buffalmacco, bisognerebbe crederе che egli, piuttostochè dal Tafi, avesse appreso l'arte da Giotto.

[3] Nella Novella CLXIX

sarebbe cotale pittura finita, pensando che sì fatte cose si gettassero in pretelle, che la cosa venne a fastidio a Buonamico. Perchè venuto alla fine del lavoro, stracco da tanta importunità, deliberò seco medesimo vendicarsi dolcemente dell'impacienza di que'popoli, e gli venne fatto; perchè finita l'opera, innanzi che la scoprisse, la fece veder loro e ne fu interamente soddisfatto. Ma, volendo i Perugini levare subito la turata, disse Buonamico, che per due giorni ancora la lasciassono stare, perciocchè voleva ritoccare a secco alcune cose; e così fu fatto. Buonamico, dunque, salito in sul ponte, dove egli aveva fatto al Santo una gran diadema d'oro, e, come in que'tempi si costumava, di rilievo con la calcina, gli fece una corona ovvero ghirlanda, intorno intorno al capo, tutta di lasche. E ciò fatto, una mattina accordato l'oste, se ne venne a Firenze. Onde, passati due giorni, non vedendo i Perugini, siccome erano soliti, il dipintore andare attorno, domandarono l'oste che fusse di lui stato, ed inteso che egli se n'era a Firenze tornato, andarono subito a scoprire il lavoro; e trovato il loro Sant'Ercolano coronato solennemente di lasche, lo fecion intendere tostamente a coloro che governavano: i quali, sebbene mandarono cavallari in fretta a cercar di Buonamico, tutto fu invano, essendosene egli con molta fretta a Firenze ritornato. Preso, dunque, partito di far levare a un loro dipintore la corona di lasche e rifare la diadema al Santo, dissono di Buonamico e degli altri Fiorentini tutti que'mali che si possono imaginare. Ritornato Buonamico a Firenze, e poco curandosi di cosa che dicessono i Perugini, attese a lavorare e fare molte opere; delle quali, per non esser più lungo, non accade far menzione. Dirò solo questo, che avendo dipinto a Calcinaia una Nostra Donna a fresco col Figliuolo in collo, colui che gliel'aveva fatto fare, in cambio di pagarlo, gli dava parole; onde Buonamico, che non era avvezzo a essere fatto fare nè ad essere uccellato, pensò di valersene ad ogni modo. E così, andato una mattina a Calcinaia, convertì il fanciullo che aveva dipinto in braccio alla Vergine, con tinte senza colla o tempera, ma fatte con l'acqua sola, in uno orsacchino: la qual cosa non dopo molto vedendo il contadino che l'aveva fatta fare, presso che disperato, andò a trovare Buonamico, pregandolo che di grazia levasse l'orsacchino e rifacesse un fanciullo come prima, perchè era presto a soddisfarlo: il che avendo egli fatto amorevolmente, fu della prima e della seconda fatica senza indugio pagato; e bastò a racconciare ogni cosa una spugna bagnata.[1] Finalmente, perche troppo lungo sarei se io volessi raccontare così tutte le burle come le pitture che fece Buonamico Buffalmacco; e massimamente praticando in bottega di Maso del Saggio, che era un ridotto di cittadini e di quanti piacevoli uomini aveva Firenze e burlevoli; porrò fine a ragionare di lui: il quale morì d'anni settantotto,[2] e fu dalla Compagnia della Misericordia, essendo egli poverissimo, e avendo più speso che guadagnato, per essere un uomo così fatto, sovvenuto nel suo male in Santa Maria Nuova, spedale di Firenze; e, poi morto, nell'Ossa (così chiamano un chiostro dello spedale, ovvero cimitero), come gli altri poveri, seppellito, l'anno 1340.[3] Furono l'opere di costui in pregio, mentre

[1] *In una stanza della priorìa della chiesa di Calcinaja, un miglio distante dalla Lastra a Signa, si vede tuttora l'avanzo di una pittura sul muro, rappresentante la Madonna col Bambino in braccio, e varj santi; opera certamente del secolo XIV, che una tradizione locale dice anc'oggi esser quella di Buffalmacco qui ricordata.

[2] Nella prima edizione si legge sessantotto, ma forse per errore, corretto nella seconda.

[3] *Nel vecchio libro della Compagnia de' Pittori si trova notato il nome di *Buonamico Cristofani detto Buffalmacco*, coll'anno MCCCLI; dal che si conosce che il Vasari errò quando pose la morte di questo pittore all'anno 1340, e si fa dubbio se potesse esser nato, com'egli dice, nel 1262; tanto più che noi abbiamo congetturato che Tafo potesse esser nato nel 1250 incirca e non nel 1215, come afferma il Vasari. Senza tener conto, perchè non autenticate da nessun documento o testimonianza, delle altre opere che il Richa vuole attribuire a

visse, e dopo sono state come cose di quell'etá sempre lodate.

Buffalmacco, noi dubitiamo fortemente se il saggio che il prof. Rosini ne ha dato nel tom. II della sua *Storia*, traendolo da San Domenico di Perugia, possa esser veramente l'avanzo di quelle pitture che il Vasari dice aver Buffalmacco operate nella cappella Buontempi. Taceremo del dubbio nostro che queste pitture sieno del XV, anzichè del XIV secolo, non potendosi sopra un intaglio stabilire un tal giudizio; ma solamente noteremo, che la santa Caterina in esso figurata non è la santa vergine e martire, ma sì bene la serafica da Siena, come mostra chiaramente l'abito domenicano, il giglio, il libro ecc.; la quale essendo nata nel 1347 e morta nel 1380, non poteva esser dipinta da Buffalmacco, anche protraendo la vita di quest'artefice oltre il 1351.

AMBRUOGIO LORENZETTI

PITTORE SANESE

(Nato ......; morto circa il 1338)

Se è grande, come è senza dubbio, l'obbligo che aver deono alla natura gli artefici di bello ingegno, molto maggior dovrebbe essere il nostro verso loro, veggendo ch'eglino con molta sollecitudine riempiono le città d'onorate fabbriche e d'utili e vaghi componimenti di storie, arrecando a se medesimi il più delle volte fama e ricchezze con l'opere loro; come fece Ambruogio Lorenzetti, pittor sanese,[1] il quale ebbe bella e molta invenzione nel comporre consideratamente e situare in istoria le sue figure. Di che fa vera testimonianza in Siena ne' Frati Minori una storia da lui molto leggiadramente dipinta nel chiostro; dove è figurato in che maniera un giovane si fa frate, ed in che modo egli ed alcuni altri vanno al Soldano, e quivi son battuti e sentenziati alle forche, ed impiccati a un albero, e finalmente decapitati; con la sopraggiunta d'una spaventevole tempesta. Nella quale pittura, con molt'arte e destrezza, contraffece il rabbuffamento dell'aria, e la furia della pioggia e de' venti ne' travagli delle figure: dalle quali i moderni maestri

[1] Egli costumò sottoscriversi nelle pitture sue AMBROSIUS LAURENTII, ma nei ricordi del tempo è più spesso chiamato Ambrogio Lorenzetti, o del Lorenzetto; denominazione che egli ha comune con Pietro suo fratello, e non conosciuto per tale dal Vasari.

hanno imparato il modo ed il principio di questa invenzione, per la quale, come inusitata innanzi, meritò egli commendazione infinita.[1] Fu Ambruogio pratico coloritore a fresco; e nel maneggiar a tempera i colori gli adoperò con destrezza e facilità grande: come si vede ancora nelle tavole finite da lui in Siena allo spedaletto che si chiama Monna Agnesa,[2] nella quale dipinse e finì una storia con nuova e bella composizione. Ed allo Spedale Grande, nella facciata, fece in fresco la Natività di Nostra Donna, e quando ella va fra le vergini al tempio:[3] e ne' Frati di Sant'Agostino di detta città, il capitolo: dove, nella volta, si veggiono figurati gli Apostoli con carte in mano, ove è scritto quella parte del *Credo* che ciascheduno di loro fece; ed a piè una istorietta contenente con la pittura quel medesimo che è di sopra con la scrittura significato. Appresso, nella facciata maggiore, sono tre storie di Santa Caterina martire, quando disputa col tiranno in un tempio; e nel mezzo, la passione di Cristo, con i ladroni in croce e le Marie da basso, che sostengono la Vergine Maria venutasi meno: le quali cose furono finite da lui con assai buona grazia e con bella maniera.[4] Fece ancora

[1] † Le più antiche pitture della tribuna o coro dietro l'altar maggiore del Duomo d'Orvieto non sono del Lorenzetti, ma di maestro Ugolino di Prete Ilario orvietano, allogategli il 30 di maggio, e finite verso il 1378, coll'aiuto di Pietro di Puccio, già ricordato, di Antonio d'Andreuccio e di Francesco d'Antonio pittori d'Orvieto.

[2] *Lo spedale de' SS. Gregorio e Niccolò in Sasso fu detto di Mona Agnese, perchè fondato nel 1278 da Agnese d'Arezzo, figliuola di Affrettato e moglie di un Orlando. L'affresco di Ambrogio, che non esiste più, non era propriamente in questo spedale, ma nella facciata d'una chiesetta contigua, dedicata a san Bernardino, oggi soppressa. Rappresentava alcuni fatti della vita della Madonna. La tavola della Presentazione al Tempio, dipinta nel 1342, è oggi nella Galleria dell'Accademia delle Belle Arti di Firenze.

[3] *Questa pittura, che Ambrogio fece in compagnia di Pietro suo fratello nel 1335, fu rovinata nel 1720. Vedi la nota 2, pag. 471, della Vita di Pietro Lorenzetti (Laurati).

[4] *Nei diversi cambiamenti accaduti in quella chiesa andarono perdute. Nella volta d'un arco, in una stanza posta a destra del corridore che introduce nel Collegio Tolomei, si veggono in mezza figura un Cristo, san Lorenzo e santa Caterina martire; pitture che paiono avanzi di quelle fattevi da Ambrogio.

nel Palazzo della Signoria di Siena, in una sala grande, la guerra d'Asinalunga,[1] e la Pace appresso e gli accidenti di quella;[2] dove figurò una cosmografia perfetta, secondo que'tempi:[3] e nel medesimo palazzo fece otto storie di verdeterra, molto pulitamente.[4] Dicesi che mandò ancora a Volterra una tavola a tempera, che fu molto lodata in quella città; e a Massa, lavorando in compagnia d'altri una cappella in fresco ed una tavola a tempera, fece conoscere a coloro, quanto egli di giudizio e d'ingegno nell'arte della pittura valesse;[5] ed in Orvieto dipinse in fresco la cappella maggiore di Santa Maria. Dopo quest'opere, capitando a Fiorenza, fece in San Procolo una tavola, ed in una cappella le storie di San Niccolò in figure piccole, per soddisfare a certi amici suoi, de-

[1] *Intendi la vittoria riportata dai Senesi sopra la Compagnia del Cappello nell'anno 1363. Essa è dipinta a chiaro-scuro sulla parete sinistra dell'antica sala del Consiglio, detta delle Balestre o del Mappamondo. È da dubitare se veramente questa pittura sia di Ambrogio; perchè sebbene qualche cronica lo dica, è difficile il persuadersi che a quel tempo fosse egli ancora vivo.

[2] *A chi abbia qualche conoscenza delle opere d'arte che fan ricco il Palazzo pubblico di Siena, basterà anche questo brevissimo e indistinto accenno che dà il Vasari, per intendere che egli ha qui voluto parlare delle pitture allegoriche che sono nel Palazzo suddetto, in quella sala detta de'Nove della Pace. Il breve spazio concesso a una nota non ci dà luogo a descrivere queste filosofiche e morali invenzioni allegoriche: ma importando grandemente il conoscere quanta sapienza civile e politica l'artista filosofo seppe racchiudere dentro quelle allegorie, abbiamo creduto opportuno descriverle e dichiararle per mezzo d'un Commentario, ch'è quello posto dopo questa Vita.

[3] *Un avanzo di questa cosmografia, o mappamondo dipinto sulla tela, era, sul finire del secolo scorso, appeso ad una delle pareti della sala delle Balestre sopra nominata. Ora, anche quell'avanzo è perduto. Racconta il Tizio che questo lavoro, che doveva essere assai singolare, fu fatto nel 1344.

[4] *Furono dipinte nel 1345, ma da gran tempo sono perdute. Poco avanti aveva dipinto per questo luogo una tavola dell'Annunziata, che stette già nella stanza dei Donzelli; la quale, nel 1839, fu trasferita nella Galleria dell'Istituto di Belle Arti di Siena. Essa porta scritto il nome del pittore, e l'anno 1344.

[5] *Della tavola di Volterra non abbiamo notizia. Gli affreschi di Massa sono perduti. Il dottor Gaye, però, diceva esister tuttavia la tavola fatta per questa città, ed esser quella che si vede nella cancelleria; dov'è rappresentata una Nostra Donna col Figliuolo in braccio, seduta sur un trono sostenuto da due angeli, con i santi Pietro, Paolo e Francesco, san Cerbone, vescovo e protettore di Massa, ed altri santi e angeli attorno. Nei gradini sottostanti ai piedi della Vergine stanno assise le tre virtù teologali, Fede, Speranza e Carità.

siderosi di veder il modo dell'operar suo; ed in sì breve tempo condusse, come pratico, questo lavoro, che gli accrebbe nome e riputazione infinita.[1] E questa opera, nella predella della quale fece il suo ritratto, fu causa che, l'anno 1335, fu condotto a Cortona per ordine del vescovo degli Ubertini, allora signore di quella città;[2] dove lavorò, nella chiesa di Santa Margherita, poco innanzi stata fabbricata ai Frati di San Francesco nella sommità del monte, alcune cose, e particolarmente la metà delle volte e le facciate, così bene, che ancora che oggi siano quasi consumate dal tempo,[3] si vede ad ogni modo nelle figure affetti bellissimi, e si conosce che egli ne fu meritamente commendato. Finita quest'opera, se ne tornò Ambruogio a Siena dove visse onoratamente il rimanente della sua vita, non solo per essere eccellente maestro nella pittura, ma ancora perchè, avendo dato opera nella sua giovanezza alle lettere, gli furono utile e dolce compagnia nella pittura, e di tanto ornamento in tutta la sua vita, che lo renderono non meno amabile e grato, che il mestiero della pittura si facesse. Laonde, non solo praticò sempre con letterati e virtuosi uomini, ma fu ancora, con suo molto onore ed utile, adoperato ne'maneggi della sua repubblica.[4] Furono i costumi d'Ambruogio in tutte le parti lodevoli, e piuttosto di gentiluomo e di filosofo che di artefice: e, quello che più dimostra la prudenza degli uomini, ebbe sempre l'animo disposto a contentarsi di quello che il mondo ed il tempo recava: onde sopportò con animo moderato e quieto il

[1] *Di queste opere oggi ignoriamo la sorte. Il Cinelli in una di esse, cioè in una tavola con Nostra Donna, lesse *Ambrosius Laurentii de Senis* 1332.

[2] Chiamavasi Buoso, ed era vescovo d'Arezzo. Ma non è vero che in Cortona avesse signoria, giacchè fino dal 1325 papa Giovanni XXII avevala tolta al suo antecessore, Guido Tarlati. Ma è da notare che contemporaneo a Buoso fu vescovo di Cortona un Ranieri degli Ubertini, il quale ben potrebbe essere colui che chiamò il Lorenzetti a Cortona.

[3] Oggi non ne rimane più nulla.

[4] Questo dai libri pubblici non apparisce.

bene ed il male che gli venne dalla fortuna. E veramente non si può dire quanto i costumi gentili e la modestia, con l'altre buone creanze, siano onorata compagnia a tutte l'arti, ma particolarmente a quelle che dall'intelletto e da nobili ed elevati ingegni procedono onde dovrebbe ciascuno rendersi non meno grato con i costumi, che con l'eccellenza dell'arte. Ambruogio, finalmente, nell'ultimo di sua vita fece con molta sua lode una tavola a Monte Oliveto di Chiusuri;[1] e poco poi. d'anni ottantatre, passò felicemente e cristianamente a miglior vita. Furono le opere sue nel 1340[2]

Come s'è detto, il ritratto di Ambruogio si vede di sua mano in San Procolo nella predella della sua tavola con un cappuccio in capo. E quanto valesse nel disegno si vede nel nostro libro, dove sono alcune cose di sua mano assai buone.

[1] *La tavola di Montoliveto probabilmente e perduta Rispetto poi alla eta, in cui morì Ambrogio, pare a noi che, trovandosi il suo nome ricordato per la prima volta nel 1323, si debba pensare che egli sia nato o verso la fine del secolo XIII o sul principiare del seguente, e percio supporre che morisse assai piu giovane di quel che non afferma il Vasari, perche ammessi questi due dati l'uno del Vasari, che Ambrogio morisse di 83 anni; l'altro (che e nostro), che cio accadesse nel 1348, ne seguirebbe che Ambrogio fosse nato nel 1265 Ma oltre che queste cose è impossibile che sieno provate, c'e l'altra difficolta di saper conciliar i supposti tempi del suo nascere e della sua giovanezza colla maniera da lui seguita nella pittura maniera, la quale sebbene senta assai di Duccio, e per conseguente arieggi i Bizantini, pure ci scopre in lui un maestro che gia ha spinto più innanzi la *Scuola*, ed ha cercato di liberarla da quel vecchiume che pur qualche volta nei maestri senesi piu tenaci della tradizione greca si manifesta Quindi e che alla nascita di Ambrogio e da assegnare altro tempo, e piu vicino che non sia il 1265 Che anzi, se il nome suo, come pittore, non apparisce prima del 1323, ragion vuole che a quel tempo egli dovesse essere giovane, e forse andar di pari l'eta col secolo La peste del 1348 tronco precocemente il corso a molte nobili vite!

[2] Nella prima edizione il Vasari termina la presente Vita con queste parole « Et i suoi cittadini, per l'onore ch'egli nell'una et nell'altra scienza aveva fatto « alla patria, della morte di lui infinitamente et per molto tempo si dolsero, come « si vede per la iscrizione ch essi gli fecero, cioe

Ambrosii interitum quis satis doleat,
Qui viros nobis longa aetate mortuos
Restituebat arte et magno ingenio?
Picturae decus vivas astra desuper!

COMMENTARIO

ALLA

Vita di Ambrogio Lorenzetti

Intorno alle pitture allegoriche della sala de' Nove nel Palazzo pubblico di Siena

Sulla fine del secolo XIII, e nel corso del secolo XIV, universalmente si rinnovò ed ebbe grandissimo credito una maniera di pittura, la quale con allegoriche personificazioni e con appropriati simboli intese a porgere precetti salutari di morale e civile sapienza; acciocchè i magistrati avessero nelle pareti dipinte come il codice delle leggi abili a regolare l'amministrazione della giustizia, e il popolo quelli ammaestramenti più utili e più dicevoli ad educarlo a civiltà, ed infondergli nel petto il santo amore della giustizia e della patria. Delle pitture allegoriche stanno in esempio quelle che Giotto fece nella cappella degli Scrovegni a Padova e nel Palazzo del Potestà di Firenze; quelle attribuite a Simone di Martino senese ed a Taddeo Gaddi nel Capitolo detto il Cappellone degli Spagnuoli in Santa Maria Novella; le poetiche invenzioni dello stesso Gaddi nel tribunale della Mercanzia vecchia; e molte altre che per brevità non si ricordano.

Tra i pittori di questo tempo che si esercitarono nelle rappresentazioni allegoriche, non dubitiamo di affermare che il più dotto, il più universale e il più eccellente, sia stato il nostro Ambrogio Lorenzetti; il quale nei freschi della Sala dei Nove o della Pace (erroneamente detta delle Balestre), nel Palazzo pubblico di Siena, ci ha lasciato di questa maniera di pittura il più splendido ed insieme il più bene ordinato e il più copioso monumento ed esempio figurato di sapienza morale, civile e politica. Queste pitture tutte s'informano della dottrina aristotelica, salita in molto grido a quell'età; della quale il Lorenzetti dovette aver fatto uno studio profondo, ed arricchitone la mente, quando gli fu commesso di adornare le pareti della sala di quel Magistrato, che allora reggeva le cose del Comune Senese. Il Lorenzetti s'ingegnò di porgere agli sguardi ed alle menti dei suoi concittadini, per mezzo di visibili forme e di sensibili immagini, quegl'insegnamenti di morale virtù che meglio valessero ad acquetare e correggere i loro animi, sempre conturbati dall'ira delle discordie e dallo spirito di parte, infondendo ne' loro cuori sentimenti di pace e di rettitudine. Correvano tempi ben tristi; e il Lorenzetti avea conosciuto quanto i suoi concittadini abbisognassero di simiglianti esempj; e da buon artefice ch'egli era, e da letterato e filosofo insieme, seppe immaginare certe invenzioni d'onde essi imparassero la scienza dell'ottimo governo, e come si avviasse alla prosperità un popolo, mantenendo in signoria la giustizia, dalla quale hanno origine la pace, la concordia, e tutti i benefici effetti che da queste virtù conseguono.

Nel 1337, eletto il Lorenzetti dalla Signoria dei Nove Governatori di Siena a dipingere la sala del loro uffizio,[1] rappresentò in quelle pareti, per mezzo di tre grandi poetiche invenzioni, la Giustizia, e poi la Concordia e la Pace, unite alle altre Virtù che si appartengono all'ottimo governo; insieme cogli effetti che da esse virtù, dove hanno sede e regno, derivano; lo stato interno ed esterno di una città soggetta a mala signoria, e i perniciosi effetti che da essa ne vengono ai popoli.

Parete prima. — E primieramente, alla sinistra di chi guarda, si vede la figura della Giustizia, con attorno la scritta DILIGITE JUSTITIAM QUI JUDICATIS TERRAM, tratta dal libro della Sapienza;[2] ed è donna incoronata e regalmente vestita, la quale con maestosa gravità siede sopra un trono dorato; e levando gli occhi, gli tien fisi nella Sapienza (*Sapientia*),[3] che sta sopra il capo di lei, con un libro nella sinistra, e colla destra sostenente il perno delle bilance; mentre la Giustizia, stendendo le braccia, ne

[1] Dall'anno 1338 al 1340, ne' libri di Biccherna del Comune di Siena si trovano più partite di pagamenti fatti ad *Ambrogio Lorenzetti per le dipinture che ha fatte nel Palazzo de Signori Nove.* Questi documenti, pertanto, mostrano chiaro che in quell'intervallo, e non nel 1343 o nel 1348 il Lorenzetti dipingesse in questa Sala, come erroneamente suppose il Della Valle (*Lettere Senesi*, II, 221). — Queste pitture, per la debolezza dell'intonaco, o per la poca cura che se ne ebbe, ebber presto bisogno d'essere restaurate. Nel 1518, Girolamo di Benvenuto diè mano a ridipingere un pezzo di faccia della Sala della Pace. E nel 1521 toccò il medesimo incarico a Lorenzo di Francesco.

[2] Così Dante, nel XVIII del *Paradiso*, glorifica le anime de' Beati che amministrarono dirittamente la giustizia nel mondo; le quali, volitando nel cielo di Giove, descrivevano co' loro corpi in più figure le parole *diligite justitiam* ecc.

[3] Facciamo avvertito una volta per sempre, che le parole di corsivo fra parentesi indicano le scritte che accompagnano queste pitture.

tien coi pollici pari i dischi. Dal destro disco delle bilance sorge un genietto alato, il quale all'uno dei due uomini genuflessi dinanzi a lui pone in capo una corona, all'altro taglia colla spada la testa; e questo rappresenta la Giustizia Distributiva (*Distributiva*). L'altro genietto che è nell'altro disco, sta in atto di dare una lancia e una spada a uno dei due inginocchiati; e all'altro versa del denaro in un cofanetto. Il che significa la Giustizia Commutativa (*Commutativa*).

Sotto la figura della Giustizia siede una donna incoronata e riccamente vestita, sulle ginocchia della quale posa una pialla a due manichi, dov'è scritto CONCORDIA.[1] Questa donna tiene in mano le due corde che sono appiccate ai dischi delle bilance; le quali corde passano per mano di ventiquattro personaggi, posti a due a due sullo stesso ripiano della Concordia, i quali figurano i cittadini che sono bene affetti del Reggimento.

Nella parte della parete a destra di chi osserva, e nel piano corrispondente a quello della Giustizia, è un gran vecchio con bianca barba, tutto grave e severo in volto, maestosamente seduto in uno scanno più alto delle altre figure. Cinge il suo capo diadema di re, e le ampie spalle copre un manto nero, sotto il quale apparisce una veste bianca, tutta ricamata a oro e tutta ricca di pietre preziose e perle. Colla destra brandisce un lungo scettro, a cui vanno a riunirsi e legarsi i capi delle due corde passate per le mani de' ventiquattro personaggi suddetti; e nella sinistra tiene uno scudetto rotondo, dov'è effigiata Nostra Donna col Divino Figliuolo in braccio, e due angioletti inginocchiati ai lati, che sorreggono due candelabri; coll'epigrafe SALVET VIRGO SENAM VETEREM QUAM SIGNAT AMENAM. Dal colore bianco e nero delle sue vesti, ch'è quello della Balzana, arme del Comune di Siena; dalla rappresentazione ch'è in quello scudetto, dove è la forma e la leggenda dell'antico sigillo della Repubblica; dalla lupa che allatta i due putti, insegna di Siena, colonia romana; ed infine, dai monogrammi C. S. C. C. V. (*Comune Senarum Cum Civilibus Virtutibus*) scritti intorno al capo di questa figura; ben si ravvisa che il pittore volle sotto quelle sembianze personificare il Reggimento, ossia il Comune di Siena.[2]

[1] Il Della Valle, non osservando bene a quell'istrumento, lo prese per una *cassetta, dalla quale* questa figura *par che distribuisca un non so che alla turba di genti!!*

[2] Intorno a questa figura sono state dette le più belle cose del mondo. Il Faluschi stima essere la Giustizia; il Della Valle (*Lettere Senesi*, tom. II, pag. 221), copiando il Pecci, nelle *Iscrizioni senesi* mss. dice che essa rappresenta quel Tofo Pichi padre di 148 figliuoli, come narra una favolosa leggenda di un cronista, o piuttosto una tradizione popolare. Il Rio (*Poésie chrétienne dans ses formes*), il quale trovò *per sè incomprensibili* tutte le altre pitture allegoriche di questa sala, *ravvisò chiaramente* Carlo Magno, o taluno de' suoi successori!!!

Sopra il capo del Reggimento di Siena sono le tre Virtù teologali, della Fede (*Fides*), Speranza (*Spes*), e Carità (*Caritas*).

Nel medesimo ordine e ripiano dov'è il Reggimento, seguono sette Virtù civili, con i loro appropriati emblemi ciascuna. La prima, a destra del Reggimento, è la Pace (*Pax*); giovane donna avvenentissima, vestita di bianca veste discinta; la quale stando col bellissimo corpo mollemente seduta sopra un cuscino, che nasconde una corazza, fa del destro gomito sostegno al capo incoronato d'olivo; e un ramo d'olivo porta nella sinistra, calcando col piè un elmo e uno scudo.[1]

Di costa a lei siede la Fortezza (*Fortitudo*); donna incoronata, sostenente una colonna nella destra, uno scudo nella sinistra.

Segue la Prudenza (*Prudentia*), sotto le sembianze di donna attempata, con volto severo, col capo fasciato da un panno bianco, sopravi la corona; colla destra accenna un'urna, che tiene nella sinistra, dov'è scritto PRETERITUM . PRESENS . FUTURUM.[2]

Alla sinistra del Reggimento stanno sedute altre tre Virtù. La prima è la Magnanimità (*Magnanimitas*); donna incoronata anch'essa, con tiara nella destra, e sulle ginocchia un bacile ripieno di moneta.

Succede la Temperanza (*Temperantia*); giovane donna, vestita d'un gran manto verde, la quale colla mano sinistra addita un oriuolo a polvere, che tiene nella destra.

La terza Virtù è la Giustizia (*Justitia*), figura coronata; e una corona porta nella sinistra mano; con l'altra tiene impugnata la spada, e pendente un capo reciso. Questa è figurata per la *giustizia punitrice*, a differenza dell'altra che rappresenta la *giustizia* in genere, ed anche la *giustizia civile*.

Sotto queste tre Virtù, in corrispondenza a' ventiquattro personaggi che dalla Giustizia si muovono inverso il Reggimento di Siena, il Lorenzetti collocò i prigionieri di guerra, l'offerta de' tributi, censi e signorie di terre; dove si vedono due inginocchiati a' piè del Reggimento fare l'offerta d'un castello; poi alcuni malfattori, col cappuccio calato sugli occhi, e le mani legate al dorso. Una fila di gente a cavallo, armata di lancia e vestita di

Il Rumohr lo designa col nome generico di principe. — Ma questa era la rappresentazione consueta del Reggimento di Siena; imperciocchè, ancora nella coperta di un libro delle Gabelle de' Contratti del Comune da calende di luglio 1343 a calende di gennajo 1344, si vede dipinto il Reggimento colle stesse vesti, col medesimo scudetto, dov'è il suggello delle città sotto il patrocinio della Vergine, e intorno al capo i soliti monogrammi C. S. C. C. V.

[1] Da questa figura della Pace, ch'è la meglio disegnata e dipinta di ogni altra, prese nome la Sala.

[2] *Prudenza fate che sia vostra guida — Che con tre occhi tre tempi governa.* Così cantava Matteo Frescobaldi.

ferro, sta schierata ai lati del Reggimento. Questi armati sono qui a significare che gli Stati si reggono non colla sola forza morale, che sono le Virtù, le quali al bene servon di guida e sostegno; ma ch'è necessaria eziandio la forza materiale, che i male intenzionati distolga dal malefizio, i turbatori dell'ordine pubblico punisca e costringa.

Sotto questa prima istoria è scritto il nome del pittore, così:

AMBROSIUS LAURENTII HIC PINXIT UTRINQUE.

Un'altra scritta, poi, che serve a dichiarare il senso di questa pittura, si legge sotto la figura della Concordia; ed è la seguente:[1]

QUESTA SANTA VIRTÙ LÀ DOVE REGGE,
INDUCE AD UNITÀ LI ANIMI MOLTI;
E QUESTI A CIÒ RICOLTI
UN BEN COMUNE PER LOR SIGNOR SI FANNO;
LO QUAL, PER GOVERNAR SUO STATO, ELEGGE
DI NON TENER GIÀ MAI GLI OCCHI RIVOLTI
DA LO SPRENDOR DE' VOLTI
DELLE VIRTÙ CHE TORNO A LUI SI DANNO.
PER QUESTO, CON TRIUNFO A LUI SI STANNO
CENSI, TRIBUTI E SIGNORIE DI TERRE;
PER QUESTO, SANZA GUERRE
SEGUITA POI OGNI CIVILE EFFETTO,
UTILE, NECESSARIO E DI DILETTO.[2]

Parete seconda. — Con le istorie dipinte in questa seconda faccia volle il pittore rappresentare la vita interna della città, le arti, i mestieri, i traffichi che in essa si esercitano; e le occupazioni, le faccende e le industrie della villa: ossia la vita cittadina e la vita rusticana, quali esse sono sotto i benefici effetti della Pace e della Concordia.

Metà di questa parete, adunque, presenta la parte interna di una popolosa città, la quale certamente è la pittoresca patria del nostro Ambrogio; com'è chiaro dai grandi palazzi muniti di torri, da quelle case fatte di mattoni arrotati, e dal ritratto del Duomo, che resta nell'angolo della parete. Le botteghe sono piene di gente che attende alla propria arte o mestiere: nel mezzo è rappresentato un corteo o festa nuziale, dove si

[1] Sì questa come le altre iscrizioni delle due pareti seguenti sono scritte con lettere così dette gotiche, e tutt'andanti, senza disgiungere i versi. A meglio farle intendere, abbiamo diviso i versi, e sciolto le abbreviature delle parole.

[2] Non dubitiamo che questa e tutte le altre iscrizioni poetiche che accompagnano le pitture di questa sala, sieno state composte dal Lorenzetti medesimo. Colui che in queste filosofiche invenzioni mostrò tanta poesia, doveva similmente con forma poetica descriverle e dichiararle. — *Sprendor* e *torno*, secondo la natia pronunzia, invece di *splendor* e *attorno*.

vede la sposa novella sur un cavallo bianco scorrere per la città, inghirlandata e vestita di rosso, accompagnata da cavalieri, paggi e giullari, parte a piè, parte a cavallo. Dietro alla comitiva, nove fanciulle, con leggiadri atteggiamenti l'una tenendo l'altra per mano, si vedono in giro molto graziosamente ballare, mentre una di loro, che sta nel mezzo, cantando e sonando il cembalo, guida la danza.

Nell'altra metà della parete volle il pittore dar conto della vita rusticana, figurando le faccende e gli spassi della villa, il coltivamento e il frutto de' campi. L'indietro della campagna è sparso di case e di coltivate colline, dove chi ara, chi semina, altri miete, altri raccoglie. Più innanzi un giovane, accompagnato dal suo falconiere, da altri familiari e da mute di bracchi, esce dalla città alla caccia. Più sotto, altra gente sta intenta, chi con reti, chi con balestre, a dar la caccia agli uccelli ed agli animali salvatici. Per la via che conduce alla città, si veggono i contadini guidare innanzi a sè, alla volta di quella, i lor giumenti carichi di grano o di biade.

Tutto questo a significare le industrie, i traffichi, il commercio, della città, ma però il commercio terrestre. Per dar conto eziandio del commercio marittimo, nell'estrema parte di questa medesima istoria, sopra un promontorio che sporta sul mare, dipinse Talamone e il suo porto.[1] Nell'alto di questa parete è una figura volante, la quale è la Sicurezza (*Securitas*), con una forca e un malvagio a quella impiccato, e nella destra una cartella, dov'è scritto

SENZA PAURA OGNI UOM FRANCO CAMMINI,
E LAVORANDO SEMINI CIASCUNO,
MENTRE CHE TAL COMUNO
MANTERRÀ QUESTA DONNA IN SIGNORIA,
CH'ELLA HA LEVATA A' REI OGNI BALIA.

Nella parte inferiore è un'altra rimata leggenda, scritta per quanto è lunga la parete, la quale dice:

VOLGETE GLI OCCHI A RIMIRAR COSTEI,
VOI CHE REGGETE, CH'È QUI FIGURATA,
E PER SU' ECCELLENZIA CORONATA,
LA QUAL SEMPRE A CIASCUN SUO DRITTO RENDE.
GUARDATE QUANTI BEN VENGON DA LEI,

[1] Il Lorenzetti volle ritratto qui il porto di Talamone, perchè i Senesi lungamente e vanamente sperarono di far di quel luogo un ricco e frequentato emporio; e l'*avere sperato* in Talamone, come dice l'Alighieri, costò a' Senesi innumerevole moneta, inutilmente spesa in rifarlo e mettervi abitatori.

E COME È DOLCE VITA E RIPOSATA
QUELLA DE LA CITTÀ DU' È SERVATA
QUESTA VIRTÙ CHE PIÙ D'ALTRA RISPRENDE.
ELLA GUARDA E DIFENDE
CHI LEI ONORA, E LOR NUTRICA ET PASCE;
DA LA SUO' LUCE NASCE
EL MERITAR COLOR CH'OPERAN BENE,
ET AGL'INIQUI DAR DEBITE PENE

Parete terza. — Sono in questa terza ed ultima parete rappresentati gli effetti lagrimevoli e funesti della Tirannia, ossia del mal governo, per contrapposto ai benefici effetti dell'ottimo governo, espressi nella parete innanzi descritta Questa faccia presenta, nell'intiero, l'aspetto di una città adorna di case e di torri Fuori delle sue mura seggono sopra un elevato seggio sette figure, delle quali quella che tiene il mezzo, ed è la più grande, rappresenta la Tirannia (*Tyrannia*); figura di orribil sembiante, cornuta, losca, e con due zanne sporgenti dalla bocca, ha il corpo coperto da un'armatura di ferro, e le spalle da un lungo manto color sanguigno, tiene nella destra un pugnale, e nella sinistra una tazza con bevanda avvelenata A'suoi piedi giace un capro col muso rivolto verso di lei. Sopra il capo della Tirannia stanno l'Avarizia (*Avaritia*), la Superbia (*Superbia*) e la Vanagloria (*Vanagloria*) L'Avarizia, scarna e sparuta in volto, tiene nella destra un uncino o graffio, e nella sinistra stretto uno scrigno La Superbia è alata, ed ha due corna rosse sul capo, con una benda bianca che le cinge la fronte, impugna colla destra una spada, coll'altra sostiene un giogo. Sotto il sembiante di una fanciulla, tutta avvenente e graziosa, cinta la testa di ghirlanda, riccamente vestita, e tutta risplendente di gemme, è figurata la Vanagloria. Ha nella destra uno specchio, dove si piace rimirarsi, nella sinistra una freccia

Le sei figure che pongono in mezzo la Tirannia, sono i Vizj personificati, degni ministri di questo mostro. Il primo Vizio è la Crudeltà (*Crudelitas*) uomo magro e truce nel volto, ispido per lunga e nera barba, il quale, afferrato pel collo un bambino, gli mostra un serpente. Segue il Tradimento (*Proditio*); uomo sbarbato, di faccia benigna, e vestito di una lunga toga nera Tiene sulle ginocchia un drago, coperto colla pelle di agnello La Frode (*Fraus*) è rappresentata anch'essa con faccia umana; sennonchè dal fondo della lunga veste appariscono i piedi tutti pelosi e con artigli, come pure ha gli artigli in luogo delle mani Dietro le spalle porta l'ale di pipistrello

Alla sinistra della Tirannia seggono questi altri Vizj

Il Furore (*Furor*), dipinto sotto le sembianze di un essere che ha la testa di cinghiale, il corpo umano, i piè di cavallo la coda di lupo Sono sue armi un sasso ed un coltello. Una figura sedente, che porta indosso una veste divisata, nella parte bianca ha scritto la parola *Sì*, e nell'altra nera leggesi *No*, e sta a rappresentare la Divisione (*Divisio*). Questa figura è intenta a dividere con una sega un rocchio di legno. L'ultima di queste figure è la Guerra. Tutta chiusa nell'armi, col capo munito di un elmo, alza coll'una mano una spada; nell'altra imbraccia uno scudo, intorno al quale sta scritto GVERRA.

Ai piedi della Tirannia sta prostesa una donna coi capelli sciolti e scomposti, le mani e i piedi nudi e legati, piangente e desolata. Questa donna è la Giustizia (*Justitia*), a cui i suoi nemici han tolto di mano le bilance, e rottele e disperse. Più oltre, due ribaldi che rubano le vesti di dosso a una donna, e più innanzi un uomo morto da due malandrini. Questa storia occupa la metà della parete, dove il Lorenzetti volle rappresentare lo stato interno di una città signoreggiata dalla Tirannia. In una cartella, ch'è presso alla povera Giustizia calpestata e schernita, è scritto:

LÀ DOVE STA LEGATA LA IVSTIZIA,
NESSUNO AL BEN COMUN GIA MAI S'ACCORDA,
NE TIRA A DRITTA CORDA;
PERÒ CONVIEN CHE TIRANNIA SORMONTI,
LA QUAL, PER ADEMPIR LA SUA NEQUIZIA,
NULLO VOLER NÈ OPERAR DISCORDA
DALLA NATURA LORDA
DE' VIZI CHE CON LEI SON QUI CONGIONTI.
QUESTA CACCIA COLOR CHE AL BEN SON PRONTI,
E CHIAMA A SÈ CIASCUN CHE A MALE INTENDE:
QUESTA SEMPRE DIFENDE
CHI SFORZA, O ROBBA, O CHI ODIASSE PACE,
UNDE OGNI TERRA SUA INCULTA GIACE.

L'altra metà di questa parete, nella quale era la pittura dello stato di fuori, e degli effetti della Tirannia, è quasi che interamente perduta; e con grande fatica si scorgono castella diroccate ed arse, gente d'arme che armata mano corre disertando e ardendo le campagne e dappertutto scene luttuose e di sangue. In alto della parete e nel mezzo di essa, un'orrida e scarmigliata figura, mezza nuda, con una spada sguainata, sta in aria sospesa sopra le porte, a guardia della città. Essa è il Timore (*Timor*). In una cartella che ha in mano, è scritto:

PER VOLERE EL BEN PROPRIO IN QUESTA TERRA,
SOMMESS' È LA GIUSTIZIA A TIRANNIA;
UNDE PER QUESTA VIA
NON PASSA ALCUN SENZA DUBBIO DI MORTE,
CHE FUOR SI ROBBA E DRENTO DA LE PORTE.

A intendere poi tutto il significato della intera storia serve questa scritta; la quale sebbene manchi in principio di un verso e mezzo, per esser caduto l'intonaco più spiega bene quel che il pittore volle con questa allegoria significare:

. . . .
. . . . . E PER EFFETTO,
CHE DOVE È TIRANNIA È GRAN SOSPETTO.
GUERRE, RAPINE, TRADIMENTI E 'NGANNI
PRENDONSI SIGNORIA SOPRA DI LEI
E PONGASI LA MENTE E LO INTELLETTO
IN TENER SEMPRE A JUSTIZIA SUGGETTO
CIASCUN, PER ISCHIFAR SI SCURI DANNI,
ABBATTENDO E' TIRANNI,
E CHI TURBAR LA VUOL, SIA, PER SUO MERTO,
DISCACCIATO E DISERTO,
INSIEME CON QUALUNQUE S'HA SEGUACE,
FORTIFICANDO LEI PER NOSTRA PACE

A compimento di queste storie, il pittore volle figurare nello zoccolo o balza delle prime due pareti (cioè in quella, dov'è personificato il Reggimento di Siena, e nell'altra che rappresenta gli effetti della Pace e della Concordia) le sette Arti liberali, ossia il *Trivium* e il *Quadrivium*, dove si racchiudeva, si può dire, la scienza universale de' suoi tempi. Nella prima parete sono, dentro certe formelle dipinte a chiaroscuro, in altrettante piccole figurette, la Grammatica (*Gramatica*), la Dialettica (*Dyalectica*) e l'Aritmetica (oggi perduta); poi la Geometria (*Geometria*), la Musica (*Musica*), l'Astrologia (*Astrologia*) e la Filosofia (*Philosophia*).

Per contrapposto alle sette Scienze, nella fascia che fa l'imbasamento della terza parete, dov'è simboleggiata la Tirannide e i Vizj a lei congiunti, dipinse gli esempj più famosi di alcuni tiranni o di uomini crudeli, ponendo sotto a ciascuno il loro nome. Ma di tutti questi partimenti dipinti non avanza che uno, dov'è scritto NERO, e un altro, del quale essendo perduta la pittura, altro non resta che le lettere ANT . . . , che forse dicevano ANTIOCUS.

PIETRO CAVALLINI

PITTORE ROMANO

(Nato , morto nel 1364 ?)

Essendo già stata Roma molti secoli priva non solamente delle buone lettere e della gloria dell'armi, ma eziandio di tutte le scienze e buone arti;[1] come Dio volle, nacque in essa Pietro Cavallini in que' tempi che Giotto, avendo, si può dire, tornato in vita la pittura, teneva fra i pittori in Italia il principato. Costui, dunque, essendo stato discepolo di Giotto,[2] ed avendo con esso lui lavorato nella nave di musaico in San Piero; fu il primo che dopo lui illuminasse quest'arte, e che cominciasse a mostrar di non essere stato indegno discepolo di tanto maestro, quando dipinse in Araceli, sopra la porta della sacrestia, alcune storie che oggi sono consumate dal tempo, e in Santa Maria di Trastevere moltissime cose colorite per tutta la chiesa in fresco. Dopo, lavorando alla cappella maggiore di musaico e nella facciata dinanzi della

[1] Proposizione, a cui, dopo le note già fatte al principio specialmente delle Vite di Cimabue e del Tafi, non è bisogno d'altro temperamento

[2] Vorrebbe il Della Valle farlo discepolo de' Cosmati, anziche di Giotto, a cui era poco minore d'eta Concedo, dice il Lanzi, che qualche cosa ei pote apprendere dai Cosmati ma quello stile nuovo e giottesco, in cui cede appena al Gaddi, chi pote mostrarglielo se non Giotto?

chiesa, mostrò, nel principio di cotale lavoro, senza l'aiuto di Giotto saper non meno esercitare e condurre a fine il musaico, che avesse fatto la pittura:[1] facendo ancora nella chiesa di San Grisogono molte storie a fresco,[2] s'ingegnò farsi conoscer similmente per ottimo discepolo di Giotto e per buono artefice. Parimente, pure in Trastevere, dipinse in Santa Cecilia quasi tutta la chiesa di sua mano; e nella chiesa di San Francesco appresso Ripa, molte cose. In San Paolo poi fuor di Roma fece la facciata che v'è di musaico;[3] e per la nave del mezzo, molte storie del Testamento vecchio. E lavorando nel capitolo del primo chiostro a fresco alcune cose, vi mise tanta diligenza, che ne riportò dagli uomini di giudizio nome d'eccellentissimo maestro, e fu perciò dai prelati tanto favorito, che gli fecero dare a fare la facciata di San Piero di dentro fra le finestre: tra le quali fece, di grandezza straordinaria, rispetto alle figure che in quel tempo s'usavano, i quattro

[1] † I musaici della tribuna di Santa Maria in Trastevere rappresentanti alcune storie della vita di Maria Vergine furono condotti nel 1290 per commissione di Bartolo Stefaneschi, che è figurato in ginocchio e in atto di pregare dinanzi al busto di Maria tenente il putto in braccio, che è sotto il musaico dell'Adorazione de' Magi. Dice il Cavalcaselle (*Storia della Pittura in Italia* Firenze, 1875, vol I, p 165, nota 1) che i suddetti musaici, per il carattere e la maniera loro, parrebbero di tempi posteriori al 1290, specialmente l'ultimo col ritratto dello Stefaneschi, che sente della influenza giottesca, e che se essi sono, come vuole il Vasari, opera di Pietro Cavallini, proverebbero non solo che il Cavallini fu continuatore della scuola de' Cosmati, ma ancora fin da quel tempo la sua abilità E soggiunge che appunto ne' musaici di Santa Maria in Trastevere si può vedere il passaggio dalla maniera de' Cosmati a quella del Cavallini Il quale non si sa in che anno nascesse, ma è certo che apprese l'arte da' Cosmati, e lavorò con loro, e che andato Giotto a Roma, conoscendolo di molto superiore agli artefici romani, si servì di lui Il Vasari lo fa lavorare in più luoghi d'Italia, ma senza prova La più antica memoria che ne abbiamo è del 1308, nel quale anno era in Napoli ai servigi del re Roberto con lauto stipendio In fine crede che il musaico della facciata della suddetta chiesa che vi si vede al presente non sia del Cavallini, ma di tempo anteriore Il D'Agincourt, nella tav cxxv della *Pittura*, ha dato l'intaglio di alcune cose del Cavallini, che a' suoi tempi si vedevano in Santa Maria in Trastevere, e in San Paolo fuori delle mura

[2] E questa pittura di San Grisogono, e quelle che si accennan qui appresso di Santa Cecilia, e quasi tutte l'opere che il nostro artefice fece in Roma, sono perite

[3] Rimase assai danneggiata pel terribile incendio dei 15 luglio 1823

Evangelisti lavorati a bonissimo fresco, e un San Piero e un San Paolo; e in una nave, buon numero di figure, nelle quali, per molto piacergli la maniera greca, la mescolò sempre con quella di Giotto. E per dilettarsi di dare rilievo alle figure, si conosce che usò in ciò tutto quello sforzo che maggiore può immaginarsi da uomo. Ma la migliore opera che in quella città facesse, fu nella detta chiesa d'Araceli sul Campidoglio; dove dipinse in fresco, nella volta della tribuna maggiore, la Nostra Donna col Figliuolo in braccio, circondata da un cerchio di sole, e a basso, Ottaviano imperadore, al quale la Sibilla Tiburtina mostrando Gesù Cristo, egli l'adora: le quali figure in quest'opera, come si è detto in altri luoghi, si sono conservate molto meglio che l'altre, perchè quelle che sono nelle volte, sono meno offese dalla polvere che quelle che nelle facciate si fanno. Venne, dopo quest'opere, Pietro in Toscana per veder l'opere degli altri discepoli del suo maestro Giotto, e di lui stesso, e con questa occasione dipinse in San Marco di Firenze molte figure che oggi non si veggiono, essendo stata imbiancata la chiesa; eccetto la Nunziata, che sta coperta a canto alla porta principale della chiesa.[1] In San Basilio ancora, al canto alla Macine, fece in un muro un'altra Nunziata a fresco, tanto simile a quella che prima aveva fatta in San Marco[2] e a qualcun'altra che è in Firenze, che alcuni credono, e non senza qualche verosimile, che tutte siano di mano di questo Piero. e di vero non possono più somigliare l'una l'altra di quello che fanno. Fra le figure che fece in San Marco detto di Fiorenza, fu il ritratto di papa Urbano V. con le teste di San Piero e San Paolo, di naturale; dal qual ritratto ne ritrasse Fra Giovanni da

[1] La Nunziata fatta già in San Marco esiste tuttora, ma è stata così ridipinta, che, tranne il volto della Vergine, poco più vi è restato d'originale

[2] La Nunziata di San Basilio debb'essere perita nel 1785, allorchè la chiesa fu disfatta

Fiesole quello che è in una tavola in San Domenico pur di Fiesole: e ciò fu non piccola ventura, perchè il ritratto che era in San Marco, con molte altre figure che erano per la chiesa in fresco, furono, come s'è detto, coperte di bianco, quando quel convento fu tolto ai monaci che vi stavano prima[1] e dato ai Frati Predicatori, per imbiancare ogni cosa, con poca avvertenza e considerazione. Passando poi, nel tornarsene a Roma, per Ascesi, non solo per vedere quelle fabbriche e quelle così notabili opere fattevi dal suo maestro e da alcuni suoi condiscepoli, ma per lasciarvi qualche cosa di sua mano; dipinse a fresco nella chiesa di sotto di San Francesco, cioè nella crociera che è dalla banda della sagrestia, una Crocifissione di Gesù Cristo,[2] con uomini a cavallo armati in varie foggie, e con molta varietà d'abiti stravaganti, e di diverse nazioni straniere. In aria fece alcuni Angeli, che, fermati in su l'ali in diverse attitudini, piangono dirottamente; e stringendosi alcuni le mani al petto, altri incrociandole e altri battendosi le palme, mostrano avere estremo dolore della morte del figliuolo di Dio; e tutti dal mezzo indietro, ovvero dal mezzo in giù, sono convertiti in aria. In quest'opera, che è bene condotta nel colorito, che è fresco e vivace,[3] e tanto bene nelle commettiture della calcina, ch'ella pare tutta fatta in un giorno, ho trovato l'arme di Gualtieri duca di Atene; ma, per non vi essere nè millesimo nè altra scrittura, non posso affermare che ella fusse fatta fare da lui. Dico bene, che, oltre al tenersi per fermo da ognuno ch'ella

[1] I monaci Silvestrini

[2] Vedi a questo proposito, nella Vita di Pietro Laurati, a pag 477 di questo volume, la nota 1, dove con più ragione questa pittura è restituita al maestro senese Il D'Agincourt ha dato un saggio di questa composizione, che egli tiene del Cavallini, nella tav cxxv della *Pittura*

[3] Specialmente l'azzurro, che forma veramente (dice il Lanzi, parlando di questa pittura, ch'e tuttavia in buon grado) un cielo d'orientale zaffiro, come s'esprimono i nostri poeti.

sia di mano di Pietro, la maniera non potrebbe più di quello che ella fa, parer la medesima: senza che, si può credere, essendo stato questo pittore nel tempo che in Italia era il duca Gualtieri, così che ella fusse fatta da Piero, come per ordine del detto duca. Pure, creda ognuno come vuole, l'opera come antica non è se non lodevole; e la maniera, oltre la pubblica voce, mostra ch'ella sia di mano di costui. Lavorò a fresco il medesimo Piero nella chiesa di Santa Maria d'Orvieto, dove è la Santissima reliquia del Corporale, alcune storie di Gesù Cristo e del corpo suo,[1] con molta diligenza: e ciò fece, per quanto si dice, per messer Benedetto di messer Buonconte Monalleschi, signore in quel tempo, anzi tiranno di quella città. Affermano similmente alcuni, che Piero fece alcune sculture, e che gli riuscirono, perchè aveva ingegno in qualunque cosa si metteva a fare, benissimo; e che è di sua mano il Crocifisso che è nella gran chiesa di San Paolo fuor di Roma:[2] il quale, secondo che si dice e credere si dee, è quello che parlò a Santa Brigida l'anno 1370. Erano di mano del medesimo alcune altre cose di quella maniera, le quali andarono per terra quando fu rovinata la chiesa vecchia di San Pietro per rifar la nuova. Fu Pietro in tutte le sue cose diligente molto, e cercò con ogni studio di farsi onore e acquistare fama nell'arte. Fu non pure buon cristiano, ma devotissimo e amicissimo de' poveri, e per la bontà sua amato, non pure in Roma sua patria, ma da tutti coloro che di lui ebbono cognizione

[1] † Queste pitture furono fatte, secondo i documenti riferiti dal Della Valle, dal Luzi (*Il Duomo d' Orvieto* Firenze, Le Monnier, 1866, p 363), nel 1356-64, da maestro Ugolino di Prete Ilario, da Fra Giovanni Leonardelli e da Domenico di Meo, pittori orvietani Il nome del Cavallini, nè in quelli nè in altri documenti, non si trova Nell'occasione del restauro fatto di queste pitture alcuni anni sono, riuscito infelicissimo, perchè esse furono quasi tutte ridipinte, si scoperse la seguente iscrizione *Hanc cappellam depinxit Ugolinus pictor de Urbeveteri anno Domini* MCCCLXIV *die jovis, mensis Junii*

[2] Il Pistolesi (*Guida di Roma*) vuole del Cavallini un Crocifisso di legno, esistente tuttora in questo luogo

o dell'opere sue. E si diede finalmente nell'ultima sua vecchiezza con tanto spirito alla religione, menando vita esemplare, che fu quasi tenuto santo. Laonde non è da maravigliarsi, se non pure il detto Crocifisso di sua mano parlò, come si è detto, alla Santa, ma ancora se ha fatto e fa infiniti miracoli una Nostra Donna di sua mano; la quale per lo migliore non intendo di nominare, sebbene è famosissima in tutta Italia; e sebbene son più certo e chiarissimo, per la maniera del dipignere, ch'ella è di mano di Pietro,[1] la cui lodatissima vita e pietà verso Dio fu degna di essere da tutti gli uomini imitata. Nè creda nessuno, per ciò che non è quasi possibile, e la continua sperienza ce lo dimostra, che si possa senza il timor e grazia di Dio, e senza la bontà de'costumi, ad onorato grado pervenire Fu discepolo di Pietro Cavallini Giovanni da Pistoia, che nella patria fece alcune cose di non molta importanza.[2] Morì, finalmente, in Roma d'età d'anni ottantacinque, di mal di fianco preso nel lavorare in muro, per l'umidità e per lo star continuo a tale esercizio.

[1] *Ciascuno comprende che qui si allude alla immagine della SS Annunziata che si venera nella chiesa de'Servi. Ma sebbene dai libri del convento consti che nella prima meta del secolo XIII essa era dipinta, e vuolsi da un maestro Bartolommeo, che operava nell'anno 1232, tuttavia chi si ponga a esaminare i volti della Vergine e dell'angelo quali oggi si vedono, non potra andar persuaso ch'essi siano fattura di quel tempo, e dovra creder piuttosto, che all'antica pittura, deperita, ne sia stata quasi sovrapposta un'altra Questo rifacimento potrebbe esser opera del Cavallini, come dice il Vasari ma perche raramente si scopre al pubblico questa immagine, e perche l'altra che e in San Marco, e molto rifatta, come abbiamo notato, restera, non potendo istituire confronti, sempre difficile il risolvere ogni quistione Non e da tacere pero che alcuni vi veggono la maniera di Angelo Gaddi, ed altri quella dell'Angelico

[2] † Questo Giovanni da Pistoja per noi non e dubbio che sia Giovanni di Bartolommeo Cristiani, del quale parlano il Ciampi, il Tolomei e il Tigri, ricordando alcune sue opere in patria e fuori Nell'oratorio oggi de'Ghirardi Pieraccini, che fu gia la pieve contigua alla rocca di Montemurlo nel territorio pistoiese, e una sua tavola o trittico con Maria Vergine in trono, ed ai lati san Niccolo e san Giovanni Battista In basso vi si legge questa iscrizione QUESTA TAVOLA HANNO FATTA FARE CHORSO DI GIUNTA E ANTONIO DI GIUNTA OPERARJ ANNO DOMINI MCCCLXXXX MENSIS SETTEMBRIS (*sic*). E piu sotto: *Senator et Mar-*

Furono le sue pitture nel 1364.[1] Fu sepolto in San Paolo fuor di Roma, onorevolmente e con questo epitaffio:

Quantum Romanæ Petrus decus addidit Urbi
Pictura, tantum dat decus ipse polo.

Il ritratto suo non si è mai trovato, per diligenza che fatta si sia: però non si mette.

chio Philippus Nerlius restauravit anno Domini 1684. E da un lato: JOHANNES BARTHOLOMEI DE PISTORIO FECIT. Ebbe Giovanni un figliuolo di nome Bartolomeo, che seguitò l'arte paterna, e morì nel 1448. Avendo noi compilato un alberetto di questa famiglia, coll'ajuto di autentiche scritture, crediamo di far cosa utile ai nostri lettori col pubblicarlo qui:

CRISTIANO

BARTOLOMMEO
sarto.
Fa testamento nel 1348.
Moglie Tessa di Testa di Puccio

FRANCESCO	GIOVANNI pittore moglie nel 1366 1. Margherita di Bonaccorso di Vantino: 2. N. N.	ANGELO

JACOPO pittore n. 1395 seconda moglie Angiolina di Gio. di Niccolò calzolajo	BARTOLOMMEO pittore n. 1367 m. 1418 moglie 1. Giovanna di Francesco d'Jacopo 2. Toscana di Domenico di Giovanni da Prato	MARGHERITA cieca nata nel 1382

[1] *Nella prima edizione dice che il Cavallini morì di 75 anni, e che le sue opere furono nel 1344. Il Baldinucci ripete lo stesso. La diversità delle note cronologiche tra l'una e l'altra edizione, che a quando a quando s'incontra nel Vasari, è argomento della incertezza e non autenticità delle notizie, sopra le quali egli spesso dovea lavorare. La Vita del Cavallini, poi, è una di quelle, dove la mancanza d'ogni documento e d'ogni altra prova autorevole dà molto da dubitare della verità delle cose raccontate; e farebbe vana fatica chi si ponesse a dichiarare i dubbj e sciogliere le difficoltà ch'essa presenta.

SIMONE MARTINI e LIPPO MEMMI

PITTORI SANESI

(Nato nel 1285?; morto nel 1344 — nato ....; morto nel 1357?)

Felici veramente si possono dire quegli uomini che sono dalla natura inclinati a quell'arti che possono recar loro non pure onore e utile grandissimo, ma, che è più, fama e nome quasi perpetuo. Più felici poi sono coloro che si portano dalle fasce, oltre a cotale inclinazione, gentilezza e costumi cittadineschi, che gli rendono a tutti gli uomini gratissimi. Ma più felici di tutti, finalmente (parlando degli artefici), sono quelli che, oltre all'aver da natura inclinazione al buono, e dalla medesima e dalla educazione costumi nobili, vivono al tempo di qualche famoso scrittore, da cui per un piccolo ritratto o altra così fatta cortesia delle cose dell'arte si riporta premio alcuna volta, mediante gli loro scritti, d'eterno onore e nome. La qual cosa si deve, fra coloro che attendono alle cose del disegno, particolarmente desiderare e cercare dagli eccellenti pittori; poichè l'opere loro, essendo in superficie e in campo di colore, non possono avere quell'eternità che danno i getti di bronzo e le cose di marmo alle sculture, o le fabbriche agli architetti. Fu dunque quella di Simone grandissima ventura, vivere al tempo di messer Francesco Petrarca, e abbattersi a trovare in Avignone alla corte questo amorosissimo poeta, desideroso di avere la imagine di Madonna Laura di mano di maestro Simone; perciocchè, avutala bella come desiderato avea, fece di lui memoria in due sonetti, l'uno de'quali[1] comincia:

> Per mirar Policleto a prova fiso,
> Con gli altri che ebber fama di quell'arte

e l'altro:[2]

> Quando giunse a Simon l'alto concetto
> Ch'a mio nome gli pose in man lo stile.

E invero, questi sonetti, e l'averne fatto menzione in una delle sue lettere famigliari, nel quinto libro, che comincia *Non sum nescius*; hanno dato più fama alla povera vita di maestro Simone, che non hanno fatto nè faranno mai tutte l'opere sue;[3] perchè elleno hanno a venire, quando che sia, meno, dove gli scritti di tant'uomo viveranno eterni secoli. Fu dunque Simone Memmi,[4] sanese, eccellente dipintore, singolare ne'tempi suoi e molto stimato nella corte del papa: perciocchè, dopo la morte di Giotto maestro suo, il quale egli avea seguitato a Roma quando fece la nave di musaico e l'altre cose,[5] avendo, nel fare una Vergine Maria nel portico di San Piero, ed

[1] Parte I, Sonetto 49.

[2] Parte I, Sonetto 50.

[3] *Certissima cosa è, i versi del Petrarca avere allargato d'assai la fama di Simone. Ma chi vorrebbe oggi, anche senza tener conto delle lodi del Poeta, non proclamar Simone uno dei principali artefici del suo secolo?

[4] *Oggi è noto a ciascuno che Simone fu figliuolo di Martino, e cognato di Lippo di Memmo di Filippuccio. Il qual Memmo fu medesimamente pittore. Ebbe Simone un fratello di nome Donato, che fece la stessa arte, e morì nell'agosto del 1347. — † Vedi l'albero genealogico posto in fine di questa Vita.

[5] Quando Giotto fece in Roma la nave di musaico, cioè nel 1298, Simone (se il suo epitaffio, che poi vedremo, non mentisce) avea soli 14 anni, e non poteva essere colà a far lavori con lui. — *Questa credenza che Simone sia sco-

un San Piero e San Paulo a quel luogo vicino, dove è la pina di bronzo,[1] in un muro fra gli archi del portico dalla banda di fuori, contraffatto la maniera di Giotto; ne fu di maniera lodato, avendo massimamente in quest'opera[2] ritratto un sagrestano di San Piero, che accende alcune lampade a dette sue figure molto prontamente; che Simone fu chiamato in Avignone alla corte del papa con grandissima istanza:[3] dove lavorò tante pitture in fresco e in tavole, che fece corrispondere l'opere al nome che di lui era stato là oltre portato. Perchè, tornato a Siena in gran credito, e molto perciò favorito, gli fu dato a di-

lare di Giotto, seguita anche dal Baldinucci, è priva di fondamento. Chi sappia che non è da confondere la scuola fiorentina colla senese (la quale ebbe principj proprj e particolari, ed una esistenza indipendente; e piuttosto che prendere dagli altri, diede e comunicò altrui il suo; come Simone stesso a Napoli, e Taddeo Bartoli a Perugia e a Genova), non debbe cercare fuori di Siena un maestro al Martini: il quale, specialmente nelle sue prime opere, si mostra tanto seguace di Duccio e di Segna, da stimarlo scolare dell'uno, e condiscepolo dell'altro. Vero è che, allorquando egli fu uscito dalla patria, ed ebbe veduto le pratiche degli altri maestri, e massime quella di Giotto, si allontanò alcun che dalla maniera prima; ma non così da perderne la propria ed intrinseca sua qualità.

[1] La pina, di cui fa menzione anche Dante nell'*Inferno*, e che era stata già, come si crede, sopra la mole d'Adriano e sulla cupola del Panteon, fu alfine trasferita in fondo al giardino Vaticano sotto la nicchia fatta da Bramante.

[2] *Il san Pietro e il san Paolo sono periti. Circa poi alla Madonna, riferisce il Dionigi (*Monumenta Cryptarum Basilicae Vaticanae*), che essa fu dal portico di San Pietro trasportata prima nell'ambito, e poi nell'altare della cappella della Confessione di san Pietro. Oggi esiste nelle Grotte scure, nella cappella della Madonna detta della *bocciata*.

[3] L'andata di Simone ad Avignone in compagnia di Donato suo fratello accadde nel febbrajo del 1339, come si rileva da un documento degli otto di quel mese ed anno, pubblicato nel vol. I, pag. 216 de' già citati *Documenti per la storia dell'Arte senese*. Il Tizio vuole che Simone fosse condotto in Francia da un cardinale, che passando per Siena ebbe occasione di conoscerlo, e di farne grande stima. Delle pitture fatte da Simone nel portico della cattedrale d'Avignone per commissione del cardinale Annibale Da Ceccano, non esiste più la figura di san Giorgio a cavallo che uccideva il drago, sotto la quale erano alcuni versi latini, che si dicono stati composti dal Petrarca. Resta invece nel portico suddetto una lunetta con Maria Vergine seduta in trono, che tiene in braccio il suo divin Figliuolo. A' piedi del trono è in ginocchio una figura, forse del Da Ceccano, sebbene non sia in abito cardinalizio, presentata alla Vergine da uno degli angeli che le sono allato. Simone ornò ancora con freschi la Sala del Concistoro nel Palazzo Papale, de' quali ora non avanzano che alcune figure

pignere dalla Signoria nel Palazzo loro, in una sala a fresco una Vergine Maria, con molte figure attorno, la quale egli compiè di tutta perfezione, con molta sua lode e utilità.[1] E per mostrare che non meno sapeva fare in tavola che in fresco, dipinse in detto Palazzo una tavola,[2] che fu cagione che poi ne fu fatto far due in Duomo;[3] e una Nostra Donna col Fanciullo in braccio in attitudine bellissima, sopra la porta dell'Opera del Duomo detto. nella qual pittura, certi Angeli che, sostenendo in aria un stendardo, volano e guardano all'ingiù alcuni

di profeti e di sibille in uno spicchio della volta, essendo il resto stato imbiancato quando la sala fu destinata a dormentorio di soldati Nel medesimo palazzo sono due cappelle, l'una al pian terreno, chiamata del Papa, e l'altra precisamente sopra a quella e della stessa forma, detta del Santo Uffizio Nella prima dipinse Simone alcune storie della vita di san Giovan Battista e di altri santi, e nella seconda i fatti, secondo le leggende, de' santi Marziale, Stefano, Pietro e Valeriano Ebbe Simone in questo lavoro l'ajuto di Donato suo fratello e di altri Tutte queste pitture sono minutamente descritte dai signori Crowe e Cavalcaselle nel vol II, pag 91 e seg della più volte citata loro opera

[1] *Sebbene sia stato affermato da alcuni, che il grande affresco dell'antica Sala del Consiglio fosse dipinto nel 1289 da un maestro Mino, nondimeno noi lo teniamo sicuramente per opera di Simone come meglio sarà chiarito nel *Commentario* posto in fine di questa Vita

[2] *Questa tavola, fatta nel 1326 pel Palazzo del Capitano del popolo, da gran tempo è perduta Forse era quella che stava sull'altare della cappella di Palazzo, la quale fu tolta per porvi la Madonna detta di San Calisto, dipinta pel Duomo dal Sodoma — † Nella sala stessa del Palazzo Pubblico, ove dipinse Simone il grande affresco di Maria Vergine con molti santi, fece nel 1328 nella parete dirimpetto in un'altra pittura, che ancora esiste, la figura a cavallo di Guidoriccio da Fogliano, capitano di guerra de' Senesi all'assedio di Montemassi, e nel 1331 i castelli di Arcidosso e di Castel del Piano che oggi non vi si veggono più

[3] *Delle due tavole per il Duomo, la prima, fatta nel 1331, stette per lungo tempo nella sagrestia di quella chiesa, poi fu fatta in pezzi, e il Della Valle racconta di averne veduti in Roma alcuni avanzi nel museo dell'avvocato Mariotti, dietro a uno de' quali era scritto « *Opera di Simone da Siena, staccata da un quadro maggiore che esisteva in Siena nel Duomo, e regalata da monsignor Bandinelli a Gian Lodovico Bianconi, che l'offre al bel museo pittorico del sig avv Mariotti* » La seconda, che rappresenta l'Annunziata, fu dal Duomo levata, ed appesa ad una parete della chiesa di Sant'Ansano in Castelvecchio, donde fu tratta e mandata a Firenze, ed ora si trova nella Galleria degli Uffizj In essa è scritto SIMON · MARTINI ET LIPPUS MEMMI · DE SENIS · ME · PINCXERUNT (*sic*) ANNO DOMINI MCCCXXXIII A questa tavola, che più non ha la sua forma primitiva, appartengono due altri pezzi colle figure di sant Ansano e di santa Giulitta. le quali parimente si conservano nella detta Galleria

Santi che sono intorno alla Nostra Donna, fanno bellissimo componimento e ornamento grande.[1] Ciò fatto, fu Simone dal generale di Sant'Agostino condotto in Firenze; dove lavorò il capitolo di Santo Spirito, mostrando invenzione e giudizio mirabile nelle figure e ne' cavalli fatti da lui: come in quel luogo ne fa fede la storia della Passione di Cristo, nella quale si veggiono ingegnosamente tutte le cose essere state fatte da lui con discrezione e con bellissima grazia. Veggonsi i ladroni in croce rendere il fiato, e l'anima del buono essere portata in cielo con allegrezza dagli Angeli, e quella del reo andarne accompagnata da' diavoli, tutta rabbuffata, ai tormenti dell'inferno. Mostrò similmente invenzione e giudizio Simone nelle attitudini e nel pianto amarissimo che fanno alcuni Angeli intorno al Crocifisso: ma quello che sopra tutte le cose è degnissimo di considerazione, è veder quegli spiriti che fendon l'aria con le spalle visibilmente, perchè quasi girando sostengono il moto del volar loro Ma farebbe molto maggior fede dell'eccellenza di Simone quest'opera, se, oltre all'averla consumata il tempo, non fusse stata, l'anno 1560, guasta da que' Padri; che, per non potersi servire del Capitolo mal condotto dall'umidità, nel far, dove era un palco intarlato, una volta, non avessero gettato in terra quel poco che restava delle pitture di quest'uomo;[2] il quale, quasi in quel medesimo tempo, dipinse in una tavola una Nostra Donna ed un San Luca con altri Santi, a tempera, che oggi è nella cappella de' Gondi in Santa Maria Novella col nome suo.[3] Lavorò poi Simone tre facciate del Capi-

[1] *Quest'affresco non era nella porta dell'Opera del Duomo, ma sibbene nella facciata del palazzo di Pandolfo Petrucci, che guarda la bella porta, la quale mette nella piazza del Duomo. Di esso, che fu fatto nel 1335, da una descrizione il Della Valle Cadde per il terremoto del 1798

[2] Vi fu poi fatto dipingere da A D Gabbiani

[3] La tavola fu poi tolta di là per collocarvi un Crocifisso di legno intagliato del Brunellesco, e di cui si dirà altrove Ov'essa oggi si trovi, non si sa

tolo della detta Santa Maria Novella molto felicemente.[1] Nella prima, che è sopra la porta donde vi si entra, fece la vita di San Domenico; e in quella che segue verso la chiesa, figurò la Religione e Ordine del medesimo, combattente contro gli eretici, figurati per lupi che assalgono alcune pecore, le quali da molti cani pezzati di bianco e di nero sono difese, e i lupi ributtati e morti. Sonovi ancora certi eretici, i quali, convinti nelle dispute, stracciano i libri, e pentiti si confessano; e così passano l'anime alla porta del Paradiso, nel quale sono molte figurine che fanno diverse cose. In cielo si vede la gloria dei Santi, e Gesù Cristo; e nel mondo quaggiù rimangono i piaceri e diletti vani in figure umane, e massimamente di donne che seggono;[2] tra le quali è Madonna Laura del Petrarca, ritratta di naturale, vestita di verde,[3] con una piccola fiammetta di fuoco fra il petto e la gola. Evvi ancora la Chiesa di Cristo, ed alla guardia di quella

[1] *Oggi chiamato il Cappellone degli Spagnuoli. Sono alcuni che dubitano se veramente queste pitture siano di Simone, perchè pensano che nel 1355, anno in cui il Guidalotti, che le ordinò, fece testamento, non erano ancora finite; il che farebbe loro tenere che Simone, già da undici anni morto, non potesse avere avuto parte in quelle. — † Il Cavalcaselle non vi riconosce la maniera di Simone, ma la mano di due o tre artefici diversi, che mostrano di derivare più dalla senese che dalla scuola fiorentina. Un'altra ragione che a noi pare calzantissima per escludere che queste pitture sieno di Simone, si cava dalla storia della edificazione del Capitolo o Cappellone degli Spagnuoli. Esso, secondo i più diligenti e meglio informati scrittori, fu cominciato nel 1350 dall'architetto domenicano Fra Iacopo Talenti da Nipozzano. Il cav. Aristide Nardini nell'*Appendice seconda* della già citata sua operetta Il *Sistema tricuspidale* ecc., prova colle date alla mano delle diverse costruzioni delle parti che costituiscono la chiesa e il convento di Santa Maria Novella, che il Capitolo non può essere stato edificato che parecchi anni dopo il Chiostro Verde cominciato nel 1334, il quale si appoggia a' muri occidentali della chiesa e della sagrestia, e fa parte necessaria e integrale con questi due edifizj che nel 1333 ancora non esistevano.

[2] *Per farsi una idea dell'insieme e delle invenzioni dipinte in questa parete, può vedersi la tav. xv dei monumenti della *Storia* del prof. Rosini.

[3] Noi teniamo che quella figura femminile vestita di verde con una piccola fiammella di fuoco fra il petto e la gola, non sia il ritratto di madonna Laura, ma che il pittore abbia inteso di personificare la voluttà de' piaceri sensuali, togliendone l'esempio dai gentili, i quali con questo medesimo segno qualche volta rappresentarono Venere.

il Papa, lo Imperadore, i Re, i Cardinali, i Vescovi e tutti i Principi cristiani; e tra essi, accanto a un cavalier di Rodi, messer Francesco Petrarca, ritratto pur di naturale.[1] il che fece Simone per rinfrescar nell'opere sue la fama di colui che l aveva fatto immortale. Per la Chiesa universale fece la chiesa di Santa Maria del Fiore, non come ella sta oggi, ma come egli l'aveva ritratta dal modello e disegno che Arnolfo architettore aveva lasciati nell' Opera, per norma di coloro che avevano a seguitar la fabbrica dopo lui: de' quali modelli, per poca cura degli operai di Santa Maria del Fiore, come in altro luogo s'è detto,[2] non ci sarebbe memoria alcuna, se Simone non l'avesse lasciata dipinta in quest'opera Nella terza facciata, che è quella dell'altare, fece la Passione di Cristo, il quale uscendo di Gerusalemme con la croce su la spalla se ne va al monte Calvario, seguitato da un popolo grandissimo; dove giunto, si vede esser levato in croce nel mezzo de' ladroni, con l'altre appartenenze che cotale storia accompagnano. Tacerò l'esservi buon numero di cavalli, il gettarsi la sorte dai famigli della corte sopra la veste di Cristo, lo spogliare il limbo dei Santi Padri, e tutte l'altre considerate invenzioni, che sono non da maestro di quell'età, ma da moderno eccellentissimo.[3] Conciossiachè, pigliando le facciate intere, con diligentissima osservazione fa in ciascuna diverse storie su per un monte, e non divide con ornamenti tra storia e storia,

[1] † Quella faccia di satiro, dice il Cicognara, non è certamente il ritratto del Petrarca Gli stessi dubbj abbiamo circa a quelli che dal Vasari, in fine di questa Vita, si dicono di Cimabue, d'Arnolfo di Lapo, di Simone stesso, di Benedetto XI e del cardinale Niccolo da Prato, perchè, provato che queste pitture sono di tempo posteriore a Simone, bisogna credere che il pittore che le fece vi avrebbe introdotto più facilmente que' personaggi che vivevano al suo tempo, che altri stati molti anni innanzi a lui, de' quali sarebbegli stato difficile di poter riprodurre le sembianze

[2] * Cioè, in fine della Vita d'Arnolfo (Vedi a pag 287, nota 1)

[3] Uno de' tanti luoghi che possono citarsi in risposta alle tante accuse d'ingiustizia, d'invidia, di *spirito municipale* ecc, date al Vasari.

come usarono di fare i vecchi e molti moderni, che fanno la terra sopra l'aria quattro o cinque volte; come è la cappella maggiore di questa medesima chiesa, e il Campo Santo di Pisa dove, dipignendo molte cose a fresco, gli fu forza far contra sua voglia cotali divisioni, avendo gli altri pittori che avevano in quel luogo lavorato, come Giotto e Buonamico suo maestro,[1] cominciato a fare le storie loro con questo mal ordine. Seguitando, dunque, in quel Campo Santo, per meno errore, il modo tenuto dagli altri, fece Simone, sopra la porta principale di dentro, una Nostra Donna in fresco, portata in cielo da un coro d'Angeli, che cantano e suonano tanto vivamente, che in loro si conoscono tutti que' varj effetti che i musici cantando o sonando fare sogliono: come è porgere l'orecchio al suono, aprir la bocca in diversi modi, alzar gli occhi al cielo, gonfiar le guance, ingrossar la gola, ed insomma tutti gli altri atti e movimenti che si fanno nella musica.[2] Sotto questa Assunta, in tre quadri, fece alcune storie della vita di San Ranieri pisano. Nella prima, quando giovanetto, sonando il salterio, fa ballare alcune fanciulle, bellissime per l'arie dei volti e per l'ornamento degli abiti ed acconciature di que' tempi.[3] Vedesi poi lo stesso Ranieri, essendo stato ripreso di cotale lascivia dal Beato Alberto romito, starsi col volto chino e lagrimoso, e con gli occhi fatti rossi dal pianto, tutto pentito del suo peccato; mentre Dio, in aria, circondato da un celeste lume, fa sembiante di perdonargli. Nel secondo quadro è

[1] * Se il Vasari con ciò intese dire che Buonamico fosse maestro di Giotto, ovvero di Simone, egli è in errore ugualmente. Si debbe creder piuttosto che inavvertitamente cadessegli dalla penna questa espressione che nella prima edizione non è.

[2] * Questa pittura esiste tuttavia, ma non senza qualche ritocco.

[3] * Tutta la parte superiore, e grandissima della inferiore di questo quadro, cioè tre figure, avverte il Rosini, fu ridipinta dai fratelli Melani, e la superiore in modo, che più nulla vi si riconosce di antico. — † I signori Crowe e Cavalcaselle riconoscono in queste pitture la maniera senese, ma non le credono di Simone, e neppure di Lippo Memmi.

quando Ranieri, dispensando le sue facultà ai poveri di Dio, per poi montare in barca, ha intorno una turba di poveri, di storpiati, di donne e di putti, molto affettuosi nel farsi innanzi, nel chiedere e nel ringraziarlo. E nello stesso quadro è ancora quando questo Santo, ricevuta nel tempio la schiavina da pellegrino, sta dinanzi a Nostra Donna, che, circondata da molti angeli, gli mostra che si riposerà nel suo grembo in Pisa: le quali tutte figure hanno vivezza e bell'aria nelle teste.[1] Nella terza è dipinto da Simone, quando tornato, dopo sette anni, d'oltra mare,[2] mostra aver fatto tre quarantane in Terra Santa; e che, standosi in coro a udire i divini uffizj, dove molti putti cantano,[3] è tentato dal demonio: il quale si vede scacciato da un fermo proponimento che si scorge in Ranieri di non volere offendere Dio, aiutato da una figura fatta da Simone per la Costanza,[4] che fa partir l'antico avversario non solo tutto confuso, ma, con bella invenzione e capricciosa, tutto pauroso tenendosi nel fuggire le mani al capo, e camminando con la fronte bassa e stretto nelle spalle a più potere, e dicendo, come si vede scritto uscire di bocca: *io non posso più.* E finalmente, in questo quadro è ancora quando Ranieri in sul Monte Tabor, inginocchiato, vede miracolosamente Cristo in aria con Moisè ed Elia. Le quali tutte cose di quest'opera, ed altre che si tacciono, mostrano che Simone fu molto capriccioso, ed intese il buon modo di comporre leggiadramente le figure nella maniera di quei tempi.[5] Finite queste storie,

[1] In questa parte del quadro, dice pure il Rosini, nulla è ritoccato fuorchè i panni di San Ranieri. Ma il campo ha molto sofferto e le tinte vanno ogni giorno più calcinandosi.

[2] La scena veramente rappresentasi in Palestina.

[3] Altro errore di memoria del nostro Vasari: di putti non avvene un solo.

[4] Nè di figure di femmine avvene qui pur una.

[5] *Ardita opinione parve sempre quella da alcuni intelligenti a' giorni nostri manifestata, cioè che le storie di san Ranieri nel Campo Santo pisano non siano state dipinte da Simone senese. Ed a questa opinione oltre la maniera e il carattere del dipinto, assai diversi dalle cose del nostro pittore, dava qualche

fece due tavole a tempera nella medesima città, aiutato da Lippo Memmi suo fratello, il quale gli aveva anche aiutato dipignere il Capitolo di Santa Maria Novella, ed altre opere. Costui, sebbene non fu eccellente come Simone, seguitò nondimeno quanto potè il più la sua maniera; ed in sua compagnia fece molte cose a fresco in Santa Croce di Firenze;[1] a' Frati Predicatori in Santa Caterina di Pisa, la tavola dell'altar maggiore;[2] ed in

valore il silenzio del Ghiberti medesimo. Ora però, coi documenti dal prof Bonaini trovati e pubblicati, viene a farsi certezza ciò che fino ad ora non fu che un dubbio di pochi, cioè che il senese artefice non ebbe mano in quelle pitture. Difatti, da un documento dell'Archivio dell Opera Pisana apparisce che nel 13 ottobre 1377 l'operaio Lodovico Orselli sborsò 529 lire e 10 soldi al pittore maestro Andrea da Firenze «*pro pictura storie Beati Ranerii, pro residuo dicte storie*», la quale ragguardevole somma gli fu pagata secondo il contratto che Pietro Gambacorti aveva scritto di sua mano Da un altro documento veniamo a sapere, che nel 1380 l'operaio del Duomo di Pisa mandò a chiamare a Genova maestro Barnaba dipintore, perchè venisse a Pisa a finire la storia di San Ranieri «*ut veniret ad complendum storiam Sancti Rayneri*» E certo che il primo non può esser Andrea di Cione Orcagna, perchè già morto, come mostreremo annotando la sua Vita; ma veramente un pittore sconosciuto, del quale tanto è più importante la scoperta, in quanto che egli è degno di stare a pari dei più valorosi suoi contemporanei come n'è prova l'essersi fin da' tempi del Vasari creduto quelle storie lavoro del celebre maestro senese L'altro pittore è da credere, con molto probabile ragione, che sia Barnaba da Modena; del quale può dirsi che il prof Bonaini abbia novamente ravvivato la fama coll'aver raccolto quante più notizie ha potuto intorno alle belle opere sue (Vedi BONAINI, *Memorie inedite* ecc) — † Quanto al maestro Andrea che dipinse la storia di san Ranieri, noi congetturiamo che possa essere quell'Andrea Bonajuti, il quale si trova matricolato all'arte de' pittori fiorentini sotto l'anno 1343, e scritto alla Compagnia di San Luca nel 1374 Egli fece testamento nel 1377 a' 2 di novembre, lasciando erede Bartolommeo suo figliuolo E si può credere che poco dopo morisse, vedendo che ad un altro maestro fu commesso il compimento di quelle pitture Maestro Andrea Bonajuti comparisce ancora tra i pittori nel consiglio dato nel 29 agosto 1366, sopra un lavoro della fabbrica del Duomo di Firenze, in un documento che si riferisce alla vita di Taddeo Gaddi

[1] Ora, per quel che sembra, tutte perite

[2] *Questa tavola, abbandonata dai Domenicani l'antica dimora nel 1787, passò in proprietà del Seminario Arcivescovile Il Vasari errò attribuendola a Lippo, e con lui errarono il Baldinucci e il Da Morrona Il Tronci e il Della Valle la dissero opera di Simone e di Lippo insieme, ma essa è del solo Simone, come attesta la iscrizione recentemente scopertavi dal prof Bonaini e dal Forster di Monaco, la quale trovasi sotto la Vergine, e dice SYMON DE SENIS ME PINXIT Manca dell'anno, ma dagli Annali del convento di Santa Caterina si ritrae che fu fatta nel 1320, essendone procuratore Fra Pietro converso di quel convento. Que-

San Paolo a Ripa d'Arno, oltre a molte storie in fresco bellissime, la tavola a tempera che oggi è sopra l'altar maggiore, dentrovi una Nostra Donna, San Piero e San Paolo e San Giovan Batista ed altri Santi; e in questa pose Lippo il suo nome.[1] Dopo queste opere, lavorò da per sè una tavola a tempera a'Frati di Sant'Agostino in San Gimignano;[2] e n'acquistò tanto nome, che fu forzato mandar in Arezzo al vescovo Guido de'Tarlati una

sta ben conservata tavola può dirsi delle più grandiose e preziose opere del nostro Simone; perciocchè essa si compone di trentacinque scompartimenti, dentro ai quali sono altrettante mezze figure di santi e sante, piccole e grandi, maestrevolmente fatte, e condotte con una finezza di esecuzione e di espressione veramente maravigliosa, e propria della scuola senese di quel tempo. Ora quest'opera si trova sparsa e divisa in quattordici pezzi, metà dei quali sono appesi nello scrittoio del Seminario, gli altri nella Galleria dell'Accademia pisana di Belle Arti; e sono sei del gradino, ed uno dei principali con san Giovan Battista. Per la descrizione più minuta di questa tavola, vedi le citate *Memorie inedite* ecc. del prof. Bonaini, pag. 36 e seg.

[1] Di questi freschi appena rimane qualche vestigio. La tavola non si sa più ove sia.

[2] *Oggi non si trova più in quel luogo, e forse è smarrita. V'è bensì in un altare, dipinta sul muro, una Madonna seduta in trono col Figliuolo, la quale è opinione che sia di Lippo. Ma un'altra opera non rammentata dal Vasari, e certamente la più grande e più importante che di Lippo si conosca, è la pittura nella sala del Palazzo Pubblico, detta del Consiglio, di questa medesima terra. In essa è figurata una Nostra Donna seduta in trono, col Figliuolo ritto in piè sulle ginocchia di lei, e posta in mezzo da una moltitudine di angeli e santi; otto dei quali tengono l'aste di un ampio baldacchino, nella cui balza sono alternativamente dipinte le armi di Nello Tolomei, del Comune di San Gemignano e di Francia. Questa invenzione può dirsi quasi la stessa di quella dipinta da Simone nella sala detta del Consiglio nel Palazzo Pubblico di Siena; sennonchè è meno varia e meno ricca di quella. Dinanzi alla Vergine è inginocchiato messer Nello de'Tolomei. Sotto la Madonna si legge: *Lippus Memi . de Senis . me . pinsit*, a lettere gotiche; e più in basso, a lettere romane: *Al . tempo . di . messer . Nello . di . messer . Mino . de . Tolomei . di . Siena . onorevole . Podesta . e . Chapitano . del . Comune . e . del . popolo . della . Terra . di San . Gimignano* . M . CCC . XVII . E più in là si legge: *Benotius . florentinus . pictor restauravit . anno . Domini* . MCCCCLXVII. Il restauro di Benozzo pare a noi che in nient'altro consista fuorchè nell'aggiunta di quattro figure, due per parte, poste nelle estremità del dipinto: il che fece Benozzo forse perchè allora si vollero aprire le due porte sottoposte all'affresco. — † Nella cappella del Ss. Corporale nel Duomo di Orvieto è di Lippo una tavola, detta la *Madonna de' Raccomandati*. Nella predella, su cui posa la Vergine, è scritto: LIPPVS · DE SENA · NATNOS · PINX · AMENA. Si vuole ancora della sua mano la tavola del beato Agostino Novello, che è appesa nel coro della chiesa di Sant'Agostino di Siena.

tavola con tre mezze figure, che è oggi nella cappella di San Gregorio in Vescovado.[1] Stando Simone in Fiorenza a lavorare, un suo cugino, architetto ingegnoso, chiamato Neroccio, tolse, l'anno 1332, a far sonar la campana grossa del comune di Firenze, che per lo spazio di diciassette anni nessuno l'aveva potuta far sonare senza dodici uomini che la tirassino. Costui dunque la bilicò di maniera, che due la potevano muovere, e, mossa, un solo la sonava a distesa, ancora ch'ella pesasse più di sedicimila libbre: onde, oltre l'onore, ne riportò per sua mercede trecento fiorini d'oro, che fu gran pagamento in quei tempi.[2] Ma, per tornare ai nostri due Memmi sanesi, lavorò Lippo, oltre alle cose dette, col disegno di Simone, una tavola a tempera, che fu portata a Pistoia e messa sopra l'altar maggiore della chiesa di San Francesco; che fu tenuta bellissima.[3] In ultimo, tornati a Siena loro patria, cominciò Simone una grandissima opera colorita sopra il portone di Camollìa,[4] dentrovi la Coronazione di Nostra Donna, con infinite figure: la quale, sopravvenen-

[1] Di quest'opera fin da giorni del Bottari non si aveva più notizia.

[2] *Questo accadde nel 1322, come racconta il Villani, da cui il nostro autore ha tratto la notizia, usando le medesime parole. Ma il Villani non dice il nome del *sottile maestro da Siena* che fece quel lavoro. Onde noi non sappiamo da quale scrittura o memoria abbia cavato il Vasari che questo maestro si chiamasse *Neroccio*. Ora, una deliberazione del comune di Firenze del 22 di settembre 1322, riferita dal Gaye nel vol. I del suo *Carteggio inedito di Artisti*, ci scopre l'errore del Vasari, e fa che tutto il merito di quell'opera sia restituito a maestro Lando di Pietro da Siena: artefice conosciuto non solo per opere consimili fatte nel 1321, 1323 e 1332 alle campane del comune di Siena, ma sì ancora come orafo al servizio di Enrico VII imperatore; come architetto di Roberto re di Napoli; ed infine come soprintendente, nel 1339, ai lavori dell'accrescimento del Duomo senese. Maestro Lando morì nel 1340.

[3] Questa tavola che doveva stare sull'altar maggiore, fu posta dipoi in quello dei Bracciolini; ma oggi non vi si vede più, nè si sa qual sorte abbia avuto.

[4] *Che Simone, sia per la sua partenza da Siena, sia per la morte sopravvenutagli, lasciasse questo lavoro appena incominciato, si ritrae ancora da una petizione pòrta al Gran Consiglio nel giugno del 1346; dove si dice che la pittura, già ordinata di fare sulla porta di Camollìa, era rimasta solamente disegnata. Il medesimo si ripete in una deliberazione del luglio del 1360. Gli scrittori senesi affermano che questa pittura fosse compita nel 1361.

dogli una grandissima infirmità, rimase imperfetta; ed egli, vinto dalla gravezza di quella, passò di questa vita l'anno 1345,[1] con grandissimo dolore di tutta la sua città e di Lippo suo fratello, il quale gli diede onorata sepoltura in San Francesco. Finì poi molte opere che Simone aveva lasciate imperfette; e ciò furono, una Passione di Gesù Cristo in Ancona, sopra l'altar maggiore di San Niccola, nella quale finì Lippo quello che aveva Simone cominciato, imitando quella aveva fatta nel Capitolo di Santo Spirito di Fiorenza, e finita del tutto, il detto Simone. La quale opera sarebbe degna di più lunga vita che per avventura non le sarà conceduta, essendo in essa molte belle attitudini di cavalli e di soldati, che prontamente fanno i varj gesti, pensando con maraviglia se hanno o no crocifisso il Figliuol di Dio.[2] Finì similmente in Ascesi, nella chiesa di sotto di San Francesco, alcune figure che aveva cominciato Simone all'altare di Santa Lisabetta, il quale è all'entrar della porta che va nelle cappelle; facendovi la Nostra Donna, un San Lodovico re di Francia, ed altri Santi; che sono in tutto otto figure, insino alle ginocchia, ma buone e molto ben colorite.[3]

[1] *Dal Necrologio di San Domenico di Siena (oggi nella Biblioteca Comunale) sappiamo che Simone morì in Avignone alla corte del papa, nel luglio del 1344. Il Della Valle (*Lettere senesi*, II, 90, in nota) riferisce un ricordo di un libro dello Spedale di Santa Maria della Scala, dal quale risulterebbe che Simone, nel 7 d'agosto dell'anno suddetto, non era morto, ma assente da Siena; il che farebbe contro a quanto dice il Necrologio suddetto. Venuti in sospetto che quel buon frate avesse copiato male questo ricordo, l'abbiam confrontato coll'originale; e ci siamo accorti che egli ha lasciato una parola, la quale muta interamente il senso. Infatti, dopo la parola *per lo mangiare*, lasciò l'altra *e vilie*, cioè *vigilie*, ossiano uffizj d'espiazione per l'anima di Simone già morto. Questo è uno dei molti esempj del poco conto che debbesi fare de' documenti riferiti da lui.

† Fece Simone, essendo in Avignone, il suo testamento ai 30 di giugno 1344, rogato da ser Geppo di ser Bonaiuto notaio fiorentino. (Vedine il Transunto nel vol. I, pag. 243 de' *Documenti per la storia dell'Arte senese* già citati). In esso lasciò eredi i figliuoli maschi di Donato suo fratello.

[2] *Queste pitture non esistono più.

[3] *L'autore della *Descrizione della Basilica di Assisi* (Roma, 1820) crede di Simone le figure di san Francesco, di sant'Antonio e di due santi martiri;

Avendo, oltre ciò, cominciato Simone nel refettorio maggiore di detto convento, in testa della facciata, molte storiette, ed un Crocifisso fatto a guisa d'albero di croce, si rimase imperfetto e disegnato, come insino a oggi si può vedere,[1] di rossaccio col pennello in su l'arricciato: il quale modo di fare era il cartone che i nostri maestri vecchi facevano, per lavorare in fresco per maggior brevità; conciofussechè, avendo spartita tutta l'opera sopra l'arricciato, la disegnavano col pennello, ritraendo da un disegno piccolo tutto quello che volevano fare, con ringrandire a proporzione quanto avevano pensato di mettere in opera. Laonde, come questa così disegnata si vede, ed in altri luoghi molte altre; così molte altre ne sono che erano state dipinte, le quali, scrostatosi poi il lavoro, sono rimase così disegnate di rossaccio sopra l'arricciato. Ma tornando a Lippo, il quale disegnò ragionevolmente, come nel nostro libro si può vedere in un romito che, incrocicchiato le gambe, legge; egli visse dopo Simone dodici anni, lavorando molte cose per tutta Italia, e particolarmente due tavole in Santa Croce di Fiorenza.[2] E perchè le maniere di questi due fratelli si somigliano assai, si conosce l'una dall'altra a questo, che Simone si scriveva a piè delle sue opere in questo modo: *Simonis Memmi Senensis opus*; e Lippo, lasciando il proprio nome e non si curando di far un latino così alla grossa, in que-

e di Lippo, quelle della Madonna col Bambino e di santa Elisabetta. — † Il Crowe e il Cavalcaselle (tom. II, pag. 71 e 76) affermano che sono di Simone non tanto queste pitture, quanto quelle della cappella del cardinale Gentile Orsini, rappresentanti alcune storie della Vita di san Martino, che il Vasari nella Vita di Giotto vorrebbe che fossero di Puccio Capanna.

[1] *Nella suddetta *Descrizione* si vorrebbe cogliere in errore il Vasari, allorchè ascrive a Simone la pittura del refettorio, per la ragione che dai registri del convento apparisce aver dipinto in quel luogo nel 1358 un tal Frate Martino. Ma il Vasari parla di pittura che anche ai tempi suoi era rimasta appena segnata sull'intonaco, e i registri ne ricordano una come compiuta. È dunque da credere che in quel Refettorio fossero opere di diversi maestri, e che la pittura di Simone non sia da confondere con quella di Frate Martino.

[2] *Queste due tavole sono smarrite.

st'altro modo; *opus Memmi de Senis me fecit.*[1] Nella facciata del Capitolo di Santa Maria Novella furono ritratti di mano di Simone, oltre al Petrarca e Madonna Laura, come si è detto di sopra, Cimabue, Lapo architetto, Arnolfo suo figliuolo, e Simone stesso; e nella persona di quel papa, che è nella storia, Benedetto XI da Treviso Frate Predicatore: l'effigie del qual papa aveva molto prima recato a Simone Giotto, suo maestro, quando tornò dalla corte di detto papa, che tenne la sedia in Avignone.[2] Ritrasse ancora nel medesimo luogo il cardinale Niccola da Prato, allato al detto papa; il qual cardinale in quel tempo era venuto a Firenze legato di detto pontefice, come racconta nelle sue storie Giovanni Villani. Sopra la sepoltura di Simone fu posto questo epitaffio: *Simoni Memmio pictorum omnium omnis ætatis celeberrimo. Vixit ann. LX, mens. II, d. III.*[3] Come si vede nel nostro Libro detto di sopra, non fu Simone molt'eccellente nel disegno; ma ebbe invenzione dalla natura,[4] e si dilettò molto

[1] *Bisogna dire che il Vasari leggesse male le iscrizioni poste nelle tavole di questi due maestri; perchè è impossibile che Simone ponessevi il nome del suocero e non quello di Martino suo padre. E le opere che ci restano col nome suo, hanno *Simon de Senis* o *Simon Martini*. Lo stesso è rispetto a Lippo, il quale non poteva esser tanto goffo da non sapere scrivere il proprio nome: onde le tavole vedute dal Vasari dovevano dire sicuramente *Lippus Memmi* e non *Opus Memmi*. Alla nota 2, pag. 551, mostrammo come Lippo si sottoscrivesse nell'affresco di San Gemignano; e qui noteremo che LIPPVS MEMI.... PINXIT si legge nella cornice di una sua tavoletta sopra la porta della sagrestia dei Servi in Siena. In essa è una graziosissima Vergine in mezza figura, col Divin Figliuolo in braccio, che tiene nella sinistra un uccellino, e nella destra un cartellino colle parole: EGO SUM VIA VERITAS. Nella cornice dorata sono di mezzo rilievo alcuni angioletti che suonano varj strumenti.

[2] *La sede papale non fu trasferita in Avignone da Benedetto XI, ma si da Clemente V suo successore. — † Nella Vita di Giotto abbiam negato l'andata sua in Avignone. E quanto a Simone è provato che egli fu colà nel 1339.

[3] *Si vede assai bene che questo epitaffio è fattura moderna; ond'è da prestargli, come a molti altri riferiti dal Vasari, leggerissima fede.

[4] Queste parole furono particolarmente applicate dal Bianconi (in una sua Lettera ch'è fra le *Senesi* del Padre Della Valle) alla celebre miniatura del codice di Virgilio col comento di Servio stato già del Petrarca, il quale forse gliela ordinò, ora nell'Ambrosiana di Milano. In questa miniatura è rappresentato Virgilio che siede scrivendo, e, volto al cielo, invoca il favor della Musa. Enea gli

di ritrarre di naturale; ed in ciò fu in tanto tenuto il miglior maestro de' suoi tempi, che il signor Pandolfo Malatesti lo mandò insino in Avignone a ritrarre messer Francesco Petrarca, a richiesta del quale fece poi con tanta sua lode il ritratto di Madonna Laura.[1]

sta innanzi, e accennando alla sua spada, figura il soggetto dell'*Eneide*. Per la *Bucolica* è figurato un pastore, e per la *Georgica* un agricoltore, che da un piano più basso stanno intenti al poeta. Intanto Servio tira a sè una cortina finissima e trasparente, per indicare ch'egli svela col suo comento ciò che ne' canti del poeta sarebbe oscuro. Di questa miniatura, che il Bianconi dice per disegno alquanto rozza (il che non è vero), ma per invenzione ed altre doti molto bella; il prof. Rosini ha dato l'intaglio nella tav. XVI della sua *Storia della Pittura*.

[1] *Che il Malatesta mandasse Simone ad Avignone per ritrarre il Petrarca, non par vero dopo quello che abbiamo detto nella nota 3, pag. 547. Rispetto al ritratto di Laura, è stato un gran dire ai giorni nostri. Volevano alcuni, che nella casa dei Ballanti di Siena se ne trovasse uno di mano di Simone; ma gl'intendenti vi riconoscevano le foggie del vestire, l'acconciatura del capo e (quello che è più) la maniera d'un pittore del secolo XV. Il Cicognara, attenendosi a quel verso del poeta, *Ivi la vide, e la ritrasse in carte*, crederebbe che il ritratto di madonna Laura fosse stato in miniatura: e noi siamo della sua opinione, perchè l'espressione del poeta, *la ritrasse in carte*, non vuol significare altro che le fece il ritratto in pergamena, ossia in miniatura. E di questo si hanno altri esempj, come di Dante, che parlando di Franco miniatore dice: *Più ridon le carte Che pennelleggia Franco bolognese*; e del Cennini nel suo *Trattato di Pittura*. De' due ritratti del Petrarca e di Laura in un marmo di casa Peruzzi non parliamo, perchè chi ha qualche giudizio non può averli che per una goffa impostura. Daremo ora conto di altre opere di Simone, non ricordate dal Vasari, che sono a nostra notizia.

Napoli. — In San Lorenzo maggiore, tavola con san Lodovico d'Angiò che incorona il re Roberto suo fratello. Nel gradino sono dipinti varj fatti della vita del santo, e tra una storia e l'altra leggesi a sillabe staccate: SIMON DE SENIS ME PINSIT (*sic*). Primo a rivendicare questa tavola al senese Simone fu Enrico Guglielmo Schulz; il quale ne ha dato un intaglio nella sua opera tedesca *I Monumenti dell'Arte nell'Italia meridionale*.

Orvieto. — Tavola già in San Domenico, con la Madonna nel mezzo, san Pietro, san Domenico, san Paolo e santa Maria Maddalena ai lati, in mezze figure, colla scritta: [SYMO]N · DE · SENIS · ME · PINXIT · IN A. D. MCCCXX.

Inghilterra. — Nella Galleria di Liverpool. Maria Vergine e san Giuseppe che rimproverano il fanciullo Gesù per averli abbandonati andando a disputare nel tempio. Sotto è segnato: SYMON DE SENIS ME PINXIT SUB A. MCCCXLII.

Anversa. — Nella Pinacoteca. Un trittico colla Crocifissione, la Deposizione, e negli sportelli l'angelo e la Vergine annunziata, colla scritta: SIMON PINXIT.

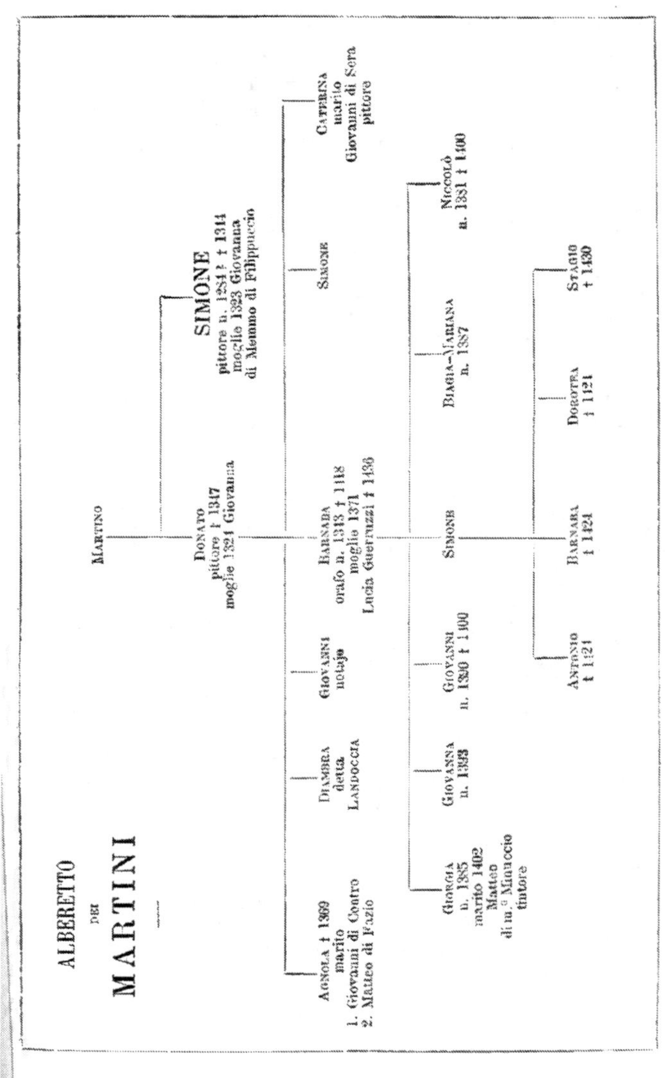
ALBERETTO
DEI
MARTINI
Martino
Donato
pittore † 1347
moglie 1324 Giovanna
SIMONE
pittore n. 1284? † 1344
moglie 1323 Giovanna
di Memmo di Filippuccio
Agnola † 1369
marito
1. Giovanni di Contro
2. Matteo di Fazio
Diambra
detta
Landoccia
Giovanni
notajo
Barnaba
orafo n. 1313 † 1418
moglie 1371
Lucia Guerruzzi † 1436
Simone
Caterina
marito
Giovanni di Sera
pittore
Giorgia
n. 1385
marito 1402
Matteo
di m.° Minuccio
tintore
Giovanna
n. 1393
Giovanni
n. 1390 † 1400
Simone
Biagia-Mariana
n. 1387
Niccolò
n. 1381 † 1400
Antonio
† 1424
Barnaba
† 1424
Dorotea
† 1424
Stagio
† 1430

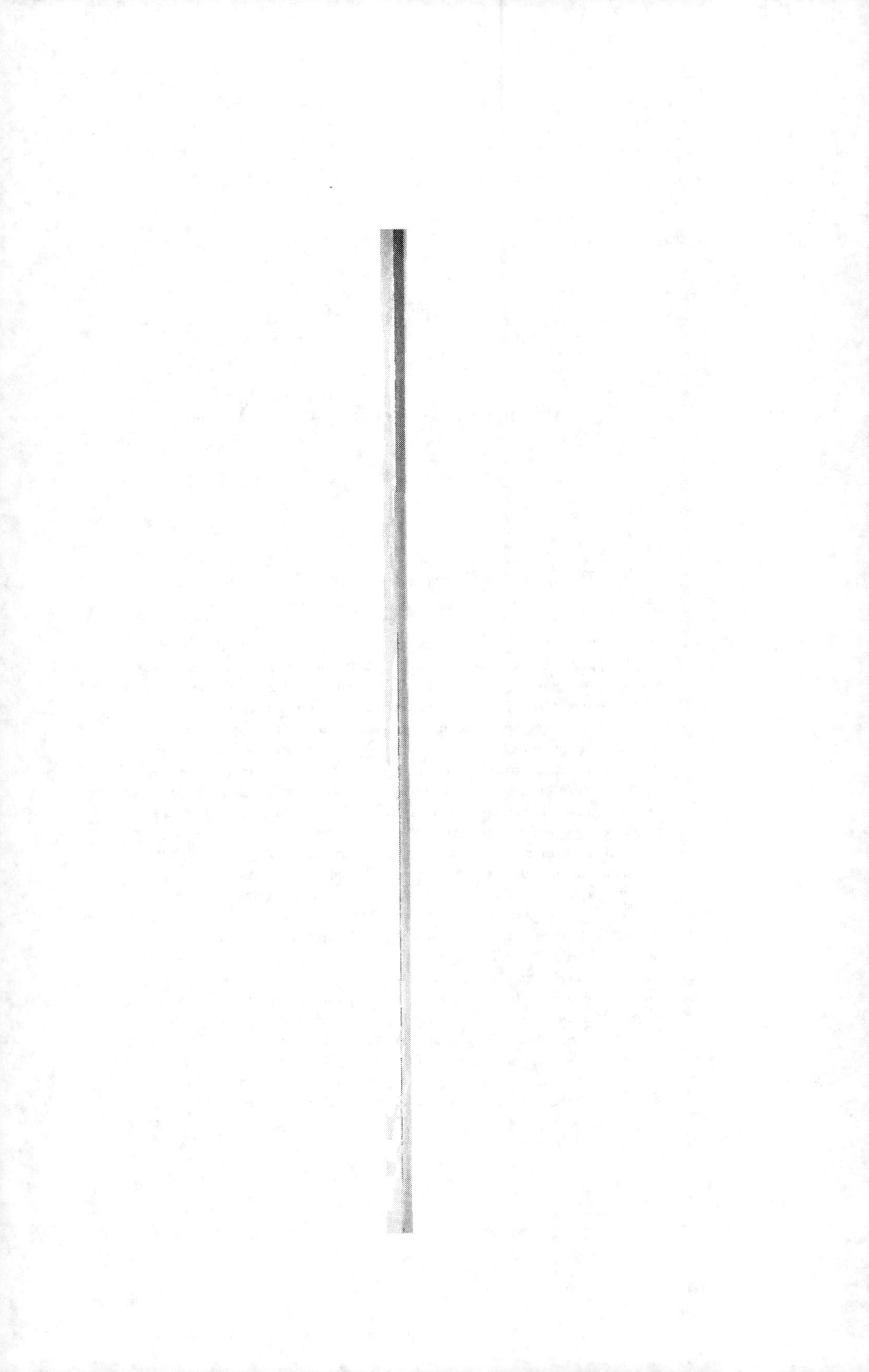

COMMENTARIO

ALLA

Vita di Simone Martini e di Lippo Memmi

Del grande affresco della Sala del Consiglio nel Palazzo Pubblico di Siena

Certa cosa è che le egregie e pazienti fatiche di alcuni scrittori hanno in gran parte giovato alla storia della pittura italiana, ma non così che intorno alle opere de' più antichi maestri non rimangano ancora molti dubbj ed incertezze La qual cosa avviene non tanto perchè molte memorie di que' tempi sono miseramente e per sempre perdute per accidiosa incuranza altrui, quanto perchè da quelle che restano ancora non si è saputo trarre tutto il frutto e la utilità che in somiglianti studj e ricerche sogliono esse d'ordinario apportare · avendo la preoccupazione falsato i giudizj e guastato il discorso, o non essendosi intesa la necessità di ragguagliare le opere che esistono ancora colle memorie stesse e coi documenti. Il qual difetto di critica saggia e spassionata è stato una delle principali cagioni delle varietà e contradizioni che regnano ancora tra gli scrittori intorno ad alcuni fatti della storia delle nostre arti risorte

Sin dal secolo passato fu preso a contradire all'asserzione del Vasari, la quale fa Simone Martini autore del grande affresco della Sala del Consiglio nel Palazzo Pubblico di Siena. Varie e fra loro contrarie furono le sentenze, e la disputa, invece di esser composta, si allargò, e s'incalorì a segno, che tenne e tiene grandemente divisi tra loro gli eruditi Stavano per gli uni i documenti, i quali possono, a chi ben non li considera, condurre in errore, stava per gli altri l'autorità del Biografo aretino, e il vedere in quello affresco la mano di Simone Prenderemo noi a riferire brevemente le opinioni loro, e poi esporremo la nostra non con la presunzione di portare in altrui le nostre persuasioni, o di tirarci dietro colle ragioni nostre il consenso e l'approvazione degli eruditi; ma col fine, che, spogliando la presente controversia di quella oscurità, in che gettaronla gli scrittori passati, si stabiliscano più chiaramente i punti principali, su cui essa si aggira, e pongansi i lettori in grado di giudicare quanta parte di vero sia nella nostra o nell'altrui opinione.

Ma prima d'entrare in cotale esame, ci par necessario di descrivere questo grande affresco, che occupa per quanto è larga la parete in testa della sala. Sotto un ampio baldacchino riccamente ornato, e sorretto da otto apostoli, siede in trono Nostra Donna, sulle cui ginocchia sta ritto in piè il Divino Figliuolo. Sono genuflessi, ai piedi del trono, due angeli per lato, porgendo alla Vergine due canestri di fiori; e dopo di essi, parimente in ginocchio, sono i quattro patroni della città, cioè sant'Ansano, san Savino, san Crescenzio e san Vittore. Frammisti agli Apostoli si vedono quattro angeli, ed altri santi e sante: e nel tutto insieme, questa scena di paradiso è popolata di trenta figure, oltre la Vergine e il Figliuolo; disposte con bell'ordine, quindici per lato, e di grandezza maggiore del vivo. Nell'ornamento che inquadra l'affresco, sono a quando a quando certi tondi, dentrovi il busto di un Santo che tiene una cartella o un libro, con scritte parole in lode della Vergine. Nel tondo che rimane precisamente sotto il trono della Vergine, sono rappresentate, sotto le forme di vecchia velata e di giovane incoronata, l'*antica* e la *nuova legge*, che tengono una cartella, ove sono scritti il *Decalogo* e i *Sette Sacramenti*. Presso a queste, in due tondi a chiaroscuro, è dipinto il diritto e il rovescio della moneta senese: SENA VETUS . CIVITAS . VIRGINIS — ALFA ET Ω . PRINCIPIUM ET FINIS. Sotto il gradino del trono è scritta, a lettere dorate, una molto bella poetica leggenda; nella quale è osservabile come in que'tempi di fede e di patria carità vere la religione fosse invocata a scudo delle offese de'nemici esterni ed interni. Essa è la seguente:

Li angelichi fiorecti, rose et gigli,
Onde s'adorna lo celeste prato,
Non mi dilettan più ch'e' buon consigli.
Ma talor veggio, chi per proprio stato,
Disprezza me e la mia terra inganna;
E quando parla peggio, è più lodato,
Con ciascedun cui questo dir condanna.[1]

[1] Da questa iscrizione si fa chiaro che la sala, ov'è l'affresco di Simone, era destinata ai consigli. Dice la Madonna, che i fiori e gigli offerti a lei dagli angeli non le sono più diletti dei buoni consigli che si danno in quel luogo. Ma si duole che spesso accada, che coloro, i quali erano chiamati al governo della Repubblica, più il proprio comodo ed utilità che il bene della città consigliassero; ingannando così e la Vergine e la città stessa, posta sotto il patrocinio di lei.

Responsio Virginis ad dicta Sanctorum [1]

DILETTI MEI, PONETE NELLE MENTI,
CHE LI DEVOTI VOSTRI PREGHI ONESTI,
COME VORRETE VOI, FARÒ CONTENTI
MA SE I POTENTI A DEBIL FIEN MOLESTI,
GRAVANDO LORO O CON VERGOGNE O DANNI,
LE VOSTRE ORAZION NON SON PER QUESTI,
NÈ PER QUALUNQUE LA MIA TERRA INGANNI.

Uberto Benvoglienti, dotto ed acuto investigatore delle cose senesi, fu il primo a contrapporsi alle parole del Vasari, persuaso a ciò dal trovare che nella Sala del Consiglio dipingesse, nel 1289, un tal maestro Mino. Questa opinione piacque tanto al Padre Della Valle, che ne fece capitale nelle sue *Lettere Senesi*, allorchè, discorrendo del Da Turrita, venne a parlare dell'affresco in questione Sostenne egli, con quella sicurtà che suole usare nelle cose anche dubbie, che maestro Mino, pittore del 1289, fosse lo stesso che Fra Jacopo da Turrita; e ch'egli solo potesse in quei tempi esser da tanto da condurre un'opera così grandiosa e bella qual'è la pittura della Sala del Consiglio

Ettore Romagnoli, nella *Biografia* che abbiamo ms degli artefici senesi, con molte deboli ragioni si argomentò di provare lo stesso, allontanandosi però molto ragionevolmente dalla opinione del sopra citato scrittore, rispetto al concedere che quell'artefice non fosse diverso dal Da Turrita

L'abate De Angelis, in quel suo libretto sopra il Da Turrita, trattando di questo affresco (sebbene molto confusamente), affermò che fosse tutto nel 1315 da maestro Simone, tenendo che la deliberazione del 1316, di non far fuoco nella Sala dove il Potestà mangiava e teneva corte, e dove egli aveva novamente fatto dipingere, si riferisse a quel lavoro

Ultimo fu il dott Gaye ad entrare nella questione Riferendo egli la citata deliberazione del 1316, credette che in essa si parlasse dell'affresco della Sala del Consiglio; ed opinò che non potesse negarsi che quella pittura fosse stata fatta nel 1289 da maestro Mino ma trovando che nel 1321 Simone la restaurò, confessò che conservava tanto di questo maestro, da doverla giudicare e tenere per opera sua, sebbene a lui paresse di vedervi le tracce della mano più antica, specialmente nella testa della Madonna e del Bambino Gesù. Ed in questo seguì il Lanzi

[1] La Vergine risponde a quei santi, che sono in mezza figura dentro i tondi del fregio che inquadra l'affresco i quali santi hanno tutti una cartella o libro in mano, ove sono scritte le lodi della Vergine, prese o dalla Bibbia, o dalle opere di quei santi padri che quivi sono figurati

Dopo avere esposte le opinioni dei citati scrittori, innanzi di metter fuori la nostra, gioverà, ad arricchire di patria erudizione l'argomento e dar qualche luce alla questione, il discorrere la storia di questo Palazzo Pubblico di Siena, intorno alla quale, spigolando nell'Archivio senese, abbiamo trovato nuove e più abbondanti notizie di quelle che sin qui se ne avessero.

Sin dal secolo XII era nella parte più bassa della Piazza del Campo un edifizio destinato alla Dogana. Avvenne in progresso, che gli ufficiali della Zecca, detti i Signori del Bolgano, ne abitassero la parte superiore. Ma nel 1282 fu proposto nel Generale Consiglio di trovare un luogo, dove fondare un palazzo, in cui dovessero abitare e il Podestà e gli altri ufficiali del Comune. — Nel 1288, ai 12 gennaio, si propose che il Palazzo del Bolgano, ove soleva dimorare il Podestà, dovesse esser proprio e perpetuo Palazzo del Comune, ove e il Podestà e le Signorie abitassero. E perchè il luogo non era capace a ciò, ordinossi che dalla parte della via di Malborghetto si comprassero tutte quelle case attigue al Palazzo, per convertirle nell'acconciamento ed edificazione di esso, in guisa che formasse un sol casamento con quello che allora era del Comune. Questa deliberazione pare che non avesse effetto prima del 1293, nel quale anno, ai 4 di dicembre, si trova che, sentito il parere di più maestri di pietra e di legname sopra il prezzo delle case da comprarsi, si ordina che si acquistino quelle dei Saracini e dei Vignari, poste presso il Palazzo del Comune, allato alla via di Malborghetto. Furono, adunque, nel 21 e 22 dicembre del 1293, comprate le dette case: quella de' Saracini per 2700 lire, e l'altra de' Vignari per 900. Nè bastando tali acquisti al proposto ingrandimento, furono agli 8 di marzo del 1294 comprate da Nigi e Vieri e consorti degli Arzocchi, pel prezzo di 4000 lire, le case loro, poste nell'altro lato del Palazzo del Comune verso la via detta di Malcucinato. Ed essendo per legge statuito, che il Podestà non dovesse avere più case per abitazione sua e de suoi giudici, e per tenerci corte ed amministrar giustizia, se non il Palazzo che fu degli Arzocchi e il Palazzo della Dogana, fu domandato nel Consiglio tenuto il 12 di febbraio del 1295, che il Podestà, derogando allo statuto, potesse occupare ancora il piano superiore delle case degli Ulivieri e di Tura di Ciampolo, ove dimorava da qualche tempo la sua famiglia. E nel 4 di luglio del 1297, a tenore di un capitolo del Costituto stabilendosi che ogni sei mesi dovessero spendersi due mila lire per la costruzione e riparazione delle case e Palazzo del Comune, ove il Podestà e gli altri ufficiali risiedevano, si vuole che nel Generale Consiglio si proponga il come ed in qual parte al detto Palazzo si debba dar principio. La fabbrica era già incominciata, ed alacremente vi si lavorava, quando, essendovisi scoperte vecchie crepature, i Nove, ascoltando il parere di varj maestri, ordinarono, nel 22 di dicembre del 1300 che si spendessero 800 lire per riparare a questo inconveniente, e per avviamento della nuova opera che s'intendeva di fare E nel 28 febbraio del 1302 venne approvata la spesa di 100 lire, già pagate al priore di San Martino, per la compra della piazza e della chiesa di San Luca, posta allato di Malcucinato, la quale, secondo il consiglio di più maestri, doveva demolirsi per fare alcuni sproni o puntoni dietro il Palazzo medesimo E perchè procedesse la edificazione delle case poste dietro a quello, e fossero fatte le volte del Palazzo che fu già di messer Nigi degli Arzocchi, furono approvate, nel 28 di maggio 1304, altre 700 lire, ed altre 300 nel 3 di giugno, per murare un puntone Infine, nel 23 di detto mese, fu ordinato che si spendano 430 lire, parte nella compra della casa di Venturello della Paglia, posta parimente dietro il Palazzo, e parte nell'edificazione delle case destinate ai *berrovieri*[1] Ma non potendo i Signori Nove più dimorare ed esercitare il loro uffizio nelle case del Comune che un dì furono de' Saracini e de' Vignari, a cagione non tanto della dissipazione e rovina fatta di quelle dalla parte dinanzi, ove essi Nove avevano abitato, quanto ancora per la dissipazione che di necessità doveva farsi delle altre poste di dietro, nelle quali ora essi dimoravano, perchè eransi già gettati i fondamenti del nuovo Palazzo dalla parte di sotto si propone perciò, nel primo di maggio 1308, che, per condurre a fine il già incominciato lavoro, si trovassero e fossero prese a pigione alcune case per l'abitazione loro e degli altri ufficiali del Comune.

Da tutto questo si raccoglie, adunque, che l'antico Palazzo del Comune fin dal 1295, per i nuovi accrescimenti, dovette cambiar tanto, che la primiera forma ne andasse in gran parte perduta. Nè può tenersi per vero che, mentre le altre parti di esso Palazzo erano rimutate, fosse conservata solamente quella che in antico era destinata ai Consigli della Repubblica Ond'è che, se i documenti ci attestano che nel 1289 maestro Mino dipinse nella Sala del Consiglio la Vergine con varj santi attorno, questa pittura dovè dipoi, per le dette cagioni, essere stata rovinata Infatti, leggendo la iscrizione che si trova calcata sull'intonaco, precisamente sotto la pittura della Sala del Consiglio, si raccoglie non solo che essa fu fatta nel 1315, ma eziandio che è opera di Simone.

MILLE TRECENTO QUINDICI VOLTE ERA
ET DELIA AVIA OGNI BEL FIORE SPINTO ..
ET IUNO GIÀ GRIDAVA I' MI RIVOLLO . . .
S. A MAN DI SYMONE

[1] Ossia quella specie di milizia a piedi e a cavallo, la quale dipendendo interamente dal Podestà aveva l'ufficio di curare la quiete della città, perseguitando i rei e i malfattori Da essa scesero in progresso i birri o sbirri La parola *berroviere* viene dal tedesco, e forse significa *uomo stipendiato*

Che può restituirsi: *Se la man di Simone....*; e non, come goffamente si diede a interpretare il Romagnoli, *Ser Mino di Simone*: pittore in tutto creato dalla fantasia di quest'erudito. Oltre a ciò, ci conferma in questa credenza il vedere in quella pittura la mano di Simone, il quale diede una impronta ed un carattere tanto proprio e particolare a' suoi lavori, che è quasi impossibile di scambiarli con quelli d'altri maestri. Onde chi vorrebbe oggi affermare che ad un artefice del secolo XIII potesse riuscire una pittura così vasta, così bella e grandiosa, com'è quella che si vede nella Sala del Consiglio? E ben metteva che per l'autore di quel lavoro si scrivessero quei versi di tutta lode. E Lippo Memmi, che, come sappiamo, non solo fu parente ed amico di Simone, ma in molte opere suo compagno ancora ed imitatore, allorchè nel 1317 ebbe a dipignere nella Sala del Palazzo del Comune di San Gimignano una Madonna con varj Santi, non credette di meglio soddisfare alla intenzione degli uomini di quella nobile terra, che imitando, e nella disposizione e nel concetto generale, l'affresco di Simone.

Resta ora ad esaminare quanto sia ragionevole l'altra opinione sostenuta dal De Angelis e dal Gaye; la quale vuole che intenda di parlare della pittura in discorso la deliberazione del 1316, con cui si proibisce di far fuoco nella sala, dove il Potestà soleva mangiare ed amministrare la giustizia, per non ridurre all'antico stato di luridezza e indecenza la pittura fattavi rifare dal Potestà d'allora, messer Giovanni di Brodaio degli Atti da Sassoferrato. — Vedemmo già che, fin da' più antichi tempi, l'abitazione del Podestà era nel Palazzo Pubblico interamente divisa da quella degli altri ufficiali del Comune: onde, può egli credersi che nella sala destinata ai Consigli della Repubblica, non solamente potesse il Podestà amministrare giustizia, ma e vi mangiasse e facessevi fuoco? Oltre a ciò, avrebbe la Repubblica permesso che in quel luogo fosse dipinto a spese d'un Podestà? E se la pittura di Simone fu fatta nel 1315, come pare si raccolga dalla riferita iscrizione, la quale, sebbene mutilata, ci conserva ancora quell'anno; non può essere che nella deliberazione del 28 d'ottobre 1316 si parli di quella: perchè, oltre alle ragioni dette, nel breve spazio di appena tre mesi, che tanti ne correrebbero dal luglio (principio di quella potesteria) all'ottobre, un'opera sì vasta, anche cogli ajuti di molti scolari e garzoni, non avrebbe potuto condursi da Simone.

Un'ultima obiezione si affaccia dai nostri contradittori. Sembra ad essi difficile a credersi, che, qualora fosse vero che nel 1315 Simone dipingesse nella Sala del Consiglio, abbia dovuto nel 1321 restaurarla, o *raggiustarla*, come dice il documento; non potendo essere che nel breve spazio di cinque o sei anni quella pittura si fosse in modo guasta, da richiedere novamente l'opera di Simone. A ciò si risponde, che molte possono essere state le cagioni di questo deperimento: ma la più naturale ci sembra esser quella della salsedine proveniente dalla calce, e, quel che è più, dal sale che nella corrispondente stanza del piano inferiore soleva conservarsi. La qual ragione parve molto a proposito anche al Padre Della Valle. E che ciò sia vero, ne persuade ancora il vedere che prolungandosi la stessa parete in altre stanze di quel Palazzo, come nella Cappella e nella Sala di Balìa, i medesimi effetti si veggono prodotti dalla stessa cagione nelle pitture corrispondenti.

E qui, recapitolando le cose fino ad ora discorse, diremo: che nell'antica Sala del Consiglio maestro Mino, nel 1289, dipinse una Maestà. Che, per la nuova forma e ingrandimento che fin dal 1294 ebbe il Palazzo Pubblico, dovette quella pittura andare perduta. Che qualora si voglia tenere per vero che Simone la restaurasse, debbe averla ingrandita e rifatta in tanta parte, che dell'antica opera niente rimanesse. Che, infine, il De Angelis e il Gaye s'ingannarono, allorchè vollero che di questa pittura intendesse di parlare la deliberazione del 1316, mentre le stanze del Podestà, ove essa fu fatta, non sono da confondersi colla Sala del Consiglio. E che, in ultimo luogo, chi esamini senza preoccupazione l'affresco che oggi si vede nel Palazzo Pubblico, si persuaderà non poter essere uscito che dalla mano di un pittore qual fu Simone: non tanto perchè avvi in esso l'impronta di lui, quanto ancora perchè la grandezza del concetto, lo stile, il panneggiare e tutte le altre parti svelano un maestro vissuto in un tempo, in cui l'arte aveva fatto i primi e maravigliosi passi verso quell'altezza che poi toccò un secolo dopo.[1]

Con questo ragionamento chiamando noi a rassegna le opinioni altrui intorno ad una controversia che toglieva o dava al nostro Simone la lode e il pregio di uno de' più grandi e più belli affreschi che ornino il Palazzo del Comune senese, ed onorino l'artefice cittadino; abbiamo tentato di contrapporre alle ragioni altrui le ragioni, non diciamo le nostre, ma quelle che dall'attento esame de' documenti, dal loro confronto, dalla giusta loro interpretazione venivano facilmente fuori: ond'è che, se l'amor di noi stessi non c'inganna, crediamo di aver tolto ogni dubbio, e vinto ogni preoccupazione o difficoltà altrui, mostrando che a nessun altro artefice poteva riuscire un'opera di sì grande invenzione e di tanto squisita bellezza, se non all'amico del Petrarca, al pittore di madonna Laura.

[1] Le figure o teste del san Girolamo e del san Gregorio papa sono maravigliose per il carattere e il bello stile largo, che par precorra d'un secolo l'arte.

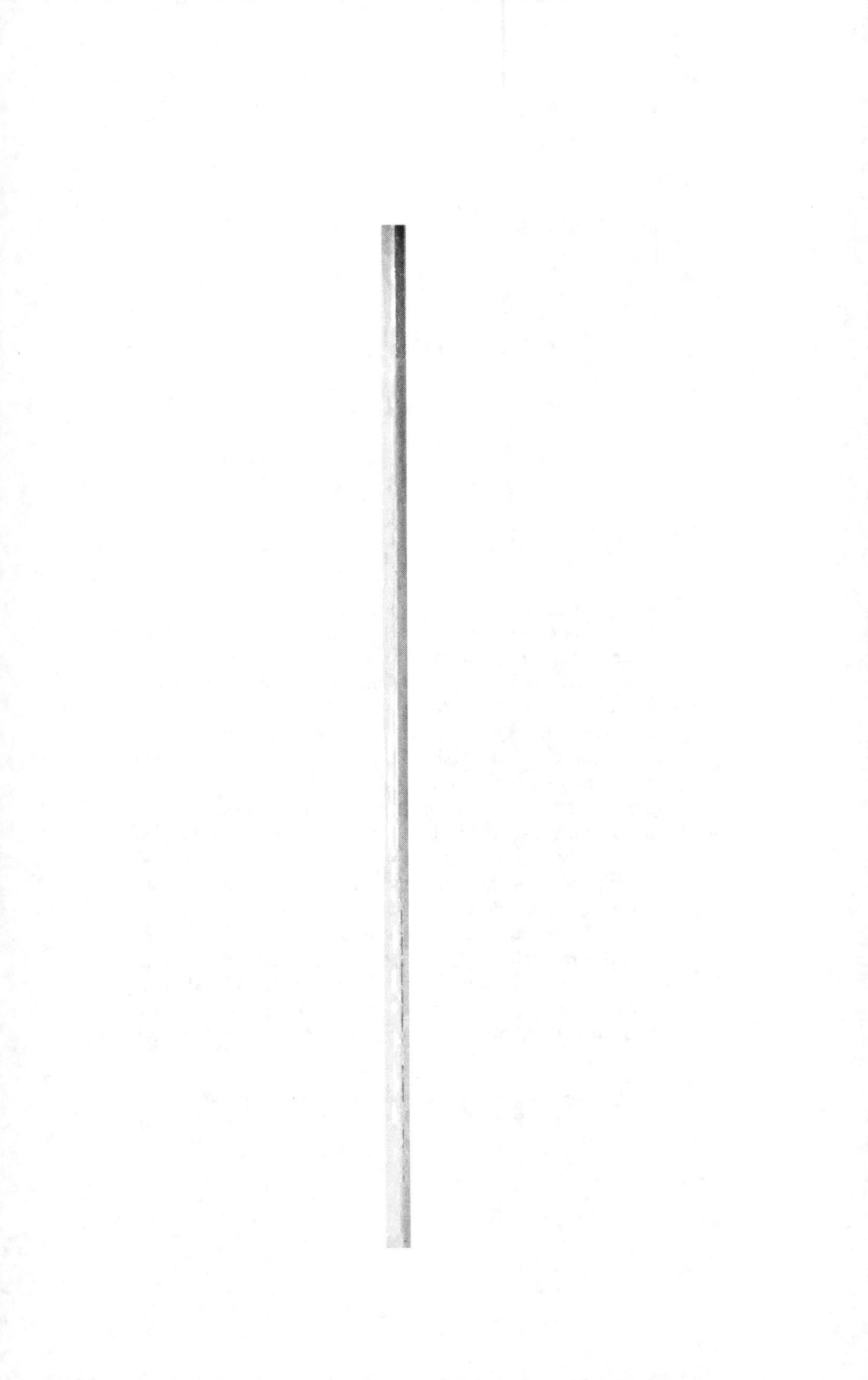

TADDEO GADDI

PITTORE FIORENTINO

(Nato circa il 1300, morto nel 1366)

È bella e veramente utile e lodevole opera premiare in ogni luogo largamente la virtù, ed onorare colui che l'ha; perchè infiniti ingegni, che talvolta dormirebbono, eccitati da questo invito, si sforzano con ogni industria di non solamente apprendere quella, ma di venirvi dentro eccellenti, per sollevarsi e venire a grado utile ed onorevole, onde ne segua onore alla patria loro, e a se stessi gloria, e ricchezze e nobiltà a' descendenti loro, che, da cotali principj sollevati, bene spesso divengono e ricchissimi e nobilissimi; nella guisa che per opera di Taddeo Gaddi pittore fecero i discendenti suoi. Il quale Taddeo di Gaddo Gaddi fiorentino, dopo la morte di Giotto, il quale l'aveva tenuto a battesimo, e dopo la morte di Gaddo, era stato suo maestro ventiquattro anni; come scrive Cennino di Drea Cennini, pittore da Colle di Valdelsa;[1] essendo rimaso nella pittura per giudizio e per ingegno fra i primi dell'arte, e maggiore di tutti i suoi

[1] † Nel suo *Trattato della Pittura*, del quale il Vasari parla nella Vita di Agnolo Gaddi, dove ci riserbiamo a dirne anche noi qualche cosa.

condiscepoli;[1] fece le sue prime opere con facilità grande, datagli dalla natura piuttosto che acquistata con arte, nella chiesa di Santa Croce in Firenze, nella cappella della sagrestia: dove, insieme con i suoi compagni, discepoli del morto Giotto, fece alcune storie di Santa Maria Maddalena,[2] con belle figure e abiti di que' tempi, bellissimi e stravaganti. E nella cappella de' Baroncelli e Bandini, dove già aveva lavorato Giotto a tempera la tavola, da per sè fece nel muro alcune storie in fresco

[1] Pare che il Vasari scordi un poco le lodi già date a Stefano Fiorentino. Valga intanto a gran lode di Taddeo, ch' ei fu per Giotto il prediletto degli scolari.

[2] Intendi la cappella de' Rinuccini in sagrestia, nella quale sono da un lato le storie della Maddalena, e dall' altro quelle della Madonna. Di queste pitture si può vedere l' intaglio nell' operetta del signor Ajazzi: *La cappella de' Rinuccini in Santa Croce* ecc. Per mancanza di documenti, e per essere queste pitture, sì nel concetto come nella maniera, grandemente diverse dalle altre della cappella Baroncelli, che a Taddeo non si possono togliere; si è dubitato, ed anche negato, che siano sue opere. Il barone di Rumohr, che potè fare il confronto sopra una tavola autenticata dal nome di Taddeo (vedi pag. 582, nota 1), credè queste pitture più recenti, e forse condotte circa al tempo stesso della tavola ch' è sull' altare, la quale porta scritto l' anno 1379, e non può attribuirsi al Gaddi già morto. — † I signori Crowe e Cavalcaselle le assegnano senza nessun dubbio a Giovanni da Milano; e i documenti danno piena ragione a loro: imperciocchè sopra queste pitture c' è una deliberazione del 26 maggio 1365 de' Capitani d' Or San Michele, dalla quale apparisce chiaramente che il loro pittore fu il Da Milano. La deliberazione è di questo tenore: « *Domini Capitanei, actendentes quod Johannes pictor de Kaverzaio, secundum formam quorundam pactorum initorum inter eum ex una parte, et fratrem Ludovicum Johannis Custodem Sancte Crucis Fratrum Minorum de Florentia, ex parte altera, debet pinxisse cappellam sacristie Sancte Crucis intra certum tempus, certo modo et forma contentis in quadam scriptura facta manu dicti Johannis: facto partito etc. prorogaverunt illud tempus usque ad kal. novembris proxime secuturas.* » (Archivio di Stato in Firenze. — Arch. de' Capitani della Compagnia di Santa Maria in Or San Michele. Libro 3° delle Provvisioni). Questo pittore Giovanni da Caverzajo, noi non dubitiamo di affermare che sia lo stesso Giovanni detto da Milano dal Vasari. Caverzajo è un piccolo luogo del territorio di Como; ond' è che egli fu detto anche da Como, come apparisce da un altro documento del 1350 incirca; nel quale si contiene una nota di tutti gli artefici forestieri che allora dimoravano in Firenze; dove tra i pittori è nominato *Johannes Jacobi de Como*, che per noi non è persona diversa da Giovanni da Milano. Il quale fu figliuolo d' Jacopo di Guido, e si trova matricolato all' Arte de' Medici e Speziali di Firenze ai 25 di giugno del 1363. Nel 26 di dicembre del detto anno fa la sua portata all' Estimo. Era del gonfalone Chiavi, quartiere di San Giovanni, ed abitava allora nella via detta del Canto alla Briga, popolo di San Pier Maggiore.

di Nostra Donna, che furono tenute bellissime.[1] Dipinse ancora sopra la porta della detta sagrestia la storia di Cristo disputante coi Dottori nel tempio; che fu poi mezza rovinata,[2] quando Cosimo vecchio de' Medici fece il noviziato, la cappella e il ricetto dinanzi alla sagrestia, per metter una cornice di pietra sopra la detta porta. Nella medesima chiesa dipinse a fresco la cappella de' Bellacci,[3] e quella di Sant' Andrea,[4] allato ad una delle tre di Giotto; nella quale fece quando Gesù Cristo tolse Andrea dalle reti, e Pietro, e la crocifissione di esso Apostolo: cosa veramente, e all'ora ch'ella fu finita e ne' giorni presenti ancora, commendata e lodata molto. Fece sopra la porta del fianco, sotto la sepoltura di Carlo Marsuppini aretino,[5] un Cristo morto, con le Marie, lavorato a fresco, che fu lodatissimo. E sotto il tramezzo che divide la chiesa, a man sinistra sopra il Crocifisso di Donato,[6] dipinse a

Possedeva a Tizzano, nel piviere di Ripoli, un pezzo di terra chiamato il Castagnaccio, un altro detto il Canneto, ed un terzo chiamato il Querciolo. Nel 22 d'aprile del 1366 fu Giovanni fatto cittadino fiorentino insieme co' suoi figliuoli e discendenti. Il qual benefizio egli accettò il 27 del detto mese, sottoponendosi a tutti i carichi e fazioni che gli fossero imposte dal Comune. Dopo questo tempo non si trova più ricordo di lui in Firenze. Il Calvi (*Notizie sulla vita e sulle opere de' principali architetti, scultori e pittori che fiorirono in Milano durante il governo de' Visconti e degli Sforza.* Milano; Ronchetti, 1859; pag. 85 e seg.) crede che Giovanni de' Grassi, milanese, il quale fu pittore, scultore ed architetto, e morì nel 1398, sia lo stesso che Giovanni da Milano nominato dal Vasari e scolare di Taddeo. Ma noi non siamo veramente della sua opinione.

[1] † Le pitture di questa Cappella, fatte fare da Tano e Gherardo di Mico Baroncelli furono incominciate a dì 24 di dicembre 1332, e compite ai 7 d'agosto 1338, e costarono lire 807, soldi 1, e denari 3 a fiorini, (cioè 29 soldi per fiorino). Queste notizie si cavano dal tom. III, pag. 33, e dal tom. IV, pag. 26, dei *Ricordi*, mss. di spese de' Peruzzi conservati nella Biblioteca Riccardiana. Contemporaneamente i Baroncelli suddetti facevano dipingere (forse allo stesso Taddeo) un'altra loro cappella a San Piero Scheraggio.

[2] Poi col tempo, rovinata del tutto.

[3] Questa cappella venne poi tutta incrostata di marmi col disegno di Gherardo Silvani, e le pitture del Gaddi furono distrutte.

[4] E anche delle sue pitture in questa cappella non avanza più nulla.

[5] Segretario illustre della Repubblica. *Sopra la porta, sotto la sepoltura*; cioè al di là, verso l'altar maggiore. La pittura non v'è più.

[6] Il celebre Crocifisso, criticato dal Brunellesco, e trasferito col tempo nella cappella de' Bardi.

fresco una storia di San Francesco, d'un miracolo che fece nel risuscitar un putto che era morto cadendo da un verone, coll'apparire in aria. Ed in questa storia ritrasse Giotto suo maestro, Dante poeta e Guido Cavalcanti: altri dicono se stesso.[1] Per la detta chiesa fece ancora in diversi luoghi molte figure, che si conoscono dai pittori alla maniera. Alla Compagnia del Tempio dipinse il tabernacolo che è in sul canto della via del Crocifisso, dentrovi un bellissimo deposto di croce.[2] Nel chiostro di Santo Spirito lavorò due storie negli archetti allato al Capitolo; nell'uno de' quali fece quando Giuda vende Cristo, e nell'altro la cena ultima che fece con gli Apostoli.[3] E nel medesimo convento, sopra la porta del refettorio, dipinse un Crocifisso ed alcuni Santi; che fanno conoscere, fra gli altri che quivi lavorarono, che egli fu veramente imitator della maniera di Giotto, da lui avuta sempre in grandissima venerazione.[4] Dipinse in San Stefano del Ponte Vecchio la tavola e la predella dell'altar maggiore, con gran diligenza;[5] e nell'oratorio di San Michele in Orto lavorò molto bene, in una tavola, un Cristo morto che dalle Marie è pianto, e da Nicodemo riposto nella sepoltura molto divotamente.[6] Nella chiesa de' Frati de' Servi dipinse la cappella di San Niccolò, di

[1] † La pittura perì quando fu levato il tramezzo. L'autore anonimo delle notizie degli artisti fiorentini, che da noi è stato già citato nel Commentario alla Vita di Stefano e d'Ugolino, dice che Taddeo ritrasse in questa storia Giotto, Dante Alighieri e sè stesso, che era quel di mezzo, tutti e tre in piedi.

[2] Il tabernacolo fu poi demolito.

[3] A questa pittura ne furono poi sostituite altre men che mediocri.

[4] Anche queste pitture più non esistono.

[5] Fin da quando furono scritte le note al *Riposo* del Borghini (1730), quest'opera del Gaddi era smarrita.

[6] *Oggi oratorio di San Carlo. A questa tavola, già erroneamente attribuita a Buffalmacco, sino dal 1616 ne fu sostituita una di Matteo Rosselli. Essa poi dalla Galleria degli Uffizj fu traslocata a quella dall'Accademia delle Belle Arti. Di questa tavola, la cui bellezza ci compensa in qualche parte della perdita di molte altre, n'è dato un fedele intaglio nella *Galleria delle Belle Arti di Firenze*, pubblicata da una Società artistica, sotto la direzione del prof. Antonio Perfetti, e accompagnata da illustrazioni.

quelli dal Palagio, con istorie di quel Santo; dove, con ottimo giudizio e grazia, per una barca quivi dipinta, dimostrò chiaramente com'egli aveva intera notizia del tempestoso agitare del mare e della furia della fortuna, nella quale, mentre che i marinari votando la nave gittano le mercanzie, appare in aria San Niccolò e gli libera da quel pericolo: la quale opera, per esser piaciuta e stata molto lodata,[1] fu cagione che gli fu fatto dipignere la cappella dell'altare maggiore di quella chiesa, dove fece in fresco alcune storie di Nostra Donna, e a tempera in tavola medesimamente la Nostra Donna con molti Santi, lavorati vivamente. Parimente, nella predella di detta tavola fece, con figure piccole, alcune altre storie di Nostra Donna, delle quali non accade far particolar menzione; poichè, l'anno 1467, fu rovinato ogni cosa, quando Lodovico marchese di Mantova fece in quel luogo la tribuna che v'è oggi, col disegno di Leon Battista Alberti, e il coro de'Frati, facendo portar la tavola nel Capitolo di quel convento:[2] nel refettorio del quale fece da sommo, sopra le spalliere di legname, l'ultima cena di Gesù Cristo con gli Apostoli, e sopra quella un Crocifisso con molti Santi.[3] Avendo posto a quest'opera Taddeo Gaddi l'ultimo fine, fu condotto a Pisa, dove in San Francesco, per Gherardo e Buonaccorso Gambacorti, fece la cappella maggiore in fresco, molto ben colorita, con molte figure e storie di quel Santo e di Sant'Andrea e San Niccolò. Nella volta, poi, e nella facciata è papa Onorio che conferma la regola, dov'è ritratto Taddeo di naturale in profilo, con un cappuccio avvolto sopra il capo, ed a'piedi di quella storia sono scritte queste parole: *Magister Taddeus Gaddus de Florentia pinxit hanc historiam Sancti Fran-*

[1] L'opera col tempo è perita.
[2] Quello che poi ne sia avvenuto, non si sa.
[3] Vi fu poi ridipinto da Santi di Tito, e modernamente da Gio. Ferretti.

cisci et Sancti Andreæ et Sancti Nicolai, anno Domini MCCCXLII, *de mense augusti.*[1]

Fece ancora, nel chiostro pure di quel convento, in fresco una Nostra Donna col suo figliuolo in collo, molto ben colorita;[2] e nel mezzo della chiesa, quando s'entra, a man manca, un San Lodovico vescovo a sedere, al quale San Gherardo da Villamagna, stato Frate di quell'ordine, raccomanda un Fra Bartolommeo,[3] allora guardiano di detto convento. Nelle figure della quale opera,[4] perchè furono ritratti dal naturale, si vede vivezza e grazia infinita, in quella maniera semplice, che fu in alcune cose meglio che quella di Giotto; e massimamente nell'esprimere il raccomandarsi, l'allegrezza, il dolore e altri somiglianti affetti, che, bene espressi, fanno sempre onore grandissimo al pittore. Tornato poi a Fiorenza, Taddeo seguitò per lo Comune l'opera d'Orsammichele, e rifondò i pilastri delle logge, murandogli di pietre conce e ben foggiate, laddove erano prima state fatte di mattoni, senza alterar però il disegno che lasciò Arnolfo; con ordine che sopra la loggia si facesse un palazzo con due volte, per conserva delle provvisioni del grano che faceva il Popolo e Comune di Firenze. La quale opera perchè si finisse, l'arte di porta Santa Maria, a cui era stato dato cura della fabbrica, ordinò che si pagasse la gabella della piazza e mercato del grano, e alcune altre gravezze di piccolissima importanza. Ma, il che importò molto più, fu bene ordinato con ottimo consiglio, che ciascuna del-

[1] *Sono ora coperte dal bianco, tranne però quelle della volta, rappresentanti in belle e grandiose figure i primi fondatori degli Ordini religiosi.

[2] *Nella cappella dell'Ammannati, nel Campo Santo di Pisa, si conserva una testa gigantesca di Vergine, di uno stile di disegno assai largo, che il Grassi (*Descrizione storica e artistica* ecc., II, 174) dice essere un frammento di questa ricordata dal Vasari.

[3] Probabilmente (dice il Della Valle) Fra Bartolommeo da Pisa, l'autore celebre delle Conformità di Cristo e di san Francesco, alle quali attinsero molti pittori.

[4] Soppressi e chiesa e convento, anche quest'opera è forse perita.

l'arti di Firenze facesse da per sè un pilastro, ed in quello il Santo Avvocato dell'arte in una nicchia; e che ogni anno, per la festa di quello, i consoli di quell'arte andassino a offerta, e vi tenessino tutto quel dì lo stendardo con la loro insegna: ma che l'offerta nondimeno fusse della Madonna per sovvenimento de'poveri bisognosi.[1] E perchè, l'anno 1333, per lo gran diluvio l'acque avevano divorato le sponde del Ponte Rubaconte, messo in terra il castello Altafronte, e del Ponte Vecchio non lasciato altro che le due pile del mezzo, ed il Ponte a Santa Trinita rovinato del tutto, eccetto una pila che rimase tutta fracassata, e mezzo il Ponte alla Carraia, rompendo la pescaia d'Ognissanti;[2] deliberarono quei che allora la città reggevano, non volere più quegli d'oltr'Arno avessero la tornata alle case loro con tanto scomodo, quanto quello era d'avere a passar per barche: perchè, chiamato Taddeo Gaddi, per essere Giotto suo maestro andato a Milano, gli fecero fare il modello e disegno del Ponte Vecchio, dandogli cura che lo facesse condurre a fine più gagliardo e più bello che possibile fusse;[3] ed egli, non perdonando nè a spesa nè a fatica, lo fece con quella gagliardezza di spalle e con quella magnificenza di volte, tutte di pietre riquadrate con lo scarpello, che sostiene oggi ventidue botteghe per banda,

[1] *La petizione indirizzata ai Priori ed al Gonfaloniere di Firenze dai Consoli dell'arte della seta, operai della fabbrica di Orsanmichele, è de' 12 aprile 1339, e fu pubblicata dal Gaye nel vol. I del *Carteggio inedito* ecc. Il Vasari è così esatto nel recitare il sunto di quel documento, che ci fa tener per certo ch'ei l'avesse veduto.

[2] Vedi Giovanni Villani, lib. XI, cap. 1.

[3] *Da una provvisione della Repubblica, stampata dal Gaye (*Carteggio inedito*, I, 488), si ritrae che il Ponte Vecchio fu incominciato a fabbricare nel 1339, coll'ordine di levare il ponte di legno lì vicino. Il Villani (lib. XII, cap. 46) lo dà compiuto nel 1345; ma da un altro documento pubblicato dal Gaye parrebbe che nel 1342 fosse presso che ultimato. (Op. cit., I, 494). — † Abbiamo raccolto in un Commentario le ragioni che ci fanno contradire all'asserzione del Vasari circa la parte che dà al Gaddi come architetto, nella loggia d'Or San Michele, nel ponte Vecchio, in quello di Santa Trinita e nel campanile del Duomo.

che sono in tutte quarantaquattro, con grand'utile del Comune, che ne cavava l'anno fiorini ottocento di fitti.[1] La lunghezza delle volte da un canto all'altro è braccia trentadue, e la strada del mezzo sedici, e quella delle botteghe da ciascuna parte braccia otto; per la quale opera, che costò sessantamila fiorini d'oro, non pure meritò allora Taddeo lode infinita, ma ancora oggi n'è più commendato; poichè, oltre a molti altri diluvj, non è stato mosso, l'anno 1557 a dì 13 di settembre, da quello che mandò a terra il Ponte a Santa Trinita, di quello della Carraia due archi, e che fracassò in gran parte il Rubaconte, e fece molt'altre rovine che sono notissime. E veramente non è alcuno di giudizio, che non stupisca, non pur non si maravigli, considerando che il detto Ponte Vecchio in tanta strettezza sostenesse immobile l'impeto dell'acque, de'legnami e delle rovine fatte di sopra, e con tanta fermezza. Nel medesimo tempo fece Taddeo fondare il Ponte a Santa Trinita, che fu finito manco felicemente, l'anno 1346, con spesa di fiorini ventimila d'oro:[2] dico men felicemente, perchè, non essendo stato simile al Ponte Vecchio, fu interamente rovinato dal detto diluvio dell'anno 1557. Similmente, secondo l'ordine di Taddeo si fece in detto tempo il muro di costa a San Giorgio con pali a castello, pigliando due pile del ponte per accrescere alla città terreno verso la piazza de'Mozzi, e servirsene, come fecero, a far le mulina che vi sono. Mentre che con ordine e disegno di Taddeo si fecero tutte queste cose, perchè non restò per questo di dipignere, lavorò il tribunale della Mercanzia vecchia; dove, con

[1] La storia di queste botteghe, che sono ancora in essere, ed ove lavorarono i nostri niellatori e cesellatori più celebri, sarebbe il più bel capitolo della storia dell'orificeria.

[2] Fu poi rifatto col disegno dell'Ammannato, di che poi altrove si dirà. Il ritratto dell'antico ponte, che fu fatto, secondo il Vasari, col disegno di Taddeo, può vedersi in una pittura di Domenico Ghirlandajo, ch'è nella cappella Sassetti in Santa Trinita.

poetica invenzione, figurò il tribunale di sei uomini,[1] che tanti sono i principali di quel magistrato, che sta a veder cavar la lingua alla Bugia dalla Verità, la quale è vestita di velo su l'ignudo, e la Bugia coperta di nero, con questi versi sotto:

La pura Verità, per ubbidire
Alla santa Giustizia che non tarda,
Cava la lingua alla falsa bugiarda.

E sotto la storia sono questi versi:

Taddeo dipinse questo bel rigestro;
Discepol fu di Giotto il buon maestro.

Fu fattogli allogazione in Arezzo d'alcuni lavori in fresco, i quali ridusse Taddeo, con Giovanni da Milano suo discepolo, all'ultima perfezione; e di questi veggiamo ancora nella Compagnia dello Spirito Santo una storia, nella faccia dell'altar maggiore, dentrovi la Passione di Cristo con molti cavalli, e i ladroni in croce: cosa tenuta bellissima per la considerazione che mostrò nel metterlo in croce; dove sono alcune figure che vivamente espresse dimostrano la rabbia de' Giudei, tirandolo alcuni per le gambe con una fune, altri porgendo la spugna, e altri in varie attitudini; come il Longino che gli passa il costato, e i tre soldati che si giuocano la veste, nel viso dei quali si scorge la speranza ed il timore nel trarre de'dadi: il primo di costoro, armato, sta in attitudine disagiosa aspettando la volta sua, e si dimostra tanto bramoso di tirare, che non pare che e'senta il disagio; l'altro, inarcando le ciglia, con le braccia e con gli occhi aperti, guarda i dadi per sospetto quasi di fraude, e chiaramente dimostra a chi lo considera il bisogno e la voglia ch'egli ha di vincere; il terzo, che tira i dadi, fatto

[1] * Anche ai tempi di Raffaello Borghini questa pittura non si vedeva più.

piano della veste in terra, col braccio tremolante par che accenni ghignando voler piantargli. Similmente, per le facce della chiesa si veggono alcune storie di San Giovanni Evangelista,[1] e per la città altre cose fatte da Taddeo, che si riconoscono per di sua mano da chi ha giudizio nell'arte. Veggonsi ancora oggi nel Vescovado, dietro all'altar maggiore, alcune storie di San Giovanni Batista, le quali con tanto maravigliosa maniera e disegno sono lavorate, che lo fanno tener mirabile.[2] In Sant'Agostino, alla cappella di San Sebastiano, allato alla sagrestia, fece le storie di quel martire; ed una disputa di Cristo con i Dottori, tanto ben lavorata e finita, che è miracolo a vedere la bellezza ne' cangianti di varie sorte, e la grazia ne' colori di queste opere, finite per eccellenza.[3]

In Casentino, nella chiesa del Sasso della Vernia, dipinse la cappella, dove San Francesco ricevette le stimate, aiutato nelle cose minime da Iacopo di Casentino,[4] che mediante questa gita divenne suo discepolo. Finita cotale opera, insieme con Giovanni milanese[5] se ne tornò a Fiorenza, dove, nella città e fuori, fecero tavole e pitture assaissime e d'importanza; ed in processo di tempo guadagnò tanto, facendo di tutto capitale, che diede principio alla ricchezza ed alla nobiltà della sua famiglia, essendo tenuto sempre savio ed accorto uomo. Dipinse ancora in Santa Maria Novella il Capitolo, allogatogli dal prior del luogo, che gli diede l'invenzione. Bene è vero, che per essere il lavoro grande, e per essersi scoperto, in quel tempo che si facevano i ponti, il Capitolo di Santo Spirito con grandissima fama di Simone Memmi che lo

[1] È questa storia, e l'altra della Passione indicata poco sopra, sono perite.

[2] Queste veggonsi ancora, ma in cattivo stato.

[3] Nell'edificazione della chiesa anche queste sono perite.

[4] Chiamato anche Iacopo da Prato Vecchio, castello nel Casentino. Se ne ha la Vita più sotto.

[5] * Lo nomina ancora più sopra, e ne dice qualcosa di più anche verso il fine.

aveva dipinto, venne voglia a detto priore di chiamar Simone alla metà di quest'opera: perchè, conferito il tutto con Taddeo, lo trovò di ciò molto contento, perciocchè amava sommamente Simone per essergli stato con Giotto condiscepolo, e sempre amorevole amico e compagno.[1] Oh animi veramente nobili! poichè, senza emulazione, ambizione o invidia, v'amaste fraternalmente l'un l'altro, godendo ciascuno così dell'onore e pregio dell'amico, come del proprio.[2] Fu, dunque, spartito il lavoro e datone tre facciate a Simone, come dissi nella sua Vita; e a Taddeo la facciata sinistra e tutta la volta, la quale fu divisa da lui in quattro spicchi o quarte, secondo gli andari d'essa volta. Nel primo fece la Resurrezione di Cristo, dove pare che e' volesse tentare che lo splendor del corpo glorificato facesse lume, come apparisce in una città ed in alcuni scogli di monti; ma non seguitò di farlo nelle figure e nel resto, dubitando forse di non lo poter condurre per la difficoltà che vi conosceva. Nel secondo spicchio fece Gesù Cristo che libera San Pietro dal naufragio, dove gli Apostoli che guidano la barca sono certamente molto belli: e, fra l'altre cose, uno che in su la riva del mare pesca a lenza; cosa fatta prima da Giotto in Roma nel musaico della nave di San Pietro; è espresso con grandissima e viva affezione. Nel terzo dipinse l'Ascensione di Cristo, e nell'ultimo la venuta dello Spirito Santo; dove, nei Giudei che alla porta cercano volèr entrare, si veggono molto belle attitudini di figure. Nella faccia di sotto sono le sette Scienze con i loro nomi, e con quelle figure sotto che a ciascuna si convengono. La Grammatica, in abito di donna con una porta, insegnando a un putto, ha sotto di sè a sedere Donato scrittore. Dopo la Grammatica segue la Ret-

[1] *Nelle note alla Vita di Simone da Siena abbiamo osservato come egli non fu alla scuola di Giotto.

[2] Esclamazione che non è fuor di proposito.

torica, e a piè di quella una figura che ha due mani a' libri, ed una terza mano si trae di sotto il mantello e se la tiene appresso alla bocca. La Logica ha il serpente in mano sotto un velo, e a' piedi suoi Zenone Eleate che legge. L'Aritmetica tiene le tavole dell'abbaco, e sotto lei siede Abramo inventore di quella. La Musica ha gli istrumenti da sonare; e sotto lei siede Tubalcaino, che batte con due martelli sopra un'ancudine, e sta con gli orecchi attenti a quel suono. La Geometria ha la squadra e le seste, e da basso Euclide. L'Astrologia ha la sfera del cielo in mano, e sotto i piedi Atlante. Dall'altra parte seggono sette Scienze teologiche, e ciascuna ha sotto di sè quello stato o condizione d'uomini che più se le conviene, papa, imperatore, re, cardinali, duchi, vescovi, marchesi ed altri; e nel volto del papa è il ritratto di Clemente V. Nel mezzo e più alto luogo è San Tommaso d'Aquino, che di tutte le scienze dette fu ornato, tenendo sotto i piedi alcuni eretici; Ario, Sabellio ed Averrois: e gli sono intorno Moisè, Paolo, Giovanni Evangelista, alcune altre figure che hanno sopra le quattro Virtù cardinali e le tre teologiche, con altre infinite considerazioni espresse da Taddeo con disegno e grazia non piccola; intantochè si può dir essere stata la meglio intesa, e quella che si è più conservata di tutte le cose sue.[1] Nella medesima Santa Maria Novella, sopra il tra-

[1] *Il barone di Rumohr, nel modo stesso, e colle stesse ragioni, per cui non credè che le altre facce di questo Capitolo sieno dipinte da Simone senese, non seppe senza difficoltà accoglier per vera quest'altra asserzione, della quale il solo Vasari sta mallevadore. Il silenzio del Ghiberti su queste pitture e sui loro autori è un indizio urgentissimo in favore della opinione del Rumohr. — † I signori Crowe e Cavalcaselle chiamano giottesche quelle composizioni, e non fanno difficolta a crederle di Taddeo, sebbene paia ad essi evidente che siano state eseguite da altra mano: per esempio, vorrebbero che la Navicella, la Resurrezione e la Discesa dello Spirito Santo fossero di Antonio Veneziano; e di un altro discepolo di Taddeo inferiore al primo, l'Ascensione. In somma anche in queste pitture trovano un carattere ed un'esecuzione più senese che fiorentina. E quanto alle altre pitture attribuite a Simone Martini, son chiari che si debbano riconoscere della mano di quell'Andrea da Firenze, che dipinse nel Camposanto di

mezzo della chiesa, fece ancora San Gieronimo vestito da cardinale,[1] avendo egli divozione in quel Santo e per protettore di sua casa eleggendolo; e sotto esso poi, Agnolo suo figliuolo, morto Taddeo, fece fare ai descendenti una sepoltura, coperta con una lapide di marmo con l'arme de' Gaddi: ai quali descendenti Gieronimo cardinale, per la bontà di Taddeo e per i meriti loro, ha impetrato da Dio gradi orrevolissimi nella Chiesa, chericati di camera, vescovadi, cardinalati, prepositure, e cavalierati onoratissimi; i quali tutti discesi di Taddeo, in qualunche grado, hanno sempre stimati e favoriti i belli ingegni inclinati alle cose della scultura e pittura, e quelli con ogni sforzo loro aiutati. Finalmente, essendo Taddeo venuto in età di cinquanta anni, d'atrocissima febbre percosso, passò di questa vita l'anno 1350;[2] lasciando Agnolo

Pisa le storie di san Ranieri, date dal Vasari al Martini. (V. op. cit., vol. I. p. 374 e 375). Di un'opera veramente certa di Taddeo Gaddi, già appartenuta al signor Iolbs, oggi nella Galleria del re di Prussia, ci dà notizia il suddetto scrittore tedesco. È un altarino con Nostra Donna col Bambino in braccio; san Giovan Battista, san Francesco e sei apostoli per parte. A piè della Vergine vedonsi inginocchiate le figure del committente e della sua moglie. Sotto si legge: ANNO DOMINI MCCCXXXIIII. MENSIS SEPTEMBRIS. TADEUS ME FECIT. (Vedi *Ricerche italiane*, tom. II; e WAAGEN, *Catalogo della Raccolta di quadri del Museo Reale di Berlino*, in tedesco). Un'altra tavola dipinta da Taddeo, e non ricordata dal Vasari, è nella sagrestia della chiesa di San Pietro a Megognano, parrocchia a due miglia da Poggibonsi nella Valdelsa. In essa è rappresentata Maria Vergine seduta in trono che tiene in braccio il divin Figliuolo. Dietro il trono sono due angeli, e dinanzi quattro altri inginocchiati, due che offrono fiori, e due che hanno il turibolo e la navicella. Nel gradino del trono si legge: TADEVS GADDI D̄ FLORENTIA PINXIT; e sotto: QUESTA TAVOLA FECE FARE GIOVANNI DI SER SEGNA PER RIMEDIO DELL'ANIMA SUA E DE' SUOI PASSATI. Vi è l'arme de' Segni da Firenze.

[1] Il San Girolamo sarà stato distrutto, al solito, quando furon tolti i tramezzi.

[2] *Le memorie che di lui ci danno i documenti, arrivano assai più in qua del 1350. Nel Del Migliore (*Correzioni ed aggiunte mss. al Vasari*) troviamo registrati questi ricordi: « 1352 *Taddeus olim Gaddi*, San Pier maggiore, *conit* » (Gab. D. a c. 311). Nello stesso anno fu arbitro (lib. segnato E. 4 a c. 66); nel 1355 *Taddeus q. Gaddi pictor*, San Pier Maggiore (Matricol. F. 7 a c. 99); nel 1365, come compratore si legge nelle Gabelle (lib. E. 17). A queste notizie si aggiungono quelle trovate dal Rumohr; e, tra le altre, un documento del 29 d'agosto 1366, dal quale apparisce il nome di Taddeo tra gli artefici chiamati a consigliare dagli Operai del Duomo in occasione di un lavoro da farsi. — ‡ Questo documento, che è riferito poco esattamente dal Rumohr, dice così: « 1366. Ferus

suo figliuolo e Giovanni che attendessero alla pittura, raccomandandogli a Iacopo di Casentino per li costumi del vivere, e a Giovanni da Milano per gli ammaestramenti dell'arte. Il qual Giovanni, oltre a molte altre cose, fece, dopo la morte di Taddeo, una tavola che fu posta in Santa Croce all'altare di San Gherardo da Villamagna, quattordici anni dopo che era rimaso senza il suo maestro;[1] e similmente la tavola dell'altar maggiore d'Ognis-

Miglioris, Bettus Gerii, Simon Grimaldi, Benincasa Lotti, et Pierus Gherii, aurifices; Taddeus Gaddus, Andreas Cionis, Nicolaus Tomasii, Johannes Bonsi, Andreas Bonaiuti, Nerius Monis, pictores; Nuccius Montini, Nerius Fioravantis, Ristorus Cionis, Bernardus Pieri, Bencius Cionis, Ciardinus Ghuena, Franciscus Salvetti, Franciscus Neri q. Baldi, magistri ». E però da avvertire che Ristoro di Cione non è fratello dell'Orcagna, che Benci di Cione è persona diversa da Bernardo o meglio Nardo di Cione pittore, fratello dell'Orcagna, e che Ciardino Ghuena, che fu legnajuolo, e veramente ebbe il cognome *del Guena*, non è forestiero, come suppone il Rumohr, ma fiorentino. (Archivio dell'Opera del Duomo fiorentino. - *Liber Stantiamentorum Mei Iohannis scriptoris*, 1363-1369, a f. 61 *tergo*). Taddeo è certo che morì sul finire del 1366, trovandosi un documento di quell'anno, nel quale é nominata come vedova madonna Francesca d'Albizzo Ormanni sua moglie.

[1] *Secondo il computo del Vasari, questa tavola sarebbe stata fatta nel 1364. Dell'anno seguente appunto è una tavola di Giovanni da Milano, nella Galleria dell'Accademia delle Belle Arti di Firenze, una delle poche opere certe che di questo pittore si conoscano, perchè autenticata dall'iscrizione, che dice: IO GOVANI (*sic*) DA MELANO DEPINSI QUESTA TAVOLA IN MCCCLXV. Opera assai pregevole per molta espressione d'affetto e finezza di maniera. Essa fu data in intaglio dal prof. Rosini (*Storia della Pittura* ecc., II, 112), e novamente nella *Galleria dell'Accademia delle Belle Arti, incisa e illustrata* ecc. — † Di lui la Galleria Comunale di Prato possiede un'assai bella tavola in cinque compartimenti, con un gradino diviso in altrettante parti. Siede in quel di mezzo Nostra Donna col putto, e in quelli de' lati sono santa Caterina d'Alessandria e san Bernardo, a destra; san Bartolommeo e san Barnaba, a sinistra. Nel gradino è l'Annunziazione, la Vergine che apparisce a san Bernardo, e il Martirio di san Bartolommeo e di santa Caterina. Sotto la base del trono é scritto: EGO JOHANNES DE MEDIOLANO PINXI HOC OPUS; e sotto l'Annunziazione: FRATE FRANCESCO FECI DEPINGERE QUESTA TAVOLA. Formavano la base della stessa tavola altri sei compartimenti, ora divisi, che nel Catalogo della detta Galleria sono attribuiti alla scuola senese; ne' quali è rappresentata la Nascita di Cristo l'Adorazione de' pastori, la Presentazione al tempio, Cristo nel Monte, il Bacio di Giuda, e l'Andata al Calvario. Quest'opera fu scoperta da noi e descritta in un articolo stampato nel *Calendario Pratese*, anno VI. Un'altra tavola di Giovanni dice il Calvi (op. cit., pag. 91) di aver veduta in Milano, in un locale del già chiostro di Santa Caterina, dirimpetto all'Accademia di Belle Arti, nella quale era dipinto un Cristo morto seduto sul suolo e sostenuto da due angeli inginocchiati. Sotto vi era scritto: *Giovanni de Melano. 1365.*

santi, dove stavano i Frati Umiliati, che fu tenuta molto bella;[1] ed in Ascesi la tribuna dell'altar maggiore, dove fece un Crocifisso, la Nostra Donna e Santa Chiara, e nelle facciate e dalle bande istorie della Nostra Donna.[2] Dopo, andatosene a Milano, vi lavorò molte opere a tempera ed in fresco, e finalmente vi si morì. Taddeo, adunque, mantenne continuamente la maniera di Giotto, ma non però la migliorò molto, salvo che nel colorito,[3] il quale fece più fresco e più vivace che quello di Giotto; avendo egli atteso tanto a migliorare l'altre parti e difficultà di questa arte, che, ancorchè a questa badasse, non potette però aver grazia di farlo: laddove, avendo veduto Taddeo quello che aveva facilitato Giotto, ed imparatolo, ebbe tempo d'aggiugnere qualche cosa e migliorare il colorito. Fu sepolto Taddeo da Agnolo e Giovanni suoi figliuoli in Santa Croce nel primo chiostro, e nella sepoltura che egli aveva fatta a Gaddo suo padre; e fu molto onorato con versi da' virtuosi di quel tempo, come uomo che molto aveva meritato per costumi, e per

[1] *Il barone di Rumohr (*Ricerche italiane*, tom. II) pretende che questa tavola sia quella che al presente vedesi, non intera e molto malconcia, nella cappella Gondi Dini della medesima chiesa d'Ognissanti. Sono dieci figure di sante e santi ritti in piè; con sotto altre moltissime figure di santi in piccola dimensione; e si le une come le altre assai pregevoli, e da tenersi in molto miglior conto che oggi non si fa! — † Altri la crede di Niccolò Gerini.

[2] *Opera la più importante e grandiosa che di Giovanni da Milano rimanga. Il barone di Rumohr, il quale descrisse queste storie minutamente e con belle considerazioni critiche, dà pienissima fede al Vasari; e riconobbe in questo pittore tanti meriti singolari, da maravigliarsi che fin qui gli scrittori l'abbiano posto tra i maestri di second'ordine, mentre gli compete la gloria di essersi affaticato a superare il suo tempo. « Oh! (egli esclama) quanto più si parlerebbe « di lui, se il Vasari tanto ne avesse saputo, quanto bisognava a comporne una « vita! » (*Ricerche italiane*, tom. II). — † Ma i signori Crowe e Cavalcaselle osservano primamente che il Rumohr ha letto male il Vasari, il quale assegna a Giovanni da Milano le pitture della tribuna dell'altar maggiore, dove egli eseguì la Crocifissione, la Vergine e santa Chiara, e nelle pareti storie della Vita della Madonna; e non le pitture che sono nella crociera, le quali rappresentano fatti della Vita di Cristo e di san Francesco; in secondo luogo, queste storie che il Rumohr vuole di Giovanni da Milano, essi le riconoscono per opera di Giotto e de' suoi allievi.

[3] Gli ha dato più sopra maggior lode.

aver condotto con bell'ordine, oltre alle pitture, molte fabbriche nella sua città comodissime; e, oltre quello che s'è detto, per avere sollecitamente e con diligenza eseguita la fabbrica del campanile di Santa Maria del Fiore col disegno lasciato da Giotto suo maestro: il quale campanile fu di maniera murato, che non possono commettersi pietre con più diligenza, nè farsi più bella torre per ornamento, per spese e per disegno. L'epitaffio che fu fatto a Taddeo, fu questo che qui si legge:

Hoc uno dici poterat Florentia felix
Vivente: at certa est non potuisse mori.

Fu Taddeo molto resoluto nel disegno, come si può vedere nel nostro Libro, dov'è disegnata di sua mano la storia che fece nella cappella di Sant'Andrea in Santa Croce di Firenze.

COMMENTARIO

ALLA VITA DI TADDEO GADDI

Dopo il Vasari, che fu il primo a dirlo, quasi tutti gli scrittori della storia delle nostre arti ripeterono che Taddeo Gaddi continuò la loggia e il palazzo d'Or San Michele, cominciati da Arnolfo, e il campanile di Giotto, e diede il modello del Ponte Vecchio e di quello di Santa Trinita, rifatti dopochè erano stati rovinati dal diluvio del 1333. A noi, che per aver pigliato il non facile assunto d'illustrare le *Vite*, non possiamo esentarci dal cercare, secondo l'opportunità ed il comodo, la verità di molte cose raccontate dal Vasari, massime de' nostri vecchi maestri; è parso che il detto del Biografo rispetto alla parte che assegna a Taddeo in quegli edifizj, non fosse confermato dalla testimonianza di documenti contemporanei. Perciò ci siamo consigliati di esporre nel presente Commentario le ragioni storiche e critiche che ci fanno contradire al Vasari, e così togliere al Gaddi una lode, che appartiene ad altri, e della quale essi per ingiuria del tempo e degli uomini erano stati fino ad ora immeritamente spogliati.

E cominciando dal primo de' detti edifizj, diremo che sulla piazza di San Michele in Orto, detta volgarmente di Or San Michele, era in antico, destinata alla compra e vendita del grano, una loggia di pilastri di mattoni, bassa e non molto grande, che aveva il tetto di legname posato sui cavalletti, e con ampia grondaia. La rozzezza e semplicità della sua costruzione bene attestava della molta sua antichità; perchè non si cominciò che sul finire del secolo XIII ad inalzare in Firenze que' grandi edifizj pubblici, che anco oggi fanno la nostra meraviglia; come, per dire de' principali e più magnifici, il palazzo del Potestà, quello del Comune, e la chiesa di Santa Croce. Aveva questa loggia durato già da parecchi anni, quando avvenne che il feroce Neri degli Abati priore di San Piero Scheraggio, per odio di parte ed in vendetta de' suoi nemici, procurò nel 1304 quel terribile incendio, che in breve ebbe arso grandissimo numero di case, ed insieme con esse la loggia d'Or San Michele. Pure si può credere che il fuoco, consumato il tetto e la sua armatura, ne lasciasse in piedi, quantunque cotti ed affumicati, i pilastri. Ad ogni modo è certo che nel 1308 la Repubblica spese per racconciare la loggia trecento fiorini; e tredici anni dopo, cioè nel 1321, altri sessanta per rinnovare alcuni legnami, i quali per esser cattivi e marci, minacciavano, cadendo, di rovinarla.

Ma giudicandosi, come in fatto era, che quella loggia così povera, bassa ed oscura, non fosse degna d'una piazza posta nel bel mezzo della città; fu ordinato dalla Repubblica con solenne decreto del 1336, che una nuova, più ampia, bella e magnifica dai fondamenti se ne rifacesse, e che sopra di essa si costruisse un palazzo per riporvi e conservare il grano; dando la cura e il governo della sua costruzione all'arte di Por Santa Maria, ossia della Seta.

Il Vasari, e dopo di lui tutti gli scrittori dell' Arte, salvo alcuni moderni, essendo poco o niente informati della storia e delle vicende di questo grandioso edifizio, dicono, che esso fu cominciato da Arnolfo e poi continuato e compito da Taddeo Gaddi. Quanto ad Arnolfo, se si può con difficoltà concedere che architettasse l'antica loggia stata distrutta dall'incendio del 1304, oppure l'altra rifatta nel 1308; bisogna dall'altro lato negare risolutamente, che egli abbia dato il disegno della nuova insieme col palazzo, se l'una e l'altro ebbero principio, come è detto, nel 1336, cioè ventisei anni dopo la morte di quell'artefice.

Rispetto al Gaddi, noi confessiamo che l'autorità del Vasari e degli altri non può aver tanta forza da muoverci a tener per vero che egli continuasse e compisse quella fabbrica; essendoci buone ragioni ed argomenti da dubitare, che egli non solo non avesse nessuna parte nell'innalzamento di quella, ma che fuori della pittura non esercitasse altra arte. Che se si può ammettere, che il Gaddi pittore potesse intendersi di architettura (e questo doveva essere in que' tempi, ne' quali le arti come nate ad un corpo, e come rami sorti da un ceppo comune, si risguardavano unite, e l'apprendere l'una portava di necessità l'intelligenza delle altre); sarebbe contro la verità storica il credere, che egli sia stato ancora architetto: essendochè non poteva veramente chiamarsi con questo nome, se non colui che dell'architettura aveva non solo l'intelligenza, ma lo studio ed insieme l'esercizio.

Intanto nessuna memoria contemporanea ci scopre questa qualità in Taddeo: e il Ghiberti che parla a lungo di lui, non lo ricorda come architetto, e molto meno registra qualcuna delle opere che gli attribuisce il Vasari. Ora il silenzio delle antiche memorie, e del più antico scrittore delle cose dell'arte, ha per noi grandissimo peso. Ma soggiungeranno alcuni, troppo facili seguitatori dell'autorità del biografo Aretino: perchè vorrete voi negare questo rispetto al Gaddi, quando la storia ci ha conservato non pochi esempi di artefici che furono ad un tempo e pittori e scultori ed architetti? Avete forse dimenticato Giotto, pittore grandissimo ed insieme architetto di Santa Reparata e del suo stupendo campanile? E noi rispondiamo: il fatto di Giotto è verissimo, e non se ne può dubitare; ma ci si permetta di farvi su un poco di ragionamento.

Era in Firenze, com'è noto, diviso tutto il corpo de' cittadini in ventuna arte, delle quali, a' tempi di cui trattiamo, dodici eran dette *maggiori*, e le altre *minori*. E le maggiori per mezzo de' loro consoli e rettori, chiamati *le Capitudini*, avevano parte principale nelle deliberazioni del Comune, e si adunavano in Palazzo, quando il Capitano del Popolo, loro capo e difensore, teneva consiglio. Queste arti avevano leggi e statuti propri, detti *Brevi*, approvati dalla Repubblica; e secondo quelle leggi ciascuna si governava in tutto ciò che all'autorità de' magistrati ed all'esercizio de' suoi sottoposti s'apparteneva. Ora tra quelle leggi era principalissima, che nessuno potesse fare un'arte, se prima non fosse a quella matricolato. Ed in questo le disposizioni degli statuti erano concordi e severissime: e la storia ci ha conservato l'esempio di Filippo di ser Brunellesco, preso e carcerato per ordine de' consoli dell'arte de' Maestri, perchè, soprintendendo alla costruzione della cupola di Santa Maria del Fiore, faceva un'arte, alla quale non era ascritto.[1]

Giotto esercitava la pittura come arte sua propria, ed a questa solamente era matricolato. Ma il Comune che era sopra tutte le arti, poteva in certi casi particolari, e quando ne fosse resultato il benefizio pubblico, disporre diversamente da quello che le leggi loro ordinavano, ed ancora derogarvi a favore di un cittadino. Nel caso di Giotto, si trattava di preporre alla fabbrica di Santa Reparata un uomo che avesse fama e reputazione sopra tutti gli altri artefici; e la Repubblica fece quel decreto nel 1334, col quale eleggeva lui soprintendente a tutti gli edifizj del Comune, come il più grande maestro che fosse allora non solo in Firenze, ma in tutta la Cristianità. Vi bisognò dunque un decreto pubblico che abilitasse Giotto ad esercitare quell'arte. Nè contro quel decreto l'arte de' Maestri poteva fare opposizione di sorta.

Ma queste ragioni mancano in favore del Gaddi: perchè nè egli fu mai scritto nella matricola de' Maestri, nè si trova nessun decreto pubblico che lo abiliti a quell'esercizio. Nè per noi ha gran valore il fatto messo in

[1] Egli era matricolato all'arte della Seta, per il membro degli Orafi.

campo da alcuni, che egli fu del consiglio de' sei pittori, i quali insieme con i maestri di pietra e con gli orafi presentarono nel 1366 un modello, ciascuna arte di per sè, della nuova chiesa di Santa Reparata. Che se questo fatto dovesse provare in Taddeo la qualità d'architetto, dovrebbe egualmente provarla negli altri suoi cinque compagni e negli orafi. Il che è impossibile. Quando gli Operai di Santa Reparata chiamarono a formare quel modello uomini esercitanti arti diverse, non fu perchè gli stimassero ad uno ad uno come altrettanti architetti: salvo i maestri di pietra che avevano per propria l'architettura: ma, secondo il nostro parere, fu per tutt'altro intendimento. Negli edifizj di que' tempi, massime ne' religiosi, sono da considerare, oltre la forma generale, due principalissime qualità: cioè, l'ornativa e la pittorica, le quali concorrevano a dar loro un aspetto ed un carattere particolare. Ora gli Operai col richiedere tre modelli distinti della chiesa, vollero avere come un esempio di quello che era proprio e particolare a ciascuna arte. Così in quello de' maestri cercarono la generale e fondamentale forma architettonica dell'edifizio; nell'altro degli orafi, avvezzi a trattare cose gentili ed eleganti, l'ordine e la qualità degli ornamenti; e finalmente in quello de' pittori, una dimostrazione dell'armonica distribuzione dei marmi coloriti che dovevano rivestire la facciata e i fianchi della chiesa. E questo studio ed intelligenza degli effetti del colore apparisce spesso nelle fabbriche medievali. Chi mai dirà che il campanile di Giotto non mostri di essere stato disegnato da un architetto pittore? Chi non chiamerà opera pittorica i fianchi di Santa Maria del Fiore? Che se il moderno architetto della nuova facciata di Santa Croce, tenendo più conto di questa parte importante, avesse distribuito e variato i colori de' marmi con miglior proporzione ed armonia, è certo che il suo lavoro ne avrebbe acquistato grandezza maggiore e maestà meglio corrispondente a tutto l'edifizio, e sarebbe ancora riuscito più piacevole all'occhio.

Ora interrogando le memorie e i documenti contemporanei, noi sappiamo che nel 1337 erano già compiuti solamente i pilastri di pietre concie della nuova loggia[1] e che non si disegnò di chiuderne gli archi, se non dopochè la Signoria ebbe ordinato con decreto del 13 di luglio 1349 che sotto la loggia si edificasse una cappella in onore di sant'Anna, per memoria della cacciata del duca d'Atene, avvenuta nel giorno dedicato a quella santa. E di questa cappella furono capomaestri Neri Fioravanti e Benci di Cione, architetti fino a' nostri giorni quasi sconosciuti, ma di gran nome e molto adoperati al loro tempo dal pubblico e dai privati. E quantunque non si conosca chi primo fosse preposto alla costruzione della detta

[1] Villani, lib. xi, cap. 67.

loggia, pure non si può giammai pensare al Gaddi, essendo per tanti esempj manifesto, che la Repubblica in cosiffatte faccende era usata di servirsi de' maestri di pietra e architetti suoi stipendiati, o di quelli dell' Opera del Duomo: e volendo in questo caso mettere innanzi un nome, noi proporremmo Francesco Talenti, il quale fu, com' è noto, circa a que' tempi capomaestro del Duomo.

Rispetto poi al palazzo sopra la loggia d' Or San Michele, i documenti dimostrano che esso non si cominciò se non dopo il 1380, cioè quando furono chiusi gli archi della loggia, perchè meglio potessero reggere al peso della nuova fabbrica e che il merito d' aver soprinteso alla sua costruzione si deve a Simone figlinolo del sopraddetto Talenti.

Quanto all' aver Taddeo rifondato e ricostruito secondo il suo modello il ponte Vecchio, valgano in questo caso le medesime ragioni in genere che abbiamo assegnate per non riconoscere in lui l' autore della nuova loggia d' Or San Michele: non essendo ancora mancato chi ha dato più volentieri la lode di quell' opera a fra Giovanni da Campi architetto domenicano; il quale i Cronisti di quell' Ordine dicono che avesse il carico altresì di architettare il ponte di Santa Trinita: la cui costruzione fu allogata dal Comune di Firenze a quattro maestri di pietra, e tra questi al suddetto Neri Fioravanti.

L' ultima opera d' architettura attribuita dal Vasari al Gaddi è la continuazione e il compimento del campanile di Giotto. Per mostrare la vanità di questo suo asserto basti di ricordare che Antonio Pucci, scrittore contemporaneo, racconta nel suo *Centiloquio*,[1] che Giotto non condusse la costruzione di quell' edifizio che poco sopra i bassorilievi; che Andrea Pisano lo proseguì; e che toltagli la direzione del lavoro, per non esser riuscito a migliorarlo, fu data al sunnominato Francesco Talenti, il quale già nel 1351 lo aveva condotto fino alle ultime finestre.

[1] Canto LXXXV, sotto l' anno 1334.

ANDREA DI CIONE ORGAGNA

PITTORE, SCULTORE E ARCHITETTO FIORENTINO

(Nato nel 1308 ?; morto nel 1368)

Rade volte un ingegnoso è eccellente in una cosa, che non possa agevolmente apprendere alcun' altra, e massimamente di quelle che sono alla prima sua professione somiglianti, e quasi procedenti da un medesimo fonte; come fece l'Orgagna fiorentino,[1] il quale fu pittore, scultore, architetto, e poeta, come di sotto si dirà. Costui, nato in Fiorenza,[2] cominciò ancora fanciulletto a dar opera alla scultura sotto Andrea Pisano, e seguitò

[1] Il Baldinucci sostiene ch'egli debba chiamarsi Orcagna (che varrebbe, al dir suo, cambiator d'oro), fondandosi sopra un frammento di ricordo scritto al tempo del nostro artefice, che trovavasi nella Strozziana. Il Bottari crede l'Orcagna un errore di quel ricordo, ch'ei dice scorrettissimo. E il Della Valle oppone al ricordo una tavola, ove l'artefice stesso scrive Orgagna. — * Il barone di Rumohr tolse di mezzo ogni incertezza sulla vera origine del cognome di quest' artefice. Egli trovò scritto nei documenti dell'archivio dell'Opera del Duomo: *Andrea di Cione Arcagnuolo*; cognome che spesso venne accorciato in *Archagnio*, *Orchagnio*, *Orcagno*, e talvolta fu usato coll'articolo, come *l'Arcagnuolo*. Da ciò nacque che in progresso fu perduta la forma originaria, e mantenuta, come più comoda, la storpiatura di quel soprannome. (V. RUMOHR, *Ricerche italiane*, tom II; *Antologia* di Firenze, tom. III; note all'opera del Rio, *Della Poesia cristiana nelle sue forme*, traduzione italiana, stampata in Venezia, pei tipi del Gondoliere, 1841).

[2] † Il Vasari vorrebbe che Cione padre dell'Orcagna fosse orafo di professione. Ma noi abbiamo ragione di dubitarne, perchè nel libro della Matricola dell'Arte della Seta, alla quale fino dal 1321 furono riuniti gli orafi, non è registrato nessuno artefice di questo nome, nè ci è mai accaduto di trovarlo ricordato in altre antiche scritture.

qualche anno:[1] poi, essendo disideroso, per fare vaghi componimenti d'istorie, d'esser abbondante nell'invenzioni, attese con tanto studio al disegno, aiutato dalla natura che volea farlo universale; che, come una cosa tira l'altra, provatosi a dipignere con i colori a tempera e a fresco, riuscì tanto bene con l'aiuto di Bernardo Orgagna suo fratello,[2] che esso Bernardo lo tolse in compagnia a fare in Santa Maria Novella, nella cappella maggiore, che allora era della famiglia de' Ricci, la vita di Nostra Donna. La quale opera finita, fu tenuta molto

[1] † La prima professione di Andrea fu *certamente* la pittura, nella quale si può credere che fosse ammaestrato da suo fratello Nardo, e non Bernardo, come mostreremo più innanzi. Egli si matricolò tra i pittori forse nel 1343. Nove anni dopo apparisce tra i maestri di pietra e di legname. Nel libro originale della matricola di quest'arte si trova scritto: « *Andreas Cionis, vocatus Arcagnolus, pictor populi Sancti Michaelis de Vicedominis, juravit et promisit dicte arti, pro quo fideiussit Nerius Fioravantis magister in MCCCLII indictione sexta die XX ottubris (sic)* ». Il vedere che solamente nel 1352 l'Orcagna fu matricolato tra i maestri di pietra, mette in gran dubbio che egli non imparasse quell'arte, come dice il Vasari, da giovanetto, e sotto la disciplina di Andrea Pisano, il quale in quell'anno era già morto. Più naturale è il credere che l'apprendesse da Neri Fioravanti, il quale gli fece da mallevadore.

[2] † Oggi è cosa dimostrata dai documenti, che questo fratello di Andrea, chiamato Bernardo dal Vasari, ebbe nome Nardo, abbreviato da Lionardo. Così l'appella il Ghiberti, così è detto nel Ruolo de' Pittori scritti nella Compagnia di San Luca, pubblicato dal Gualandi, nè finalmente con altro nome è detto nel suo testamento fatto, essendo *corpore languens*, il 21 di maggio del 1365 e rogato da ser Filippo di ser Piero Doni da Castello (Archivio di Stato in Firenze; sezione del Diplomatico), alla presenza di Giovanni di Vita, di Bernardo di Corso, di Tato di Lapo, di Giovanni di Monte d'Alberto, di Bartolo di ser Geri, e di Niccolò di Tommaso. Questo Niccolò fu pittore, e facilmente suo discepolo, e di lui è in Napoli, nel coro della chiesa di Sant'Antonio Abate, un trittico che oltre la data del 1371, ha questa scritta: NICOLAUS TOMASI DE FLORĒ PICTŌ. Da questa scritta, per una strana e falsissima interpetrazione, si cavò fuori il nome di un Colantonio del Fiore, che si disse e si dice tuttavia pittore napoletano. Nel detto testamento maestro Nardo, che pare non avesse moglie, e neppure figliuoli, chiama eredi universali Andrea, Matteo e Jacopo suoi fratelli. A Nardo principalmente attribuisce il Ghiberti le pitture della cappella Strozzi e quelle del coro di Santa Maria Novella, nelle quali si può credere che fosse ajutato da Andrea suo fratello. Nel 1363 a' 24 ottobre fu deliberato dai Capitani della Compagnia di Santa Maria del Bigallo, che le pitture della volta dell'oratorio si dessero a dipingere a lui, non passando il prezzo di quaranta fiorini d'oro. (Vedi PASSERINI, *Curiosità storico-artistiche fiorentine.* Firenze, Jouhaud, 1866. *La Loggetta del Bigallo*; pag. 7).

bella; sebbene, per trascuraggine di chi n'ebbe poi cura, non passarono molti anni, che, essendo rotti i tetti, fu guasta dall'acque, e perciò fatta nel modo ch'ell'è oggi, come si dirà al luogo suo, bastando per ora dire che Domenico Grillandai, che la ridipinse, si servì assai dell'invenzioni che v'erano dell'Orgagna. Il quale fece anche in detta chiesa, pure a fresco, la cappella degli Strozzi, che è vicina alla porta della sagrestia e delle campane, in compagnia di Bernardo suo fratello. Nella quale cappella, a cui si saglie per una scala di pietra, dipinse in una facciata la gloria del Paradiso con tutti i Santi, e con varj abiti e acconciature di que' tempi. Nell'altra faccia fece l'Inferno con le bolgie, centri, ed altre cose descritte da Dante, del quale fu Andrea studiosissimo.[1] Fece nella chiesa dei Servi della medesima città, pur con Bernardo, a fresco, la cappella della famiglia de' Cresci;[2] e in San Pier Maggiore, in una tavola assai grande, l'Incoronazione di Nostra Donna;[3] e in San Romeo, presso alla porta del fianco, una tavola.[4]

[1] Dipinse, ma assai più tardi, cioè nel 1357, come si vedrà più sotto, anche la tavola dell'altare, che tuttavia si conserva, come le pitture delle pareti.

[2] Le pitture di questa cappella sono perite.

[3] *Questa tavola, della quale fino ad ora s'ignorava la sorte, è stata a questi giorni ritrovata, e comprata dai signori Francesco Lombardi e Ugo Baldi di Firenze per accrescere la loro importante raccolta di pitture antiche, da noi altre volte menzionata. È una grandissima ancona, divisa in tre spartimenti alla gotica. In quello di mezzo è Nostra Donna incoronata, con due angeli ai bracciali del trono, e due altri ai piedi in atto di adorazione, ed altri dieci inginocchiati nel davanti, suonando varj strumenti. Negli altri due spartimenti sono ventiquattro santi per banda, figure tutte inginocchiate e disposte con bella maniera in fila, a cinque ordini. Tra questi, alla destra, e più presso la Vergine, sta san Pietro colla croce e le chiavi, sostenendo sulle ginocchia il ritratto della chiesa di San Piero Maggiore. Oltre questa tavola principale, sono ancora venuti nelle mani dei suddetti altri nove pezzi molto più piccoli, che componevano il fornimento superiore di detta ancona, ne' quali in piccole e molto belle figure sono espressi i seguenti soggetti: la Nascita di Gesù, la Visita dei Re Magi, la Resurrezione, le Marie al Sepolcro, l'Ascensione, la Venuta dello Spirito Santo, la SS. Trinità, e negli ultimi due pezzi otto angeli per ciascuno. — † La tavola, insieme cogli altri pezzi, fu poi venduta al Museo Nazionale di Londra.

[4] *O più comunemente San Remigio. Di questa tavola, della quale il Vasari più sotto dice che v'era il nome, ma tace il soggetto, ignoriamo la sorte.

Similmente egli e Bernardo suo fratello insieme dipinsero a fresco la facciata di fuori di Santo Apollinare, con tanta diligenza, che i colori in quel luogo scoperto si sono vivi e belli maravigliosamente conservati insin a oggi.[1] Mossi dalla fama di quest'opere dell'Orgagna, che furono molto lodate, coloro che in quel tempo governavano Pisa, lo fecero condurre a lavorare nel Campo Santo di quella città un pezzo d'una facciata, secondo che prima Giotto e Buffalmacco fatto avevano. Onde, messovi mano, in quella dipinse Andrea un Giudizio Universale, con alcune fantasie a suo capriccio, nella facciata di verso il Duomo, allato alla Passione di Cristo fatta da Buffalmacco: dove, nel canto, facendo la prima storia,[2] figurò in essa tutti i gradi de'signori temporali involti nei piaceri di questo mondo, ponendogli a sedere sopra un prato fiorito e sotto l'ombra di molti melaranci, che, facendo amenissimo bosco, hanno sopra i rami alcuni Amori; che, volando attorno e sopra molte giovani donne, ritratte tutte, secondo che si vede, dal naturale di femmine nobili e signore di que'tempi (le quali per la lunghezza del tempo non si riconoscono), fanno sembiante di saettare i cuori di quelle; alle quali sono giovani uomini appresso e signori che stanno a udir suoni e canti, e a vedere amorosi balli di garzoni e donne che godono con dolcezza i loro amori. Fra'quali signori ritrasse l'Orgagna Castruccio signor di Lucca, e giovane di bellissimo aspetto, con un cappuccio azzurro avvolto intorno al capo e con uno sparviere in pugno; e appresso lui altri signori di quell'età, che non si sa chi sieno. In somma, fece con molta diligenza in questa prima parte, per quanto capiva il luogo e richiedeva l'arte, tutti i

[1] Queste pitture furono prima imbiancate; e poi, nella demolizione della chiesa, distrutte.

[2] *Cioè quella, dove è rappresentato il Trionfo della Morte.

diletti del mondo graziosamente. Dall'altra parte, nella medesima storia, figurò sopra un alto monte la vita di coloro che, tirati dal pentimento de' peccati e dal desiderio d'esser salvi, sono fuggiti dal mondo a quel monte, tutto pieno di santi romiti che servono al Signore, diverse cose operando con vivacissimi affetti. Alcuni, leggendo ed orando, si mostrano tutti intenti alla contemplativa; e altri, lavorando per guadagnare il vivere, nell'attiva variamente si esercitano. Vi si vede, fra gli altri, un romito che munge una capra, il quale non può essere più pronto nè più vivo in figura di quello che egli è. È poi da basso San Macario, che mostra a que' tre re, che, cavalcando con loro donne e brigata, vanno a caccia, la miseria umana in tre re che, morti e non del tutto consumati, giacciono in una sepoltura, con attenzione guardata dai re vivi, in diverse e belle attitudini piene d'ammirazione; e pare quasi che considerino, con pietà di se stessi, d'avere in breve a divenire tali. In un di questi re a cavallo ritrasse Andrea Uguccione della Faggiuola aretino, in una figura che si tura con una mano il naso, per non sentire il puzzo de' re morti e corrotti. Nel mezzo di questa storia è la Morte, che, volando per aria vestita di nero, fa segno d'avere con la sua falce levato la vita a molti che sono per terra, d'ogni stato e condizione, poveri, ricchi, storpiati, ben disposti, giovani, vecchi, maschi, femmine: ed insomma, d'ogni età e sesso buon numero.[1] E perchè sapeva che ai Pisani piaceva l'invenzione di Buffalmacco, che fece parlare le figure di Bruno in San Paolo a Ripa d'Arno, facendo loro uscire di bocca alcune lettere;[2] empiè l'Orgagna tutta quella sua opera di cotali scritti, de' quali la maggior

[1] Veramente fa segno, dice il Rosini, di voler mietere la vita di coloro che sono a destra, come già avea mietute quelle de' tanti che le stanno sotto i piedi.

[2] Già si è notato altrove, che non era invenzione di Buffalmacco. Di chiunque però si fosse, come seppe il Vasari che piaceva a' Pisani?

parte essendo consumati dal tempo, non s'intendono. A certi vecchi, dunque, storpiati fa dire:

Dacchè prosperitade ci ha lasciati,
O Morte, medicina d'ogni pena,
Deh vieni a darne omai l'ultima cena!

con altre parole che non s'intendono, e versi così all'antica, composti (secondo ho ritratto) dall'Orgagna medesimo, che attese alla poesia e a fare qualche sonetto. Sono intorno a que' corpi morti alcuni diavoli che cavano loro di bocca l'anime, e le portano a certe bocche piene di fuoco, che sono sopra la sommità d'un altissimo monte. Di contro a questi sono Angeli, che similmente a altri di que' morti, che vengono a essere de' buoni, cavano l'anime di bocca, e le portano volando in Paradiso. Ed in questa storia è una scritta grande, tenuta da due Angeli, dove sono queste parole:

Ischermo di savere e di ricchezza,
Di nobiltade ancora e di prodezza,
Vale neente ai colpi di costei;

con alcune altre parole che malamente s'intendono.[1] Di sotto poi, nell'ornamento di questa storia, sono nove Angeli, che tengono in alcune accomodate scritte motti volgari e latini, posti in quel luogo da basso, perchè in alto guastavano la storia; e il non li porre nell'opera pareva mal fatto all'autore, che li reputava bellissimi, e forse erano ai gusti di quell'età. Da noi si lasciano la

[1] *Il rimanente della scritta che il Vasari non si diè pena di leggere, è questo:

Ed ancor non si truova contra lei,
O lettore, nenno argomento.
Eh! non avere lo 'ntelletto spento
Di stare sempre inapparecchiato,
Che non ti giunga in mortale peccato.

Si trova riferito dal Grassi (*Descrizione stor. art. di Pisa*, II, 232).

maggior parte, per non fastidire altrui con simili cose impertinenti e poco dilettevoli: senza che, essendo il più di cotali brevi cancellati, il rimanente viene a restare poco meno che imperfetto. Facendo dopo queste cose l'Orgagna il Giudizio, collocò Gesù Cristo in alto sopra le nuvole, in mezzo ai dodici suoi Apostoli, a giudicare i vivi e i morti; mostrando, con bell'arte e molto vivamente, da un lato i dolorosi affetti de' dannati, che piangendo sono da furiosi demoni strascinati all'Inferno; e dall'altro, la letizia ed il giubilo de' buoni, che da una squadra d'Angeli, guidati da Michele Arcangelo, sono, come eletti, tutti festosi, tirati alla parte destra de' beati. Ed è un peccato veramente, che, per mancamento di scrittori, in tanta moltitudine d'uomini togati, cavalieri ed altri signori che vi sono effigiati e ritratti dal naturale, come si vede, di nessuno o di pochissimi si sappiano i nomi o chi furono. ben si dice che un papa che vi si vede, è Innocenzo IV, amico di Manfredi[1] Dopo questa opera,[2] ed alcune sculture di marmo fatte, con suo molto onore, nella Madonna ch'è in su la coscia del Ponte Vecchio, lasciando Bernardo suo fratello a lavorare in Campo Santo da per sè un Inferno, secondo che è descritto da Dante (che fu poi, l'anno 1530, guasto e racconcio dal

[1] *Qui è da supporre uno sbaglio di stampa, e debbe leggersi *nemico* e non *amico* che sarebbe contro le storie, le quali ci narrano a lungo la persecuzione implacabile di Innocenzo IV contro Federigo II, contro Manfredi suo figliuolo naturale, e gli ultimi rampolli della schiatta Sveva

[2] De' pregi e di tutte le particolarità di quest'opera vedi, oltre la *Descrizione* già citata del Campo Santo, le *Lettere* del professor Rosini e del De Rossi intorno al Campo Santo medesimo — † Già nel Commentario alla Vita di Stefano e d'Ugolino abbiamo congetturato, appoggiandoci al detto di uno scrittore anonimo de' primi anni del secolo XVI, che le pitture del Trionfo della Morte, dell'Inferno e del Giudizio non fossero di Andrea Orcagna nè di Nardo suo fratello, ma sibbene di Bernardo Daddi In esse i signori Crowe e Cavalcaselle (tom I, pag 440 e seg) trovano non solo diversità di maniera e di carattere dagli affreschi della cappella Strozzi, ma quel che è più, uno stile piuttosto senese che fiorentino, tantochè ne escludono l'Orcagna e si risolvono a crederle de' fratelli Lorenzetti, specialmente la storia di san Macario e de' Romiti

Sollazzino, pittore de' tempi nostri),[1] se ne tornò Andrea a Fiorenza; dove, nel mezzo della chiesa di Santa Croce, a man destra, in una grandissima facciata, dipinse a fresco le medesime cose che dipinse nel Campo Santo di Pisa, in tre quadri simili; eccetto però la storia dove San Macario mostra a' tre re la miseria umana, e la vita de' romiti che servono a Dio su quel monte. Facendo, adunque, tutto il resto dell'opera, lavorò in questa con miglior disegno e più diligenza che a Pisa fatto non avea, tenendo nondimeno quasi il medesimo modo nell'invenzione, nelle maniere, nelle scritte e nel rimanente; senza mutare altro che i ritratti di naturale, perchè quelli di quest'opera furono parte d'amici suoi carissimi, quali mise in Paradiso, e parte di poco amici, che furono da lui

[1] Il quale varió a capriccio la primitiva disposizione delle figure; come deducesi da una stampa dell'opera primitiva, pubblicata dal Morrona nella *Pisa illustrata*. L'opera, ad ogni modo, come deducesi dalla stampa medesima, era anche primitivamente troppo inferiore a quella, di cui piu sopra è parlato. Vedi anche intorno ad essa la *Descrizione* e le *Lettere* più volte citate. — † Il Sollazzino, che per proprio nome si chiamò Giuliano di Giovanni di Castellano da Montelupo, nacque in Firenze intorno al 1470. Nel 1506 abitava in Pistoja, dove fece compagnia all'arte con Giovan Battista di Stefano Volponi pittore pistojese. Essi nel 1500 dipinsero insieme, per la chiesa di San Giuseppe di quella città, uno stendardo che ancora esiste. Il Volponi vi fece da un lato san Giuseppe, e dall'altro il Sollazzino la Vergine dell'Umiltà, sotto la quale si legge il nome del pittore e il detto anno. Nel 1513 dipinse le tavola dell'altar maggiore per la chiesa di Santo Stefano del castello di Serravalle nel territorio pistojese, stata già allogata a Bernardino d'Antonio del Signoraccio. Nel 1516 fece alcune pitture negli sportelli dell'organo della pieve di Casole, nel territorio senese. Andato in ultimo a Pisa, vi dimorò fino alla sua morte, che accadde nel 1543. — *Prima del Sollazzino aveva ristaurato questa pittura Cecco di Piero nel 1379, secondochè mostra un documento scoperto dal prof. Bonaini (*Memorie inedite* ecc., pag. 103), ove si dice ch'egli fu adoperato « *per rachounciare in Champo Santo le dipinture del onferno guaste per li garzoni* ». Di questo Cecco di Piero, che nel 1370 lavorava in compagnia d'altri artefici in Campo Santo, e nel 1380 fu degli Anziani del popolo, per il quartiere di Ponte, stette in Pisa una tavola sino al 1711, nella chiesa di San Pietro in vinculis, a piè della quale era scritto: *Ceccus Petri de Pisis me pinxit A. D. 1386.* (Ciampi, *Notizie* ecc., p. 96). Due altre tavole segnate del nome di Cecco di Pietro, sono in mano del signor Remedio Bietro pittore, e del marchese De la Tour Dupin in Pisa, una delle quali appartenne già alla chiesa di Nicosia presso Calci. (Vedi Bonaini, *Memorie* citate, pag. 103, 104).

posti nell'Inferno. Fra i buoni si vede in profilo, col regno in capo, ritratto di naturale, papa Clemente VI, che al tempo suo ridusse il giubileo dai cento ai cinquanta anni, e che fu amico de' Fiorentini, ed ebbe delle sue pitture, che gli furon carissime. Fra i medesimi è maestro Dino del Garbo, medico allora eccellentissimo,[1] vestito come allora usavano i dottori, e con una berretta rossa in capo foderata di vai, e tenuto per mano da un Angelo; con altri assai ritratti che non si riconoscono. Fra i dannati ritrasse il Guardi, messo del Comune di Firenze,[2] strascinato dal diavolo con un oncino, e si conosce a' tre gigli rossi che ha in una berretta bianca, secondo che allora portavano i messi, ed altre simili brigate: e questo, perchè una volta lo pegnorò.[3] Vi ritrasse ancora il notaio ed il giudice che in quella causa gli furono contrarj. Appresso al Guardi è Cecco d'Ascoli, famoso mago di que' tempi: e poco di sopra, cioè nel mezzo, è un Frate ipocrito, che uscito da una sepoltura si vuol furtivamente mettere fra i buoni, mentre un Angelo lo scopre e lo spinge fra i dannati.[4] Avendo Andrea, oltre a Bernardo, un fratello chiamato Iacopo, che attendeva.

[1] Fu medico, nota il Bottari, di Giovanni XXI, detto XXII Il Marini però, negli *Archiatri Pontificj*, e il Tiraboschi nella *Storia letteraria*, mostrano di dubitarne Scrisse Dino più opere latine, mediche specialmente. oggi quasi più non si conosce di lui che il comento alla canzone di Guido Cavalcanti, *Donna mi prega* ecc , fatto volgare (dicesi) da un Iacopo Mangiatroje che visse sul finire del 300 Morì, nota pure il Bottari (correggendo una data della Cronaca del Sansovino) nel 1327 — † Scrisse di lui Filippo Villani nel suo libro *De civitatis Florentiae famosis civibus* Lo dice figliuolo di Buono, famoso chirurgo, ma tace che fosse medico di papa Giovanni suddetto

[2] † Guardi Mati del popolo di San Remigio fu messo dell'arte de' Mercatanti e non del Comune di Firenze Egli fece testamento nel 1403, rogato da ser Filippo di Cristofano e chiamò erede Iacopo detto Papino figliuolo d'Amato d Andrea Mati suo nipote *ex fratre*.

[3] Simile pittura parodiando un poco la maniera dantesca, avea già fatta nell'Inferno di Santa Maria Novella

[4] *Queste pitture erano nella parete dietro al pergamo, a destra di chi entra in chiesa Nel 1547 furono rinettate e lavate, oggi non esistono più (Vedi Moisè, *Santa Croce di Firenze, illustrazione storica* ecc , pag 110-11)

ma con poco profitto, alla scultura;[1] nel fare per lui qualche volta disegni di rilievo e di terra, gli venne voglia di far qualche cosa di marmo, e vedere se si ricordava de' principj di quell'arte, in che aveva, come si disse, in Pisa lavorato; e così, messosi con più studio alla pruova, vi fece di sorte acquisto, che poi se ne servì, come si dirà, onoratamente. Dopo si diede con tutte le forze agli studj dell'architettura,[2] pensando, quando che fusse, avere a servirsene. Nè lo fallì il pensiero, perchè, l'anno 1355, avendo il Comune di Firenze compero appresso al Palazzo alcune case di cittadini per allargarsi e fare maggior piazza, e per fare ancora un luogo dove si potessero ne' tempi piovosi e di verno ritirare i cittadini, e fare quelle cose al coperto che si facevano in su la ringhiera,[3] quando il mal tempo non impediva; feciono fare molti disegni per fare una magnifica e grandissima loggia vicina al Palazzo a questo effetto, ed insieme la Zecca[4] dove si batte la moneta: fra i quali disegni, fatti dai migliori maestri della città, essendo approvato universalmente ed accettato quello dell'Orgagna, come maggiore, più bello e più magnifico di tutti gli altri; per partito de' Signori e del Comune fu, secondo l'ordine di lui, cominciata la Loggia grande di piazza,[5] sopra i fon-

[1] † Dall'alberetto genealogico posto in fine di questa Vita si rileva che de' tre fratelli d'Andrea, il solo che si desse esclusivamente alla scultura fu Matteo. Jacopo, che il Vasari vorrebbe scultore, seguitò sempre la pittura. Ed è in manifesto inganno, allorchè lo fa autore, come vedremo più innanzi, delle sculture della porta a San Pier Gattolini, le quali furono lavorate nel 1328, quando Jacopo non era forse neppur nato, e da uno scultore chiamato Paolo di maestro Giovanni. (Vedi nel *Giornale degli Archivi Toscani*, vol. III, p. 282, il documento che riguarda quel lavoro).

[2] Della qual pure avea probabilmente già avuti i principj nella scuola pisana.

[3] † Vedi il Gaye, tom. I, pag. 500; ove sotto l'anno 1349 riferisce che si costruiva la ringhiera a piè del Palazzo. Vedi pure a pag. 513 una deliberazione del 21 dicembre 1362.

[4] Ciò fu nel 1361. (Vedi Gaye, tom. I, pag. 512).

[5] † Con decreto del general Consiglio de' 21 di novembre 1356 fu ordinato che si dovesse costruire presso il Palazzo pubblico una loggia, sotto la quale i

damenti fatti al tempo del duca d'Atene, e tirata innanzi con molta diligenza di pietre quadre, benissimo commesse.[1] E quello che fu cosa nuova in que' tempi, furono gli archi delle volte fatti non più in quarto acuto, come si era fino a quell'ora costumato; ma, con nuovo e lodato modo, girati in mezzi tondi,[2] con molta grazia e bellezza di tanta fabbrica, che fu in poco tempo per ordine d'Andrea condotta al suo fine E se si fusse avuto considerazione di metterla allato a San Romolo, e farle voltare le spalle a tramontana (il che forse non

Priori potessero riparare o per fuggire gli ardori della stagione estiva, e i freddi e le pioggie della invernale, allorchè si facevano le elezioni de' magistrati, si consegnava il bastone ai capitani di guerra, si armava cavaliere qualche benemerito cittadino o si facevano altre somiglianti cerimonie pubbliche Ma qual se ne fosse la cagione, passarono ancora vent'anni innanzi che quel decreto avesse il suo pieno effetto, il che fu nel 1376, nel qual anno furono comprate e demolite le case de' Baroncelli e di altri per gettare i fondamenti della Loggia, della quale il primo a dirne architetto l'Orcagna è il Vasari Il Ghiberti, scrittore di un secolo innanzi, e perciò più vicino a' tempi di quell'artefice, e quando non poteva esserne in tutto spenta la memoria, non la ricorda tra le cose di lui. E non par vero, che il Ghiberti, avendo detto che Andrea fu non solo nobilissimo maestro di pittura e di scultura, ma ancora grandissimo architettore, abbia poi taciuto di quest'opera della Loggia, dalla quale, se fosse stata veramente sua, sarebbegli seguitata gloria immortale La moderna critica ha provato che l'Orcagna, essendo morto nel 1368, e così otto anni innanzi che quel magnifico edifizio si cominciasse non poteva esserne stato l'architetto, e coll'aiuto de' documenti ha dimostrato che ad altri se ne debba dar la lode Infatti oggi sappiamo che alla costruzione della Loggia furono preposti come capomaestri Benci di Cione, e Simone di Francesco Talenti: architetti allora reputatissimi il primo de' quali, morto nel 1388, lavorò, come è stato detto, in Or San Michele e nel Palazzo del Potestà e dell'altro è noto che scolpì alcuni de' belli e ricchi ornati che chiudono le lunette della Loggia d'Or San Michele, e disegnò la semplice ed elegante facciata della chiesa di San Michele, ora dedicata a San Carlo (Vedi PASSERINI, *Curiosità storico-artistiche* La Loggia de' Priori)

[1] Chiesto il Buonarroti da Cosimo I di un disegno per la fabbrica de' Magistrati, gli scrisse che tirasse innanzi la Loggia dell'Orcagna, e con essa circondasse la piazza, per non si poter fare cosa migliore Ma quel principe fu atterrito dalla spesa

[2] Gli esempj d'archi a tutto sesto, ed anche di due generi d'archi uniti in un medesimo edifizio, si trovano in tutti i secoli di che vedi particolarmente l'opera del D'Agincourt, che ne reca non pochi, e fra essi alcuni singolarmente notabili nelle chiese toscane del secolo decimoterzo Le vere particolarità architettoniche della Loggia sono dottamente descritte dal Niccolini, dietro le osservazioni comunicategli da Giuseppe Del Rosso.

fecero per averla comoda alla porta del Palazzo), ella sarebbe stata, com'è bellissima di lavoro, utilissima fabbrica a tutta la città; laddove, per lo gran vento, la vernata non vi si può stare. Fece in questa Loggia l'Orgagna, fra gli archi della facciata dinanzi, in certi ornamenti di sua mano, sette figure di marmo, di mezzo rilievo, per le sette Virtù teologiche o cardinali,[1] così belle, che, accompagnando tutta l'opera, lo fecero conoscere per non men buono scultore, che pittore ed architetto; senza che fu in tutte le sue azioni faceto, costumato e amabile uomo, quanto mai fusse altro par suo. E perchè non lasciava mai per lo studio d'una delle tre sue professioni quello dell'altra, mentre si fabbricava la Loggia, fece una tavola a tempera con molte figure grandi, e la predella di figure piccole, per quella cappella degli Strozzi, dove già con Bernardo suo fratello aveva fatto alcune cose a fresco. Nella qual tavola, parendogli ch'ella potesse fare migliore testimonianza della sua professione, che i lavori fatti a fresco non potevano, vi scrisse il suo nome con queste parole: ANNI DOMINI MCCCLVII ANDREAS CIONIS DE FLORENTIA ME PINXIT.[2] Compiuta quest'opera, fece alcune

[1] † Delle Sette Virtù Teologali disegnate da Angelo Gaddi nel 1383 e 1386 la Fede, e la Speranza furono scolpite da Iacopo di Piero tedesco, la Giustizia, la Temperanza e la Fortezza da Giovanni di Fetto, e la Carità da Iacopo di Piero.

[2] Questa tavola, che ancor si trova al suo posto e abbastanza ben conservata, meritava d'esser descritta come una delle più belle del nostro artefice. Nel mezzo d'essa vedesi l'Eterno assiso, e in gran manto, con libro aperto (ove sono scritti alcuni versetti) nella destra, e le chiavi d'oro nella sinistra. Alla sua destra è la Vergine in piedi, con varj santi, fra i quali san Tommaso d'Aquino che riceve quel libro; alla sinistra sono gli altri santi, pure in piedi, e con essi san Pietro in ginocchio che riceve quelle chiavi. Nella predella poi sono tre storiette: l'una dal lato dell'Evangelio, che rappresenta un santo in atto di celebrare la messa, con un frate che sembra voglia scuoterlo da un'estasi, ed altri che cantano ad un leggio: dal lato dell'Epistola il medesimo, o un altro santo, sopra un letto mortuario, con varj astanti addolorati; un san Michele in aria, il quale tien le bilancie; più diavoli sotto, l'un de'quali vorrebbe far traboccar quella, in cui l'anima è sospesa: e un monte in distanza, ov'è un romito, demonj che fuggono ecc.: nel mezzo è un san Pietro aiutato da Cristo a passeggiar sull'acque, e una nave agitata dalla tempesta, con entro varj apostoli af-

pitture, pur in tavola, che furono mandate al papa in Avignone; le quali ancora sono nella chiesa cattedrale di quella città. Poco poi, avendo gli uomini della Compagnia d'Orsammichele messi insieme molti danari, di limosine e beni stati donati a quella Madonna per la mortalità del 1348, risolverono volerle fare intorno una cappella, ovvero tabernacolo, non solo di marmi in tutti i modi intagliati e d'altre pietre di pregio ornatissimo e ricco, ma di musaico ancora e d'ornamenti di bronzo, quanto più desiderare si potesse; intanto che per opera e per materia avanzasse ogni altro lavoro insino a quel dì per tanta grandezza stato fabbricato. Perciò, dato di tutto carico all'Orgagna, come al più eccellente di quell'età, egli fece tanti disegni, che finalmente uno ne piacque a chi governava, come migliore di tutti gli altri. Onde, allogato il lavoro a lui, si rimisero al tutto nel giudizio e consiglio suo. Perchè egli, dato a diversi maestri d'intaglio, avuti di più paesi, a fare tutte l'altre cose, attese con il suo fratello a condurre tutte le figure dell'opera; e, finito il tutto, le fece murare e commettere insieme molto consideratamente, senza calcina, con spranghe di rame impiombate, acciocchè i marmi lustranti e puliti non si macchiassono: la qual cosa gli riuscì tanto bene, con utile e onore di quelli che sono stati dopo lui, che a chi considera quell'opera pare, mediante cotale unione e commettiture trovate dall'Orgagna,[1] che tutta la cappella sia stata cavata d'un pezzo di marmo solo. E ancora ch'ella sia di maniera tedesca, in quel genere

faticati a governarla. — *Il Baldinucci, nella Vita dell'Orcagna, riferisce un documento molto lacero, il cui originale è tra le scritture Strozzi-Ugoccioni conservate nell'Archivio di Stato in Firenze, dal quale apparisce che Tommaso di Rossello Strozzi diede a dipingere, nel 1354, all'Orcagna una tavola per l'altare della cappella Strozzi in Santa Maria Novella, da doversi compire in 20 mesi. La qual tavola è quella stessa dal Vasari qui citata, e in questa nota descritta.

[1] Non sembra, per vero dire, che tali commettiture fossero ignorate dagli antichi.

ha tanta grazia e proporzione, ch'ella tiene il primo luogo fra le cose di que'tempi; essendo massimamente il suo componimento di figure grandi e piccole, e d'Angeli e Profeti di mezzo rilievo intorno alla Madonna, benissimo condotti. È maraviglioso ancora il getto dei ricignimenti di bronzo diligentemente puliti, che girando intorno a tutta l'opera la racchiuggono e serrano insieme; di maniera che essa ne rimane non meno gagliarda e forte, che in tutte l'altre parti bellissima. Ma quanto egli si affaticasse per mostrare in quell'età grossa la sottigliezza del suo ingegno, si vede in una storia grande di mezzo rilievo nella parte di dietro di detto Tabernacolo; dove, in figure d'un braccio e mezzo l'una, fece i dodici Apostoli che in alto guardano la Madonna, mentre in una mandorla circondata di Angeli saglie in cielo.[1] In uno de' quali Apostoli ritrasse di marmo sè stesso vecchio, com'era, con la barba rasa, col cappuccio avvolto al capo, e col viso piatto e tondo; come di sopra nel suo ritratto, cavato da quello, si vede. Oltre a ciò, scrisse da basso nel marmo queste parole: ANDREAS CIONIS PICTOR FLORENTINUS ORATORII ARCHIMAGISTER EXTITIT HUJUS, MCCCLIX. Trovasi che l'edifizio di questa Loggia e del Tabernacolo di marmo, con tutto il magisterio, costarono novantasei mila fiorini d'oro;[2] che furono molto bene spesi, perciocchè egli è

[1] Questa descrizione non è esatta. Due sono veramente i soggetti di questo grande bassorilievo. In basso è il Transito della Vergine, circondata dagli Apostoli, tutti intenti a rimirarla; in alto, e dentro una mandorla, la Vergine portata in cielo dagli Angeli. Gli altri bassirilievi intorno al basamento, dal Vasari non descritti, sono: I. Sul lato destro, la Nascita della Madonna, e l'Andata al Tempio; e in mezzo a questi, una formella più piccola, ov'è la Fede. II. Sul davanti, lo Sposalizio di Maria Vergine e l'Annunziazione, e in mezzo la Speranza. III. Sul lato sinistro, la Nascita di Nostro Signore e l'Adorazione dei Re Magi, colla Carità in mezzo. IV. Nella parte posteriore, la Presentazione al Tempio, e l'Angelo che annunzia alla Vergine di fuggire in Egitto. Troppo si richiederebbe a descrivere tritamente tutte le altre parti di questo ricco e maraviglioso lavoro.

[2] Nella prima edizione si legge 80,000; e forse questa, dice il Bottari, è la lezione più vera. — † Egual somma ripete il Ghiberti.

per l'architettura, per le sculture e altri ornamenti così bello, come qualsivoglia altro di que' tempi; e tale che, per le cose fattevi da lui, è stato e sarà sempre vivo e grande il nome d'Andrea Orgagna. Il quale usò nelle sue pitture dire: *fece Andrea di Cione scultore;* e nelle sculture: *fece Andrea di Cione pittore;*[1] volendo che la pittura si sapesse nella scultura, e la scultura nella pittura. Sono per tutto Firenze molte tavole fatte da lui;[2] che parte si conoscono al nome, come una tavola in San Romeo; e parte alla maniera, come una che è nel Capitolo del monasterio degli Angioli.[3] Alcune che ne lasciò imperfette, furono finite da Bernardo suo fratello, che gli sopravvisse, non però molt'anni.[4] E perchè, come si è detto, si dilettò Andrea di far versi e altre poesie, egli, già vecchio, scrisse alcuni sonetti al Burchiello, allora giovanetto.[5] Finalmente, essendo d'anni sessanta,

[1] Così il Francia pose *aurifex* ne' suoi quadri; *pictor*, nell'opere d'oreficeria. Così il Vecchietta senese, nelle statue della Loggia degli Uffiziali pose: *Laurentii Petri pictoris Opus*, e nella tavola del Duomo di Pienza: *Laurentii Petri sculptoris.*

[2] *La tavola col ritratto dell'Alighieri, che si vede a sinistra di chi entra nella Metropolitana fiorentina, fu fin qui tenuta comunemente per opera dell'Orcagna. Ma un prezioso documento trovato dal Gaye negli *stanziamenti dell'Opera*, ci scopre che l'autore di essa non è l'Orcagna, ma un *Domenico di Michelino*, scolare dell'Angelico, al quale fu allogata nel 30 gennaio 1465. (Gaye, *Carteggio inedito* ecc., tom. II, pag. v).

† Domenico di Francesco fu detto di Michelino, perchè da giovane stette in bottega di un Michelino forzerinaio, o lavorante di forzierini d'osso che si donavano alle spose per conservarvi gioie, orerie, ed altre cose preziose. Nacque nel 1417 e morì a'18 d'aprile 1491, e fu sepolto in Sant'Ambrogio. Oltre la tavola dell'Alighieri, finì di dipingere nel 1459 il gonfalone che Lorenzo di Puccio pittore fiorentino aveva cominciato per la Compagnia di Santa Maria delle Laudi in San Francesco di Cortona; e nel 1463 fece varie figure di santi dipinte nell'armario, dove tenevano il loro segno o stendardo gli uomini della Compagnia di San Zanobi di Firenze. (Vedi il vol. I, n. 59, della *Scrittura di Artisti Italiani* (sec. xiv-xvii), *riprodotta con la fotografia da Carlo Pini e corredata di notizie da Gaetano Milanesi.* Firenze, 1876, in-4).

[3] Non essendone qui indicato neppure il soggetto, è quasi impossibile (poichè essa non è più negli angioli) il rinvenirne il nascondiglio.

[4] † Abbiamo già veduto che Bernardo, o meglio Nardo, premorì ad Andrea suo fratello.

[5] † Che alcuni sonetti pubblicati col nome di Andrea Orcagna sieno veramente suoi, non dubitiamo; ma non ci pare da credere che il Burchiello ne indirizzasse

finì il corso di sua vita nel 1389,[1] e fu portato dalle sue case, che erano nella via vecchia de' Corazzai, alla sepoltura onoratamente.[2]

Furono nei medesimi tempi dell'Orgagna molti valentuomini nella scultura e nell'architettura, dei quali non si sanno i nomi, ma si veggono l'opere, che non sono se non da lodare e commendare molto: opera de' quali è non solamente il monasterio della Certosa di Fiorenza,[3] fatto a spese della nobile famiglia degli Acciaiuoli, e particolarmente di messer Niccola gran siniscalco del re di Napoli; ma le sepolture ancora del medesimo, dove egli è ritratto di pietra; e quella del padre e d'una sorella,[4] sopra la lapide della quale, che è di marmo, furono ambedue ritratti molto bene dal naturale, l'anno 1366. Vi si vede ancora di mano de' medesimi la sepoltura di messer Lorenzo, figliuolo di detto Niccola;[5] il quale morto a Na-

a lui alcuni altri: perchè l'età, in cui vissero entrambi, fa troppa forza. In fatti non può essere verosimile che l'Orcagna, morto, come vedremo, nel 1368, potesse avere corrispondenza di poesie con il Burchiello, vissuto più d'un mezzo secolo dopo, e morto in Roma nel 1448.

[1] *Se vero fosse quel che qui dice il Vasari, la nascita di Andrea sarebbe da porre all'anno 1329. Ma dal protocollo di ser Giovanni di ser Francesco Buonamichi da Firenze si ritrae che nel 1376 (e non nel 75, come riferisce il Manni nelle note al Baldinucci) Andrea Orcagna era morto. Da esso documento si raccoglie ch'egli ebbe in moglie una Francesca di Bencino Azzucci (Vaj), e due figliuole; l'una di nome Tessa, moglie di Ruggero di Benedetto; e l'altra Romola, moglie di Cristoforo Ristori. Questo documento è stato pubblicato dal prof. Bonaini nelle sue *Memorie inedite* ecc. più volte citate, a pag. 105 e 106. — † Noi crediamo che l'Orcagna morisse sul finire del 1368, sapendosi che ai 25 agosto di quest'anno, essendo egli malato assai grave, i Consoli dell'Arte del Cambio diedero a finire ad Iacopo suo fratello la tavola di San Matteo che gli avevano allogata a' 15 di settembre 1367, per un pilastro d'Or San Michele. Ora risalendo indietro dal 1368 per sessant'anni, che tanti gliene dà di vita il Vasari, la sua nascita sarebbe stata nel 1308.

[2] Nella prima edizione delle Vite dicesi fatto per lui quest'epitaffio:

HIC JACET ANDREAS QUO NON PRAESTANTIOR ALTER
AERE FUIT; PATRIAE MAXIMA FAMA SUAE.

[3] *Fondato nel 1341 dal solo Niccolò Acciaiuoli, senza il concorso della famiglia.

[4] *Cioè Acciajuolo di Niccola, e donna Lapa, sua figliuola, sorella del gran Siniscalco e moglie di Manente de' Buondelmonti.

[5] *Morto nel 1354.

poli fu recato in Fiorenza, ed in quella con onoratissima pompa d'essequie riposto. Parimente, nella sepoltura del cardinale Santa Croce della medesima famiglia, ch'è in un coro fatto allora di nuovo dinanzi all'altar maggiore, è il suo ritratto in una lapide di marmo, molto ben fatto, l'anno 1390.[1]

Discepoli d'Andrea nella pittura furono Bernardo Nello di Giovanni Falconi pisano, che lavorò molte tavole nel Duomo di Pisa;[2] e Tommaso di Marco fiorentino, che fece, oltr'a molte altre cose, l'anno 1392, una tavola che è in Sant'Antonio di Pisa, appoggiata al tramezzo della chiesa.[3] Dopo la morte d'Andrea, Iacopo suo fratello, che attendeva alla scultura, come si è detto, ed all'architettura, fu adoperato, l'anno 1328, quando si fondò e fece la torre e porta di San Piero Gattolini;[4] e si dice che

[1] *Intendasi, Angelo di Iacopo Acciaiuoli, già vescovo di Rapolla, poi di Firenze, creato cardinale nel 1385. Egli morì nel 1409, e non nel 1390, come pare che dica il Vasari, nè ebbe nel cardinalato il titolo di Santa Croce, ma di san Lorenzo in Damaso, e Ostiense. Il cardinale Fra Niccolò Albergati, bolognese, che fu certosino, e sepolto nella medesima Certosa, si disse il cardinale Santa Croce. Scambia l'autore quello da questo. — Il Litta ha scritto della famiglia Acciaiuoli nella sua veramente magistrale opera delle *Famiglie celebri italiane*, dove si possono vedere molto accurati intagli di tutti i bellissimi monumenti degli Acciaioli esistenti nella Certosa.

[2] *L'unico certo monumento che ne resta, è l'ultima storia fra quelle di Giotto, l'intaglio della quale si vede unito all'Adorazione de' Re Magi di Benozzo, nella collezione delle pitture del Campo Santo pisano incise dal Lasinio. (Rosini, *Storia della Pittura* ecc., vol. II, 7.)

[3] *Demolito il tramezzo, di questa pittura non s'ha più memoria. — † Noi crediamo che questo Tommaso di Marco sia lo stesso che Tommaso del Mazza, il quale fu matricolato tra i pittori all'Arte de' Medici e Speziali il 3 di giugno 1377. Costui fece compagnia all'arte con Pietro Nelli, e lo aiutò a dipingere la gran tavola della Pieve dell'Impruneta, fatta nel 1375. (V. *La Scrittura di Artisti* ecc., vol. I, num. 9 e 11.) Lavorò Tommaso in una cappella che è alla sinistra dell'altar maggiore della cattedrale di Prato, sei storie in fresco, tre della Vita di santo Stefano, e tre di quella di Maria Vergine, le quali, dopo essere state lunghi anni coperte dal bianco, sono a' nostri giorni ritornate in luce. Sappiamo ancora che per lo Spedale di Bonifazio dipinse nel 1391 una tavola, che oggi non si saprebbe dire se esista, e dove si trovi.

[4] *Il Villani dice nel 1327, il che è differenza di computo: ma allora Andrea Orcagna non era morto, e nemmeno (stando alle date del Vasari) era nato. — † Che questo lavoro della porta a San Pier Gattolini non potesse essere di

furono di sua mano i quattro marzocchi di pietra, che furono messi sopra i quattro cantoni del palazzo principale di Firenze, tutti messi d'oro.[1] La quale opera fu biasimata assai, per essersi messo in que' luoghi, senza proposito, più grave peso che per avventura non si doveva: ed a molti sarebbe piaciuto che i detti marzocchi si fussono piuttosto fatti di piastre di rame e dentro voti, e poi, dorati a fuoco, posti nel medesimo luogo, perchè sarebbono stati molto meno gravi e più durabili. Dicesi anco, che è di mano del medesimo il cavallo che è in Santa Maria del Fiore, di rilievo tondo e dorato, sopra la porta che va alla Compagnia di San Zanobi, il quale si crede che vi sia per memoria di Pietro Farnese, capitano de' Fiorentini;[2] tuttavia non sapendone altro, non l'affermerei. Nei medesimi tempi Mariotto nipote d'Andrea fece in Fiorenza, a fresco, il Paradiso di San Michel Bisdomini nella via de' Servi; e la tavola d'una Nunziata, come è sopra l'altare; e per Mona Cecilia de' Boscoli, un'altra tavola con molte figure, posta nella medesima chiesa presso alla porta.[3]

Iacopo, non tanto perchè fu fatto quand'egli non era nato, quanto perchè la sua professione fu sempre la pittura e non la scultura, l'abbiamo già detto a pag. 596 nota 1.

[1] *Un marzocco, mezzo consunto, vedesi sur una base a piè del pianerottolo del Palazzo Vecchio, sul canto che corrisponde sopra la gran fonte.

[2] *Questo cavallo, fatto di legno coperto di tela, fu tolto nel 1842, quando fu restaurata la Metropolitana. Ora è nel magazzino. Il Baldinucci, nella Vita di Paolo Uccello, riferisce una deliberazione degli Operai di Santa Reparata, estratta da un libro incominciato nel 1390, colla quale è allogata a disegnare a Angelo di Taddeo Gaddi e a Giuliano d'Arrigo, pittori, la sepoltura di Pietro Farnese, perchè l'antica era vecchia e non apparente e in luogo non atto; e un'altra sepoltura per Giovanni Acuto. Questa poi fu dipinta da Paolo Uccello; l'altra del Farnese, non si sa; ma forse gli Operai si contentarono di lasciar stare la vecchia.

[3] *Le pitture di Mariotto in San Michele Bisdomini (oggi san Michelino) sono perite.

† Veramente Mariotto di Nardo non appartiene alla famiglia dell' Orcagna, perchè egli non nacque da Nardo fratello d'Andrea, il quale non ebbe figliuoli, ma da un maestro Leonardo o Nardo di Cione scarpellino da Firenze, che nel 1380 lavorava dell'arte sua nel duomo di Siena, e nell'anno dipoi si obbligava di scolpire alcune colonne coi loro capitelli e basi per la chiesa di San Giusto di Vol-

Ma fra tutti i discepoli dell'Orgagna niuno fu più eccellente di Francesco Traini, il quale fece per un signore di casa Coscia, che è sotterrato in Pisa nella cappella di San Domenico della chiesa di Santa Caterina, in una tavola in campo d'oro, un San Domenico ritto,

terra. Intorno al qual Mariotto avendo raccolto varie notizie, riguardanti specialmente alcune sue opere di pittura che non si leggono registrate dal Vasari, non sarà senza qualche utilità per la storia dell'arte se le riferiremo qui brevemente. Dipinse dunque Mariotto nel 1398 per commissione degli operai del Duomo di Firenze la tavola dell'altare di una cappella fatta in detta chiesa ed intitolata alla Madonna della Neve. Nel 1411 fece il cartone dipinto che fu messo in opera da Fra Bartolommeo di Pietro domenicano nella grande finestra a vetri colorati del coro di San Domenico di Perugia. Mariotto si sottoscrisse nel lembo del manto di Santa Caterina, in questa forma: HOC · OPVS · MARIOCTVS NARDI DE · FLORENTIA PINSIT (SIC) (Vedi GUARDABASSI, *Indice-Guida dei Monumenti pagani e cristiani riguardanti l'istoria e l'arte, esistenti nella provincia dell'Umbria*. Perugia, Buoncompagni, 1872, a pag. 173). In compagnia di Francesco d'Iacopo Arrighetti pittore fiorentino prese a dipingere il 18 di luglio 1412 dai capitani della Compagnia di Santa Maria in Or San Michele la tavola della cappella di Paolo di Filippo Gucci Tolomei nella chiesa di Santo Stefano a Ponte: la qual tavola, dice il Vasari, che fu dipinta da Tommaso detto Giottino, e il Baldinucci che la descrive, da un Tommaso di Stefano di Fortunatino, artefice che non è mai esistito. Sulla porta di Santa Maria Primerana di Fiesole dipinse Mariotto in fresco nel 1413 una Nostra Donna con varj santi, allogatagli dallo spedalingo di Santa Maria Nuova, in esecuzione del lascito fatto con suo testamento del 12 ottobre 1400 da Madonna Margherita di Guglielmo Pieri, vedova di Onofrio Monachini. Nel medesimo anno ebbe a far per lo spedale di San Matteo in un archetto che era sopra la porta della chiesa, un San Matteo, ed in un altro sopra quella che metteva nello spedale delle Donne, una Maria Vergine, e nel 1415 gli fu allogata per l'altar maggiore della chiesa del detto spedale la tavola con la figura di San Matteo, che ora si vede nella Raccolta dello spedale di Santa Maria Nuova. Nel 1414 i Consoli dell'Arte della Lana gli fecero fare la tavola per l'altare della cappella di San Girolamo nella chiesa di San Lorenzo, costruita dalla detta Arte co' denari lasciati per testamento a questo effetto da Sandro d'Iacopo di Ghino, chiamato Sandro di monna Balda. L'ultima opera di Mariotto, di cui abbiamo memoria, è la tavola che nel 2 di marzo 1416 gli diedero a dipingere i Capitani della Compagnia di Santa Maria del Bigallo per l'altare del loro oratorio: nella quale doveva fare in mezzo una Nostra Donna seduta col Figliuolo in collo, e dalle bande san Pietro martire alla destra, e san Giovan Battista alla sinistra. Nella predella poi doveva andare una Pietà nel mezzo con Maria Vergine e san Giovanni Evangelista, e ne' lati una storietta di ciascuno de' detti santi: e dentro i compassi che erano nel colmo di detta tavola, essere in quel di mezzo il Crocifisso, e ne' due dallato l'Annunziata e l'Angelo Gabbriello. Fece Mariotto, essendosi ammalato gravemente, il suo testamento ai 21 d'aprile 1424, e nello stesso anno morì, lasciando erede una sua figliuola di nome Margherita, avuta da monna Gemma sua moglie.

di braccia due e mezzo, con sei storie della vita sua che lo mettono in mezzo, molto pronte e vivaci e ben colorite.[1] E nella medesima chiesa fece, nella cappella di San Tommaso d'Aquino, una tavola a tempera, con invenzione capricciosa che è molto lodata, ponendovi dentro detto San Tommaso a sedere, ritratto di naturale: dico di naturale, perchè i Frati di quel luogo fecero venire un'immagine di lui dalla Badia di Fossanuova, dove egli era morto l'anno 1323.[2] Da basso, intorno al San Tommaso, collocato a sedere in aria con alcuni libri in mano, illuminanti con i raggi e splendori loro il popolo cristiano, stanno inginocchioni un gran numero di dottori e cherici di ogni sorte, vescovi, cardinali e papi; fra i quali è il ritratto di papa Urbano VI. Sotto i piedi di San Tommaso stanno Sabello, Ario ed Averrois, ed altri eretici e filosofi, con i loro libri tutti stracciati. E la detta figura di San Tommaso è messa in mezzo da Platone che le mostra

[1] *Di questa tavola fu tutti gli scrittori era silenzio, quando nell'anno 1846 la sorte volle che fosse ritrovata dal prof. Francesco Bonaini. La parte di mezzo, separata da' suoi laterali, si conserva in buonissimo stato nella Galleria della Pisana Accademia, e rappresenta il patriarca san Domenico, nell'altezza precisatane dal Vasari. A questa appartiene l'altro pezzo, di forma piramidale, con la figura del Redentore, che vedesi anch'esso nella stessa Galleria. I due laterali furono ritrovati in una stanza terrena del Seminario, dove tuttavia si conservano; e in otto bellissime e conservatissime storie (e non sei, come per errore di memoria disse il Vasari) si rappresentano altrettanti fatti della vita di san Domenico. La iscrizione, spartita nei due pezzi laterali, mentre autentica maggiormente l'asserzione del Biografo aretino circa l'autore della tavola, ne corregge poi l'altro errore, ch'essa fosse fatta per volere di *un signore di casa Coscia*; imperciocchè è certo che fu allogata a Francesco di Traino da Giovanni Coco, operaio del Duomo, il quale dovette essere l'esecutore della volontà di Albizzo delle Stadere de' Casapieri; come, oltre ai documenti, mostra la precitata iscrizione che è nella parte inferiore dei due laterali, la quale è questa: HOC OPUS FACTUM FVIT TEMPORE DOMINI IOHANNIS COCI OPERARII OPERE MAIORIS ECCLESIE SANCTE MARIE PRO COMUNI PISANO PRO ANIMA DOMINI ALBISI DE STATERIIS DE PE.... SUPRADICTE. FRANCISCUS TRAINI PIN. Il Vasari confuse Giovanni Coco operaio con quel Marino di Giovanni Cossa di Napoli, morto nel 1418 e sepolto nella stessa chiesa di Santa Caterina. Dai riscontri dei libri dell'Opera del Duomo si ritrae, che nel 24 aprile del 1344 il lavoro era già incominciato, e che nel 9 luglio 1345 *Francesco dipintore condam Traino* l'aveva già condotta a fine. (Vedi *Memorie inedite* ecc., pag. 5 e seg.).

[2] *Qui è errore madornale. San Tommaso morì nel 1274.

il Timeo, e da Aristotile che le mostra l'Etica. Di sopra un Gesù Cristo, nel medesimo modo in aria, in mezzo ai quattro Evangelisti, benedice San Tommaso, e fa sembiante di mandargli sopra lo Spirito Santo, riempiendolo d'esso e della sua grazia.[1] La quale opera, finita che fu, acquistò grandissimo nome e lodi a Francesco Traini avendo egli nel lavorarla avanzato il suo maestro Andrea nel colorito, nell'unione, e nell'invenzione di gran lunga:[2] il quale Andrea fu molto diligente ne' suoi disegni, come nel nostro Libro si può vedere.[3]

[1] *Questa bellissima tavola, quantunque mutata dalla sua forma gotica in un rettangolo, ed in alcune parti ristaurata, tuttavia si può dire mantenuta in buon grado di conservazione, e vedesi nel terzo altare a sinistra entrando nella chiesa di Santa Caterina di Pisa. Quanto a papa Urbano VI, che si vuole dal Traini ritratto in questa tavola, osserveremo che il nome di esso pontefice si legge nella veste di una di quelle figure che stanno intorno al santo, la quale però non ha nessuna insegna pontificale. Il modo e il luogo dove questo nome è scritto, ci ha dato sempre forte sospetto che fossevi aggiunto posteriormente, ed il professor Bonaini, bene a proposito, osserva che quella scritta vi sia stata appiccata dipoi per adulare ad una boria di municipio, la quale pretende che Urbano VI fosse pisano. Nella tavola xx della *Storia* del prof. Rosini se ne vede un intaglio a semplice contorno.

[2] *Avremmo qualche dubbio se veramente il Traini fosse scolare di Andrea Orcagna. Gli statuti de' pittori senesi ordinavano che nessuno potesse tener bottega e fare o insegnare l'arte, se prima non fosse ascritto alla università dell'arte medesima. Ora, ammesso ragionevolmente che anche gli statuti fiorentini avessero una simile disposizione; come potè l'Orcagna, matricolato circa il 1343 all'arte de' Medici e degli Speziali, insegnare al Traini, che nel 1345 aveva dipinto la tavola del san Domenico, opera veramente stupenda, che svela la mano di un eccellente e provetto maestro? (Vedi Bonaini, nelle citate *Memorie inedite* ecc.) — † Forse non sarà stato discepolo dell'Orcagna, ma è certo che egli fu a lavorare nella sua bottega. In un libro d'entrata e uscita dell'Opera di San Giovanni Fuorcivitas di Pistoja (ora nell'Archivio dello Spedale di quella città), che comincia dal 1310 e va fino al gennajo del 1349, si legge nella prima carta: *Questi sono li migliori maestri di dipingiere che siano in Firenze per la tavola dell'opera di sancto Giovanni e quelli che meglio la fare' bona*. Dopo Taddeo Gaddi, Stefano, Andrea Orcagna, Nardo suo fratello, e Puccio Capanna, si nomina *maestro Francesco, lo quale istae in botegha dellandrea*. Non è dubbio che costui non sia il Traini.

[3] Circa all'andata dell'Orcagna ad Orvieto, della quale tace il Vasari, ed alle opere che fece in quel Duomo, vedi il Commentario che segue.

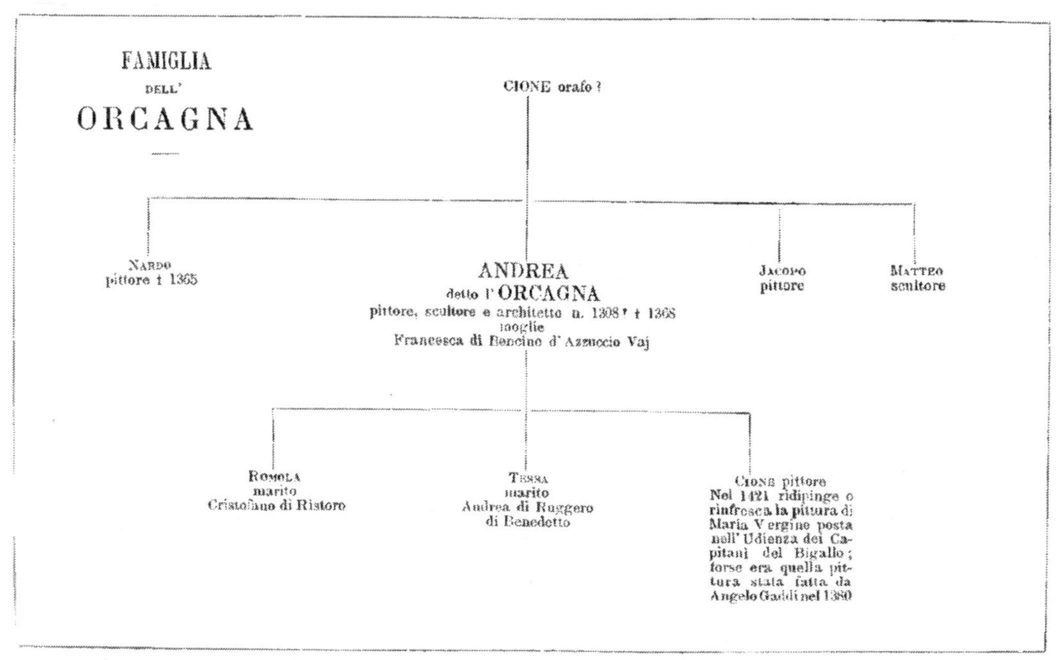
FAMIGLIA
DELL'
ORCAGNA
CIONE orafo ?
Nardo
pittore † 1365
ANDREA
detto l'ORCAGNA
pittore, scultore e architetto n. 1308 ? † 1368
moglie
Francesca di Bencino d'Azzuccio Vaj
Jacopo
pittore
Matteo
scultore
Romola
marito
Cristofano di Ristoro
Tessa
marito
Andrea di Ruggero
di Benedetto
Cione pittore
Nel 1421 ridipinge o rinfresca la pittura di Maria Vergine posta nell'Udienza dei Capitani del Bigallo; forse era quella pittura stata fatta da Angelo Gaddi nel 1380

COMMENTARIO

ALLA VITA DI ANDREA ORCAGNA

Dei lavori di Andrea Orcagna nel Duomo d'Orvieto

Dell'andata ad Orvieto del celebre Andrea di Cione detto l'Orcagna e delle cose da lui operate in servigio del magnifico tempio di quella città, nessuno degli storici delle arti nostre, che noi sappiamo, ha lasciato ricordo, salvo il Della Valle; il quale nella storia di quel tempio dà di questo fatto scarse, e, come e'suole, confuse ed inesatte notizie. Nella seconda gita fatta ad Orvieto per raccogliere materiali sulla storia dell'arte senese, volle la nostra buona fortuna, ajutata ancora dalla cortesia ed amorevolezza altrui, che ricercando con più diligenza ne'libri della Fabbrica di quel duomo, e in quelli dell'archivio del Comune, trovassimo intorno all'Orcagna scritture e memorie piuttosto abbondanti, per le quali non solo è meglio determinato il tempo e le circostanze dell'andata di Andrea ad Orvieto, ma ancora in gran parte accertato e messo in sodo quel che egli vi operasse.

Coll'aiuto adunque di queste scritture noi diremo brevemente tutto ciò che alla presente materia riguarda.

Da Firenze, dove allora attendeva al lavorio del pilastro o tabernacolo della chiesa d'Or San Michele, giunse l'Orcagna ad Orvieto ne'primi giorni del giugno del 1358, ed ai 14 del detto mese, alla presenza di due vicari di messer Egidio legato apostolico in quella città, de'signori Sette, dei soprastanti e del camarlingo della Fabbrica, fu condotto in capomaestro dell'Opera,[1] per il tempo d'un anno e coll'annuale stipendio

[1] Lo strumento di questa condotta, tratto dal Libro delle Riformanze del 1358 nell'Archivio del Comune d'Orvieto, fu pubblicato nel *Giornale Storico degli Archivi Toscani*, anno 1859, a pag. 100; negli *Scritti varj sulla storia dell'Arte Toscana* di G. Milanesi, Siena 1873, a pag. 233; e nel *Duomo d'Orvieto* descritto da L. Luzi. Firenze, Le Monnier.

di trecento fiorini d'oro, da pagarsegli per rata di 25 fiorini al mese, con questo patto, che se a' soprastanti, essendo già presso a finire quell'anno, piacesse di rinnovare la sua condotta, fosse tenuto esso maestro Andrea a servire l'Opera fino a cinque anni o meno, secondochè ai soprastanti predetti paresse; e che qualora essi non volessero più servirsi di lui, dovessero avergliele notificato quattro mesi avanti alla fine di ciascuno anno; e in ultimo che quando questa notificazione non fosse da loro fatta dentro detto tempo, s'intendesse maestro Andrea essere raffermo colle medesime condizioni e patti per l'anno seguente.

Dopo questa convenzione, ritornato l'Orcagna prestamente a Firenze, riprese il lavorìo di Or San Michele, attendendo con gran diligenza e sollecitudine a mandarlo innanzi. Ma non erano ancora passati sette mesi, che egli per le continue istanze de' soprastanti della Fabbrica fu forzato di andare nuovamente ad Orvieto; dove giunto ai 7 di febbraio del 1359, in compagnia di Matteo di Cione suo fratello e maestro di pietra; sconosciuto fino ad ora a quanti scrissero della famiglia di Andrea; esaminò le cose fatte e provvide a quelle da farsi per utilità dell' Opera del Duomo; e dopo quattordici giorni se ne partì alla volta di Firenze, molto carezzato e onorato dagli Orvietani, i quali, il giorno innanzi alla sua partenza, gli diedero nelle stanze dell' Opera un desinare, convitandovi i migliori artefici che allora fossero nella loro città, come Consiglio di Monteleone maestro di vetro, l'architetto Andrea da Siena, Matteo da Bologna maestro di pietra, Ugolino di prete Ilario pittore, e Giovanni Leonardelli, frate di San Francesco, parimente pittore e musaicista.

Erano già trascorsi altri otto mesi, quando l'Orcagna, parendogli che poco più restasse a compiere il lavorìo d'Or San Michele, si dispose di ritornare ad Orvieto. Messosi perciò in cammino ai 14 di ottobre del 1359, insieme con il detto Matteo suo fratello, fu in quella città ai 18 del detto mese. Venuto alla presenza del vicario del Legato apostolico, de' signori Sette e de' soprastanti, prese il suo ufficio di capomaestro dell' Opera e della fabbrica di Santa Maria, prestando solenne giuramento di bene e lealmente esercitarlo. E avendo posto, fin dal 29 del detto mese, ai servigi dell' Opera detto Matteo, collo stipendio mensuale di otto fiorini, si diede Andrea a fare con diligenza il suo ufficio; e già nel dicembre erasi con suo ordine cominciata nella faccia dinanzi della chiesa una finestra di pietre rosse. Quando richiesto agli Orvietani dalla Signoria di Firenze, la quale aveva bisogno di lui per certe sue faccende, e più specialmente per il lavorìo di Or San Michele, si restituì Andrea alla patria negli ultimi giorni del febbraio del 1360; e tanto vi dimorò, che gli Orvietani, aspettato più mesi che tornasse, scrissero finalmente alla Signoria predetta che le piacesse di dargli licenza. Ond'essa, accompagnandolo con lettera degli

8 di agosto, nella quale lo scusava dell'indugio, rimandò l'Orcagna ad Orvieto.[1]

Ma perchè gli Orvietani erano forse rimasti poco soddisfatti di lui, tenuto spesso e per lungo tempo lontano dalla Fabbrica per cagione de' lavori che tuttavia aveva a fare in Firenze; non passò un mese, che gli tolsero il carico di capomaestro: e così ai 12 di settembre dell'anno predetto, pagatogli ciò che restava ad avere per suo salario, facendone Andrea fine e generale quietanza, di comune consenso cassarono e annullarono il contratto della sua condotta. Rimase nondimeno l'Orcagna in Orvieto, trattenutovi da una storia di musaico che egli fino dal dicembre dell'anno precedente, con il vetro arrecato di Venezia da Don Nino da Firenze, aveva preso a fare nella facciata del Duomo, e già postovi mano; il qual lavoro, ai 16 del detto mese di settembre, promise e si obbligò di compiere nello spazio di tre mesi, e per quel prezzo e mercede che da quattro maestri a ciò nominati, due dalla parte dell'Opera e due da quella di Andrea, sarebbe stato giudicato.[2] Compiuta che ebbe Andrea la sua storia di musaico; la quale, secondo la misura fattane da Petruccio di Vanni, maestro di abbaco, fu di 81 spanna e 5 undecimi di spanna, misurando alla spanna

[1] Questa lettera, che il Gaye pubblicò per estratto, traendola dagli spogli dello Strozzi, la diamo ora per intero, secondo che si legge nei Registri originali delle lettere del Comune di Firenze: « Nobilibus et potentibus viris Septem de Urbevetano populo, amicis karissimis. Amici karissimi. Recolimus, preponentes opportunitatibus nostris, amicabiles vestras preces, magistro Andree dicto Orcagno, presidente laborerio nostri oratorii, quod ad honorem gloriose Virginis matris Dei construi facimus in platea que dicitur sancti Michaelis in Orto, licentiam prebuisse, ut relicto dicto magisterio, ad presentiam vestram accederet, que sibi velletis circa constructionem vestre matris Ecclesie committere, sue virtutis industria fideliter impleturus. Post que accidit, ut eius egentes presentia, rogatu nostro licentiastis eumdem, ut ad nostram presentiam se conferret: qui ultra quam crederemus opus existere, coactus fuit, supervenientibus necessitatibus que sine eo expediri commode non valebant; Florentiae, contra eius placitum, residere: et licet de reditu ad vos omni studio sollecitudinem adhiberet, impetrare non potuit quod volebat; et sic evenit, quod plures et plures menses et ultra, invitus quodammodo hic fuit. Quem modo vestram presentiam repetentem intime vestre amicitie commendamus, rogantes illam attente, quatenus moram suam, gratam velitis contemplatione nostra suscipere, ipsum in singulis que habet vobiscum agere, propitiis favoribus ac benignitate solita pertractantes; non sibi, set nobis imputantes, si quid votis vestris contrarium peregisset. Data Florentie, die viij augusti, xiij inditione ». (Archivio di Stato in Firenze. Carteggio della Repubblica, Missive, I, Cancelleria, num. 10, a c. 144).

[2] L'allogazione di questo lavoro tratta da un Memoriale del Camarlingo dell'opera del Duomo d'Orvieto, conservato nell'Archivio Comunale di quella città, si può vedere riferita ne' citati libri del *Giornale Storico* ecc., degli *Scritti varj* ecc., e del *Duomo d'Orvieto* ecc.

del Comune di Orvieto, cioè al tondo, venne da Roma in Orvieto ai 10 di febbraio del 1361, chiamatovi dai soprastanti, Nello di Giacomino maestro di musaico, e veduto quel lavoro, ne diede il suo parere, il quale se contrario o favorevole fosse, non si sa Si può nondimeno credere che tra i soprastanti e l'Orcagna ci fossero per questa cagione e per qualche tempo delle questioni, perchè solamente più d'un anno dopo che il musaico era stato finito, furono chiamati i maestri che dovevano giudicare di quel lavoro e del prezzo suo, cioè dalla parte dell'Orcagna, maestro Ugolino pittore e maestro Jacopo di Lotto da Orvieto, e da quella dell'Opera, maestro Matteo di Cecco da Assisi e maestro Paolo di Matteo, i quali vedutolo, ed attentamente esaminatolo, dissero ai 10 di settembre del 1362, che sebbene la detta opera del musaico non avesse fino a quell'ora fatta mutazione, salvo nei colori messi sopra il vetro e lo stucco, i quali erano mancati, pure per cagione della mala commettitura de' vetri e del non esser piano nè il campo nè le figure, essi non credevano che quel lavoro potesse lungamente durare. Non ostante questo giudizio così sfavorevole, i soprastanti, forse per cessare ogni altra lite e questione, ordinarono due giorni dopo, e così ai 15 di settembre del 1362, che all'Orcagna, per provvisione, salario e mercede dell'opera del musaico, fossero pagati sessanta fiorini d'oro

Fin qui giungono le memorie che riguardano l'Orcagna in Orvieto Il Della Valle dice, che egli si trova nominato nei libri dell'Opera fino al 1367, ma questo è un errore, perchè sotto quell'anno è bensì ricordato tra' maestri ai servigi del Duomo d'Orvieto un Andrea da Firenze, scarpellino; ma basta, per dichiararlo persona diversa dall'Orcagna, il vedere che egli aveva per salario otto soldi al giorno.

TOMMASO DETTO GIOTTINO

PITTORE FIORENTINO

(Nato ....; morto ....)

Quando fra l'altre arti quelle che procedono dal disegno si pigliano in gara, e gli artefici lavorano a concorrenza, senza dubbio esercitandosi i buoni ingegni con molto studio, trovano ogni giorno nuove cose per sodisfare ai vari gusti degli uomini. E, parlando per ora della pittura, alcuni ponendo in opera cose oscure e inusitate, e mostrando in quelle la difficultà del fare, fanno nell'ombre la chiarezza del loro ingegno conoscere. Altri lavorando le dolci e delicate, pensando quelle dover essere più grate agli occhi di chi le mira per avere più rilievo, tirano agevolmente a sè gli animi della maggior parte degli uomini. Altri poi dipingendo unitamente, e con abbagliare i colori, ribattendo a'suoi luoghi i lumi e l'ombre delle figure, meritano grandissima lode e mostrano con bella destrezza d'animo i discorsi dell'intelletto: come, con dolce maniera, mostrò sempre nelle opere sue Tommaso di Stefano detto Giottino;[1] il quale essendo nato l'anno 1324, dopo l'avere imparato da suo

[1] * Vedendo come nel vecchio libro de' pittori non si trova registrato nessun Tommaso figliuolo di Stefano, ma bensì un *Giotto di Maestro Stefano dipintore*, 1368, noi credemmo che tale fosse il vero nome di questo artefice, e che tanto il Ghiberti, quanto il Vasari sbagliassero; questi col dirlo Tommaso di

padre i primi principj della pittura, si risolvè, essendo ancor giovanetto, volere, in quanto potesse con assiduo studio, esser imitatore della maniera di Giotto, piuttosto che di quella di Stefano suo padre. La qual cosa gli venne così ben fatta, che ne cavò, oltre alla maniera che fu molto più bella di quella del suo maestro, il soprannome di Giottino, che non gli cascò mai: anzi fu parere di

Stefano; quegli, Maso semplicemente. Alla congettura nostra ora cresce valore un documento trovato dal prof. Bonaini nei libri dei conti del Duomo pisano; dove, all'anno 1369, è registrata una spesa di 70 lire date a un Giotto pittore, per due scrigni da offrirsi in dono alla dogaressa Margherita dell'Agnello: « *libras septuaginta denariorum pisanorum* (dice il documento) *expensas in duobus scrinei emptis a Giotto pictore pro donando domine Dughesse etc. Actum etc. anno millesimo trecentesimo sexagesimo nono etc.* ». (Bonaini, *Memorie inedite* ecc., p. 63). Sennonché il Del Migliore vuole invece ch'egli fosse un Tommaso di Domenico, del popolo di Santa Maria Novella: « *Tomas pictor filius Dominici populi Sancte Marie Novelle emit bona etc. anno 1334* », come trovasi ne'documenti. Ciò non ostante, noi siam fermi nel credere che il vero nome sia Giotto di Stefano, anche perchè esso ci spiega bene il soprannome di Giottino dato a questo pittore.

† Queste, che trent'anni indietro potevano essere buone e ragionevoli congetture, considerate le cognizioni d'allora, cadono oggi in gran parte, per la testimonianza di nuovi documenti, e mediante un più diligente esame de'già conosciuti: dai quali ci pare che sia levata via parte della incredibile confusione che è in questa Vita. Per noi è chiaro adesso che il Vasari di due pittori diversi e de'loro nomi distinti ne abbia composto un artefice e un nome solo; formando di Maso e di Giotto un pittore, che egli chiama Tommaso detto Giottino. Questa confusione non è al certo in Filippo Villani e nel Ghiberti, i quali parlando di un Maso (che così ebbe nome, e non Tommaso), discepolo di Giotto, l'uno lo dice gentilissimo, e l'altro nobilissimo pittore, registrandone le principali opere. Ora ricercando le antiche memorie, noi troviamo che in Firenze fu un pittore, di nome Maso figliuolo di Banco, matricolato all'arte innanzi al 1343 ed ascritto alla Compagnia di San Luca nel 1350; e che dopo quest'anno non si hanno di lui altri ricordi. E troviamo altresì quasi contemporaneo di Maso un altro pittore chiamato Giotto di maestro Stefano, cioè figliuolo di quello Stefano pittore, di cui si legge la Vita nel presente volume. Di questo Giotto che fu detto Giottino, o per differenziarlo dal suo celebre omonimo, o perchè fu di poca persona, le memorie che abbiamo non passano il 1369. Egli ebbe un figliuolo di nome Stefano che fece l'arte paterna, e morì nel 1404. Il Vasari, avendo fatto di due artefici un solo, attribuisce senza discernimento al suo Tommaso detto Giottino le opere che il Ghiberti assegna a Maso, e quelle che sappiamo essere di Giotto di maestro Stefano. Un terzo artefice, anch'esso distinto dai sopraddetti, ma che il Vasari confonde con loro, è Tommaso di Stefano, matricolato all'arte de'maestri di pietra il 20 dicembre 1385, il quale può essere che abbia scolpito una statua pel campanile di Giotto, attribuita dal Ghiberti a Maso, dal Vasari al suo Tommaso detto Giottino.

molti, e per la maniera e per lo nome, i quali però furono in grandissimo errore, che fusse figliuolo di Giotto; ma in vero non è così, essendo cosa certa, o per dir meglio credenza (non potendosi così fatte cose affermare da ognuno), che fu figliuolo di Stefano pittore fiorentino.

Fu, dunque, costui nella pittura sì diligente e di quella tanto amorevole, che sebbene molte opere di lui non si ritrovano, quelle nondimeno che trovate si sono, erano buone e di bella maniera; perciocchè i panni, i capelli, le barbe e ogni altro suo lavoro furono fatti e uniti con tanta morbidezza e diligenza, che si vede ch'egli aggiunse senza dubbio l'unione a quest'arte, e l'ebbe molto più perfetta che Giotto suo maestro e Stefano suo padre avuta non aveano. Dipinse Giottino nella sua giovinezza, in Santo Stefano al Ponte Vecchio di Firenze, una cappella allato alla porta del fianco, che sebbene è oggi molto guasta dalla umidità, in quel poco che è rimaso si vede la destrezza e l'ingegno dell'artefice.[1] Fece poi al Canto alla Macine, ne' Frati Ermini, i SS. Cosimo e Damiano, che, spenti dal tempo ancor essi, oggi poco si veggono.[2] E lavorò in fresco una cappella nel vecchio San Spirito di detta città, che poi nell'incendio di quel tempio rovinò; ed in fresco, sopra la porta principale

[1] Il Vasari sembra qui accennare a pitture in fresco; il Cinelli dice invece ch'era una tavola. Checchè si fosse, la pittura è da gran tempo perita.

† Questa cappella allato alla porta del fianco apparteneva ai Gucci Tolomei. Nella Vita dell'Orcagna abbiamo mostrato che almeno la tavola fu dipinta da Mariotto di Nardo e da Francesco Arrighetti nel 1412. (V. a p. 610, nota 3).

[2] Pittura anch'essa perita colla chiesa, o assai prima della chiesa, ove trovavasi. — † L'autore anonimo magliabechiano giá citato, che fa distinzione fra le pitture di Maso, e quelle di Giotto di maestro Stefano, dà a questo la pittura del Canto alla Macine, il tabernacolo sulla piazza di San Spirito, i tre archetti nel primo chiostro del detto convento, le pitture d'Ognissanti, e la Pietà nel monastero di San Gallo. A Maso poi, seguendo il Ghiberti, assegna un altro tabernacolo nella detta piazza, le storie nella cappella di San Silvestro e Costantino in Santa Croce e la pittura del Duca d'Atene e de'suoi complici nella facciata del Palazzo del Potestà.

della chiesa, la storia della missione dello Spirito Santo,[1] e su la piazza di detta chiesa, per ire al Canto alla Cuculia, sul cantone del convento, quel tabernacolo che ancora vi si vede, con la Nostra Donna e altri Santi d'attorno, che tirano e nelle teste e nell'altre parti forte alla maniera moderna, perchè cercò variare e cangiare le carnagioni, ed accompagnare nella varietà de' colori e ne' panni, con grazia e giudizio, tutte le figure.[2] Costui medesimamente lavorò in Santa Croce, nella cappella di San Silvestro, l'istorie di Costantino con molta diligenza, avendo bellissime considerazioni nei gesti delle figure; e poi, dietro a un ornamento di marmo fatto per la sepoltura di messer Bettino de' Bardi, uomo stato in quel tempo in onorati gradi di milizia, fece esso messer Bettino di naturale armato, che esce d'un sepolcro ginocchioni, chiamato col suono delle trombe del Giudizio da due Angeli, che in aria accompagnano un Cristo nelle nuvole, molto ben fatto.[3] Il medesimo in San Panciazio fece, all'entrar della porta a man ritta, un Cristo che porta la croce, ed alcuni Santi appresso, che hanno espressamente la maniera di Giotto.[4] Era in San Gallo

[1] Storia che fu poi imbiancata.

[2] Il tabernacolo fu ridipinto, e poi demolito.

[3] *Le storie di san Silvestro, e l'altra di messer Bettino de' Bardi che risorge per presentarsi al giudizio finale, esistono tuttavia sufficientemente conservate. Il Vasari non considerò la bella Deposizione di Croce ch'è accanto al monumento di messer Bettino, opera certamente dello stesso pittore.

† Un messer Bettino o Ubertino de' Bardi non visse a' tempi del pittore, mentre è certo che un Ubertino, unico di questo nome in quella casata, morì il 21 di giugno 1413. Perciò il monumento di Santa Croce non appartiene a lui, nè egli fece fare quelle pitture, ma l'equivoco del Vasari si chiarisce facilmente, se si pensa che nell'inventario di quella chiesa fatto nel 1440, descrivendosi la cappella di San Silvestro, fu notato che il monumento era di Ubertino de' Bardi, non perchè vi si conservassero le sue ossa, ma perchè apparteneva a lui, come discendente di quel ramo. Invece conteneva il corpo di messer Andrea, uomo illustre della famiglia, morto nel 1367. E di questo sempre più ci persuadiamo, vedendo in uno degli stipiti del monumento l'immagine dipinta di sant'Andrea.

[4] Pittura perita assai prima, forse, che la chiesa ove trovavasi, fosse adattata all'uopo della R. Lotteria.

(il qual convento era fuor della porta che si chiama dal suo nome, e fu rovinato per l'assedio) in un chiostro, dipinta a fresco una Pietà, della quale n'è copia in San Pancrazio già detto, in un pilastro accanto alla cappella maggiore. Lavorò a fresco in Santa Maria Novella, alla cappella di San Lorenzo de' Giuochi, entrando in chiesa per la porta a man destra, nella facciata dinanzi un San Cosimo e San Damiano;[1] ed in Ognissanti, un San Cristofano e un San Giorgio, che dalla malignità del tempo furono guasti e rifatti da altri pittori, per ignoranza d'un proposto, poco di tal mestiere intendente. Nella detta chiesa, è di mano di Tommaso, rimaso salvo l'arco che è sopra la porta della sagrestia, nel quale è a fresco una Nostra Donna col Figliuolo in braccio; che è cosa buona, per averla egli lavorata con diligenza.[2]

Mediante queste opere avendosi acquistato tanto buon nome Giottino, imitando nel disegno e nelle invenzioni, come si è detto, il suo maestro, che si diceva essere in lui lo spirito d'esso Giotto, per la vivezza de' colori e per la pratica del disegno; l'anno 1343, a' dì 2 di luglio,[3] quando dal popolo fu cacciato il duca d'Atene, e che egli ebbe con giuramento renunziata e renduta la signoria e la libertà ai Fiorentini, fu forzato dai dodici Riformatori dello Stato, e particolarmente da' preghi di messer Agnolo Acciajuoli, allora grandissimo cittadino,[4] che

[1] Non ne rimane più vestigio.

[2] Le pitture dell'arco sopra la porta della sagrestia sono anch'esse perite, come quelle fatte presso la porta destra della chiesa.

[3] *La cacciata del Duca d'Atene avvenne propriamente il 26 di luglio del 1343, giorno di Sant'Anna.

† Nel Libro delle Provvisioni del Comune di Firenze del 1344, di n.° 214, carte 37, si legge quanto segue: *Item eisdem religiosis viris* (fratribus Bartholomeo et Christofano camerariis Camere armorum palatii populi florentini) *pro faciendo pingi ducem actenarum dominum Cerriterium de Vicedominis, dominum Ranerium Giotti de sancto Giminiano et fratres et filios, et dominum Guillelmum Ciucci de Assisio et filios et alios proditores populi et Comunis Florentie, in facie palatii mora domini potestatis et in aliis locis, flor. auri XX.*

[4] *È vescovo di Firenze.

molto poteva disporre di lui, dipignere per dispregio nella torre del Palagio del potestà il detto duca ed i suoi seguaci: che furono messer Ceritieri Visdomini, messer Maladiasse,[1] il suo Conservatore, e messer Ranieri da San Gimignano, tutti con le mitere di giustizia in capo vituperosamente. Intorno alla testa del duca erano molti animali rapaci e d'altre sorti, significanti la natura e qualità di lui; ed uno di que' suoi consiglieri aveva in mano il Palagio de' Priori della città, e come disleale e traditore della patria glie lo porgeva: e tutti avevano sotto l'arme e l'insegne delle famiglie loro, ed alcune scritte, che oggi si possono malamente leggere per essere consumate dal tempo.[2] Nella quale opera, per disegno e per essere stata condotta con molta diligenza, piacque universalmente a ognuno la maniera dell'artefice. Dopo, fece alle Campora, luogo de' monaci Neri fuor della porta a San Piero Gattolini, un San Cosimo e San Damiano, che furono guasti nell'imbiancare la chiesa. Ed al ponte a Romiti, in Valdarno, il tabernacolo ch'è in sul mezzo murato, dipinse a fresco, con bella maniera, di sua mano.[3] Trovasi per ricordo di molti che ne scrissero, che Tommaso attese alla scultura, e lavorò una figura di marmo nel campanile di Santa Maria del Fiore di Firenze, di braccia quattro, verso dove oggi sono i Pupilli.[4] In Roma similmente condusse a buon fine, in San Giovanni Laterano, una storia, dove figurò il papa in più gradi, la quale oggi ancora si vede consumata e rosa dal tempo; ed in casa degli Orsini, una sala piena di uomini famosi; ed in un pilastro d'Araceli, un San Lodovico molto bello, accanto all'altar mag-

[1] *Il suo vero nome è Meliadusse.

[2] Secondo Gio. Villani (lib. XII, cap. 34), quest'opera (della quale non rimangono che alcuni graffi indeterminati) fu fatta nel 1344. Il Baldinucci riferisce oltre i nomi di quelli che vi eran dipinti, i versi scritti sotto ciascun di loro.

[3] La pittura perì col tabernacolo, sul principio del secolo scorso.

[4] † Vedi quel che abbiamo detto a pag. 621-22, nota 1, intorno a questa statua e al suo probabile autore.

giore a man ritta.[1] In Ascesi ancora, nella chiesa di sotto di San Francesco, dipinse sopra il pergamo, non vi essendo altro luogo che non fusse dipinto, in un arco, la Coronazione di Nostra Donna con molti Angeli intorno, tanto graziosi e con bell'arie nei volti, ed in modo dolci e delicati, che mostrano con la solita unione de' colori (il che era proprio di questo pittore), lui avere tutti gli altri insin'allora stati paragonato;[2] e intorno a questo arco fece alcune storie di San Niccolò. Parimente, nel monastero di Santa Chiara della medesima città, a mezzo la chiesa, dipinse una storia in fresco, nella quale è Santa Chiara sostenuta in aria da due Angeli che paiono veri, la quale resuscita un fanciullo che era morto; mentre le stanno intorno, tutte piene di maraviglia, molte femmine belle nel viso, nell'acconciature de' capi, e negli abiti che hanno in dosso di que' tempi, molto graziosi. Nella medesima città d'Ascesi fece, sopra la porta della città che va al Duomo, cioè in un arco dalla parte di dentro, una Nostra Donna col Figliuolo in collo, con tanta diligenza che pare viva; ed un San Francesco ed un altro Santo bellissimi: le quali due opere, sebbene la storia di Santa Chiara non è finita, per essersene Tommaso tornato a Firenze ammalato, sono perfette e d'ogni lode dignissime.[3] Dicesi che Tommaso fu persona malinconica e molto solitaria, ma dell'arte amorevole e studiosissimo; come apertamente si vede in Fiorenza nella chiesa di San Romeo, per una tavola lavorata da lui a tempra con tanta diligenza ed amore, che di suo non si

[1] Tutte queste pitture fatte in Roma sembran perite.

† È da notare che il Vasari assegna a Masolino da Panicale le pitture della sala nella casa vecchia degli Orsini.

[2] Il Fea (*Descrizione della Basilica Assisiate*) dice che l'Incoronazione è opera del 1347, di un Frate Martino, ch'egli crede scolare di Simone da Siena.

† Il Fea fece il Proemio. Il resto è del Ranghiaschi.

[3] Durano tuttavia alcune delle pitture da lui fatte in Assisi (quelle per esempio della cappella di San Niccolò nella chiesa di sotto di san Francesco), e son veramente perfette pel loro tempo, e degnissime di lode.

è mai veduto in legno cosa meglio fatta. In questa tavola, che è posta nel tramezzo di detta chiesa a man destra, è un Cristo morto con le Marie intorno e Nicodemo, accompagnati da altre figure, che con amaritudine ed atti dolcissimi ed affettuosi piangono quella morte, torcendosi con diversi gesti di mani, e battendosi di maniera, che nell'aria de' visi si dimostra assai chiaramente l'aspro dolore del costar tanto i peccati nostri. Ed è cosa maravigliosa a considerare, non che egli penetrasse con l'ingegno a sì alta imaginazione, ma che la potesse tanto bene esprimere col pennello. Laonde è quest'opera sommamente degna di lode, non tanto per lo soggetto e per l'invenzione, quanto per avere in essa mostrato l'artefice in alcune teste che piangono, che ancora che il lineamento si storca nelle ciglia, negli occhi, nel naso e nella bocca di chi piagne, non guasta però nè altera una certa bellezza, che suole molto patire nel pianto, quando altri non sa bene valersi dei buon modi nell'arte.[1] Ma non è gran fatto che Giottino conducesse questa tavola con tanti avvertimenti, essendo stato nelle sue fatiche desideroso sempre più di fama e di gloria, che d'altro premio o ingordigia del guadagno, che fa meno diligenti e buoni i maestri del tempo nostro.[2] E come non procacciò costui d'avere gran ricchezze, così non andò anche molto dietro ai comodi della vita; anzi, vivendo poveramente, cercò di sodisfar più altri che se stesso: perchè, governandosi male e durando fatica, si morì di tisico d'età d'anni tren-

[1] *Questa tavola, opera veramente stupenda, si conserva nella R. Galleria degli Uffizj.

[2] † Negli Spogli di Carlo Strozzi (cod. 591 della classe xxv nella Magliabechiana) si ha la memoria tratta dalle Ricordanze di Benedetto Albizzi d'un'altra opera di Maso, che da gran tempo è perduta. Essa dice così: *1392. Ricordo che io Benedetto di Banco degli Albizi feci compiere et racconciare la storia di Christo disposto della croce sopra la porta del Cimitero di San Piero Maggiore, e fecela fare di prima la Drea figliuola d'Albizzo del Riccho degli Albizi, et dipinsela Maso dipintore, grande maestro.* Quindi si legge: *Niccolo di Piero Gerini dipintore per racconciare detta figura.*

tadue, e da' parenti ebbe sepoltura fuor di Santa Maria Novella, alla porta del Martello, allato al sepolcro di Buontura.[1]

Furono discepoli di Giottino, il quale lasciò più fama che facultà, Giovanni Toscani[2] d'Arezzo, Michelino,[3] Giovanni dal Ponte, e Lippo,[4] i quali furono assai ragionevoli maestri di quest'arte: ma più di tutti Giovanni Toscani,[5] il quale fece dopo Tommaso, di quella stessa maniera di lui, molte opere per tutta Toscana; e particolarmente, nella Pieve d'Arezzo, la cappella di Santa Maria Maddalena de' Tuccerelli;[6] e nella Pieve del castel d'Empoli, in un pilastro, un Sant'Iacopo. Nel Duomo

[1] † De' due artefici, cioè Maso di Banco e Giotto di maestro Stefano, de' quali sotto il nome di Tommaso detto Giottino il Vasari ha composto questa Vita, colui che morì di tisico a trentadue anni crediamo che sia stato Maso. Nella prima edizione si leggono questi due versi scritti per la sua morte, ma che pajono più moderni:

Heu mortem, infandam mortem, quae cuspide acuta
Corda hominum laceras dum venis ante diem!

[2] † Nella edizione del 1568 diceva *Tossicani* per errore di stampa, conservato in tutte le posteriori. Noi l'abbiamo corretto in *Toscani*. Se fosse veramente d'Arezzo, come dice il Vasari, è dubbio. Le memorie che abbiamo di lui lo farebbero credere fiorentino.

[3] *De' molti pittori che col nome di Michele si trovano, circa a questo tempo, nel vecchio libro della Compagnia di San Luca, chi saprebbe dire quale sia il Michele o Michelino citato dal Vasari? — † Forse fu Michele di Maso di Michelozzo matricolato all'arte nel 1358 e ascritto alla Compagnia de' Pittori sotto l'anno 1378, il quale fu sotterrato in Santa Maria Novella nella sepoltura della sua famiglia, che era presso a quella di Buontura Dati da Lucca.

[4] *Di questi due artefici si leggono più sotto le Vite.

[5] Nel vecchio libro della Compagnia de' Pittori il suo nome si trova registrato così: *Giovanni di Francescho dipintore Toschani* MCCCCXXIII.

† Morì a' 2 di maggio 1403 e fu sepolto in Santa Maria del Fiore. Dalla sua portata al catasto del 1427 e da quelle di monna Niccolosa sua moglie, del 1430 e 1433 (Quartiere San Giovanni, Gonfalone Drago), si conoscono alcune sue opere, che non ricorda il Vasari, cioè che egli pigliò a compiere le pitture della cappella Ardinghelli in Santa Trinita, dal Biografo attribuite a don Lorenzo Monaco, lasciate non finite da un frate Domenico; che per Simone Buondelmonti cominciò una Nunziata, a cui dopo la sua morte diede compimento Giuliano d'Arrigo detto Pesello, e finalmente che lavorò una tavola per il conte d'Urbino. Il Vasari lo fa discepolo di Giottino, il che non è inverosimile, quando s'intenda di Giotto di maestro Stefano.

[6] *Pitture perite.

di Pisa ancora lavorò alcune tavole, che poi sono state levate per dar luogo alle moderne. L'ultima opera che costui fece, fu, in una cappella del vescovado d'Arezzo, per la contessa Giovanna moglie di Tarlato da Pietramala, una Nunziata bellissima, e San Iacopo e San Filippo. La quale opera, per essere la parte di dietro del muro volta a tramontana, era poco meno che guasta affatto dall'umidità, quando rifece la Nunziata maestro Agnolo di Lorenzo d'Arezzo,[1] e poco poi Giorgio Vasari, ancora giovanetto, i Santi Iacopo e Filippo, con suo grand'utile; avendo molto imparato allora, che non aveva comodo d'altri maestri, in considerare il modo di fare di Giovanni, e l'ombre e i colori di quell'opera, così guasta com'era.[2] In questa cappella si leggono ancora, in memoria della contessa che la fece fare e dipingere, in uno epitaffio di marmo, queste parole. *Anno Domini* MCCCXXXV *de mense Augusti hanc capellam construi fecit nobilis domina comitissa Joanna de Sancta Flora uxor nobilis militis domini Tarlati de Petramala ad honorem Beatae Mariae Virginis.*[3]

Dell'opere degli altri discepoli di Giottino non si fa menzione, perchè furono cose ordinarie, e poco somiglianti a quelle del maestro, e di Giovanni Toscani loro condiscepolo. Disegnò Tommaso benissimo. come in alcune carte di sua mano, disegnate con molta diligenza, si può nel nostro Libro vedere.

[1] Di Agnolo di Lorenzo parla il Vasari nella Vita di Don Bartolommeo della Gatta La Nunziata da lui rifatta nella cappella della contessa Giovanna (oggi cappella del Battistero) e perita

[2] I santi Jacopo e Filippo rifatti dal Vasari sono ancora in essere

[3] † Il 1335 segna il tempo della costruzione della cappella, ma non delle pitture del Toscani, che dovevano esser posteriori di molti anni, se veramente erano di lui Questa Vita mostra vie più le contradizioni e le incertezze, in cui spesso il Vasari era costretto a inciampare, tra per la mancanza de' documenti, tra per la povertà della sua critica storica

GIOVANNI DAL PONTE

PITTORE FIORENTINO

(Nato nel 1307; morto nel 1365)

Sebbene non è vero il proverbio antico, nè da fidarsene molto, che a goditore non manca mai roba; ma sì bene in contrario è verissimo, che chi non vive ordinatamente nel grado suo, in ultimo stentando vive, e muore miseramente; si vede nondimeno che la fortuna aiuta alcuna volta piuttosto coloro che gettano senza ritegno, che coloro che sono in tutte le cose assegnati e rattenuti. E quando manca il favore della fortuna, supplisce molte volte al difetto di lei e del mal governo degli uomini la morte, sopravvenendo quando appunto comincerebbono cotali uomini, con infinita noia, a conoscere quanto sia misera cosa avere sguazzato da giovane e stentare in vecchiezza, poveramente vivendo e faticando: come sarebbe avvenuto a Giovanni da San Stefano a Ponte di Fiorenza,[1] se, dopo avere consumato il patrimonio, molti guadagni che gli fece venire nelle mani piuttosto la for-

[1] † Come nella Vita precedente abbiamo mostrato, che il Vasari di due pittori diversi ne ha formato un solo, al quale assegna le opere che in parte sono dell'uno, e in parte dell'altro; così vedremo nella presente che egli dà ad un solo Giovanni, vissuto nel secolo XIV, alcune pitture fatte da due e forse più artefici del medesimo nome, ma di età e di maniera differenti. Ed è quasi impos-

tuna che i meriti, e alcune eredità che gli vennero da non pensato luogo, non avesse finito in un medesimo tempo il corso della vita e tutte le facultà. Costui dunque, che fu discepolo di Buonamico Buffalmacco,[1] e l'imitò più nell'attendere alle comodità del mondo, che nel cercare di farsi valente pittore, essendo nato l'anno 1307, e giovanetto stato discepolo di Buffalmacco, fece le sue prime opere nella pieve d'Empoli, a fresco, nella cappella di San Lorenzo, dipignendovi molte storie della vita d'esso Santo con tanta diligenza, che, sperandosi dopo tanto principio miglior mezzo, fu condotto l'anno 1344 in Arezzo; dove, in San Francesco, lavorò in una cappella l'Assunta di Nostra Donna. E poco poi, essendo in qualche credito in quella città per carestia d'altri pittori, dipinse nella Pieve la cappella di Sant'Onofrio e quella di Sant'Antonio, che oggi dalla umidità è guasta.[2] Fece ancora alcune altre pitture che erano in Santa Giustina ed in San Matteo, che con le dette chiese furono mandate per terra, nel far fortificare il duca Cosimo quella città; quando, in quel luogo appunto, fu trovato a piè della coscia d'un ponte antico, dove allato a detta Santa Giustina entrava il fiume nella città, una testa d'Appio Cieco ed una del figliuolo, di marmo, bellissime, con un epitaffio antico e similmente bellissimo, che oggi sono in guardaroba di detto signor duca.[3] Essendo poi tornato

sibile lo scoprire di quale de' molti Giovanni pittori fiorentini di quel secolo, che sono registrati nel Ruolo della Compagnia di San Luca, abbia inteso di parlare il Vasari. Forse di un Giovanni di Lotto del popolo di Santo Stefano a Ponte e abitatore in Prato, il quale è presente al testamento fatto in Prato agli 11 di maggio 1348 da Andrea di messer Andrea degli Strozzi (Arch. di Stato in Firenze, sez. del Diplomatico, pergamene Strozzi-Uguccioni.)

[1] *Nella Vita di Giottino è detto suo scolare; ma stando alle date degli anni, sarebbe più probabile che fosse di Buffalmacco.

[2] *Le Guide d'Arezzo oggi non ricordano più le pitture fatte in quella città da Giovanni dal Ponte. Probabilmente esse sono perdute.

[3] Ove sian oggi, nessuno sa dirlo. Chi sa che non si trovino un giorno in qualche villa o giardino reale, come una scultura di Michelangiolo, da lungo tempo smarrita, si è trovata recentemente in una nicchia del teatro di Boboli.

Giovanni a Firenze in quel tempo che si finì di serrare l'arco di mezzo del Ponte a Santa Trinita, dipinse in una cappella fatta sopra una pila, e intitolata a San Michelagnolo, dentro e fuori molte figure, e particolarmente tutta la facciata dinanzi; la qual cappella, insieme col ponte, dal diluvio dell'anno 1557 fu portata via. Mediante le quali opere, vogliono alcuni, oltre a quello che si è detto di lui nel principio, che fusse poi sempre chiamato Giovanni dal Ponte.[1] In Pisa ancora, l'anno 1355, fece in San Paolo a Ripa d'Arno alcune storie a fresco, nella cappella maggiore dietro all'altare; oggi tutte guaste dall'umido e dal tempo. È parimente opera di Giovanni in Santa Trinita di Firenze la cappella degli Scali, e un'altra che è allato a quella; ed una delle storie di San Paolo accanto alla cappella maggiore, dov'è il sepolcro di maestro Paolo strolago.[2] In Santo Stefano al Ponte Vecchio fece una tavola,[3] ed altre pitture a tempera e in fresco

[1] † Si noti che più indietro il Vasari dice che Giovanni fu detto dal Ponte, perchè abitò o fece bottega presso Santo Stefano al Ponte Vecchio.

[2] † La cappella degli Scali in Santa Trinita fu dipinta nel 1434 da Giovanni di Marco e da Smeraldo di Giovanni, che erano compagni all'arte. I quali dipinsero ancora per commissione de' Capitani d'Or San Michele nel 1429 e 1430 l'altra che era allato a quella e la cappella di maestro Paolo Dagomari detto dell'Abaco, morto nel 1366, e sepolto in detta chiesa. Questo Giovanni di Marco che faceva bottega presso Santo Stefano a Ponte nacque nel 1385 e morì nel 1437. Abbiamo notizia che egli, oltre i sopraddetti lavori, dipinse nel 1422 per 45 fiorini d'oro un pajo di forzieri ad Ilarione de' Bardi, per donare alla Costanza sua figliuola, quando fu maritata con Bartolommeo d'Ugo degli Alessandri; e che nel 1433 aveva lavorato altri forzieri per Paolo e Giovannozzo Biliotti e per Zanobi Cortigiani, e dipinto una cappella ad uno de' Quaratesi, soprannominato il Serpe. Di Smeraldo di Giovanni non si ha memoria di altre opere, e solamente sappiamo che morì di settantanove anni il 26 d'agosto 1444.

[3] † Annotando la Vita d'Andrea Orcagna, abbiamo detto che Mariotto di Nardo dipinse nel 1412 una tavola per la cappella Tolomei in Santo Stefano a Ponte. Ora non sarà fuori di luogo l'aggiungere che in quella chiesa erano tre tavole di Ambrogio di Baldese, pittore fiorentino molto reputato a' suoi giorni, che nacque nel 1352 e morì a' 30 d'ottobre 1429. Delle quali tre tavole, la prima, che era nell'altare della cappella dedicata a san Filippo e sant'Jacopo e fondata coi danari lasciati da Jacopo Bartolucci da San Casciano, gli fu allogata nel 1389 dallo spedalingo di Santa Maria Nuova; e furongli commesse le altre due nel 1409 e 1412 dai Capitani d'Or San Michele, l'una per la cappella di

per Fiorenza e fuori, che gli diedero credito assai.[1] Contentò costui gli amici suoi, ma più nei piaceri che nelle opere: e fu amico delle persone letterate, e particolarmente di tutti quelli che per venire eccellenti nella sua professione frequentavano gli studj di quella: e sebbene non aveva cercato d'avere in sè quello che desiderava in altrui, non restava però di confortare gli altri a virtuosamente operare. Essendo finalmente Giovanni vivuto cinquantanove anni, di mal di petto in pochi giorni uscì di questa vita; nella quale poco più che dimorato fusse, averebbe patito molti incommodi, essendogli appena rimaso tanto in casa, che bastasse a dargli onesta sepoltura in Santo Stefano dal Ponte Vecchio.[2] Furono l'opere sue intorno al 1365.[3]

Nel nostro Libro de' disegni di diversi antichi e moderni è un disegno d'acquerello di mano di Giovanni, dov'è un San Giorgio a cavallo che uccide il serpente, e un'ossatura di Morte, che fanno fede del modo e maniera che aveva costui nel disegnare.[4]

madonna Cecca de' Lupicini, dedicata a santa Caterina, e l'altra per quella di messer Alamanno de Gherardini. Della tavola dipinta, a detto del Vasari, da Giovanni, non sappiamo dir niente.

[1] Di tutte queste pitture fatte per Firenze non pare che resti più nulla. Poco forse resta di quelle fatte per fuori.

[2] Nella prima edizione delle Vite si legge di lui quest'epitaffio:

> Deditus illecebris, et prodigus usque bonorum
> Quae linquit moriens mi pater, ipse fui.
> Artibus insignes dilexi semper honestus,
> Pictura poteram clarus et esse volens.

[3] Singolare questo porre, che fa il Vasari, intorno all'anno della morte le pitture d'ogni artefice anche di chi, essendo molto vecchio, operò tanti anni innanzi.

[4] Maggiori notizie si cercherebbero indarno nel Baldinucci, che copia, si può dire, senz'altro aggiugnervi, questa Vita scritta dall'antecessore.

AGNOLO GADDI

PITTORE FIORENTINO

(Nato ....; morto nel 1396)

Di quanto onore e utile sia l'essere eccellente in un'arte nobile, manifestamente si vide nella virtù e nel governo di Taddeo Gaddi; il quale, essendosi procacciato con la industria e fatiche sue, oltre al nome, bonissime facultà, lasciò in modo accomodate le cose della famiglia sua quando passò all'altra vita, che agevolmente potettono Agnolo e Giovanni suoi figliuoli dar poi principio a grandissime ricchezze e all'esaltazione di casa Gaddi, oggi in Firenze nobilissima e in tutta la Cristianità molto reputata.[1] E di vero è ben stato ragionevole, avendo ornato Gaddo, Taddeo, Agnolo e Giovanni colle virtù e con l'arte loro molte onorate chiese, che siano poi stati i loro successori dalla Santa Chiesa Romana e da' Sommi Pontefici di quella ornati delle maggiori dignità ecclesiastiche.[2]

[1] Questa celebratissima famiglia, notava il Bottari, è spenta, benchè se ne serbi il nome, che fu preso da quella de' Pitti sua erede. Molto debbono ad essa l'arti e le lettere. Il suo palazzo fu già un gran museo, pieno d'eccellenti quadri, di marmi scolpiti e scritti, di medaglie, di testi a penna ecc., ond'oggi s'arricchiscono gallerie e biblioteche famose.

[2] Sono celebri, diceva pure il Bottari, i cardinali Niccolò e Taddeo, i cui sepolcri si veggono nella cappella di lor famiglia, edificata, col disegno del Dosio, in Santa Maria Novella.

Taddeo, dunque, del quale avemo di sopra scritto la Vita, lasciò Agnolo e Giovanni suoi figliuoli in compagnia di molti suoi discepoli, sperando che particolarmente Agnolo dovesse nella pittura eccellentissimo divenire: ma egli, che nella sua giovanezza mostrò volere di gran lunga superare il padre, non riuscì altramente secondo l'openione che già era stata di lui conceputa; perciocchè, essendo nato e allevato negli agi che sono molte volte d'impedimento agli studj, fu dato più a' traffichi ed alle mercanzie, che all'arte della pittura. Il che non ci dee nè nuova nè strana cosa parere, attraversandosi quasi sempre l'avarizia a molti ingegni che ascenderebbono al colmo delle virtù, se il desiderio del guadagno negli anni primi e migliori non impedisse loro il viaggio. Lavorò Agnolo nella sua giovanezza in Fiorenza, in San Iacopo tra' Fossi, di figure poco più d'un braccio, un'istorietta di Cristo quando resuscitò Lazzaro quatriduano; dove, immaginatosi la corruzione di quel corpo stato morto tre dì, fece le fasce che lo tenevano legato macchiate dal fracido della carne, e intorno agli occhi certi lividi e giallicci della carne tra la viva e la morta, molto consideratamente; non senza stupore degli Apostoli e d'altre figure, i quali con attitudini varie e belle, e con i panni al naso, per non sentire il puzzo di quel corpo corrotto, mostrano non meno timore e spavento per cotale maravigliosa novità, che allegrezza e contento Maria e Marta, che si veggono tornare la vita nel corpo morto del fratello. La quale opera di tanta bontà fu giudicata, che molti stimarono la virtù d'Agnolo dovere trapassare tutti i discepoli di Taddeo, e ancora lui stesso.[1] Ma il fatto passò altramente, perchè, come la volontà nella giovanezza vince ogni difficultà per acquistar fama, così molte volte una certa straccurataggine che seco portano gli anni, fa che in cambio di an-

[1] Oggi non se ne ha più vestigio.

dare innanzi si torna indietro, come fece Agnolo. Al quale, per così gran saggio della virtù sua, essendo poi stato allogato dalla famiglia de' Soderini, sperandone gran cose, la cappella maggiore del Carmine, egli vi dipinse dentro tutta la vita di Nostra Donna, tanto men bene che non aveva fatto la resurrezione di Lazzaro, che a ognuno fece conoscere avere poca voglia di attendere con tutto lo studio all'arte della pittura: perciocchè in tutta quella così grand'opera non è altro di buono che una storia, dove intorno alla Nostra Donna in una stanza sono molte fanciulle, che, come hanno diversi gli abiti e l'acconciature del capo, secondo che era diverso l'uso di que' tempi, così fanno diversi esercizj; questa fila, quella cuce, quell'altra incanna, una tesse, e altre altri lavori, assai bene da Agnolo considerati e condotti.[1]

Nel dipignere similmente, per la famiglia nobile degli Alberti, la cappella maggiore della chiesa di Santa Croce a fresco, facendo in essa tutto quello che avvenne nel ritrovamento della Croce, condusse quel lavoro con molta pratica, ma con non molto disegno, perchè solamente il colorito fu assai bello e ragionevole.[2] Nel dipignere, poi, nella cappella dei Bardi, pure in fresco e nella medesima chiesa, alcune storie di San Lodovico, si portò molto meglio.[3] E perchè costui lavorava a capricci, e quando con più studio e quando con meno, in Santo Spirito pure di Firenze, dentro alla porta che di piazza va in convento, fece sopra un'altra porta una Nostra Donna col Bambino in collo, e Sant'Agostino e San Niccolò, tanto bene

[1] Per l'incendio della chiesa accaduto nel secolo passato queste pitture andarono perdute.

[2] *Queste pitture si conservano tuttavia: e sebbene la gran moltitudine delle figure, non sempre consideratamente disposte, generi una certa confusione, tuttavia esse sono ammirabili, non solamente per il bel colorito, come dice il Vasari, ma anche pel sentimento, per affetto e per gli altri pregi che costituiscono la grandezza dell'arte di quei tempi.

[3] Alle quali fu poi dato di bianco.

a fresco, che dette figure paiono fatte pur ieri.[1] E perchè era in certo modo rimaso a Agnolo per eredità il segreto di lavorare il musaico,[2] e aveva in casa gl'istrumenti e tutte le cose che in ciò aveva adoperato Gaddo suo avolo; egli, pur per passar tempo, e per quella comodità che per altro, lavorava quando bene gli veniva qualche cosa di musaico. Laonde, essendo stati dal tempo consumati molti di que' marmi che cuoprono l'otto facce del tetto di San Giovanni, e perciò avendo l'umido che penetrava dentro guasto assai del musaico che Andrea Tafi aveva già in quel tempo lavorato; deliberarono i consoli dell'arte de' mercatanti, acciò non si guastasse il resto, di rifare la maggior parte di quella coperta di marmi, e fare similmente racconciare il musaico. Perchè dato di tutto ordine e commissione a Agnolo, egli, l'anno 1346, fece ricoprirlo di marmi nuovi, e soprapporre con nuova diligenza i pezzi nelle commettiture due dita l'uno all'altro, intaccando la metà di ciascuna pietra insino a mezzo.[3] Poi, commettendole insieme con stucco fatto di mastrice e cera fondute insieme, l'accomodò con tanta diligenza, che da quel tempo in poi non ha nè il tetto nè le volte alcun danno dall'acque ricevuto. Avendo poi Agnolo racconcio il musaico, fu cagione, mediante il consiglio suo e disegno molto ben considerato, che si rifece in quel modo che sta ora, intorno al detto tempio, tutta la cornice di sopra di marmo sotto il tetto; la quale

[1] *Questa lunetta in fresco non è perduta, ma si vede tuttavia nel luogo precisamente indicato dal Vasari, e mostra ancora quella freschezza di colorito che egli dice. Sennonchè scambia il san Pietro con san Niccolò. Il prof. Rosini ne ha dato un piccolo intaglio a pag. 66 del tom. II della sua *Storia*.

[2] Segreto che già avean posseduto Giotto, Simone ecc., e a' giorni d'Agnolo possedevano altri non pochi, siccome ci è attestato dalla magnifica facciata del Duomo d'Orvieto.

[3] Cioè, fino alla metà della grossezza della lastra di marmo.

† Negli Spogli fatti dallo Strozzi dei libri dell'Arte de' Mercanti o di Calimala, Agnolo Gaddi non è nominato nè pei lavori della nuova copertura della chiesa, nè per il restauro de' musaici.

era molto minore che non è e molto ordinaria. Per ordine del medesimo furono fatte ancora nel Palagio del Podestà le volte della sala, che prima era a tetto; acciocchè, oltre all'ornamento, il fuoco come molto tempo innanzi fatto avea, non potesse altra volta farle danno. Appresso questo, per consiglio di Agnolo furono fatti intorno al detto Palazzo i merli che oggi vi sono, i quali prima non vi erano di niuna sorte.[1] Mentre che queste cose si lavoravano, non lasciando del tutto la pittura, dipinse nella tavola che egli fece dell'altar maggiore di San Brancazio, a tempera la Nostra Donna, San Giovan Batista ed il Vangelista, e appresso San Nereo, Achilleo e Pancrazio, fratelli, con altri Santi. Ma il meglio di quell'opera, anzi quanto vi si vede di buono, è la predella sola, la quale è tutta piena di figure piccole, divise in otto storie della Madonna e di Santa Reparata.[2] Nella tavola, poi, dell'altar grande di Santa Maria Maggiore, pur di Firenze, fece, per Barone Cappelli nel 1348, intorno a una Coronazione di Nostra Donna un ballo d'Angeli ragionevole.[3] Poco poi, nella Pieve della terra di

[1] † Le volte del Palazzo del Potestà furono incominciate dopo che l'incendio del 1332 ebbe distrutto il tetto del vecchio edifizio, e l'anno dipoi ne erano già fatte alcune. Ma a questo lavoro si attese con più alacrità nel 1340, nel quale anno ebbe il carico di quella costruzione Neri Fioravanti, architetto da noi nominato altrove. Perciò non ha fondamento nessuno quel che dice il Vasari rispetto ad Angelo Gaddi, il quale, oltrechè non è credibile che fosse preposto ad un lavoro architettonico che non era sua arte, è anche da considerare che egli era giovanissimo al tempo di que'lavori. (Vedi, nelle *Curiosità storico-artistiche* citate « Il Palazzo Pretorio »).

[2] *Questa tavola oggi si conserva nella Galleria delle Belle Arti. Chi intenda come nelle istoriette de'gradini e nelle altre parti minori delle tavole le imperfezioni dell'arte appariscono minori; e come, fuor della tradizionale e per lo più uniforme rappresentazione e collocazione delle principali figure della Madonna e de'santi, il campo fosse agli artisti più libero; non troverà facilmente quella differenza che, tra la parte principale e la predella, il Vasari volle ravvisare in questa veramente bella e grandiosa tavola. — Delle sette storiette del gradino, oggi ne manca una.

[3] *Di questa tavola ignoriamo la sorte. — † Crediamo che l'anno 1348 si debba riferire alla costruzione della cappella maggiore di quella chiesa, ma non alla pittura della tavola; perchè Agnolo in quel tempo doveva essere poco più che fanciullo.

Prato, stata riedificata con ordine di Giovanni Pisano l'anno 1312, come si è detto di sopra,[1] dipinse Agnolo nella cappella a fresco, dove era riposta la Cintola di Nostra Donna, molte storie della vita di lei,[2] e in altre chiese di quella terra, piena di monasteri e conventi onoratissimi, altri lavori assai. In Fiorenza, poi, dipinse l'arco sopra la porta di San Romeo,[3] e lavorò a tempera in Orto San Michele una disputa di Dottori con Cristo nel tempio.[4] E nel medesimo tempo, essendo state rovinate

[1] *Vedi nella Vita di Niccola e Giovanni pisani, pag. 279, nota 1.

[2] *La più grande opera, e veramente stupenda, che di lui resti. Sono tredici storie. I. San Giovacchino scacciato dal tempio, e poi confortato dall'Angelo che gli annunzia vicina la prole. II. San Giovacchino che da la fausta novella alla moglie. III. La Nascita della Madonna. IV. La Presentazione di Maria al tempio. V. Lo Sposalizio della Madonna. VI. L'Annunziazione. VII. La Nascita di Cristo. VIII e IX. La Madonna deposta nel sepolcro (della quale però è tagliata una parte), e l'Assunzione al cielo e l'Incoronazione di lei. X. San Tommaso apostolo che riceve il sacro Cingolo dalla Madonna. XI. Viaggio di Michele de' Dagomari, pratese, da Terra Santa in Italia, portando seco il sacro Cingolo. XII. Michele ritorna in patria e in seno alla sua famiglia. XIII. Venuto a morte, Michele affida al proposto Uberto la sacra reliquia; il quale Uberto la trasferisce alla chiesa, in mezzo a' sacerdoti, accoliti ed altri fedeli, cantando lodi a Dio e alla Vergine per il prezioso acquisto. Nella volta maggiore, poi, sono i quattro Evangelisti, nella minore, avanti alla cappella, i quattro Dottori della Chiesa. Negli archi dell'entrata, la navicella di san Pietro, e Cristo disputante nel tempio. Queste pitture furono ristaurate dal valente signor Antonio Marini di Prato, nell'anno 1831, e in quella occasione l'egregio signor canonico Ferdinando Baldanzi (morto poi arcivescovo di Siena) stampò una illustrazione, dalla quale noi abbiamo cavato questa sommaria descrizione. — † Alla cappella della Cintola si diede principio nel 1365. Si può credere che le pitture del Gaddi fossero finite nel 1395, perchè il 4 d'aprile di quest'anno avvenne la solenne dedicazione della cappella.

[3] Pittura perita.

[4] Pittura a' giorni del Bottari ancor bene conservata. Fu rimossa in occasione di porre sotto l'organo quel tamburlano che vi si vede a uso di sagrestia, nè alcuno sa dire ov'essa oggi si trovi.

† Dai libri della Compagnia d'Or San Michele non si rileva che Agnolo dipingesse in quell'oratorio. Ricordano invece i lavori che vi fecero Niccolò di Piero Gerini e Ambrogio di Baldese. Dipinse Agnolo, tra il 1394 e il 1396 una tavola per la chiesa di San Miniato al Monte. Vuolsi che sia quella che oggi è accanto all'affresco di san Miniato tra la porta della sagrestia e quella del chiostro. Vi è nel mezzo rappresentato il detto santo, con alcune storiette della sua vita ai lati. Pare che in antico stesse sull'altare dedicato a quel santo, nella chiesetta sotterranea o Confessione. (V. *Cenni storico-artistici di San Miniato al Monte* dell'avv. Gio. Felice Berti. Firenze, 1850, in-8.)

molte case per allargare la piazza de' Signori, e in particolare la chiesa di San Romolo, ella fu rifatta col disegno d'Agnolo: del quale si veggiono in detta città, per le chiese, molte tavole di sua mano; e similmente nel dominio si riconoscono molte delle sue opere, le quali furono lavorate da lui con molto suo utile, sebbene lavorava più per fare come i suoi maggiori fatto avevano, che per voglia che ne avesse, avendo egli indiritto l'animo alla mercanzia,[1] che gli era di migliore utile: come si vede quando i figliuoli, non volendo più vivere da dipintori, si diedero del tutto alla mercatura, tenendo perciò casa aperta in Venezia insieme col padre, che da un certo tempo in là non lavorò se non per suo piacere, e in un certo modo per passar tempo. In questa guisa, dunque, mediante i traffici e mediante l'arte sua, avendo Agnolo acquistato grandissime facultà, morì l'anno sessantatreesimo di sua vita,[2] oppresso da una febbre maligna che in pochi giorni lo finì. Furono suoi discepoli maestro Antonio da Ferrara,[3] che fece in San Francesco a Urbino ed a Città di Castello molte bell'opere;[4] e Ste-

[1] † Noi crediamo che Agnolo attendesse per tutta la sua vita all'arte, e che solamente i figliuoli si rivolgessero alla mercatura, nella quale accumularono grandi ricchezze.

[2] Tre provvisioni degli anni 1349, 1351, 1356 appellano alla riedificazione della chiesa di San Romolo in altro sito; e sono citate in estratto dal Gaye, *Carteggio inedito ecc.*, tom. I, pag. 499, 502, 508.

† Come gli abbiamo negato il lavoro delle volte del Palazzo del Potestà, così neghiamo ch'egli abbia dato il disegno della nuova chiesa di San Romeo.

[3] *Il Baldinucci pone la morte di Agnolo Gaddi all'anno 1387. Ma da una deliberazione degli Operai di Santa Reparata, ch'egli stesso cita nella Vita di Paolo Uccello, si ritrae che Agnolo era vivo anche nel 1390; imperciocchè in quell'anno è allogato *a disegnare a Angelo di Taddeo Gaddi e Giuliano d'Arrigo pittori, per prezzo di fiorini 30*, la sepoltura da farsi di *messer Piero da Farnese*. — † Nei Registri de' Morti di Firenze tenuti dagli Ufficiali della Grascia, si legge, circa la morte del Gaddi, questa memoria: «1396. die xvj « mensis ottobr. Angelus Tadèy taddi (*sic*, invece di *Gaddi*) pictor de populo « Sancti Petri magioris (*sic*) Quarterio Santi Johannis, seppultus in ecclesia « Sante Crucis. Retulit Dopninus Fortiori becchamortus: bauditus fuit ».

[4] Antonio Alberti, contemporaneo di Galasso Galassi, da cui comincia (poco dopo il 1400) la scuola pittorica ferrarese.

fano da Verona,[1] il quale dipinse in fresco perfettissimamente, come si vede in Verona sua patria in più luoghi, ed in Mantoa ancora in molte sue opere. Costui, fra l'altre cose, fu eccellente nel fare con bellissime arie i volti de' putti, delle femmine e de' vecchi; come si può vedere nell'opere sue, le quali furono imitate e ritratte tutte da quel Pietro da Perugia miniatore, che miniò tutti i libri che sono a Siena in Duomo nella libreria di papa Pio, e che colorì in fresco praticamente.[2] Fu anche discepolo d'Agnolo Michele da Milano,[3] e Giovanni

[1] Scrivendo di Timoteo della Vite, nato in Urbino da Calliope figlia di maestro Antonio, aggiunge il Vasari che questi era « assai buon pittore del tempo suo, secondochè le sue opere in Urbino e altrove ne dimostrano ». Nulla di certo, dice il Lanzi, rimane ora di lui in Urbino, se non forse nella sagrestia di San Bartolommeo una tavola con piccole figure di quel Santo e del Battista; opere molto somiglianti a quelle d'Agnolo Gaddi, e di colore anche più vivo e più morbido. In Ferrara nulla se ne vede oggidì, atterrate le camere del palazzo d'Alberto d'Este; in una delle quali verso il 1438 avea dipinto i principali personaggi intervenuti al Concilio per la riunione de' Greci; in altra, la gloria de' Beati, onde il palazzo, cangiato poi in pubblico studio, fu detto del Paradiso. Ma il Padre Pungileoni assicura che esiste tuttavia, nella chiesa di San Bernardino, fuori d'Urbino, un quadro bislungo colla Madonna in trono e Gesù Bambino dormiente sul suo grembo, coll'iscrizione *Antonius de Ferraria* 1439; e che nella sagrestia di detta chiesa sussistono altri tredici quadretti dello stesso pittore, i quali facevano parte del detto quadro, e rappresentano in figura intera i santi Pietro, Paolo, Lodovico di Tolosa, Giovan Battista e Girolamo; e in mezze figure, i santi Caterina, Antonio da Padova, Lodovico e Chiara, un frate ed un vescovo.

[2] *Di questo Stefano da Zevio (che non va confuso con Altichieri o Aldighieri da Zevio, come han voluto alcuni) il Vasari ci dà maggiori notizie nella Vita di Vittore Scarpaccia o meglio Carpaccio.

[3] *Questo miniatore fu da alcuni confuso col Vannucci, da altri con un Pietro o Perino Cesarei, pittore perugino che operava sul finire del secolo XVI. La barbara dispersione dell'archivio Piccolomineo ci toglie il modo di stabilire il vero intorno alla sua persona, conosciuta a noi pel solo nome. È però da supporre che i libri miniati da lui per Pio II, o meglio per Pio III, fossero quelli stessi che qualche scrittore afferma essere stati portati in Spagna dal cardinale di Burgos, stato governatore in Siena per Carlo V nel 1556. E qui pare opportuno di avvertire, che la ricca raccolta dei libri corali che ora si veggono nella Libreria del Duomo, i quali furono fatti scrivere e miniare a spese dell'Opera, non furono posti in quel luogo se non sul cominciare dello scorso secolo; ossia allorquando dalla casa Piccolomini passò al Duomo la proprietà di quella Libreria. — † Tra i miniatori che lavorarono ne' libri di papa Pio II non se ne trova nessuno chiamato Pietro. Vedi il *Giornale d'erudizione artistica*; Perugia, 1877, vol. VI, pag. 120 e seg., dove sono registrate le spese fatte da quel pontefice

Gaddi suo fratello; il quale nel chiostro di Santo Spirito, dove sono gli archetti di Gaddo e di Taddeo, fece la disputa di Cristo nel tempio con i Dottori, la Purificazione della Vergine, la Tentazione di Cristo nel deserto, ed il Battesimo di Giovanni;[1] e finalmente, essendo in espettazione grandissima, si morì.[2] Imparò dal medesimo Agnolo la pittura Cennino di Drea Cennini[3] da Colle di Valdelsa: il quale, come affezionatissimo dell'arte, scrisse in

dal 1460 al 1464. Nel Ruolo de' Miniatori Perugini, posto dopo gli Statuti di quell'Arte in Perugia, pubblicato nel vol. II del citato giornale a p. 309 e 310, si leggono i nomi d'un Pietro Paolo della Monna e di un Pietro di maestro Meo, i quali vivevano appunto ai tempi di papa Pio II, uno de' quali potrebbe essere il Pietro da Perugia nominato dal Vasari, se non paresse più giusta la opinione che quel maestro Pietro lavorasse per conto di Francesco Piccolomini suo nipote e successore nel pontificato col nome di Pio III; il quale fece costruire ed ornare la Libreria Piccolominea del Duomo di Siena per mettervi i libri di papa Pio II ed i suoi, e che tra i miniatori da lui adoperati per ornarli fosse quel maestro Pietro da Perugia. Di un miniatore di questo nome e patria vedemmo, alcuni anni sono, in un Uffiziolo della Madonna, un bellissimo lavoro rappresentante Cristo in croce con san Giovanni Evangelista e la Vergine, firmato col nome di *Pietro Perugino*, condotto intieramente nella maniera del celebre Pietro Perugino.

[1] *Il prof. Rosini, con certe parole del Lomazzo, confuta il Lanzi, il quale pone questo Michelino dopo il 1441, mentre in quell'anno doveva esser morto. Dubita poi che il credere di alcuni (seguendo il Lanzi) che i Michelini fossero due, sia un equivoco; e sospetta, in fine, che quel Michele di Ronco milanese, che operava nel 1375, scoperto dal conte Tassi nelle notizie dateci di due pittori per cognome *De Nova*, che dipinsero nel Duomo di Bergamo, sia il Michelino discepolo de' Giotteschi. (*Storia della Pittura ecc.*, II, 205-206).

[2] † Di un lavoro d'Angelo Gaddi non ricordato dagli scrittori si ha memoria ne' libri dello Spedale del Bigallo, cioè che egli vi dipinse per 10 fiorini d'oro una Nunziata, a' piedi della quale era in ginocchio la figura di Giovanni di Bucchero detto Giovanni Rosso, che aveva lasciato erede il detto Spedale.

[3] *Queste pitture sono perite; ma in compenso abbiamo di Giovanni un affresco nella chiesa inferiore d'Assisi, rappresentante Cristo in croce, con Maria Vergine e san Giovanni: opera per lo innanzi affatto ignota, scoperta dall'avvocato Fea nel 1789. Allo stesso scrittore debbesi la notizia di un altro Gaddi per nome Giacomo, ignoto a tutti, e che egli indica come autore di alcuni affreschi esistenti nella medesima chiesa inferiore d'Assisi; tra' quali, la Strage degl' Innocenti. (Vedi la sua *Descrizione della Basilica d'Assisi*, pag. 11 e 12).

† A proposito di queste pitture nella chiesa inferiore d'Assisi i signori Crowe e Cavalcaselle (op. cit., vol. I, pag. 475) dicono che nessuna presenta il carattere del tempo e della maniera di Angelo Gaddi; e che il fresco della Strage degl' Innocenti attribuito dal Fea ad un Giacomo Gaddi è uno di quelli dati dal Rumohr a Giovanni da Milano, e che essi hanno restituito a Giotto.

un libro di sua mano[1] i modi del lavorare a fresco, a tempera, a colla ed a gomma, ed inoltre come si minia e come in tutti i modi si mette d'oro, il qual libro è nelle mani di Giuliano orefice sanese,[2] eccellente maestro e amico di quest'arti. E nel principio di questo suo libro trattò della natura de' colori, così minerali come di cave, secondo che imparò da Agnolo suo maestro, volendo, poichè forse non gli riuscì imparare a perfettamente dipignere, sapere almeno le maniere de' colori, delle tempere, delle colle e dello ingessare, e da quali colori dovemo guardarci come dannosi nel mescolargli; ed insomma molti altri avvertimenti, de' quali non fa bisogno ragionare, essendo oggi notissime tutte quelle cose che costui ebbe per gran segreti e rarissime in que' tempi. Non lascerò già di dire che non fa menzione, e forse non dovevano essere in uso, d'alcuni colori di cave; come terre rosse, scure, il cinabrese, e certi verdi in vetro. Si sono similmente ritrovate poi la terra d'ombra, che è di cava; il giallo santo, gli smalti a fresco ed in olio, ed alcuni verdi e gialli in vetro, de' quali mancarono i pittori di quell'età. Trattò finalmente de' musaici, del macinare i colori a olio per far campi rossi, azzurri, verdi e d'altre maniere,[3] e de' mordenti per mettere d'oro, ma non già

[1] † Il Trattato della Pittura di Cennino fu stampato con belle ed erudite note la prima volta in Roma nel 1821 dal cav. Giuseppe Tambroni, sopra un codice Ottoboniano, copiato nel secolo passato da un forestiero, e poi ripubblicato in Firenze, nel 1859, dal Le Monnier, per cura de' fratelli Gaetano e Carlo Milanesi molto più corretto e accresciuto di alcuni capitoli inediti. Essi si servirono per la loro edizione di un codice Laurenziano del secolo XV, e di uno Riccardiano del seguente. Quanto alla persona di Cennino, raccolsero in una prefazione quel più e meglio che poterono, congetturando che il Cennini nel 1396, dopo la morte d'Agnolo Gaddi, si partisse da Firenze, e andato a Padova fosse a' servigi di Francesco da Carrara, e stabilirono che egli dettasse il suo libro ne' primi anni del secolo XV in Padova, dove si accasò con una madonna Ricca da Cittadella, e dove probabilmente morì, e che l'esemplare Laurenziano del suo Trattato fosse stato copiato nel 1437 da uno che in quel tempo si trovava nelle Stinche di Firenze.

[2] *Di questo Giuliano si parlerà nella Vita di Domenico Beccafumi.

[3] Si è creduto di trovar queste parole del Vasari in contraddizione con quel che dice, come poi vedremo, nella Vita d'Antonello da Messina, intorno al ri-

per figure. Oltre l'opere che costui lavorò in Fiorenza col suo maestro, è di sua mano, sotto la loggia dello Spedale di Bonifazio Lupi, una Nostra Donna con certi Santi, di maniera sì colorita, ch'ella si è insino a oggi molto ben conservata.[1] Questo Cennino, nel primo capitolo di detto suo libro, parlando di se stesso, dice queste proprie parole: « Cennino di Drea Cennini da Colle di « Valdelsa, fui informato in nella detta arte dodici anni « da Agnolo di Taddeo da Firenze mio maestro, il quale « imparò la detta arte da Taddeo suo padre, el quale fu « battezzato da Giotto,[2] e fu suo discepolo anni venti- « quattro, el quale Giotto rimutò l'arte del dipignere di « greco in latino, e ridusse al moderno, e l'ebbe certo « più compiuta che avesse mai nessuno ». Queste sono le proprie parole di Cennino; al quale parve, siccome fanno grandissimo benefizio quelli che di greco traducono in latino alcuna cosa, a coloro che il greco non intendono, che così facesse Giotto, in riducendo l'arte della pittura d'una maniera non intesa nè conosciuta da nessuno (se non se forse per goffissima) a bella, facile e piacevolissima maniera, intesa e conosciuta per buona da chi ha

trovamento della pittura ad olio. Il Lanzi, giovandosi delle osservazioni del Morelli, concilia ciò che può sembrare contraditorio; come a suo luogo pur si vedrà.

[1] *Fondato da Bonifazio Lupi, de' marchesi di Soragna, podestà di Firenze e capitano del popolo. Vedi Gaye, tom. I, pag. 528 e 529, ove al 23 di dicembre del 1376 è riferita la supplica del Lupi per costruire lo Spedale di San Giovanni Battista. Costò 24,000 fiorini d'oro. — ‡ La pittura del Cennini, quando si rifece il loggiato dello Spedale di Bonifazio nel 1787, fu per ordine del granduca Pietro Leopoldo spiccata dal muro e trasportata sur una tela per opera di un tal Santi Pacini e poi data in deposito all'Accademia delle Belle Arti. Passò in ultimo nella guardaroba dello Spedale di Santa Maria Nuova, ma così sfigurata dai mali ritocchi che non è possibile riconoscere quel che essa fosse in antico. Suppongono i signori Crowe e Cavalcaselle (op. cit., vol. I, p. 478) che Cennino da Colle sia una medesima persona con quel Cenni fiorentino che nel 1410 dipinse in Volterra l'Oratorio della Compagnia della Croce: ma questa loro supposizione cade facilmente, quando si ricordi che Cennino fu da Colle, e non da Firenze, e nacque da un Andrea, e il pittore Cenni fu figliuolo di Francesco, e che Cenni è nome diverso da Cennino, e l'uno non potere scambiarsi con l'altro.

[2] Tenuto al fonte battesimale.

giudizio e punto del ragionevole.[1] I quali tutti discepoli d'Agnolo gli fecero onore grandissimo; ed egli fu dai figliuoli suoi; ai quali (si dice) lasciò il valore di cinquantamila fiorini o più; seppellito in Santa Maria Novella nella sepoltura che egli medesimo aveva fatto per sè e per i discendenti, l'anno di nostra salute 1387.[2] Il ritratto d'Agnolo, fatto da lui medesimo si vede nella cappella degli Alberti in Santa Croce, nella storia dove Eraclio imperatore porta la croce, allato a una porta, dipinto in profilo, con un poco di barbetta e con un cappuccio rosato in capo, secondo l'uso di que' tempi. Non fu eccellente nel disegno, per quello che mostrano alcune carte che di sua mano sono nel nostro Libro.

[1] Il Vasari non dà nel segno *Rimutò l'arte del dipingere di greco in latino*, vuol dire che spogliò la pittura della rozzezza bizantina, e la vestì della gentilezza latina, ossia italiana, prendendo la parola *latino* nel senso più lato

[2] *Qui il Vasari sbaglia La sepoltura de' Gaddi in Santa Maria Novella non fu fatta da Angiolo di Taddeo, ma da Angiolo di Zanobi, suo nipote, come attesta la iscrizione che anch'oggi si vede in un marmo tondo, nel pavimento di quella chiesa, accanto al sepolcro della Beata Villana, che dice *S Angeli Zenobii Taddei de Gaddis et suorum* La cappella gli fu donata nel 1446 (Fineschi, *Memorie dell'antico cimitero di Santa Maria Novella*, pag 91) — Nella prima edizione delle Vite si legge questo epitaffio *Angelo Taddei f Gaddio, ingenii et picturae gloria, honoribus, probitatisque existimatione vere magno, filii moestiss posuere*

BERNA

PITTORE SANESE

(Nato ......; morto nel 1381 ?)

Se a coloro che si affaticano per venire eccellenti in qualche virtù, non troncasse bene spesso la morte nei migliori anni il filo della vita, non ha dubbio che molti ingegni perverrebbono a quel grado che da essi e dal mondo più si desidera. Ma il corto vivere degli uomini, e l'acerbità de' varj accidenti che da tutte le parti ne soprastano, ce li toglie alcuna fiata troppo per tempo: come aperto si potette conoscere nel poveretto Berna sanese;[1] il quale, ancora che giovane morisse, lasciò nondimeno tante opere che egli appare di lunghissima vita; e lasciolle tali e sì fatte, che ben si può credere da questa mostra, che egli sarebbe venuto eccellente e raro, se non fusse morto sì tosto. Veggonsi di suo in Siena, in due cappelle in Sant'Agostino, alcune storiette di figure

[1] *Berna è accorciativo di Bernardo, o Bernardino; e nel contado senese è ancora in uso. Il Baldinucci e il barone di Rumohr vorrebbero che Berna fosse lo stesso che Barna, accorciativo di Barnaba; ma sono, al parer nostro, in errore. Noi però stiamo col Ghiberti, sostenendo che il vero nome del pittore fosse Barna. Nè un Bernardino nè un Berna si trova fra i pittori senesi di quel tempo, ma sì fra i giurati alla mercanzia di Siena, nel 1340, un maestro Barna Bertini dipintore del popolo di San Pellegrino, il quale è molto probabile che sia quell'artefice detto Barna dal Ghiberti, ed erroneamente Berna dal Vasari.

in fresco;[1] e nella chiesa era, in una faccia (oggi per farvi cappelle stata rovinata), una storia d'un giovane menato alla giustizia, così ben fatta quanto sia possibile immaginarsi, vedendosi in quello espressa la pallidezza e il timore della morte in modo somiglianti al vero, che meritò perciò somma lode. Era accanto al giovane detto un Frate che lo confortava, molto bene atteggiato e condotto; ed, in somma, ogni cosa di quell'opera così vivamente lavorata, che ben parve che in quest'opera il Berna s'immaginasse quel caso orribilissimo come dee essere, e pieno di acerbissimo e crudo spavento, poichè lo ritrasse così bene col pennello, che la cosa stessa apparente in atto non moverebbe maggiore affetto. Nella città di Cortona ancora dipinse, oltre a molte altre cose sparse in più luoghi di quella città, la maggior parte delle volte e delle facciate della chiesa di Santa Margherita, dove oggi stanno Frati Zoccolanti.[2] Da Cortona andato a Arezzo l'anno 1369, quando appunto i Tarlati, già stati signori di Pietramala, avevano in quella città fatto finire il convento e il corpo della chiesa di Sant'Agostino da Moccio scultore ed architetto sanese,[3] nelle minori navate, delle quali avevano molti cittadini fatto fare cappelle e sepolture per le famiglie loro, il Berna vi dipinse a fresco, nella cappella di San Iacopo, alcune storiette della vita di quel Santo; e sopra tutto molto vivamente la storia di Marino barattiere, il quale avendo per cupidigia di danari dato, e fattone scritta di propria mano, l'anima al diavolo, si raccomanda a San Iacopo, perchè lo liberi da quella promessa, mentre un diavolo col mostrargli lo scritto gli fa la maggior calca del mondo.[4] Nelle quali

[1] Pitture perite, come quella che si descrive subito dopo

[2] Anche queste pitture sono perite

[3] *Di questo artefice si parla nella Vita di Duccio, ed in quella di Niccolo d'Arezzo

[4] Nel rifarsi la chiesa, queste pitture ebbero la sorte dell'altare, di cui si è detto più sopra

tutte figure espresse il Berna con molta vivacità gli affetti dell'animo, e particolarmente nel viso di Marino, da un canto la paura e dall'altro la fede e sicurezza che gli fa sperare da San Iacopo la sua liberazione, sebbene si vede incontro il diavolo, brutto a maraviglia, che prontamente dice e mostra le sue ragioni al Santo; che, dopo avere indotto in Marino estremo pentimento del peccato e promessa fatta, lo libera e tornalo a Dio. Questa medesima storia, dice Lorenzo Ghiberti, era di mano del medesimo in San Spirito di Firenze innanzi ch'egli ardesse, in una cappella de'Capponi intitolata in San Niccolò. Dopo quest'opera, dunque, dipinse il Berna nel Vescovado di Arezzo, per messer Guccio di Vanni Tarlati di Pietramala, in una cappella un Crocifisso grande, e a piè della croce una Nostra Donna, San Giovanni Evangelista e San Francesco in atto mestissimo, e un San Michelagnolo, con tanta diligenza che merita non piccola lode; e massimamente per essersi così ben mantenuto, che par fatto pur ieri. Più di sotto è ritratto il detto Guccio, ginocchioni e armato, a piè della croce.[1] Nella Pieve della medesima città, lavorò alla cappella de'Paganelli molte storie di Nostra Donna, e vi ritrasse di naturale il Beato Rinieri, uomo santo e profeta di quella casata, che porge limosine a molti poveri che gli sono intorno.[2] In San Bartolommeo ancora dipinse alcune storie del Testamento vecchio, e la storia de'Magi, e nella chiesa dello Spirito Santo fece alcune storie di San Giovanni Evangelista,[3] ed in alcune figure il ritratto di sè e di molti amici suoi, nobili di quella città. Ritornato, dopo queste opere, alla patria sua, fece in legno molte pitture e piccole e grandi; ma

[1] *Questo affresco, ritoccato non sono molti anni, esiste tuttavia nel Duomo Aretino, nel terzo altare a destra.

[2] Di questa storia non rimane più nulla.

[3] Nè di queste pure di San Bartolommeo e dello Spirito Santo è rimasto vestigio.

non vi fece lunga dimora, perchè, condotto a Firenze, dipinse in Santo Spirito la cappella di San Niccolò, di cui avemo di sopra fatto menzione, che fu molto lodata, ed altre cose che furono consumate dal miserabile incendio di quella chiesa. In San Gimignano di Valdelsa lavorò a fresco, nella Pieve, alcune storie del Testamento nuovo,[1] le quali avendo già assai presso alla fine condotte, stranamente dal ponte a terra cadendo, si pestò di maniera dentro e sì sconciamente s'infranse, che in spazio di due giorni, con maggior danno dell'arte che suo, che a miglior luogo se n'andò, passò di questa vita.[2] E nella Pieve predetta i Sangimignanesi, onorandolo molto nell'essequie, diedero al corpo suo onorata sepoltura, tenendolo in quella stessa reputazione morto, che vivo tenuto l'avevano, e non cessando per molti mesi d'appiccare intorno al sepolcro suo epitaffi latini e volgari, per essere naturalmente gli uomini di quel paese dediti alle buone lettere. Così dunque all'oneste fatiche del Berna resero premio conveniente, celebrando con i loro inchiostri chi gli aveva onorati con le sue pitture.

Giovanni d'Asciano,[3] che fu creato del Berna, condusse a perfezione il rimanente di quell'opera;[4] e fece

[1] *Queste pitture, che ancora si vedono nella parete della navata destra per chi entra, sono state ritoccate, per non dire guaste, in molta parte.

[2] *Questo accadde, secondo il Baldinucci, intorno al 1380. — † Il che se fosse provato, ed insieme che il Berna del Vasari non è diversa persona da Barna di Bertino nominato di sopra, il quale operava nel 1340, farebbe credere che il maestro senese non morisse ancor giovane, come dice il Vasari, ma per lo meno dell'età di sessant'anni. — *Il Vasari riferisce nella prima edizione questo epitaffio, che certamente è moderno. *Bernardo Senensi pictori in primis illustri, qui dum naturam diligentius imitatur, quam vitae suae consulit, de tabulato concidens, diem suum obiit, Geminianenses homines de se optime meriti vicem dolentes pos.* Sarebbe oggi quasi impossibile di aggiungere qualche cosa alle notizie date dal Vasari intorno la persona e le opere del Berna. Le scritture senesi contemporanee ne tacciono. Il che è accaduto per aver egli menato la breve vita quasi sempre lungi dalla patria.

[3] *Castello a sedici miglia da Siena. Dobbiamo al Vasari se è giunta fino a noi la notizia di questo artefice, che in Siena è, si può dire, quasi sconosciuto.

[4] *Sebbene tra le pitture di San Gemignano sopra ricordate ve ne siano alcune, nelle quali scorgesi una differenza di maniera, nondimeno sarebbe cosa dif-

in Siena, nello spedale della Scala, alcune pitture;[1] e così in Fiorenza, nelle case vecchie de' Medici, alcun'altre, che gli diedero nome assai.[2] Furono l'opere del Berna sanese nel 1381. E perchè, oltre a quello che si è detto, disegnò il Berna assai comodamente, e fu il primo che cominciasse a ritrarre bene gli animali, come fa fede una carta di sua mano che è nel nostro Libro, tutta piena di fiere di diverse ragioni; egli merita d'essere sommamente lodato, e che il suo nome sia onorato dagli artefici. Fu anche suo discepolo Luca di Tomè sanese,[3] il quale dipinse in Siena e per tutta Toscana molte opere, e particolarmente la tavola e la cappella che è in San Domenico d'Arezzo della famiglia de' Dragomanni;[4] la quale cappella, che è d'architettura tedesca, fu molto bene ornata, mediante detta tavola e il lavoro che vi è in fresco, dalle mani e dal giudizio e ingegno di Luca sanese.[5]

ficile il voler additare con certezza quello che a ciascuno de' due pittori si appartiene. Così noi non crediamo troppo al Della Valle, il quale volle distinguere le opere del maestro da quelle dello scolare.

[1] *Oggi in questo luogo non esiste nessuna pittura che possa dirsi di Giovanni; nè conosciamo nessuna memoria che ci attesti aver egli ivi lavorato.

[2] Saranno state distrutte, quando nel luogo di quella casa Cosimo il Vecchio innalzò il palazzo, passato poi ai Riccardi.

[3] *Di Luca di Tomè, il più antico ricordo è del 1357; nel qual anno, Cristoforo di Stefano, acconciò la Madonna dipinta da Pietro Lorenzetti nel 1333 sopra la porta maggiore del Duomo. Questa data porterebbe a credere Luca, piuttostochè del Berna, scolare di Simone. Era ai Cappuccini, fuori del castello di San Quirico (oggi nella Galleria Senese), una tavola, ora divisa in più pezzi, nella cui parte di mezzo, è la Madonna col Figliuolo in braccio; seduta in grembo di Sant'Anna; concetto raro nei maestri di quel tempo. Sotto la Madonna è scritto: LUCAS • THOME • DE SENIS • PINSIT • HOC • OPUS • M • CCC • LXVII. E nell'oratorio di Monasterino delle Tolfe, fuori da Siena, è una tavoletta (molto guasta) dove in mezze figure sono la Vergine e due Santi e sotto il suo nome. Nell'Accademia di Belle Arti di Pisa è un'altra tavola col Crocifisso, la Madonna e san Giovanni ai lati, e sopra il Padre Eterno. In basso è scritto: LUCAS TOME • DE SENIS • PINSIT • HOC ..... A • S • MCCCLXVI.

[4] *Secondo altri è de' Dragoni, o de' Lancia-Serzagli, famiglie aretine estinte.

[5] *L'ultima Guida di Arezzo dice che rimane ancora una parte di questi affreschi. La tavola pare perduta da gran tempo.

DUCCIO

PITTORE SANESE

(La prima memoria è del 1282; l'ultima, del 1339)

Senza dubbio coloro che sono inventori d'alcuna cosa notabile, hanno grandissima parte nelle penne di chi scrive l'istorie; e ciò avviene, perchè sono più osservate e con maggiore maraviglia tenute le prime invenzioni per lo diletto che seco porta la novità della cosa, che quanti miglioramenti si fanno poi da qualunque si sia nelle cose che si riducono all'ultima perfezione. Attesochè, se mai a niuna cosa non si desse principio, non crescerebbono di miglioramento le parti di mezzo, e non verrebbe il fine ottimo e di bellezza maravigliosa. Meritò, dunque, Duccio,[1] pittore sanese e molto stimato, portare

[1] † La più antica memoria che si abbia in Siena di Duccio, il quale fu figliuolo di Buoninsegna, è del 1282. Nel Museo di Nancy è una tavola segnata del nome del pittore e dell'anno 1278 in questo modo: *Duccio me facieb. anno S. MCCLXXVIII.* Questa scritta è stata dichiarata falsa, e veramente la forma sua lo farebbe credere. Maestro Segna di Buonaventura, che il Tizio nelle sue *Historiae Senenses* mss. fa maestro di Duccio, dall'esame delle sue pitture e del tempo loro, che è fra il 1305 e il 1326, apparisce, al contrario, suo scolare. Di questo maestro Segna di Buonaventura non si conosce di certo che l'avanzo di una tavola che fu già nella chiesa della Badia di San Salvadore della Berardenga, ed ora è nella Galleria di Siena, dove scrisse *Segna me fecit*. Esso fu dato inciso per la prima volta dal prof. Rosini nella sua *Storia della Pittura italiana*, tom. II, pag. 28. Dal 1305 al 1306 dipinse una tavola per la Biccherna; della quale opera due avanzi colle figure di sant'Ansano e san Galgano furono trasportati dal Pa-

il vanto di quelli che dopo lui sono stati molti anni, avendo nei pavimenti del Duomo di Siena dato principio di marmo ai rimessi delle figure di chiaro e scuro,[1] nelle quali oggi i moderni artefici hanno fatto le maraviglie che in essi si veggono.[2] Attese costui alla imitazione della maniera vecchia,[3] e con giudizio sanissimo diede oneste forme alle figure, le quali espresse eccellentissimamente nelle difficultà di tal'arte. Egli di sua mano, imitando le pitture di chiaroscuro, ordinò e disegnò i principj del detto pavimento: e nel Duomo fece una tavola, che fu allora messa all'altare maggiore, e poi levatane per mettervi il tabernacolo del corpo di Cristo, che al presente

lazzo del Comune nella raccolta delle Belle Arti, nella occasione che nel 1842 noi facemmo il riordinamento delle antiche tavole di quella Galleria. Nella chiesa di Castiglion Fiorentino è una tavola con Maria Vergine in trono circondata da varj angeli. In basso sono ritratte quattro piccole figure inginocchiate di chi fece fare questa pittura, la quale è nella medesima forma della Madonna di Cimabue nella cappella de' Rucellai e della Galleria del Louvre. Sotto vi si legge: *Hoc opus pinxit Segna Senensis*. Nel 1317 dipinse per l'altare maggiore della chiesa del convento di Lecceto, a cinque miglia da Siena, una Madonna seduta in trono, e il Bambino Gesù in braccio. Essa si vede ora nel coro della prossima chiesa di San Lionardo; ma i laterali si vede bene che non le appartengono, essendo di mano e di tempo posteriori.

[1] *Questo non pare si possa credere, perchè dello spazzo di marmo del Duomo senese non si trova parola prima del 1359. Che se una deliberazione fatta dai Signori Nove nel 1310 ordina la continuazione del musaico della chiesa cattedrale, egli è da intendere di quello della facciata; il quale appare che nel 1358, allorchè si abbandonò il Duomo *nuovo* e fu ripreso il vecchio, fosse tirato avanti da maestro Michele di ser Memmo orafo, pittore e scultore senese.

† È certo che anche innanzi a' tempi di Duccio questi lavori di commesso erano in uso. Un esempio antico l'abbiamo nell'atrio del Duomo di Lucca, dove dentro certe formelle e un ornamento di marmi bianchi rossi e neri con figure d'uomini e d'animali in alcune parti graffiti. Quest'opera di commesso o di musaico di marmo fu fatta nel 1233, come si rileva da una scritta presso il lato sinistro della porta maggiore che dice: ✝ HOC OPUS CEPIT FIERI A BELENATO ET ALDIBRANDO OPERAIIS A. D. MCCXXXIII.

[2] Vere maraviglie, che il Cicognara chiama smisurati nielli, e paragona ai più preziosi musaici della Grecia e di Roma.

[3] *Duccio può tenersi il gran padre della Scuola Senese. Innanzi a lui nessuno pare che proseguisse ed accrescesse quella tradizione artistica che Guido aveva lasciata col suo maraviglioso quadro del 1221. L'arte non si spense in Siena, perchè è facile trovare nomi di pittori nel secolo XIII, anche avanti di Duccio, ma non di alcuno che a lui possa pareggiarsi. Talchè sembra egli più

vi si vede. In questa tavola, secondo che scrive Lorenzo di Bartolo Ghiberti, era una Incoronazione di Nostra Donna lavorata quasi colla maniera greca, ma mescolata assai con la moderna; e perchè era così dipinta dalla parte di dietro come dinanzi, essendo il detto altar maggiore spiccato intorno intorno, dalla detta parte di dietro erano con molta diligenza state fatte da Duccio tutte le principali storie del Testamento nuovo, in figure piccole molto belle. Ho cercato sapere dove oggi questa tavola si trovi, ma non ho mai, per molta diligenza che io ci abbia usato, potuto rinvenirla,[1] o sapere quello che Francesco di Giorgio scultore ne facesse, quando rifece di

coll'ingegno proprio, che per fatto di ammaestramenti o di esempj, averla spinta ad un notabile grado. Vero è, che nelle sue pitture si attenne alquanto alla maniera bizantina, ma la migliorò d'assai, e le diede più forma e più natura italiana. I pittori che vennero dopo, come Segna, Ugolino ed i Lorenzetti, vi aggiunsero qualcosa, massime nel colorito, nell'aria delle teste: ma non sì che non conservassero della maniera di Duccio tanto da mostrare che la Scuola Senese non risentisse in niente dell'azione Giottesca. Simone e Lippo furono i primi che alcun che prendessero dal maestro fiorentino; e dopo di essi il Barna e Luca di Tommè e qualche altro se ne fecero, chi più chi meno, imitatori.

† Oggi per via di ragioni ed argomenti desunti dalla storia e dalla critica si tiene altra opinione circa all'età di Guido da Siena e al tempo della sua celebre tavola, provandosi che egli visse ed operò negli ultimi cinquanta anni del secolo XIII, che dipinse quella tavola nel 1281, e non come è stato creduto per lungo tempo nel 1221; e finalmente che da lui cominci la bella e lieta Scuola Senese. (V. *Della vera età di Guido pittore senese e della celebre sua tavola in San Domenico di Siena*, negli *Scritti varj* ecc. di G. Milanesi; Siena, 1873, in-8).

[1] *Questa tavola, allogata a Duccio nel 9 di ottobre del 1308, fu da lui finita nel 1311. Parve agli uomini del suo tempo, e pare anche a noi, opera di tanta maraviglia, che dalla casa dell'artefice, posta nella contrada del Laterino, fu nel 9 di giugno di quell'anno portata al Duomo con grandissima solennità. Costò, secondo gli annali latini inediti attribuiti a Francesco Piccolomini, poi Pio III, 2000 fiorini d'oro; e secondo altre memorie, 3000; non tanto pel pagamento dell'artefice, quanto per l'oro e l'oltremare che vi sono profusi. Allorchè l'altar maggiore, che ora sotto la cupola, fu nel 1506 collocato dove oggi si vede, questa tavola, dipinta dinanzi e di dietro su due assi riunite insieme, fu tolta e posta in una stanza della canonica; dove stette fino a che nel secolo seguente, dopo averle con cattivo consiglio tolto ogni ornamento, e guasta la forma primitiva, non fu divisa, appendendo alla parete laterale dell'altare di sant'Ansano il dinanzi, che rappresenta la Madonna circondata da varj santi ed angeli (e non la Incoronazione, come per errore scrisse il Ghiberti e ripetè il Vasari), ed il di dietro, ove in 27 maravigliosissime storie è espressa la Vita di Gesù Cristo, a quella

bronzo il detto tabernacolo, e quegli ornamenti di marmo che vi sono.[1] Fece similmente per Siena molte tavole in campo d'oro, ed una in Fiorenza in Santa Trinita, dove è una Nunziata.[2] Dipinse poi moltissime cose in Pisa, in Lucca ed in Pistoia per diverse chiese, che tutte furono sommamente lodate, e gli acquistarono nome e utile grandissimo.[3] Finalmente, non si sa dove questo Duccio

dell'altare del Sacramento Le figure delle piramidi, e le storie della predella si veggono nella sagrestia Sotto il dinanzi della tavola Duccio scrisse questa affettuosa preghiera MATER SANCTA DEI — SIS CAUSA SENIS REQUIEI — SIS DUCIO VITA — TE QUIA DEPINXIT ITA

[1] *Il tabernacolo di bronzo, fatto nel 1472 per la chiesa dello Spedale da Lorenzo di Pietro, detto il Vecchietta, fu trasportato al Duomo nel 1506, e posto sull'altar maggiore Francesco di Giorgio gettò nel 1497 due de' quattro angeli di bronzo che sono nel detto altare, gli altri sono di Giovanni di Stefano Ma i lavori di marmo sono posteriori, perchè furono eseguiti nel 1532 da varj artefici, secondo il disegno di Baldassarre Peruzzi

[2] *Di Duccio ora non resta di certo che la maravigliosa tavola del Duomo di Siena Nella Galleria dell'Istituto senese di Belle Arti si vede qualche antica pittura che ricorda la maniera di questo artefice — † In una cappella a destra di chi entra della chiesa dello Spedale di S Maria della Scala di Siena, è una tavola, che ha il carattere delle cose di Duccio Nella cornice in lettere moderne è scritto *Del tempo di Matteo di Giovanni* Della falsità tanto manifesta di questa iscrizione non accade parlare Matteo di Giovanni pittore senese morì nel 1495 — *La tavola della Nunziata in Santa Trinita è quella che (come si ha da un prezioso documento esistente nell'Archivio Diplomatico di Firenze, e pubblicato nel vol I, pag 158 de' citati *Documenti per la storia dell'arte senese*) fece nel 1285 per la fraternita di Santa Maria, che aveva una cappella in Santa Maria Novella, sono perdute Pare che la stessa sorte abbiano avuto un quadro di Madonna, ed una predella che nel 1302 dipinse per l'altare della cappella del Palazzo Pubblico di Siena Di un'altra opera preziosissima, che, sebbene non firmata, è certamente di questo pittore, erano possessori i figliuoli di Giovanni Metzger in Firenze, il quale l'aveva comprata in Siena molti anni sono Essa nel 1845 andò venduta per grossa somma al principe Alberto d'Inghilterra È un trittico dell'altezza di un braccio circa Nel mezzo è Cristo in croce, con la Madonna e san Giovanni ai lati, e in alto due angeli piangenti Nel destro sportello in alto l'Annunziazione della Vergine, e sotto la Madonna seduta col divino Infante, adorata da angeli che stanno dietro il trono Nello sportello sinistro, la Madonna con Cristo seduti, con angeli attorno e in alto, san Francesco che riceve le stimate Opera conservatissima, di tanta bellezza e finezza, che maggiore non si può aggiungere La provenienza di essa, e più la maniera così caratteristica, non ci fanno stare in dubbio che essa non sia opera del nostro Duccio

[3] *Delle sue opere in Pisa, in Lucca ed in Pistoia, nulla possiamo dire, perchè nulla rimane Nè gli si possono attribuire quelle due tavole che il Tolomei (*Guida di Pistoia* ecc) indicò come esistenti nello Spedale del Ceppo di essa città e in chiesa, le quali non solo non son di Duccio, ma neppure della Scuola Senese.

morisse, nè che parenti, discepoli[1] o facultà lasciasse: basta che per aver egli lasciato erede l'arte della invenzione della pittura nel marmo di chiaro e scuro, merita per tale benefizio nell'arte commendazione e lode infinita, e che sicuramente si può annoverarlo fra i benefattori che allo esercizio nostro aggiungono grado ed ornamento; considerato che coloro, i quali vanno investigando le difficultà delle rare invenzioni, hanno eglino ancora la memoria che lasciano tra l'altre cose maravigliose.

Dicono a Siena che Duccio diede, l'anno 1348, il disegno della cappella che è in piazza nella facciata del Palazzo principale;[2] e si legge che visse ne' tempi suoi e fu della medesima patria Moccio,[3] scultore ed architetto ragionevole, il quale fece molte opere per tutta

[1] *Le prime notizie delle opere di Duccio cadono, come abbiamo detto, nel 1285; ond'è a credere ch'egli sia nato nel 1260 incirca. Ora, se la morte sua fosse accaduta nel 1350, come vogliono alcuni, bisognerebbe far pervenire l'artefice senese quasi alla età di 90 anni: cosa, se non rara, almeno nel caso nostro improbabile, vedendo che fin dal 1339 ci abbandona ogni memoria dell'esser suo. Talchè non anderemmo lungi dal vero, se poco dopo a questo tempo lo dicessimo morto. Ebbe egli due figliuoli di nome Galgano ed Ambrogio, il primo de' quali seguì l'arte paterna. Gli scolari suoi possono essere Segna, il Martini, i due Lorenzetti, e forse Ugolino. Basta vedere le opere loro, e specialmente le più antiche, per persuadersi di questo.

[2] *La cappella di Piazza, ordinata per voto fatto nella peste del 1348, ebbe principio nel 1352; ma non riuscendo di soddisfazione dell'universale, fu per ben quattro volte demolita; finchè nel 1376 rimase compiuta. Non pare che il primo disegno possa essere stato di Duccio; non tanto perchè egli nel 1352, facilmente, da qualche anno era morto; quanto ancora perchè essendo quell'oratorio stato fabbricato a spese dell'Opera del Duomo, ragionevole cosa è che ella si servisse del disegno e della direzione del suo capomaestro: il quale nel 1352 era un maestro Domenico d'Agostino, e nel 1376, ed anche innanzi, un maestro Giovanni di Cecco.

[3] *Ecco un artefice, la memoria del quale, se non era il Vasari, forse sarebbe perduta; perchè noi crediamo che per quanta diligenza ed industria si usasse, non verrebbe fatto di aggiungere notizie maggiori dell'esser suo. In Siena appena due o tre volte comparisce egli come maestro muratore; arte che a quei tempi, ed anche dopo, raramente si discompagnava da quella di architetto. Sappiamo che nel 1340 lavorava all'accrescimento del Duomo senese; e che nel 1345 aveva preso a rischio, o a cottimo, la muraglia della torre di Piazza. Ma cosa notabile è che in ambedue queste memorie egli è detto da Perugia. Vogliono alcuni che nel 1326 fosse architetto della Porta o Torrione di San Viene, o dei Pispini.

Toscana, e particolarmente in Arezzo nella chiesa di San Domenico una sepoltura di marmo per uno de' Cerchi. La quale sepoltura fa sostegno e ornamento all'organo di detta chiesa. e se a qualcuno paresse che ella non fusse molto eccellente opera, se si considera che egli la fece essendo giovinetto l'anno 1356, ella non sarà se non ragionevole.[1] Servì costui nell'Opera di Santa Maria del Fiore per sotto architetto e per scultore,[2] lavorando di marmo alcune cose per quella fabbrica; ed in Arezzo rifece la chiesa di Sant'Agostino,[3] che era piccola, nella maniera che ell'è oggi; e la spesa fecero gli eredi di Piero Saccone de' Tarlati, secondo che aveva egli ordinato prima che morisse in Bibbiena, terra del Casentino. E perchè Moccio condusse questa chiesa senza volte, e caricò il tetto sopra gli archi delle colonne, egli si mise a un gran pericolo, e fu veramente di troppo animo. Il medesimo fece la chiesa e convento di Sant'Antonio, che innanzi all'assedio di Firenze era alla porta a Faenza. e che oggi è del tutto rovinato;[4] e di scultura, la porta di Sant'Agostino in Ancona. con molte figure ed ornamenti simili a quelli che sono alla porta di San Francesco della città medesima. Nella qual chiesa di Sant'Agostino fece anco la sepoltura di Fra Zenone Vigilanti, vescovo e generale dell'Ordine di detto Sant'Agostino,[5] e finalmente, la loggia de' mercatanti di quella città, che

[1] Questa sepoltura più non si vede.

[2] † Di questo non è memoria nessuna ne' libri dell' Opera del Duomo di Firenze. Sospettiamo che il Vasari abbia confuso maestro Moccio col maestro Tino di Camaino scultore senese, il quale era in Firenze, nel 1322, a' servigi dell' Opera di San Giovanni, e scolpì, come abbiamo detto, il sepolcro del vescovo Antonio d'Orso che è nel Duomo

[3] Poi rifatta di nuovo circa la metà del secolo scorso Era, dopo il Duomo, la più larga chiesa della città

[4] † La chiesa e il convento di Sant'Antonio di Vienna furono edificati nel 1358 da fra Giovanni Guidotti di Pistoja.

[5] † Il monumento del vescovo Simone, e non Zenone Vigilanti, che è nella chiesa di San Francesco della Scala e non in Sant'Agostino d'Ancona, non fu scolpito da Moccio, ma da un maestro Andrea da Firenze, come appariva dalla

dopo ha ricevuti, quando per una cagione e quando per un'altra, molti miglioramenti alla moderna ed ornamenti di varie sorti.[1] Le quali tutte cose, comecchè siano a questi tempi molto meno che ragionevoli, furono allora, secondo il sapere di quegli uomini, assai lodate. Ma tornando al nostro Duccio, furono l'opere sue intorno agli anni di nostra salute 1350.[2]

iscrizione posta sul coperchio del sepolcro che diceva: *Andreas de Florentia qui etiam sepulcrum regis Ladislai excudit.* Ora questa iscrizione non vi si vede più, perchè nel trasportare il detto sepolcro dalla vecchia chiesa di San Francesco nella nuova, la parte sua, ov'era la iscrizione, fu guasta e dispersa. (CATALANI LUIGI, *Discorso sui monumenti patrii.* Napoli, 1842, a p. 22). Di questo scultore fiorentino che operò ne' primi anni del secolo XV, è in San Giovanni a Carbonara di Napoli il monumento di Ferdinando Sanseverino principe di Bisignano. Evvi intagliato il nome dello scultore così: OPUS ANDREE (*sic*) DE FLORENTIA. (Vedi *Napoli e sue vicinanze*; Napoli, 1845; vol. I, pag. 280). Parimente che non sieno di Moccio gli ornamenti della porta di Sant'Agostino, ne abbiamo un argomento nel Bernabei, cronista contemporaneo, il quale dice che la porta di questa chiesa fu cominciata da maestro Giorgio da Sebenico. Sennonchè si potrebbe supporre che Moccio conducesse a fine il lavoro già incominciato da questo scultore. La porta di San Francesco della stessa città è opera del detto maestro Giorgio. (RICCI, *Mem. artist. della Marca d'Ancona*).

[1] Fu poi rifatta di pianta, e dipinta da Pellegrino Tibaldi.

[2] *Dopo quel che abbiamo detto di sopra, non accade di notare l'errore del Vasari di assegnare questo tempo alle opere di Duccio.

ANTONIO VINIZIANO

PITTORE

(Nato ....; fiorito nella seconda metà del secolo XIV)

Molti che si starebbono nelle patrie loro, dove son nati, essendo trafitti dai morsi dell'invidia e oppressi dalla tirannia de'suoi cittadini, se ne partono; e que'luoghi dove trovano essere la virtù loro conosciuta e premiata, eleggendosi per patria, in quella fanno l'opere loro; e sforzandosi d'essere eccellentissimi per fare in un certo modo ingiuria a coloro da chi sono stati oltraggiati, divengono bene spesso grand'uomini: dove nella patria standosi quietamente, sarebbono per avventura poco più che mediocri nell'arti loro riusciti. Antonio Viniziano, il quale si condusse a Firenze[1] dietro a Agnolo Gaddi per impa-

[1] *Il Baldinucci asserisce che questo pittore era fiorentino, col riscontro di certi manoscritti e spogli Strozzani; e che fosse detto Veneziano ed anche da Siena, per aver dimorato molto tempo in quelle città. Ma nei documenti delle pitture di quest'artefice fatte nel Campo Santo di Pisa, riferiti dal Ciampi, è detto chiaramente *Antonius Francisci de Venetiis*; e noi nei libri dell'Opera del Duomo senese abbiam trovato che, nel 1369 e 1370, *Antonio di Francesco da Venezia* lavorò alcune cose per quella chiesa. La opinione del Vasari, pertanto, è la più sicura e la più accettabile.

† Antonio di Francesco da Venezia fu matricolato all'Arte dei Medici e Speziali, della quale facevano parte i Pittori, il 20 settembre 1374. Fu ne'medesimi tempi del maestro veneziano un pittore fiorentino chiamato Antonio di Francesco Vanni che si matricolò a'7 di febbraio 1382. Non sarebbe impossibile che il Vasari, come ha fatto altre volte, abbia assegnato al veneziano alcune opere che appartenevano al fiorentino.

rare la pittura, apprese di maniera il buon modo di fare che non solamente fu stimato e amato da' Fiorentini, ma carezzato ancora grandemente per questa virtù e per l'altre buone qualità sue. Laonde, venutogli voglia di farsi vedere nella sua città per godere qualche frutto delle fatiche da lui durate, si tornò a Vinegia. Dove essendosi fatto conoscere per molte cose fatte a fresco e a tempra, gli fu dato dalla Signoria a dipignere una delle facciate della sala del Consiglio,[1] la quale egli condusse sì eccellentemente e con tanta maestà, che secondo meritava n'avrebbe conseguito onorato premio; ma la emulazione o piuttosto invidia degli artefici, ed il favore che ad altri pittori forestieri fecero alcuni gentiluomini, fu cagione che altramente andò la bisogna. Onde il poverello Antonio, trovandosi così percosso ed abbattuto, per miglior partito se ne ritornò a Fiorenza, con proposito di non volere mai più a Vinegia ritornare, deliberato del tutto che sua patria fusse Firenze. Standosi dunque in quella città, dipinse nel chiostro di Santo Spirito, in un archetto, Cristo che chiama Pietro ed Andrea dalle reti, e Zebedeo e i figliuoli.[2] E sotto i tre archetti di Stefano dipinse la storia del miracolo di Cristo ne' pani e ne' pesci; nella quale infinita diligenza ed amore dimostrò, come apertamente si vede nella figura d'esso Cristo, che nell'aria del viso e nell'aspetto mostra la compassione che egli ha delle turbe, e l'ardore della carità, con la quale fa dispensare il pane. Vedesi medesimamente in gesto bellissimo l'affezione d'uno Apostolo, che dispensando con una cesta il pane grandemente s'affatica. Nel che

[1] Del maggior Consiglio, probabilmente; ora Biblioteca. Il silenzio del Quadri ne' suoi *Otto Giorni in Venezia* ci fa pensare che le pitture d'Antonio più non vi si veggano.

† Esse perirono nell'incendio del Palazzo Ducale accaduto nel 1573.

[2] *Nella Vita di Stefano e Ugolino dà a Stefano questa medesima istoria della Vocazione di San Pietro. E notisi come l'autore dice che essa era giudicata la più bella delle tre da quell'artefice dipinte in quegli archetti!

s'impara da chi è dell'arte a dipignere sempre le figure in maniera che paia ch'elle favellino, perchè altrimenti non sono pregiate. Dimostrò questo medesimo[1] Antonio nel frontespizio di fuora, in una storietta piccola della Manna, con tanta diligenza lavorata e con sì buona grazia finita, che si può veramente chiamare eccellente.[2] Dopo, fece in San Stefano al Ponte Vecchio, nella predella dell'altar maggiore, alcune storie di San Stefano con tanto amore, che non si può vedere nè le piu graziose nè le più belle figure, quand'anche fussero di minio.[3] A Sant'Antonio ancora al Ponte alla Carraia,[4] dipinse l'arco sopra la porta; che a' nostri dì fu fatto insieme con tutta la chiesa gettare in terra da monsignor Ricasoli vescovo di Pistoia, perchè toglieva la veduta alle sue case: benchè, quando egli non avesse ciò fatto, a ogni modo saremmo oggi privi di quell'opera, avendo il prossimo diluvio del 1557 (come altra volta si è detto) da quella banda portato via due archi e la coscia del ponte, sopra la quale era posta la detta piccola chiesa di Sant'Antonio. Essendo, dopo quest'opera, Antonio condotto a Pisa dallo operaio di Campo Santo, seguitò di fare in esso le storie del Beato Ranieri, uomo santo di quella città, già cominciate da Simone sanese,[5] pur coll'ordine di lui. Nella prima parte della quale opera fatta da Antonio si vede, in compagnia del detto Ranieri, quando imbarca per tornare a Pisa, buon numero di figure lavorate con diligenza; fra le quali è il ritratto del conte Gaddo, morto dieci anni innanzi; e di Neri suo zio, stato signor di Pisa.[6] Fra le dette figure è ancor molto nota-

[1] *Cioè il pregio di dar vita alle figure.

[2] Come le pitture di Stefano, così son perite quelle d'Antonio.

[3] Rifacendosi l'altare e la chiesa, fu la predella trasportata chi sa dove.

[4] *Oratorio fabbricato nel 1350 da Gheri di Michele. (Vedi GAYE, I, 501).

[5] *Fu mostrato altrove che Simone non dipinse in Campo Santo le storie di San Ranieri.

[6] *Gaddo, o Gherardo, fu figliuolo di Bonifazio il vecchio della Gherardesca, e nipote di Ranieri o Neri. Gaddo si dice morto nel 1320; laonde, stando al Va-

bile quella di uno spiritato; perchè, avendo viso di pazzo, i gesti della persona stravolti, gli occhi stralucenti, e la bocca che digrignando mostra i denti, somiglia tanto uno spiritato da dovero, che non si può imaginare nè più viva pittura nè più somigliante al naturale.[1] Nell'altra parte che è allato alla sopraddetta, tre figure, che si maravigliano vedendo che il Beato Ranieri mostra il diavolo in forma di gatto sopra una botte a un oste grasso, che ha aria di buon compagno e che tutto timido si raccomanda al Santo,[2] si possono dire veramente bellissime, essendo molto ben condotte nell'attitudini, nella maniera dei panni, nella varietà delle teste, e in tutte l'altre parti. Non lungi le donne dell'oste, anch'elleno non potrebbono essere fatte con più grazia, avendole fatte Antonio con certi abiti spediti, e con certi modi tanto proprj di donne che stieno per servigi d'osterie,[3] che non si può imaginare meglio. Nè può più piacere di quello che faccia, l'istoria, parimente, dove i canonici del Duomo di Pisa, in abiti bellissimi di que'tempi, e assai diversi da quelli che s'usano oggi e molto graziati, ricevono a mensa San Ranieri; essendo tutte le figure fatte con molta considerazione. Dove poi è dipinta la morte di detto Santo,[4] è molto bene espresso non solamente l'affetto del piangere, ma l'andare similmente di certi Angeli che portano

sari, ne verrebbe che Antonio Veneziano dipingesse in Campo Santo fin dal 1330; ma questo è impugnato dai documenti esibiti dal Ciampi nelle sue *Notizie inedite* ecc., da' quali si vede che Antonio Veneziano operava in quel luogo nel 1386 e 1387.

[1] Tutta questa parte è quasi affatto perduta, o qua e là malamente rifatta.

[2] L'allusione di queste pitture è spiegata dal Totti nel suo *Dialogo* sul Campo Santo pisano, e dal Rosini nella *Descrizione* del Campo Santo medesimo.

[3] Nè donna di servizio nè altra, fuorchè una vecchia genuflessa innanzi al Santo, e forse meglio all'oste, furon qui dipinte da Antonio; nè s'intende come il Vasari abbia potuto imaginarsele.

[4] E questa parte, ov'è dipinta la morte del Santo, e la seguente, ov'è la traslazione del suo corpo, hanno molto sofferto. Vi sono però rimasti dei contorni preziosi, che sono stati con gran diligenza trasportati in disegno.

l'anima di lui in cielo, circondati da una luce splendidissima e fatta con bella invenzione. E veramente non può anche se non maravigliarsi chi vede, nel portarsi dal clero il corpo di quel Santo al Duomo, certi preti che cantano; perchè nei gesti, negli atti della persona e in tutti i movimenti, facendo diverse voci, somigliano con maravigliosa proprietà un coro di cantori: e in questa storia è, secondo che si dice, il ritratto del Bavero.[1] Parimente, i miracoli che fece Ranieri nell'esser portato alla sepoltura, e quelli che in un altro luogo fa, essendo già in quella collocato nel Duomo, furono con grandissima diligenza dipinti da Antonio; che vi fece ciechi che ricevono la luce, rattratti che rianno la disposizione delle membra, oppressi dal demonio che sono liberati, ed altri miracoli espressi molto vivamente. Ma fra tutte l'altre figure merita con maraviglia essere considerato un idropico; perciocchè, col viso secco, con le labbra asciutte e col corpo enfiato, è tale che non potrebbe più di quello che fa questa pittura, mostrare un vivo la grandissima sete degli idropici, e gli altri effetti di quel male. Fu anche cosa mirabile in que'tempi una nave che egli fece in quest'opera, la quale, essendo travagliata dalla fortuna, fu da quel Santo liberata; avendo in essa fatto prontissime tutte le azioni dei marinari, e tutto quello che in cotali accidenti e travagli suol avvenire. Alcuni gettano senza pensarvi all'ingordissimo mare le care merci con tanti sudori fatigate; altri corre a provvedere il legno che sdruce; ed insomma, altri ad altri uffizj marinareschi, che tutti sarei troppo lungo a raccontare: basta che tutti sono fatti con tanta vivezza e bel modo, che è una maraviglia.[2] In questo medesimo luogo, sotto la vita de'Santi Padri dipinta da Pietro Laurati sanese,

[1] L'imperatore Lodovico il Bavaro, morto nel 1347.

[2] Quasi tutte le figure di questa porzione del dipinto sono storiche, e nella *Descrizione del Campo Santo* del Rosini se ne dicono i nomi.

fece Antonio il corpo del Beato Uliverio, insieme con l'abate Panunzio, e molte cose della vita loro,[1] in una cassa figurata di marmo; la qual figura è molto ben dipinta. In somma, tutte quest'opere[2] che Antonio fece in Campo Santo, sono tali, che universalmente e a gran ragione sono tenute le migliori di tutte quelle che da molti eccellenti maestri sono state in più tempi in quel luogo lavorate. Perciocchè, oltre i particolari detti, egli lavorando ogni cosa a fresco, e non mai ritoccando alcuna cosa a secco, fu cagione che insino a oggi si sono in modo mantenute vive nei colori, ch'elle possono, ammaestrando quegli dell'arte, far loro conoscere quanto il ritoccare le cose fatte a fresco, poi che sono secche, con altri colori, porti (come si è detto nelle teoriche) nocumento alle pitture ed ai lavori; essendo cosa certissima, che gl'invecchia, e non lascia purgarli dal tempo, l'esser coperti di colori che hanno altro corpo, essendo temperati con gomme, con draganti, con uova, con colla o altra somigliante cosa, che appanna quel di sotto, e non lascia che il corso del tempo e l'aria purghi quello che è veramente lavorato a fresco sulla calcina molle, come avverrebbe se non fossero loro soprapposti altri colori a secco.[3] Avendo Antonio finita quest'opera, che, come degna in verità d'ogni lode, gli fu onoratamente pagata da'Pisani, che poi sempre molto l'amarono; se ne tornò a Firenze, dove a Nuovoli fuor della porta al Prato, dipinse in un tabernacolo, a Giovanni degli Agli, un Cristo morto, con molte figure; la storia de'Magi; ed il dì del Giudizio, molto bello.[4] Condotto poi alla

[1] De'Beati Onofrio e Panuzio, correggono i descrittori del Campo Santo.

[2] Il Transito di San Ranieri, specialmente, e la traslazione del suo corpo.

[3] *Ecco dove il Vasari è inarrivabile: quando alle doti di scrittore congiunge la pratica dell'artista.

[4] Nel tabernacolo, notava il Bottari, presso alla villa degli Agli, ora dei Panciatichi, detta anche al presente la Torre degli Agli, non si vede più questa pittura. — † Esiste ancora, sebbene molto guasta. Nel mezzo evvi dipinta la Deposi-

Certosa, dipinse agli Acciaiuoli, che furono edificatori di quel luogo, la tavola dell'altar maggiore; che a' dì nostri restò consumata dal fuoco per inavvertenza d'un sagrestano di quel monasterio, che, avendo lasciato all'altare appiccato il turibile pien di fuoco, fu cagione che la tavola abbruciasse, e che poi si facesse, come sta oggi, da que' monaci l'altare interamente di marmo. In quel medesimo luogo fece ancora il medesimo maestro, sopra un armario che è in detta cappella, in fresco, una Trasfigurazione di Cristo, ch'è molto bella.[1] E perchè studiò, essendo a ciò molto inchinato dalla natura, in Dioscoride le cose dell'erbe, piacendogli intendere la proprietà e virtù di ciascuna d'esse, abbandonò in ultimo la pittura, e diedesi a stillare semplici, e cercargli con ogni studio. Così di dipintore medico divenuto, molto tempo seguitò quest'arte.[2] Finalmente, infermo di mal di stomaco, o, come altri dicono, medicando di peste, finì il corso della sua vita d'anni settantaquattro, l'anno 1384,[3] che fu grandissima peste in Fiorenza, essendo stato non meno esperto medico che diligente pittore; perchè, avendo infinite sperienze fatto nella medicina per coloro che di lui ne' bisogni s'erano serviti, lasciò al mondo di sè bonissima fama nell'una e nell'altra virtù.[4] Disegnò Antonio

zione di Croce, ed ai lati il Giudizio, e il Transito e la morte di Maria Vergine. Dell'altre cose restano appena alcuni vestigj.

[1] *Cioè, sopra l'altare della cappella delle Reliquie. Questo affresco perì al tempo di Bernardino Barbatelli, detto il Poccetti, che molto dipinse in questa Certosa.

[2] † Che Antonio di pittore si facesse medico, tutta la fede è nel Vasari. Ma noi ne dubitiamo.

[3] *Ma i documenti ci dicono che nel 1386 lavorava nel Campo Santo pisano; dunque non potè morire nell'84.

[4] Nella prima edizione delle Vite leggesi quest'epigramma, che il Vasari chiama epitaffio, ed ove si allude *all'una e all'altra virtù*.

Annis qui fueram pictor juvenilibus, artis
  Me medicae reliquo tempore caepit amor.
Natura invidit dum certo coloribus illi,
  Atque hominum multis fata retardo medens.
Id pictus paries Pisis testatur, et illi
  Saepe quibus vitae tempora restitui.

con la penna molto graziosamente, e di chiaroscuro tanto bene, che alcune carte che di suo sono nel nostro Libro, dove fece l'archetto di Santo Spirito, sono le migliori di que' tempi. Fu discepolo d'Antonio, Gherardo Starnini fiorentino, il quale molto lo imitò; e gli fece onore non piccolo Paolo Uccello, che fu similmente suo discepolo.[1] Il ritratto d'Antonio Viniziano è di sua mano in Campo Santo in Pisa.

[1] D'ambidue questi suoi discepoli si hanno le Vite più sotto.

† Ma se si può ammettere che lo Starnina sia stato discepolo di Antonio Veneziano, non è credibile di Paolo Uccello, il quale, quando morì il suo preteso maestro, forse non era neppur nato. Meglio sarebbe da credere che Paolo fosse scolare dello Starnina, sebbene questo artefice morisse, come si congettura, nel 1408, quando l'Uccello aveva nove anni. Forse il Vasari intese di dire che l'Uccello fu scolare dello Starnina, il quale ebbe i principj dell'Arte da Antonio Veneziano.

IACOPO DI CASENTINO

PITTORE

(Nato ....; fiorito nella metà del secolo XIV)

Essendosi già molti anni udita la fama ed il rumore delle pitture di Giotto e de' discepoli suoi, molti desiderosi di acquistar fama e ricchezze mediante l'arte della pittura, cominciarono, inanimati dalla speranza dello studio e dalla inclinazione della natura, a camminar verso il miglioramento dell'arte, con ferma credenza, esercitandosi, di dovere avanzare in eccellenza e Giotto e Taddeo e gli altri pittori. Fra questi fu un Iacopo di Casentino;[1] il quale essendo nato, come si legge, della famiglia di messer Cristoforo Landino da Pratovecchio,[2] fu da un Frate di Casentino, allora guardiano al Sasso della Vernia, acconcio con Taddeo Gaddi, mentre egli in quel con-

[1] Nel Libro della Compagnia di San Luca è registrato il suo nome così: *Iacopo di Casentino* MCCCLI.

[2] *Il Del Migliore (*Osservazioni ed aggiunte ms. al Vasari*) sopra questa credenza così ragiona. « Qui mi fermo, e dico di essere ito vedendo se vero è « che Iacopo fosse della famiglia di maestro Cristofano Landini: e veramente, se « la giustificazione non è chiara abbastanza, c'è però un gran colore. Maestro « Cristofano fu figliuolo d'un Bartolommeo Landini dal Borgo alla Collina nel « Casentino; et un suo figliuolo nominato Bernardo, mediante il benefizio acqui- « stato dal padre, stato molt'anni cancelliere della Signoria di Firenze, sedè « de' Priori l'anno 1536. Si trova poi essere stata data la cittadinanza l'anno 1356 « a Giovanni di Bindo, pittore di Casentino; consta dalle Riformagioni. Il qual

vento lavorava,[1] perchè imparasse il disegno e colorito dell'arte. La qual cosa in pochi anni gli riuscì in modo, che condottosi in Fiorenza, in compagnia di Giovanni da Milano, ai servigi di Taddeo loro maestro, molte cose lavorando, e'gli fu fatto dipignere il tabernacolo della Madonna di Mercato Vecchio, con la tavola a tempera; e similmente quello sul canto della piazza di San Niccolò della via del Cocomero, che pochi anni sono l'uno e l'altro fu rifatto da peggior maestro che Iacopo non era; ed ai Tintori, quello che è a Santo Nofri, sul canto delle mura dell'orto loro, dirimpetto a San Giuseppe.[2] In questo mentre, essendosi condotte a fine le volte d'Orsanmichele sopra i dodici pilastri, e sopra esse posto un tetto basso alla salvatica, per seguitare quando si potesse la fabbrica di quel palazzo, che aveva a essere il granaio del Comune; fu dato a Iacopo di Casentino, come a persona allora molto pratica, a dipignere quelle volte, con ordine che egli vi facesse, come vi fece, con i Patriarchi alcuni Profeti, e i primi delle tribù: che furono in tutto sedici figure in campo azzurro d'oltramarino, oggi mezzo guaste, senza gli altri ornamenti. Fece poi, nelle facce di sotto e nei pilastri, molti miracoli della Madonna e altre cose che si conoscono alla maniera.[3] Finito questo lavoro,

« Giovanni fu poi squittinato per la maggiore, sotto nome di Giovanni Landini « pittore, nel 1391, nel gonfalone Lion Bianco; e questo per altri riscontri si « giustifica nipote di Iacopo e fratello di Bindo. Onde, per esser di Casentino e « del casato de' Landini, non è se non cosa molto verisimile che sia tale, sebbene « non ne consta l'attacco ».

[1] « Nella cappella delle Stimate » aggiungevasi nella prima edizione.

[2] Anche questo tabernacolo fu poi rifatto, e da maestro peggior degli altri. Quello di Mercato Vecchio fu distrutto; ma rimangon vestigi d'una Madonna che, al dir del Bottari, il quale cita il Cinelli, vi fu dipinta sopra da Iacopo stesso. Della tavola a tempera dipintavi entro, si è perduta ogni traccia.

[3] *Le pitture delle volte non si vedono più, tranne in una, che ne serba ancora alcuni pochi vestigi. Invece, in tutte le facce de' pilastri sono dipinte figure di Santi ritti in piè, con sotto a ciascuno una piccola storia della sua vita. Noi crediamo che anche queste sieno opera di Iacopo di Casentino. Il tempo e l'umido le ha guaste e accecate notabilmente, ma non sì che non apparisca tuttavia la bellezza e grandiosità dello stile e del disegno.

tornò Iacopo in Casentino; dove, poi che in Pratovecchio,[1] in Poppi, e altri luoghi di quella valle ebbe fatto molte opere, si condusse in Arezzo, che allora si governava da se medesima col consiglio di sessanta cittadini de' più ricchi e più onorati, alla cura de' quali era commesso tutto il reggimento: dove, nella cappella principale del Vescovado, dipinse una storia di San Martino:[2] e nel Duomo vecchio, oggi rovinato, pitture assai, fra le quali era il ritratto di Papa Innocenzio VI nella cappella maggiore. Nella chiesa poi di San Bartolommeo, per lo Capitolo de' canonici della Pieve, fece la facciata, dov'è l'altar maggiore, e la cappella di Santa Maria della Neve:[3] e nella Compagnia vecchia di San Giovanni de' Peducci fece molte storie di quel Santo, che oggi sono coperte di bianco. Lavorò, similmente, nella chiesa di San Domenico la cappella di San Cristofano, ritraendovi di naturale il Beato Masuolo che libera dalla carcere un mercante de' Fei, che fece far quella cappella; il quale Beato ne' suoi tempi, come profeta, predisse molte disavventure agli Aretini. Nella chiesa di Sant' Agostino fece a fresco, nella cappella e all'altare de' Nardi, storie di San Lorenzo,

[1] † Nella chiesa di San Giovanni Evangelista di Pratovecchio dipinse una tavola che a' nostri giorni dalla già citata raccolta Lambardi e Bardi passò nel Museo Nazionale di Londra. In essa, che è una delle migliori opere di Jacopo, sono rappresentate alcune storie della vita del santo titolare. Si vuole che anche nella Badia di Pratovecchio sieno alcune sue pitture, come in Poppi nelle pareti e volte della cappella dell'antico palazzo de' conti Guidi.

[2] *Questa pittura non si vede più.

[3] *In questa istessa facciata, nell'angolo a destra del riguardante, è un arco con una Pietà, san Giovanni e la Madonna, in mezze figure; e nelle spallette, san Donato e san Paolo. Questo è l'unico dipinto che di Iacopo sia rimasto in Arezzo.

† I signori Crowe e Cavalcaselle (Op. cit., vol. II, p. 5) credono d'Iacopo la Pietà che è dipinta sopra la porta della Fraternita d'Arezzo attribuita a Spinello; e di lui parimente le figure di san Francesco e di san Domenico in un pilastro della Pieve, che il Vasari attribuisce a Giotto. Vogliono ancora riconoscere la mano d'Iacopo in una predella della Galleria degli Uffizj che ha nel mezzo una cerimonia religiosa fiancheggiata da due storie della vita di San Pietro e da otto figure di santi.

con maniera e pratica maravigliosa. E perchè si esercitava anche nelle cose d'architettura, per ordine dei sessanta sopraddetti cittadini ricondusse sotto le mura di Arezzo l'acqua che viene dalle radici del poggio di Pori, vicino alla città braccia trecento: la quale acqua al tempo de'Romani era stata prima condotta al teatro,[1] di che ancora vi sono le vestigie; e da quello, che era in sul monte, dove oggi è la fortezza, all'anfiteatro della medesima città nel piano; i quali edifizj e condotti furono rovinati e guasti del tutto dai Goti. Avendo dunque, come s'è detto, fatta venire Iacopo quest'aqua sotto le mura, fece la fonte che allora fu chiamata fonte Guizianelli,[2] e che ora è detta, essendo il vocabolo corrotto, fonte Viniziana: la quale da quel tempo, che fu l'anno 1354, durò insino all'anno 1527, e non più: perciocchè la peste di quell'anno, la guerra che fu poi, l'averla molti a'suoi commodi tirata per uso d'orti, e molto più il non averla Iacopo condotta dentro, sono state cagione ch'ella non è oggi, come dovrebbe essere, in piedi.[3] Mentre che l'acqua si andava conducendo, non lasciando Iacopo il dipignere,

[1] Di questo teatro, dell'anfiteatro che si nomina dopo ecc., scrisse eruditamente Lorenzo Guazzesi, amico al Bottari, a cui fornì molte notizie per l'illustrazione di queste Vite.

[2] De'Guinizzelli o Vinizzelli.

[3] *Iacopo di Casentino, nel 1354, riprese l'antico acquedotto romano, e portò l'acqua fuori la Porta Colcitrone, in un luogo detto corrottamente, anche oggi, Fonte Veneziana. Nel 1587, deperito l'acquedotto per poca cura, quest'acqua fu in parte tolta, e allacciata alle falde di Poggio Mendico, dalla nobil casa Nardi, che la condusse ad una sua villa un mezzo miglio distante dalla fonte Guinizzelli: la qual villa, detta oggi degli *Orti*, passò poi in potere della famiglia, da cui discese il celebre Francesco Redi. Quest'acqua, dopo l'acquisto fattone dalla Fraternita, fu aumentata di volume allargandone la scaturigine. Novamente nel 1590, per un decreto dei Priori del Comune d'Arezzo, fu ordinato che l'acqua della Fonte Veneziana fosse condotta in città a spese della Fraternita; e ne ebbe l'incarico Santi di Pagno, ingegnere fiorentino: il quale, circa all'anno 1593, la introdusse in città per un condotto ben lungo sopra una fila d'archi, traforando il Colle della Fortezza; e nel 1602 le acque sgorgarono in un angolo della Piazza Grande d'Arezzo. L'opera costò scudi 2605. 5, come risulta dal conteggio fatto il 26 d'aprile del 1602. Dobbiamo questa, come molte altre notizie artistiche d'Arezzo, alla rara cortesia dell'erudito signor Ranieri Bartolini scultore.

fece nel palazzo che era nella cittadella vecchia, rovinato a' dì nostri, molte storie de' fatti del vescovo Guido e di Piero Sacconi; i quali uomini, in pace ed in guerra, avevano grandi e onorate cose fatto per quella città. Similmente lavorò nella Pieve, sotto l'organo, la storia di San Matteo,[1] e molte altre opere assai. E così, facendo per tutta la città opere di sua mano, mostrò a Spinello aretino i principj di quell'arte che a lui fu insegnata da Agnolo, e che Spinello insegnò poi a Bernardo Daddi;[2] che nella città sua lavorando, l'onorò di molte bell'opere di pittura; le quali, aggiunte all'altre sue ottime qualità, furono cagione che egli fu molto onorato da' suoi cittadini, che molto l'adoperarono nei magistrati ed altri negozj pubblici. Furono le pitture di Bernardo molte ed in molta stima: e prima, in Santa Croce, la cappella di San Lorenzo, e di San Stefano de' Pulci e Berardi,[3] e molte altre pitture in diversi luoghi di detta chiesa. Finalmente, avendo sopra le porte della città di Fiorenza, dalla parte di dentro, fatto alcune pitture, carico d'anni si morì ed in Santa Felicita ebbe onorato sepolcro, l'anno 1380.

Ma tornando a Iacopo, oltre alle cose dette, al tempo suo ebbe principio, l'anno 1350, la Compagnia e Fraternita de' Pittori; perchè i maestri che allora vivevano, così della vecchia maniera greca, come della nuova di Cimabue,[4] ritrovandosi in gran numero, e considerando che l'arti del disegno avevano in Toscana, anzi in Fiorenza

[1] Anche questa pittura è perita.

[2] † Di Bernardo Daddi e delle sue opere abbiamo già discorso abbastanza nel Commentario alla Vita di Stefano e d'Ugolino. Solamente daremo qui notizia d'una sua tavola che una volta era in Santa Maria Novella, e per quanto pare nel tramezzo della chiesa levato intorno al 1570. In essa erano dipinti tre Santi dell'Ordine di San Domenico e in basso vi si leggeva la seguente iscrizione: PRO ANIMABUS PARENTUM FRATRIS GUIDONIS SALVI ET PRO ANIMA DOMINE DIANE DE CASINIS. ANNO MCCCXXXVIII. BERNARDVS ME PINXIT. (Vedi il vol. II, pag. 739 del *Sepoltuario* del ROSSELLI, mss. nell'Archivio di Stato in Firenze).

[3] Queste pitture furono poi ritoccate, ma vi resta ancor molto dell'antico.

[4] *Forse il Vasari voleva dire: *della nuova maniera di Giotto.*

propria, avuto il loro rinascimento, crearono la detta Compagnia sotto il nome e protezione di San Luca Evangelista; sì per rendere nell'oratorio di quella lode e grazie a Dio, e sì anco per trovarsi alcuna volta insieme, e sovvenire, così nelle cose dell'anima come del corpo, a chi, secondo i tempi, n'avesse di bisogno: la qual cosa è anco per molte arti in uso a Firenze, ma era molto più anticamente. Fu il primo loro oratorio la cappella maggiore dello spedale di Santa Maria Nuova, il quale fu loro concesso dalla famiglia de' Portinari: e quelli che primi, con titolo di capitani, governarono la detta Compagnia, furono sei; ed inoltre due consiglieri e due camarlinghi; come nel vecchio libro di detta Compagnia, cominciato allora, si può vedere; il primo capitolo del quale comincia così:

Questi capitoli et ordinamenti furono trovati e fatti da' buoni e discreti uomini dell' arte dei dipintori di Firenze, et al tempo di Lapo Gucci dipintore, Vanni Cinuzzi dipintore, Corsino Buonainti dipintore, Pasquino Cenni dipintore,[1] *Segna d'Antignano dipintore. Consiglieri furono Bernardo Daddi e Iacopo di Casentino dipintori; e Camarlinghi, Consiglio Gherardi e Domenico Pucci dipintori.*[2]

[1] Questo Pasquino di Cenni che visse ed operò in Firenze, e del quale si ha memoria fin dal 1333, fu senese, come pure Domenico Pucci più sotto nominato tra i camarlinghi della Compagnia.

[2] *Qui è da notare la omissione del Vasari, il quale di due soli artefici tra i dieci (certo non de' minori) che ebbero mano alla compilazione degli Statuti, scrisse la vita, tacendo affatto degli altri, sia per mancanza di documenti, sia per negligenza. Oltre ciò, il Vasari non fu esatto nel trascrivere questi nomi; i quali nel vecchio libro originale stanno veramente così: « Capitani della detta Compagnia: Lapo Gucci dipintore; Vanni Cinuzzi dipintore; Corsino Bonaiuti dipintore; Pasquino Cenni dipintore. — Chonsiglieri della detta Compagnia: Segna d'Antignano dipintore; Bernardo Daddi dipintore; Iacopo di Casentino dipintore; Chonsiglio Gherardi dipintore. — Kamerlinghi della detta Compagnia: Domenico Pucci dipintore; Piero Giovanni ». Questi Statuti furono per la prima volta pubblicati dal Baldinucci, insieme colla storia della Compagnia, e novamente dal Gaye, nel tom. II, del suo *Carteggio inedito* ecc., pag. 32, e seg.: il quale però respinge dieci anni indietro il tempo, in che il Vasari dice compilati questi Statuti, male interpretando per 1330 le cifre del millesimo che nel Codice sono abrase.

Creata la detta Compagnia in questo modo, di consenso de' capitani e degli altri, fece Iacopo di Casentino la tavola della loro cappella, facendo in essa un San Luca che ritrae una Nostra Donna in un quadro; e nella predella, da un lato gli uomini della Compagnia, e dall' altro tutte le donne ginocchioni.[1] Da questo principio, quando raunandosi quando no, ha continuato questa Compagnia insino a che ella si è ridotta al termine che ell' è oggi; come si narra ne' nuovi Capitoli di quella approvati dall' illustrissimo signor duca Cosimo, protettore benignissimo di queste arti del disegno.[2]

Finalmente Iacopo, essendo grave d' anni e molto affaticato, se ne tornò in Casentino, e si morì in Pratovecchio d' anni ottanta;[3] e fu sotterrato da' parenti e dagli amici in Sant' Agnolo, Badia, fuor di Pratovecchio, dell' Ordine di Camaldoli. Il suo ritratto era nel Duomo vecchio, di mano di Spinello, in una storia de' Magi;[4] e della maniera del suo disegnare n' è saggio nel nostro Libro.

[1] Nè del quadro nè della predella si sa più nulla.

† Questa tavola di san Luca, secondo i libri d' amministrazione dello Spedale di Santa Maria Nuova, fu dipinta da Niccolò di Piero Gerini nel 1383 per 10 florini.

[2] Quando si fecero i nuovi Capitoli, essa fu trasferita ne' chiostri della Nunziata, ove ancor si raduna per esercizj religiosi. Per cose d' arte si radunano nell' Accademia i professori dell' Accademia medesima.

[3] Nella prima edizione aveva detto di 65, e riferitone quest' epitaffio, che nol loda se non come frescante:

Pingere me docuit Gaddus: componere plura
  Apte pingendo corpora doctus eram.
Prompta manus fuit; et pictum est in pariete tantum
  A me: servat opus nulla tabella meum.

† Fra le opere di Jacopo oggi perdute e non ricordate dal Vasari, è da annoverarsi la storia di san Martino che egli dipinse per la Compagnia di Gesù Pellegrino che si adunava sotto le volte di Santa Maria Novella, fatta fare coi denari lasciati per questo effetto da Nello di Chello di Nello Sparzi con suo testamento del 16 novembre 1317, rogato da ser Michele di ser Aldobrando.

[4] Perì col Duomo nel 1561.

SPINELLO ARETINO

PITTORE

(Nato nel 1333?; morto nel 1410)

Essendo andato ad abitare in Arezzo, quando una volta fra l'altre furono cacciati di Firenze i ghibellini, Luca Spinelli, gli nacque in quella città un figliuolo, al quale pose nome Spinello;[1] tanto inclinato da natura all'essere pittore, che quasi senza maestro, essendo ancor fanciullo, seppe quello che molti esercitati sotto la disciplina d'ottimi maestri non sanno: e, quello che è più, avendo avuto amicizia con Iacopo di Casentino mentre lavorò in Arezzo, e imparato da lui qualche cosa, prima che fusse di venti anni fu di gran lunga molto migliore maestro così giovane, ch'esso Iacopo già pittore vecchio non era. Cominciando, dunque, Spinello a esser in nome

[1] † La opinione abbracciata da tutti gli scrittori che vennero dopo il Vasari che gli Spinelli d'Arezzo sieno discesi da quelli di Firenze, non ha nessun fondamento di verità, perchè queste due famiglie furono in tutto diverse tra loro per ascendenza, e per arme. Le più antiche memorie che s'abbiano degli Spinelli Aretini cominciano da un ser Forzore notaio, già morto nel 1326: da cui nacque Spinello orefice, il quale tra gli altri figliuoli ebbe Luca, che fu padre del nostro Spinello pittore, e di Niccola orefice e gioielliere, che venuto ad abitare familiarmente in Firenze, vi fondò la sua famiglia e fu il primo a godere della civiltà fiorentina. La discendenza sua si spense nel 1545, in Lionardo figliuolo di Niccola di Forzore. Per tutte queste cose vedi l'alberetto degli Spinelli posto in fine di questa Vita.

di buon pittore, messer Dardano Acciaiuoli avendo fatto fabbricare la chiesa di San Niccolò alle sale del papa,[1] dietro Santa Maria Novella, nella via della Scala, ed in quella dato sepoltura a un suo fratello vescovo, fece dipignere tutta quella chiesa a fresco, di storie di San Niccolò vescovo di Bari, a Spinello; che la diede finita del tutto l'anno 1334, essendovi stato a lavorare due anni continui.[2] Nella quale opera si portò Spinello tanto bene, così nel colorirla come nel disegnarla, che insino ai dì nostri si erano benissimo mantenuti i colori ed espressa la bontà delle figure, quando, pochi anni sono, furono in gran parte guasti da un fuoco che disavvedutamente s'apprese in quella chiesa, stata piena, poco accortamente, di paglia da non discreti uomini, che se ne servivano per capanna o monizione di paglia.[3] Dalla fama di quest'opera tirato messer Barone Cappelli, cittadino di Firenze, fece dipignere da Spinello,[4] nella cappella principale di Santa Maria Maggiore, molte storie della Madonna, a fresco, ed alcune di Sant'Antonio abate, ed appresso la sagrazione di quella chiesa antichissima, consegrata da Pasquale papa II[5] di quel nome: il che tutto lavorò Spinello così bene, che pare fatto tutto in un giorno, e non in molti mesi come fu.[6] Appresso al detto papa è il ritratto d'esso

[1] Ove fu tenuto il Concilio Fiorentino sotto Eugenio IV.

[2] * Le due iscrizioni riferite dal Richa, mostrano che Dardano Acciaiuoli fece edificare questa cappella nel 1334, e che Leone Acciaiuoli la fece dipingere nel 1405. Il Vasari cadde in errore, perchè prese l'anno della edificazione per quello della pittura.

[3] La maggior parte delle pitture perirono colla chiesa: ma una porzione si è conservata, e resta in una stanza della fonderia e farmacia dei frati di Santa Maria Novella, nell'ingrandimento della quale venne incorporata una parte di detta chiesa.

[4] † Le pitture della cappella principale di Santa Maria Maggiore non furono fatte da Spinello per commissione di Barone Cappelli, ma sibbene di Filippo suo figliuolo che ne ebbe il patronato nel 1348. (V. Richa, *Chiese fiorentine*, vol, III, pag. 282).

[5] *Veramente fu consacrata da papa Pelagio, come diceva un'iscrizione presso il coro, che oggi non si vede più.

[6] Lode un po' equivoca. Le pitture, dice il Bottari, eran quasi tutte di ver-

messer Barone di naturale, in abito di que' tempi, molto ben fatto e con bonissimo giudizio. Finita questa cappella, lavorò Spinello nella chiesa del Carmine, in fresco, la cappella di San Iacopo e San Giovanni apostoli: dove, fra l'altre cose, è fatto con molta diligenza quando la moglie di Zebedeo, madre di Iacopo, domanda a Gesù Cristo che faccia sedere uno de' figliuoli suoi alla destra del padre nel regno de' cieli, e l'altro alla sinistra; e poco più oltre si vede Zebedeo, Iacopo e Giovanni abbandonare le reti e seguitar Cristo, con prontezza e maniera mirabile. In un'altra cappella della medesima chiesa, che è accanto alla maggiore, fece Spinello, pur a fresco, alcune storie della Madonna; e gli Apostoli quando, innanzi al trapassar di lei, le appariscono innanzi miracolosamente; e così quando ella muore, e poi è portata in cielo dagli Angeli. E perchè, essendo la storia grande, la picciolezza della cappella, non lunga più che braccia dieci ed alta cinque, non capiva il tutto, e massimamente l'Assunzione di essa Nostra Donna; con bel giudizio fece Spinello voltarla nel lungo della storia da una parte, dove Cristo e gli Angeli la ricevono.[1] In una cappella in Santa Trinita fece una Nunziata in fresco, molto bella;[2] e nella

daccio, e sono andate male a tempo mio, eccetto quelle del coro. Anche ad esse fu poi dato di bianco.

[1] Nel 1849 tolto il bianco dai primi due pilastri della chiesa a man destra entrando, vi si scopersero alcuni avanzi di pitture assai malconce, le quali per opera del cav. Gaetano Bianchi furono, come meglio poté, ripulite e ritoccate. Nel primo de' detti pilastri, appoggiato alla parete interna della facciata, si vede una santa scolastica e san Giovanni Evangelista, figura assai bella. Nel secondo che per essere isolato è dipinto intorno intorno, ha in una faccia la Fede e san Giov. Batista, nell'altra santa Maria Maddalena e san Stefano; nella terza, san Bastiano, e Giona rigettato della balena; e nella quarta una storia di san Niccolò quando getta le palle in un bacino, e san Pietro, figura bellissima. Queste pitture se non si può dire con certezza che sieno di Spinello, si può però affermare che ritengono alquanto della sua maniera.

[1] La prima delle due cappelle qui notate (quella de' Caponsacchi) era stata scrostata e adorna di marmi e stucchi prima dell'incendio della chiesa; l'altra fu rimodernata dopo l'incendio: sicché delle pitture di Spinello non vi riman più nulla.

[2] Che più non si vede.

chiesa di Sant'Apostolo, nella tavola dell'altar maggiore, a tempera, fece lo Spirito Santo, quando è mandato sopra gli Apostoli in lingue di fuoco. In Santa Lucia de'Bardi fece similmente una tavoletta, e in Santa Croce un'altra maggiore, nella cappella di San Giovan Batista, che fu dipinta da Giotto.[1]

Dopo queste cose, essendo dai sessanta cittadini che governavano Arezzo, per lo gran nome che aveva acquistato lavorando in Firenze, là richiamato, gli fu fatto dipignere dal Comune, nella chiesa del Duomo vecchio fuor della città, la storia de'Magi; e nella cappella di San Gismondo, un San Donato che con la benedizione fa crepare un serpente. Parimente, in molti pilastri di quel Duomo fece diverse figure; ed in una facciata, la Maddalena che in casa di Simone unge i piedi a Cristo; con altre pitture, delle quali non accade far menzione, essendo oggi quel tempio, che era pieno di sepolture, d'ossa di Santi e d'altre cose memorabili, del tutto rovinato.[2] Dirò bene, acciocchè d'esso almeno resti questa memoria, che, essendo egli stato edificato dagli Aretini più di mille e trecento anni sono,[3] allora che di prima vennero alla fede di Gesù Cristo convertiti da San Donato, il quale fu poi vescovo di quella città, e gli fu dedicato a suo nome, ed ornato di fuori e di dentro riccamente di spoglie antichissime. Era la pianta di questo edifizio, del quale si è lungamente altrove ragionato, dalla parte di fuori in sedici facce divisa, e dentro in otto; e tutte erano piene delle spoglie di que'tempj che prima erano stati dedicati agl'idoli; e insomma, egli era quanto può esser bello un così fatto tempio antichissimo, quando fu rovinato.

[1] *Di queste tre tavole non sappiamo che sia avvenuto.

[2] Quando e come fosse rovinato, si notò altrove.

[3] Quanto all'equivoco che qui di nuovo prende il Vasari intorno al tempo dell'edificazione del Duomo vecchio degli Aretini, veggasi nelle note al *Proemio delle Vite*.

Dopo le molte pitture fatte in Duomo, dipinse Spinello in San Francesco, nella cappella de' Marsuppini, papa Onorio quando conferma e appruova la regola d'esso Santo, ritraendovi Innocenzio IV di naturale, dovunque egli se l'avesse. Dipinse ancora nella medesima chiesa, nella cappella di San Michelagnolo, molte storie di lui, lì dove si suonano le campane; e poco disotto alla cappella di messer Giuliano Baccio una Nunziata con altre figure, che sono molto lodate: le quali tutte opere fatte in questa chiesa furono lavorate a fresco con una pratica molto risoluta, dal 1334 insino al 1338.[1] Nella Pieve, poi, della medesima città, dipinse la cappella di San Pietro e San Paulo, di sotto a essa quella di San Michelagnolo;[2] e per la Fraternita di Santa Maria della Misericordia, pur da quella banda, in fresco, la cappella di San Iacopo e Filippo; e sopra la porta principale della Fraternita (ch'è in piazza, cioè nell'arco), dipinse una Pietà con un San Giovanni,[3] a richiesta dei rettori di essa Fraternita: la quale ebbe principio in questo modo. Cominciando un certo numero di buoni e onorati cittadini a andare accattando limosine per i poveri vergognosi, e a sovvenirli

[1] *Di tutte queste pitture nella chiesa di San Francesco ora non resta che la Nunziata. Che poi queste opere fossero fatte da Spinello tra il 1334 e il 1338, non par credibile: perciocchè, partendosi dal dato certo che nel 1408 operava, e sapendosi che due anni dopo moriva egli al tempo delle menzionate pitture, avrebbe avuto cinque anni, stando alla prima edizione del Vasari, che lo fa morto di 77 anni; ossivvero diciotto, se vogliamo attenerci alla seconda edizione, dov'è detto che morì di 92.

† Probabilmente quegli anni sono un errore di stampa che si potrebbero correggere forse in 1384 e 1388. Alcuni avanzi delle pitture che erano nella parete fra la cappella e il campanile sono stati scoperti di sotto il bianco, come la figura d'un vescovo, e d'uno che mena un fanciullo. Nella stanza delle campane si vedono dipinte, sebbene grandemente guaste, alcune storie della leggenda dell'arcangelo Michele.

[2] Queste pitture sono perite.

[3] Si conserva tuttavia.

† Nella precedente Vita abbiamo notato che questa pittura della Pietà è creduta dai signori Crowe e Cavalcaselle piuttosto di Iacopo di Casentino, che di Spinello.

in tutti i loro bisogni; l'anno della peste del 1348,[1] per lo gran nome acquistato da que' buoni uomini alla Fraternita, aiutando i poveri e gl' infermi, seppellendo morti e facendo altre somiglianti opere di carità, furono tanti i lasci, le donazioni e l' eredità che le furono lasciati, che ella ereditò il terzo delle ricchezze d'Arezzo; e il simile avvenne l' anno 1383, che fu similmente una gran peste. Spinello, adunque, essendo della Compagnia, e toccandogli spesso a visitare infermi, sotterrare morti, e fare altri cotali piissimi esercizj che hanno fatto sempre i migliori cittadini, e fanno anc' oggi, di quella città: per far di ciò qualche memoria nelle sue pitture, dipinse per quella Compagnia, nella facciata della chiesa di San Laurentino e Pergentino, una Madonna, che avendo aperto dinanzi il mantello, ha sotto esso il popolo di Arezzo: nel quale sono ritratti molti uomini, de' primi della Fraternita, di naturale, con le tasche al collo, e con un martello di legno in mano, simili a quelli che adoperano a picchiar gli usci, quando vanno a cercar limosine.[2] Parimente, nella Compagnia della Nunziata dipinse il tabernacolo grande che è fuori della chiesa, e parte d'un portico che l' è dirimpetto, e la tavola d' essa Compagnia, dove è similmente una Nunziata a tempera.[3] La tavola ancora che oggi è nella chiesa delle monache di San Giusto, dove un piccolo Cristo, che è in collo alla Madre, sposa Santa Caterina, con sei storiette di figure piccole de' fatti di lei, è similmente opera di Spinello e molto lodata.[4]

[1] La Fraternita ebbe principio forse un secolo innanzi, poichè, siccome consta da scritture del suo archivio, fu confermata dal vescovo Guglielmino nel 1263.

[2] Rifabbricandosi la chiesa al principio dello scorso secolo, le pitture sono perite.

[3] Il tabernacolo si è conservato; la tavola a tempera non si sa che fine abbia fatto, poichè gliene fu sostituita una a mestica di Iacopo detto l' Indaco, pittor fiorentino del secolo XVI.

[4] Ossia di San Giustino. La tavola fu poi trasportata nel monastero: non sappiam dire ov' oggi si trovi.

Essendo egli poi condotto alla famosa Badia di Camaldoli in Casentino, l'anno 1361, fece ai romiti di quel luogo la tavola dell'altar maggiore; che fu levata l'anno 1539, quando, essendo finita di rifare quella chiesa tutta di nuovo, Giorgio Vasari fece una nuova tavola, e dipinse tutta a fresco la cappella maggiore di quella Badia, il tramezzo della chiesa a fresco, e due tavole. Di lì chiamato Spinello a Firenze da don Iacopo d'Arezzo, abate di San Miniato in Monte dell'Ordine di Monte Oliveto, dipinse, nella volta e nelle quattro facciate della sagrestia di quel monasterio, oltre la tavola dell'altare a tempera, molte storie della vita di San Benedetto a fresco, con molta pratica e con gran vivacità di colori, imparata da lui mediante un lungo esercizio ed un continuo lavorare con studio e diligenza, come invero bisogna a chi vuole acquistare un'arte perfettamente.[1]

Avendo dopo queste cose il detto abate, partendo da Firenze, avuto in governo il monasterio di San Bernardo del medesimo Ordine nella sua patria, appunto quando

[1] * Esistono tuttavia; e già si va provvedendo alla loro conservazione. Quanto alla tavola a tempera, ammettendo l'opinione del Moreni (*Contorni di Firenze*), potrebbesi dubitare esser quella con varie storie di piccole figure, che oggi vedesi nell'altare in mezzo a questa chiesa; la qual tavola, divisa in due sportelli, serve a chindere una molto antica immagine di Cristo Crocifisso. Ma, a nostro giudizio, quest'opera non ha un carattere identico colla maniera di Spinello, al quale vorrebbesi attribuire.

† Veramente le pitture de' principali fatti della vita di san Benedetto nella sagrestia di San Miniato al Monte furono commesse a Spinello Aretino da messer Benedetto degli Alberti, il quale diedegli dipoi a dipingere ancora le storie di santa Caterina vergine e martire in una chiesa dedicata a questa santa che era presso la sua villa all'Antella. Quando messer Benedetto partì per l'esilio, quelle pitture non erano ancor finite, ma egli vi provvide col fare l'11 luglio 1387 un codicetto al suo testamento, ordinando che si finissero le pitture di San Miniato e quelle della chiesa dell'Antella. Ma confiscati i beni di messer Benedetto passò la chiesa di Santa Caterina in balìa degli ufficiali dei ribelli, i quali la venderono con i circostanti terreni alla famiglia Venturi. Un vescovo di San Severo nato di questa casa deturpò quei dipinti, facendo coprire dal pennello dell'imbianchino quelli che contornano la tribuna. Venuta quella chiesa a' nostri giorni in possesso del commendatore Giuseppe Poggi, egli l'ha restituita al culto, e procurato che fossero scoperte e restaurate le pitture che vi esistevano.

si era quasi del tutto finito, in sul sito conceduto (dov'era appunto il Colosseo) dagli Aretini a quei monaci; fece dipignere a Spinello due cappelle a fresco che sono allato alla maggiore, e due altre che mettono in mezzo la porta che va in coro nel tramezzo della chiesa: in una delle quali, che è allato alla maggiore, è una Nunziata a fresco, fatta con grandissima diligenza; e in una faccia allato a quella è quando la Madonna sale i gradi del tempio, accompagnata da Giovacchino ed Anna: nell'altra cappella è un Crocifisso, con la Madonna e San Giovanni che lo piangono, e in ginocchioni un San Bernardo che l'adora. Fece ancora nella faccia di dentro di quella chiesa, dove è l'altare della Nostra Donna, essa Vergine col Figliuolo in collo, che fu tenuta figura bellissima, insieme con molte altre che egli fece per quella chiesa: sopra il coro della quale dipinse la Nostra Donna, Santa Maria Maddalena e San Bernardo, molto vivamente.[1] Nella Pieve similmente d'Arezzo, nella cappella di San Bartolommeo, fece molte storie della vita di quel Santo; e a dirimpetto a quello nell'altra navata, nella cappella di San Matteo, che è sotto l'organo e che fu dipinta da Iacopo di Casentino suo maestro, fece, oltre a molte storie di quel Santo che sono ragionevoli, nella volta, in certi tondi, i quattro Evangelisti in capricciosa maniera: perciocchè, sopra i busti e le membra umane fece a San Giovanni la testa d'aquila, a Marco il capo di lione, a Luca di bue, e a Matteo solo la faccia d'uomo, cioè d'Angelo.[2] Fuor d'Arezzo ancora, dipinse nella chiesa di San Stefano[3] (fabbricata dagli Aretini sopra molte colonne di graniti e di marmi, per onorare e conservare la memoria di molti martiri che furono da Giuliano Apo-

[1] Tutte queste pitture in San Bernardo d'Arezzo sono perite.

[2] Neppur queste pitture si veggono più.

[3] *La chiesa di San Stefano, ch'era un piccolo oratorio presso il Duomo vecchio, fu rovinata il 21 ottobre del 1561.

stata fatti morire in quel luogo) molte figure e storie con infinita diligenza e con tale maniera di colori, che si erano freschissime conservate insino a oggi, quando non molti anni sono furono rovinate.[1] Ma quello che in quel luogo era mirabile, oltre le storie di Santo Stefano fatte in figure maggiori che il vivo non è, era, in una storia de' Magi, vedere Giuseppe allegro fuor di modo per la venuta di que' re, da lui considerati con maniera bellissima, mentre aprivano i vasi dei loro tesori e gli offerivano. In quella chiesa medesima, una Nostra Donna che porge a Cristo fanciullino una rosa, era tenuta, ed è, come figura bellissima e devota, in tanta venerazione appresso gli Aretini, che, senza guardare a niuna difficultà o spesa, quando fu gettata per terra la chiesa di Santo Stefano, tagliarono intorno a essa il muro, e, allacciatolo ingegnosamente, lo portarono nella città, collocandola in una chiesetta[2] per onorarla, come fanno con la medesima devozione che prima facevano. Nè ciò paia gran fatto; perciocchè, essendo stato proprio e cosa naturale di Spinello dare alle sue figure una certa grazia semplice che ha del modesto e del santo, pare che le figure che egli fece de' Santi, e massimamente della Vergine, spirino un non so che di santo e di divino, che tira gli uomini ad averle in somma reverenza: come si può vedere, oltre alla detta, nella Nostra Donna che è in sul canto degli Albergotti,[3] ed in quella che è in una facciata della Pieve dalla parte di fuori in Seteria,[4] e similmente in quella che è in sul canto del canale della medesima sorte.[5] È di mano di Spinello ancora, in una facciata dello spedale dello Spirito Santo, una storia quando

[1] Colla chiesa di Santo Stefano, la quale perì col Duomo vecchio.

[2] * Conservasi tuttora in questa chiesetta in via delle Derelitte, ed è detta la Madonna del Duomo.

[3] La pittura è perita.

[4] Anche questa pittura è perita.

[5] Questa si conserva, sebben danneggiata.

gli Apostoli lo ricevono, che è molto bella; e così le due storie da basso, dove San Cosimo e San Damiano tagliano a un moro morto una gamba sana per appiccarla a un infermo, a chi eglino ne avevano tagliato una fracida. È parimente il *Noli me tangere*, bellissimo, che è nel mezzo di quelle due opere.[1] Nella Compagnia de' Puracciuoli, sopra la piazza di Sant'Agostino, fece in una cappella una Nunziata molto ben colorita;[2] e nel chiostro di quel convento lavorò a fresco una Nostra Donna, ed un San Iacopo e Sant'Antonio, e ginocchioni vi ritrasse un soldato armato con queste parole: *Hoc opus fecit fieri Clemens Pucci de Monte Catino, cuius corpus iacet hic etc. Anno Domini* 1367 *die* 15 *mensis maii.*[3] Similmente, la cappella che è in quella chiesa di Sant'Antonio con altri Santi, si conosce alla maniera, che sono di mano di Spinello: il quale poco poi, nello spedale di San Marco, che oggi è monasterio delle monache di Santa Croce, per esser il loro monasterio, che era di fuori, stato gettato per terra, dipinse tutto un portico con molte figure; e vi ritrasse per un San Gregorio papa, che è accanto a una Misericordia, papa Gregorio IX, di naturale.[4]

La cappella di San Iacopo e Filippo, che è in San Domenico della medesima città, entrando in chiesa, fu da Spinello lavorata in fresco con bella e risoluta pratica; come ancora fu il Sant'Antonio dal mezzo in su fatto, nella facciata della chiesa sua, tanto bello che par vivo, in mezzo a quattro storie della sua vita:[5] le quali me-

[1] Pitture da un pezzo quasi spente.

[2] *La Compagnia de' Puracciuoli è la Compagnia degl'Innocenti, o de' bambini esposti. L'Annunziata si conserva tuttavia.

[3] *Possiamo, per mezzo di una copia più diligente favoritaci dalla cortesia del signor Ranieri Bartolini scultore, dar più esatta questa iscrizione: *Hoc opus fecit fieri Clemens Pucci de Monte Catino, cujus corpus jacet hic tumulatum, SS. Jesu Christi anni Domini* MCCCLXXVII, *die* XV *mensis martii.* Il Vasari, dunque, sbaglia l'anno e il mese.

[4] Anche queste pitture sono perite.

[5] Le pitture della cappella sono ancora in essere; non così quelle della facciata.

desime storie, e molte più della vita pur di Sant' Antonio, sono di mano di Spinello similmente nella chiesa di San Giustino, nella cappella di Sant'Antonio.[1] Nella chiesa di San Lorenzo fece da una banda alcune storie della Madonna, e fuor della chiesa la dipinse a sedere, lavorando a fresco molto graziosamente. In uno spedaletto dirimpetto alle monache di San Spirito, vicino alla porta che va a Roma, dipinse un portico tutto di sua mano; mostrando in un Cristo morto in grembo alle Marie tanto ingegno e giudizio nella pittura, che si conosce avere paragonato Giotto nel disegno, e avanzatolo di gran lunga nel colorito. Figurò ancora nel medesimo luogo Cristo a sedere, con significato teologico, molto ingegnosamente; avendo in guisa situato la Trinità dentro a un sole, che si vede da ciascuna delle tre figure uscire i medesimi raggi ed il medesimo splendore. Ma di quest'opera, con gran danno veramente degli amatori di quest'arte, è avvenuto il medesimo che di molte altre, essendo stata buttata in terra per fortificare la città. Alla Compagnia della Trinità si vede un tabernacolo, fuor della chiesa, da Spinello benissimo lavorato a fresco; dentrovi la Trinità, San Piero, e San Cosimo e San Damiano, vestiti con quella sorte d'abiti che usavano di portare i medici in que' tempi.[2] Mentre che quest'opere si facevano, fu fatto don Iacopo d'Arezzo generale della congregazione di Monte Oliveto, diciannove anni poi che aveva fatto lavorare, come s'è detto di sopra, molte cose a Firenze ed in Arezzo da esso Spinello: perchè, standosi, secondo la consuetudine loro, a Monte Oliveto maggiore di Chiusuri in quel di Siena, come nel più onorato luogo di quella religione, gli venne desiderio di far fare una bellissima tavola in quel luogo. Onde, mandato per Spinello, dal quale altra volta si tro-

[1] E queste pitture di San Giustino, e le seguenti, che qui si lodano, di San Lorenzo e dello Spedaletto, sono perite.

[2] Pitture che ancor sussistono, ma restaurate dal Franchini di Siena.

vava essere stato benissimo servito, gli fece fare la tavola della cappella maggiore a tempera; nella quale fece Spinello in campo d'oro un numero infinito di figure, fra piccole e grandi, con molto giudizio: fattole poi fare intorno un ornamento di mezzo rilievo intagliato da Simone Cini fiorentino, in alcuni luoghi con gesso a colla un poco sodo, ovvero gelato, le fece un altro ornamento, che riuscì molto bello; che poi da Gabriello Saracini fu messo d'oro ogni cosa. Il quale Gabriello a piè di detta tavola scrisse questi tre nomi: *Simone Cini fiorentino fece l'intaglio, Gabriello Saracini la messe d'oro e Spinello di Luca d'Arezzo la dipinse l'anno* 1385.[1]

Finita quest'opera, Spinello se ne tornò a Arezzo, avendo da quel generale e dagli altri monaci, oltre al pagamento, ricevuto molte carezze. Ma non vi stette molto, perchè, essendo Arezzo travagliata dalle parti

[1] *Di questa ricchissima tavola, della quale più non avevasi contezza, noi nell'anno 1840 ritrovammo in Rapolano, terra del Senese, i due pezzi laterali, i quali, molto tempo innanzi alla soppressione dei conventi, erano stati trasportati in una cappelletta prossima a questa terra; dove, convertita poscia in un fienile, stettero per molti anni vergognosamente abbandonati. Due anni dopo furono comprati dal fu signor Gio. Antonio Ramboux di Treviri, disegnatore valentissimo, ed ispettore della Galleria di Colonia.

Questi laterali, riuniti insieme, formano una tavola alta quattro braccia e larga tre, con ricchissimi intagli e ornati, tutti messi a oro. Nella parte destra sono espressi i santi Nemesio e Giovan Battista; nella sinistra, san Bernardo e santa Lucilla; e sopra, in due compassi o formelle, i profeti Daniele e Isaia, dal mezzo in su ed in piccola proporzione. In basso evvi lo zoccolo diviso in quattro scompartimenti, in ciascuno dei quali è dipinto un fatto della vita dei santi sopra figurati, cioè: il Martirio di san Nemesio, il Banchetto di Erodiade, la Morte di san Bernardo, e il Martirio di santa Lucilla; tutti condotti in modo degno veramente di un grande e pratico maestro. Queste storie sono l'una dall'altra divise da pilastretti, sui quali sono parimente dipinte altrettante piccole figure di santi ritte in piè. Sopra il gradino a lettere di pastiglia rilevate e dorate, si legge: MAGISTER · SIMON · CINI · DE · FLORENTIA · INTALIAVIT · GABRIELLVS · SARACENI · DE · SENIS · AVRAVIT · MCCCLXXX . . . . . Il resto del millesimo non è ben chiaro, ma pare che vi fosse non un V, ma piuttosto un III o un IIII. La iscrizione che diceva il nome del pittore Spinello, manca, perchè è perduta la parte di mezzo, dove al certo era figurata una Nostra Donna. Resta però la parte di mezzo del gradino con il transito della Vergine, circondata da Cristo e dagli Apostoli: il qual frammento bellissimo venne nella pubblica Galleria di Siena, dove oggi si conserva, dal convento di Monte Oliveto Maggiore, nell'anno 1810.

guelfe e ghibelline, e stata in que' giorni saccheggiata,[1] si condusse con la famiglia, e Parri suo figliuolo, il quale attendeva alla pittura, a Fiorenza, dove aveva amici e parenti assai. Laddove dipinse, quasi per passatempo, fuor della porta a San Piero Gattolini in sulla strada Romana, dove si volta per andare a Pozzolatico, in un tabernacolo che oggi è mezzo guasto, una Nunziata, e in un altro tabernacolo dov'è l'osteria del Galluzzo, altre pitture.

Essendo poi chiamato a Pisa a finire in Campo Santo, sotto le storie di San Ranieri, il resto che mancava d'altre storie in un vano che era rimaso non dipinto, per congiugnerle insieme con quelle che aveva fatto Giotto, Simon sanese e Antonio viniziano; fece in quel luogo a fresco, sei storie di San Petito e Sant'Epiro.[2] Nella prima è quando egli, giovanetto, è presentato dalla madre a Diocleziano imperatore; e quando è fatto generale degli eserciti che dovevano andare contro ai Cristiani; e così quando, cavalcando, gli apparve Cristo, che, mostrandogli una croce bianca, gli comanda che non lo perseguiti. In

— ‡ Questa tavola fu allogata in Lucca da don Niccolò da Pisa, priore del convento di Santa Maria Nuova di Roma dell'Ordine di Montoliveto, con strumento del 17 aprile 1881 rogato da ser Pietro Zimatori notaio lucchese. In esso strumento si dice che Simone di Cino da Firenze maestro di legname promette da una parte di lavorare dentro sei mesi e pel prezzo di 50 fiorini d'oro a Spinello pittore di Arezzo, e a Gabbriello di Saracino pittore da Siena, dimoranti allora in Lucca, una tavola di legname nella medesima forma e con gli stessi ornamenti intagliati che è quella del monastero di San Ponziano di Lucca, fatta da poco tempo. Dall'altra maestro Gabbriello suddetto si obbliga pel prezzo di 100 fiorini d'oro d'ingessare, rilevare, granare e mettere d'oro fine la detta tavola; e finalmente Spinello promette di dipingerla dentro otto mesi con colori buoni, e per la somma di 100 fiorini d'oro. Par dunque che il Vasari abbia ragione assegnando a questa tavola l'anno 1385.

[1] *Questo saccheggio avvenne l'anno 1384; la qual data avvalora la congettura emessa da noi nella nota precedente, dove dubitammo che l'anno scritto nella tavola di Monte Oliveto non potesse essere l'85, come pone il Vasari.

[2] De'santi Efeso e Potito, correggono il Della Valle ed altri. De'santi Efisio e Potito, legge il Ciampi. Delle pitture qui nominate non rimangono che le sei inferiori, e assai scolorite.

‡ Spinello fu chiamato a Pisa nel 1391 da Parasone Grassi operaio della Primaziale.

un'altra storia si vede l'Angelo del Signore dare a quel Santo, mentre cavalca, la bandiera della fede, con la croce bianca in campo rosso; che è poi stata sempre l'arme de' Pisani, per aver Sant'Epiro pregato Dio che gli desse un segno da portare incontro agli nimici. Si vede appresso questa un'altra storia, dove, appiccata fra il Santo e i pagani una fiera battaglia, molti Angeli armati combattono per la vittoria di lui; nella quale Spinello fece molte cose da considerare, in que' tempi che l'arte non aveva ancora nè forza nè alcun buon modo d'esprimere con i colori vivamente i concetti dell'animo: e ciò furono, tra le molte altre cose che vi sono, due soldati, i quali, essendosi con una delle mani presi nelle barbe, tentano con gli stocchi nudi, che hanno nell'altra, torsi l'uno all'altro la vita; mostrando nel volto e in tutti i movimenti delle membra il desiderio che ha ciascuno di rimanere vittorioso, e con fierezza d'animo essere senza paura, e quanto più si può pensare, coraggiosi. E così, ancora fra quegli che combattono a cavallo, è molto ben fatto un cavaliere che con la lancia conficca in terra la testa del nimico, traboccato rovescio del cavallo tutto spaventato.[1] Mostra un'altra storia il medesimo Santo quando è presentato a Diocleziano imperatore, che lo esamina della fede, e poi lo fa dare ai tormenti, e metterlo in una fornace, dalla quale egli rimane libero, ed in sua vece abbruciati i ministri, che quivi sono molto pronti da tutte le bande; e insomma, tutte l'altre azioni di quel Santo fino alla decollazione, dopo la quale è portata l'anima in cielo: e in ultimo, quando sono portate d'Alessandria[2] a Pisa l'ossa e le reliquie di San Petito.

[1] Quegli che *conficca in terra la testa del nimico* ecc., osserva il Rosini, è un fante; e non egli, ma piuttosto il traboccato da cavallo, merita la lode di ben fatto. Vedi per tutte le particolarità di queste pitture la sua *Descrizione del Campo Santo*, e le *Lettere*, già altre volte citate, di lui e del De Rossi.

[2] Da un luogo presso Cagliari in Sardegna, ove i due santi ebbero il martirio, dice il Della Valle.

La quale tutta opera, per colorito e per invenzione, è la più bella, la più finita e la meglio condotta che facesse Spinello: la qual cosa da questo si può conoscere, che, essendosi benissimo conservata, fa oggi la sua freschezza maravigliare chiunque la vede. Finita quest'opera in Campo Santo, dipinse in una cappella in San Francesco, che è la seconda allato alla maggiore, molte storie di San Bartolomeo, di Sant'Andrea, di San Iacopo e di San Giovanni Apostoli:[1] e forse sarebbe stato più lungamente a lavorare in Pisa, perchè in quella città erano le sue opere conosciute e guiderdonate; ma vedendo la città tutta sollevata e sottosopra, per essere stato dai Lanfranchi, cittadini pisani, morto messer Pietro Gambacorti,[2] di nuovo con tutta la famiglia, essendo già vecchio, se ne ritornò a Fiorenza: dove, in un anno che vi stette e non più, fece in Santa Croce, alla cappella dei Machiavelli intitolata a San Filippo e Iacopo, molte storie d'essi Santi, e della vita e morte loro; e la tavola della detta cappella, perchè era desideroso di tornarsene in Arezzo sua patria, o per dir meglio da esso tenuta per patria, lavorò in Arezzo, e di là la mandò finita l'anno 1400.[3]

[1] Ebbero la sorte di tant'altre pitture di quella chiesa soppressa.

[2] *L'uccisione del Gambacorti avvenne nell'anno 1392. Dell'anno avanti esiste in Lucca, presso il signor prof. Tomei, una tavola con Nostra Donna e quattro santi ai lati, nella quale è questo avanzo d'iscrizione: .... S · PINXIT · SPINELLVS · LVCE .... ARITIO .... A · 1391, cioè: HOC · OPUS · PINXIT · SPINELLUS · LUCE DE ARITIO · IN · A · 1391.

[3] Fin da' giorni del Biscioni (vedi le sue Note al *Riposo* del Borghini) queste pitture in Santa Croce più non si vedeano. La tavola potrebb'essersi conservata, ma non si sa ove sia. — *È nella Galleria delle Belle Arti di Firenze una tavola coll'Incoronazione di Nostra Donna e varj santi, fatta nel 1401; la quale, come sappiamo dai documenti, da Lorenza de' Mozzi, abbadessa del monastero di Santa Felicita, fu data a fare a Spinello Aretino, in compagnia di Niccolò di Pietro Gerini, pittore noto solamente da pochi anni alla storia dell'arte, e di Lorenzo di Niccolò, pittore scoperto da noi, e del quale parleremo annotando la Vita di Fra Giovanni Angelico. Di questa tavola si può vedere l'intaglio, e la illustrazione dettata da uno di noi, nell'opera che ha per titolo: *Galleria della I. e R. Accademia di Belle Arti*, pubblicata per cura di una Società diretta dal prof. Antonio Perfetti.

Tornatosene, dunque, là di età di anni settantasette o più, fu dai parenti e amici ricevuto amorevolmente, e poi sempre carezzato e onorato insino alla fine di sua vita, che fu l'anno novantadue di sua età. E sebbene era molto vecchio quando tornò in Arezzo, avendo buone facultà, avrebbe potuto fare senza lavorare: ma, non sapendo egli, come quello che a lavorare sempre era avvezzo, starsi in riposo, prese a fare, alla Compagnia di Sant'Agnolo in quella città, alcune storie di San Michele; le quali in su lo intonacato del muro disegnate di rossaccio così alla grossa, come gli artefici vecchi usavano di fare il più delle volte, in un cantone per mostra ne lavorò e colorì interamente una storia sola, che piacque assai. Convenutosi poi del prezzo con chi ne aveva la cura, finì tutta la facciata dell'altar maggiore: nella quale figurò Lucifero porre la sedia sua in Aquilone, e vi fece la rovina degli Angeli, quali in diavoli si tramutano piovendo in terra; dove si vede in aria un San Michele che combatte con l'antico serpente di sette teste e di dieci corna; e da basso, nel centro, un Lucifero già mutato in bestia bruttissima.[1] E si compiacque tanto Spinello di farlo orribile e contraffatto, che si dice (tanto può alcuna fiata l'immaginazione) che la detta figura da lui dipinta gli apparve in sogno, domandandolo dove egli l'avesse veduta sì brutta, e perchè fattole tale scorno con i suoi pennelli; e che egli svegliatosi dal sonno, per la paura non potendo gridare, con tremito grandissimo si scosse di maniera, che la moglie destatasi lo soccorse: ma niente di manco fu perciò a rischio, stringendogli il cuore, di morirsi per cotale accidente subitamente; benchè, ad ogni modo, spiritaticcio e con occhi tondi, poco tempo vivendo poi, si condusse alla morte, lasciando di

[1] Pitture tuttavia conservate. La caduta degli angeli ribelli fu incisa nel 1821 da Carlo Lasinio; e forma la tavola xxvi delle pitture a fresco publicate da [illegible]

sè gran desiderio agli amici, ed al mondo due figliuoli: l'uno fu Forzore orefice, che in Fiorenza mirabilmente lavorò di niello;[1] e l'altro Parri, che, imitando il padre, di continuo attese alla pittura, e nel disegno di gran lunga lo trapassò.[2] Dolse molto agli Aretini così sinistro caso, con tutto che Spinello fusse vecchio, rimanendo privati d'una virtù e d'una bontà quale era la sua. Morì d'età d'anni novantadue,[3] e in Sant'Agostino d'Arezzo gli fu dato sepoltura; dove ancora oggi si vede una lapida con un'arme fatta a suo capriccio, dentrovi uno spinoso.[4] E seppe molto meglio disegnare Spinello che mettere in opera; come si può vedere nel nostro Libro dei disegni di diversi pittori antichi, in due Vangelisti di chiaroscuro, ed un San Lodovico, disegnati di sua mano, molto belli. E il ritratto del medesimo, che di sopra si vede fu ricavato da me da uno che n'era nel Duomo

[1] † Come è dimostrato dall'Alberetto posto in fine di questa Vita, Spinello ebbe due figliuoli, cioè Parri nato nel 1387 e Baldassarre nel 1405, del quale non sappiamo che arte facesse. Forzore che fu orefice, nacque da Niccolò fratello di Spinello. Un altro Forzore più antico e parimente orefice, del quale parla il Vasari nella Vita d'Agostino ed Agnolo, visse nella metà del secolo XIV e fu figliuolo di Spinello di ser Forzore che esercitò la stessa arte.

[2] * La Vita di Parri si legge nella Seconda Parte.

[3] Così anche il Baldinucci. Nella prima edizione di questa Vita era stato scritto 77.

† La morte di Spinello accadde ai 14 di marzo del 1410, come si legge ne' registri de' morti della Fraternita d'Arezzo, e la sua sepoltura fu nella chiesa di Morello, e non in quella di Sant'Agostino, come dice il Vasari. E crediamo più probabile che egli fosse allora di 77, e non di 92 anni, perchè assegnando la nascita di Spinello all'anno 1333 in circa, piuttostochè al 1308, meglio si accordano i tempi del suo operare, che fu, secondo le memorie, dall'anno 1361 all'anno 1408.

[4] Nè sepoltura nè lapida si vede più. Secondo la prima edizione, fu posto alla sepoltura quest' epitaffio: *Spinello Aretino patri opt. pictorique suae aetatis nobiliss., cujus opera et ipsi et patriae maximo ornamento fuerunt. Pii filii non sine lacrimis poss.* Ma questo epitaffio se mai vi fu posto, dovette certamente essere qualche secolo dopo la morte dell' artefice.

† Non uno spinoso, ma un leone che nella parte inferiore del corpo termina in una coda spinosa, come si può vedere nell'arme unita all'Alberetto. E questa medesima arme si vedeva nella sepoltura degli Spinelli in Santa Felicita e in Santa Maria Novella.

vecchio, prima che fusse rovinato. Furono le pitture di costui dal 1380 insino al 1400.[1]

[1] * Di una assai bella e grandiosa opera fatta da Spinello in Siena nella sala detta di Balìa del Palazzo Pubblico, non ebbe notizia nè il Vasari nè il Baldinucci. Il pittore, seguendo una leggenda che a quei giorni correva, ma in molta parte falsa, rappresentò in sedici storie i principali fatti della vita di Alessandro III (Rolando Bandinelli Senese). In una è quando egli veste l'abito certosino, nell'altra, quando è coronato pontefice, in questa si vede, quando fuggendo a Venezia travestito da pellegrino, è da alcuni riconosciuto: in quella si figura il doge Ziani, che riceve da lui la spada, allorchè va a combattere contro l'armata comandata da Ottone figliuolo di Federigo imperatore. Viene quindi la battaglia navale, e la vittoria de' Veneziani. Poi il giovane principe prigioniero ai piedi del pontefice, la edificazione di Alessandria; e il ritorno di Alessandro a Roma, servito alla briglia ed alla staffa dall'imperatore Federigo e dal doge Ziani. Omettiamo di descrivere le altre dieci storie, che per la maggior parte sono nelle lunette delle pareti e dell'arco che divide la sala, non tanto per amore di brevità, quanto ancora perchè oggi è difficile di bene intendere che cosa rappresentino. Queste pitture che ora, con savio, ma tardo consiglio si vanno assicurando da maggiori danni, furono allogate a Spinello ed a Parri suo figliuolo, nel 18 di giugno del 1407, pel salario di 44 fiorini d'oro al mese, ma non furono incominciate che intorno al marzo del 1408. Quelle della vòlta sono di maestro Martino di Bartolommeo, pittore senese, di cui abbiamo fatto parola nella nota 2, pag. 477 alla Vita di Pietro Laurati, o Lorenzetti. Furongli commesse nello stesso giorno, mese ed anno che le altre a Spinello, il quale sappiamo che fin dal 1404, 20 d'agosto, si era allogato a dipingere, per 150 fiorini d'oro all'anno, coll'Opera del Duomo di Siena, e che nel 17 di gennaio dell'anno seguente aveva incominciato la pittura della cappella di Sant'Ansano in quella chiesa.

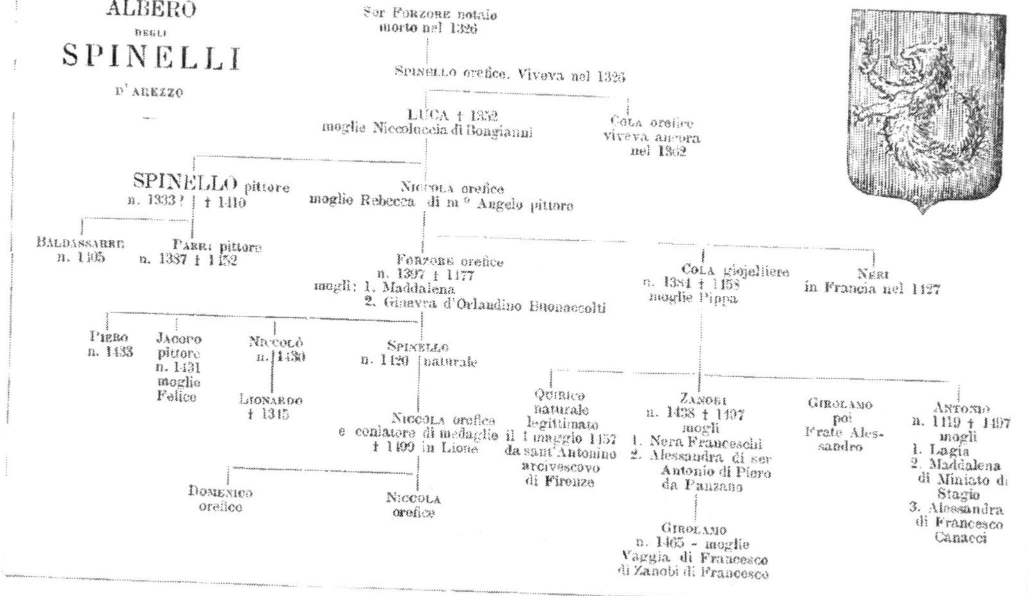

ALBERO
DEGLI
SPINELLI
D'AREZZO
Ser Forzore notaio
morto nel 1326
Spinello orefice. Viveva nel 1326
LUCA † 1352
moglie Niccoluccia di Bongianni
Cola orefice
viveva ancora
nel 1362
SPINELLO pittore
n. 1333? † 1410
Niccola orefice
moglie Rebecca di m.º Angelo pittore
Baldassarre
n. 1405
Parri pittore
n. 1387 † 1452
Forzore orefice
n. 1397 † 1477
mogli: 1. Maddalena
2. Ginevra d'Orlandino Buonaccolti
Cola giojelliere
n. 1384 † 1458
moglie Pippa
Neri
in Francia nel 1427
Piero
n. 1433
Jacopo
pittore
n. 1431
moglie
Felice
Niccolò
n. 1430
Lionardo
† 1315
Spinello
n. 1420 naturale
Niccola orefice
e coniatore di medaglie
† 1499 in Lione
Domenico
orefice
Niccola
orefice
Quirico
naturale
legittimato
il 1 maggio 1457
da sant'Antonino
arcivescovo
di Firenze
Zanobi
n. 1438 † 1497
mogli
1. Nera Franceschi
2. Alessandra di ser
Antonio di Piero
da Panzano
Girolamo
n. 1465 - moglie
Vaggia di Francesco
di Zanobi di Francesco
Girolamo
poi
Frate Alessandro
Antonio
n. 1419 † 1497
mogli
1. Lagia
2. Maddalena
di Miniato di
Stagio
3. Alessandra
di Francesco
Canacci

INDICE

DELLE VITE — Parte Prima

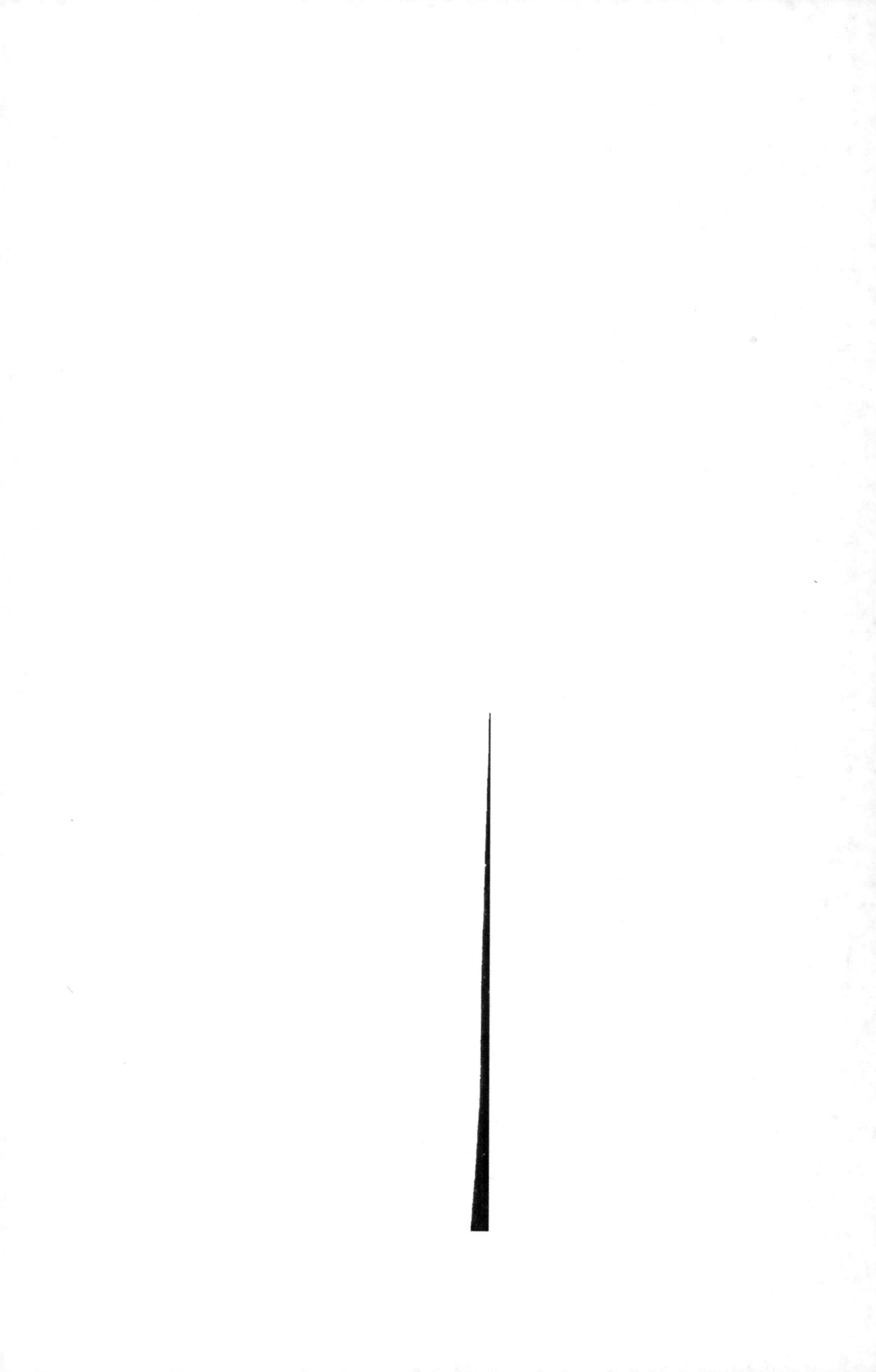

www.ingramcontent.com/pod-product-compliance
Lightning Source LLC
LaVergne TN
LVHW061344190726
843642LV00009B/2979